電験3種過去問マスタ

理論の20年間

テーマ別でがっつり学べる

電気書院 編

2025年版

電気書院

本書は科目合格を目指す受験者のために，電気書院が発行しています「電験３種模範解答集」の内容を理論についてまとめたものです.

[本書の正誤に関するお問い合せ方法は，最終ページをご覧ください]

はじめに

本書は，第3種電気主任技術者試験（電験3種）の問題において，2024年上期より2005年まで過去20年間の問題を，各テーマごとに分類し，編集したものです．

本書の特長として，理論の問題を九つのテーマ，9章（静電気，磁気，直流回路，単相交流回路，三相交流回路，電気計測，電子理論，電子回路，その他）に分け，さらに問題の内容を系統ごとに並べて収録してあります．各章ごとにどれだけの問題が出題されているか一目瞭然で把握でき，また，出題傾向や出題範囲の把握にも役立ちます．章ごとの問題も系統ごと，段階的に並んでいますから，1問ずつ解き進めることによって，基礎的な内容から，応用問題までしっかり身につきます．

また，問題は左ページに，解説・解答は右ページにまとめており，ページをめくることなく，本を開いたままじっくり問題を分析することも，右ページを隠すことにより本番の試験に近い形で学習することもできます．

また，収録してある20年間に試験制度や出題範囲が変更になっているものもあります．本書では2024年の受験に合わせ，図記号や単位などは実際に出題されたものではなく，新しいものに改定しております．

本書をご活用いただき，皆さんが電験3種合格の栄誉を手に入れられることを祈念いたします．

2024年10月

編者記す

もくじ

試験概要

○試験科目

マークシートに記入する多肢選択式の試験で，表に示す4科目について行われます．

科目	出題内容
理論	電気理論，電子理論，電気計測，電子計測
電力	発電所，蓄電所および変電所の設計および運転，送電線路および配電線路（屋内配線を含む）の設計および運用，電気材料
機械	電気機器，パワーエレクトロニクス，電動機応用，照明，電熱，電気化学，電気加工，自動制御，メカトロニクス，電力システムに関する情報伝送および処理
法規	電気法規（保安に関するものに限る），電気施設管理

○出題形式・必要解答数

(1)　出題の形式

A問題とB問題で構成されています．A問題は，一つの問に対して一つを解答する形式，B問題は，一つの問の中に小問が二つ設けられ，小問について一つを解答する形式です．

(2)　必要解答数（2024年度上期の例）

理論・電力・機械…それぞれA問題14問，B問題3問（理論・機械のB問題は選択問題1問を含む）

法規…A問題10問，B問題3問

○試験実施時期（2024年度の例）

	筆記試験	CBT
上期試験	2023年8月18日(日)	2023年7月4日(木)～7月28日(日)
下期試験	2024年3月24日(日)	2024年2月1日(木)～2月25日(日)

2023年度からCBT（Computer Based Testing）方式が導入されました．CBT方式での受験の場合は，申込後のCBT方式への変更期間中に，会場および開始時刻等を予約する必要があります．

○試験時間

理論・電力・機械…各90分

法規…65分

○受験申込みの受付時期（2024年度の例）

上期試験は，5月13日(月)～5月30日(木).

下期試験は，11月11日(月)～11月28日(木).

インターネット受付は初日10時～最終日17時まで，郵便受付は最終日の消印有効です.

○受験資格

受験資格に制限はありません．どなたでも受験できます.

○受験手数料（2024年度の例）

郵便受付の場合8,100円，インターネット受付の場合7,700円

○試験地

筆記試験：北海道（旭川市，北見市，札幌市，釧路市，室蘭市，函館市），青森県，岩手県，宮城県，秋田県，山形県，福島県，新潟県，茨城県，栃木県，群馬県，埼玉県，千葉県，東京都，神奈川県，山梨県，長野県，岐阜県，静岡県，愛知県，三重県，富山県，石川県，福井県，滋賀県，京都府，大阪府，兵庫県，奈良県，和歌山県，鳥取県，島根県，岡山県，広島県，山口県，徳島県，香川県，愛媛県，高知県，福岡県，佐賀県，長崎県，熊本県，大分県，宮崎県，鹿児島県，沖縄県

CBT試験：CBT方式への変更期間中に，会場および開始時刻等を予約

○試験結果の発表

2024年上期は，2024年9月2日にインターネット等にて合格発表され，9月30日に通知書が全受験者に発送されました.

○科目合格制度

試験は科目ごとに合否が決定され，4科目すべてに合格すれば第3種電気主任技術者試験に合格したことになります．一部の科目のみ合格した場合は，科目合格となり，翌年度および翌々年度の試験では，申請により合格している科目の試験が免除されます．つまり，3年以内に4科目合格すれば，第3種電気主任技術者合格となります.

詳細は，受験案内もしくは，一般財団法人　電気技術者試験センターにご確認ください.

一般財団法人電気技術者試験センター

〒104-8584　東京都中央区八丁堀2-9-1　RBM東八重洲ビル8階

TEL：03-3552-7691　　FAX：03-3552-7847　　https://www.shiken.or.jp/

第1章

静電気

●計算

・クーロンの法則

・電位・電界の強さ

・導体球の静電容量

・直並列コンデンサ

・コンデンサに蓄えられるエネルギー

・平行平板コンデンサ

●論説・空白

・電界の強さ

・電気力線

・静電誘導の原理

・平行平板コンデンサ

問1

Check! □□□ （令和元年 Ⓐ問題 1）

図のように，真空中に点 P，点 A，点 B が直線上に配置されている．点 P は Q [C] の点電荷を置いた点とし，A–B 間に生じる電位差の絶対値を $|V_{AB}|$ [V] とする．次の(a)〜(d)の四つの実験を個別に行ったとき，$|V_{AB}|$ [V] の値が最小となるものと最大となるものの実験の組合せとして，正しいものを次の(1)〜(5)のうちから一つ選べ．

[実験内容]

(a) P–A 間の距離を 2 m，A–B 間の距離を 1 m とした．

(b) P–A 間の距離を 1 m，A–B 間の距離を 2 m とした．

(c) P–A 間の距離を 0.5 m，A–B 間の距離を 1 m とした．

(d) P–A 間の距離を 1 m，A–B 間の距離を 0.5 m とした．

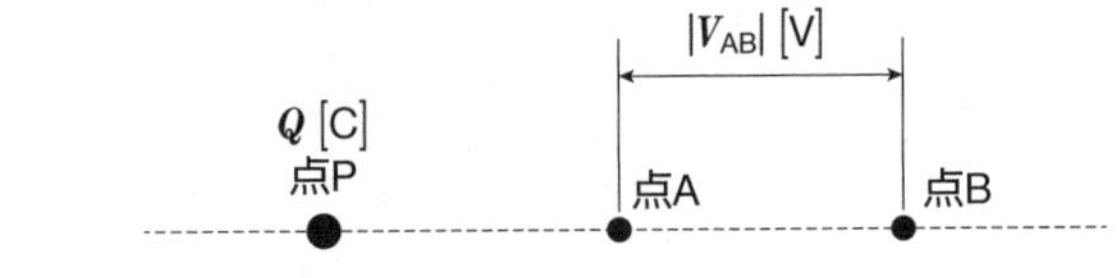

(1) (a)と(b)　(2) (a)と(c)　(3) (a)と(d)

(4) (b)と(c)　(5) (c)と(d)

解1 解答 (2)

P–A 間および A–B 間の距離をそれぞれ r_{PA} および r_{AB} とし，真空の誘電率を ε_0 [F/m] とすると，A–B 間に生じる電位差の絶対値 $|V_{AB}|$ は，次式で与えられる．

$$|V_{AB}| = \left| \frac{Q}{4\pi\varepsilon_0 r_{PA}} - \frac{Q}{4\pi\varepsilon_0 (r_{PA}+r_{AB})} \right| = \frac{|Q|}{4\pi\varepsilon_0} \left| \frac{1}{r_{PA}} - \frac{1}{r_{PA}+r_{AB}} \right|$$

$$= \frac{|Q|}{4\pi\varepsilon_0} \frac{r_{PA}+r_{AB}-r_{PA}}{r_{PA}(r_{PA}+r_{AB})} = \frac{|Q|}{4\pi\varepsilon_0} \frac{r_{AB}}{r_{PA}(r_{PA}+r_{AB})} \text{ [V]}$$

ここで，実験内容のときの電位は次のようになる，

(a) $r_{PA} = 2$ m，$r_{AB} = 1$ m

$$V_a = \frac{|Q|}{4\pi\varepsilon_0} \frac{1}{2\times(2+1)} = \frac{1}{6} \frac{|Q|}{4\pi\varepsilon_0} \text{ [V]}$$

(b) $r_{PA} = 1$ m，$r_{AB} = 2$ m

$$V_b = \frac{|Q|}{4\pi\varepsilon_0} \frac{2}{1\times(1+2)} = \frac{2}{3} \frac{|Q|}{4\pi\varepsilon_0} \text{ [V]}$$

(c) $r_{PA} = 0.5$ m，$r_{AB} = 1$ m

$$V_c = \frac{|Q|}{4\pi\varepsilon_0} \frac{1}{0.5\times(0.5+1)} = \frac{4}{3} \frac{|Q|}{4\pi\varepsilon_0} \text{ [V]}$$

(d) $r_{PA} = 1$ m，$r_{AB} = 0.5$ m

$$V_d = \frac{|Q|}{4\pi\varepsilon_0} \frac{0.5}{1\times(1+0.5)} = \frac{1}{3} \frac{|Q|}{4\pi\varepsilon_0} \text{ [V]}$$

上記の結果より，$V_a < V_d < V_b < V_c$ であるから，$|V_{AB}|$ の最小値は(a)，最大値は(c)となる．

問2 Check! □□□

(平成25年 Ⓐ問題2)

図のように，真空中の直線上に間隔 r〔m〕を隔てて，点A，B，Cがあり，各点に電気量 $Q_A = 4\times10^{-6}$〔C〕，Q_B〔C〕，Q_C〔C〕の点電荷を置いた．これら三つの点電荷に働く力がそれぞれ零になった．このとき，Q_B〔C〕及び Q_C〔C〕の値の組合せとして，正しいものを次の(1)〜(5)のうちから一つ選べ．

ただし，真空の誘電率を ε_0〔F/m〕とする．

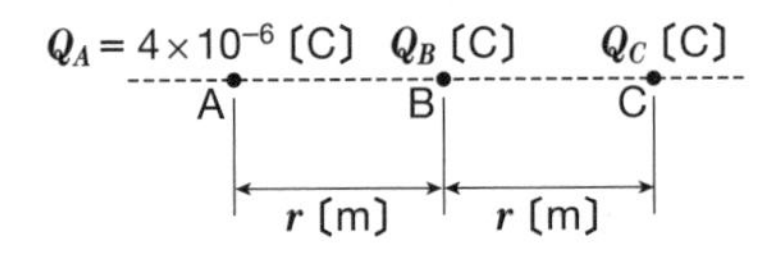

	Q_B	Q_C
(1)	1×10^{-6}	-4×10^{-6}
(2)	-2×10^{-6}	8×10^{-6}
(3)	-1×10^{-6}	4×10^{-6}
(4)	0	-1×10^{-6}
(5)	-4×10^{-6}	1×10^{-6}

解2 解答 (3)

真空中または空気中で，二つの点電荷 Q_1〔C〕と Q_2〔C〕が，r〔m〕の距離にあるとき，両電荷には次式の力が働く．これをクーロンの法則という．

$$F=\frac{Q_1Q_2}{4\pi\varepsilon_0 r^2}\ \text{〔N〕}$$

ここで，ε_0 は真空の誘電率で，$\varepsilon_0=8.854\times10^{-12}$〔F/m〕の値である．

力の向きは，二つの点電荷の符号が同じときは反発力，異なるときは吸引力になる．

本問では，AB 間と BC 間の距離が等しいので，Q_A と Q_C が等しければ B 点の電荷に働く力は零になる．

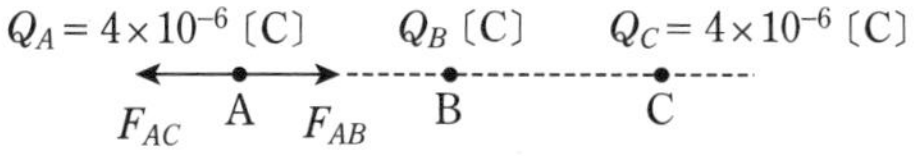

$Q_A=4\times10^{-6}$〔C〕　Q_B〔C〕　$Q_C=4\times10^{-6}$〔C〕
F_{AC}　A　F_{AB}　B　C

したがって，

$$Q_C=4\times10^{-6}\ \text{〔C〕}$$

となる．

次に，A 点の電荷について，C 点の電荷による力 F_{AC} は反発力で，その大きさは，

$$F_{AC}=\frac{Q_AQ_C}{4\pi\varepsilon_0(2r)^2}=\frac{16\times10^{-12}}{16\pi\varepsilon_0 r^2}\ \text{〔N〕}$$

したがって，B 点の電荷による力 F_{AB} は吸引力でなければならないので，Q_B の極性は −（マイナス）である．

また，F_{AB} の大きさと F_{AC} の大きさが等しいことより，

$$\frac{16\times10^{-12}}{16\pi\varepsilon_0 r^2}=\frac{4\times10^{-6}\times Q_B}{4\pi\varepsilon_0 r^2}$$

$$\frac{1\times10^{-12}}{\pi\varepsilon_0 r^2}=\frac{1\times10^{-6}\times Q_B}{\pi\varepsilon_0 r^2}$$

上式より，Q_B の大きさは 1×10^{-6}〔C〕となるので，− 符号をつけて，

$$Q_B=-1\times10^{-6}\ \text{〔C〕}$$

問3 Check! □□□

(令和3年 A 問題2)

二つの導体小球がそれぞれ電荷を帯びており，真空中で十分な距離を隔てて保持されている．ここで，真空の空間を，比誘電率2の絶縁体の液体で満たしたとき，小球の間に作用する静電力に関する記述として，正しいものを次の(1)～(5)のうちから一つ選べ．

(1) 液体で満たすことで静電力の向きも大きさも変わらない．

(2) 液体で満たすことで静電力の向きは変わらず，大きさは2倍になる．

(3) 液体で満たすことで静電力の向きは変わらず，大きさは$\frac{1}{2}$倍になる．

(4) 液体で満たすことで静電力の向きは変わらず，大きさは$\frac{1}{4}$倍になる．

(5) 液体で満たすことで静電力の向きは逆になり，大きさは変わらない．

問4 Check! □□□

(平成17年 A 問題1)

真空中において，図に示すように一辺の長さが30〔cm〕の正三角形の各頂点に2×10^{-8}〔C〕の正の点電荷がある．この場合，各点電荷に働く力の大きさF〔N〕の値として，最も近いのは次のうちどれか．

ただし，真空の誘電率を$\varepsilon_0=\frac{1}{4\pi\times9\times10^9}$〔F/m〕とする．

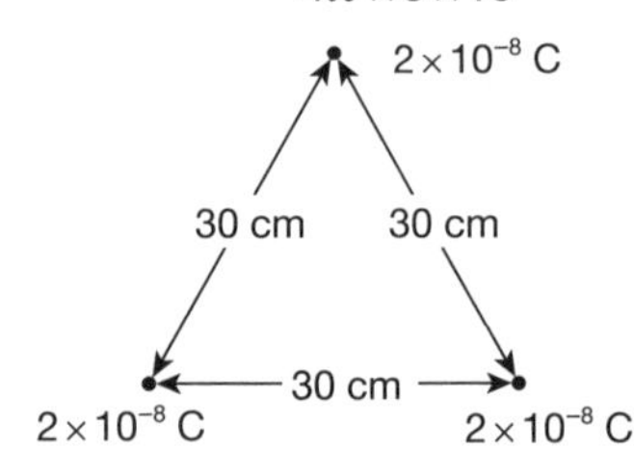

(1) 6.92×10^{-5}　(2) 4.00×10^{-5}　(3) 3.46×10^{-5}

(4) 2.08×10^{-5}　(5) 1.20×10^{-5}

解3 解答 (3)

二つの導体小球の電荷をそれぞれ Q_1 および Q_2, 真空の誘電率を ε_0, 導体小球間の距離を r とすると, 真空中における導体小球間に働く力の大きさ F は,

$$F=\frac{Q_1Q_2}{4\pi\varepsilon_0 r^2}$$

で, 働く力の方向は Q_1 および Q_2 が同符号のときは斥力 (反発力), 異符号のときは引力となる.

一方, これらを比誘電率 2 の絶縁体の液体で満たしたとき, 働く力 F' は,

$$F'=\frac{Q_1Q_2}{4\pi\times 2\varepsilon_0 r^2}=\frac{Q_1Q_2}{8\pi\varepsilon_0 r^2}=\frac{1}{2}F$$

となるが, 働く力の方向は変わらない.

解4 解答 (1)

真空中に置かれた二つの点電荷に働く力 F〔N〕は, 点電荷の電荷量をそれぞれ Q_1, Q_2〔C〕, 点電荷間の距離を r〔m〕, 真空の誘電率を ε_0〔F/m〕とすると, 次式で表せる.

$$F=\frac{1}{4\pi\varepsilon_0}\frac{Q_1Q_2}{r^2}=9\times10^9\cdot\frac{Q_1Q_2}{r^2}\text{〔N〕}$$

各点電荷はすべて同量の正電荷であるので, すべて点電荷には同じ大きさの力が働く.

いま, 図のように点電荷に A, B および C の記号をつけると, A の点電荷には B の点電荷による力 F_{AB} および C の点電荷による力 F_{AC} が働き, これらの大きさは等しく,

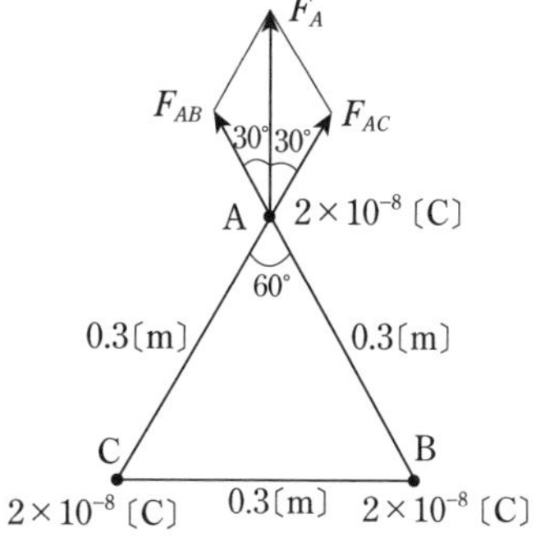

$$F_{AB}=F_{AC}=9\times10^9\times\frac{(2\times10^{-8})^2}{0.3^2}$$

$$=4\times10^{-5}\text{〔N〕}$$

したがって, A 点の点電荷に働く力 F_A は F_{AB} と F_{AC} の合力となり, その大きさは次式となる.

$$F_A=2F_{AB}\cos30°=2F_{AB}\times\frac{\sqrt{3}}{2}=\sqrt{3}\times4\times10^{-5}\fallingdotseq6.92\times10^{-5}\text{〔N〕}$$

問5 Check! □□□

(令和5年㊦ Ⓐ問題2)

次の文章は，帯電した導体球に関する記述である．

真空中で導体球A及びBが軽い絶縁体の糸で固定点Oからつり下げられている．真空の誘電率を ε_0 [F/m]，重力加速度を g [m/s²] とする．A及びBは同じ大きさと質量 m [kg] をもつ．糸の長さは各導体球の中心点が点Oから距離 l [m] となる長さである．

まず，導体球A及びBにそれぞれ電荷 Q [C]，$3Q$ [C] を与えて帯電させたところ，静電力による [(ア)] が生じ，図のようにA及びBの中心点間が d [m] 離れた状態で釣り合った．ただし，導体球の直径は d に比べて十分に小さいとする．このとき，個々の導体球において，静電力 $F=$ [(イ)] [N]，重力 mg [N]，糸の張力 T [N]，の三つの力が釣り合っている．三平方の定理より $F^2+(mg)^2=T^2$ が成り立ち，張力の方向を考えると $\dfrac{F}{T}$ は $\dfrac{d}{2l}$ に等しい．これらより T を消去し整理すると，d が満たす式として，

$$k\left(\frac{d}{2l}\right)^3=\sqrt{1-\left(\frac{d}{2l}\right)^2}$$

が導かれる．ただし，係数 $k=$ [(ウ)] である．

次に，AとBとを一旦接触させたところAB間で電荷が移動し，同電位となった．そしてAとBとが力の釣合いの位置に戻った．接触前に比べ，距離 d は [(エ)] した．

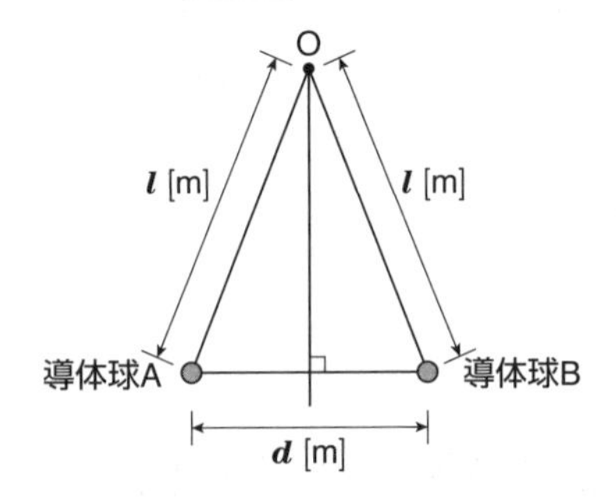

上記の記述中の空白箇所(ア)～(エ)に当てはまる組合せとして，正しいものを次の(1)～(5)のうちから一つ選べ．

	(ア)	(イ)	(ウ)	(エ)
(1)	反発力	$\dfrac{3Q^2}{4\pi\varepsilon_0 d^2}$	$\dfrac{16\pi\varepsilon_0 l^2 mg}{3Q^2}$	増加
(2)	吸引力	$\dfrac{Q^2}{4\pi\varepsilon_0 d^2}$	$\dfrac{4\pi\varepsilon_0 l^2 mg}{Q^2}$	増加
(3)	反発力	$\dfrac{3Q^2}{4\pi\varepsilon_0 d^2}$	$\dfrac{4\pi\varepsilon_0 l^2 mg}{Q^2}$	増加
(4)	反発力	$\dfrac{Q^2}{4\pi\varepsilon_0 d^2}$	$\dfrac{16\pi\varepsilon_0 l^2 mg}{3Q^2}$	減少
(5)	吸引力	$\dfrac{Q^2}{4\pi\varepsilon_0 d^2}$	$\dfrac{4\pi\varepsilon_0 l^2 mg}{Q^2}$	減少

解5 解答 (1)

導体球 A および B には正電荷が帯電されているので，これらに働く静電力は**反発力**となる．

二つの導体球に働く静電力は等しく，その大きさ F は，

$$F=\frac{Q\times 3Q}{4\pi\varepsilon_0 d^2}=\boldsymbol{\frac{3Q^2}{4\pi\varepsilon_0 d^2}}\ [\mathrm{N}] \quad ①$$

導体球に働く力を図示すると，図のようになる．

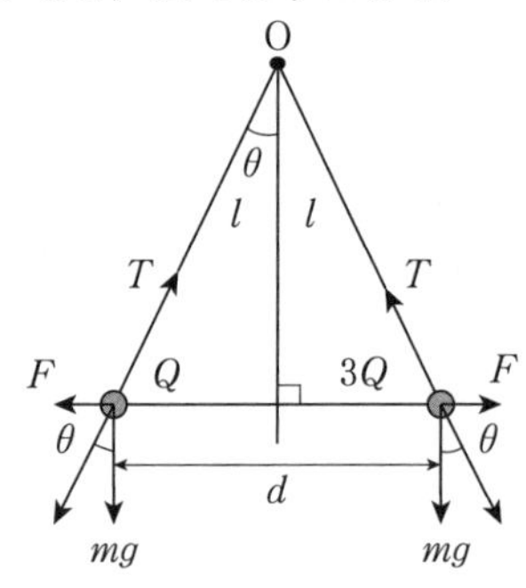

題意より，$F^2+(mg)^2=T^2$，$\dfrac{F}{T}=\dfrac{d}{2l}$ であるから，

$$F^2+(mg)^2=T^2=\left(\frac{2l}{d}\right)^2F^2 \quad ②$$

②式の両辺を $\left(\dfrac{2l}{d}\right)^2F^2$ で除せば，

$$\left(\frac{d}{2l}\right)^2+\left(\frac{d}{2l}\right)^2\left(\frac{mg}{F}\right)^2=1$$

$$\left(\frac{d}{2l}\right)^2\left(\frac{mg}{F}\right)^2=1-\left(\frac{d}{2l}\right)^2$$

$$\sqrt{1-\left(\frac{d}{2l}\right)^2}=\frac{d}{2l}\cdot\frac{mg}{F} \quad ③$$

③式へ①式を代入すると，

$$\sqrt{1-\left(\frac{d}{2l}\right)^2}=\frac{d}{2l}\cdot mg\cdot\frac{4\pi\varepsilon_0 d^2}{3Q^2}=\frac{d}{2l}\cdot mg\cdot\frac{(2l)^2\cdot 4\pi\varepsilon_0 d^2}{(2l)^2\cdot 3Q^2}$$

$$=\left(\frac{d}{2l}\right)^3\frac{16\pi\varepsilon_0 l^2 mg}{3Q^2}=k\left(\frac{d}{2l}\right)^3$$

$$\therefore \quad k = \frac{\boldsymbol{16\pi\varepsilon_0 l^2 mg}}{\boldsymbol{3Q^2}}$$

AとBを接触させると，AB間で電荷の移動が生じ，接触前後のAとBの合成電荷は変わらないから，AとBの電荷はともに$2Q$ [C] となる．このときの反発力F'は，

$$F' = \frac{2Q \times 2Q}{4\pi\varepsilon_0 d^2} = \frac{4Q^2}{4\pi\varepsilon_0 d^2} > F$$

となり，接触前の反発力Fより大きくなるので，距離dは接触前より**増加**する．

問6 Check! □□□ (平成 30 年 A 問題 1)

次の文章は，帯電した導体球に関する記述である．

真空中で導体球 A 及び B が軽い絶縁体の糸で固定点 O からつり下げられている．真空の誘電率を ε_0 [F/m]，重力加速度を g [m/s^2] とする．A 及び B は同じ大きさと質量 m [kg] をもつ．糸の長さは各導体球の中心点が点 O から距離 l [m] となる長さである．

まず，導体球 A 及び B にそれぞれ電荷 Q [C]，$3Q$ [C] を与えて帯電させたところ，静電力による (ア) が生じ，図のように A 及び B の中心点間が d [m] 離れた状態で釣り合った．ただし，導体球の直径は d に比べて十分に小さいとする．このとき，個々の導体球において，静電力 F = (イ) [N]，重力 mg [N]，糸の張力 T [N]，の三つの力が釣り合っている．三平方の定理より $F^2+(mg)^2=T^2$ が成り立ち，張力の方向を考えると $\frac{F}{T}$ は $\frac{d}{2l}$ に等しい．これらより T を消去し整理すると，d が満たす式として，

$$k\left(\frac{d}{2l}\right)^3=\sqrt{1-\left(\frac{d}{2l}\right)^2}$$

が導かれる．ただし，係数 k = (ウ) である．

次に，A と B とを一旦接触させたところ AB 間で電荷が移動し，同電位となった．そして A と B とが力の釣合いの位置に戻った．

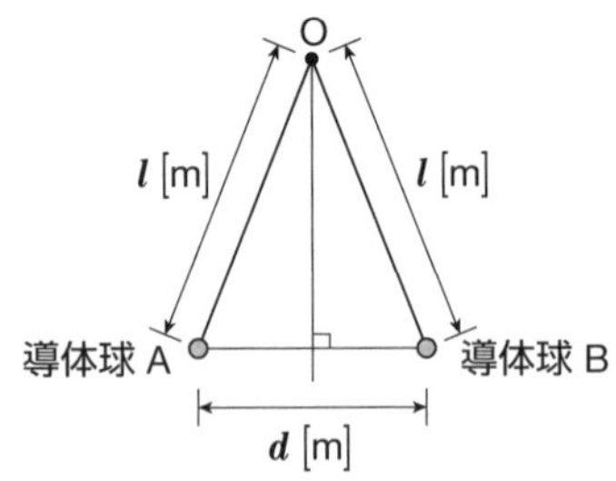

接触前に比べ，距離 d は (エ) した．

上記の記述中の空白箇所(ア)，(イ)，(ウ)及び(エ)に当てはまる組合せとして，正しいものを次の(1)～(5)のうちから一つ選べ．

	(ア)	(イ)	(ウ)	(エ)
(1)	反発力	$\dfrac{3Q^2}{4\pi\varepsilon_0 d^2}$	$\dfrac{16\pi\varepsilon_0 l^2 mg}{3Q^2}$	増加
(2)	吸引力	$\dfrac{Q^2}{4\pi\varepsilon_0 d^2}$	$\dfrac{4\pi\varepsilon_0 l^2 mg}{Q^2}$	増加
(3)	反発力	$\dfrac{3Q^2}{4\pi\varepsilon_0 d^2}$	$\dfrac{4\pi\varepsilon_0 l^2 mg}{Q^2}$	増加
(4)	反発力	$\dfrac{Q^2}{4\pi\varepsilon_0 d^2}$	$\dfrac{16\pi\varepsilon_0 l^2 mg}{3Q^2}$	減少
(5)	吸引力	$\dfrac{Q^2}{4\pi\varepsilon_0 d^2}$	$\dfrac{4\pi\varepsilon_0 l^2 mg}{Q^2}$	減少

解6 解答 (1)

導体球Aに帯電したQ[C]と導体球Bに帯電した$3Q$[C]の電荷間に働く力Fは反発力で，その大きさは，クーロンの法則より，

$$F=\frac{Q\times 3Q}{4\pi\varepsilon_0 d^2}=\frac{3Q^2}{4\pi\varepsilon_0 d^2}\,[\mathrm{N}] \tag{1}$$

また，題意より，$F^2+(mg)^2=T^2$，$\dfrac{F}{T}=\dfrac{d}{2l}$であるから，

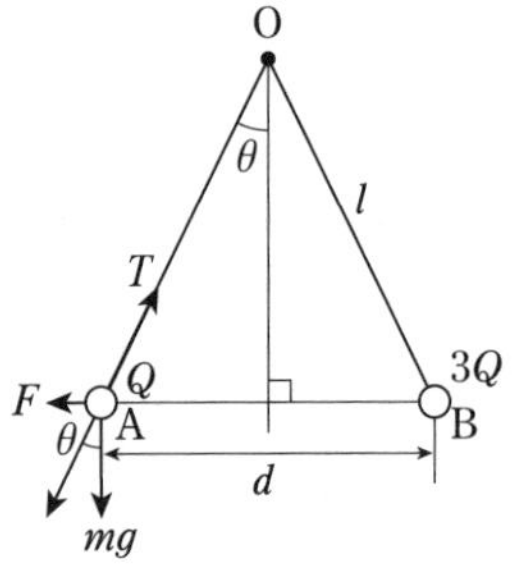

$$F^2+(mg)^2=T^2=\left(\frac{2l}{d}\right)^2F^2$$

$$\left\{\left(\frac{2l}{d}\right)^2-1\right\}F^2=(mg)^2$$

$$F=\frac{mg}{\sqrt{\left(\frac{2l}{d}\right)^2-1}}=\frac{mg}{\frac{2l}{d}\sqrt{1-\left(\frac{d}{2l}\right)^2}}$$

$$\sqrt{1-\left(\frac{d}{2l}\right)^2}=\frac{d}{2l}\cdot\frac{mg}{F} \tag{2}$$

(2)式へ(1)式を代入すると，

$$\sqrt{1-\left(\frac{d}{2l}\right)^2}=\frac{d}{2l}mg\frac{4\pi\varepsilon_0 d^2}{3Q^2}=\frac{d}{2l}mg\frac{(2l)^2 4\pi\varepsilon_0 d^2}{(2l)^2 3Q^2}$$

$$=\left(\frac{d}{2l}\right)^3\frac{16\pi\varepsilon_0 l^2 mg}{3Q^2}=k\left(\frac{d}{2l}\right)^3$$

$$\therefore\quad k=\frac{16\pi\varepsilon_0 l^2 mg}{3Q^2}$$

次に，AとBを接触させると，AB間で電荷の移動が生じ，接触前後のAとBの合成電荷は変わらないから，AとBの電荷はともに$2Q$[C]となる．このときの反発力F'は，

$$F'=\frac{2Q\times 2Q}{4\pi\varepsilon_0 d^2}=\frac{4Q^2}{4\pi\varepsilon_0 d^2}>F$$

となり，接触前の反発力Fより大きくなるので，距離dは接触前より大きくなる．

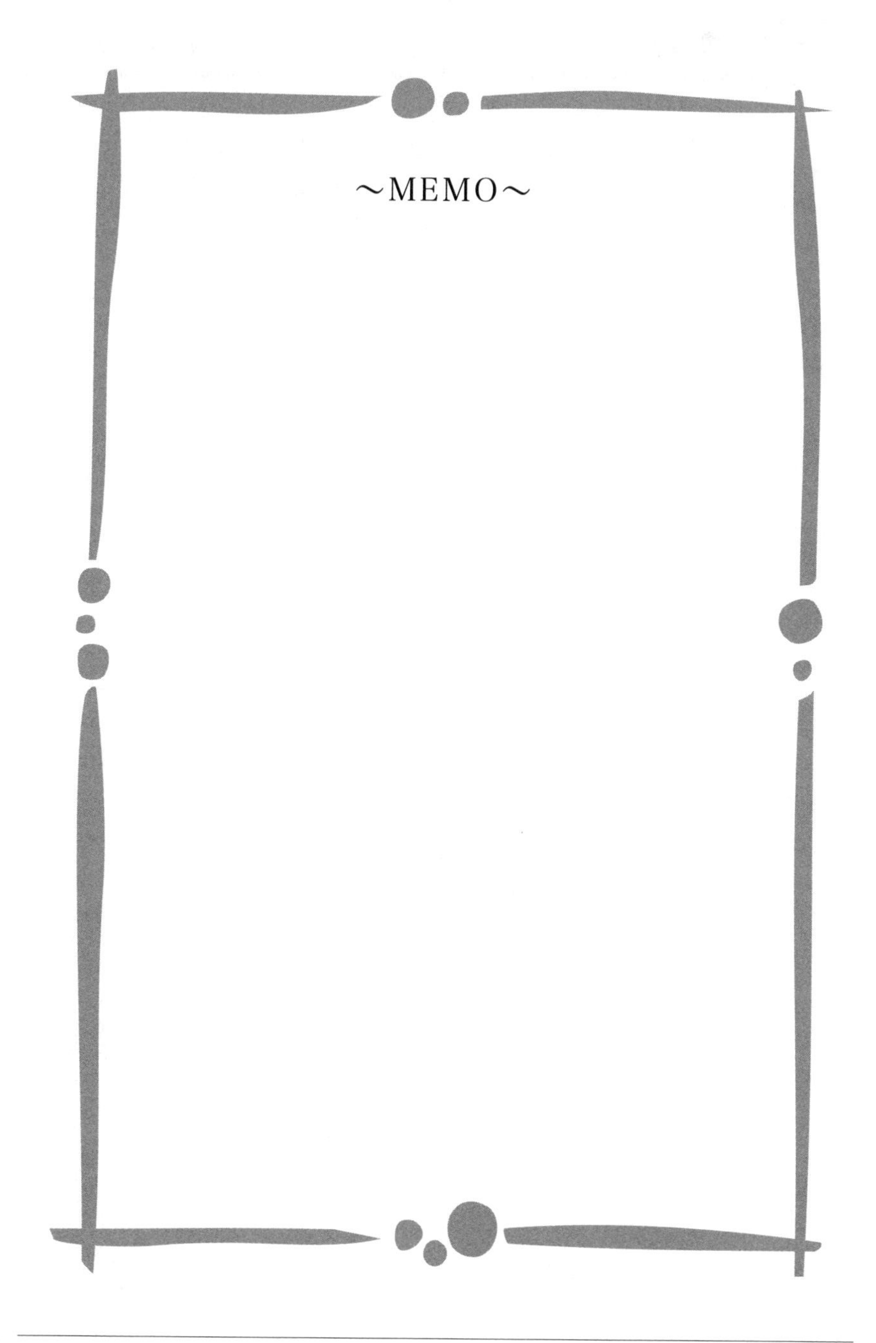
～MEMO～

問7 Check! □□□

(令和４年㊤ Ⓐ問題２)

真空中において，図に示すように一辺の長さが１ｍの正三角形の各頂点に１Ｃ又は－１Ｃの点電荷がある．この場合，正の点電荷に働く力の大きさ F_1 [N] と，負の点電荷に働く力の大きさ F_2 [N] の比 F_2/F_1 の値として，最も近いものを次の(1)～(5)のうちから一つ選べ．

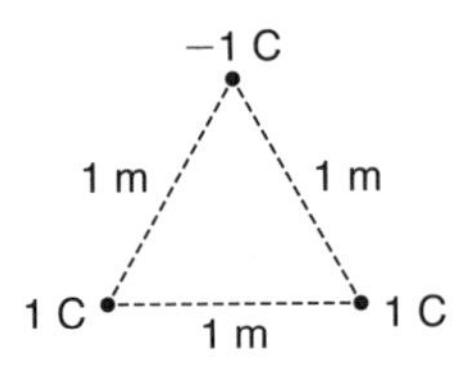

(1) $\sqrt{2}$ (2) 1.5 (3) $\sqrt{3}$ (4) 2 (5) $\sqrt{5}$

解7 解答 (3)

電荷がそれぞれ Q_1 [C], Q_2 [C] の点電荷が距離 r [m] だけ離れて真空中に置かれた場合，二つの点電荷間に働く力 F [N] は，

$$F = \frac{Q_1 Q_2}{4\pi\varepsilon_0 r^2} \text{ [N]}$$

したがって，問題において，-1 C の点電荷と 1 C の点電荷間に働く力 F_a [N] は，

$$F_a = \frac{-1\times1}{4\pi\varepsilon_0\times1^2} = -\frac{1}{4\pi\varepsilon_0} \text{ [N]}$$

同様に，1 C の点電荷と 1 C の点電荷間に働く力 F_b [N] は，

$$F_b = \frac{1\times1}{4\pi\varepsilon_0\times1^2} = \frac{1}{4\pi\varepsilon_0} \text{ [N]}$$

よって，F_a と F_b は大きさが同じで向きが逆である．これより，各電荷に働く力をベクトルで表すと図のようになる．

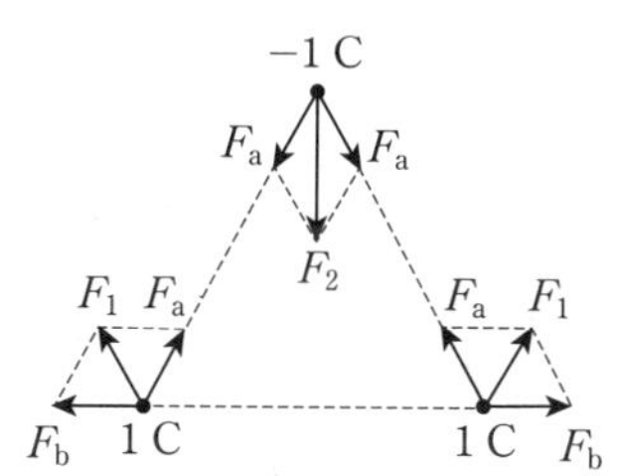

ここで，F_1, F_2 は各電荷に働く力のベクトルの和の大きさであるから，図より，

$$F_1 = |F_a| = \frac{1}{4\pi\varepsilon_0} \text{ [N]}, \quad F_2 = \sqrt{3}\times|F_a| = \frac{\sqrt{3}}{4\pi\varepsilon_0} \text{ [N]}$$

であることがわかる．

したがって，

$$\frac{F_2}{F_1} = \frac{\sqrt{3}}{4\pi\varepsilon_0}\cdot 4\pi\varepsilon_0 = \sqrt{3}$$

問8 Check! □□□ （平成22年 Ⓑ問題17）

真空中において，図に示すように，一辺の長さが6〔m〕の正三角形の頂点Aに4×10^{-9}〔C〕の正の点電荷が置かれ，頂点Bに-4×10^{-9}〔C〕の負の点電荷が置かれている．正三角形の残る頂点を点Cとし，点Cより下した垂線と正三角形の辺ABとの交点を点Dとして，次の(a)及び(b)に答えよ．

ただし，クーロンの法則の比例定数を9×10^{9}〔N·m²/C²〕とする．

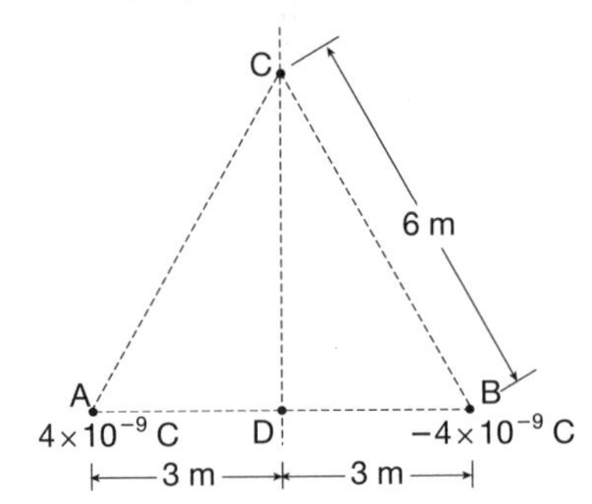

(a) まず，q_0〔C〕の正の点電荷を点Cに置いたときに，この正の点電荷に働く力の大きさはF_C〔N〕であった．次に，この正の点電荷を点Dに移動したときに，この正の点電荷に働く力の大きさはF_D〔N〕であった．力の大きさの比$\dfrac{F_C}{F_D}$の値として，正しいのは次のうちどれか．

(1) $\dfrac{1}{8}$　(2) $\dfrac{1}{4}$　(3) 2　(4) 4　(5) 8

(b) 次に，q_0〔C〕の正の点電荷を点Dから点Cの位置に戻し，強さが0.5〔V/m〕の一様な電界を辺ABに平行に点Bから点Aの向きに加えた．このとき，q_0〔C〕の正の点電荷に電界の向きと逆の向きに2×10^{-9}〔N〕の大きさの力が働いた．正の点電荷q_0〔C〕の値として，正しいのは次のうちどれか．

(1) $\dfrac{4}{3} \times 10^{-9}$　(2) 2×10^{-9}　(3) 4×10^{-9}

(4) $\dfrac{4}{3} \times 10^{-8}$　(5) 2×10^{-8}

解8 解答 (a)−(1)，(b)−(3)

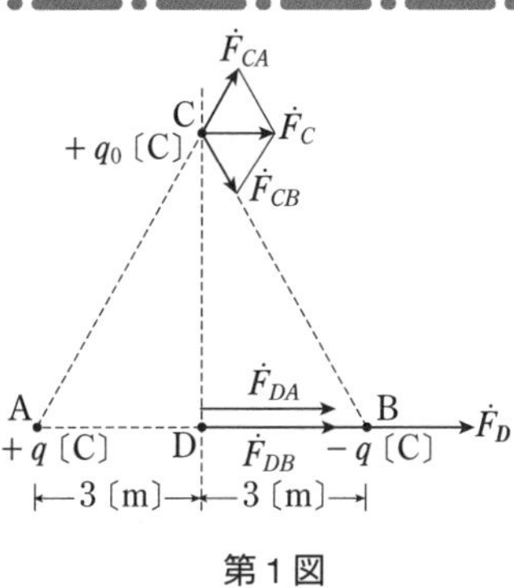

第１図

(a)　点Aおよび点Bに置かれた点電荷をそれぞれ$+q$〔C〕および$-q$〔C〕とし，$+q_0$〔C〕の点電荷を点Cまたは点Dに置いたときに，$+q_0$〔C〕の点電荷に働く力$\dot{F}_C$および$\dot{F}_D$を図示すると，**第１図**のようになる．

ここに，$\dot{F}_C$および$\dot{F}_D$の大きさF_CおよびF_Dはそれぞれ，次のようになる．

$$F_C=\left|\dot{F}_C\right|=\left|\dot{F}_{CA}\right|=\frac{qq_0}{4\pi\varepsilon_0\times 6^2}=\frac{qq_0}{144\pi\varepsilon_0}\text{〔N〕}$$

$$F_D=\left|\dot{F}_D\right|=2\left|\dot{F}_{DA}\right|=2\times\frac{qq_0}{4\pi\varepsilon_0\times 3^2}=\frac{qq_0}{18\pi\varepsilon_0}\text{〔N〕}$$

ただし，F_{CA}およびF_{DA}は，点Cまたは点Dに点電荷$+q_0$があるとき，点Aの電荷$+q$が及ぼす力の大きさである．

したがって，求める力の比$\dfrac{F_C}{F_D}$は以下となる．

$$\frac{F_C}{F_D}=\frac{qq_0}{144\pi\varepsilon_0}\times\frac{18\pi\varepsilon_0}{qq_0}=\frac{18}{144}=\frac{1}{8}$$

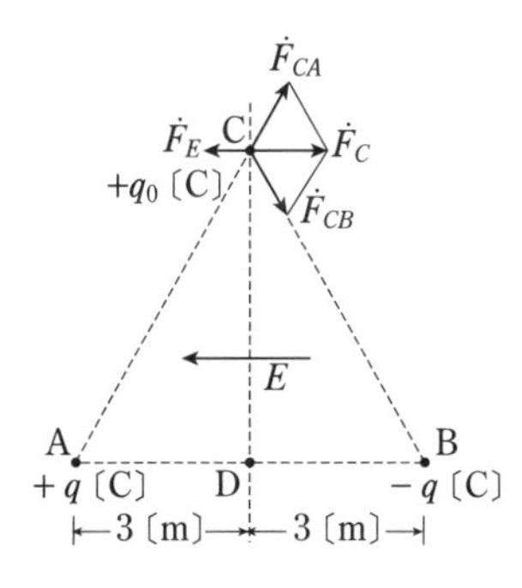

第２図

(b)　強さが0.5〔V/m〕の電界Eを辺ABに平行に，点Bから点Aの向きに加えたときの点電荷$+q_0$に働く力を図示すると，**第２図**のようになる．

ここに，F_Cは，$\dfrac{1}{4\pi\varepsilon_0}=9\times10^9$〔N·m²/C²〕，$q=4\times10^{-9}$〔C〕であるから，

$$F_C=\frac{qq_0}{144\pi\varepsilon_0}=\frac{1}{36}\cdot\frac{qq_0}{4\pi\varepsilon_0}=\frac{1}{36}\times9\times10^9\times4\times10^{-9}\times q_0=q_0\text{〔N〕}$$

また，点電荷$+q_0$が電界Eから受ける力$\dot{F}_E$の大きさF_Eは，

$$F_E=\left|\dot{F}_E\right|=q_0E=q_0\times0.5=0.5q_0\text{〔N〕}$$

であるから，題意より求める正の点電荷q_0の値は，以下となる．

$$F_C-F_E=q_0-0.5q_0=0.5q_0=2\times10^{-9}\text{〔N〕}$$

$$\therefore\quad q_0=\frac{2\times10^{-9}}{0.5}=4\times10^{-9}\text{〔C〕}$$

問9 Check! □□□

（平成 26 年 Ⓑ 問題 17）

図のように，真空中において二つの小さな物体 A，B が距離 r〔m〕を隔てて鉛直線上に置かれている．A は固定されており，A の真下に B がある．物体 A，B はそれぞれ，質量 m_A〔kg〕，m_B〔kg〕をもち，電荷 $+q_A$〔C〕，$-q_B$〔C〕を帯びている．$q_A > 0$，$q_B > 0$ とし，真空の誘電率を ε_0〔F/m〕とする．次の(a)及び(b)の問に答えよ．

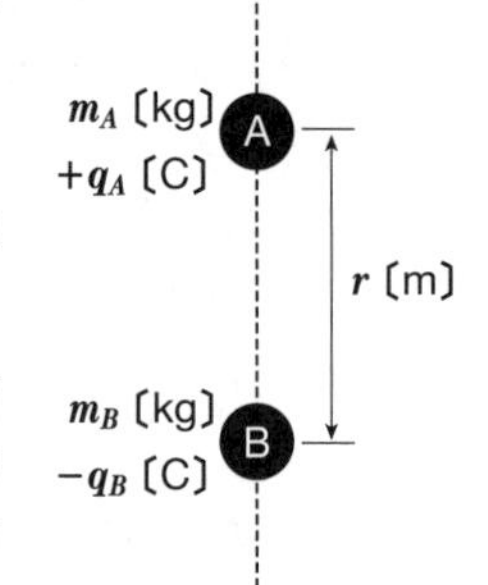

ただし，小問(a)においては重力加速度 g〔m/s²〕の重力を，小問(b)においては無重力を，それぞれ仮定する．物体 A，B の間の万有引力は無視する．

(a) 重力加速度 g〔m/s²〕の重力のもとで B を初速度零で放ったとき，B は A に近づくように上昇を始めた．このときの条件を表す式として，正しいものを次の(1)～(5) のうちから一つ選べ．

(1) $\dfrac{q_A q_B}{4\pi\varepsilon_0 r^2} > m_B g$　(2) $\dfrac{q_A q_B}{4\pi\varepsilon_0 r} > m_B g$　(3) $\dfrac{q_A q_B}{4\pi r} > m_B g$

(4) $\dfrac{q_A q_B}{2\pi\varepsilon_0 r^2} > m_B g$　(5) $\dfrac{q_A q_B}{2\pi\varepsilon_0 r} > m_B g$

(b) 無重力のもとで B を下向きの初速度 v_B〔m/s〕で放ったとき，B は下降を始めたが，途中で速度の向きが変わり上昇に転じた．このときの条件を表す式として，正しいものを次の(1)～(5)のうちから一つ選べ．

(1) $\dfrac{1}{2} m_B {v_B}^2 < \dfrac{q_A q_B}{4\pi\varepsilon_0 r^2}$　(2) $\dfrac{1}{2} m_B {v_B}^2 < \dfrac{q_A q_B}{4\pi\varepsilon_0 r}$

(3) $m_B v_B < \dfrac{q_A q_B}{4\pi\varepsilon_0 r^2}$　(4) $m_B v_B < \dfrac{q_A q_B}{4\pi\varepsilon_0 r}$

(5) $\dfrac{1}{2} m_B v_B < \dfrac{q_A q_B}{4\pi\varepsilon_0 r^2}$

解9 解答 (a)－(1), (b)－(2)

(a) 物体Bに働く力は図のように鉛直下向きに重力 $m_B g$〔N〕, 鉛直上向きに静電力 F〔N〕が働くが, 題意のように初速度零で物体Bを放ったとき, 物体Bは物体Aに近づくように上昇し始めたことから, 次式が成立する.

$$F > m_B g$$

ここに, 静電力 F は,

$$F = \frac{q_A q_B}{4\pi\varepsilon_0 r^2}〔N〕$$

で表せるから, 求める条件は, 次式となる.

$$\frac{q_A q_B}{4\pi\varepsilon_0 r^2} > m_B g$$

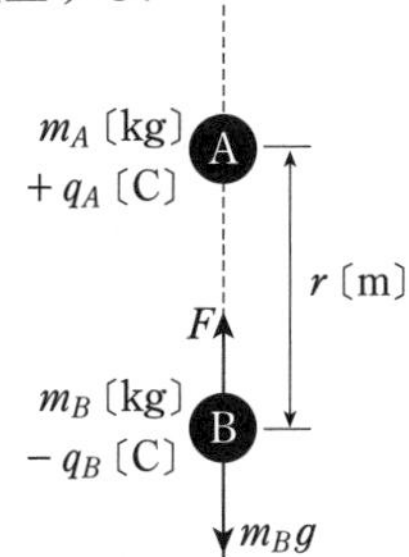

(b) 物体Aに帯電した電荷 $+q_A$〔C〕の静電力に対する物体Bの位置エネルギー W_r は, 無限遠点の位置エネルギーを0とすると, 次式で与えられる.

$$W_r = -\frac{q_A q_B}{4\pi\varepsilon_0 r}〔J〕$$

さて, いま物体Bが物体Aから r〔m〕の距離にあるとき, 無重力のもと, 物体Bを下向きに初速度 v_B〔m/s〕で放ったときについて考える.

このとき, 物体Bは物体Aの電荷 $+q_A$ による吸引力によって減速されていき, 物体Bの運動エネルギーは減少していくが, エネルギー保存の法則より, 物体Bの失った運動エネルギーは, 電荷 $+q_A$ の静電力に対する位置エネルギーに変化する.

物体Bを物体Aからの距離 r〔m〕の地点から無限遠点まで引き離すのに要するエネルギー W は, 無限遠点の位置エネルギーが0であるから,

$$W = 0 - W_r = \frac{q_A q_B}{4\pi\varepsilon_0 r}〔J〕$$

となる. したがって, 物体Bが最初, 物体Aから離れる方向の初速度をもって放たれても, 物体Bの速度が変化し, 物体Aの方へ戻っていくには, 上記のエネルギー W が物体Bの初期運動エネルギーより大きければよい. したがって, 求める条件は,

$$\frac{1}{2} m_B {v_B}^2 < W$$

$$\therefore \quad \frac{1}{2} m_B {v_B}^2 < \frac{q_A q_B}{4\pi\varepsilon_0 r}$$

問10 Check! □□□

（令和４年㊦ Ⓑ問題 17）

大きさが等しい二つの導体球 A，B がある．両導体球に電荷が蓄えられている場合，両導体球の間に働く力は，導体球に蓄えられている電荷の積に比例し，導体球間の距離の 2 乗に反比例する．次の(a)及び(b)の問に答えよ．

ただし，両導体球の大きさは 0.3 m に比べて極めて小さいものとする．

(a) この場合の比例定数を求める目的で，導体球 A に $+2 \times 10^{-8}$ C，導体球 B に $+3 \times 10^{-8}$ C の電荷を与えて，導体球の中心間距離で 0.3 m 隔てて両導体球を置いたところ，両導体球間に 6×10^{-5} N の反発力が働いた．この結果から求められる比例定数 [$N \cdot m^2/C^2$] として，最も近いものを次の(1)～(5)のうちから一つ選べ．

ただし，導体球 A，B の初期電荷は零とする．

(1) 3×10^9　(2) 6×10^9　(3) 8×10^9

(4) 9×10^9　(5) 15×10^9

(b) 小問(a)の導体球 A，B を，電荷を保持したままで 0.3 m の距離を隔てて固定した．ここで，導体球 A，B と大きさが等しく電荷を持たない導体球 C を用意し，導体球 C をまず導体球 A に接触させ，次に導体球 B に接触させた．この導体球 C を図のように導体球 A と導体球 B の間の直線上に置くとき，導体球 C が受ける力が釣り合う位置を導体球 A との中心間距離 [m] で表したとき，その距離に最も近いものを次の(1)～(5)のうちから一つ選べ．

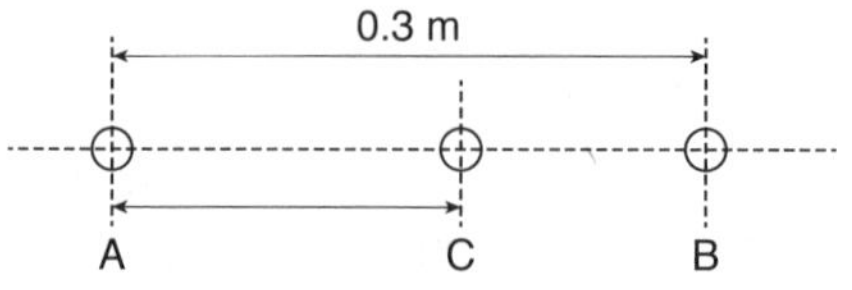

(1) 0.095　(2) 0.105　(3) 0.115　(4) 0.124　(5) 0.135

解10 解答 (a)−(4), (b)−(4)

(a) 両導体間に働く力 F [N] を導体球 A, B に蓄えられている電荷 Q_A [C], Q_B [C], 導体球間の距離 r [m], 比例定数 K [N·m^2/C^2] を用いて式で表し, 問題の数値を代入して比例定数 K を求めると,

$$F = K\frac{Q_A \cdot Q_B}{r^2}\ [\mathrm{N}] \qquad 6\times10^{-5} = K\times\frac{2\times10^{-8}\times3\times10^{-8}}{0.3^2}$$

$$K = \frac{6\times10^{-5}\times0.09}{2\times3\times10^{-8}\times10^{-8}} = \frac{9\times10^{-7}}{10^{-16}} = \mathbf{9\times10^9}\ \mathrm{N\cdot m^2/C^2}$$

(b) 導体球 C を導体球 A に接触させたあと, また離したときに導体球 A, C のもつ電荷 Q_{A1}, Q_{C1} は, 各導体球が接触前にもっていた電荷の合計の 1/2 ずつとなる. よって,

$$Q_{A1} = Q_{C1} = \frac{Q_A + Q_C}{2} = \frac{2\times10^{-8}+0}{2} = 1\times10^{-8}\ \mathrm{C}$$

次に導体球 B に導体球 C を接触させて離したときに導体球 B, C のもつ電荷 Q_{B2}, Q_{C2} は, 同様に,

$$Q_{B2} = Q_{C2} = \frac{Q_B + Q_{C1}}{2} = \frac{3\times10^{-8}+1\times10^{-8}}{2} = 2\times10^{-8}\ \mathrm{C}$$

導体球 A, C 間に働く力 F_{AC} は, 導体球 A, C 間の距離を r_{AC} とすると,

$$F_{AC} = K\frac{Q_{A1}\cdot Q_{C2}}{{r_{AC}}^2} = K\frac{1\times10^{-8}\times2\times10^{-8}}{{r_{AC}}^2} = K\frac{2\times10^{-16}}{{r_{AC}}^2}\ [\mathrm{N}]$$

一方, 導体球 C, B 間に働く力 F_{BC} は導体球 C, B 間の距離が $0.3 - r_{AC}$ [m] であるから,

$$F_{BC} = K\frac{2\times10^{-8}\times2\times10^{-8}}{(0.3-r_{AC})^2} = K\frac{4\times10^{-16}}{(0.3-r_{AC})^2}\ [\mathrm{N}]$$

題意より, $F_{AC} = F_{BC}$. よって,

$$K\frac{2\times10^{-16}}{{r_{AC}}^2} = K\frac{4\times10^{-16}}{(0.3-r_{AC})^2} \qquad {r_{AC}}^2 + 0.6r_{AC} - 0.09 = 0$$

$$r_{AC} = \frac{-0.6\pm\sqrt{0.6^2+4\times0.09}}{2} = \frac{-0.6\pm\sqrt{0.72}}{2} = \frac{-0.6\pm0.848\,53}{2}$$

$$\fallingdotseq 0.124\,265,\quad -0.724\,265$$

$r_{AC} > 0$ より, $r_{AC} \fallingdotseq \mathbf{0.124}$ m となる.

問11 Check! □□□

(平成20年 B 問題17)

大きさが等しい二つの導体球A，Bがある．両導体球に電荷が蓄えられている場合，両導体球の間に働く力は，導体球に蓄えられている電荷の積に比例し，導体球間の距離の2乗に反比例する．次の(a)及び(b)に答えよ．

(a) この場合の比例定数を求める目的で，導体球Aに$+2\times10^{-8}$〔C〕，導体球Bに$+3\times10^{-8}$〔C〕の電荷を与えて，導体球の中心間距離で0.3〔m〕隔てて両導体球を置いたところ，両導体球間に6×10^{-5}〔N〕の反発力が働いた．この結果から求められる比例定数〔$N\cdot m^2/C^2$〕として，最も近いのは次のうちどれか．

ただし，導体球A，Bの初期電荷は零とする．また，両導体球の大きさは0.3〔m〕に比べて極めて小さいものとする．

(1) 3×10^9　(2) 6×10^9　(3) 8×10^9
(4) 9×10^9　(5) 15×10^9

(b) 上記(a)の導体球A，Bを，電荷を保持したままで0.3〔m〕の距離を隔てて固定した．ここで，導体球A，Bと大きさが等しく電荷を持たない導体球Cを用意し，導体球Cをまず導体球Aに接触させ，次に導体球Bに接触させた．

この導体球Cを導体球Aと導体球Bの間の直線上に置くとき，導体球Cが受ける力が釣り合う位置を導体球Aとの中心間距離〔m〕で表したとき，その距離に最も近いのは次のうちどれか．

(1) 0.095　(2) 0.105　(3) 0.115　(4) 0.124　(5) 0.135

解11 解答 (a)−(4), (b)−(4)

(a) 導体球AおよびBの保有電荷をそれぞれQ_1〔C〕およびQ_2〔C〕とし，両者の中心間距離をr〔m〕，比例定数をk〔N・m²/C²〕とすると，導体球間に働く力Fは，$F = k\dfrac{Q_1Q_2}{r^2}$〔N〕で表せるから，比例定数kは次式となる．

$$k = \frac{r^2}{Q_1Q_2}F = \frac{(3\times10^{-1})^2}{2\times10^{-8}\times3\times10^{-8}}\times6\times10^{-5} = \frac{9\times10^{-2}}{6\times10^{-16}}\times6\times10^{-5}$$
$$= 9\times10^{-2}\times10^{16}\times10^{-5} = 9\times10^{9}\text{〔N·m}^2\text{/C}^2\text{〕}$$

(b) 半径a〔m〕の導体球にQ〔C〕の電荷が蓄えられているときの導体の電位Vは，

$$V = \frac{Q}{4\pi\varepsilon_0 a}\text{〔V〕}$$

いま，題意より導体球Cは導体球A，Bと同じ大きさであるから，導体球Cを導体球Aに接触させたとき，両者が等電位になるように導体球間に電荷の移動が起こり，両球の電荷は等しくなる．よって，最初の接触で導体球AとCの保有電荷はともに次式となる．

$$\frac{2\times10^{-8}}{2} = 1\times10^{-8}\text{〔C〕}$$

次に，導体球Cを導体球Bに接触させたとき，両者の保有電荷が等しくなるまで電荷の移動が生じる．この場合，両導体球の電荷の合計が，

$$1\times10^{-8}+3\times10^{-8} = 4\times10^{-8}\text{〔C〕}$$

であるから，接触後の導体球BおよびCの保有電荷はともに次式となる．

$$\frac{4\times10^{-8}}{2} = 2\times10^{-8}\text{〔C〕}$$

さて，下図のように導体球Cを導体球AとBの間の直線上に置き，導体球Cが受ける力が釣り合うようにしたとき，導体球AとCの中心間距離がx〔m〕になったとすると，次式が成立する．

$$k\frac{1\times10^{-8}\times2\times10^{-8}}{x^2} = k\frac{2\times10^{-8}\times2\times10^{-8}}{(0.3-x)^2}$$

$$\therefore\quad \frac{1}{x^2} = \frac{2}{(0.3-x)^2}$$

ここに，$0<x<0.3$であるから，$\dfrac{1}{x} = \dfrac{\sqrt{2}}{0.3-x}$

以上から，求める中心間距離xは次式となる．

$$0.3-x = \sqrt{2}x$$

$$\therefore\quad x = \frac{0.3}{1+\sqrt{2}} \fallingdotseq 0.1243\text{〔m〕}$$

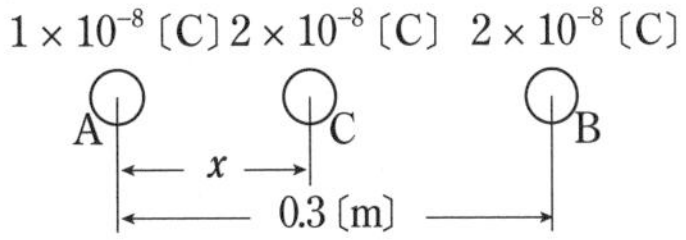

1×10⁻⁸〔C〕 2×10⁻⁸〔C〕 2×10⁻⁸〔C〕
A C B
x
0.3〔m〕

問12 Check! □□□

(平成 17 年 Ⓐ 問題 2)

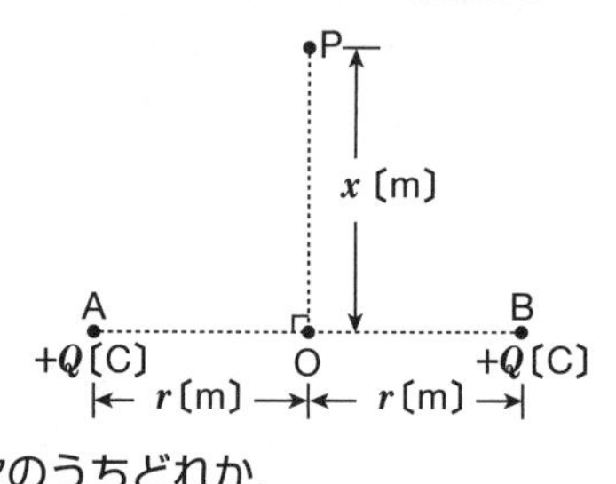

真空中において，図に示すように点Oを通る直線上の，点Oからそれぞれr〔m〕離れた2点A，BにQ〔C〕の正の点電荷が置かれている．この直線に垂直で，点Oからx〔m〕離れた点Pの電位V〔V〕を表す式として，正しいのは次のうちどれか．

ただし，真空の誘電率をε_0〔F/m〕とする．

(1) $\dfrac{Q}{2\pi\varepsilon_0\sqrt{r^2+x^2}}$　(2) $\dfrac{Q}{2\pi\varepsilon_0(r^2+x^2)}$　(3) $\dfrac{Q}{4\pi\varepsilon_0\sqrt{r^2+x^2}}$

(4) $\dfrac{Q}{2\pi\varepsilon_0 x^2}$　(5) $\dfrac{Q}{4\pi\varepsilon_0(r^2+x^2)}$

問13 Check! □□□

(平成 25 年 Ⓑ 問題 17)

空気中に半径r〔m〕の金属球がある．次の(a)及び(b)の問に答えよ．

ただし，$r = 0.01$〔m〕，真空の誘電率を$\varepsilon_0 = 8.854 \times 10^{-12}$〔F/m〕，空気の比誘電率を 1.0 とする．

(a) この金属球が電荷Q〔C〕を帯びたときの金属球表面における電界の強さ〔V/m〕を表す式として，正しいものを次の(1)～(5)のうちから一つ選べ．

(1) $\dfrac{Q}{4\pi\varepsilon_0 r^2}$　(2) $\dfrac{3Q}{4\pi\varepsilon_0 r^3}$　(3) $\dfrac{Q}{4\pi\varepsilon_0 r}$

(4) $\dfrac{Q^2}{8\pi\varepsilon_0 r}$　(5) $\dfrac{Q^2}{2\pi\varepsilon_0 r^2}$

(b) この金属球が帯びることのできる電荷Q〔C〕の大きさには上限がある．空気の絶縁破壊の強さを3×10^6〔V/m〕として，金属球表面における電界の強さが空気の絶縁破壊の強さと等しくなるようなQ〔C〕の値として，最も近いものを次の(1)～(5)のうちから一つ選べ．

(1) 2.1×10^{-10}　(2) 2.7×10^{-9}　(3) 3.3×10^{-8}

(4) 2.7×10^{-7}　(5) 3.3×10^{-6}

解12 解答 (1)

点Pの電位 V_P は，次式で与えられる．

$$V_P = \frac{Q}{4\pi\varepsilon_0 \overline{\mathrm{AP}}} + \frac{Q}{4\pi\varepsilon_0 \overline{\mathrm{BP}}} = \frac{Q}{4\pi\varepsilon_0} \quad \frac{1}{\overline{\mathrm{AP}}} + \frac{1}{\overline{\mathrm{BP}}} \ 〔\mathrm{V}〕$$

ここに，

$$\overline{\mathrm{AP}} = \overline{\mathrm{BP}} = \sqrt{r^2 + x^2}\ 〔\mathrm{m}〕$$

であるから，求める電位 V_P は次式となる．

$$V_P = \frac{Q}{4\pi\varepsilon_0} \quad \frac{1}{\sqrt{r^2+x^2}} + \frac{1}{\sqrt{r^2+x^2}} \quad = \frac{Q}{2\pi\varepsilon_0\sqrt{r^2+x^2}}\ 〔\mathrm{V}〕$$

解13 解答 (a)－(1), (b)－(3)

(a)　金属球に電荷 Q〔C〕を与えると，ガウスの法則により，金属球からは図のような Q/ε_0〔本〕の電気力線が生じる．

面積1〔m^2〕当たりを貫く電気力線の数 n が電界の強さになる．したがって，金属球の外部で，金属球から x〔m〕離れた点の電界の強さ E_x は，

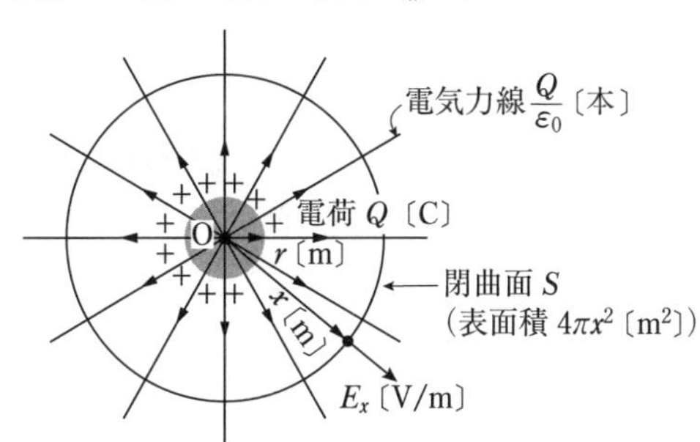

$$n = \frac{\frac{Q}{\varepsilon_0}}{4\pi x^2}\ 〔本/\mathrm{m}^2〕$$

$$\therefore \quad E_x = \frac{Q}{4\pi\varepsilon_0 x^2}\ 〔\mathrm{V/m}〕$$

金属球表面は $x = r$〔m〕となるので，

$$E = \frac{Q}{4\pi\varepsilon_0 r^2}\ 〔\mathrm{V/m}〕$$

(b)　上式に $E = 3 \times 10^6$〔V/m〕を代入すると，

$$\frac{Q}{4\pi\varepsilon_0 r^2} = 3 \times 10^6\ 〔\mathrm{V/m}〕$$

これから Q を求めると，

$$Q = 3 \times 10^6 \times 4\pi\varepsilon_0 \times r^2$$
$$= 3 \times 10^6 \times 4\pi \times 8.854 \times 10^{-12} \times 0.01^2 = 3.34 \times 10^{-8}〔\mathrm{C}〕$$

問14 Check! □□□

(令和6年㊤ Ⓐ問題2)

空気中に孤立した半径 a [m] の導体球に帯電できる最大の電荷の値 [C] として，正しいものを次の(1)～(5)のうちから一つ選べ．ただし，空気の絶縁耐力及び誘電率はそれぞれ E_m [V/m] 及び ε_0 [F/m] とする．

(1) $\dfrac{E_m}{4\pi\varepsilon_0 a^2}$　(2) $\dfrac{E_m}{4\pi\varepsilon_0 a}$　(3) $4\pi\varepsilon_0 a E_m$

(4) $4\pi\varepsilon_0 a^2 E_m$　(5) $4\pi\varepsilon_0 a^3 E_m$

問15 Check! □□□

(令和2年 Ⓐ問題1)

図のように，紙面に平行な平面内の平等電界 E [V/m] 中で2Cの点電荷を点Aから点Bまで移動させ，さらに点Bから点Cまで移動させた．この移動に，外力による仕事 W = 14 J を要した．点Aの電位に対する点Bの電位 V_{BA} [V] の値として，最も近いものを次の(1)～(5)のうちから一つ選べ．

ただし，点電荷の移動はゆっくりであり，点電荷の移動によってこの平等電界は乱れないものとする．

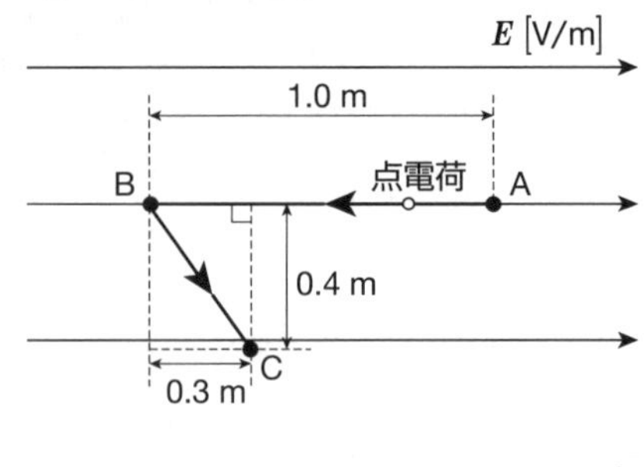

(1) 5　(2) 7　(3) 10　(4) 14　(5) 20

解14 解答 (4)

導体球に Q [C] の電荷を与えたとき，導体表面の電界強度 E は，

$$E = \frac{Q}{4\pi\varepsilon_0 a^2} \text{ [V/m]}$$

で表せるが，これが，空気の絶縁耐力 E_m [V/m] に等しくなるとき，帯電できる電荷の最大値となる．

したがって，求める最大の電荷 Q_m は，

$$E_m = \frac{Q_m}{4\pi\varepsilon_0 a^2} \rightarrow Q_m = \boldsymbol{4\pi\varepsilon_0 a^2 E_m}$$

解15 解答 (3)

平等電界 E [V/m] 内であるから，低電位点 A から高電位点 B まで $Q = 2$ C の点電荷を移動させるのに必要な仕事 W_{AB} は，

$$W_{AB} = E \times 2 \times 1.0 = 2E \text{ [J]}$$

次に高電位点 B から低電位点 C まで $Q = 2$ C の点電荷を移動させる場合，電界 E と直角方向の移動に要する仕事量は 0（点電荷には電界と直角方向の力は働かない）で，電界の方向には電界から力が働き仕事をされるからその仕事量 W_{BC} は，

$$W_{BC} = -E \times 2 \times 0.3 = -0.6E \text{ [J]}$$

したがって，全仕事量 W は，

$$W = W_{AB} + W_{BC} = 2E - 0.6E = 1.4E = 14 \text{ J}$$

となり，平等電界 E は，

$$E = \frac{14}{1.4} = 10 \text{ V/m}$$

以上から，点 A の電位に対する点 B の電位 V_{BA} は，

$$V_{BA} = 10 \times 1.0 = 10 \text{ V}$$

問16 Check! □□□

(平成28年 Ⓐ問題1)

真空中において，図のように x 軸上で距離 $3d$ [m] 隔てた点A $(2d, 0)$，点B$(-d, 0)$ にそれぞれ $2Q$ [C]，$-Q$ [C] の点電荷が置かれている．xy 平面上で電位が 0 V となる等電位線を表す図として，最も近いものを次の(1)～(5)のうちから一つ選べ．

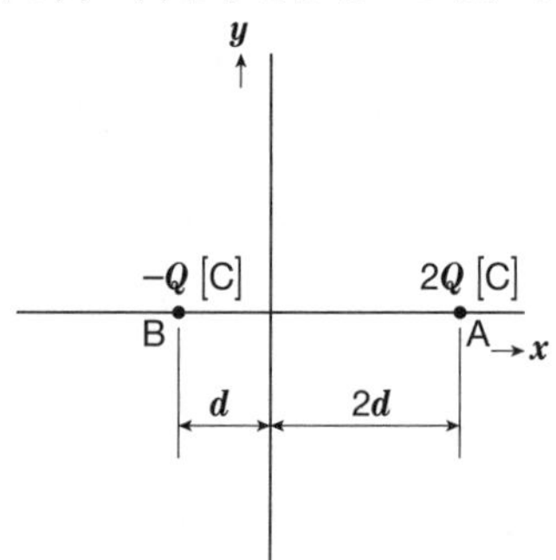

(1)

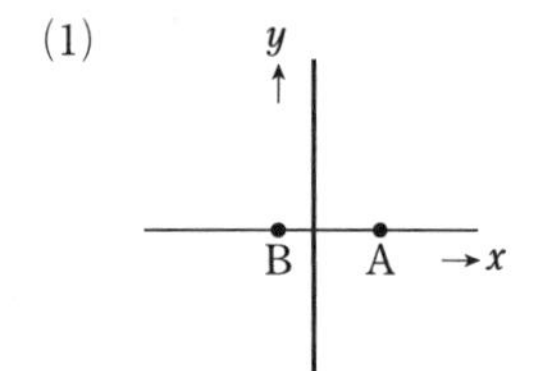

(2)

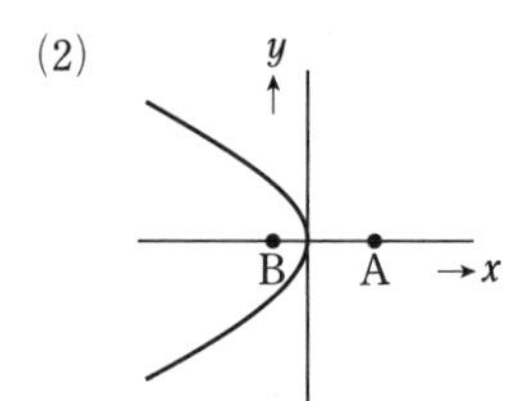

(3)

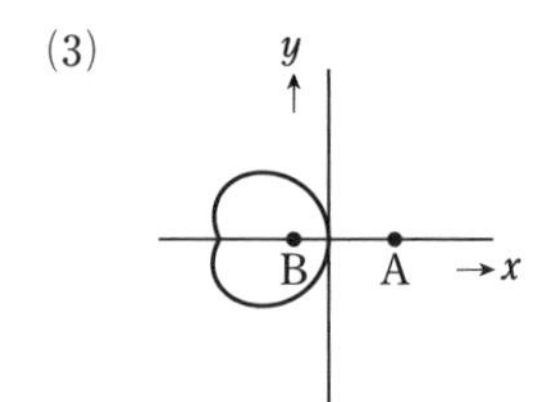

(4)

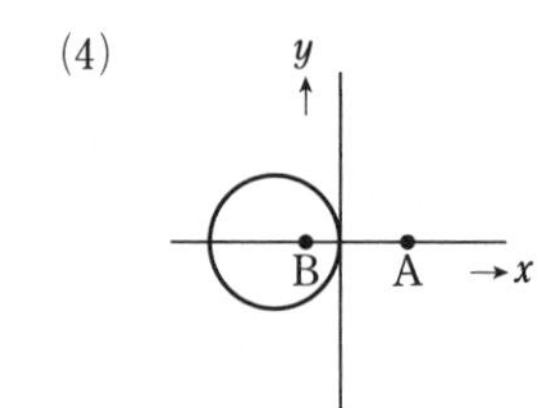

(5)

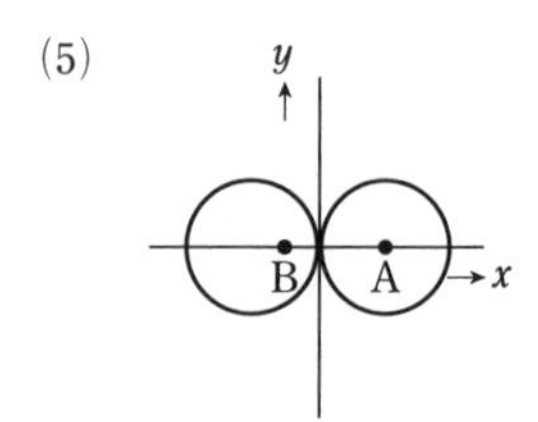

解16 解答 (4)

第1図のように，二つの点電荷による P(*x*, *y*) 点の電位 V_P は，真空の誘電率を ε_0 [F/m] とし，$\overline{\mathrm{AP}} = r_1$ [m]，$\overline{\mathrm{BP}} = r_2$ [m] とすると，次式で与えられる．

$$V_P = \frac{2Q}{4\pi\varepsilon_0 r_1} - \frac{Q}{4\pi\varepsilon_0 r_2}$$

$$= \frac{Q}{4\pi\varepsilon_0}\left(\frac{2}{r_1} - \frac{1}{r_2}\right)$$

$$= 0\ \mathrm{V}$$

$$\frac{2}{r_1} = \frac{1}{r_2}$$

$$\therefore \quad 2r_2 = r_1 \qquad (1)$$

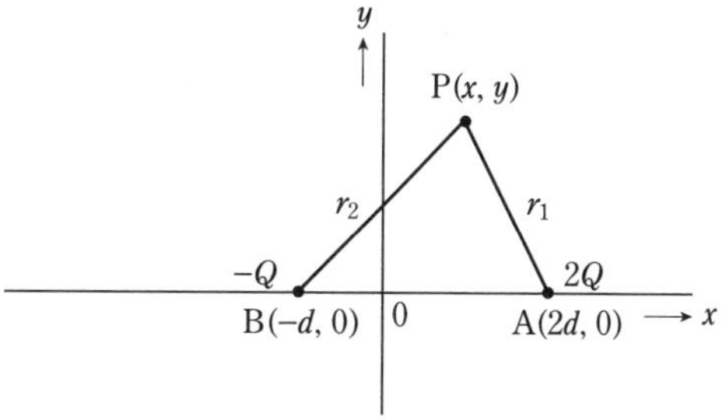

第1図

ここに，$r_1 = \sqrt{(2d - x)^2 + y^2}$ [m]，$r_2 = \sqrt{(x + d)^2 + y^2}$ [m] であるから，(1)式より，

$$2\sqrt{(x + d)^2 + y^2} = \sqrt{(2d - x)^2 + y^2}$$

$$4(x + d)^2 + 4y^2 = (2d - x)^2 + y^2$$

$$4x^2 + 8dx + 4d^2 + 4y^2 = x^2 - 4dx + 4d^2 + y^2$$

$$3x^2 + 12dx + 3y^2 = 0$$

$$x^2 + 4dx + y^2 = 0$$

$$\therefore \quad (x + 2d)^2 + y^2 = (2d)^2$$

したがって，*xy* 平面上で電位が 0 V となる等電位線を表す方程式は，中心 $(-2d,\ 0)$，半径 $2d$ の円となり，第2図のようになるから，(4)が正解となる．

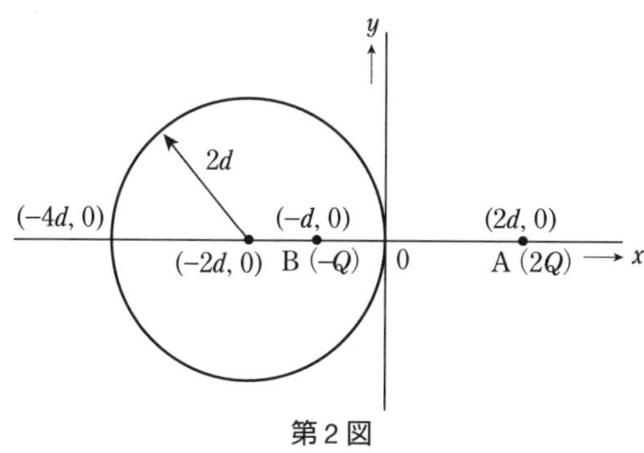

第2図

問17 Check! □□□

(平成22年 Ⓐ問題1)

真空中において，図のように点Aに正電荷 $+4Q$〔C〕，点Bに負電荷 $-Q$〔C〕の点電荷が配置されている．この2点を通る直線上で電位が0〔V〕になる点を点Pとする．点Pの位置を示すものとして，正しいものを組み合わせたのは次のうちどれか．なお，無限遠の点は除く．

ただし，点Aと点B間の距離を l〔m〕とする．また，点Aより左側の領域をa領域，点Aと点Bの間の領域をab領域，点Bより右側の領域をb領域とし，真空の誘電率を ε_0〔F/m〕とする．

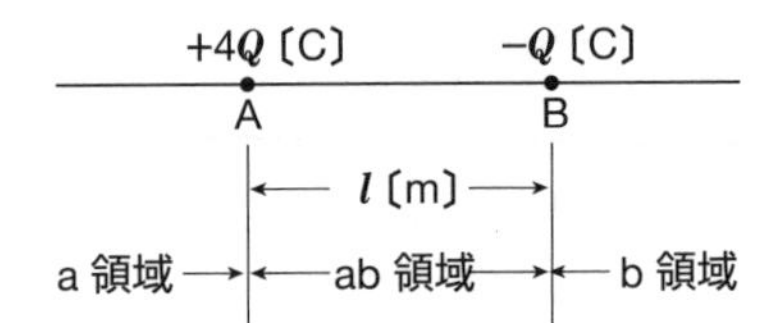

	a 領域	ab 領域	b 領域
(1)	点Aより左 $\frac{l}{3}$〔m〕の点	この領域には存在しない	点Bより右 l〔m〕の点
(2)	この領域には存在しない	点Aより右 $\frac{4l}{5}$〔m〕の点	点Bより右 $\frac{l}{3}$〔m〕の点
(3)	この領域には存在しない	この領域には存在しない	点Bより右 l〔m〕の点
(4)	点Aより左 $\frac{l}{3}$〔m〕の点	点Aより右 $\frac{4l}{5}$〔m〕の点	点Bより右 $\frac{l}{3}$〔m〕の点
(5)	この領域には存在しない	点Aより右 $\frac{4l}{5}$〔m〕の点	点Bより右 l〔m〕の点

解17 解答 (2)

図のように，a，ab および b 領域にある点 P をそれぞれ，P_a，P_{ab} および P_b とし，$\overline{AP_a} = x_a$〔m〕，$\overline{AP_{ab}} = x_{ab}$〔m〕および $\overline{BP_b} = x_b$〔m〕とする．

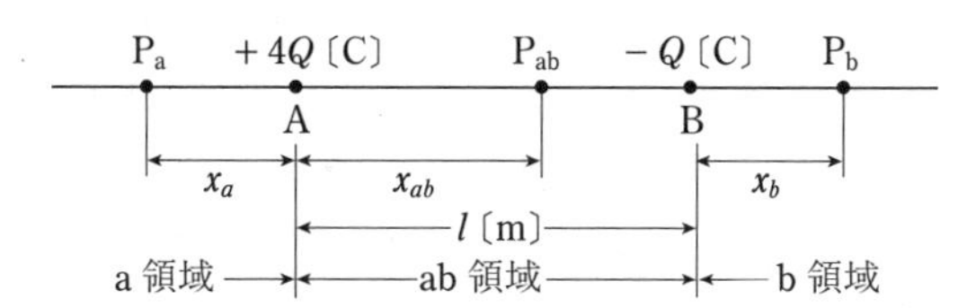

(i) **点 P が a 領域にあるとき**：点 P_a における電位 V_{Pa} は，真空の誘電率を ε_0〔F/m〕とすると，次式で与えられる．

$$V_{Pa} = \frac{4Q}{4\pi\varepsilon_0 x_a} - \frac{Q}{4\pi\varepsilon_0 (x_a + l)} = \frac{Q}{4\pi\varepsilon_0}\left(\frac{4}{x_a} - \frac{1}{x_a + l}\right)〔\mathrm{V}〕$$

$\dfrac{4}{x_a} - \dfrac{1}{x_a + l} > 0$ であるから，$\dfrac{4}{x_a} - \dfrac{1}{x_a + l} = 0$ となる点 P_a は存在しない．

(ii) **点 P が ab 領域にあるとき**：点 P_{ab} における電位 V_{Pab} は，次式で与えられる．

$$V_{Pab} = \frac{4Q}{4\pi\varepsilon_0 x_{ab}} - \frac{Q}{4\pi\varepsilon_0 (l - x_{ab})} = \frac{Q}{4\pi\varepsilon_0}\left(\frac{4}{x_{ab}} - \frac{1}{l - x_{ab}}\right)〔\mathrm{V}〕$$

$V_{Pab} = 0$ となるのは，

$$\frac{4}{x_{ab}} - \frac{1}{l - x_{ab}} = 0,\quad 4(l - x_{ab}) - x_{ab} = 0$$

$$\therefore\quad x_{ab} = \frac{4l}{5}〔\mathrm{m}〕$$

となるから，点 P は点 A より右 $4l/5$〔m〕の点となる．

(iii) **点 P が b 領域にあるとき**：点 P_b における電位 V_{Pb} は，次式で与えられる．

$$V_{Pb} = \frac{4Q}{4\pi\varepsilon_0 (l + x_b)} - \frac{Q}{4\pi\varepsilon_0 x_b} = \frac{Q}{4\pi\varepsilon_0}\left(\frac{4}{l + x_b} - \frac{1}{x_b}\right)〔\mathrm{V}〕$$

$V_{Pb} = 0$ となるのは，

$$\frac{4}{l + x_b} - \frac{1}{x_b} = 0,\quad 4x_b - (l + x_b) = 0$$

$$\therefore\quad x_b = \frac{l}{3}〔\mathrm{m}〕$$

となるから，点 P は点 B より右 $l/3$〔m〕の点となる．

以上から，点 P は，a 領域には存在せず，ab 領域では，点 A より右 $4l/5$〔m〕の点，b 領域では，点 B より右 $l/3$〔m〕の点となる．

問18 Check! □□□ (平成20年 Ⓐ問題1)

真空中において，図のように一辺が $2a$〔m〕の正三角形の各頂点A，B，Cに正の点電荷 Q〔C〕が配置されている．点Aから辺BCの中点Dに下ろした垂線上の点Gを正三角形の重心とする．点Dから x〔m〕離れた点Pの電界〔V/m〕の大きさを表わす式として，正しいのは次のうちどれか．

ただし，点Pは点Dと点G間の垂線上にあるものとし，真空の誘電率を ε_0〔F/m〕とする．

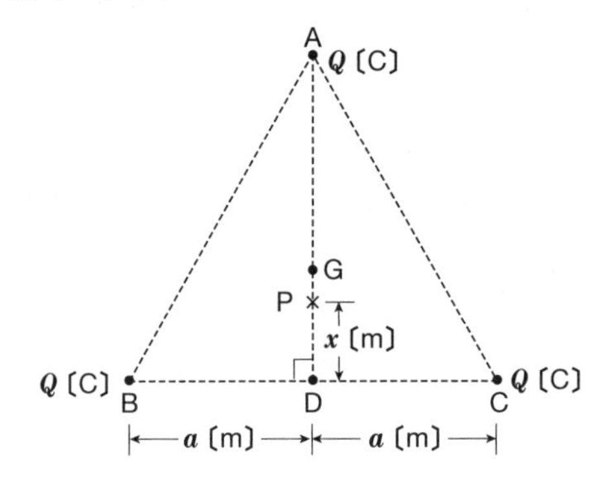

(1) $\dfrac{Q}{4\pi\varepsilon_0}\left[\dfrac{1}{(\sqrt{3}a-x)}+\dfrac{2}{\sqrt{a^2+x^2}}\right]$

(2) $\dfrac{Q}{4\pi\varepsilon_0}\left[\dfrac{1}{(\sqrt{3}a-x)^2}+\dfrac{2}{(a^2+x^2)}\right]$

(3) $\dfrac{Q}{4\pi\varepsilon_0}\left[\dfrac{1}{(\sqrt{3}a-x)^2}-\dfrac{2}{(a^2+x^2)}\right]$

(4) $\dfrac{Q}{4\pi\varepsilon_0}\left[\dfrac{1}{(\sqrt{3}a-x)^2}+\dfrac{2x}{(a^2+x^2)^{3/2}}\right]$

(5) $\dfrac{Q}{4\pi\varepsilon_0}\left[\dfrac{1}{(\sqrt{3}a-x)^2}-\dfrac{2x}{(a^2+x^2)^{3/2}}\right]$

解18 解答 (5)

各頂点A，Bおよび C にある点電荷が P 点に作る電界 $\dot{E}_A$，$\dot{E}_B$ および $\dot{E}_C$ は図のようになる．

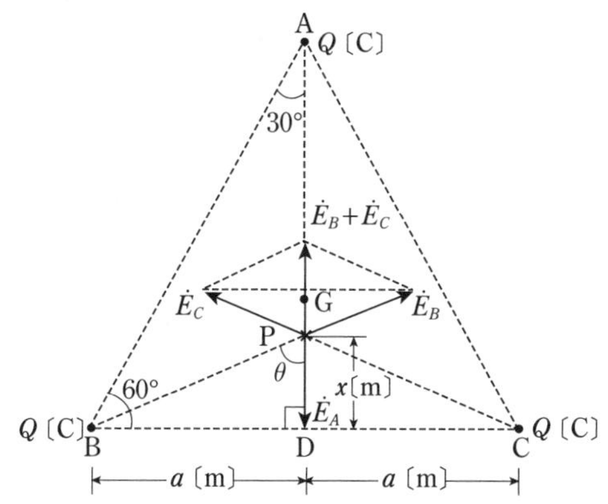

ここに，

$$\overline{\mathrm{AD}} = a\tan 60° = \sqrt{3}a\,〔\mathrm{m}〕$$

であるから，$\dot{E}_A$, $\dot{E}_B$ および $\dot{E}_C$ の大きさ E_A, E_B および E_C はそれぞれ次式で表せる．

$$E_A = \frac{Q}{4\pi\varepsilon_0(\sqrt{3}a - x)^2}\,〔\mathrm{V/m}〕$$

$$E_B = E_C = \frac{Q}{4\pi\varepsilon_0(a^2 + x^2)}\,〔\mathrm{V/m}〕$$

また，$\dot{E}_B + \dot{E}_C$ の大きさ E_{BC} は，

$$E_{BC} = 2E_B\cos\theta = 2\times\frac{Q}{4\pi\varepsilon_0(a^2+x^2)}\times\frac{x}{\sqrt{a^2+x^2}} = \frac{2Qx}{4\pi\varepsilon_0(a^2+x^2)^{3/2}}\,〔\mathrm{V/m}〕$$

で表せるから，求める P 点の電界の大きさ E_P は，

$$E_P = E_A - E_{BC} = \frac{Q}{4\pi\varepsilon_0(\sqrt{3}a-x)^2} - \frac{2Qx}{4\pi\varepsilon_0(a^2+x^2)^{3/2}}$$

$$= \frac{Q}{4\pi\varepsilon_0}\left\{\frac{1}{(\sqrt{3}a-x)^2} - \frac{2x}{(a^2+x^2)^{3/2}}\right\}〔\mathrm{V/m}〕$$

問19 Check! □□□

(平成 18 年 Ⓐ 問題 1)

真空中に半径 6.37×10^6〔m〕の導体球がある．これの静電容量〔F〕の値として，最も近いのは次のうちどれか．

ただし，真空の誘電率を $\varepsilon_0 = 8.85 \times 10^{-12}$〔F/m〕とする．

(1) 7.08×10^{-4}　(2) 4.45×10^{-3}　(3) 4.51×10^{3}

(4) 5.67×10^{4}　(5) 1.78×10^{5}

問20 Check! □□□

(平成 24 年 Ⓐ 問題 1)

図 1 および図 2 のように，静電容量がそれぞれ 4〔μF〕と 2〔μF〕のコンデンサ C_1 及び C_2，スイッチ S_1 及び S_2 からなる回路がある．コンデンサ C_1 と C_2 には，それぞれ 2〔μC〕と 4〔μC〕の電荷が図のような極性で蓄えられている．この状態から両図ともスイッチ S_1 及び S_2 を閉じたとき，図 1 のコンデンサ C_1 の端子電圧を V_1〔V〕，図 2 のコンデンサ C_1 の端子電圧を V_2〔V〕とすると，電圧比 $\left|\dfrac{V_1}{V_2}\right|$ の値として，正しいものを次の(1)～(5)のうちから一つ選べ．

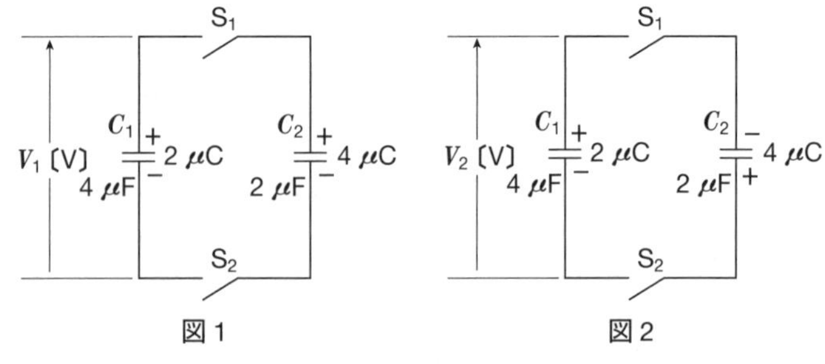

図 1

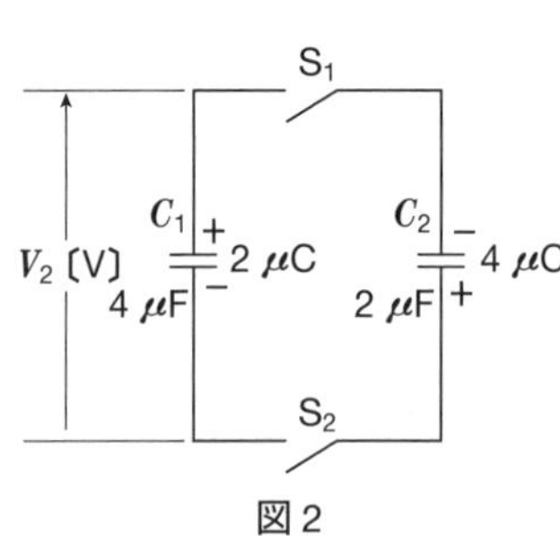

図 2

(1) $\dfrac{1}{3}$　(2) 1　(3) 3　(4) 6　(5) 9

解19 解答 (1)

真空中にある，半径 a〔m〕の導体球に $+Q$〔C〕の電荷を与えたとき，導体中の電位 V は，真空の誘電率を ε_0〔F/m〕とすると，

$$V = \frac{Q}{4\pi\varepsilon_0 a}〔\mathrm{V}〕$$

で与えられるから，導体球の静電容量 C は次式で表される．

$+Q$〔C〕
a〔m〕
ε_0〔F/m〕

$$C = \frac{Q}{V} = \frac{Q}{\dfrac{Q}{4\pi\varepsilon_0 a}} = 4\pi\varepsilon_0 a〔\mathrm{F}〕$$

したがって，求める導体球の静電容量 C は，

$$C = 4\pi\varepsilon_0 a = 4\pi \times 8.85 \times 10^{-12} \times 6.37 \times 10^{6} \fallingdotseq 7.08 \times 10^{-4}〔\mathrm{F}〕$$

解20 解答 (3)

静電容量 C〔F〕のコンデンサに Q〔C〕の電荷が蓄えられているときのコンデンサの端子電圧 V は，次式で与えられる．

$$V = \frac{Q}{C}〔\mathrm{V}〕$$

したがって，図 1 のコンデンサ C_1 の端子電圧 V_1 および図 2 のコンデンサ C_1 の端子電圧 V_2 はそれぞれ，電荷の極性を考慮すれば，次のようになる．

$$V_1 = \frac{2+4}{2+4} = 1〔\mathrm{V}〕$$

$$V_2 = \frac{2-4}{2+4} = -\frac{1}{3}〔\mathrm{V}〕$$

以上から，求める電圧比 $\left|\dfrac{V_1}{V_2}\right|$ は，

$$\left|\frac{V_1}{V_2}\right| = \left|\frac{1}{-\dfrac{1}{3}}\right| = 3$$

となる．

問21 Check! □□□

(平成 26 年 Ⓐ 問題 5)

図のように，コンデンサ 3 個を充電する回路がある．スイッチ S_1 及び S_2 を同時に閉じてから十分に時間が経過し，定常状態となったとき，a 点からみた b 点の電圧の値〔V〕として，正しいものを次の⑴～⑸のうちから一つ選べ．

ただし，各コンデンサの初期電荷は零とする．

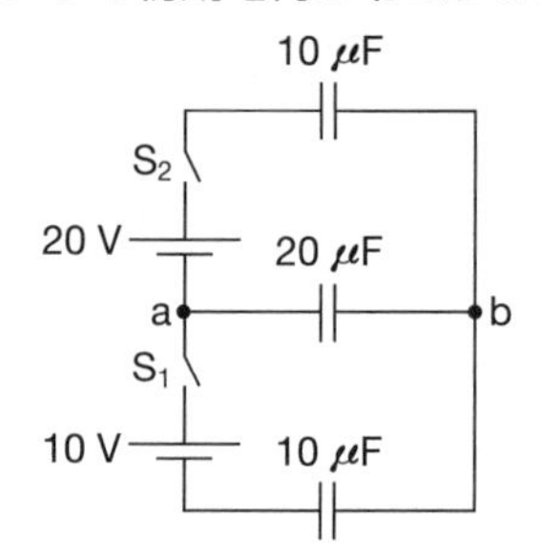

(1) $-\dfrac{10}{3}$　(2) -2.5　(3) 2.5　(4) $\dfrac{10}{3}$　(5) $\dfrac{20}{3}$

問22 Check! □□□

(平成 28 年 Ⓐ 問題 7)

静電容量が 1 μF のコンデンサ 3 個を下図のように接続した回路を考える．全てのコンデンサの電圧を 500 V 以下にするために，a − b 間に加えることができる最大の電圧 V_m の値 [V] として，最も近いものを次の⑴～⑸のうちから一つ選べ．

ただし，各コンデンサの初期電荷は零とする．

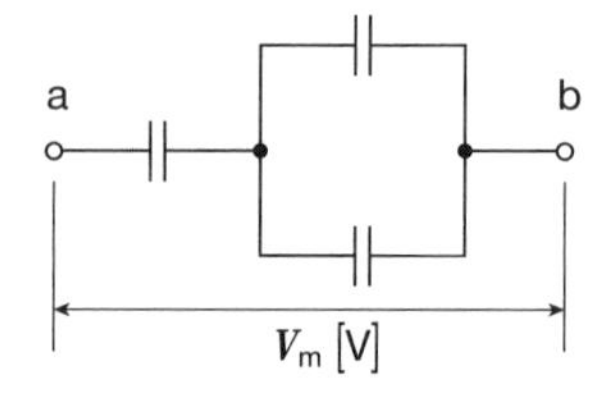

(1) 500　(2) 625　(3) 750　(4) 875　(5) 1 000

解21 解答 (3)

図のように，a 点を接地（a 点の電位を基準電位とする）し，b 点の電圧を V_b とする．また，各コンデンサに蓄えられる電荷を q_1，q_2 および q_3 とすると，V_b，q_1，q_2 および q_3 について，次式が成立する．

$$q_1 = 10 \times (20 - V_b)\ \text{〔}\mu\text{C〕} \quad ①$$

$$q_2 = 20V_b\ \text{〔}\mu\text{C〕} \quad ②$$

$$q_3 = 10 \times \{V_b - (-10)\} = 10 \times (V_b + 10)\ \text{〔}\mu\text{C〕} \quad ③$$

ここに，各コンデンサの右側の極板に蓄えられている電荷 $-q_1$，q_2 および q_3 の和は 0 でなければならないから，

$$-q_1 + q_2 + q_3 = 0$$ 

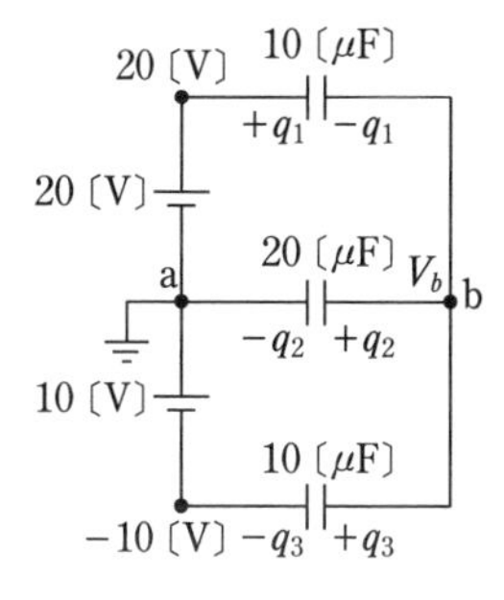

したがって，④式へ①式〜③式を代入すると，求める b 点の電位，すなわち a 点からみた b 点の電圧 V_b は，

$$-10 \times (20 - V_b) + 20V_b + 10 \times (V_b + 10) = 0$$

$$-20 + V_b + 2V_b + V_b + 10 = 0$$

$$4V_b = 10$$

$$\therefore \quad V_b = \frac{10}{4} = 2.5\ \text{〔V〕}$$

解22 解答 (3)

図のように，cd 間の電圧を V [V] とすると，ac 間の電圧は $2V$ [V] となるから，求める最大電圧 V_m は，$2V = 500$ V とすると，

$$V_m = 2V + V$$

$$= 3V = 1.5 \times 2V$$

$$= 1.5 \times 500 = 750\ \text{V}$$

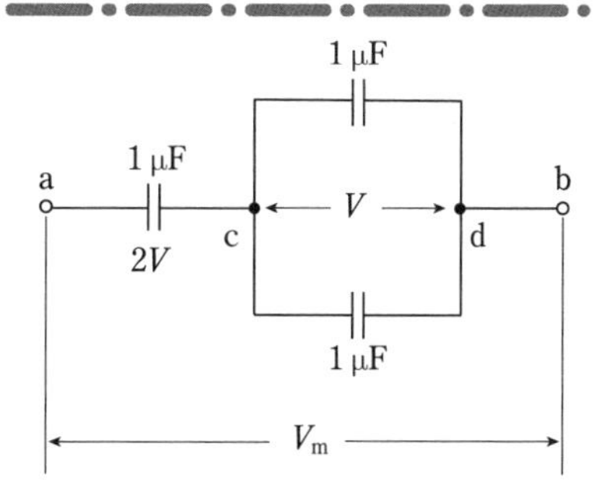

問23 Check! □□□

（平成 19 年 Ⓐ 問題 4）

静電容量が C〔F〕と $2C$〔F〕の二つのコンデンサを図 1，図 2 のように直列，並列に接続し，それぞれに V_1〔V〕，V_2〔V〕の直流電圧を加えたところ，両図の回路に蓄えられている総静電エネルギーが等しくなった．この場合，図 1 の C〔F〕のコンデンサの端子間の電圧を V_c〔V〕としたとき，電圧比 $\left|\dfrac{V_c}{V_2}\right|$ の値として，正しいのは次のうちどれか．

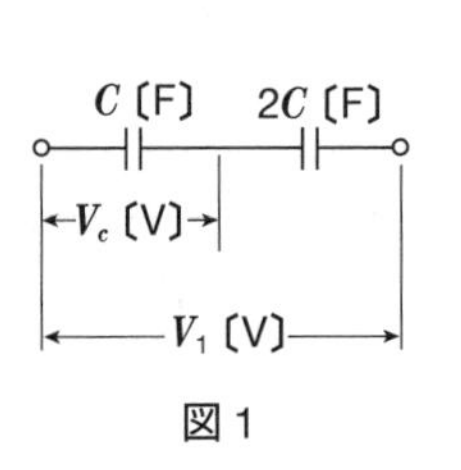

図 1

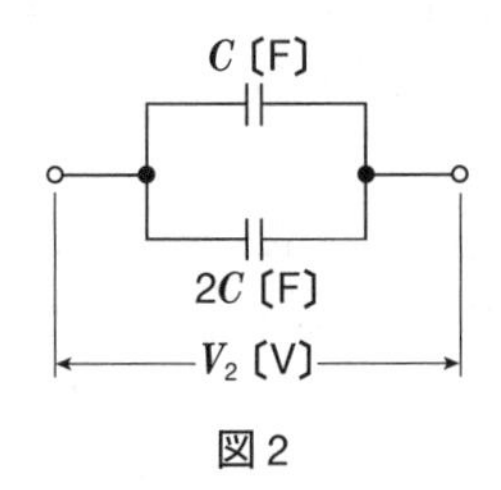

図 2

(1) $\dfrac{\sqrt{2}}{9}$　(2) $\dfrac{2\sqrt{2}}{9}$　(3) $\dfrac{1}{\sqrt{2}}$　(4) $\sqrt{2}$　(5) 3.0

解23 解答 (4)

図 1 の回路の合成静電容量 C_s は,

$$C_s = \frac{C \cdot 2C}{C+2C} = \frac{2C^2}{3C} = \frac{2}{3}C \text{〔F〕}$$

であるから，回路に蓄えられる総静電エネルギー W_1 は次式となる.

$$W_1 = \frac{1}{2}C_s V_1^2 = \frac{1}{2}\cdot\frac{2}{3}C\cdot V_1^2 = \frac{1}{3}CV_1^2 \text{〔J〕}$$

図 2 の回路の合成静電容量 C_p は,

$$C_p = C + 2C = 3C \text{〔F〕}$$

であるから，回路に蓄えられる総静電エネルギー W_2 は,

$$W_2 = \frac{1}{2}C_p V_2^2 = \frac{3}{2}CV_2^2 \text{〔J〕}$$

となる．ここに，題意より，$W_1 = W_2$ であるから,

$$\frac{1}{3}CV_1^2 = \frac{3}{2}CV_2^2$$

$$\therefore \quad V_1 = \frac{3}{\sqrt{2}}V_2 \qquad ①$$

となる．一方，図 1 の V_c は,

$$V_c = \frac{2C}{C+2C}V_1 = \frac{2}{3}V_1 \text{〔V〕} \qquad ②$$

であるから，②式へ①式を代入すると,

$$V_c = \frac{2}{3}V_1 = \frac{2}{3}\cdot\frac{3}{\sqrt{2}}V_2 = \sqrt{2}V_2$$

$$\therefore \quad \frac{V_c}{V_2} = \sqrt{2}$$

問24 Check! □□□

（令和４年㊤　Ⓐ問題６）

図１に示すように，静電容量 $C_1 = 4$ μF と $C_2 = 2$ μF の二つのコンデンサが直列に接続され，直流電圧６Ｖで充電されている．次に電荷が蓄積されたこの二つのコンデンサを直流電源から切り離し，電荷を保持したまま同じ極性の端子同士を図２に示すように並列に接続する．並列に接続後のコンデンサの端子間電圧の大きさ V [V] の値として，最も近いものを次の⑴～⑸のうちから一つ選べ．

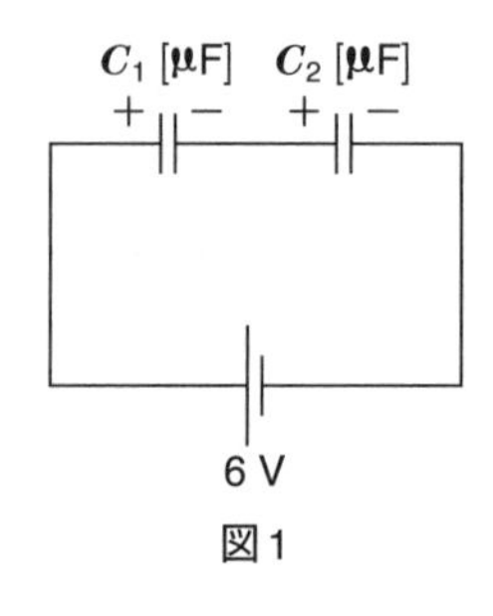

図１

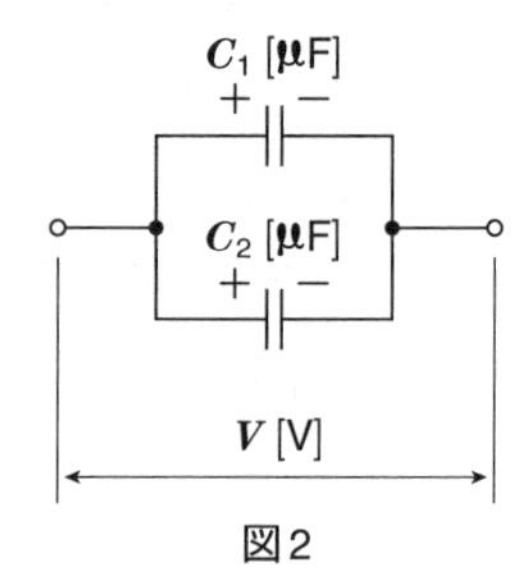

図２

(1) $\frac{2}{3}$　(2) $\frac{4}{3}$　(3) $\frac{8}{3}$　(4) $\frac{16}{3}$　(5) $\frac{32}{3}$

解24 解答 (3)

問題の図1の回路において，コンデンサ C_1, C_2 の両端の電圧 V_1 [V], V_2 [V] は，

$$V_1 = \frac{C_2}{C_1 + C_2} \times 6 = \frac{2}{4+2} \times 6 = 2\ \mathrm{V}$$

$$V_2 = \frac{C_1}{C_1 + C_2} \times 6 = \frac{4}{4+2} \times 6 = 4\ \mathrm{V}$$

よって，コンデンサ C_1，C_2 に蓄えられている電荷 Q_1 [μF]，Q_2 [μF] は，

$$Q_1 = C_1 V_1 = 4 \times 2 = 8\ \mu\mathrm{C}$$

$$Q_2 = C_2 V_2 = 2 \times 4 = 8\ \mu\mathrm{C}$$

これより，コンデンサ C_1，C_2 に蓄えられている電荷の総量 Q [μC] は，

$$Q = Q_1 + Q_2 = 8 + 8 = 16\ \mu\mathrm{C}$$

次に，問題の図2のようにコンデンサ C_1 と C_2 を並列接続したときの合成静電容量 C [μF] は，

$$C = C_1 + C_2 = 4 + 2 = 6\ \mu\mathrm{F}$$

電荷は保持されているので，二つのコンデンサの電荷の総量 Q は変化なし．

よって，端子電圧 V は，

$$V = \frac{Q}{C} = \frac{16}{6} = \frac{8}{3}\ \mathrm{V}$$

問25 Check! □□□ (平成20年 A問題5)

図1に示すように，二つのコンデンサ $C_1=4$〔μF〕と $C_2=2$〔μF〕が直列に接続され，直流電圧6〔V〕で充電されている．次に電荷が蓄積されたこの二つのコンデンサを直流電源から切り離し，電荷を保持したまま同じ極性の端子同士を図2に示すように並列に接続する．並列に接続後のコンデンサの端子間電圧の大きさ V〔V〕の値として，正しいのは次のうちどれか．

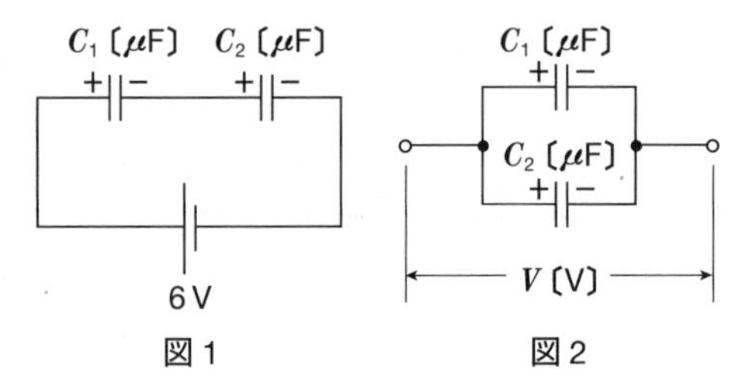

(1) $\frac{2}{3}$　(2) $\frac{4}{3}$　(3) $\frac{8}{3}$　(4) $\frac{16}{3}$　(5) $\frac{32}{3}$

解25 解答 (3)

二つのコンデンサ $C_1 = 4$〔μF〕と $C_2 = 2$〔μF〕が直列に接続され，直流電圧 6〔V〕で充電されているとき，C_1 および C_2 に蓄えられる電荷 Q_1 および Q_2 は等しく，また，合成容量 C に蓄えられる電荷 Q に等しい．

ここに，合成容量 C は，

$$C = \frac{C_1 C_2}{C_1 + C_2} = \frac{4 \times 2}{4 + 2} = \frac{8}{6} = \frac{4}{3}\text{〔}\mu\text{F〕}$$

であるから，電荷 Q は次式となる．

$$Q_1 = Q_2 = Q = \frac{4}{3} \times 6 = 8\text{〔}\mu\text{C〕}$$

次に，二つのコンデンサを切り離し，電荷を保持したまま同じ極性の端子同士を並列に接続したとき，合成容量 C' は，

$$C' = C_1 + C_2 = 4 + 2 = 6\text{〔}\mu\text{F〕}$$

となり，合成電荷 Q' は，

$$Q' = 8 + 8 = 16\text{〔}\mu\text{C〕}$$

となるから，求める並列接続後のコンデンサの端子間電圧 V は次式となる．

$$V = \frac{Q'}{C'} = \frac{16}{6} = \frac{8}{3}\text{〔V〕}$$

問26 Check! □□□ (令和元年 Ⓐ問題 2)

図のように，極板間距離 $\boldsymbol{d}$ [mm] と比誘電率 $\boldsymbol{\varepsilon}_r$ が異なる平行板コンデンサが接続されている．極板の形状と大きさは全て同一であり，コンデンサの端効果，初期電荷及び漏れ電流は無視できるものとする．印加電圧を 10 kV とするとき，図中の二つのコンデンサ内部の電界の強さ $\boldsymbol{E}_A$ 及び $\boldsymbol{E}_B$ の値 [kV/mm] の組合せとして，正しいものを次の(1)～(5)のうちから一つ選べ．

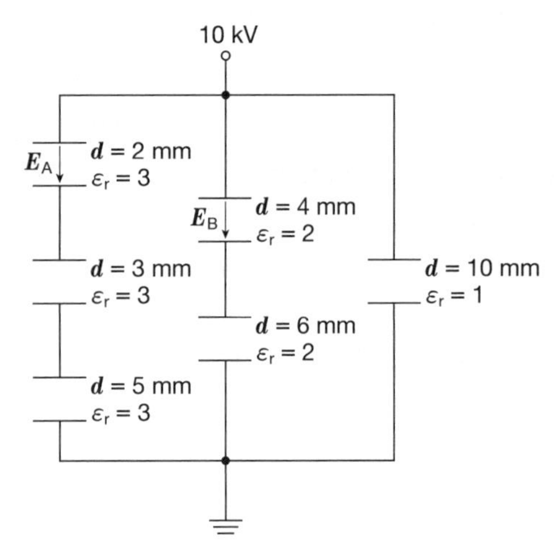

	E_A	E_B
(1)	0.25	0.67
(2)	0.25	1.5
(3)	1.0	1.0
(4)	4.0	0.67
(5)	4.0	1.5

解26 解答 (3)

平行板コンデンサの静電容量 C は，比誘電率を ε_r，真空の誘電率を ε_0，極板間隔を d，極板の面積を S とすると，次式で与えられる．

$$C=\varepsilon_r\varepsilon_0\frac{S}{d}$$

また，極板の面積 S および比誘電率 ε_r が一定であれば，

$$C=\varepsilon_r\varepsilon_0\frac{S}{d}\propto\frac{1}{d}$$

となって，極板間隔 d に反比例する．

いま，コンデンサ回路の左端の三つのコンデンサが直列接続された回路では，比誘電率 ε_r はすべて 3 であるから，三つのコンデンサの静電容量は，極板間隔 d に反比例する．一方，直列接続された $d=3$ mm のコンデンサと $d=5$ mm のコンデンサは，等価的に $d=8$ mm の 1 個のコンデンサに置き換えることができ，この等価コンデンサの静電容量を C_3 [F] とすれば，$d=2$ mm のコンデンサの静電容量は，$\frac{8}{2}C_3=4C_3$ [F] で表せる．

したがって，$d=2$ mm のコンデンサ内部の電界の強さ E_A は，

$$E_A=\frac{C_3}{4C_3+C_3}\times10\times\frac{1}{2}=1.0\ \mathrm{kV/mm}$$

次に，真ん中の二つのコンデンサが接続された回路では，比誘電率 ε_r はすべて 2 であるから，$d=6$ mm のコンデンサの静電容量を C_2 [F] とすれば，$d=4$ mm のコンデンサの静電容量は，$\frac{6}{4}C_2=1.5C_2$ [F] で表せる．

したがって，$d=4$ mm のコンデンサ内部の電界の強さ E_B は，

$$E_B=\frac{C_2}{1.5C_2+C_2}\times10\times\frac{1}{4}=1.0\ \mathrm{kV/mm}$$

となる．

問27 Check! □□□ (平成24年 Ⓑ問題15)

図のように，三つの平行平板コンデンサを直並列に接続した回路がある．ここで，それぞれのコンデンサの極板の形状及び面積は同じであり，極板間には同一の誘電体が満たされている．なお，コンデンサの初期電荷は零とし，端効果は無視できるものとする．

いま，端子 a－b 間に直流電圧 300〔V〕を加えた．このとき，次の(a)及び(b)の問に答えよ．

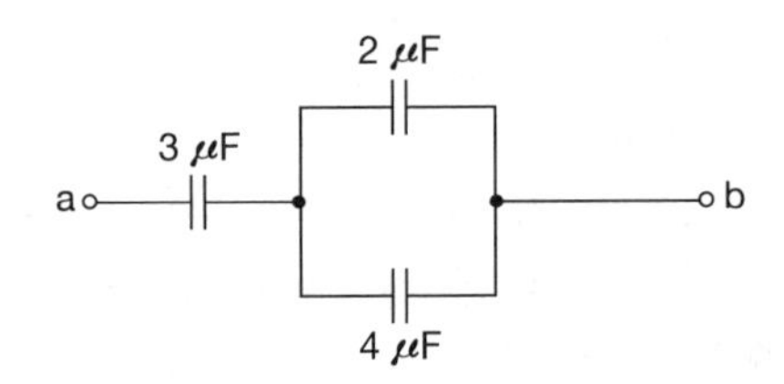

(a) 静電容量が 4〔μF〕のコンデンサに蓄えられる電荷 Q〔C〕の値として，正しいものを次の(1)～(5)のうちから一つ選べ．

(1) 1.2×10^{-4}　(2) 2×10^{-4}　(3) 2.4×10^{-4}

(4) 3×10^{-4}　(5) 4×10^{-4}

(b) 静電容量が 3〔μF〕のコンデンサの極板間の電界の強さは，4〔μF〕のコンデンサの極板間の電界の強さの何倍か．倍率として，正しいものを次の(1)～(5)のうちから一つ選べ．

(1) $\dfrac{3}{4}$　(2) 1.0　(3) $\dfrac{4}{3}$　(4) $\dfrac{3}{2}$　(5) 2.0

解27 解答 (a)－(5)，(b)－(4)

(a) 2〔μF〕のコンデンサと4〔μF〕のコンデンサの並列合成静電容量は，$2+4=6$〔μF〕であるから，4〔μF〕のコンデンサにかかる電圧 V_4 は，

$$V_4 = \frac{3}{3+6} \times 300 = 100 \text{〔V〕}$$

となる．よって，4〔μF〕のコンデンサに蓄えられる電荷 Q は，

$$Q = 4 \times 10^{-6} \times 100 = 4 \times 10^{-4} \text{〔C〕}$$

となる．

(b) (a)の結果より，3〔μF〕のコンデンサにかかる電圧 V_3 は，

$$V_3 = 300 - 100 = 200 \text{〔V〕}$$

となる．

さて，題意より，三つの平行平板コンデンサは，極板の形状および面積が等しく，極板間には同一の誘電体が満たされている．したがって，この場合の平行平板コンデンサの静電容量は極板間隔 d のみによって決定されることになる．また，平行平板コンデンサの静電容量は，極板間隔 d に反比例するので，3〔μF〕のコンデンサの極板間隔 d_3 は，4〔μF〕のコンデンサの極板間隔 d_4 の $\frac{4}{3}$ 倍，すなわち，

$$d_3 = \frac{4}{3} d_4$$

となる．

ところで，コンデンサの極板間の電界の強さは，極板間の電位差 V に比例し，極板間隔 d に反比例するから，3〔μF〕のコンデンサの極板間の電界の強さ E_3 は，4〔μF〕のコンデンサの極板間の電界の強さ E_4 に対し，

$$\frac{E_3}{E_4} = \frac{\frac{V_3}{d_3}}{\frac{V_4}{d_4}} = \frac{V_3}{V_4} \cdot \frac{d_4}{d_3} = \frac{200}{100} \times \frac{3}{4} = \frac{3}{2}$$

すなわち，$\frac{3}{2}$ 倍となる．

問28 Check! □□□

(令和6年㊤ Ⓑ問題17)

図1の端子 a-d 間の合成静電容量について，次の(a)及び(b)の問に答えよ．

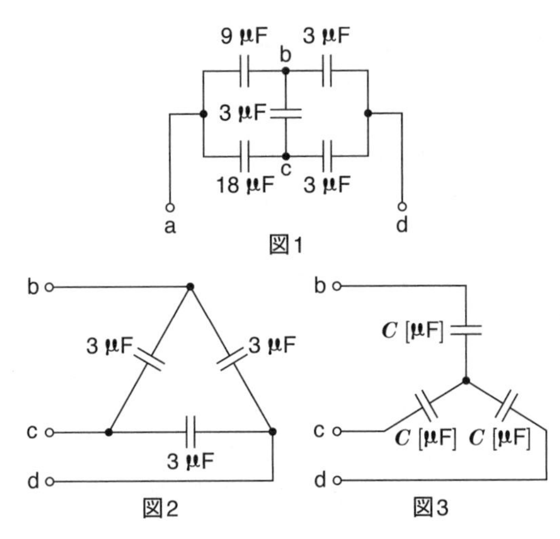

(a) 端子 b-c-d 間は図2のように △ 結線で接続されている．これを図3のようにY結線に変換したとき，電気的に等価となるコンデンサ C の値 [μF] として，最も近いものを次の(1)～(5)のうちから一つ選べ．

(1) 1.0　(2) 2.0　(3) 4.5　(4) 6.0　(5) 9.0

(b) 図3を用いて，図1の端子 b-c-d 間をY結線回路に変換したとき，図1の端子 a-d 間の合成静電容量 C_0 の値 [μF] として，最も近いものを次の(1)～(5)のうちから一つ選べ．

(1) 3.0　(2) 4.5　(3) 4.8　(4) 6.0　(5) 9.0

解28 解答 (a)－(5), (b)－(3)

(a) 図2の△結線におけるb–c間の静電容量と図3のY結線におけるbc間の静電容量が等しいから，次式が成立する．

$$\frac{C}{2}=3+\frac{3}{2}=4.5\ \mu\text{F}$$

$$\therefore\quad C=4.5\times2=\mathbf{9.0}\ \mu\text{F}$$

(b) (a)の結果を用いて，b–c–d間をY結線回路に変換したときの等価回路を示すと，図のようになる．

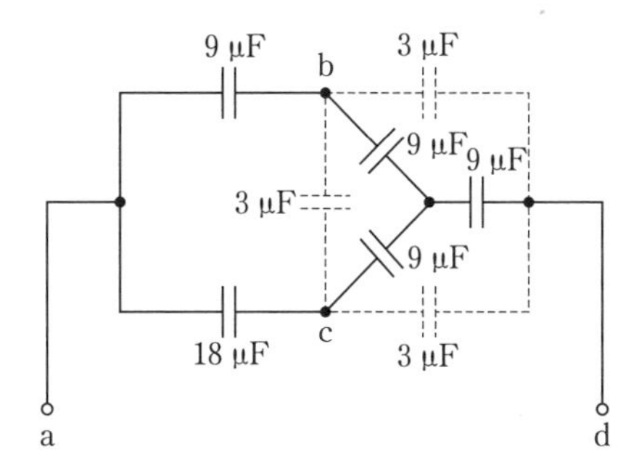

したがって，求めるa–d間の合成静電容量 C_0 は次のようになる．

$$\frac{1}{C_0}=\frac{1}{\frac{9}{2}+\frac{18\times9}{18+9}}+\frac{1}{9}=\frac{1}{\frac{9}{2}+6}+\frac{1}{9}=\frac{2}{21}+\frac{1}{9}=\frac{6+7}{63}=\frac{13}{63}$$

$$\therefore\quad C_0=\frac{63}{13}\fallingdotseq4.846\,2\fallingdotseq\mathbf{4.8}\ \mu\text{F}$$

問29 Check! □□□

(令和5年㊦ Ⓑ問題17)

図1の端子 a-d 間の合成静電容量について，次の(a)及び(b)の問に答えよ.

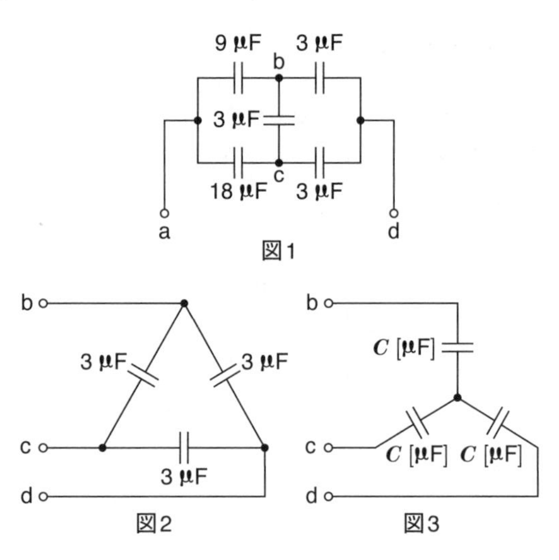

図1　図2　図3

(a)　端子 b-c-d 間は図2のように △ 結線で接続されている．これを図3のようにY結線に変換したとき，電気的に等価となるコンデンサ C の値 [μF] として，最も近いものを次の(1)～(5)のうちから一つ選べ.

(1)　1.0　(2)　2.0　(3)　4.5　(4)　6.0　(5)　9.0

(b)　図3を用いて，図1の端子 b-c-d 間をY結線回路に変換したとき，図1の端子 a-d 間の合成静電容量 C_0 の値 [μF] として，最も近いものを次の(1)～(5)のうちから一つ選べ.

(1)　3.0　(2)　4.5　(3)　4.8　(4)　6.0　(5)　9.0

解29 解答 (a)−(5), (b)−(3)

(a) 図2の△結線におけるb-c間の静電容量と図3におけるb-c間の静電容量が等しいから，次式が成立する．

$$\frac{C}{2} = 3 + \frac{3}{2} = 4.5\ \mu\text{F}$$

したがって，図3の等価コンデンサCは，

$$C = 4.5 \times 2 = 9.0\ \mu\text{F}$$

(b) (a)の結果を用いて，b-c-d間をY結線回路に変換したときの等価回路を示すと，図のようになる．

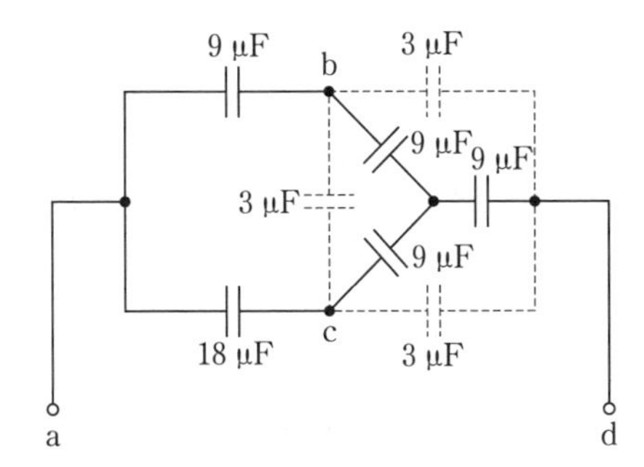

したがって，a−d間の合成静電容量C_{ad}は次のようになる．

$$\frac{1}{C_{ad}} = \frac{1}{\frac{9}{2} + \frac{18 \times 9}{18 + 9}} + \frac{1}{9} = \frac{1}{\frac{9}{2} + 6} + \frac{1}{9} = \frac{2}{21} + \frac{1}{9} = \frac{6 + 7}{63} = \frac{13}{63}$$

$$C_{ad} = \frac{63}{13} \fallingdotseq 4.846 \fallingdotseq 4.8\ \mu\text{F}$$

問30 Check! □□□

(平成 27 年 Ⓑ 問題 16)

図 1 の端子 a－d 間の合成静電容量について，次の(a)及び(b)の問に答えよ．

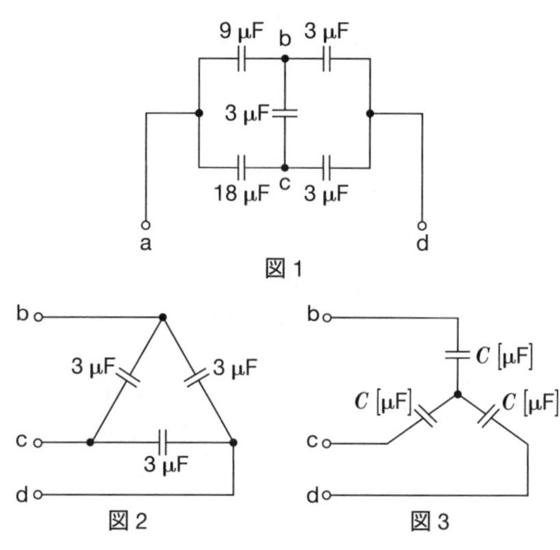

図 1

図 2　　図 3

(a) 端子 b－c－d 間は図 2 のように△結線で接続されている．これを図 3 のようにY 結線に変換したとき，電気的に等価となるコンデンサ C の値 [μF] として，最も近いものを次の(1)～(5)のうちから一つ選べ．

(1) 1.0　(2) 2.0　(3) 4.5　(4) 6.0　(5) 9.0

(b) 図 3 を用いて，図 1 の端子 b－c－d 間をY 結線回路に変換したとき，図 1 の端子 a－d 間の合成静電容量 C_0 の値 [μF] として，最も近いものを次の(1)～(5)のうちから一つ選べ．

(1) 3.0　(2) 4.5　(3) 4.8　(4) 6.0　(5) 9.0

解30 解答 (a)−(5), (b)−(3)

(a) 図2の△結線におけるb−c間の静電容量と図3におけるb−c間の静電容量が等しいから，次式が成立する．

$$\frac{C}{2} = 3 + \frac{3}{2} = 4.5\,\mu\mathrm{F}$$

$$\therefore \quad C = 4.5 \times 2 = 9.0\,\mu\mathrm{F}$$

(b) (a)の結果を用いて，b−c−d間をY結線回路に変換したときの等価回路を示すと，図のようになる．

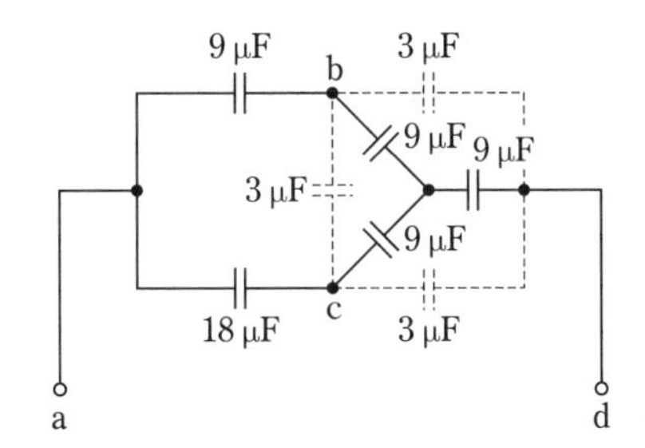

したがって，求めるa−d間の合成静電容量 C_0 は次のようになる．

$$\frac{1}{C_0} = \frac{1}{\dfrac{9}{2} + \dfrac{18 \times 9}{18 + 9}} + \frac{1}{9} = \frac{1}{\dfrac{9}{2} + 6} + \frac{1}{9} = \frac{2}{21} + \frac{1}{9} = \frac{6 + 7}{63} = \frac{13}{63}$$

$$\therefore \quad C_0 = \frac{63}{13} \fallingdotseq 4.846 \fallingdotseq 4.8\,\mu\mathrm{F}$$

問31 Check! □□□

(平成 20 年 Ⓐ 問題 2)

次の文章は，平行板コンデンサに蓄えられるエネルギーについて述べたものである．

極板間に誘電率 ε 〔F/m〕の誘電体をはさんだ平行板コンデンサがある．このコンデンサに電圧を加えたとき，蓄えられるエネルギー W 〔J〕を誘電率 ε 〔F/m〕，極板間の誘電体の体積 V 〔m^3〕，極板間の電界の大きさ E 〔V/m〕で表現すると，W 〔J〕は，誘電率 ε 〔F/m〕の (ア) に比例し，体積 V 〔m^3〕に (イ) し，電界の大きさ E 〔V/m〕の (ウ) に比例する．

ただし，極板の端効果は無視する．

上記の記述中の空白箇所(ア)，(イ)及び(ウ)に当てはまる語句として，正しいものを組み合わせたのは次のうちどれか．

	(ア)	(イ)	(ウ)
(1)	1 乗	反比例	1 乗
(2)	1 乗	比例	1 乗
(3)	2 乗	反比例	1 乗
(4)	1 乗	比例	2 乗
(5)	2 乗	比例	2 乗

解31 解答 (4)

図のような極板の面積 S〔m^2〕，間隔 d〔m〕，誘電率 ε〔F/m〕の平行板コンデンサに直流電圧 v〔V〕を加えたときについて考える．

この平行板コンデンサの静電容量を C〔F〕とすると，蓄えられるエネルギー W は，

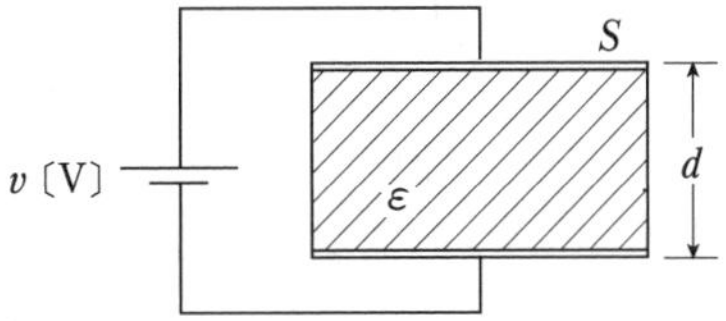

$$W = \frac{1}{2}Cv^2 \text{〔J〕}$$

で表せるが，静電容量 C は，

$$C = \varepsilon \frac{S}{d} \text{〔F〕}$$

また，極板間の電界の大きさを E〔V/m〕とすると，

$$v = Ed \text{〔V〕}$$

で表せるから，これらを W の式へ代入すると，

$$W = \frac{1}{2}\varepsilon \frac{S}{d} \cdot (Ed)^2 = \frac{1}{2}\varepsilon S E^2 d \text{〔J〕}$$

となる．一方，$V = Sd$〔m^3〕は極板間の体積に等しいから，上式は，

$$W = \frac{1}{2}\varepsilon E^2 V \text{〔J〕}$$

で与えられるから，蓄えられるエネルギー W は，誘電率 ε〔F/m〕の 1 乗に比例し，体積 V〔m^3〕に比例し，電界の大きさ E〔V/m〕の 2 乗に比例する．

問32 Check! □□□

(平成19年 A 問題7)

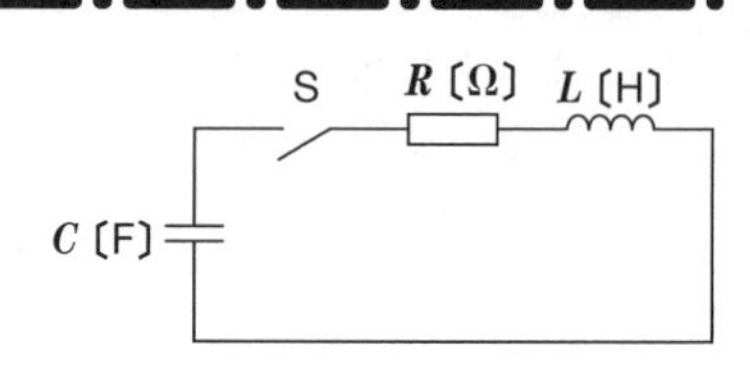

図に示すRLC回路において，静電容量C〔F〕のコンデンサが電圧V〔V〕に充電されている．この状態でスイッチSを閉じて，それから時間が十分に経過してコンデンサの端子電圧が最終的に零となった．この間に抵抗R〔Ω〕で消費された電気エネルギー〔J〕を表す式として，正しいのは次のうちどれか．

(1) $\dfrac{1}{2}C^2V$　(2) $\dfrac{1}{2}CV^2$　(3) $\dfrac{1}{2}\dfrac{V^2}{R}$

(4) $\dfrac{1}{2}L^2V$　(5) $\dfrac{1}{2}LV^2$

問33 Check! □□□

(平成21年 A 問題5)

図に示す5種類の回路は，直流電圧E〔V〕の電源と静電容量C〔F〕のコンデンサの個数と組み合わせを異にしたものである．これらの回路のうちで，コンデンサ全体に蓄えられている電界のエネルギーが最も小さい回路を示す図として，正しいのは次のうちどれか．

(1)

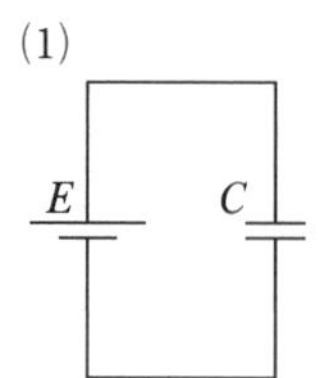

(2)

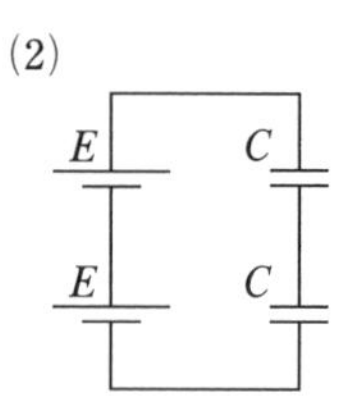

(3)

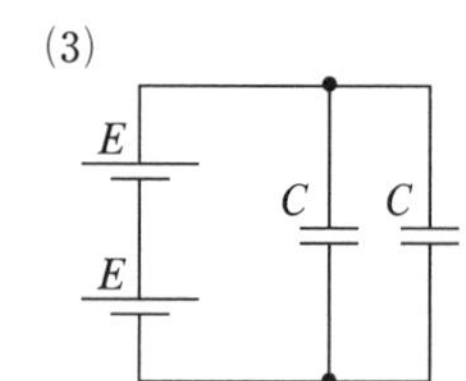

(4)

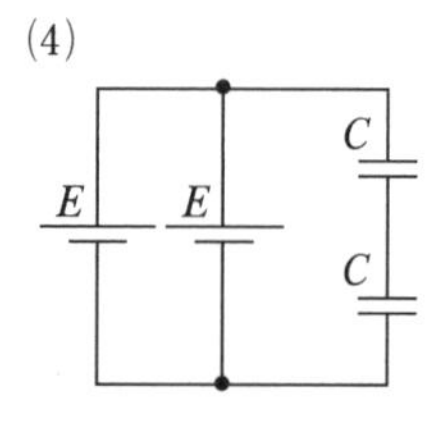

(5)

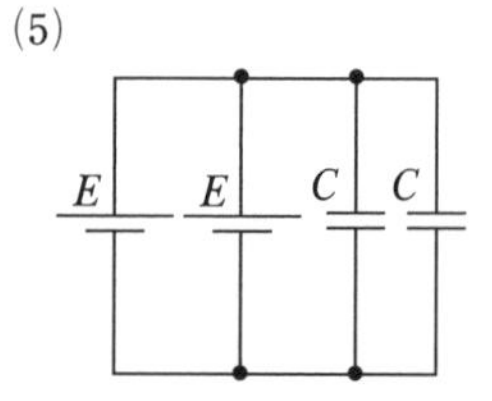

解32 解答 (2)

静電容量 C〔F〕のコンデンサを電圧 V〔V〕で充電したとき，コンデンサに蓄えられる静電エネルギー W_C は次式で表せる．

$$W_C = \frac{1}{2}CV^2 \text{〔J〕}$$

題意より，スイッチSを閉じてコンデンサに蓄えられた電荷を放電すると，放電に伴ってコンデンサの保有するエネルギーが減少するが，エネルギー保存の法則によりコンデンサが放出した静電エネルギーはすべて抵抗 R で消費されるので，求める電気エネルギー W_R は次式となる．

$$W_R = W_C = \frac{1}{2}CV^2 \text{〔J〕}$$

解33 解答 (4)

(1)～(5)の各回路のコンデンサ全体に蓄えられている電界のエネルギーを計算すると，次のようになる．

(1)　$W_1 = \frac{1}{2}CE^2$〔J〕

(2)　$W_2 = \frac{1}{2} \times \frac{C}{2} \times (2E)^2 = CE^2$〔J〕

(3)　$W_3 = \frac{1}{2} \times 2C \times (2E)^2 = 4CE^2$〔J〕

(4)　$W_4 = \frac{1}{2} \times \frac{C}{2} \times E^2 = \frac{1}{4}CE^2$〔J〕

(5)　$W_5 = \frac{1}{2} \times 2C \times E^2 = CE^2$〔J〕

したがって，(4)の回路のエネルギー W_4 が最も小さくなる．

問34 Check! □□□

(平成29年 Ⓐ問題2)

極板の面積 S [m^2]，極板間の距離 d [m] の平行板コンデンサA，極板の面積 $2S$ [m^2]，極板間の距離 d [m] の平行板コンデンサB及び極板の面積 S [m^2]，極板間の距離 $2d$ [m] の平行板コンデンサCがある．各コンデンサは，極板間の電界の強さが同じ値となるようにそれぞれ直流電源で充電されている．各コンデンサをそれぞれの直流電源から切り離した後，全コンデンサを同じ極性で並列に接続し，十分時間が経ったとき，各コンデンサに蓄えられる静電エネルギーの総和の値 [J] は，並列に接続する前の総和の値 [J] の何倍になるか．その倍率として，最も近いものを次の(1)～(5)のうちから一つ選べ．

ただし，各コンデンサの極板間の誘電率は同一であり，端効果は無視できるものとする．

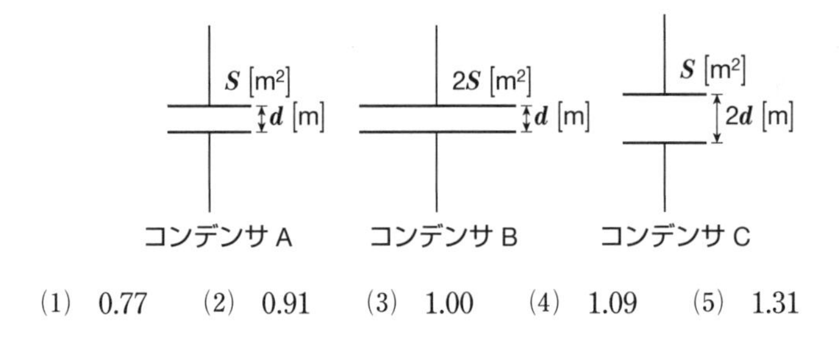

(1) 0.77　(2) 0.91　(3) 1.00　(4) 1.09　(5) 1.31

解34 解答 (2)

コンデンサCの静電容量 C_C を

$$C_C = \varepsilon\frac{S}{2d} = C\,[\mathrm{F}]$$

とすれば，コンデンサAおよびBの静電容量 C_A および C_B は題意より，

$$C_A = \varepsilon\frac{S}{d} = 2C\,[\mathrm{F}]$$

$$C_B = \varepsilon\frac{2S}{d} = 4C\,[\mathrm{F}]$$

で表せるから，極板間の電界の強さを E [V/m] とすると，コンデンサA，BおよびCに蓄えられる電荷 Q_A，Q_B および Q_C はそれぞれ，

$$Q_A = C_A\cdot E\cdot d = 2CEd\,[\mathrm{C}]$$
$$Q_B = C_B\cdot E\cdot d = 4CEd\,[\mathrm{C}]$$
$$Q_C = C_C\cdot E\cdot 2d = 2CEd\,[\mathrm{C}]$$

したがって，各コンデンサに蓄えられる静電エネルギーの総和 W_1 は，

$$W_1 = \frac{{Q_A}^2}{2C_A} + \frac{{Q_B}^2}{2C_B} + \frac{{Q_C}^2}{2C_C} = \frac{(2CEd)^2}{2\times 2C} + \frac{(4CEd)^2}{2\times 4C} + \frac{(2CEd)^2}{2C}$$
$$= \frac{4C^2}{4C}(Ed)^2 + \frac{16C^2}{8C}(Ed)^2 + \frac{4C^2}{2C}(Ed)^2$$
$$= C(Ed)^2 + 2C(Ed)^2 + 2C(Ed)^2 = 5C(Ed)^2\,[\mathrm{J}]$$

一方，全コンデンサを同じ極性で並列に接続したときの合成容量 C_2 および電荷の総和 Q_2 はそれぞれ，

$$C_2 = C_A + C_B + C_C = 2C + 4C + C = 7C\,[\mathrm{F}]$$
$$Q_2 = Q_A + Q_B + Q_C = 2CEd + 4CEd + 2CEd = 8CEd\,[\mathrm{C}]$$

であるから，この場合の静電エネルギーの総和 W_2 は，

$$W_2 = \frac{{Q_2}^2}{2C_2} = \frac{(8CEd)^2}{2\times 7C} = \frac{64C^2}{14C}(Ed)^2 = \frac{32C}{7}(Ed)^2\,[\mathrm{J}]$$

以上から，求める比率 α は，

$$\alpha = \frac{W_2}{W_1} = \frac{32C}{7}(Ed)^2\cdot\frac{1}{5C(Ed)^2} = \frac{32}{35} \fallingdotseq 0.914\,3 \fallingdotseq 0.91$$

問35 Check! □□□

（令和４年㊦ Ⓐ 問題６）

電圧 E [V] の直流電源と静電容量 C [F] の二つのコンデンサを接続した図１，図２のような二つの回路に関して，誤っているものを次の(1)～(5)のうちから一つ選べ．

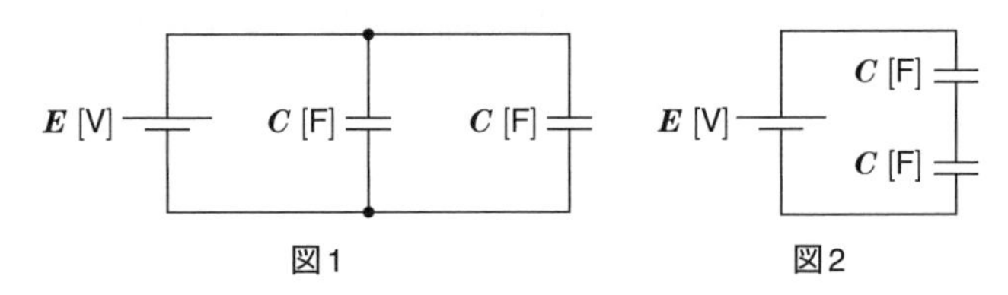

図1　　図2

(1) 図１の回路のコンデンサの合成静電容量は，図１の回路の４倍である．

(2) コンデンサ全体に蓄えられる電界のエネルギーは，図１の回路の方が図２の回路より大きい．

(3) 図２の回路に，さらに静電容量 C [F] のコンデンサを直列に二つ追加して，四つのコンデンサが直列になるようにすると，コンデンサ全体に蓄えられる電界のエネルギーが図１と等しくなる．

(4) 図２の回路の電源電圧を２倍にすると，コンデンサ全体に蓄えられる電界のエネルギーが図１の回路と等しくなる．

(5) 図１のコンデンサ一つ当たりに蓄えられる電荷は，図２のコンデンサ一つ当たりに蓄えられる電荷の２倍である．

解35 解答 (3)

(1) 正しい．図1の回路の合成静電容量 C_1 は $2C$，図2の回路の合成静電容量 C_2 は $\frac{C}{2}$ であるから，C_1 は C_2 の4倍である．

(2) 正しい．コンデンサ全体に蓄えられる電界のエネルギー U は，コンデンサの合成静電容量を C_{a} とすると，

$$U = \frac{1}{2} C_{\mathrm{a}} E^2$$

であるから，E が一定であれば，U は C_{a} に比例する．

(3) 誤り．静電容量 C のコンデンサを四つ直列接続した場合の合成静電容量 C_4 は，

$$C_4 = \frac{1}{4} C$$

コンデンサ全体に蓄えられる電界のエネルギーはコンデンサの合成静電容量に比例するから，この場合に蓄えられるエネルギーは図1の回路の1/8となる．

(4) 正しい．図1の回路のコンデンサ全体に蓄えられるエネルギー U_1 は，

$$U_1 = \frac{1}{2} \cdot 2C \cdot E^2 = CE^2$$

一方，図2の回路の電源電圧を2倍にしたときにコンデンサ全体に蓄えられるエネルギー U_{2E} は，

$$U_{2E} = \frac{1}{2} \cdot \frac{C}{2} \cdot (2E)^2 = \frac{C}{4} \cdot 4E^2 = CE^2$$

$$\therefore \quad U_1 = U_{2E}$$

(5) 正しい．静電容量 C [F] のコンデンサに電圧 E [V] を加えたときに蓄えられる電荷 Q [C] は，

$$Q = CE \text{ [C]}$$

よって，図1のコンデンサ一つ当たりに蓄えられる電荷は CE．一方，図2の回路では，コンデンサ一つに加わる電圧は $E/2$ であるから，コンデンサ一つ当たりに蓄えられる電荷は $\frac{1}{2} CE$．よって，図1のコンデンサ一つ当たりには図2のコンデンサ一つ当たりの2倍の電荷が蓄えられる．

問36 Check! □□□

(平成28年 Ⓐ問題2)

極板Aと極板Bとの間に一定の直流電圧を加え，極板Bを接地した平行板コンデンサに関する記述a～dとして，正しいものの組合せを次の(1)～(5)のうちから一つ選べ.

ただし，コンデンサの端効果は無視できるものとする.

a 極板間の電位は，極板Aからの距離に対して反比例の関係で変化する.

b 極板間の電界の強さは，極板Aからの距離に対して一定である.

c 極板間の等電位線は，極板に対して平行である.

d 極板間の電気力線は，極板に対して垂直である.

(1) a

(2) b

(3) a, c, d

(4) b, c, d

(5) a, b, c, d

解36 解答 (4)

極板Bを接地し，間隔 d [m] の極板A，B間に直流電圧 V [V] を加えたときの状態を図示すると，図のようになる．

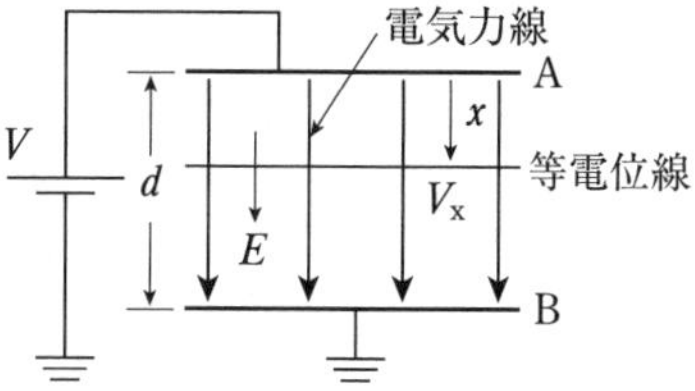

図において，極板間の電界の大きさ E は，

$$E = \frac{V}{d} [\mathrm{V/m}]$$

で表せ，極板Aから距離 x [m] の極板間の点における電位 V_x は，極板Bの電位が0であるので，

$$V_\mathrm{x} = E(d - x) = \frac{V}{d}(d - x) = V - \frac{V}{d}x$$

で表せるから，極板間の等電位線は極板に対して平行となる．したがって，aの記述は誤り，cの記述は正しい．

また，極板間の電気力線は極板に対して垂直であり，かつ，電界の強さ E は一定であるから，bおよびdの記述は正しく，(4)が正解となる．

問37 Check! □□□

（平成 30 年 Ⓐ 問題 2）

次の文章は，平行板コンデンサの電界に関する記述である．

極板間距離 d_0 [m] の平行板空気コンデンサの極板間電圧を一定とする．

極板と同形同面積の固体誘電体（比誘電率 $\varepsilon_r > 1$，厚さ d_1 [m] < d_0 [m]）を極板と平行に挿入すると，空気ギャップの電界の強さは，固体誘電体を挿入する前の値と比べて [(ア)]．

また，極板と同形同面積の導体（厚さ d_2 [m] < d_0 [m]）を極板と平行に挿入すると，空気ギャップの電界の強さは，導体を挿入する前の値と比べて [(イ)]．

ただし，コンデンサの端効果は無視できるものとする．

上記の記述中の空白箇所(ア)及び(イ)に当てはまる組合せとして，正しいものを次の(1)～(5)のうちから一つ選べ．

	(ア)	(イ)
(1)	強くなる	強くなる
(2)	強くなる	弱くなる
(3)	弱くなる	強くなる
(4)	弱くなる	弱くなる
(5)	変わらない	変わらない

解37 解答 (1)

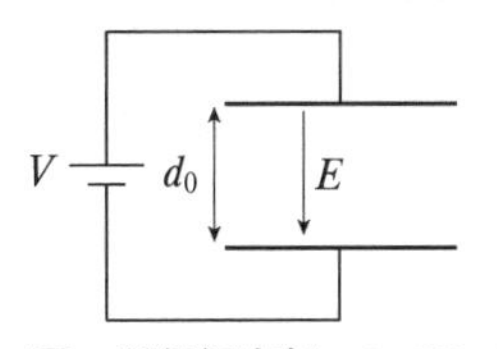

第1図　平行板空気コンデンサ

第1図のような極板間隔 d_0 [m] の平行板空気コンデンサの空気ギャップの電界の強さ E は，極板間電圧を V [V] とすると，

$$V = Ed_0 \qquad (1)$$

次に，第2図のように，比誘電率 ε_r (> 1)，厚さ d_1 [m] ($d_1 < d_0$) の固体誘電体を極板と平行に挿入したときの空気ギャップの電界の強さを E' [V/m] とすると，固体誘電体間の電界の強さは E'/ε_r [V/m] となるから，

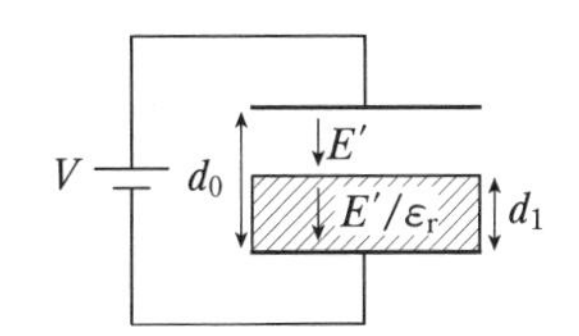

第2図　固体誘電体を挿入した平行板空気コンデンサ

$$V = E'(d_0 - d_1) + \frac{E'}{\varepsilon_r} d_1$$

$$= E'\left[d_0 - \left(1 - \frac{1}{\varepsilon_r}\right) d_1\right] \qquad (2)$$

ここに，$d_0 - (1 - 1/\varepsilon_r)d_1 < d_0$ であるから，(1)式および(2)式より，$E' > E$ となって，空気ギャップの電界の強さは固体誘電体を挿入する前と比べて強くなる．

また，第3図のように，厚さ d_2 [m] ($d_2 < d_0$) の導体を極板と平行に挿入したときの空気ギャップの電界の強さを E'' とすると，

$$V = E''(d_0 - d_2) \text{ [V]} \qquad (3)$$

となり，$E'' > E$ となって，空気ギャップの電界の強さは導体を挿入する前と比べて強くなる．

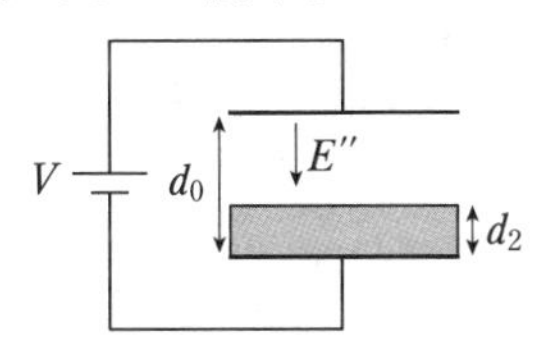

第3図　導体を挿入した平行板空気コンデンサ

問38 Check! □□□

(平成 23 年 Ⓐ 問題 2)

直流電圧 1 000〔V〕の電源で充電された静電容量 8〔μF〕の平行平板コンデンサがある．コンデンサを電源から外した後に電荷を保持したままコンデンサの電極間距離を最初の距離の $\frac{1}{2}$ に縮めたとき，静電容量〔μF〕と静電エネルギー〔J〕の値の組合せとして，正しいものを次の(1)～(5)のうちから一つ選べ．

	静電容量	静電エネルギー
(1)	16	4
(2)	16	2
(3)	16	8
(4)	4	4
(5)	4	2

問39 Check! □□□

(平成 26 年 Ⓐ 問題 1)

極板 A－B 間が比誘電率 $\varepsilon_r = 2$ の誘電体で満たされた平行平板コンデンサがある．極板間の距離は d〔m〕，極板間の直流電圧は V_0〔V〕である．極板と同じ形状と大きさをもち，厚さが $\frac{d}{4}$〔m〕の帯電していない導体を図に示す位置 P－Q 間に極板と平行に挿入したとき，導体の電位の値〔V〕として，正しいものを次の(1)～(5)のうちから一つ選べ．

ただし，コンデンサの端効果は無視できるものとする．

(1) $\frac{V_0}{8}$　(2) $\frac{V_0}{6}$　(3) $\frac{V_0}{4}$　(4) $\frac{V_0}{3}$　(5) $\frac{V_0}{2}$

解38 解答 (2)

コンデンサを 1 000〔V〕で充電したときの充電電荷 Q および静電エネルギー W はそれぞれ，次のようになる．

$$Q = CV = 8 \times 10^{-6} \times 1\,000 = 8 \times 10^{-3}\,〔\mathrm{C}〕$$

$$W = \frac{1}{2}CV^2 = \frac{1}{2} \times 8 \times 10^{-6} \times 1000^2 = 4\,〔\mathrm{J}〕$$

さて，電極面積 S〔$\mathrm{m^2}$〕，電極間隔 d〔m〕，電極間誘電体の誘電率 ε〔F/m〕の平行平板コンデンサの静電容量 C は，

$$C = \varepsilon \frac{S}{d}\,〔\mathrm{F}〕$$

で表せるから，電極板距離を $\frac{1}{2}d$ としたときの静電容量 C' は，次式となる．

$$C' = \varepsilon \frac{S}{\frac{1}{2}d} = 2\varepsilon \frac{S}{d} = 2C\,〔\mathrm{F}〕$$

したがって，求める静電容量 C' は，

$$C' = 2 \times 8 = 16\,〔\mu\mathrm{F}〕$$

さらに，コンデンサを電源から外した後，電荷を保持したまま電極間隔を 1/2 としたことから，このときの静電エネルギー W' は，次のようになる．

$$W' = \frac{Q^2}{2C'} = \frac{(8 \times 10^{-3})^2}{2 \times 16 \times 10^{-6}} = 2\,〔\mathrm{J}〕$$

解39 解答 (4)

P－Q 間の導体間の電位差は 0 であるから，電位差は誘電体間にのみ生じ，二つの誘電体で直流電圧 V_0 は分圧される．また，誘電体の比誘電率が同じであるから，電位差は間隔に比例して分圧され，導体の電位 V_Q は，B－Q 間の電位差に等しいから，次式で求められる．

$$V_Q = \frac{\frac{d}{4}}{\frac{d}{4} + \frac{d}{2}} V_0 = \frac{\frac{1}{4}}{\frac{3}{4}} V_0 = \frac{1}{3} V_0\,〔\mathrm{V}〕$$

問40 Check! □□□

（令和６年㊤ Ⓐ問題１）

図１に示すような，空気を含む二つの誘電体からなる平行平板電極がある．この下部電極を接地し，上部電極に電圧を加えたときの電極間の等電位線の分布を示す断面図として，正しいものを次の⑴～⑸のうちから一つ選べ．

ただし，誘電体の導電性及び電極と誘電体の端効果は無視できるものとする．

参考までに固体誘電体を取り除いた，空気中平行平板電極の場合の等電位線の分布を図２に示す．

図１　複合誘電体平行平板電極の断面図　図２　空気中平行平板電極の断面図

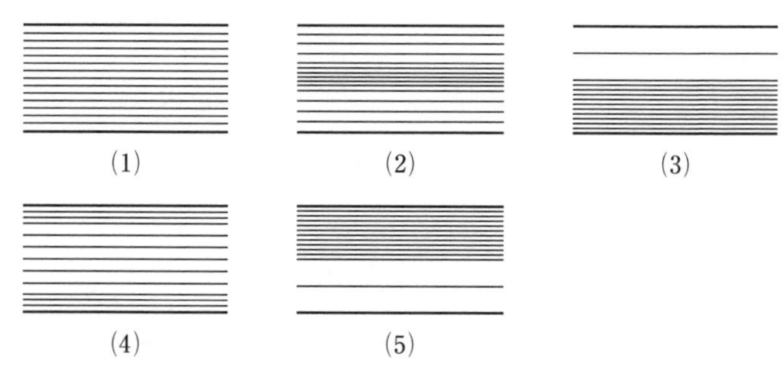

㈡　図2と同様に下側を接地電極とする．

解40 解答 (5)

真空の誘電率を ε_0 [F/m] とし，上部電極に電圧 $+V$ [V] を加えたときの平行平板電極間の電束密度 D および電界 E_1 および電界 E_2 の様子を示すと，図のようになる.

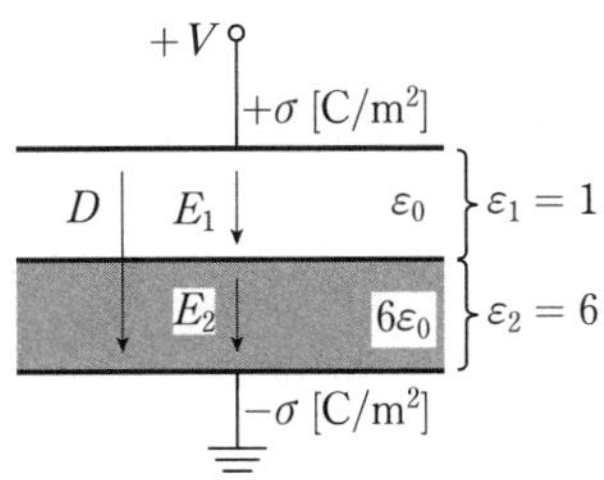

図のように，上部電極に電荷密度 $+\sigma$ [C/m²]，下部電極に $-\sigma$ [C/m²] の電荷が蓄えられたとすると，電極間の電束密度の大きさ D は，$D=\sigma$ [C/m²] となり，空気部分および誘電体部分の電界の大きさ E_1 および電界 E_2 はそれぞれ，

$$E_1=\frac{D}{\varepsilon_1\varepsilon_0}=\frac{\sigma}{\varepsilon_0}\ [\mathrm{V/m}]$$

$$E_2=\frac{D}{\varepsilon_2\varepsilon_0}=\frac{\sigma}{6\varepsilon_0}\ [\mathrm{V/m}]$$

となり，これらの比 E_2/E_1 は，

$$\frac{E_2}{E_1}=\frac{\sigma}{6\varepsilon_0}\cdot\frac{\varepsilon_0}{\sigma}=\frac{1}{6}$$

したがって，誘電体部分の電界は空気部分の電界の 1/6 となるから，等電位線の分布は空気部分の等電位線の分布の 1/6 となり，これを表した図は(5)となる.

問41 Check! □□□

(平成 18 年 A 問題 2)

図 1 に示すような，空気中における固体誘電体を含む複合誘電体平行平板電極がある．この下部電極を接地し，上部電極に電圧を加えたときの電極間の等電位線の分布を示す断面図として，正しいのは次のうちどれか．

ただし，誘電体の導電性及び電極と誘電体の端効果は無視できるものとする．

参考までに固体誘電体を取り除いた，空気中平行平板電極の場合の等電位線の分布を図 2 に示す．

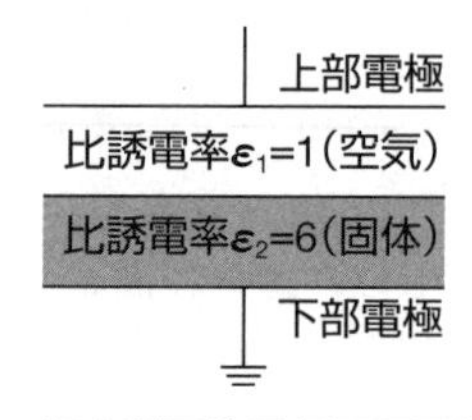

図 1 複合誘電体平行平板電極の断面図

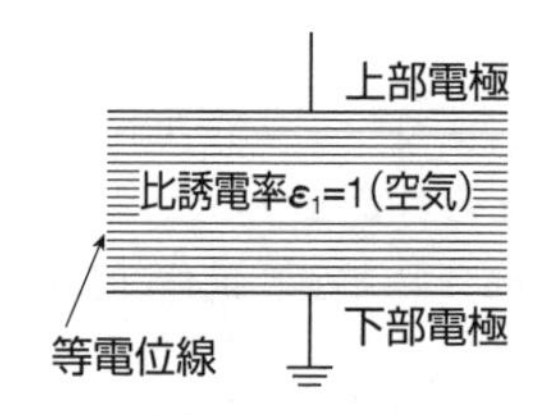

図 2 空気中平行平板電極の断面図

(1)

(2)
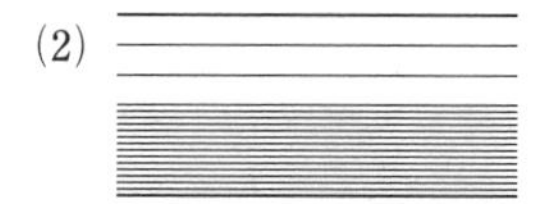

(3)
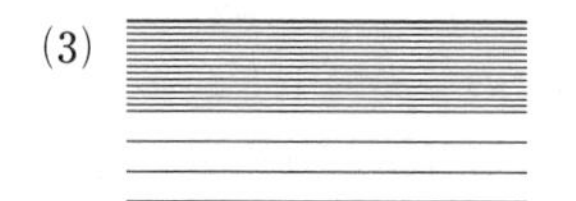

(4)
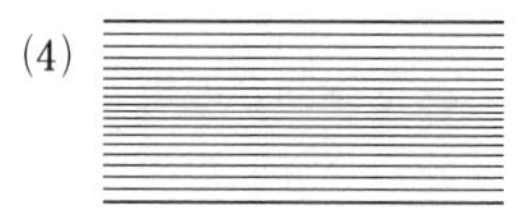

(5)
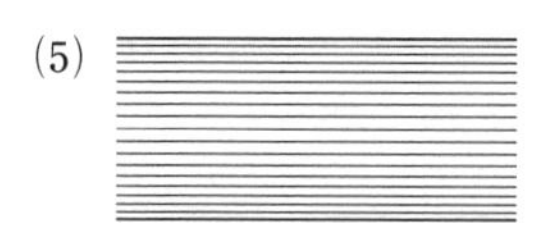

(注) 図 2 と同様に下側を接地電極とする

解41 解答 (3)

図のように，下部電極を接地し，上部電極に V_m〔V〕の電圧を加えたとき，上部電極に $+\sigma$〔C/m²〕，下部電極に $-\sigma$〔C/m²〕の電荷が蓄えられたとする．

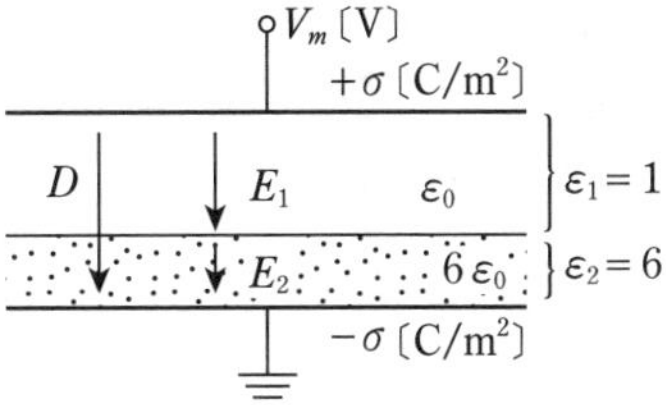

このとき，電極間内に生じる電束密度 D は誘電体の有無に無関係に，

$$D=\sigma \text{〔C/m}^2\text{〕}$$

となる．したがって，空気（$\varepsilon_1=1$）部分の電界 E_1 および固体誘電体（$\varepsilon_2=6$）部分の電界 E_2 は真空の誘電率を ε_0〔F/m〕とすると，次式となる．

$$E_1=\frac{D}{\varepsilon_1\varepsilon_0}=\frac{\sigma}{\varepsilon_0}\text{〔V/m〕},\quad E_2=\frac{D}{\varepsilon_2\varepsilon_0}=\frac{\sigma}{6\varepsilon_0}\text{〔V/m〕}$$

$$\therefore\quad E_1=6E_2$$

したがって，同一電位差 V〔V〕を生じる距離を空気部分および固体誘電体部分で比較すると，空気部分では，

$$d_1=\frac{V}{E_1}=\frac{V}{6E_2}\text{〔m〕},\quad d_2=\frac{V}{E_2}\text{〔m〕}$$

$$\therefore\quad d_2=6d_1$$

となり，空気部分の等電位線の間隔は固体誘電体部分の等電位線の間隔より狭くなる．

問42 Check! □□□

(平成 27 年 Ⓐ 問題 2)

図のように，真空中で 2 枚の電極を平行に向かい合せたコンデンサを考える．各電極の面積を A [m^2]，電極の間隔を l [m] とし，端効果を無視すると，静電容量は (ア) [F] である．このコンデンサに直流電圧源を接続し，電荷 Q [C] を充電してから電圧源を外した．このとき，電極間の電界 E = (イ) [V/m] によって静電エネルギー W = (ウ) [J] が蓄えられている．この状態で電極間隔を増大させると静電エネルギーも増大することから，二つの電極間には静電力の (エ) が働くことが分かる．

ただし，真空の誘電率を ε_0 [F/m] とする．

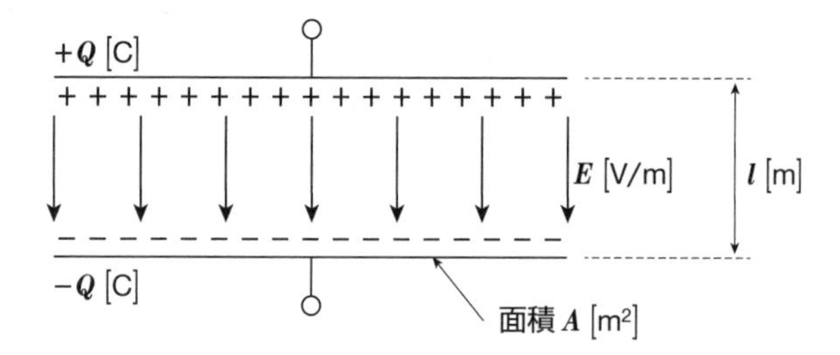

上記の記述中の空白箇所(ア)，(イ)，(ウ)及び(エ)に当てはまる組合せとして，正しいものを次の(1)〜(5)のうちから一つ選べ．

	(ア)	(イ)	(ウ)	(エ)
(1)	$\varepsilon_0 \dfrac{A}{l}$	$\dfrac{Ql}{\varepsilon_0 A}$	$\dfrac{Q^2 l}{\varepsilon_0 A}$	引力
(2)	$\varepsilon_0 \dfrac{A}{l}$	$\dfrac{Q}{\varepsilon_0 A}$	$\dfrac{Q^2 l}{2\varepsilon_0 A}$	引力
(3)	$\dfrac{A}{\varepsilon_0 l}$	$\dfrac{Ql}{\varepsilon_0 A}$	$\dfrac{Q^2 l}{2\varepsilon_0 A}$	斥力
(4)	$\dfrac{A}{\varepsilon_0 l}$	$\dfrac{Q}{\varepsilon_0 A}$	$\dfrac{Q^2 l}{\varepsilon_0 A}$	斥力
(5)	$\varepsilon_0 \dfrac{A}{l}$	$\dfrac{Q}{\varepsilon_0 A}$	$\dfrac{Q^2 l}{2\varepsilon_0 A}$	斥力

解42 解答 (2)

(ア) 静電容量 C は次式で与えられる．

$$C = \varepsilon_0 \frac{A}{l} [\mathrm{F}]$$

(イ) 電極の電荷密度 σ は，$\sigma = Q/A$ [C/m²] となり，電極間の電束密度は，$D = \sigma = Q/A$ [C/m²] となるから，電極間の電界 E は，

$$E = \frac{D}{\varepsilon_0} = \frac{Q}{\varepsilon_0 A} [\mathrm{V/m}]$$

となる．

(ウ) コンデンサに蓄えられる静電エネルギーは，

$$W = \frac{1}{2}QV = \frac{1}{2}Q \cdot El = \frac{1}{2}Q\frac{Q}{\varepsilon_0 A}l = \frac{Q^2 l}{2\varepsilon_0 A} \ [\mathrm{J}]$$

(エ) 二つの電極には正負の電荷が蓄えられるから，両電極には引力が働く．

問43 Check! □□□ （令和4年㊤ Ⓑ問題17）

図のように直列に接続された二つの平行平板コンデンサに 120 V の電圧が加わっている．コンデンサ C_1 の金属板間は真空であり，コンデンサ C_2 の金属板間には比誘電率 ε_r の誘電体が挿入されている．コンデンサ C_1，C_2 の金属板間の距離は等しく，C_1 の金属板の面積は C_2 の 2 倍である．このとき，コンデンサ C_1 の両端の電圧が 80 V であった．次の(a)及び(b)の問に答えよ．

ただし，コンデンサの端効果は無視できるものとする．

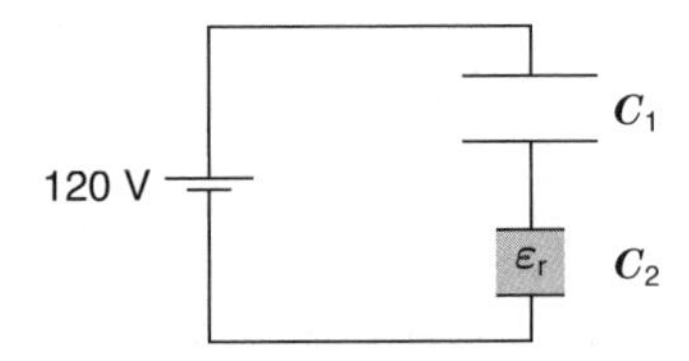

(a) コンデンサ C_2 の誘電体の比誘電率 ε_r の値として，最も近いものを次の(1)～(5)のうちから一つ選べ．

(1) 1　(2) 2　(3) 3　(4) 4　(5) 5

(b) C_1 の静電容量が 30 μF のとき，C_1 と C_2 の合成容量の値 [μF] として，最も近いものを次の(1)～(5)のうちから一つ選べ．

(1) 10　(2) 20　(3) 30　(4) 40　(5) 50

解43 解答 (a)−(4), (b)−(2)

(a) 二つのコンデンサの静電容量を C_1, C_2, コンデンサ C_1, C_2 の端子電圧を V_1, V_2 とすれば，次の関係が成り立つ．

$$V_1 : V_2 = C_2 : C_1$$

この式に問題の数値を代入すると，

$$80 : (120 - 80) = C_2 : C_1$$

$$40C_2 = 80C_1$$

$$C_2 = 2C_1 \quad ①$$

一方，平行平板コンデンサの静電容量 C は，極板の面積を S, 極板間の距離を d とすれば，

$$C = \frac{\varepsilon_0 \varepsilon_r S}{d} \quad ②$$

であるから，コンデンサ C_1, C_2 の金属板間の距離を d, C_2 の金属板の面積を S_2 とすれば，①式と②式から次の式が成り立つ．

$$\frac{\varepsilon_0 \varepsilon_r S_2}{d} = 2 \times \frac{\varepsilon_0 \cdot 2S_2}{d}$$

$$\therefore \quad \varepsilon_r = 2 \times \frac{\varepsilon_0 \cdot 2S_2}{d} \cdot \frac{d}{\varepsilon_0 \cdot S_2} = 4$$

(b) ①式のとおり

$$C_2 = 2C_1$$

これより，C_1 が 30 μF のとき，C_2 は $30 \times 2 = 60$ μF

よって，合成容量は，

$$\frac{60 \times 30}{60 + 30} = \frac{1\,800}{90} = 20\ \mu\text{F}$$

問44 Check! □□□ （平成 28 年 Ⓑ 問題 17）

図のように，十分大きい平らな金属板で覆われた床と平板電極とで作られる空気コンデンサが二つ並列接続されている．二つの電極は床と平行であり，それらの面積は左側が $A_1 = 10^{-3}$ m^2，右側が $A_2 = 10^{-2}$ m^2 である．床と各電極の間隔は左側が $d = 10^{-3}$ m で固定，右側が x [m] で可変，直流電源電圧は $V_0 = 1\ 000$ V である．次の(a)及び(b)の問に答えよ．

ただし，空気の誘電率を $\varepsilon = 8.85 \times 10^{-12}$ F/m とし，静電容量を考える際にコンデンサの端効果は無視できるものとする．

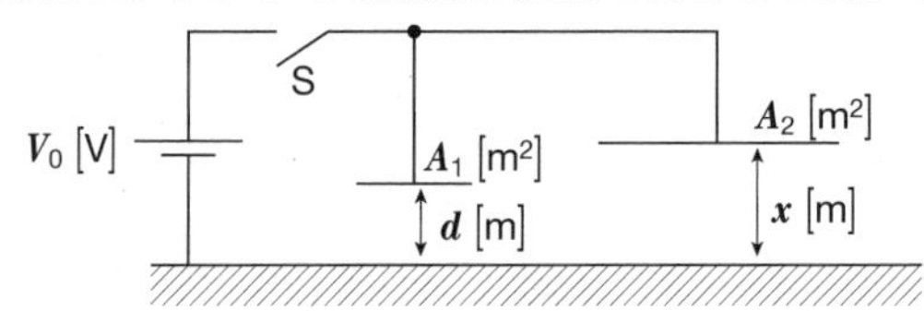

(a) まず，右側の x [m] を d [m] と設定し，スイッチ S を一旦閉じてから開いた．このとき，二枚の電極に蓄えられる合計電荷 Q の値 [C] として最も近いものを次の(1)～(5)のうちから一つ選べ．

(1) 8.0×10^{-9}　(2) 1.6×10^{-8}　(3) 9.7×10^{-8}

(4) 1.9×10^{-7}　(5) 1.6×10^{-6}

(b) 上記(a)の操作の後，徐々に x を増していったところ，$x = 3.0 \times 10^{-3}$ m のときに左側の電極と床との間に火花放電が生じた．左側のコンデンサの空隙の絶縁破壊電圧 V の値 [V] として最も近いものを次の(1)～(5)のうちから一つ選べ．

(1) 3.3×10^{2}　(2) 2.5×10^{3}　(3) 3.0×10^{3}

(4) 5.1×10^{3}　(5) 3.0×10^{4}

解44 解答 (a)－(3), (b)－(2)

(a) 題意より，平板電極の面積が $A_1 = 10^{-3}\ \mathrm{m}^2$，間隔 $d = 10^{-3}\ \mathrm{m}$ の左側の空気コンデンサの静電容量 C_1 は，

$$C_1 = \varepsilon_0 \frac{A_1}{d} = 8.85 \times 10^{-12} \times \frac{10^{-3}}{10^{-3}} = 8.85 \times 10^{-12}\ \mathrm{F}$$

まず，右側のコンデンサの間隔を $x = d\ [\mathrm{m}]$ としたから，この空気コンデンサの静電容量 C_2 は，

$$C_2 = \frac{A_2}{A_1} C_1 = \frac{10^{-2}}{10^{-3}} \times 8.85 \times 10^{-12} = 8.85 \times 10^{-11}\ \mathrm{F}$$

したがって，スイッチSを閉じて二つの空気コンデンサに $V_0 = 1\,000\ \mathrm{V}$ を加えたときに蓄えられる電荷量 Q は，

$$Q = (C_1 + C_2)V_0 = (8.85 \times 10^{-12} + 8.85 \times 10^{-11}) \times 1\,000 = 9.735 \times 10^{-8}\ \mathrm{C}$$

となる．

次に，スイッチSを開くと，二つの電極に蓄えられる電荷の分担量は変化するが，二つのコンデンサに蓄えられる電荷の総量は一定であるから，求める合計電荷も上記の Q に等しく，

$$Q = 9.735 \times 10^{-8} \fallingdotseq 9.7 \times 10^{-8}\ \mathrm{C}$$

となる．

(b) $x = 3.0 \times 10^{-3}\ \mathrm{m}$ としたときの右側の空気コンデンサの静電容量 C_2' は，

$$C_2' = \frac{d}{x} C_2 = \frac{10^{-3}}{3.0 \times 10^{-3}} \times 8.85 \times 10^{-11} = 2.95 \times 10^{-11}\ \mathrm{F}$$

となるから，このときの左側の空気コンデンサの分担電荷量 Q_1 は，

$$Q_1 = \frac{C_1}{C_1 + C_2'} Q = \frac{8.85 \times 10^{-12}}{8.85 \times 10^{-12} + 2.95 \times 10^{-11}} \times 9.735 \times 10^{-8}$$

$$= \frac{8.85}{8.85 + 29.5} \times 9.735 \times 10^{-8} \fallingdotseq 2.246\,54 \times 10^{-8}\ \mathrm{C}$$

となるから，求める左側のコンデンサの空隙の絶縁破壊電圧 V は，

$$V = \frac{Q_1}{C_1} = \frac{2.246\,54 \times 10^{-8}}{8.85 \times 10^{-12}} \fallingdotseq 2\,538.463 \fallingdotseq 2.5 \times 10^3\ \mathrm{V}$$

問45 Check! □□□

（令和２年 B問題 17）

図のように，誘電体の種類，比誘電率，絶縁破壊電界，厚さがそれぞれ異なる三つの平行板コンデンサ①～③がある．極板の形状と大きさは同一で，コンデンサの端効果，初期電荷及び漏れ電流は無視できるものとする．上側の極板に電圧 V_0 [V] の直流電源を接続し，下側の極板を接地した．次の(a)及び(b)の問に答えよ．

	①	②	③
形状サイズ	4.0 mm	1.0 mm	0.5 mm
誘電体の種類	気体	液体	固体
比誘電率	1	2	4
絶縁破壊電界	10 kV/mm	20 kV/mm	50 kV/mm

(a) 各平行板コンデンサへの印加電圧の大きさが同一のとき，極板間の電界の強さの大きい順として，正しいものを次の(1)～(5)のうちから一つ選べ．

(1) ① > ② > ③

(2) ① > ③ > ②

(3) ② > ① > ③

(4) ③ > ① > ②

(5) ③ > ② > ①

(b) 各平行板コンデンサへの印加電圧をそれぞれ徐々に上昇し，極板間の電界の強さが絶縁破壊電界に達したときの印加電圧（絶縁破壊電圧）の大きさの大きい順として，正しいものを次の(1)～(5)のうちから一つ選べ．

(1) ① > ② > ③

(2) ① > ③ > ②

(3) ② > ① > ③

(4) ③ > ① > ②

(5) ③ > ② > ①

解45 解答 (a)－(5), (b)－(2)

(a) 平行板コンデンサ①，②および③に電圧 V_0 [V] を加えたときの各コンデンサの極板間の電界の強さ E_1，E_2 および E_3 はそれぞれ，

$$E_1 = \frac{V_0}{4.0} = 0.25V_0 \ [\mathrm{V/mm}]$$

$$E_2 = \frac{V_0}{1.0} = V_0 \ [\mathrm{V/mm}]$$

$$E_3 = \frac{V_0}{0.5} = 2V_0 \ [\mathrm{V/mm}]$$

となるから，極板間の電界の強さを大きい順に並べると，

$E_3 > E_2 > E_1 \Rightarrow$ ③ > ② > ①

(b) 平行板コンデンサ①，②および③の絶縁破壊電圧を V_{B1} [kV]，V_{B2} [kV] および V_{B3} [kV] はそれぞれ，次のようになる．

$$E_{B1} = \frac{V_{B1}}{4.0} = 10 \Rightarrow V_{B1} = 40 \ \mathrm{kV}$$

$$E_{B2} = \frac{V_{B2}}{1.0} = 20 \Rightarrow V_{B2} = 20 \ \mathrm{kV}$$

$$E_{B3} = \frac{V_{B3}}{0.5} = 50 \Rightarrow V_{B3} = 25 \ \mathrm{kV}$$

したがって，絶縁破壊電圧を大きい順に並べると，

$V_{B1} > V_{B3} > V_{B2} \Rightarrow$ ① > ③ > ②

問46 Check! □□□

(平成30年 B 問題17)

空気（比誘電率1）で満たされた極板間距離$5d$ [m] の平行板コンデンサがある．図のように，一方の極板と大地との間に電圧V_0 [V]の直流電源を接続し，極板と同形同面積で厚さ$4d$ [m] の固体誘電体（比誘電率4）を極板と接するように挿入し，他方の極板を接地した．次の(a)及び(b)の問に答えよ．

ただし，コンデンサの端効果は無視できるものとする．

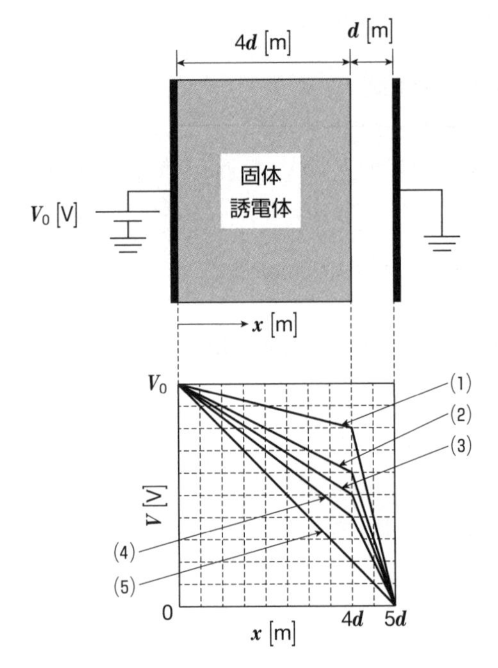

(a) 極板間の電位分布を表すグラフ（縦軸：電位V [V]，横軸：電源が接続された極板からの距離x [m]）として，最も近いものを図中の(1)〜(5)のうちから一つ選べ．

(b) V_0 = 10 kV，d = 1 mm とし，比誘電率4の固体誘電体を比誘電率ε_rの固体誘電体に差し替え，空気ギャップの電界の強さが 2.5 kV/mm となったとき，ε_rの値として最も近いものを次の(1)〜(5)のうちから一つ選べ．

(1) 0.75　(2) 1.00　(3) 1.33　(4) 1.67　(5) 2.00

解46 解答 (a)−(3), (b)−(3)

(a) 空気部分の電界の強さを E [V/m] とすると，比誘電率 4 の固体誘電体部分の電界は $E/4$ [V/m] で表せるから，電圧 V_0 [V] は E を用いて，

$$V_0 = Ed + \frac{E}{4}\cdot 4d = 2Ed$$

$$\therefore \quad E = \frac{V_0}{2d} \text{ [V/m]}$$

したがって，電位 V [V] は次式で表せる．

(i) $0 \leqq x < 4d$

$$V = V_0 - \frac{E}{4}x = V_0 - \frac{V_0}{8d}x$$

(ii) $4d < x \leqq 5d$

$$V = V_0 - \frac{V_0}{8d}\cdot 4d - E(x - 4d) = \frac{V_0}{2} - \frac{V_0}{2d}(x - 4d) = \frac{5}{2}V_0 - \frac{V_0}{2d}x$$

$$\therefore \quad V = \begin{cases} V_0 - \dfrac{V_0}{8d}x & (0 \leqq x < 4d) \\ \dfrac{5}{2}V_0 - \dfrac{V_0}{2d}x & (4d < x \leqq 5d) \end{cases}$$

電位分布を表すグラフを描くと，図のようになる．

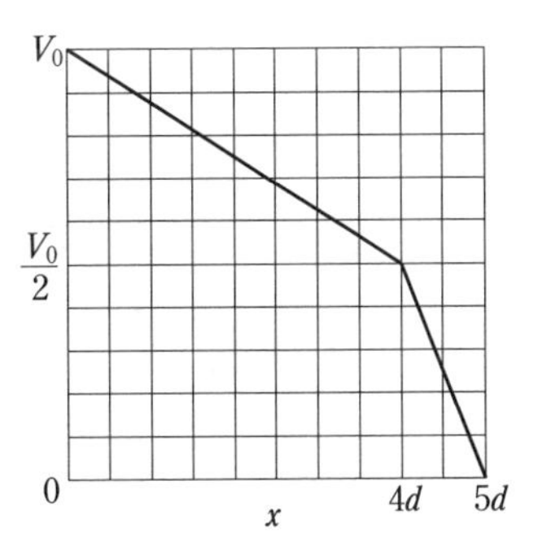

(b) 比誘電率 ε_r の固体誘電体に差し替え，空気ギャップの電界の強さが 2.5 kV/mm となったとき，固体誘電体の電界の強さは $2.5/\varepsilon_r$ [kV/mm] で表されるから，電圧 V_0 について，次式が成立する．

$$V_0 = 2.5 \times 1 + \frac{2.5}{\varepsilon_r} \times 4 = 10 \text{ kV}$$

$$\frac{10}{\varepsilon_r} = 7.5$$

したがって，求める固体誘電体の誘電率 ε_r は，

$$\varepsilon_r = \frac{10}{7.5} \fallingdotseq 1.33$$

問47　Check! □□□

（平成24年 Ⓐ問題2）

極板A–B間が誘電率ε_0〔F/m〕の空気で満たされている平行平板コンデンサの空気ギャップ長をd〔m〕，静電容量をC_0〔F〕とし，極板間の直流電圧をV_0〔V〕とする．極板と同じ形状と面積を持ち，厚さが$\frac{d}{4}$〔m〕，誘電率ε_1〔F/m〕の固体誘電体（$\varepsilon_1>\varepsilon_0$）を図に示す位置P–Q間に極板と平行に挿入すると，コンデンサ内の電位分布は変化し，静電容量はC_1〔F〕に変化した．このとき，誤っているものを次の⑴～⑸のうちから一つ選べ．

ただし，空気の誘電率をε_0，コンデンサの端効果は無視できるものとし，直流電圧V_0〔V〕は一定とする．

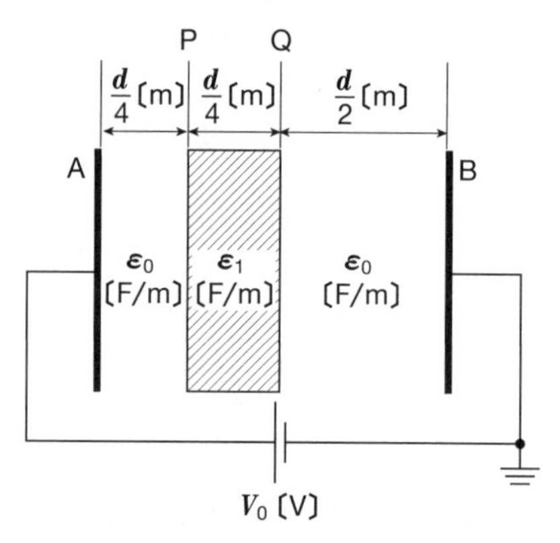

⑴　位置Pの電位は，固体誘電体を挿入する前の値よりも低下する．

⑵　位置Qの電位は，固体誘電体を挿入する前の値よりも上昇する．

⑶　静電容量C_1〔F〕は，C_0〔F〕よりも大きくなる．

⑷　固体誘電体を導体に変えた場合，位置Pの電位は固体誘電体又は導体を挿入する前の値よりも上昇する．

⑸　固体誘電体を導体に変えた場合の静電容量C_2〔F〕は，C_0〔F〕よりも大きくなる．

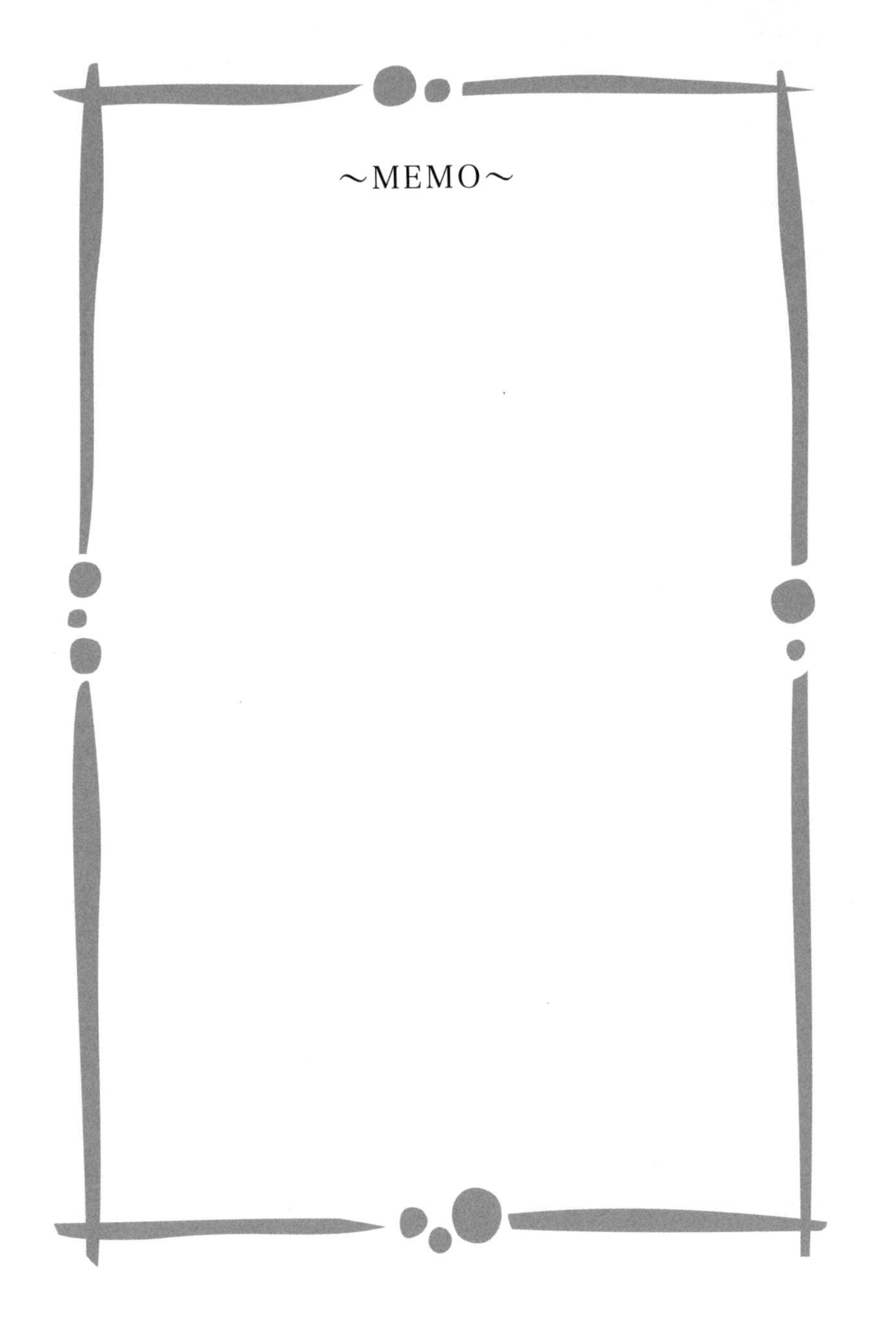
～MEMO～

解47 解答 (4)

図のように，極板AおよびBに電荷密度σ〔C/m^2〕の電荷が蓄えられたとする．

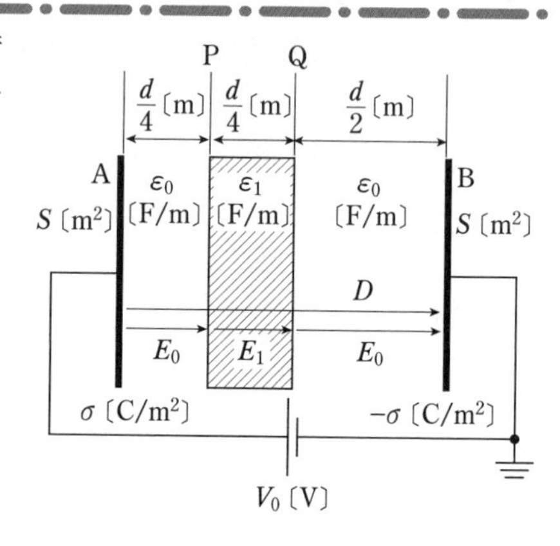

この場合，極板AB間の電束密度Dは，$D=\sigma$〔C/m^2〕となるから，空気部分の電界E_0および固体誘電体部分の電界E_1はそれぞれ，次のようになる．

$$E_0=\frac{D}{\varepsilon_0}=\frac{\sigma}{\varepsilon_0}\text{〔V/m〕} \quad ①$$

$$E_1=\frac{D}{\varepsilon_1}=\frac{\sigma}{\varepsilon_1}\text{〔V/m〕} \quad ②$$

したがって，極板間の電位差V_0は，

$$V_0=E_0\cdot\frac{d}{2}+E_1\cdot\frac{d}{4}+E_0\cdot\frac{d}{4}=\frac{3}{4}E_0d+\frac{1}{4}E_1d=\frac{3\sigma}{4\varepsilon_0}d+\frac{\sigma}{4\varepsilon_1}d$$

$$=\frac{\sigma}{\varepsilon_0}\left(\frac{3}{4}+\frac{1}{4}\frac{\varepsilon_0}{\varepsilon_1}\right)d\text{〔V〕}$$

で表せるから，極板の電荷密度σは，

$$\sigma=\frac{\varepsilon_0}{\frac{3}{4}+\frac{1}{4}\frac{\varepsilon_0}{\varepsilon_1}}\frac{V_0}{d}\text{〔C/m}^2\text{〕} \quad ③$$

となる．よって，①式および②式より，

$$E_0=\frac{\sigma}{\varepsilon_0}=\frac{1}{\frac{3}{4}+\frac{1}{4}\frac{\varepsilon_0}{\varepsilon_1}}\frac{V_0}{d}\text{〔V/m〕} \quad ④$$

$$E_1=\frac{\sigma}{\varepsilon_1}=\frac{\frac{\varepsilon_0}{\varepsilon_1}}{\frac{3}{4}+\frac{1}{4}\frac{\varepsilon_0}{\varepsilon_1}}\frac{V_0}{d}\text{〔V/m〕} \quad ⑤$$

(1)，(2)　位置Pおよび位置Qの電位について考えると，固体誘電体を挿入する前の電位をそれぞれV_{P0}およびV_{Q0}とすると，

$$V_{P0}=\frac{3}{4}V_0\text{〔V〕} \quad ⑥$$

$$V_{Q0} = \frac{1}{2} V_0 \text{〔V〕} \quad ⑦$$

次に，固体誘電体を挿入した後の位置 Q の電位 V_{Q1} は，④式より，

$$V_{Q1} = E_0 \cdot \frac{d}{2} = \frac{\sigma}{\varepsilon_0} \cdot \frac{d}{2} = \frac{1}{\frac{3}{4} + \frac{1}{4}\frac{\varepsilon_0}{\varepsilon_1}} \cdot \frac{1}{2} V_0 \text{〔V〕} \quad ⑧$$

となるが，$\varepsilon_1 > \varepsilon_0$ であるから，$V_{Q1} > V_{Q0}$ となり，(2)の記述は正しい．

また，固体誘電体を挿入した後の位置 P の電位 V_{P1} は，④式より，

$$V_{P1} = V_0 - E_0 \cdot \frac{d}{4} = V_0 - \frac{1}{3 + \frac{\varepsilon_0}{\varepsilon_1}} V_0 = \frac{2 + \frac{\varepsilon_0}{\varepsilon_1}}{3 + \frac{\varepsilon_0}{\varepsilon_1}} V_0 \text{〔V〕} \quad ⑨$$

となるが，$\varepsilon_1 > \varepsilon_0$ であるから，$V_{P1} < V_{P0}$ となり，(1)の記述は正しい．

(3)　固体誘電体を挿入する前の静電容量 C_0 は，

$$C_0 = \varepsilon_0 \frac{S}{d} \text{〔F〕} \quad ⑩$$

また，固体誘電体を挿入した後の静電容量 C_1 は

$$C_1 = \frac{\sigma S}{V_0} = \frac{\varepsilon_0}{\frac{3}{4} + \frac{1}{4}\frac{\varepsilon_0}{\varepsilon_1}} \frac{S}{d} \text{〔F〕} \quad ⑪$$

であり，$\varepsilon_1 > \varepsilon_0$ であるから，$C_1 > C_0$ となり，(3)の記述は正しい．

(4)　固体誘電体を導体に変えた場合の位置 P の電位 V_{P2} は，⑨式において，$\varepsilon_1 \to \infty$ とすれば，

$$V_{P2} = \frac{2}{3} V_0 \text{〔V〕} < V_{P0}$$

となり，さらに低下するから，(4)の記述は誤りである．

(5)　固体誘電体を導体に変えた場合の静電容量 C_2 は，⑪式において，$\varepsilon_1 \to \infty$ とすれば，

$$C_2 = \frac{\varepsilon_0}{\frac{3}{4}} \frac{S}{d} = \frac{4}{3} \varepsilon_0 \frac{S}{d} \text{〔F〕} > C_0$$

となるから，(5)の記述は正しい．

問48 Check! □□□

(令和5年㊤ Ⓐ問題1)

電極板面積と電極板間隔が共に S [m²] と d [m] で，一方は比誘電率が ε_{r1} の誘電体からなる平行平板コンデンサ C_1 と，他方は比誘電率が ε_{r2} の誘電体からなる平行平板コンデンサ C_2 がある．今，これらを図のように並列に接続し，端子A，B間に直流電圧 V_0 [V] を加えた．このとき，コンデンサ C_1 の電極板間の電界の強さを E_1 [V/m]，電束密度を D_1 [C/m²]，また，コンデンサ C_2 の電極板間の電界の強さを E_2 [V/m]，電束密度を D_2 [C/m²] とする．両コンデンサの電界の強さ E_1 [V/m] と E_2 [V/m] はそれぞれ (ア) であり，電束密度 D_1 [C/m²] と D_2 [C/m²] はそれぞれ (イ) である．したがって，コンデンサ C_1 に蓄えられる電荷を Q_1 [C]，コンデンサ C_2 に蓄えられる電荷を Q_2 [C] とすると，それらはそれぞれ (ウ) となる．

ただし，電極板の厚さ及びコンデンサの端効果は，無視できるものとする．また，真空の誘電率を ε_0 [F/m] とする．

上記の記述中の空白箇所(ア)〜(ウ)に当てはまる式の組合せとして，正しいものを次の(1)〜(5)のうちから一つ選べ．

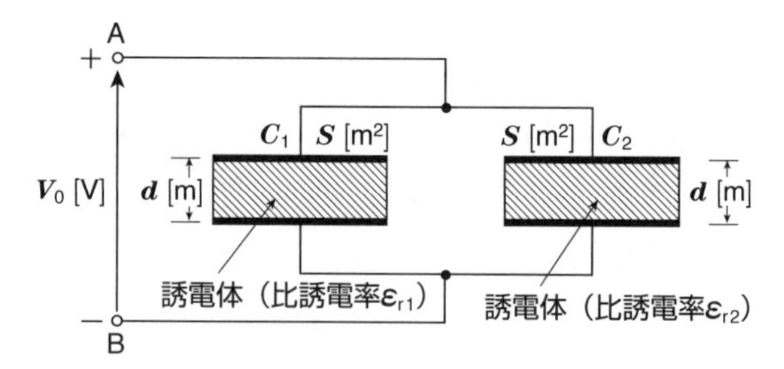

	(ア)	(イ)	(ウ)
(1)	$E_1=\frac{\varepsilon_{r1}}{d}V_0$ $E_2=\frac{\varepsilon_{r2}}{d}V_0$	$D_1=\frac{\varepsilon_{r1}}{d}SV_0$ $D_2=\frac{\varepsilon_{r2}}{d}SV_0$	$Q_1=\frac{\varepsilon_0\varepsilon_{r1}}{d}SV_0$ $Q_2=\frac{\varepsilon_0\varepsilon_{r2}}{d}SV_0$
(2)	$E_1=\frac{\varepsilon_{r1}}{d}V_0$ $E_2=\frac{\varepsilon_{r2}}{d}V_0$	$D_1=\frac{\varepsilon_0\varepsilon_{r1}}{d}V_0$ $D_2=\frac{\varepsilon_0\varepsilon_{r2}}{d}V_0$	$Q_1=\frac{\varepsilon_0\varepsilon_{r1}}{d}SV_0$ $Q_2=\frac{\varepsilon_0\varepsilon_{r2}}{d}SV_0$
(3)	$E_1=\frac{V_0}{d}$ $E_2=\frac{V_0}{d}$	$D_1=\frac{\varepsilon_0\varepsilon_{r1}}{d}SV_0$ $D_2=\frac{\varepsilon_0\varepsilon_{r2}}{d}SV_0$	$Q_1=\frac{\varepsilon_0\varepsilon_{r1}}{d}V_0$ $Q_2=\frac{\varepsilon_0\varepsilon_{r2}}{d}V_0$
(4)	$E_1=\frac{V_0}{d}$ $E_2=\frac{V_0}{d}$	$D_1=\frac{\varepsilon_0\varepsilon_{r1}}{d}V_0$ $D_2=\frac{\varepsilon_0\varepsilon_{r2}}{d}V_0$	$Q_1=\frac{\varepsilon_0\varepsilon_{r1}}{d}SV_0$ $Q_2=\frac{\varepsilon_0\varepsilon_{r2}}{d}SV_0$
(5)	$E_1=\frac{\varepsilon_0\varepsilon_{r1}}{d}SV_0$ $E_2=\frac{\varepsilon_0\varepsilon_{r2}}{d}SV_0$	$E_1=\frac{\varepsilon_0\varepsilon_{r1}}{d}SV$ $E_2=\frac{\varepsilon_0\varepsilon_{r2}}{d}SV$	$Q_1=\frac{\varepsilon_0}{d}SV_0$ $Q_2=\frac{\varepsilon_0}{d}SV_0$

解48 解答 (4)

平行平板コンデンサ C_1 および C_2 は直流電圧 V_0 に対して並列に接続されているから，かかる電圧は等しく，二つのコンデンサの電界の強さ E_1 および E_2 は等しい．

$$E_1 = E_2 = \frac{V_0}{d}$$

また，電束密度 D_1 および D_2 はそれぞれ，

$$D_1 = \varepsilon_0\varepsilon_{r1}E_1 = \frac{\varepsilon_0\varepsilon_{r1}}{d}V_0$$

$$D_2 = \varepsilon_0\varepsilon_{r2}E_2 = \frac{\varepsilon_0\varepsilon_{r2}}{d}V_0$$

であり，コンデンサ C_1 および C_2 に蓄えられる電荷 Q_1 および Q_2 はそれぞれ，

$$Q_1 = D_1S = \frac{\varepsilon_0\varepsilon_{r1}}{d}SV_0$$

$$Q_2 = D_2S = \frac{\varepsilon_0\varepsilon_{r2}}{d}SV_0$$

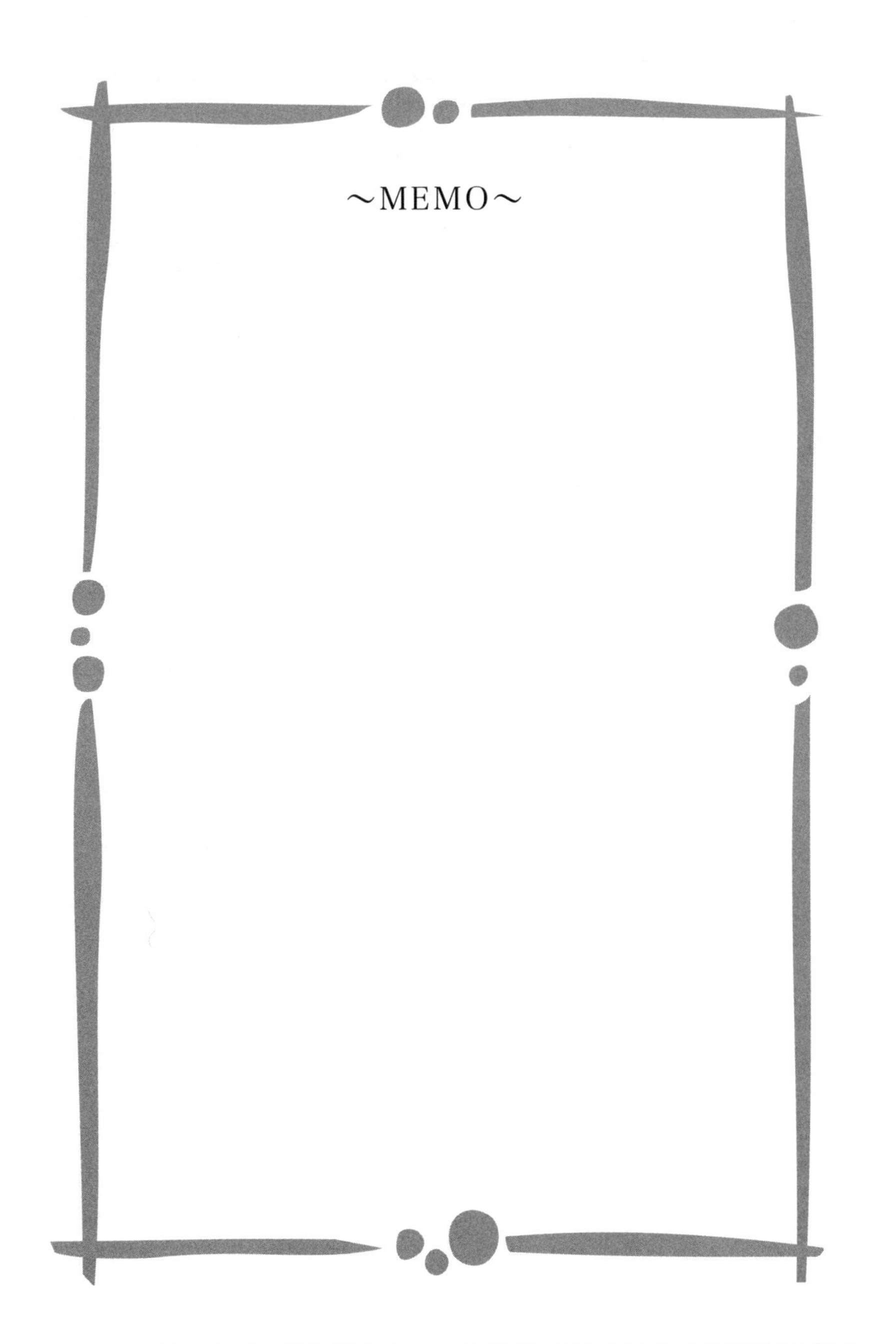
～MEMO～

問49 Check! □□□

(平成21年 A問題1)

電極板面積と電極板間隔が共に S〔m²〕と d〔m〕で，一方は比誘電率が ε_{r1} の誘電体からなる平行平板コンデンサ C_1 と，他方は比誘電率が ε_{r2} の誘電体からなる平行平板コンデンサ C_2 がある．いま，これらを図のように並列に接続し，端子A，B間に直流電圧 V_0〔V〕を加えた．このとき，コンデンサ C_1 の電極板間の電界の強さを E_1〔V/m〕，電束密度を D_1〔C/m²〕，また，コンデンサ C_2 の電極板間の電界の強さを E_2〔V/m〕，電束密度を D_2〔C/m²〕とする．両コンデンサの電界の強さ E_1〔V/m〕と E_2〔V/m〕はそれぞれ ㈠ であり，電束密度 D_1〔C/m²〕と D_2〔C/m²〕はそれぞれ ㈡ である．したがって，コンデンサ C_1 に蓄えられる電荷を Q_1〔C〕，コンデンサ C_2 に蓄えられる電荷を Q_2〔C〕とすると，それらはそれぞれ ㈢ となる．

ただし，電極板の厚さ及びコンデンサの端効果は，無視できるものとする．また，真空の誘電率を ε_0〔F/m〕とする．

上記の記述中の空白箇所㈠，㈡及び㈢に当てはまる式として，正しいものを組み合わせたのは次のうちどれか．

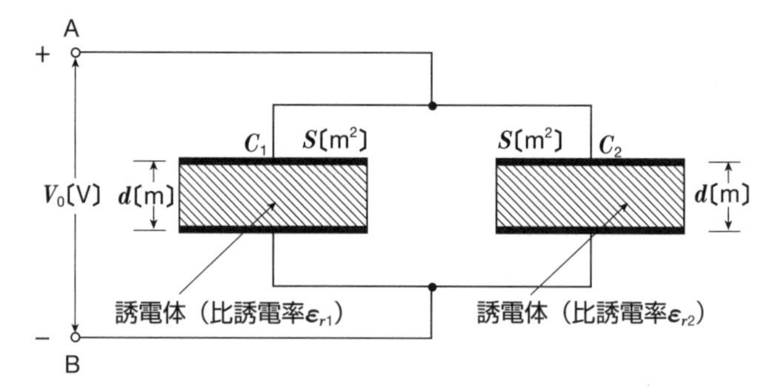

	(ア)	(イ)	(ウ)
(1)	$E_1 = \frac{\varepsilon_{r1}}{d} V_0$ $E_2 = \frac{\varepsilon_{r2}}{d} V_0$	$D_1 = \frac{\varepsilon_{r1}}{d} SV_0$ $D_2 = \frac{\varepsilon_{r2}}{d} SV_0$	$Q_1 = \frac{\varepsilon_0 \varepsilon_{r1}}{d} SV_0$ $Q_2 = \frac{\varepsilon_0 \varepsilon_{r2}}{d} SV_0$
(2)	$E_1 = \frac{\varepsilon_{r1}}{d} V_0$ $E_2 = \frac{\varepsilon_{r2}}{d} V_0$	$D_1 = \frac{\varepsilon_0 \varepsilon_{r1}}{d} V_0$ $D_2 = \frac{\varepsilon_0 \varepsilon_{r2}}{d} V_0$	$Q_1 = \frac{\varepsilon_0 \varepsilon_{r1}}{d} SV_0$ $Q_2 = \frac{\varepsilon_0 \varepsilon_{r2}}{d} SV_0$
(3)	$E_1 = \frac{V_0}{d}$ $E_2 = \frac{V_0}{d}$	$D_1 = \frac{\varepsilon_0 \varepsilon_{r1}}{d} SV_0$ $D_2 = \frac{\varepsilon_0 \varepsilon_{r2}}{d} SV_0$	$Q_1 = \frac{\varepsilon_0 \varepsilon_{r1}}{d} V_0$ $Q_2 = \frac{\varepsilon_0 \varepsilon_{r2}}{d} V_0$
(4)	$E_1 = \frac{V_0}{d}$ $E_2 = \frac{V_0}{d}$	$D_1 = \frac{\varepsilon_0 \varepsilon_{r1}}{d} V_0$ $D_2 = \frac{\varepsilon_0 \varepsilon_{r2}}{d} V_0$	$Q_1 = \frac{\varepsilon_0 \varepsilon_{r1}}{d} SV_0$ $Q_2 = \frac{\varepsilon_0 \varepsilon_{r2}}{d} SV_0$
(5)	$E_1 = \frac{\varepsilon_0 \varepsilon_{r1}}{d} SV_0$ $E_2 = \frac{\varepsilon_0 \varepsilon_{r2}}{d} SV_0$	$D_1 = \frac{\varepsilon_0 \varepsilon_{r1}}{d} V_0$ $D_2 = \frac{\varepsilon_0 \varepsilon_{r2}}{d} V_0$	$Q_1 = \frac{\varepsilon_0}{d} SV_0$ $Q_2 = \frac{\varepsilon_0}{d} SV_0$

解49 解答 (4)

(ア) 電極板の面積 S〔m^2〕，極板間隔 d〔m〕，極板間の誘電体の比誘電率 ε_r の平行平板コンデンサに電圧 V〔V〕を加えたとき，極板間の電界の強さ E は，

$$E = \frac{V}{d} \text{〔V/m〕}$$

で表され，極板間の誘電体の誘電率には無関係となる．

したがって，両コンデンサの電極板間の電界の強さ E_1 および E_2 は等しく，

$$E_1 = E_2 = \frac{V_0}{d} \text{〔V/m〕}$$

(イ) 電極板間の電束密度 D と電界の強さ E は，真空の誘電率を ε_0〔F/m〕とすると，

$$D = \varepsilon_r \varepsilon_0 E \text{〔C/m}^2\text{〕}$$

で表せるから，両コンデンサの電束密度 D_1 および D_2 はそれぞれ次式で表せる．

$$D_1 = \varepsilon_{r1}\varepsilon_0 E_1 = \varepsilon_{r1}\varepsilon_0 \frac{V_0}{d} = \frac{\varepsilon_0 \varepsilon_{r1}}{d} V_0 \text{〔C/m}^2\text{〕}$$

$$D_2 = \varepsilon_{r2}\varepsilon_0 E_2 = \varepsilon_{r2}\varepsilon_0 \frac{V_0}{d} = \frac{\varepsilon_0 \varepsilon_{r2}}{d} V_0 \text{〔C/m}^2\text{〕}$$

(ウ) 平行平板コンデンサの静電容量 C は，

$$C = \varepsilon_r \varepsilon_0 \frac{S}{d} \text{〔F〕}$$

で表せるから，両コンデンサの静電容量 C_1 および C_2 はそれぞれ，次式で表せる．

$$C_1 = \varepsilon_{r1}\varepsilon_0 \frac{S}{d} \text{〔F〕}, \quad C_2 = \varepsilon_{r2}\varepsilon_0 \frac{S}{d} \text{〔F〕}$$

したがって，両コンデンサに蓄えられる電荷 Q_1 および Q_2 はそれぞれ，

$$Q_1 = C_1 V_0 = \varepsilon_{r1}\varepsilon_0 \frac{S}{d} V_0 = \frac{\varepsilon_0 \varepsilon_{r1}}{d} S V_0 \text{〔C〕}$$

$$Q_2 = C_2 V_0 = \varepsilon_{r2}\varepsilon_0 \frac{S}{d} V_0 = \frac{\varepsilon_0 \varepsilon_{r2}}{d} S V_0 \text{〔C〕}$$

となる．

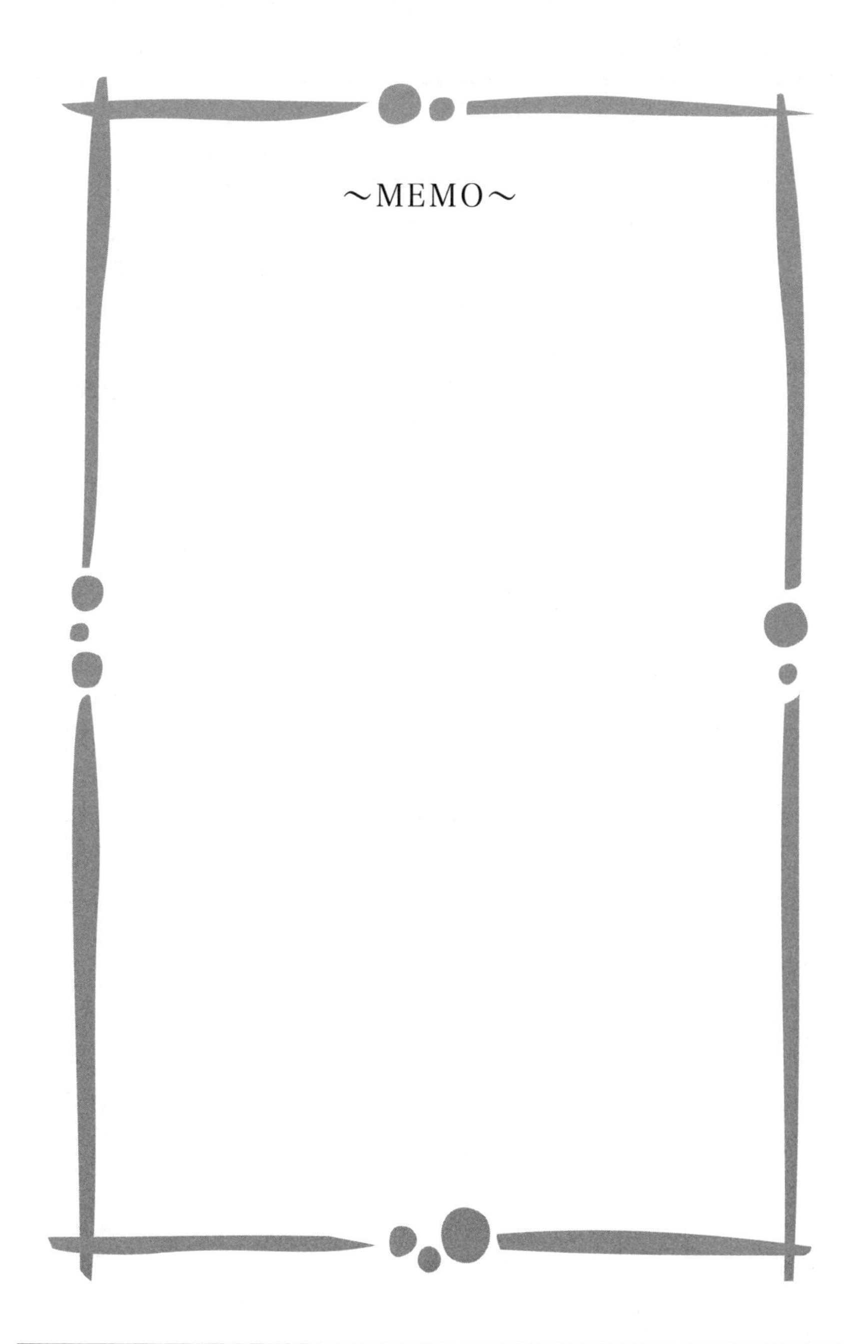
～MEMO～

問50 Check! □□□

(令和３年 Ⓐ問題 1)

次の文章は，平行板コンデンサに関する記述である．

図のように，同じ寸法の直方体で誘電率の異なる二つの誘電体（比誘電率 ε_{r1} の誘電体 1 と比誘電率 ε_{r2} の誘電体 2）が平行板コンデンサに充填されている．極板間は一定の電圧 V [V] に保たれ，極板 A と極板 B にはそれぞれ $+Q$ [C] と $-Q$ [C]（$Q > 0$）の電荷が蓄えられている．誘電体 1 と誘電体 2 は平面で接しており，その境界面は極板に対して垂直である．ただし，端効果は無視できるものとする．

この平行板コンデンサにおいて，極板 A，B に平行な誘電体 1，誘電体 2 の断面をそれぞれ面 S_1，面 S_2（面 S_1 と面 S_2 の断面積は等しい）とすると，面 S_1 を貫く電気力線の総数（任意の点の電気力線の密度は，その点での電界の大きさを表す）は，面 S_2 を貫く電気力線の総数の [(ア)] 倍である．面 S_1 を貫く電束の総数は面 S_2 を貫く電束の総数の [(イ)] 倍であり，面 S_1 と面 S_2 を貫く電束の数の総和は [(ウ)] である．

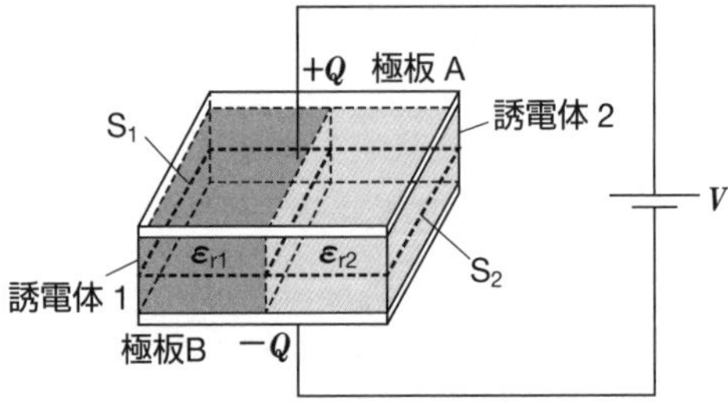

上記の記述中の空白箇所(ア)～(ウ)に当てはまる組合せとして，正しいものを次の(1)～(5)のうちから一つ選べ．

	(ア)	(イ)	(ウ)
(1)	1	$\dfrac{\varepsilon_{r1}}{\varepsilon_{r2}}$	Q
(2)	1	$\dfrac{\varepsilon_{r1}}{\varepsilon_{r2}}$	$\dfrac{Q}{\varepsilon_{r1}}+\dfrac{Q}{\varepsilon_{r2}}$
(3)	1	$\dfrac{\varepsilon_{r2}}{\varepsilon_{r1}}$	$\dfrac{Q}{\varepsilon_{r1}}+\dfrac{Q}{\varepsilon_{r2}}$
(4)	$\dfrac{\varepsilon_{r2}}{\varepsilon_{r1}}$	1	$\dfrac{Q}{\varepsilon_{r1}}+\dfrac{Q}{\varepsilon_{r2}}$
(5)	$\dfrac{\varepsilon_{r2}}{\varepsilon_{r1}}$	1	Q

解50 解答 (1)

電界の強さEは電圧Vを極板間隔で除した値に等しく，極板間のどこでも一定である．誘電体1の面S_1と誘電体2の面S_2の断面積をSとすると，面S_1およびS_2を貫く電気力線の総数N_1およびN_2はそれぞれ，

$$N_1 = ES_1 = ES$$

$$N_2 = ES_2 = ES$$

$$\therefore \quad \frac{N_1}{N_2} = \frac{ES}{ES} = 1 \text{ 倍}$$

次に，真空の誘電率をε_0とすると，誘電体1と2を貫く電束密度D_1およびD_2は，

$$D_1 = \varepsilon_{r1}\varepsilon_0 E$$

$$D_2 = \varepsilon_{r2}\varepsilon_0 E$$

であるから，面S_1およびS_2を貫く電気力線の総数Q_1およびQ_2はそれぞれ，

$$Q_1 = D_1 S_1 = \varepsilon_{r1}\varepsilon_0 ES$$

$$Q_2 = D_2 S_2 = \varepsilon_{r2}\varepsilon_0 ES$$

$$\therefore \quad \frac{Q_1}{Q_2} = \frac{\varepsilon_{r1}\varepsilon_0 ES}{\varepsilon_{r2}\varepsilon_0 ES} = \frac{\varepsilon_{r1}}{\varepsilon_{r2}} \text{ 倍}$$

また，面S_1とS_2を貫く電束数の総和は電荷Qに等しい．

問51 Check! □□□

(平成22年 Ⓐ問題2)

図に示すように，電極板面積と電極板間隔がそれぞれ同一の2種類の平行平板コンデンサがあり，一方を空気コンデンサA，他方を固体誘電体（比誘電率 $\varepsilon_r = 4$）が満たされたコンデンサBとする．両コンデンサにおいて，それぞれ一方の電極に直流電圧 V〔V〕を加え，他方の電極を接地したとき，コンデンサBの内部電界〔V/m〕及び電極板上に蓄えられた電荷〔C〕はコンデンサAのそれぞれ何倍となるか．その倍率として，正しいものを組み合わせたのは次のうちどれか．

ただし，空気の比誘電率を1とし，コンデンサの端効果は無視できるものとする．

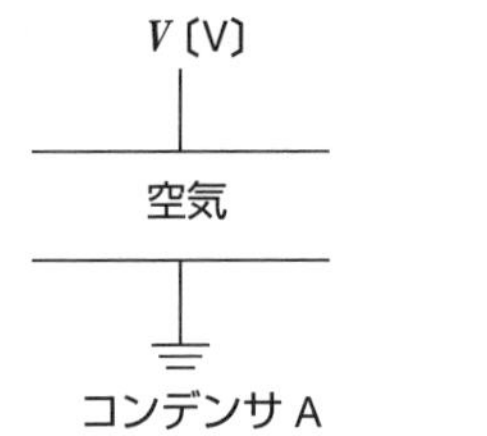

	内部電界	電荷
(1)	1	4
(2)	4	4
(3)	$\frac{1}{4}$	4
(4)	4	1
(5)	1	1

解51 解答 (1)

コンデンサAの内部電界を E_A〔V/m〕，静電容量を C_A〔F〕とし，コンデンサBの内部電界を E_B〔V/m〕，静電容量を C_B〔F〕とし，真空の誘電率を ε_0〔F/m〕とする．

(i) A，B両コンデンサの内部電界

電極板間隔が等しく，これを d〔m〕とすると，極板間の電位差 V は次式で表せる．

$$V = E_A d = E_B d$$

$$\therefore \quad \frac{E_B}{E_A} = 1$$

(ii) A，B両コンデンサの静電容量

電極板面積が等しく，これを S〔m^2〕とすると，両コンデンサの静電容量は次式で表せる．

$$C_A = \varepsilon_0 \frac{S}{d}〔\mathrm{F}〕, \quad C_B = \varepsilon_r \varepsilon_0 \frac{S}{d}〔\mathrm{F}〕$$

一方，両コンデンサの電極板上に蓄えられた電荷をそれぞれ Q_A〔C〕および Q_B〔C〕とすると，それぞれ，$Q_A = C_A V$ および $Q_B = C_B V$ であるから，

$$\frac{Q_B}{Q_A} = \frac{C_B V}{C_A V} = \frac{C_B}{C_A} = \frac{\varepsilon_r \varepsilon_0 \dfrac{S}{d}}{\varepsilon_0 \dfrac{S}{d}} = \varepsilon_r = 4$$

となる．

以上から，

$$\frac{E_B}{E_A} = 1, \quad \frac{Q_B}{Q_A} = 4$$

問52 Check! □□□ (平成 17 年 B 問題 18)

電極板の間隔が d_0〔m〕，電極板面積が十分に広い平行板空気コンデンサがある．このコンデンサの電極板間にこれと同形，同面積の厚さ d_1〔m〕，比誘電率 ε_r の誘電体を図のように挿入した．いま，このコンデンサの電極 A，B に $+Q$〔C〕，$-Q$〔C〕の電荷を与えた．次の(a)及び(b)に答えよ．

ただし，コンデンサの初期電荷は零とし，端効果は無視できるものとする．

また，空気の比誘電率は 1 とする．

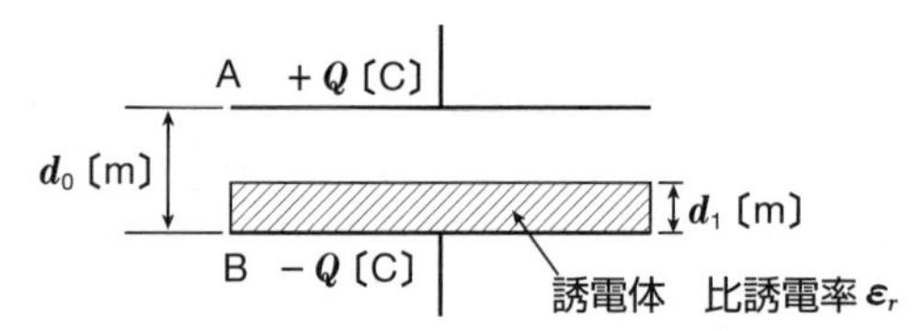

(a) 空げきの電界 E_1〔V/m〕と誘電体中の電界 E_2〔V/m〕の比 $\frac{E_1}{E_2}$ を表す式として，正しいのは次のうちどれか．

(1) ε_r　(2) $\frac{\varepsilon_r d_1}{d_0 - d_1}$　(3) $\frac{\varepsilon_r d_1^2}{(d_0 - d_1)^2}$

(4) $\frac{\varepsilon_r (d_0 - d_1)}{d_1}$　(5) $\frac{\varepsilon_r d_1}{d_0}$

(b) 電極板の間隔 $d_0 = 1.0 \times 10^{-3}$〔m〕，誘電体の厚さ $d_1 = 0.2 \times 10^{-3}$〔m〕及び誘電体の比誘電率 $\varepsilon_r = 5.0$ としたとき，空げきの電界 $E_1 = 7 \times 10^4$〔V/m〕であった．コンデンサの充電電圧 V〔V〕の値として，正しいのは次のうちどれか．

(1) 100.8　(2) 70.0　(3) 67.2　(4) 58.8　(5) 56.7

解52 解答 (a)－(1)，(b)－(4)

(a)　電極板面積を A〔m^2〕とする．電荷 Q〔C〕から $-Q$〔C〕に向かって出る電束数は誘電体の誘電率に無関係に Q〔C〕出るから，この場合の電極板間の電束密度 D は，極板間のどこでも一定で，次式で与えられる．

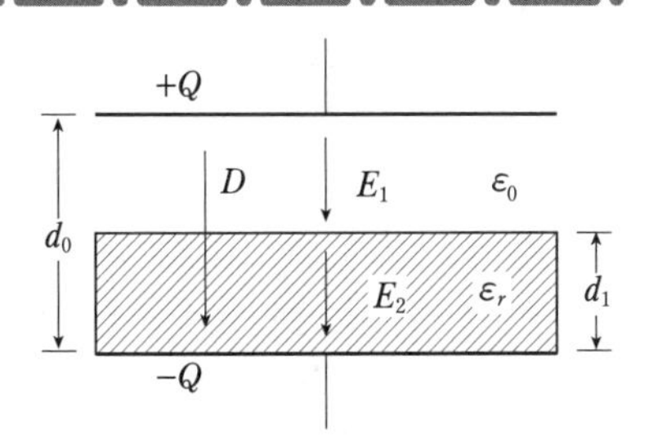

$$D=\frac{Q}{A}\text{〔C/m}^2\text{〕}$$

したがって，空げきの電界 E_1 および誘電体中の電界 E_2 はそれぞれ，

$$E_1=\frac{D}{\varepsilon_0}=\frac{Q}{\varepsilon_0 A}\text{〔V/m〕},\quad E_2=\frac{D}{\varepsilon_r\varepsilon_0}=\frac{Q}{\varepsilon_r\varepsilon_0 A}\text{〔V/m〕}$$

で表されるから，求める電界の比 E_1/E_2 は次式となる．

$$\frac{E_1}{E_2}=\frac{Q}{\varepsilon_0 A}\cdot\frac{\varepsilon_r\varepsilon_0 A}{Q}=\varepsilon_r$$

(b)　図から，コンデンサの充電電圧 V は次式で与えられる．

$$V=E_1(d_0-d_1)+E_2 d_1\text{〔V〕}$$

ここに，(a)の結果から，

$$E_2=\frac{E_1}{\varepsilon_r}\text{〔V/m〕}$$

であるから，これを上式に代入すると，

$$V=E_1(d_0-d_1)+\frac{E_1}{\varepsilon_r}d_1=E_1 d_0-E_1\left(1+\frac{1}{\varepsilon_r}\right)d_1=E_1\left\{d_0-\left(1-\frac{1}{\varepsilon_r}\right)d_1\right\}\text{〔V〕}$$

となる．よって，求める受電電圧 V は，上式に，$E_1=7\times10^4$〔V/m〕，$d_0=1.0\times10^{-3}$〔m〕，$d_1=0.2\times10^{-3}$〔m〕，$\varepsilon_r=5.0$ を代入すると，次式となる．

$$V=7\times10^4\times\ 1.0\times10^{-3}-\ 1-\frac{1}{5.0}\ \times0.2\times10^{-3}\ =58.8\text{〔V〕}$$

問53 Check! □□□

(平成18年 B 問題17)

互いに5〔mm〕の空げき間隔をおいて，平行平板状に並べられた11枚の同一形状の金属板がある．1枚の金属板の面積は0.5〔m^2〕とする．いま，図のようにこの金属板をそれぞれ1枚おきに接続して空気コンデンサをつくる．次の(a)及び(b)に答えよ．

ただし，真空の誘電率を $\varepsilon_0 = 8.85 \times 10^{-12}$〔F/m〕とし，空気の比誘電率は1.0とする．また，コンデンサの端効果は無視できるものとする．

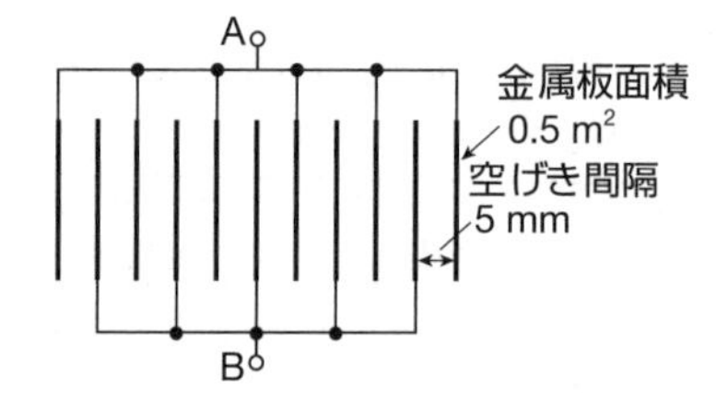

(a) コンデンサの静電容量 C〔pF〕の値として，正しいのは次のうちどれか．

(1) 88.5　(2) 4 430　(3) 8 850
(4) 17.7×10^3　(5) 177×10^4

(b) コンデンサ極板間の電界強度を1 000〔kV/m〕とするとき，コンデンサに蓄えられるエネルギー W〔J〕の値として，最も近いのは次のうちどれか．

(1) 1.11×10^{-3}　(2) 5.54×10^{-2}　(3) 1.11×10^{-1}
(4) 2.21×10^{-1}　(5) 2.21×10

解53 解答 (a)－(3), (b)－(3)

(a)　第1図のような金属板の面積 $S=0.5$〔m²〕，空げき $d=5$〔mm〕の空気コンデンサの静電容量 C_0 は，

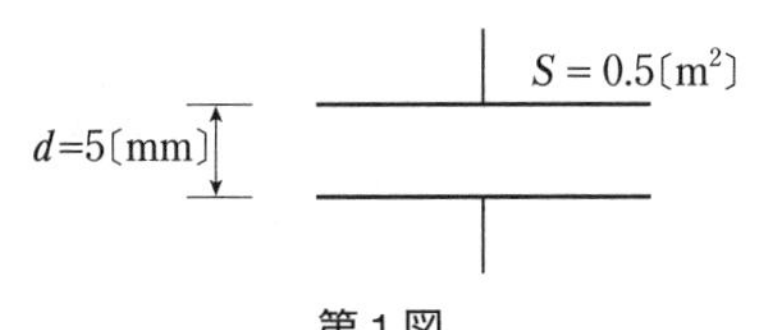

第1図

$$C_0=\varepsilon_0\frac{S}{d}=8.85\times10^{-12}\times\frac{0.5}{5\times10^{-3}}=8.85\times10^{-10}\text{〔F〕}=885\text{〔pF〕}$$

となる．ところで，問題の空気コンデンサは第2図のように，前述した静電容量 C_0 が10個並列接続されているから，求める空気コンデンサの静電容量 C は，

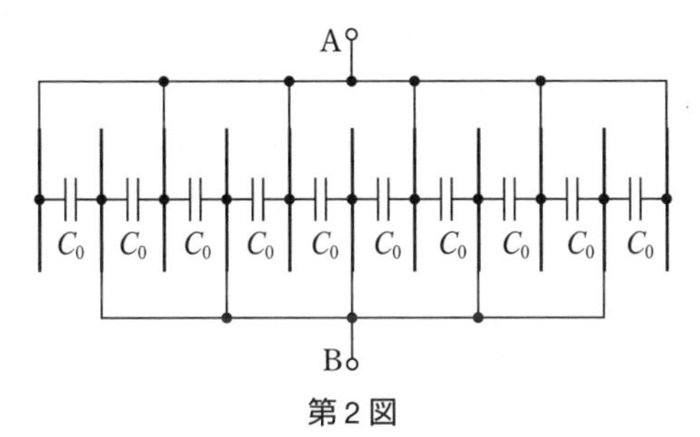

第2図

$$C=10C_0=10\times885=8\,850\text{〔pF〕}$$

(b)　コンデンサ極板間の電界強度が1 000〔kV/m〕であるから，極板間の電位差すなわちAB間の電位差 V は，

$$V=1\,000\times10^3\times5\times10^{-3}=5\,000\text{〔V〕}$$

したがって，求めるコンデンサに蓄えられるエネルギー W は，

$$W=\frac{1}{2}CV^2=\frac{1}{2}\times8\,850\times10^{-12}\times5\,000^2\fallingdotseq0.111=1.11\times10^{-1}\text{〔J〕}$$

問54 Check! □□□

(平成 21 年 B 問題 17)

図に示すように，面積が十分に広い平行平板電極（電極間距離 10〔mm〕）が空気（比誘電率 $\varepsilon_{r1}=1$ とする.）と，電極と同形同面積の厚さ 4〔mm〕で比誘電率 $\varepsilon_{r2}=4$ の固体誘電体で構成されている．下部電極を接地し，上部電極に直流電圧 V〔kV〕を加えた．次の(a)及び(b)に答えよ．

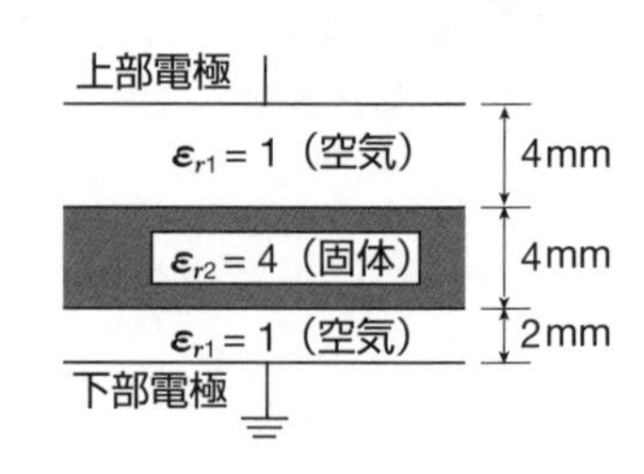

ただし，固体誘電体の導電性及び電極と固体誘電体の端効果は無視できるものとする．

(a) 電極間の電界の強さ E〔kV/mm〕のおおよその分布を示す図として，正しいのは次のうちどれか．

ただし，このときの電界の強さでは，放電は発生しないものとする．また，各図において，上部電極から下部電極に向かう距離を x〔mm〕とする．

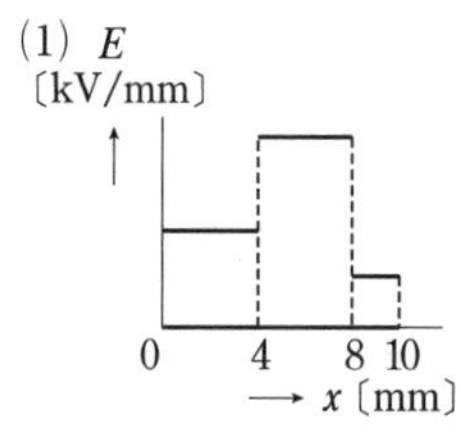

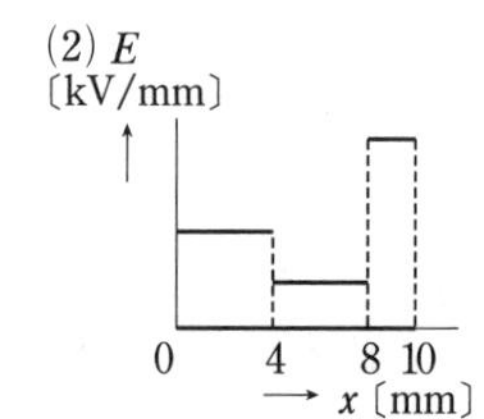

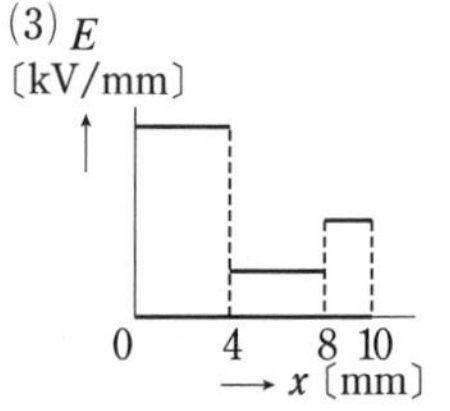

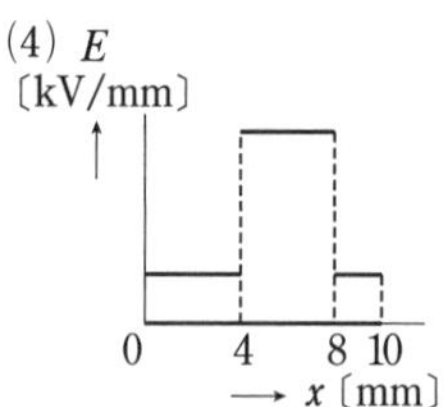

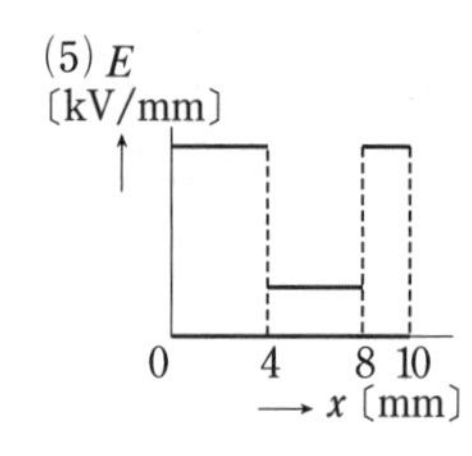

(b) 上部電極に加える電圧 V〔kV〕を徐々に増加し，下部電極側の空気中の電界の強さが 2〔kV/mm〕に達したときの電圧 V〔kV〕の値として，正しいのは次のうちどれか．

(1) 11　(2) 14　(3) 20　(4) 44　(5) 56

解54 解答 (a)−(5), (b)−(2)

(a) 図のように，上部および下部電極にそれぞれ電荷密度 $+\sigma$〔C/m²〕および $-\sigma$〔C/m²〕の電荷を与えたときの極板間の電束密度を D，空気部分の電界の強さは上部空気部分および下部空気部分で等しく，これを E_1，固体部分の電界の強さを E_2 とし，真空の誘電率を ε_0〔F/m〕とすれば，それぞれ次式で与えられる．

$$D = \sigma \text{〔C/m}^2\text{〕}$$

$$E_1 = \frac{D}{\varepsilon_{r1}\varepsilon_0} = \frac{\sigma}{\varepsilon_0} \text{〔V/m〕},\quad E_2 = \frac{D}{\varepsilon_{r2}\varepsilon_0} = \frac{\sigma}{4\varepsilon_0} = \frac{E_1}{4} \text{〔V/m〕}$$

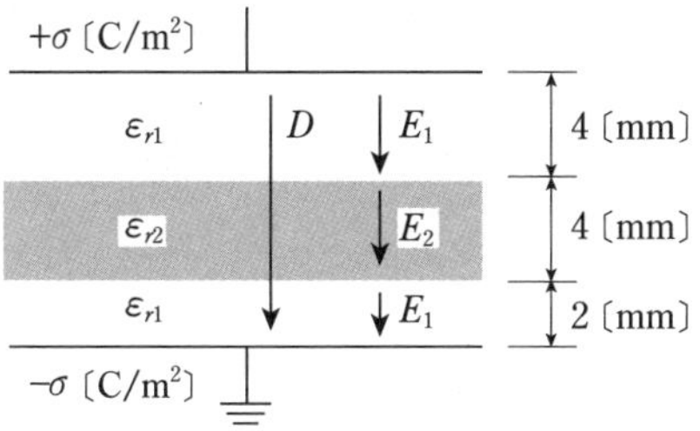

したがって，固体部分の電界の強さ E_2 は，空気部分のそれの 1/4 となるから，この関係を正しく表している(5)が正解となる．

(b) (a)の結果を用いれば，上部電極の電圧 V は，次式で与えられる．

$$\begin{aligned} V &= E_1 \times 4 \times 10^{-3} + E_2 \times 4 \times 10^{-3} + E_1 \times 2 \times 10^{-3} \\ &= E_1 \times 4 \times 10^{-3} + \frac{1}{4}E_1 \times 4 \times 10^{-3} + E_1 \times 2 \times 10^{-3} \\ &= 7 \times 10^{-3} E_1 \text{〔V〕} = 7 \times 10^{-6} E_1 \text{〔kV〕} \end{aligned}$$

したがって，求める下部電極側の空気中の電界の強さが 2〔kV/mm〕に達したときの電圧 V は，上式に，

$$E_1 = 2 \text{〔kV/mm〕} = 2 \times 10^3 \times 10^3 = 2 \times 10^6 \text{〔V/m〕}$$

を代入すれば，次式となる．

$$V = 7 \times 10^{-6} \times 2 \times 10^6 = 14 \text{〔kV〕}$$

問55 Check! □□□

（令和５年㊤ Ⓑ問題 17）

図のように，極板間の厚さ d [m]，表面積 S [m^2] の平行板コンデンサＡとＢがある．コンデンサＡの内部は，比誘電率と厚さが異なる３種類の誘電体で構成され，極板と各誘電体の水平方向の断面積は同一である．コンデンサＢの内部は，比誘電率と水平方向の断面積が異なる３種類の誘電体で構成されている．コンデンサＡの各誘電体内部の電界の強さをそれぞれ E_{A1}，E_{A2}，E_{A3}，コンデンサＢの各誘電体内部の電界の強さをそれぞれ E_{B1}，E_{B2}，E_{B3} とし，端効果，初期電荷及び漏れ電流は無視できるものとする．また，真空の誘電率を ε_0 [F/m] とする．両コンデンサの上側の極板に電圧 V [V] の直流電源を接続し，下側の極板を接地した．次の(a)及び(b)の問に答えよ．

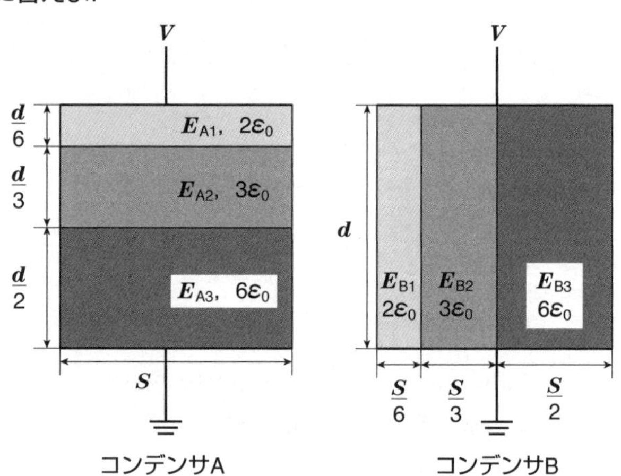

(a) コンデンサAにおける各誘電体内部の電界の強さの大小関係とその中の最大値の組合せとして，正しいものを次の(1)～(5)のうちから一つ選べ．

(1) $E_{A1} > E_{A2} > E_{A3}$, $\dfrac{3V}{5d}$

(2) $E_{A1} < E_{A2} < E_{A3}$, $\dfrac{3V}{5d}$

(3) $E_{A1} = E_{A2} = E_{A3}$, $\dfrac{V}{d}$

(4) $E_{A1} > E_{A2} > E_{A3}$, $\dfrac{9V}{5d}$

(5) $E_{A1} < E_{A2} < E_{A3}$, $\dfrac{9V}{5d}$

(b) コンデンサA全体の蓄積エネルギーは，コンデンサB全体の蓄積エネルギーの何倍か，最も近いものを次の(1)～(5)のうちから一つ選べ．

(1) 0.72　(2) 0.83　(3) 1.00　(4) 1.20　(5) 1.38

解55 解答 (a)－(4), (b)－(2)

(a) コンデンサ A の三つの誘電体内の電束密度はすべて等しく，これを D_{A} [C/m²] とすると，各誘電体内部の電界の強さ E_{A1}，E_{A2} および E_{A3} はそれぞれ，

$$E_{\mathrm{A1}} = \frac{D_{\mathrm{A}}}{2\varepsilon_0}\ [\mathrm{V/m}]$$

$$E_{\mathrm{A2}} = \frac{D_{\mathrm{A}}}{3\varepsilon_0}\ [\mathrm{V/m}]$$

$$E_{\mathrm{A3}} = \frac{D_{\mathrm{A}}}{6\varepsilon_0}\ [\mathrm{V/m}]$$

となるから，電界の強さの大小関係は，

$$\boldsymbol{E_{\mathrm{A1}} > E_{\mathrm{A2}} > E_{\mathrm{A1}}}$$

次に，平行平板コンデンサの静電容量 C は極板面積 S が等しいとき，誘電体の誘電率 ε に比例し，極板間隔 d に反比例するから，誘電率 $2\varepsilon_0$ [F/m] の誘電体部分の静電容量を C_{A1} [F] とすると，誘電率 $3\varepsilon_0$ [F/m] の誘電体部分の静電容量 C_{A2} および誘電率 $6\varepsilon_0$ [F/m] の誘電体部分の静電容量 C_{A3} は C_{A1} を用いればそれぞれ次式で与えられる．

$$C_{\mathrm{A2}} = \frac{3\varepsilon_0}{2\varepsilon_0}\cdot\frac{d/6}{d/3}\cdot C_{\mathrm{A1}} = \frac{3}{2}\cdot\frac{d}{6}\cdot\frac{3}{d}C_{\mathrm{A1}} = \frac{3}{4}C_{\mathrm{A1}}$$

$$C_{\mathrm{A3}} = \frac{6\varepsilon_0}{2\varepsilon_0}\cdot\frac{d/6}{d/2}\cdot C_{\mathrm{A1}} = 3\cdot\frac{d}{6}\cdot\frac{2}{d}C_{\mathrm{A1}} = C_{\mathrm{A1}}$$

$$C_{\mathrm{A1}} : C_{\mathrm{A2}} : C_{\mathrm{A3}} = 1 : \frac{3}{4} : 1$$

$$\therefore\ \frac{1}{C_{\mathrm{A1}}} : \frac{1}{C_{\mathrm{A2}}} : \frac{1}{C_{\mathrm{A3}}} = 1 : \frac{4}{3} : 1 = 3 : 4 : 3$$

ここに，三つのコンデンサを直列接続して電圧 V を加えた場合，すべてのコンデンサに同量の電荷が蓄えられるため，分担電圧は静電容量の逆数に比例する．したがって，C_{A1} の分担電圧 V_1 は，

$$V_1 = \frac{3}{3+4+3}V = \frac{3}{10}V\ [\mathrm{V}]$$

となるから，電界の最大値 E_{Amax} は，

$$E_{\mathrm{Amax}} = \frac{3}{10}V\cdot\frac{6}{d} = \boldsymbol{\frac{9V}{5d}}\ [\mathrm{V/m}]$$

(b) コンデンサ A 全体の静電容量 C_A を C_{A1} を用いて表せば，

$$\frac{1}{C_A}=\frac{1}{C_{A1}}+\frac{1}{C_{A2}}+\frac{1}{C_{A3}}=\frac{1}{C_{A1}}+\frac{4}{3}\frac{1}{C_{A1}}+\frac{1}{C_{A1}}=\frac{10}{3C_{A1}}$$

$$C_A=\frac{3}{10}C_{A1}$$

一方，コンデンサ B の誘電率 $2\varepsilon_0$ [F/m] の誘電体部分の静電容量を C_{B1}，誘電率 $3\varepsilon_0$ [F/m] の誘電体部分の静電容量を C_{B2}，誘電率 $6\varepsilon_0$ [F/m] の誘電体部分の静電容量を C_{B3} とすれば，静電容量は極板面積にも比例することを考慮してこれらを C_{A1} を用いて表せば，

$$C_{B1}=\frac{2\varepsilon_0}{2\varepsilon_0}\cdot\frac{d/6}{d}\cdot\frac{S/6}{S}C_{A1}=\frac{1}{6}\times\frac{1}{6}C_{A1}=\frac{1}{36}C_{A1}$$

$$C_{B2}=\frac{3\varepsilon_0}{2\varepsilon_0}\cdot\frac{d/6}{d}\cdot\frac{S/3}{S}C_{A1}=\frac{3}{2}\times\frac{1}{6}\times\frac{1}{3}C_{A1}=\frac{3}{36}C_{A1}$$

$$C_{B3}=\frac{6\varepsilon_0}{2\varepsilon_0}\cdot\frac{d/6}{d}\cdot\frac{S/2}{S}C_{A1}=3\times\frac{1}{6}\times\frac{1}{2}C_{A1}=\frac{9}{36}C_{A1}$$

となるから，コンデンサ B 全体の静電容量 C_B は，

$$C_B=C_{B1}+C_{B2}+C_{B3}=\frac{1}{36}C_{A1}+\frac{3}{36}C_{A1}+\frac{9}{36}C_{A1}=\frac{13}{36}C_{A1}$$

コンデンサ A および B には同一電圧が加わっているから，蓄積エネルギーの比は静電容量の比 n に等しく，

$$n=\frac{C_A}{C_B}=\frac{3}{10}C_{A1}\cdot\frac{36}{13C_{A1}}=\frac{108}{130}\fallingdotseq 0.830\,8$$

$\fallingdotseq$ **0.83 倍**

問56 Check! □□□

(令和３年 Ⓑ問題 17)

図のように，極板間の厚さ d [m]，表面積 S [m^2] の平行板コンデンサ A と B がある．コンデンサ A の内部は，比誘電率と厚さが異なる３種類の誘電体で構成され，極板と各誘電体の水平方向の断面積は同一である．コンデンサ B の内部は，比誘電率と水平方向の断面積が異なる３種類の誘電体で構成されている．コンデンサ A の各誘電体内部の電界の強さをそれぞれ E_{A1}，E_{A2}，E_{A3}，コンデンサ B の各誘電体内部の電界の強さをそれぞれ E_{B1}，E_{B2}，E_{B3} とし，端効果，初期電荷及び漏れ電流は無視できるものとする．また，真空の誘電率を ε_0 [F/m] とする．両コンデンサの上側の極板に電圧 V [V] の直流電源を接続し，下側の極板を接地した．次の(a)及び(b)の問に答えよ．

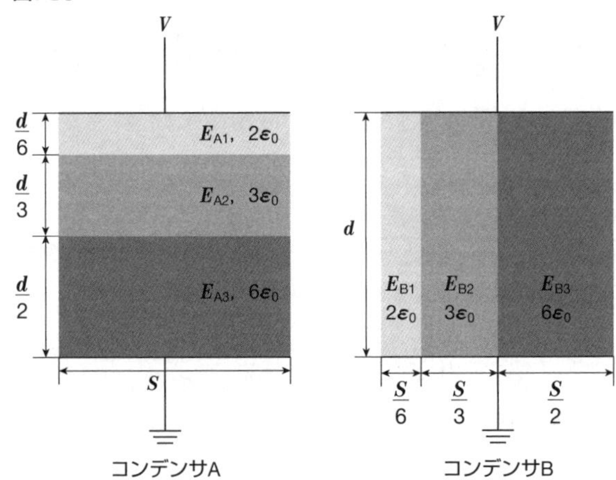

(a) コンデンサＡにおける各誘電体内部の電界の強さの大小関係とその中の最大値の組合せとして，正しいものを次の(1)～(5)のうちから一つ選べ．

(1) $E_{A1} > E_{A2} > E_{A3}$, $\dfrac{3V}{5d}$　(2) $E_{A1} < E_{A2} < E_{A3}$, $\dfrac{3V}{5d}$

(3) $E_{A1} = E_{A2} = E_{A3}$, $\dfrac{V}{d}$　(4) $E_{A1} > E_{A2} > E_{A3}$, $\dfrac{9V}{5d}$

(5) $E_{A1} < E_{A2} < E_{A3}$, $\dfrac{9V}{5d}$

(b) コンデンサＡ全体の蓄積エネルギーは，コンデンサＢ全体の蓄積エネルギーの何倍か，正しいものを次の(1)～(5)のうちから一つ選べ．

(1) 0.72　(2) 0.83　(3) 1.00　(4) 1.20　(5) 1.38

解56 解答 (a)−(4), (b)−(2)

(a) コンデンサAの極板間の電束密度をD_Aとすると，各誘電体内部の電界の強さE_{A1}，E_{A2}，E_{A3}はそれぞれ，次式で与えられる．

$$E_{A1}=\frac{D_A}{2\varepsilon_0}$$

$$E_{A2}=\frac{D_A}{3\varepsilon_0}$$

$$E_{A3}=\frac{D_A}{6\varepsilon_0}$$

したがって，電界の強さの大小関係は，

$$E_{A1}>E_{A2}>E_{A3}$$

となる．また，

$$E_{A2}=\frac{2}{3}E_{A1}$$

$$E_{A3}=\frac{1}{3}E_{A1}$$

であるから，極板間の電圧Vは，次式で与えられる．

$$E_{A1}\cdot\frac{d}{6}+E_{A2}\cdot\frac{d}{3}+E_{A3}\cdot\frac{d}{2}=V$$

$$E_{A1}\cdot\frac{d}{6}+\frac{2}{3}E_{A1}\cdot\frac{d}{3}+\frac{1}{3}E_{A1}\cdot\frac{d}{2}=V$$

$$\left(\frac{1}{6}+\frac{2}{9}+\frac{1}{6}\right)E_{A1}d=\frac{3+4+3}{18}E_{A1}d=V$$

$$\frac{10}{18}E_{A1}d=\frac{5}{9}E_{A1}d=V$$

$$\therefore\quad E_{A1}=\frac{9V}{5d}\,[\mathrm{V/m}]$$

(b) コンデンサの静電容量をC，コンデンサの端子電圧をVとすると，コンデンサに蓄えられるエネルギーWは，

$$W=\frac{1}{2}CV^2$$

で表せるから，電圧Vが一定であるとき，エネルギーWは静電容量Cに比例

する．

ここに，コンデンサ A の静電容量 $C_{\rm A}$ は，

$$\frac{1}{C_{\rm A}}=\frac{d/6}{2\varepsilon_0 S}+\frac{d/3}{3\varepsilon_0 S}+\frac{d/2}{6\varepsilon_0 S}=\frac{d}{12\varepsilon_0 S}\left(1+\frac{12}{9}+1\right)$$

$$=\frac{d}{12\varepsilon_0 S}\times\frac{30}{9}\,[\mathrm{F}^{-1}]$$

一方，コンデンサ B の静電容量 $C_{\rm B}$ は，

$$C_{\rm B}=2\varepsilon_0\frac{S/6}{d}+3\varepsilon_0\frac{S/3}{d}+6\varepsilon_0\frac{S/2}{d}=\frac{\varepsilon_0 S}{d}\left(\frac{1}{3}+1+3\right)=\frac{13\varepsilon_0 S}{3d}\,[\mathrm{F}]$$

ここに，

$$\frac{1}{C_{\rm A}}\cdot C_{\rm B}=\left(\frac{d}{12\varepsilon_0 S}\times\frac{30}{9}\right)\times\frac{13\varepsilon_0 S}{3d}=\frac{30\times 13}{12\times 9\times 3}$$

であるから，求めるコンデンサ B 全体の蓄積エネルギーに対するコンデンサ A 全体の蓄積エネルギーの倍数 n は，

$$n=\frac{C_{\rm A}}{C_{\rm B}}=\frac{12\times 9\times 3}{30\times 13}\fallingdotseq 0.830\,77\fallingdotseq 0.83\ 倍$$

問57 Check! □□□ (令和5年㊤ Ⓐ問題2)

静電界に関する次の記述のうち，誤っているものを次の(1)～(5)のうちから一つ選べ.

(1) 媒質中に置かれた正電荷から出る電気力線の本数は，その電荷の大きさに比例し，媒質の誘電率に反比例する.

(2) 電界中における電気力線は，相互に交差しない.

(3) 電界中における電気力線は，等電位面と直交する.

(4) 電界中のある点の電気力線の密度は，その点における電界の強さ（大きさ）を表す.

(5) 電界中に置かれた導体内部の電界の強さ（大きさ）は，その導体表面の電界の強さ（大きさ）に等しい.

問58 Check! □□□ (平成23年 Ⓐ問題1)

静電界に関する記述として，誤っているものを次の(1)～(5)のうちから一つ選べ.

(1) 電気力線は，導体表面に垂直に出入りする.

(2) 帯電していない中空の球導体Bが接地されていないとき，帯電した導体Aを導体Bで包んだとしても，導体Bの外部に電界ができる.

(3) Q〔C〕の電荷から出る電束の数や電気力線の数は，電荷を取り巻く物質の誘電率 ε〔F/m〕によって異なる.

(4) 導体が帯電するとき，電荷は導体の表面にだけ分布する.

(5) 導体内部は等電位であり，電界は零である.

解57 解答 (5)

(5)が誤りで,“電界中に置かれた導体内部の電界の強さ（大きさ）は**0**である.”が正しい.

解58 解答 (3)

(3)が誤りである.

電荷 Q〔C〕が誘電率 ε〔F/m〕の媒質中に存在するとき，この電荷から出る電気力線数 N_E は,

$$N_E = \frac{Q}{\varepsilon} \text{〔本〕}$$

となるが, この電荷から出る電束数 N_D は, 媒質の誘電率に無関係に, $N_D = Q$〔本〕（Q〔C〕）となる.

問59 Check! □□□

(平成 29 年 Ⓐ 問題 1)

電界の状態を仮想的な線で表したものを電気力線という．この電気力線に関する記述として，誤っているものを次の(1)～(5)のうちから一つ選べ．

(1) 同じ向きの電気力線同士は反発し合う．

(2) 電気力線は負の電荷から出て，正の電荷へ入る．

(3) 電気力線は途中で分岐したり，他の電気力線と交差したりしない．

(4) 任意の点における電気力線の密度は，その点の電界の強さを表す．

(5) 任意の点における電界の向きは，電気力線の接線の向きと一致する．

問60 Check! □□□

(平成 21 年 Ⓐ 問題 2)

静電界に関する記述として，正しいのは次のうちどれか．

(1) 二つの小さな帯電体の間に働く力の大きさは，それぞれの帯電体の電気量の和に比例し，その距離の 2 乗に反比例する．

(2) 点電荷が作る電界は点電荷の電気量に比例し，距離に反比例する．

(3) 電気力線上の任意の点での接線の方向は，その点の電界の方向に一致する．

(4) 等電位面上の正電荷には，その面に沿った方向に正のクーロン力が働く．

(5) コンデンサの電極板間にすき間なく誘電体を入れると，静電容量と電極板間の電界は，誘電体の誘電率に比例して増大する．

解59 解答 (2)

(2)が誤りで，“電気力線は正の電荷から出て，負の電荷へ入る．”が正しい．

静電界における電気力線の性質は，問題文に記載されている以外に次のようなものがある．

・電荷のないところでは，電気力線の発生および消滅はなく連続である．

・真空中の単位電荷には $1/\varepsilon_0$ 本の電気力線が出入りする．

・電気力線は高電位側から低電位側へ向かう．

・電気力線はそれ自身で閉じた曲線になることはない．

・電気力線は導体面に垂直に出入りする．

解60 解答 (3)

電気力線上の任意の点での接線の方向は，その点の電界の方向に一致する．また，電界の大きさは，その点における電気力線密度（面積密度）で表せる．したがって，(3)が正しい．

また，(1)，(2)，(4)および(5)の正しい記述は，次のようになる．

(1)　二つの小さな帯電体の間に働く力の大きさは，それぞれの帯電体の電気量の**積**に比例し，その距離の２乗に反比例する．

(2)　点電荷が作る電界は点電荷の電気量に比例し，**距離の２乗**に反比例する．

(4)　等電位面上の正電荷には，その面に**垂直な**方向に正のクーロン力が働く．

(5)　コンデンサの電極板間にすき間なく誘電体を入れると，静電容量は誘電体の誘電率に比例して増大するが，**電極板間の電界は誘電率に無関係**で，印加電圧と極板間隔により定まる．

問61 Check! □□□

（令和４年㊦ Ⓐ問題１）

図に示すように，誘電率 ε_0 [F/m] の真空中に置かれた二つの静止導体球 A 及び B がある．電気量はそれぞれ Q_A [C] 及び Q_B [C] とし，図中にその周囲の電気力線が描かれている．

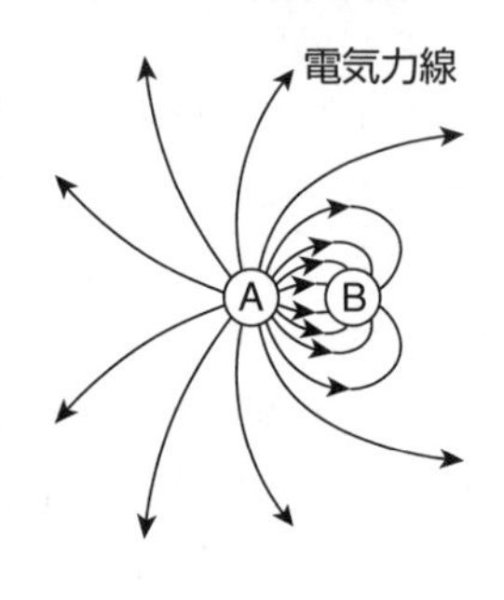

電気量 $Q_A = 16\varepsilon_0$ [C] であるとき，電気量 Q_B [C] の値として，正しいものを次の(1)〜(5)のうちから一つ選べ．

(1)　$16\varepsilon_0$　(2)　$8\varepsilon_0$　(3)　$-4\varepsilon_0$　(4)　$-8\varepsilon_0$　(5)　$-16\varepsilon_0$

問62 Check! □□□

（平成19年 Ⓐ問題３）

図に示すように，誘電率 ε_0〔F/m〕の真空中に置かれた静止した二つの電荷 A〔C〕及び B〔C〕があり，図中にその周囲の電気力線が描かれている．

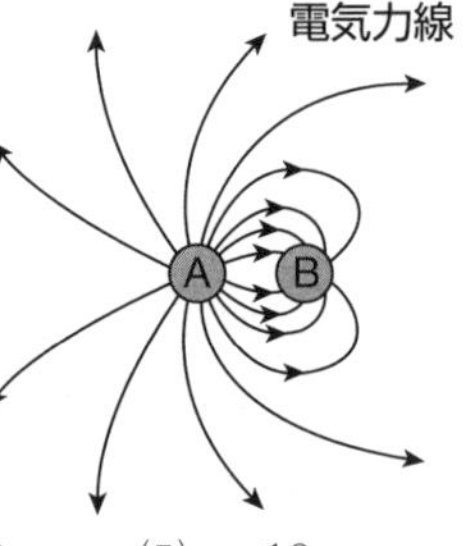

電荷 A = $16\varepsilon_0$〔C〕であるとき，電荷 B〔C〕の値として，正しいのは次のうちどれか．

(1)　$16\varepsilon_0$　(2)　$8\varepsilon_0$　(3)　$-4\varepsilon_0$　(4)　$-8\varepsilon_0$　(5)　$-16\varepsilon_0$

解61　解答 (4)

誘電率 ε_0 [F/m] の真空中に置かれた電気量 Q [C] の点電荷には $\dfrac{Q}{\varepsilon_0}$ 本の電気力線が出入する．電気力線の方向は，点電荷が正であれば点電荷から出る向きとなり，負であれば点電荷に入る向きとなる．

これより，問題の静止導体球Aに出入する電気力線の数 N_{A} は，

$$N_{\mathrm{A}}=\frac{Q_{\mathrm{A}}}{\varepsilon_0}=\frac{16\varepsilon_0}{\varepsilon_0}=16$$

となり，その向きは，Q_{A} が正であることから静止導体球 A から出る方向となる．一方，問題の図において，静止導体球 B には 8 本の電気力線が入っている．したがって，静止導体球 B の電気量 Q_{B} [C] は，

$$\frac{Q_{\mathrm{B}}}{\varepsilon_0}=-8,\quad Q_{\mathrm{B}}=-8\varepsilon_0$$

解62　解答 (4)

ガウスの定理によれば，真空中に置かれた大きさ Q〔C〕の点電荷に出入りする電気力線数 N は，真空の誘電率を ε_0〔F/m〕とすると，次のように表せる．

(i)　正電荷の場合　$N=\dfrac{Q}{\varepsilon_0}$〔本〕の電気力線が点電荷から出て行く．

(ii)　負荷の場合　$N=\dfrac{Q}{\varepsilon_0}$〔本〕の電気力線が点電荷へ入る．

これによれば，電荷 A から出て行く電気力線数 N_A は，

$$N_A=\frac{16\varepsilon_0}{\varepsilon_0}=16\text{〔本〕}$$

となる．一方，この電気力線のうち 8 本が電荷 B へ入っていることから，電荷 B の符号は負となり，その電荷量 Q_B は，

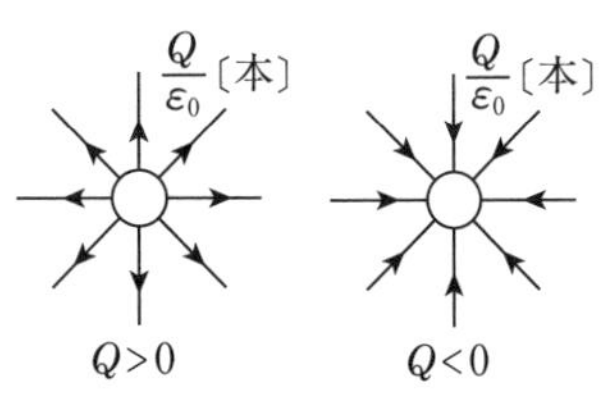

$$N_B=\frac{|Q_B|}{\varepsilon_0}=8$$

$$\therefore\ |Q_B|=8\varepsilon_0\text{〔C〕}$$

となって，次式で表せることになる．

$$Q_B=-8\varepsilon_0\text{〔C〕}$$

問63 Check! □□□

（令和２年　Ａ問題２）

四本の十分に長い導体円柱①〜④が互いに平行に保持されている．①〜④は等しい直径を持ち，図の紙面を貫く方向に単位長さあたりの電気量 $+Q$ [C/m] 又は $-Q$ [C/m] で均一に帯電している．ただし，$Q > 0$ とし，①の帯電電荷は正電荷とする．円柱の中心軸と垂直な面内の電気力線の様子を図に示す．ただし，電気力線の向きは示していない．このとき，①〜④が帯びている単位長さあたりの電気量の組合せとして，正しいものを次の(1)〜(5)のうちから一つ選べ．

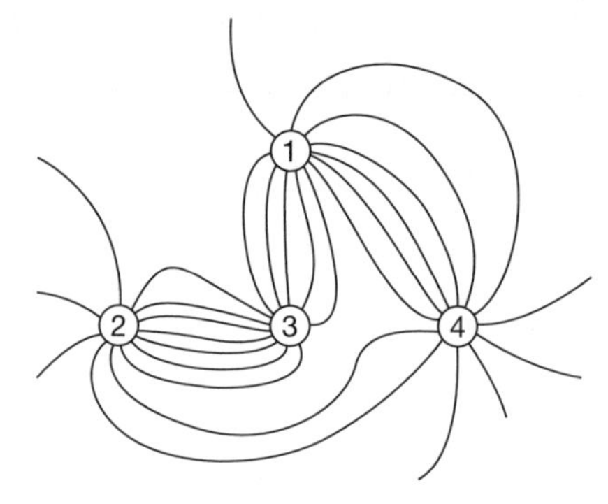

	①	②	③	④
(1)	$+Q$	$+Q$	$+Q$	$+Q$
(2)	$+Q$	$+Q$	$-Q$	$-Q$
(3)	$+Q$	$-Q$	$+Q$	$+Q$
(4)	$+Q$	$-Q$	$-Q$	$-Q$
(5)	$+Q$	$+Q$	$+Q$	$-Q$

解63 解答 (2)

導体円柱①の帯電電荷が $+Q$ [C/m] であるから，電気力線は①から外部へ出ていくことになる．

問題の図は，導体円柱①から出た電気力線が導体円柱③および④へ入っているので，導体円柱③および④の帯電電荷は負電荷と考えられ，それぞれ $-Q$ [C/m] となる．

一方，負電荷に帯電した導体円柱③および④には，導体円柱②からの電気力線も入っているので，導体円柱②の帯電電荷は正電荷と考えられ，Q [C/m] となる．

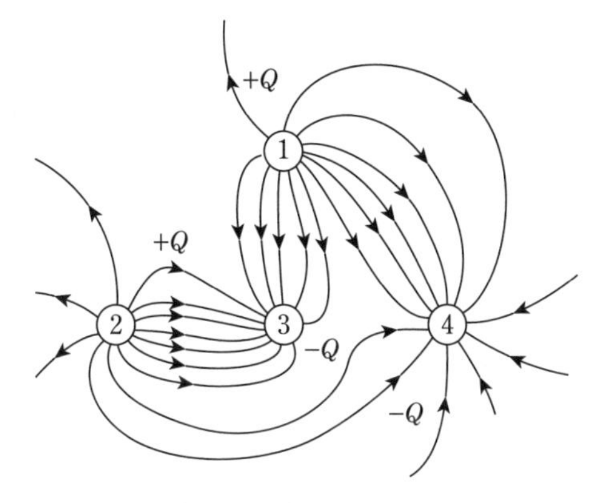

以上から，① $+Q$，② $+Q$，③ $-Q$，④ $-Q$ となり，(2)が正解となる．

問64 Check! □□□

(令和元年 Ⓑ問題 15)

図のように，平らで十分大きい導体でできた床から高さ h [m] の位置に正の電気量 Q [C] をもつ点電荷がある．次の(a)及び(b)の問に答えよ．ただし，点電荷から床に下ろした垂線の足を点 O，床より上側の空間は真空とし，床の導体は接地されている．真空の誘電率を ε_0 [F/m] とする．

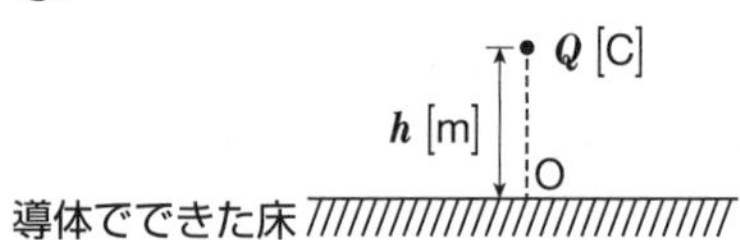

(a) 床より上側の電界は，点電荷のつくる電界と，床の表面に静電誘導によって現れた面電荷のつくる電界との和になる．床より上側の電気力線の様子として，適切なものを次の(1)〜(5)のうちから一つ選べ．

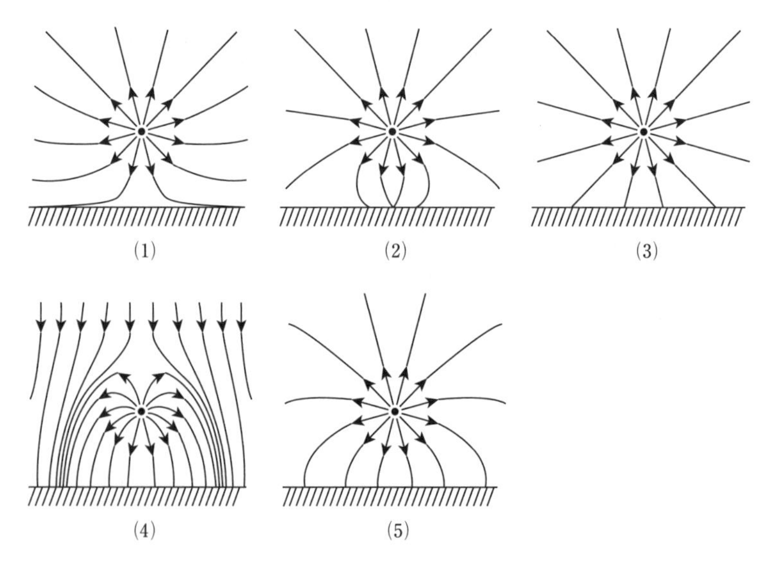

(b) 点電荷は床表面に現れた面電荷から鉛直方向の静電吸引力 F [N] を受ける．

その力は床のない状態で点 O に固定した電気量 $-\dfrac{Q}{4}$ [C] の点電荷から受ける静電力に等しい．F [N] に逆らって，点電荷を高

さ h [m] から z [m]（ただし，$h < z$）まで鉛直方向に引き上げるのに必要な仕事 W [J] を表す式として，正しいものを次の(1)〜(5)のうちから一つ選べ.

(1) $\dfrac{Q^2}{4\pi\varepsilon_0 z^2}$ (2) $\dfrac{Q^2}{4\pi\varepsilon_0}\left(\dfrac{1}{h}-\dfrac{1}{z}\right)$ (3) $\dfrac{Q^2}{16\pi\varepsilon_0}\left(\dfrac{1}{h}-\dfrac{1}{z}\right)$

(4) $\dfrac{Q^2}{16\pi\varepsilon_0 z^2}$ (5) $\dfrac{Q^2}{\pi\varepsilon_0}\left(\dfrac{1}{h^2}-\dfrac{1}{z^2}\right)$

解64 解答 (a)−(5), (b)−(3)

(a) (5)が正解で，(1)〜(4)は誤りである．

電気力線は正の電荷から負電荷，無限遠点または導体に向かって出て行く．導体は等電位であるため，出入りする電気力線は必ず導体と直角に出入りする．

(1)は，電気力線が導体に入っていないので，誤りである．

(2)および(3)は，導体に入る電気力線が導体面と直角になっていないので誤りである．

(4)は，正の点電荷 Q から出て行く電気力線が全部導体に入っており，また，他の正電荷から出てきたと思われる電気力線が存在するので，誤りである．

(b) 点Oに固定した点電荷 $-\frac{Q}{4}$ [C] による高さ y [m] の点の電位 $V(y)$ は，

$$V(y)=-\frac{Q/4}{4\pi\varepsilon_0 y}=-\frac{Q}{16\pi\varepsilon_0 y}\ [\mathrm{V}]$$

であるから，この点における点電荷 Q [C] の位置エネルギー $W(y)$ は，

$$W(y)=QV(y)=-\frac{Q^2}{16\pi\varepsilon_0 y}\ [\mathrm{J}]$$

で表せる．したがって，点電荷 $-\frac{Q}{4}$ [C] による静電吸引力 F に逆らって，点電荷 Q [C] を高さ h [m] から z [m] まで鉛直方向に引き上げるのに必要な仕事量 ΔW は，

$$\Delta W=W(z)-W(h)=-\frac{Q^2}{16\pi\varepsilon_0 z}-\left(-\frac{Q^2}{16\pi\varepsilon_0 h}\right)=\frac{Q^2}{16\pi\varepsilon_0}\left(\frac{1}{h}-\frac{1}{z}\right)\ [\mathrm{J}]$$

【別解】 図は，点電荷が高さ y [m] の位置にある場合に，点電荷に働く静電吸引力 F の様子を示したもので，図(b)は，題意より，点電荷に図(a)の場合と等しい力を与える等価的な点電荷 $-Q/4$ [C] を点Oに置き，導体床を取り去ったもので

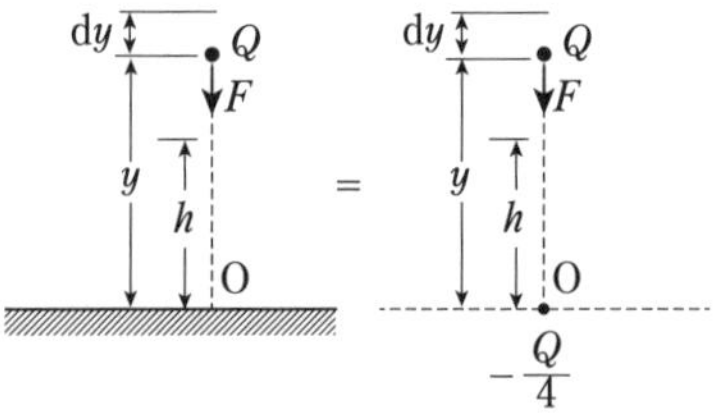

dy　Q　F　y　h　O　=　dy　Q　F　y　h　O　$-\frac{Q}{4}$

(a)　(b)

ある．

ここに，図(b)より点電荷に働く力の大きさ F は，

$$F=\frac{Q\cdot\dfrac{1}{4}Q}{4\pi\varepsilon_0 y^2}=\frac{Q^2}{16\pi\varepsilon_0 y^2}\ [\mathrm{N}]$$

点電荷 Q を静電吸引力 F に逆らって微小距離 $\mathrm{d}y$ [m] だけ鉛直方向に引き上げるのに要する微小仕事 $\mathrm{d}W$ は，次式で与えられる．

$$\mathrm{d}W=F\mathrm{d}y=\frac{Q^2}{16\pi\varepsilon_0 y^2}\mathrm{d}y\ [\mathrm{J}]$$

したがって，点電荷を高さ h [m] から z [m] まで鉛直方向に引き上げるのに必要な仕事量 W は，

$$W=\int_h^z \mathrm{d}W=\int_h^z\frac{Q^2}{16\pi\varepsilon_0 y^2}\mathrm{d}y=\frac{Q^2}{16\pi\varepsilon_0}\left[-\frac{1}{y}\right]_h^z$$

$$=\frac{Q^2}{16\pi\varepsilon_0}\left(\frac{1}{h}-\frac{1}{z}\right)\ [\mathrm{J}]$$

問65 Check! □□□ （平成26年 A 問題2）

次の文章は，静電気に関する記述である．

図のように真空中において，負に帯電した帯電体Aを，帯電していない絶縁された導体Bに近づけると，導体Bの帯電体Aに近い側の表面c付近に (ア) の電荷が現れ，それと反対側の表面d付近に (イ) の電荷が現れる．

この現象を (ウ) という．

上記の記述中の空白箇所(ア)，(イ)及び(ウ)に当てはまる組合せとして，正しいものを次の(1)〜(5)のうちから一つ選べ．

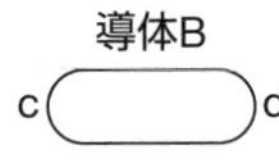

	(ア)	(イ)	(ウ)
(1)	正	負	静電遮へい
(2)	負	正	静電誘導
(3)	負	正	分極
(4)	負	正	静電遮へい
(5)	正	負	静電誘導

問66 Check! □□□ （平成27年 A 問題1）

平行平板コンデンサにおいて，極板間の距離，静電容量，電圧，電界をそれぞれ d [m]，C [F]，V [V]，E [V/m]，極板上の電荷を Q [C] とするとき，誤っているものを次の(1)〜(5)のうちから一つ選べ．

ただし，極板の面積及び極板間の誘電率は一定であり，コンデンサの端効果は無視できるものとする．

(1) Q を一定として d を大きくすると，C は減少する．

(2) Q を一定として d を大きくすると，E は上昇する．

(3) Q を一定として d を大きくすると，V は上昇する．

(4) V を一定として d を大きくすると，E は減少する．

(5) V を一定として d を大きくすると，Q は減少する．

解65　解答 (5)

負に帯電した帯電体Aを導体Bに近づけると，導体BのAに近い側のcには，Aの負電荷に引かれて正電荷が集まってくる．

導体Bには最初電荷が存在せず（保有電荷0），また電源や大地への接地などから絶縁され，Bへの電荷の供給源がなければ，Bの保有電荷が0であることから，cへ移動した正電荷により，dには同量の負電荷が取り残されることになる．この現象を静電誘導と呼ぶ．

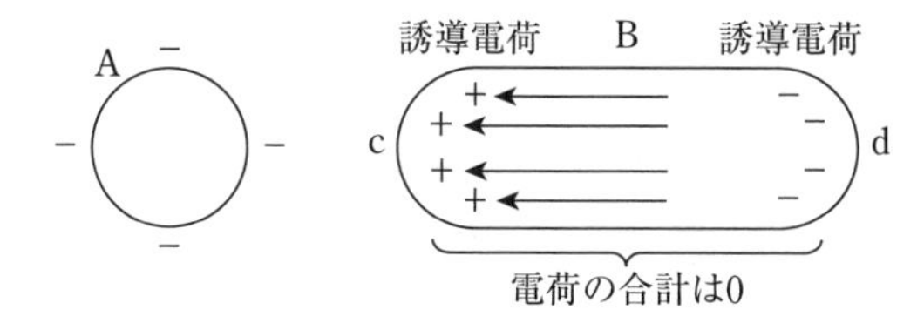

解66　解答 (2)

図のように，平行平板コンデンサの極板間の距離を d [m]，静電容量を C [F]，極板間の電圧を V [V]，極板間の電界を E [V/m]，極板上の電荷を Q [C] とし，極板の面積を S [m^2]，極板間の誘電率を ε [F/m]，極板上の電荷密度を σ [C/m^2]，極板間の電束密度を D [C/m^2] とする．

$+Q,\ +\sigma$　S
C　$D,\ E$　d　V
ε
$-Q,\ -\sigma$

この場合，極板上の電荷密度は，$\sigma = Q/S$ [C/m^2] で表せるから，極板間の電束密度 D および電界 E はそれぞれ，

$$D = \sigma = \frac{Q}{S}\,[\mathrm{C/m^2}],\quad E = \frac{D}{\varepsilon} = \frac{Q}{\varepsilon S}\,[\mathrm{V/m}] \qquad (1)$$

で与えられる．

したがって，(1)式より，電界 E は極板間の距離 d に無関係となり，Q を一定として d を大きくしても電界 E は一定であるので，(2)は誤りである．

問67 Check! □□□

（令和５年㊦ Ⓐ問題１）

極板間が比誘電率 ε_r の誘電体で満たされている平行平板コンデンサに一定の直流電圧が加えられている．このコンデンサに関する記述 a ～ e として，誤っているものの組合せを次の(1)～(5)のうちから一つ選べ．

ただし，コンデンサの端効果は無視できるものとする．

a．極板間の電界分布は ε_r に依存する．

b．極板間の電位分布は ε_r に依存する．

c．極板間の静電容量は ε_r に依存する．

d．極板間に蓄えられる静電エネルギーは ε_r に依存する．

e．極板上の電荷（電気量）は ε_r に依存する．

(1) a，b　(2) a，e　(3) b，c

(4) a，b，d　(5) c，d，e

解67 解答 (1)

極板面積 S，極板間隔 d で極板間が誘電率 $\varepsilon_r\varepsilon_0$ の誘電体（ε_0：真空の誘電率）で満たされている平行平板コンデンサの極板の一つを接地し，極板間に電位差 $+V$ を加えた状態を図示すると，図のようになる．

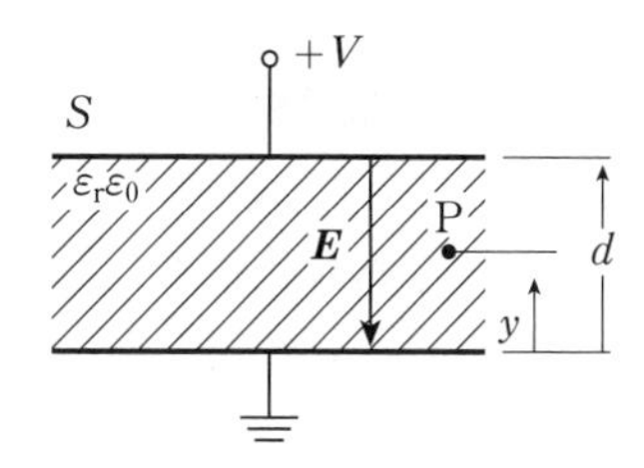

図より，極板間の電界 $\boldsymbol{E}$ の大きさ E は，

$$E=\frac{V}{d}\quad（一定）$$

となり，極板間の電界分布は ε_r に無関係となる．

また，接地側からの距離 y にある点Pの電位 V_P は，

$$V_P=Ey=\frac{y}{d}V\quad（距離\ y\ に比例する）$$

となり，極板間の電位分布は ε_r に無関係となる．

一方，コンデンサの静電容量 C は，

$$C=\varepsilon_r\varepsilon_0\frac{S}{d}\propto\varepsilon_r$$

で表せるから静電容量は ε_r に比例する．

また，極板間に蓄えられる静電エネルギー W は，

$$W=\frac{1}{2}CV^2=\frac{1}{2}\varepsilon_r\varepsilon_0\frac{S}{d}V^2\propto\varepsilon_r$$

で表せ，静電エネルギーも ε_r に比例するとともに，極板上の電荷（電気量）Q は，

$$Q=CV=\varepsilon_r\varepsilon_0\frac{S}{d}V\propto\varepsilon_r$$

で表せ，電荷（電気量）も ε_r に比例する．

以上から，a，b の記述が誤りとなる．

問68 Check! □□□

(平成25年 Ⓐ問題1)

極板間が比誘電率 ε_r の誘電体で満たされている平行平板コンデンサに一定の直流電圧が加えられている．このコンデンサに関する記述a～eとして，誤っているものの組合せを次の(1)～(5)のうちから一つ選べ．

ただし，コンデンサの端効果は無視できるものとする．

a. 極板間の電界分布は ε_r に依存する．

b. 極板間の電位分布は ε_r に依存する．

c. 極板間の静電容量は ε_r に依存する．

d. 極板間に蓄えられる静電エネルギーは ε_r に依存する．

e. 極板上の電荷（電気量）は ε_r に依存する．

(1) a, b

(2) a, e

(3) b, c

(4) a, b, d

(5) c, d, e

解68 解答 (1)

図のように面積が S〔m²〕，距離が d〔m〕の電極間が比誘電率 ε_r の誘電体で満たされている平行平板コンデンサに電圧 V〔V〕が加えられている状態を考える．

a　極板間の電界の強さは，$E=V/d$〔V/m〕となり，ε_r には依存しない．

b　負極から x〔m〕の点の電位 V_x は，負極の電位を基準にすると，$V_x=Ex=\dfrac{V}{d}x$〔V〕となり，ε_r には依存しない．

c　静電容量は，$C=\varepsilon_r\varepsilon_0\dfrac{S}{d}$〔F〕となるので，$\varepsilon_r$ に依存する．

d　静電エネルギーは，$W=\dfrac{1}{2}CV^2$〔J〕で表され，C に比例するので ε_r に依存する．

e　蓄えられる電荷は，$Q=CV$〔C〕で表され，C に比例するので ε_r に依存する．

以上より，誤っている記述は a および b である．

問69 Check! □□□

（令和４年㊤ Ⓐ問題１）

面積がともに S [m²] で円形の二枚の電極板（導体平板）を，互いの中心が一致するように間隔 d [m] で平行に向かい合わせて置いた平行板コンデンサがある．電極板間は誘電率 ε [F/m] の誘電体で一様に満たされ，電極板間の電位差は電圧 V [V] の直流電源によって一定に保たれている．この平行板コンデンサに関する記述として，誤っているものを次の(1)～(5)のうちから一つ選べ．

ただし，コンデンサの端効果は無視できるものとする．

(1) 誘電体内の等電位面は，電極板と誘電体の境界面に対して平行である．

(2) コンデンサに蓄えられる電荷量は，誘電率が大きいほど大きくなる．

(3) 誘電体内の電界の大きさは，誘電率が大きいほど小さくなる．

(4) 誘電体内の電束密度の大きさは，電極板の単位面積当たりの電荷量の大きさに等しい．

(5) 静電エネルギーは誘電体内に蓄えられ，電極板の面積を大きくすると静電エネルギーは増大する．

解69 解答 (3)

選択肢(1)〜(5)の正否は次のとおりである.

(1) 正しい. 誘電体内の電界は電極板に対して垂直方向である. 等電位となる面は電界に対して垂直であるから, 電極板に対しては平行となる.

(2) 正しい. コンデンサに蓄えられる電荷量 Q [C] は, コンデンサの静電容量を C [F], 電極板間の電圧を V [V] とすると,

$$Q = CV \text{ [C]} \quad ①$$

ここで, 電極板の面積を S [m^2] とすれば,

$$C = \frac{\varepsilon S}{d} \text{ [F]} \quad ②$$

であるから, ②式を①式に代入して,

$$Q = \frac{\varepsilon S}{d} V \text{ [C]}$$

よって, コンデンサに蓄えられる電荷量は誘電率に比例する.

(3) 誤り. 誘電体内の電束密度の大きさ D [C/m^2] は,

$$D = \frac{Q}{S} = \frac{1}{S} \cdot \frac{\varepsilon SV}{d} = \frac{\varepsilon V}{d} \text{ [C/m}^2\text{]} \quad ③$$

ここで, 誘電体内の電界の大きさを E [V/m] とすると, $D = \varepsilon E$ より,

$$E = \frac{D}{\varepsilon} = \frac{1}{\varepsilon} \cdot \frac{\varepsilon V}{d} = \frac{V}{d} \text{ [V/m}^2\text{]}$$

よって, E は誘電率に無関係である.

(4) 正しい. ③式で示したとおり誘電体内の電束密度の大きさは電極板の電荷量を電極板の面積で割ったものであるから, 電極板の単位面積当たりの電荷量の大きさと等しい.

(5) 正しい. 静電エネルギー U [J] は,

$$U = \frac{1}{2} CV^2 \text{ [J]}$$

であり, C は②式より電極板の面積に比例するから, 電極板の面積を大きくすると静電エネルギーは増大する.

問70 Check! □□□

(令和4年㊦ Ⓐ問題2)

図のように，平行板コンデンサの上下極板に挟まれた空間の中心に，電荷 Q [C] を帯びた導体球を保持し，上側極板の電位が E [V]，下側極板の電位が $-E$ [V] となるように電圧源をつないだ．ただし，$E > 0$ とする．同図に，二つの極板と導体球の間の電気力線の様子を示している．

このとき，電荷 Q [C] の符号と導体球の電位 U [V] について，正しい記述のものを次の(1)～(5)のうちから一つ選べ．

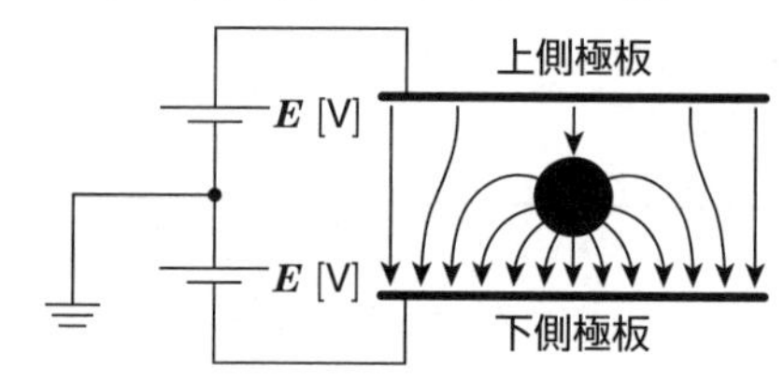

(1) $Q > 0$ であり，$0 < U < E$ である．

(2) $Q > 0$ であり，$U = E$ である．

(3) $Q > 0$ であり，$0 < E < U$ である．

(4) $Q < 0$ であり，$U < -E$ である．

(5) $Q < 0$ であり，$-E < U < 0$ である．

解70 解答 (1)

電気力線には，

① 正電荷から出て，負電荷に入る．

② 電位の高い点から低い点に向かう．

③ 密度はその点の電界の大きさに等しい．

という性質がある．

また，孤立した導体に複数の電気力線が出入している場合，出る電気力線の数から入る電気力線の数を引いて，その答えが正ならばその導体のもつ電荷は正であり，負ならばその導体のもつ電荷は負である．

(1) 電荷 Q の符号

問題の図において導体球からは 9 本の電気力線が出て，1 本の電気力線が入っている．出る電気力線の数から入る電気力線の数を引くと正の値となるから，電荷 Q は正，すなわち，

$$\boldsymbol{Q > 0}$$

である．

(2) 導体球の電位 U

問題の図から次の 2 点が読み取れる．

① 導体球下側の方が上側よりも電気力線の密度が大きい．

② 上側電極から導体球に向かう電気力線がある．

電位 U は電界を E_f，距離を d とすれば，$U = dE_f$ [V] である．

題意より，導体球から極板までの距離は等しい．また，導体球は上下極板の中心の位置，すなわち，導体球がなければ電位が 0 となる位置に置かれている．

ここで①より，導体球下側の方が導体球上側より電界が大きいことがわかる．よって，上側極板と導体球の電位差よりも導体球と下側極板の電位差の方が大きい．したがって，$U > 0$ であることがわかる．

また，電気力線は電位の高い点から低い点に向かうことから，②より，$E > U$ であることがわかる．

したがって，

$$\boldsymbol{0 < U < E}$$

である．

第2章

磁気

●計算

- 点磁荷による磁界の強さ
- 導体に働く電磁力
- コイルの中心磁界
- 直線導体周りの磁界
- 磁束・電流が変化したときの起電力など
- 磁界中の導体に生じる誘導起電力・電磁力
- 自己・相互インダクタンス
- 磁気回路の計算
- インダクタンスに蓄えられるエネルギー
- 磁化曲線から透磁率を求める計算

●論説・空白

- 磁界と磁束
- 磁気回路
- 右ねじの法則
- フレミングの法則
- 自己・相互インダクタンス
- 磁性体の磁化特性
- 磁気遮へい

問1 Check! □□□

(平成30年 Ⓐ問題3)

長さ2 mの直線状の棒磁石があり，その両端の磁極は点磁荷とみなすことができ，その強さは，N極が1×10^{-4} Wb，S極が-1×10^{-4} Wbである．図のように，この棒磁石を点BC間に置いた．このとき，点Aの磁界の大きさの値[A/m]として，最も近いものを次の(1)～(5)のうちから一つ選べ．

ただし，点A，B，Cは，一辺を2 mとする正三角形の各頂点に位置し，真空中にあるものとする．真空の透磁率は$\mu_0 = 4\pi \times 10^{-7}$ H/mとする．また，N極，S極の各点磁荷以外の部分から点Aへの影響はないものとする．

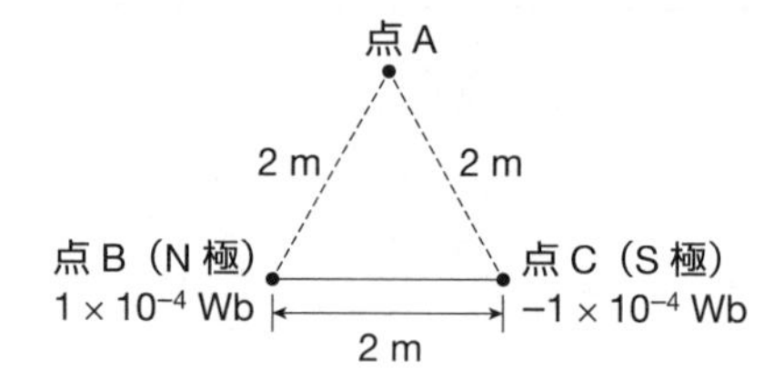

(1) 0　(2) 0.79　(3) 1.05　(4) 1.58　(5) 3.16

解1 解答 (4)

図のように棒磁石の点Bおよび点Cの磁極による点Aの磁界 H_{AB}, H_{AC} およびその合成磁界を H_A とすると，これらの大きさ H_{AB}, H_{AC} および H_A はそれぞれ，

$$H_A = H_{AC} = H_{AB} = \frac{m}{4\pi\mu_0 d^2} = \frac{1\times10^{-4}}{4\pi\times4\pi\times10^{-7}\times2^2} \fallingdotseq 1.583$$

$$\fallingdotseq 1.58\ \text{A/m}$$

ただし，m は磁極の強さ，d は磁極間の距離である．

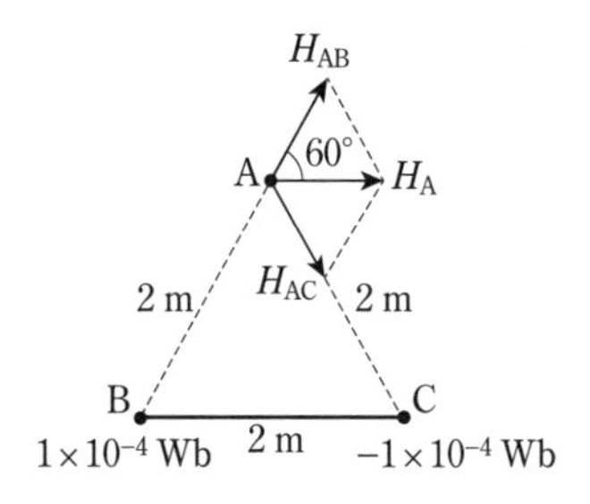

問2 Check! □□□

(令和4年㊦ Ⓐ問題4)

図のように，無限に長い3本の直線状導体が真空中に10 cmの間隔で正三角形の頂点の位置に置かれている．3本の導体にそれぞれ7 Aの直流電流を同一方向に流したとき，各導体1 m当たりに働く力の大きさF_0の値[N/m]として，最も近いものを次の(1)〜(5)のうちから一つ選べ．

ただし，無限に長い2本の直線状導体をr [m]離して平行に置き，2本の導体にそれぞれI [A]の直流電流を同一方向に流した場合，各導体1 m当たりに働く力の大きさFの値[N/m]は，次式で与えられるものとする．

$$F=\frac{2I^2}{r}\times 10^{-7}$$

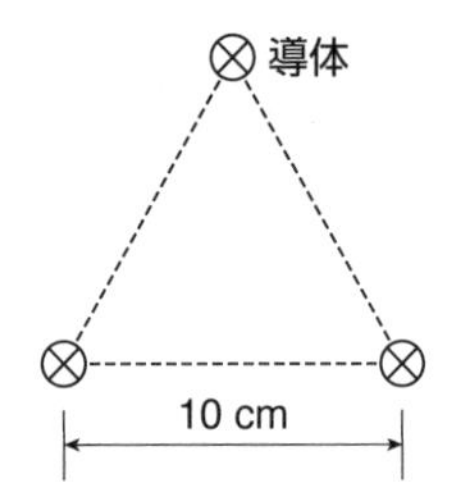

(1) 0　(2) 9.80×10^{-5}　(3) 1.70×10^{-4}

(4) 1.96×10^{-4}　(5) 2.94×10^{-4}

解2 解答 (3)

図の 7 A の直流電流が同一方向に流れる導体 A, B 間に導体 1 m 当たりに働く力 F [N/m] は問題に示された式より,

$$F = \frac{2I^2}{r} \times 10^{-7} = \frac{2 \times 7^2}{0.1} \times 10^{-7} = 980 \times 10^{-7}\ \text{N/m}$$

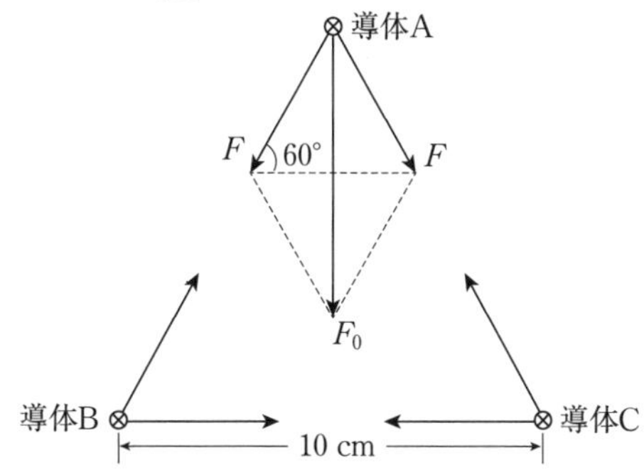

導体 A には導体 AB 間に働く力の他に導体 AC 間に働く力も加わるので, 導体 A に働く力はこの二つの力のベクトルの和となる.

ここで, 導体 A, B, C に流れる電流の大きさおよび導体 A, B, C 間の距離がそれぞれ等しいことから, 導体 AB 間に働く力と, 導体 AC 間に働く力は等しい.

したがって, 導体 A 1 m 当たりに働く力 F_0 [N/m] は, 図より

$$F_0 = 2 \times \frac{\sqrt{3}}{2} F = \sqrt{3} \times 980 \times 10^{-7} \fallingdotseq 1\,697.4 \times 10^{-7} \fallingdotseq \mathbf{1.70 \times 10^{-4}}\ \text{N/m}$$

問3 Check! □□□

(平成21年 Ⓐ問題4)

図のように，点Oを中心とするそれぞれ半径1〔m〕と半径2〔m〕の円形導線の$\frac{1}{4}$と，それらを連結する直線状の導線からなる扇形導線がある．この導線に，図に示す向きに直流電流I=8〔A〕を流した場合，点Oにおける磁界〔A/m〕の大きさとして，正しいのは次のうちどれか．

ただし，扇形導線は同一平面上にあり，その巻数は一巻きである．

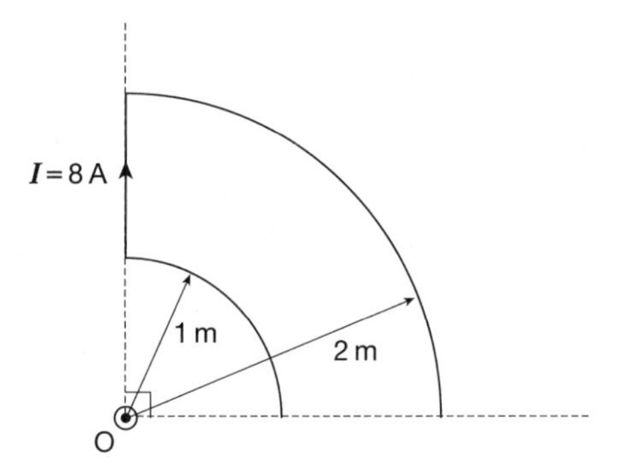

(1) 0.25 (2) 0.5 (3) 0.75 (4) 1.0 (5) 2.0

解3　解答 (2)

図のように点A，B，CおよびDを決めると，円弧AB，直線BC，円弧CDおよび直線DAの部分を流れる電流が点Oにつくる磁界の強さ，H_{AB}，H_{BC}，H_{CD}およびH_{DA}はそれぞれ次のようになる．

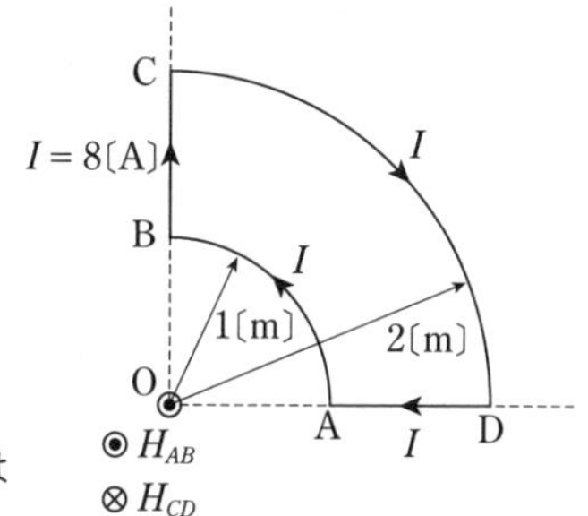

$$H_{BC} = H_{DA} = 0$$

$$H_{AB} = \frac{1}{4} \times \frac{8}{2 \times 1} = 1〔\mathrm{A/m}〕$$

$$H_{CD} = \frac{1}{4} \times \frac{8}{2 \times 2} = 0.5〔\mathrm{A/m}〕$$

ここに，H_{AB}は紙面裏から表への方向，H_{CD}は紙面表から裏への方向であり，互いに反対方向であるから，求める点Oの磁界の強さH_Oは，

$$H_O = H_{AB} - H_{CD} = 1 - 0.5 = 0.5〔\mathrm{A/m}〕$$

となり，その方向は，紙面裏から表への方向となる．

問4 Check! □□□ (平成 23 年 Ⓐ 問題 4)

図 1 のように，1 辺の長さが a〔m〕の正方形のコイル（巻数：1）に直流電流 I〔A〕が流れているときの中心点 O_1 の磁界の大きさを H_1〔A/m〕とする．また，図 2 のように，直径 a〔m〕の円形のコイル（巻数：1）に直流電流 I〔A〕が流れているときの中心点 O_2 の磁界の大きさを H_2〔A/m〕とする．このとき，磁界の大きさの比 $\dfrac{H_1}{H_2}$ の値として，最も近いものを次の(1)～(5)のうちから一つ選べ．

ただし，中心点 O_1，O_2 はそれぞれ正方形のコイル，円形のコイルと同一平面上にあるものとする．

参考までに，図 3 のように，長さ a〔m〕の直線導体に直流電流 I〔A〕が流れているとき，導体から距離 r〔m〕離れた点 P における磁界の大きさ H〔A/m〕は，$H = \dfrac{I}{4\pi r}(\cos\theta_1 + \cos\theta_2)$ で求められる（角度 θ_1 と θ_2 の定義は図参照）．

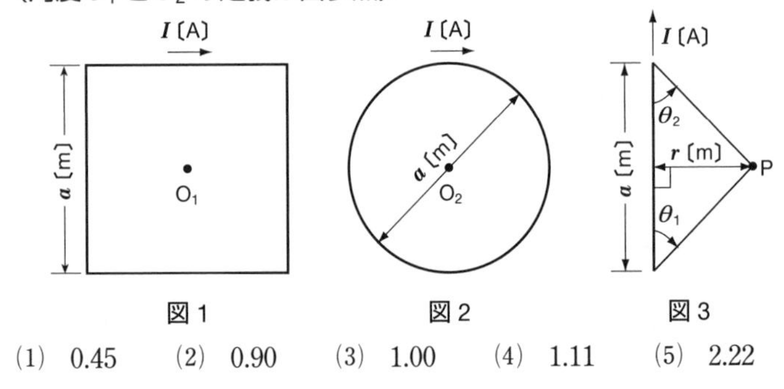

図 1　図 2　図 3

(1) 0.45　(2) 0.90　(3) 1.00　(4) 1.11　(5) 2.22

解4 解答 (2)

問題図 1 の正方形コイルの 1 辺を流れる電流 I による中心点 O_1 の磁界の大きさ H_1' は，下図および問題で与えられた式より，

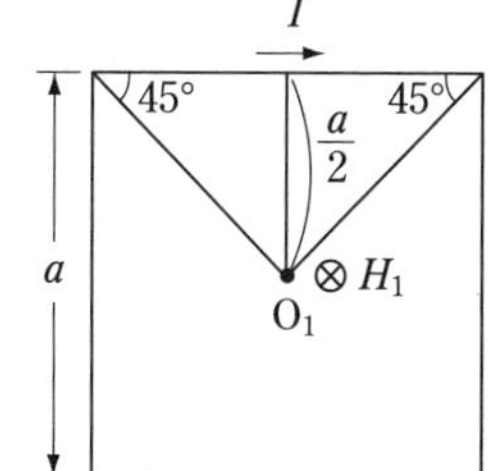

$$H_1' = \frac{I}{4\pi \cdot \frac{a}{2}}(\cos 45° + \cos 45°)$$

$$= \frac{I}{2\pi a}\left(\frac{1}{\sqrt{2}} + \frac{1}{\sqrt{2}}\right) = \frac{I}{2\pi a} \cdot \frac{2}{\sqrt{2}}$$

$$= \frac{I}{\sqrt{2}\pi a} \text{〔A/m〕}$$

となるから，正方形コイル全体による中心点 O_1 の磁界の大きさ H_1 は，正方形コイル各辺に流れる電流 I による磁界の方向が等しいので，

$$H_1 = 4H_1' = 4 \times \frac{I}{\sqrt{2}\pi a} = \frac{2\sqrt{2}I}{\pi a} \text{〔A/m〕}$$

となる．

一方，問題図 2 の円形コイルの中心点 O_2 の磁界の大きさ H_2 は，

$$H_2 = \frac{I}{2 \cdot \frac{a}{2}} = \frac{I}{a} \text{〔A/m〕}$$

で与えられるから，求める磁界の大きさの比 $\frac{H_1}{H_2}$ は，

$$\frac{H_1}{H_2} = \frac{\frac{2\sqrt{2}I}{\pi a}}{\frac{I}{a}} = \frac{2\sqrt{2}}{\pi} \fallingdotseq 0.90$$

となる．

問5 Check! □□□

(平成30年 Ⓐ 問題4)

図のように，原点Oを中心とし x 軸を中心軸とする半径 a [m]の円形導体ループに直流電流 I [A]を図の向きに流したとき，x 軸上の点，つまり，$(x, y, z) = (x, 0, 0)$ に生じる磁界の x 方向成分 $H(x)$ [A/m]を表すグラフとして，最も適切なものを次の(1)～(5)のうちから一つ選べ．

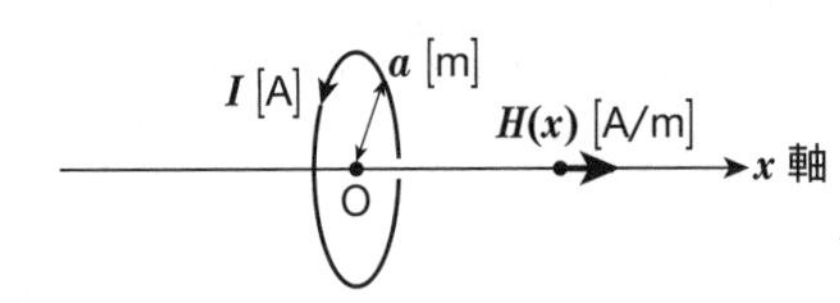

(1)

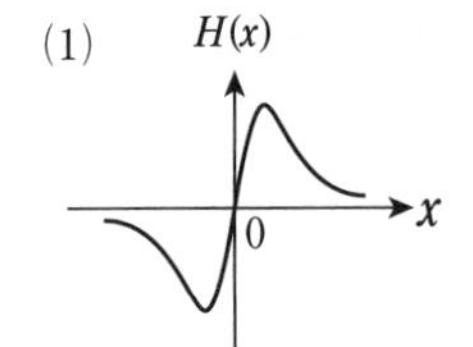

(2)

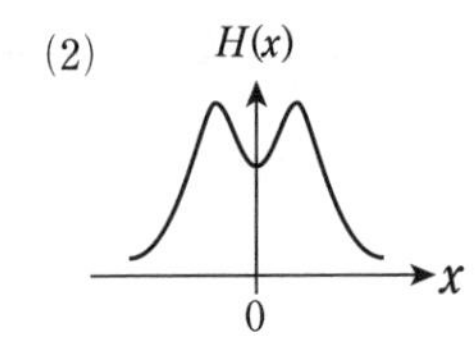

(3)

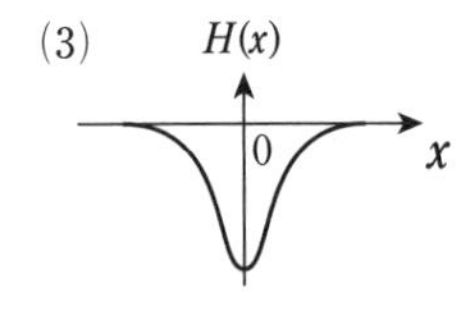

(4)

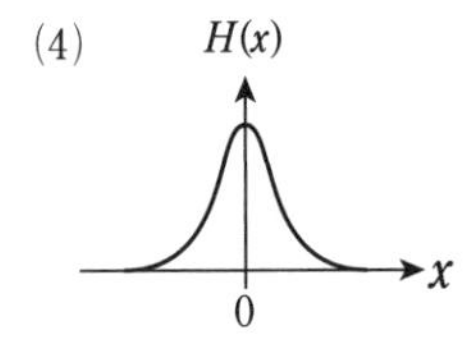

(5)

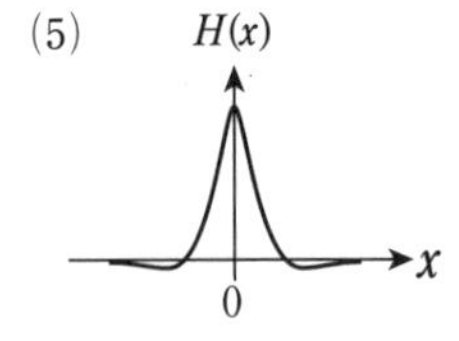

解5 解答 (4)

半径 a の円形導体ループを流れる電流 I の微小部分 $\mathrm{d}l$ が x 軸正方向上の点 P および負方向上の点 Q につくる微小磁界 $\mathrm{d}H_\mathrm{P}$ および $\mathrm{d}H_\mathrm{Q}$ は図のようになる．

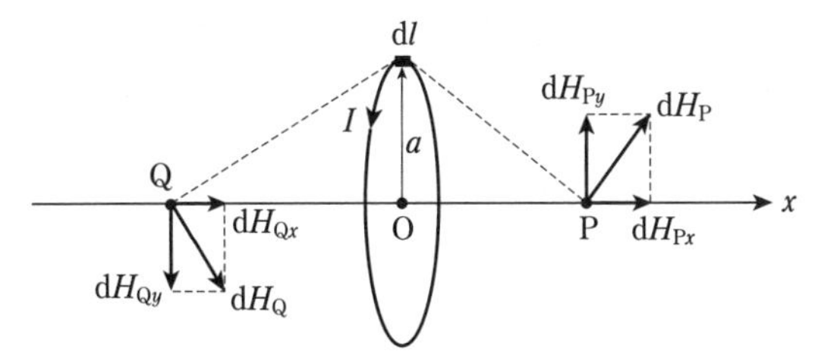

点 P および点 Q における y 方向の磁界成分 $\mathrm{d}H_{\mathrm{P}y}$ および $\mathrm{d}H_{\mathrm{Q}y}$ は円形導体ループ上の各微小部分がつくるものをすべて足し合わせると（周回積分すると）0 となり，点 P および点 Q とも x 軸成分の合計値（周回積分値）H_P および H_Q のみとなる．したがって，x 軸上の磁界の向きは x 軸正方向となり，中心 O から離れるに従ってその大きさは小さくなり，無限遠点（$x=+\infty$）で 0 となる．

以上から，磁界の x 方向成分 $H(x)$ を表すグラフは(4)のグラフとなる．

問6 Check! □□□

(平成28年 Ⓐ問題3)

図のように，長い線状導体の一部が点Pを中心とする半径r [m]の半円形になっている．この導体に電流I [A]を流すとき，点Pに生じる磁界の大きさH [A/m]はビオ・サバールの法則より求めることができる．Hを表す式として正しいものを，次の(1)～(5)のうちから一つ選べ．

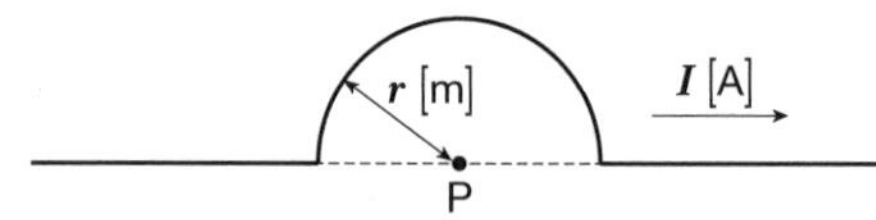

(1) $\dfrac{I}{2\pi r}$　(2) $\dfrac{I}{4r}$　(3) $\dfrac{I}{\pi r}$　(4) $\dfrac{I}{2r}$　(5) $\dfrac{I}{r}$

解6 解答 (2)

図のように，線状導体AB，半円導体BCおよび直線導体CDにおける微小部分Δl_1，Δl_2およびΔl_3がP点につくる微小磁界の大きさをΔH_1，ΔH_2およびΔH_3とすると，ビオ・サバールの法則によれば，それぞれ次式で与えられる．

$$\Delta H_1 = \frac{I}{4\pi {r_1}^2} \cdot \sin 0° \cdot \Delta l_1 = 0 \text{ A/m}$$

$$\Delta H_2 = \frac{I}{4\pi r^2} \cdot \sin 90° \cdot \Delta l_2 = \frac{I}{4\pi r^2} \Delta l_2 \, [\text{A/m}]$$

$$\Delta H_3 = \frac{I}{4\pi {r_3}^2} \cdot \sin 180° \cdot \Delta l_3 = 0 \text{ A/m}$$

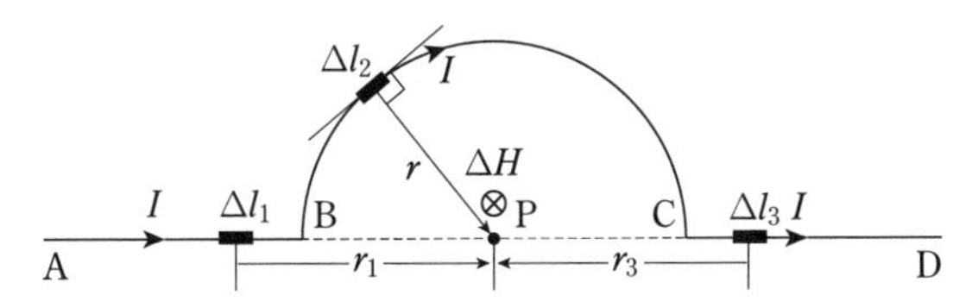

したがって，P点の微小磁界ΔHは，

$$\Delta H = \Delta H_1 + \Delta H_2 + \Delta H_3 = \Delta H_2 = \frac{I}{4\pi r^2} \Delta l_2$$

となり，半円導体BCに流れる電流による磁界のみとなる．よって，求めるP点の磁界Hは，

$$H = \Delta H \cdot \pi r = \frac{I}{4\pi r^2} \cdot \pi r = \frac{I}{4r} \ [\text{A/m}]$$

問7 Check! □□□

(平成 19 年 Ⓐ 問題 1)

図 1 のように，無限に長い直線状導体 A に直流電流 I_1〔A〕が流れているとき，この導体から a〔m〕離れた点 P での磁界の大きさは H_1〔A/m〕であった．一方，図 2 のように半径 a〔m〕の一巻きの円形コイル B に直流電流 I_2〔A〕が流れているとき，この円の中心点 O での磁界の大きさは H_2〔A/m〕であった．

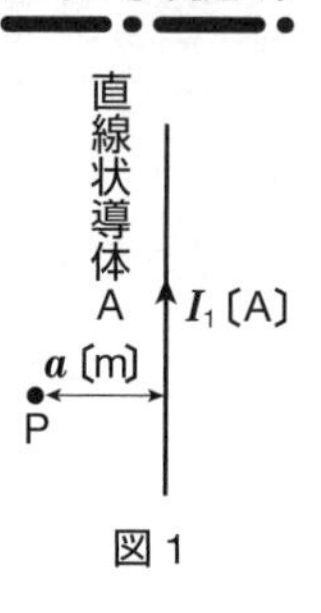

図 1

$H_1 = H_2$ であるときの I_1 と I_2 の関係を表す式として，正しいのは次のうちどれか．

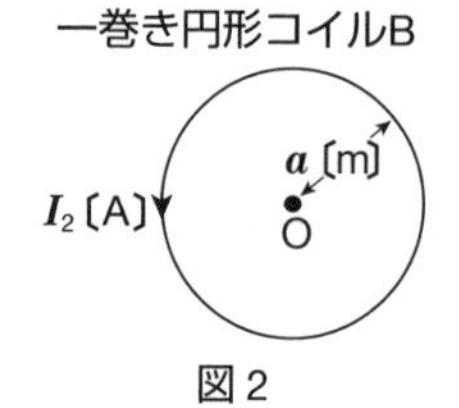

図 2

(1) $I_1 = \pi^2 I_2$　(2) $I_1 = \pi I_2$　(3) $I_1 = \dfrac{I_2}{\pi}$

(4) $I_1 = \dfrac{I_2}{\pi^2}$　(5) $I_1 = \dfrac{2}{\pi} I_2$

問8 Check! □□□

(平成 24 年 Ⓐ 問題 4)

真空中に，2 本の無限長直線状導体が 20〔cm〕の間隔で平行に置かれている．一方の導体に 10〔A〕の直流電流を流しているとき，その導体には 1〔m〕当たり 1×10^{-6}〔N〕の力が働いた．他方の導体に流れている直流電流 I〔A〕の大きさとして，最も近いものを次の(1)～(5)のうちから一つ選べ．

ただし，真空の透磁率は $\mu_0 = 4\pi \times 10^{-7}$〔H/m〕である．

(1) 0.1　(2) 1　(3) 2　(4) 5　(5) 10

解7 解答（2）

P点およびO点の磁界の強さ H_1 および H_2 はそれぞれ次式で与えられる．

$$H_1 = \frac{I_1}{2\pi a}\text{〔A/m〕},\quad H_2 = \frac{I_2}{2a}\text{〔A/m〕}$$

ここに，題意より，$H_1 = H_2$ であるから，求める I_1 と I_2 の関係は，

$$\frac{I_1}{2\pi a} = \frac{I_2}{2a}$$

$$\therefore\quad I_1 = \pi I_2$$

解8 解答（1）

真空中に，2本の無限長直線導体が d〔m〕隔てて置かれており，2本の無限長直線導体にそれぞれ I_1〔A〕および I_2〔A〕の電流が流れているとき，2本の無限長直線導体の単位長当たりに働く力 F〔N/m〕はともに等しく，真空の透磁率を μ_0〔H/m〕とすると，次式で与えられる．

$$F = \frac{\mu_0}{2\pi}\frac{I_1 I_2}{d}\text{〔N/m〕}$$

したがって，上式より，

$$I_2 = \frac{2\pi d F}{\mu_0 I_1}\text{〔A〕}$$

となるから，上式へ，$I_2 = I$，$I_1 = 10$〔A〕，$d = 0.2$〔m〕，$F = 1 \times 10^{-6}$〔N/m〕，$\mu_0 = 4\pi \times 10^{-7}$〔H/m〕を代入すると，求める他方の導体に流れている直流電流 I は，

$$I = \frac{2\pi \times 0.2 \times 1 \times 10^{-6}}{4\pi \times 10^{-7} \times 10} = 0.1\text{〔A〕}$$

となる．

問9 Check! □□□

(平成 22 年 A 問題 4)

図に示すように，直線導体 A 及び B が y 方向に平行に配置され，両導体に同じ大きさの電流 I が共に $+y$ 方向に流れているとする．このとき，各導体に加わる力の方向について，正しいものを組み合わせたのは次のうちどれか．

なお，xyz 座標の定義は，破線の枠内の図で示したとおりとする．

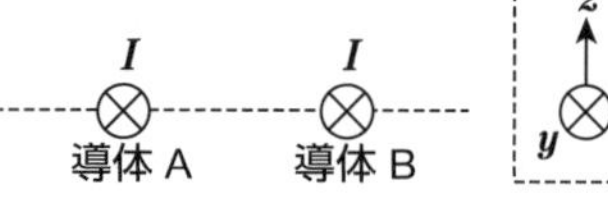

	導体 A	導体 B
(1)	$+x$ 方向	$+x$ 方向
(2)	$+x$ 方向	$-x$ 方向
(3)	$-x$ 方向	$+x$ 方向
(4)	$-x$ 方向	$-x$ 方向
(5)	どちらの導体にも力は働かない．	

問10 Check! □□□

(平成 17 年 A 問題 4)

真空中において，同一平面内に，無限に長い 3 本の導体 A，B，C が互いに平行に置かれている．導体 A と導体 B の間隔は 2〔m〕，導体 B と導体 C の間隔は 1〔m〕である．導体には図に示す向きに，それぞれ 2〔A〕，3〔A〕，3〔A〕の直流電流が流れているものとする．このとき，導体 B が，導体 A に流れる電流と導体 C に流れる電流によって受ける 1〔m〕当たりの力の大きさ F〔N/m〕の値として，正しいのは次のうちどれか．

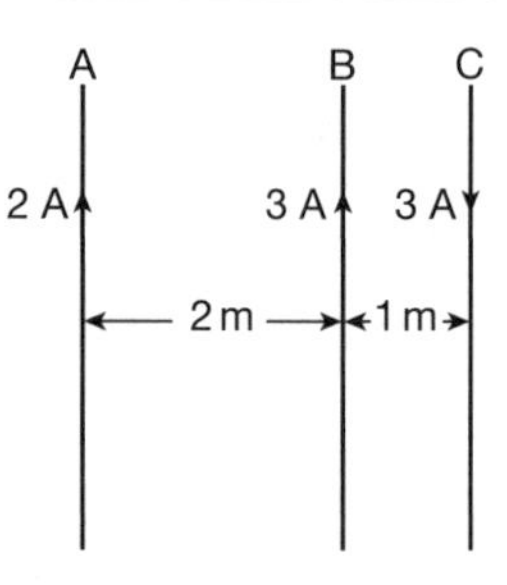

ただし，真空の透磁率を $\mu_0 = 4\pi \times 10^{-7}$〔H/m〕とする．

(1) 1.05×10^{-6}　(2) 1.20×10^{-6}　(3) 1.50×10^{-6}

(4) 2.10×10^{-6}　(5) 2.40×10^{-6}

解9 解答 (2)

平行な2本の直線導体に流れる電流に働く力の方向は，2本の導体に流れる電流の方向によってのみ定まり，2本の導体に流れる電流が同方向の場合は，導体間には引力が働き，異方向の場合は，導体間には斥力（反発力）が働く．

問題の場合，2本の直線導体AおよびBに流れる電流Iは同方向に流れているから，導体間には引力が働くことになり，導体Aに働く力の方向は$+x$方向，導体Bに働く力の方向は$-x$方向となる．

解10 解答 (5)

導体AおよびBに流れる電流が同方向で，導体Cに流れる電流がこれらと逆方向であるから，導体AおよびBに流れる電流の方向を紙面裏から表への方向，導体Cに流れる電流の方向を紙面表から裏への方向として，導体B周辺の磁界および導体Bに導体AおよびCから働く力を図示する．

ここに，磁界H_{BC}および磁界H_{BA}は導体Bにおける導体AおよびCが作る磁界で，これらにより導体Bに働く力がF_{BC}およびF_{BA}である．

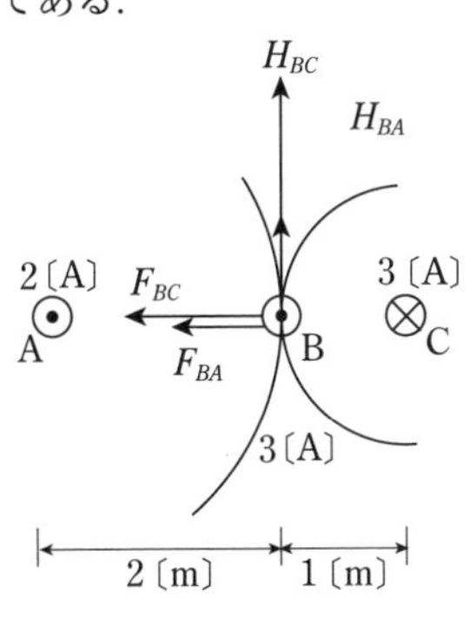

F_{BA}およびF_{BC}はフレミングの左手の法則により同じ方向となり，その大きさは単位長（1〔m〕）当たり次のようになる．

$$F_{BA}=\frac{4\pi\times10^{-7}}{2\pi}\times\frac{2\times3}{2}=0.6\times10^{-6}\text{〔N/m〕}$$

$$F_{BC}=\frac{4\pi\times10^{-7}}{2\pi}\times\frac{3\times3}{1}=1.8\times10^{-6}\text{〔N/m〕}$$

したがって，求める導体Bに働く単位長（1〔m〕）当たりの力F_Bは，次のようになる．

$$F_B=F_{BA}+F_{BC}=0.6\times10^{-6}+1.8\times10^{-6}=2.4\times10^{-6}\text{〔N/m〕}$$

問11 Check! □□□

（令和6年㊤ Ⓐ問題4）

図のように，A，B 2本の平行な直線導体があり，導体Aには1.2 Aの，導体Bにはそれと反対方向に3 Aの電流が流れている．導体AとBの間隔が l [m] のとき，導体Aより0.3 m離れた点Pにおける合成磁界が零になった．l の値 [m] として，最も近いものを次の(1)〜(5)のうちから一つ選べ．

ただし，導体A，Bは無限長とし，点Pは導体A，Bを含む平面上にあるものとする．

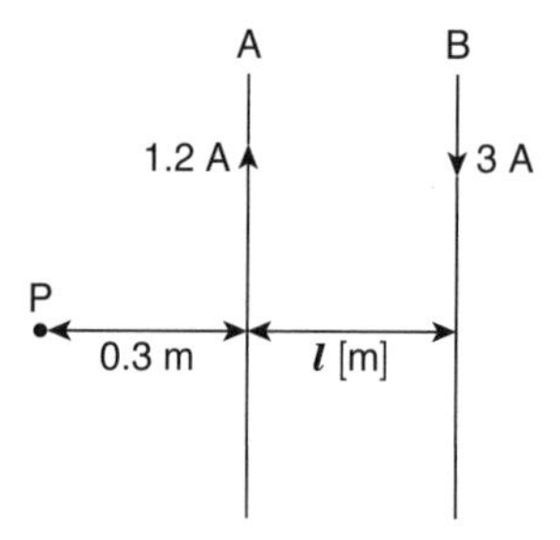

(1) 0.24　(2) 0.45　(3) 0.54　(4) 0.75　(5) 1.05

解11 解答 (2)

図のように，導体 A に流れる電流による P 点の磁界は，大きさ

$$H_A = \frac{1.2}{2\pi \times 0.3} = \frac{2}{\pi}\ \mathrm{A/m}$$

で紙面裏から表への方向，導体 B に流れる電流による P 点の磁界は，大きさ

$$H_B = \frac{3}{2\pi \times (l + 0.3)} = \frac{1.5}{\pi \times (l + 0.3)}\ [\mathrm{A/m}]$$

で紙面表から裏への方向となる．

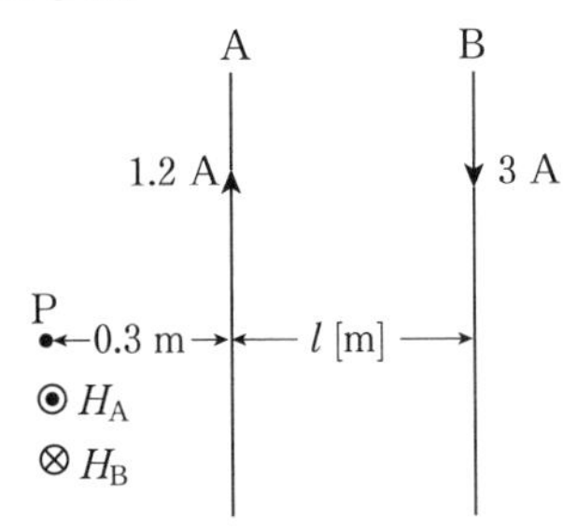

ここに，題意より，P 点の磁界は 0 であるから，求める導体 A と B の間隔 l は，

$$H_A - H_B = \frac{2}{\pi} - \frac{1.5}{\pi \times (l + 0.3)} = 0$$

$$\therefore \quad l = \frac{1.5}{2} - 0.3 = \mathbf{0.45\ m}$$

問12 Check! □□□

(平成26年 Ⓐ問題4)

図のように，十分に長い直線状導体A，Bがあり，AとBはそれぞれ直角座標系の x 軸と y 軸に沿って置かれている．Aには $+x$ 方向の電流 I_x〔A〕が，Bには $+y$ 方向の電流 I_y〔A〕が，それぞれ流れている．$I_x>0$，$I_y>0$ とする．

このとき，xy 平面上で I_x と I_y のつくる磁界が零となる点（x〔m〕，y〔m〕）の満たす条件として，正しいものを次の(1)～(5)のうちから一つ選べ．

ただし，$x\neq0$，$y\neq0$ とする．

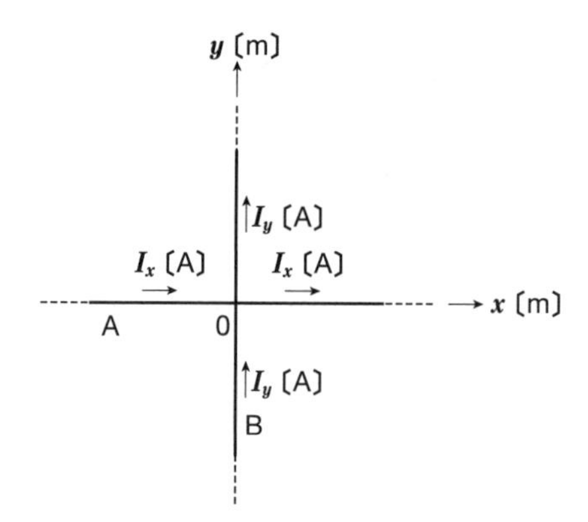

(1) $y=\dfrac{I_x}{I_y}x$　　(2) $y=\dfrac{I_y}{I_x}x$　　(3) $y=-\dfrac{I_x}{I_y}x$

(4) $y=-\dfrac{I_y}{I_x}x$　　(5) $y=\pm x$

解12 解答 (1)

x, y 平面上に4点 P(x, y), Q(x, $-y$), R($-x$, $-y$) および S($-x$, y) をとり，$+x$ 方向の電流 I_x と $+y$ 方向の電流 I_y が各点につくる磁界 H_{ix} および H_{iy} の方向を示すと，図のようになる．

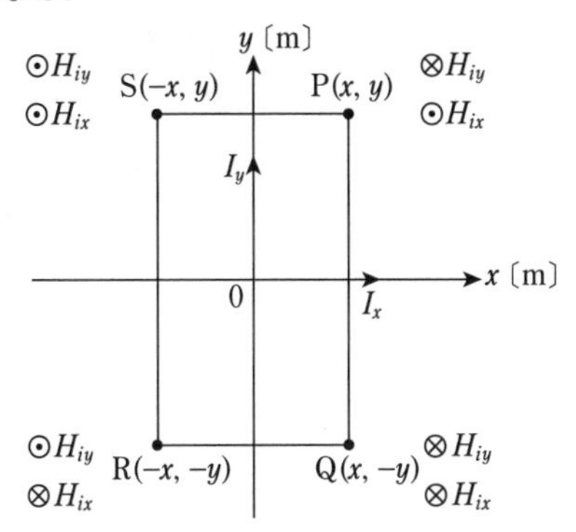

ここに，H_{ix} および H_{iy} の方向を考慮すれば，両者の合成磁界 $H_{ixiy} = H_{ix} + H_{iy}$ が0になり得るのは，H_{ix} と H_{iy} が互いに逆方向となる P(x, y) 点と R($-x$, $-y$) 点のみである．

ここに，磁界 H_{ix}, H_{iy} の大きさ H_{ix}, H_{iy} はそれぞれ,

$$H_{ix} = \frac{I_x}{2\pi y}\ \text{〔A/m〕},\quad H_{iy} = \frac{I_y}{2\pi x}\ \text{〔A/m〕}$$

であり，$H_{ixiy}=0$ となるには，$H_{ix}=H_{iy}$ であればよいから，求める磁界が零となる条件は,

$$\frac{I_x}{2\pi y} = \frac{I_y}{2\pi x}$$

$$\therefore\quad y = \frac{I_x}{I_y}x$$

問13 Check! □□□

（令和５年下 A問題４）

図のように，透磁率 μ_0 [H/m] の真空中に，無限に長い直線状導体Aと１辺 a [m] の正方形のループ状導体Bが距離 d [m] を隔てて置かれている．AとBは xz 平面上にあり，Aは z 軸と平行，Bの各辺は x 軸又は z 軸と平行である．A，Bには直流電流 I_A [A]，I_B [A] が，それぞれ図示する方向に流れている．このとき，Bに加わる電磁力として，正しいものを次の(1)～(5)のうちから一つ選べ．

なお，xyz 座標の定義は，破線の枠内の図で示したとおりとする．

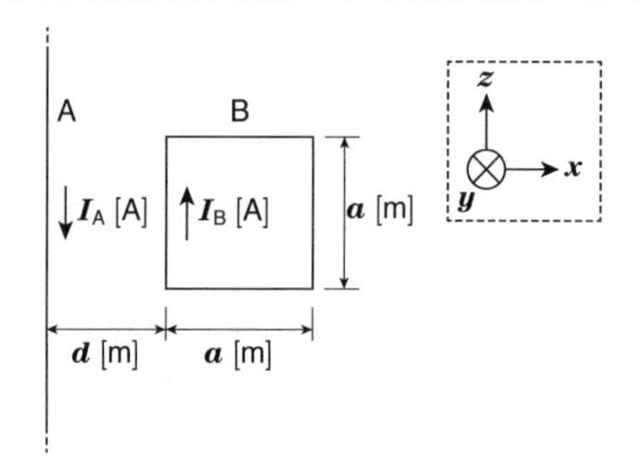

(1)　0 N つまり電磁力は生じない

(2)　$\dfrac{\mu_0 I_A I_B a^2}{2\pi d(a+d)}$ [N] の $+x$ 方向の力

(3)　$\dfrac{\mu_0 I_A I_B a^2}{2\pi d(a+d)}$ [N] の $-x$ 方向の力

(4)　$\dfrac{\mu_0 I_A I_B a(a+2d)}{2\pi d(a+d)}$ [N] の $+x$ 方向の力

(5)　$\dfrac{\mu_0 I_A I_B a(a+2d)}{2\pi d(a+d)}$ [N] の $-x$ 方向の力

解13 解答 (2)

図のように，ループ状導体Bの辺を1，2，3および4とすると，Bに加わる電磁力は辺1に加わる力$\boldsymbol{F}_1$と辺2に加わる力$\boldsymbol{F}_2$のみによって決まる．$\boldsymbol{F}_1$と$\boldsymbol{F}_2$は互いに反対方向の力であるから，$\boldsymbol{F}_1$と$\boldsymbol{F}_2$の合成力$\boldsymbol{F}$（$= \boldsymbol{F}_1 + \boldsymbol{F}_2$）は$\boldsymbol{F}_1$と$\boldsymbol{F}_2$のうち大きい方の力と同じ方向となり，その大きさはそれぞれの大きさの差となる．

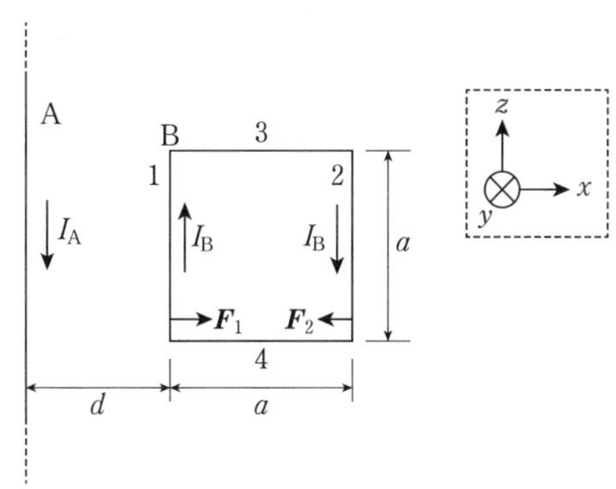

ここで，辺1に加わる力$\boldsymbol{F}_1$と辺2に加わる力$\boldsymbol{F}_2$のそれぞれの大きさF_1とF_2は，

$$F_1 = \frac{\mu_0}{2\pi}\frac{I_A I_B}{d}a\,[\mathrm{N}]$$

$$F_2 = \frac{\mu_0}{2\pi}\frac{I_A I_B}{a+d}a\,[\mathrm{N}]$$

で表せるが，$F_1 > F_2$は明らかであるから，Bに加わる電磁力の方向は**$+x$の方向**となる．また，その大きさFは，

$$F = F_1 - F_2 = \frac{\mu_0}{2\pi}\frac{I_A I_B}{d}a - \frac{\mu_0}{2\pi}\frac{I_A I_B}{a+d}a$$

$$= \frac{\mu_0 I_A I_B a}{2\pi}\left(\frac{1}{d} - \frac{1}{a+d}\right) = \boldsymbol{\frac{\mu_0 I_A I_B a^2}{2\pi d(a+d)}}\,[\mathrm{N}]$$

問14 Check! □□□ (平成25年 Ⓐ問題4)

図のように，透磁率 μ_0〔H/m〕の真空中に無限に長い直線状導体Aと1辺 a〔m〕の正方形のループ状導体Bが距離 d〔m〕を隔てて置かれている．AとBは xz 平面上にあり，Aは z 軸と平行，Bの各辺は x 軸又は z 軸と平行である．A，Bには直流電流 I_A〔A〕，I_B〔A〕が，それぞれ図示する方向に流れている．このとき，Bに加わる電磁力として，正しいものを次の(1)～(5)のうちから一つ選べ．

なお，xyz 座標の定義は，破線の枠内の図で示したとおりとする．

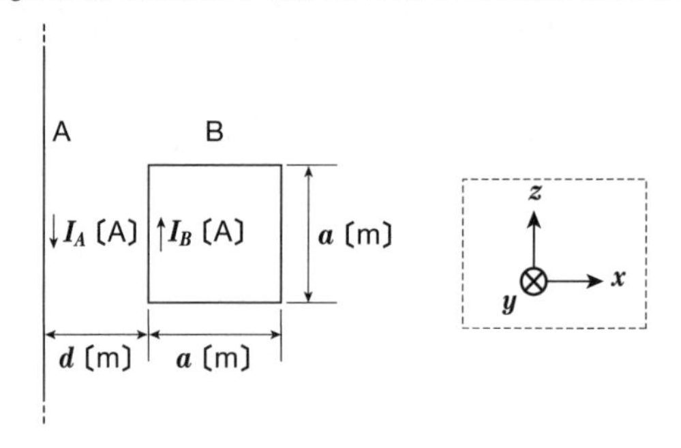

(1) 0〔N〕つまり電磁力は生じない

(2) $\dfrac{\mu_0 I_A I_B a^2}{2\pi d(a+d)}$〔N〕の $+x$ 方向の力

(3) $\dfrac{\mu_0 I_A I_B a^2}{2\pi d(a+d)}$〔N〕の $-x$ 方向の力

(4) $\dfrac{\mu_0 I_A I_B a(a+2d)}{2\pi d(a+d)}$〔N〕の $+x$ 方向の力

(5) $\dfrac{\mu_0 I_A I_B a(a+2d)}{2\pi d(a+d)}$〔N〕の $-x$ 方向の力

解14 解答 (2)

無限長の導体Aから r〔m〕離れた点の磁界の強さは，アンペアの周回積分の法則により，

$$H=\frac{I_A}{2\pi r}\text{〔A/m〕}$$

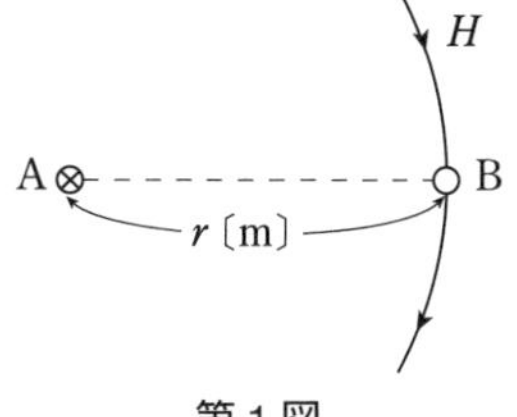

第1図

この磁界は導体Bと直交する．

① 導体Aと平行な辺 $\overline{\mathrm{PQ}}$ および $\overline{\mathrm{RS}}$ に働く力

フレミングの左手の法則から，導体Aに近い辺 $\overline{\mathrm{PQ}}$ には反発力 F_1，遠い辺 $\overline{\mathrm{RS}}$ には吸引力 F_2 が働く．

導体Aに近い F_1 の方が大きいので，全体としては反発力（$+x$ の方向の力）を受ける．

F_1 および F_2 の大きさは，

$$F_1=B_1I_Ba=\mu_0H_1I_Ba=\frac{\mu_0I_AI_Ba}{2\pi d}\text{〔N〕}$$

$$F_2=B_2I_Ba=\mu_0H_2I_Ba=\frac{\mu_0I_AI_Ba}{2\pi(a+d)}\text{〔N〕}$$

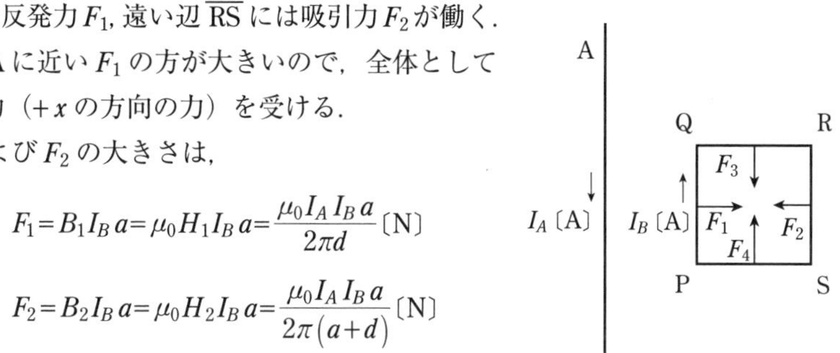

第2図

導体Bの受ける力は，

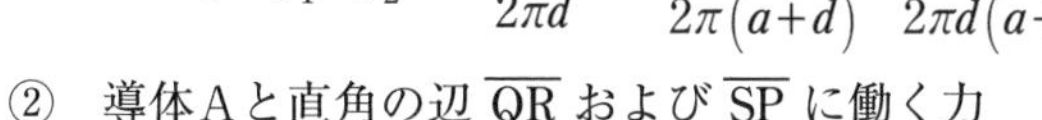

$$F=F_1-F_2=\frac{\mu_0I_AI_Ba}{2\pi d}-\frac{\mu_0I_AI_Ba}{2\pi(a+d)}=\frac{\mu_0I_AI_Ba^2}{2\pi d(a+d)}\text{〔N〕}$$

② 導体Aと直角の辺 $\overline{\mathrm{QR}}$ および $\overline{\mathrm{SP}}$ に働く力

フレミングの左手の法則から，**第2図**のような反対向きの F_3 および F_4 の力を受ける．

幾何学的な対称性から，両辺に働く力は大きさが等しいと考えられるので，全体としては力を受けないことになる．

以上より，導体Bの受ける力は，$\dfrac{\mu_0I_AI_Ba^2}{2\pi d(a+d)}$〔N〕の大きさで，$+x$ の方向の力になる．

問15　Check! □□□

（令和５年㊤　Ⓐ問題 10）

図１のように，インダクタンス $L = 5$ H のコイルに直流電流源 J が電流 i [mA] を供給している回路がある．電流 i [mA] は図２のような時間変化をしている．このとき，コイルの端子間に現れる電圧の大きさ $|v|$ の最大値 [V] として，最も近いものを次の(1)～(5)のうちから一つ選べ．

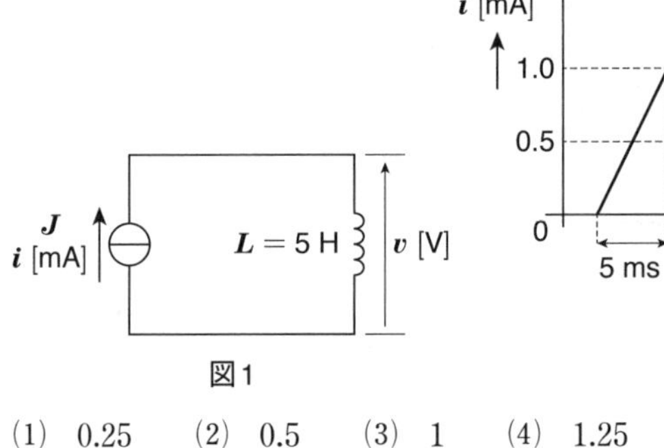

図1

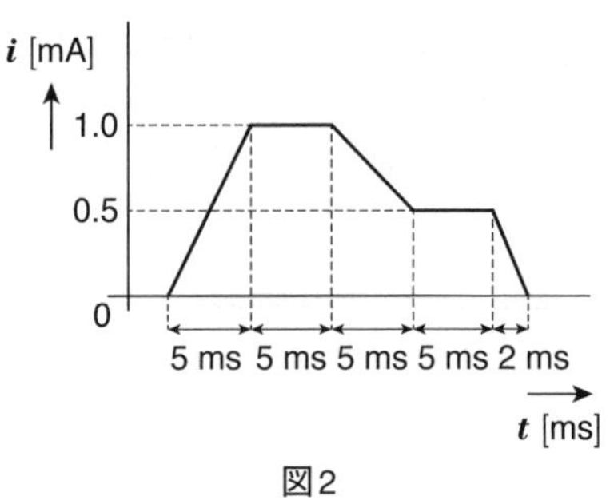

図2

(1)　0.25　　(2)　0.5　　(3)　1　　(4)　1.25　　(5)　1.5

解15 解答 (4)

微小時間 Δt [ms] 間にコイルに流れる電流が Δi [mA] だけ変化したときコイルに生じる電圧の大きさ $|v|$ は,

$$|v| = L\frac{|\Delta i|}{\Delta t}\,[\mathrm{V}]$$

で表され, $|v|$ は電流変化の傾きの絶対値 $\dfrac{|\Delta i|}{\Delta t}$ に比例する.

設題図 2 に与えられた電流 i の時間変化において, 変化の傾きの絶対値が最も大きいのは 2 ms 間に電流が 0.5 mA 減少している部分であるので, $|v|$ の最大値 $|v|_{\max}$ は,

$$|v|_{\max} = 5\times\frac{|0-0.5|}{2} = \mathbf{1.25}\ \mathrm{V}$$

問16 Check! □□□

（令和３年 Ⓐ問題４）

次の文章は，電磁誘導に関する記述である．

図のように，コイルと磁石を配置し，磁石の磁束がコイルを貫いている．

1. スイッチＳを閉じた状態で磁石をコイルに近づけると，コイルには [(ア)] の向きに電流が流れる．
2. コイルの巻数が 200 であるとする．スイッチＳを開いた状態でコイルの断面を貫く磁束を 0.5 s の間に 10 mWb だけ直線的に増加させると，磁束鎖交数は [(イ)] Wb だけ変化する．また，この 0.5 s の間にコイルに発生する誘導起電力の大きさは [(ウ)] V となる．ただし，コイル断面の位置によらずコイルの磁束は一定とする．

上記の記述中の空白箇所(ア)～(ウ)に当てはまる組合せとして，正しいものを次の(1)～(5)のうちから一つ選べ．

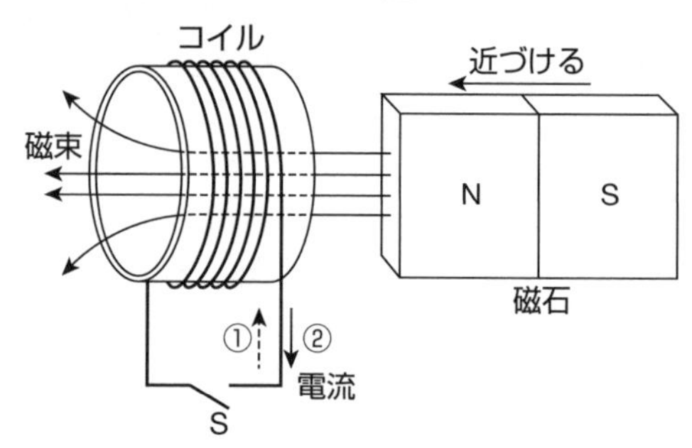

	(ア)	(イ)	(ウ)
(1)	①	2	2
(2)	①	2	4
(3)	①	0.01	2
(4)	②	2	4
(5)	②	0.01	2

解16 解答 (4)

スイッチSを閉じた状態で磁石のN極をコイルに近づけると，コイルの右端をN極とするように，②の方向の電流がコイルに流れる．

スイッチSを開き，コイルを貫く磁束を $\Delta t = 0.5$ s の間に 10 mWb だけ直線的に増加させると，磁束鎖交数（磁束とコイルの巻数の積）の変化量 $\Delta\Phi$ は，

$$\Delta\Phi = N\Delta\phi = 200 \times 10 \times 10^{-3} = 2 \text{ Wb}$$

となり，この 0.5 s の間にコイルに発生する誘導起電力の大きさ V は，

$$V = \frac{\Delta\Phi}{\Delta t} = \frac{2}{0.5} = 4 \text{ V}$$

問17 Check! □□□ (平成27年 A 問題5)

十分長いソレノイド及び小さい三角形のループがある．図1はソレノイドの横断面を示しており，三角形ループも同じ面内にある．図2はその破線部分の拡大図である．面 $x = 0$ から右側の領域（$x > 0$ の領域）は直流電流を流したソレノイドの内側であり，そこには $+z$ 方向の平等磁界が存在するとする．その磁束密度を B [T]（$B > 0$）とする．

一方，左側領域（$x < 0$）はソレノイドの外側であり磁界は零であるとする．ここで，三角形 PQR の抵抗器付き導体ループが xy 平面内を等速度 u [m/s] で $+x$ 方向に進み，ソレノイドの巻線の隙間から内側に侵入していく．その際，導体ループの辺 QR は y 軸と平行を保っている．頂点Pが面 $x = 0$ を通過する時刻を T [s] とする．また，抵抗器の抵抗 r [Ω] は十分大きいものとする．

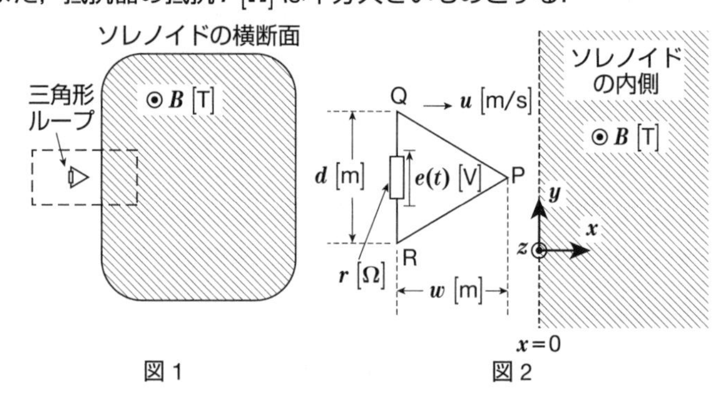

図1　　　　　　　　図2

辺 QR の中央の抵抗器に時刻 t [s] に加わる誘導電圧を $e(t)$ [V] とし，その符号は図中の矢印の向きを正と定義する．三角形ループがソレノイドの外側から内側に入り込むときの $e(t)$ を示す図として，最も近いものを次の(1)～(5)のうちから一つ選べ．

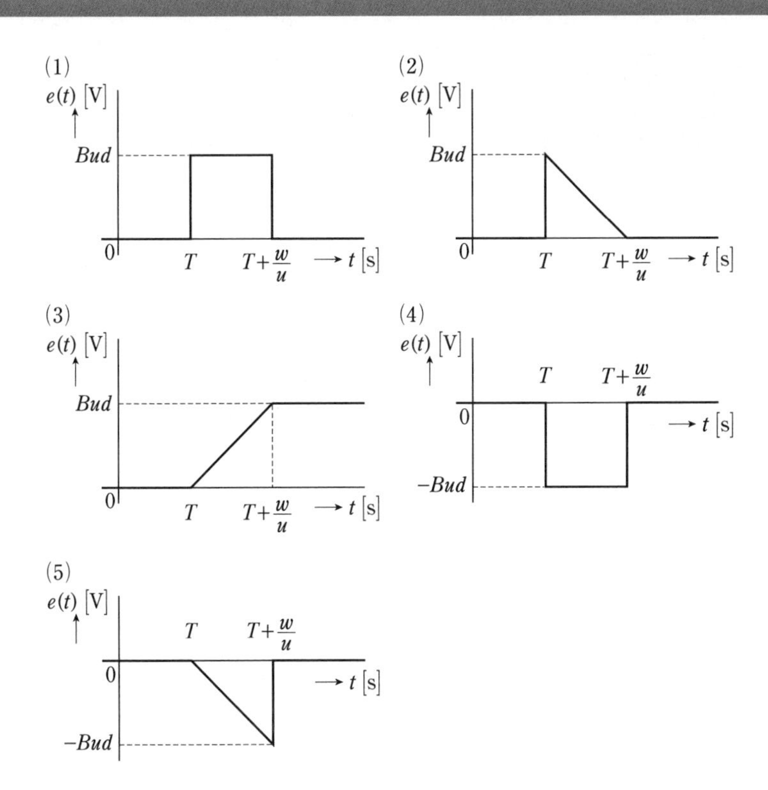
(1)
e(t) [V]
Bud
0
T
T+w/u
t [s]
(2)
e(t) [V]
Bud
0
T
T+w/u
t [s]
(3)
e(t) [V]
Bud
0
T
T+w/u
t [s]
(4)
e(t) [V]
T
T+w/u
0
t [s]
−Bud
(5)
e(t) [V]
T
T+w/u
0
t [s]
−Bud

解17 解答 (5)

題意より，時刻 t [s]（$t>T$）における三角形ループの状態を示すと，図のようになる．

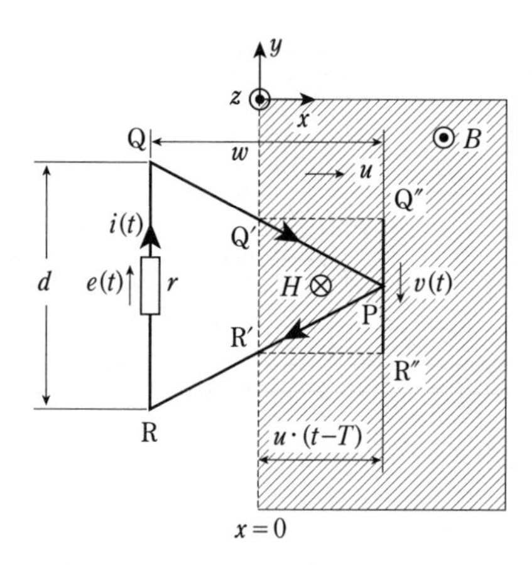

いま，直線 $x=0$ と三角形ループの交点を Q′ および R′ とし，折線 Q′PR′ の直線 $x=0$ に対する正射影を直線 Q″PR″ とする．この場合，折線 Q′PR′ に生じる誘導電圧は，直線 Q″PR″ に生じる誘導電圧 $v(t)$ に等しく，その方向は，y 軸負方向となる．また，$v(t)$ は，直線 Q″PR″ の長さに比例し，Q″PR″ の長さ l は，$t=T$ [s] のとき $l=0$ で，$t=T+w/u$ [s] のとき $l=d$ で最大となり，この時間帯で l は直線的に増加する．さらに $v(t)$ により抵抗 r を流れる電流は R→Q の方向であり，R が Q より高電位となるから，$e(t)=-v(t)$ となって，$e(t)$ は負の電圧となる．

以上から，$e(t)$ を表す図は(5)となる．

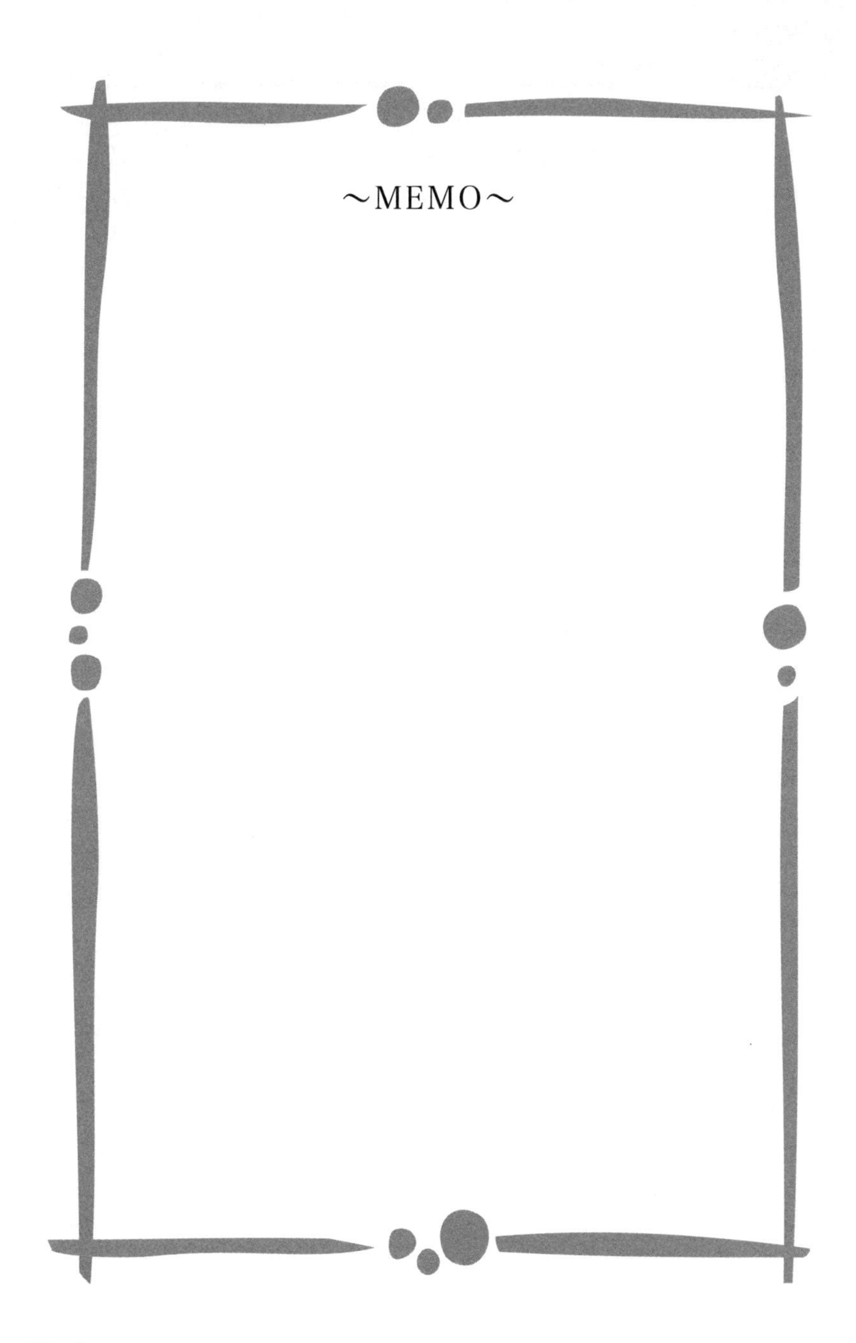
～MEMO～

問18 Check! □□□

(令和2年 Ⓐ問題3)

平等な磁束密度 B_0 [T] のもとで，一辺の長さが h [m] の正方形ループ ABCD に直流電流 I [A] が流れている．B_0 の向きは辺 AB と平行である．B_0 がループに及ぼす電磁力として，正しいものを次の(1)～(5)のうちから一つ選べ．

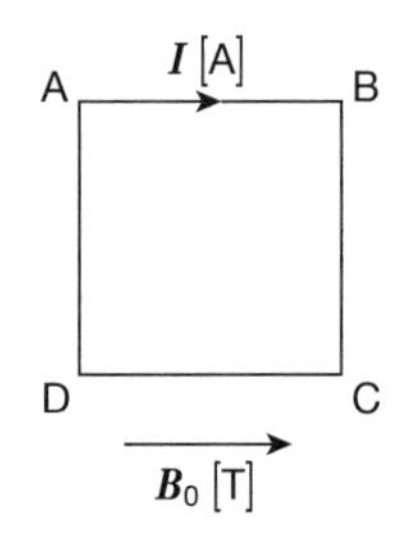

(1) 大きさ $2IhB_0$ [N] の力

(2) 大きさ $4IhB_0$ [N] の力

(3) 大きさ Ih^2B_0 [N·m] の偶力のモーメント

(4) 大きさ $2Ih^2B_0$ [N·m] の偶力のモーメント

(5) 力も偶力のモーメントも働かない

解18 解答 (3)

辺 AB および CD は磁束密度 B_0 [T] と平行であるから，これらに流れる電流 I [A] には磁界からの力は働かず，B_0 と直交する辺 BC および辺 DA に流れる電流 I [A] には大きさ，

$$F = IB_0h \text{ [N]}$$

で，図のように互いに逆方向の力が働く．

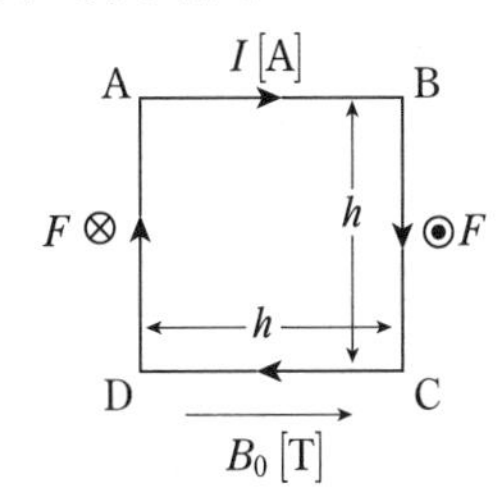

このような力を偶力といい，そのモーメント N は，

$$N = 2 \times F \times \frac{h}{2} = 2 \times IB_0h \times \frac{h}{2} = IB_0h^2 \text{ [N·m]}$$

となる．

問19　Check! □□□

（令和４年㊤　Ⓐ問題４）

図１のように，磁束密度 $B = 0.02$ T の一様な磁界の中に長さ 0.5 m の直線状導体が磁界の方向と直角に置かれている．図２のようにこの導体が磁界と直角を維持しつつ磁界に対して 60° の角度で，二重線の矢印の方向に 0.5 m/s の速さで移動しているとき，導体に生じる誘導起電力 e の値 [mV] として，最も近いものを次の(1)～(5)のうちから一つ選べ．

ただし，静止した座標系から見て，ローレンツ力による起電力が発生しているものとする．

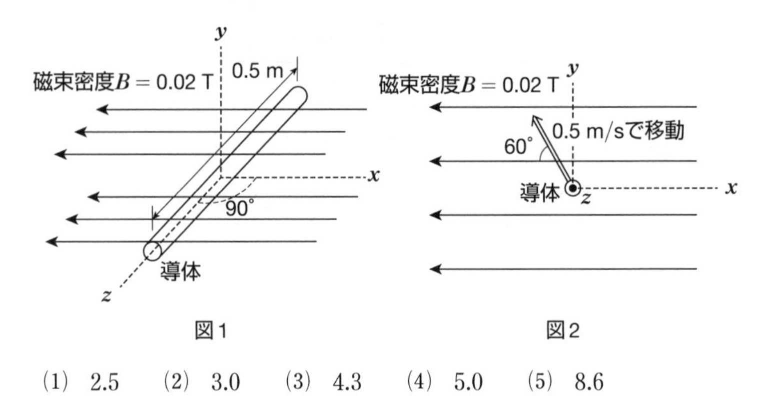

図１　　　図２

(1)　2.5　　(2)　3.0　　(3)　4.3　　(4)　5.0　　(5)　8.6

解19 解答 (3)

磁束密度 B [T] の平等磁界中を長さ l [m] の導体が磁界に垂直に速度 v [m/s] で移動するときに導体に生じる誘導起電力 e [V] は,

$$e = Bvl$$

ここで, 問題では導体が磁界に対し斜めに移動するので, その速度を x 方向(磁界と平行) の成分 v_x と y 方向 (磁界と垂直) の成分 v_y に分解すると図のようになる. この二つの成分のうち, 誘導起電力に寄与するのは磁界に垂直な y 方向の成分 v_y のみである.

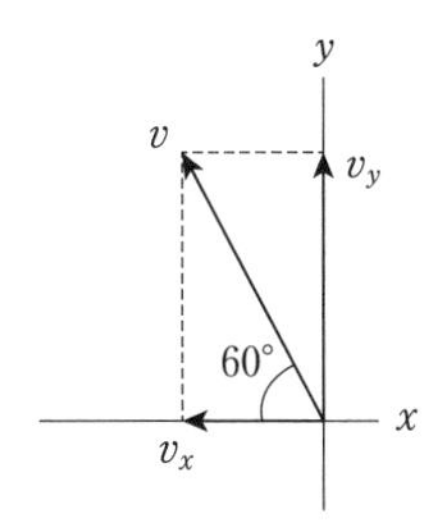

図より v_y を求めると,

$$v_y = v \sin 60° = \frac{\sqrt{3}}{2}v = 0.5 \times \frac{\sqrt{3}}{2} = 0.25\sqrt{3} \text{ m/s}$$

したがって, 誘導起電力 e は,

$$e = 0.02 \times 0.25 \times \sqrt{3} \times 0.5 \fallingdotseq 4.33 \times 10^{-3} \text{ V} \fallingdotseq \mathbf{4.3} \text{ mV}$$

問20 Check! □□□

（平成 22 年 Ⓐ 問題 3）

紙面に平行な水平面内において，0.6〔m〕の間隔で張られた 2 本の直線状の平行導線に 10〔Ω〕の抵抗が接続されている．この平行導線に垂直に，図に示すように，直線状の導体棒 PQ を渡し，紙面の裏側から表側に向かって磁束密度 $B = 6 \times 10^{-2}$〔T〕の一様な磁界をかける．ここで，導体棒 PQ を磁界と導体棒に共に垂直な矢印の方向に一定の速さ $v = 4$〔m/s〕で平行導線上を移動させているときに，10〔Ω〕の抵抗に流れる電流 I〔A〕の値として，正しいのは次のうちどれか．

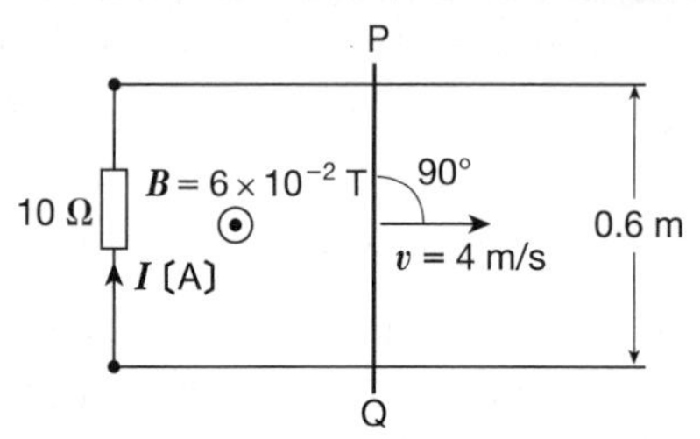

ただし，電流の向きは図に示す矢印の向きを正とする．また，導線及び導体棒 PQ の抵抗，並びに導線と導体棒との接触抵抗は無視できるものとする．

(1) −0.0278　(2) −0.0134　(3) −0.0072
(4) 0.0144　(5) 0.0288

問21 Check! □□□

（平成 18 年 Ⓐ 問題 4）

巻数 $N = 10$ のコイルを流れる電流が 0.1 秒間に 0.6〔A〕の割合で変化しているとき，コイルを貫く磁束が 0.4 秒間に 1.2〔mWb〕の割合で変化した．このコイルの自己インダクタンス L〔mH〕の値として，正しいのは次のうちどれか．

ただし，コイルの漏れ磁束は無視できるものとする．

(1) 0.5　(2) 2.5　(3) 5　(4) 10　(5) 20

解20 解答 (4)

導体棒 PQ に生じる誘導起電力 e の方向は図に示す方向で，その大きさは次のようになる．

$$e = Blv\sin\theta = 6\times10^{-2}\times0.6\times4\times\sin90° = 0.144\ \text{〔V〕}$$

したがって，10〔Ω〕の抵抗に流れる電流 I は問題の図に示された方向に等しいから，求める電流 I は，

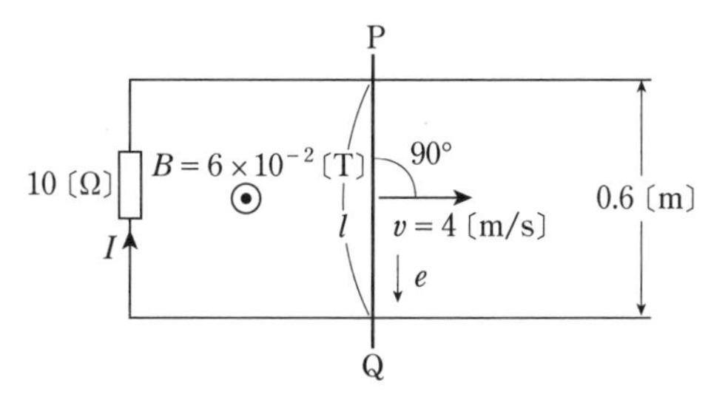

$$I = \frac{0.144}{10} = 0.0144\ \text{〔A〕}$$

となる．

導体棒 PQ が $\varDelta t$〔s〕間に切る磁束を $\varDelta\phi$ とすると，PQ に生じる誘導起電力の大きさ e は，次式で求めることもできる．

$$e = \frac{\varDelta\phi}{\varDelta t}\ \text{〔V〕}$$

ここに，$\varDelta\phi = Blv\varDelta t$〔Wb〕であるから，

$$e = \frac{\varDelta\phi}{\varDelta t} = \frac{Blv\varDelta t}{\varDelta t} = Blv\ \text{〔V〕}$$

解21 解答 (3)

巻数 N のコイルを流れる電流が $\varDelta t_1$〔s〕間に $\varDelta I$〔A〕だけ変化しているとき，コイルを貫く磁束が $\varDelta t_2$ 間に $\varDelta\phi$〔Wb〕だけで変化したとすると，コイルの自己インダクタンス L は次式で与えられる．

$$L\frac{\varDelta I}{\varDelta t_1} = N\frac{\varDelta\phi}{\varDelta t_2}$$

$$\therefore\quad L = N\frac{\varDelta\phi}{\varDelta I}\times\frac{\varDelta t_1}{\varDelta t_2}$$

したがって，求めるコイルの自己インダクタンス L は，

$$L = 10\times\frac{1.2}{0.6}\times\frac{0.1}{0.4} = 5\ \text{〔mH〕}$$

問22 Check! □□□

（令和元年 Ⓐ問題 4）

図のように，磁路の長さ l = 0.2 m，断面積 $S = 1 \times 10^{-4}$ m^2 の環状鉄心に巻数 N = 8 000 の銅線を巻いたコイルがある．このコイルに直流電流 I = 0.1 A を流したとき，鉄心中の磁束密度は B = 1.28 T であった．このときの鉄心の透磁率 μ の値 [H/m] として，最も近いものを次の(1)～(5)のうちから一つ選べ．

ただし，コイルによって作られる磁束は，鉄心中を一様に通り，鉄心の外部に漏れないものとする．

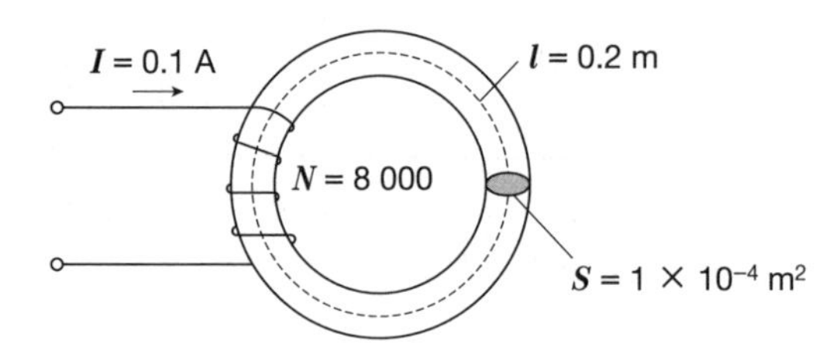

(1)　1.6×10^{-4}　(2)　2.0×10^{-4}　(3)　2.4×10^{-4}

(4)　2.8×10^{-4}　(5)　3.2×10^{-4}

問23 Check! □□□

（平成 20 年 Ⓐ 問題 4）

図のように，環状鉄心に二つのコイルが巻かれている．コイル 1 の巻数は N であり，その自己インダクタンスは L〔H〕である．コイル 2 の巻数は n であり，その自己インダクタンスは $4L$〔H〕である．巻数 n の値を表す式として，正しいのは次のうちどれか．

ただし，鉄心は等断面，等質であり，コイル及び鉄心の漏れ磁束はなく，また，鉄心の磁気飽和もないものとする．

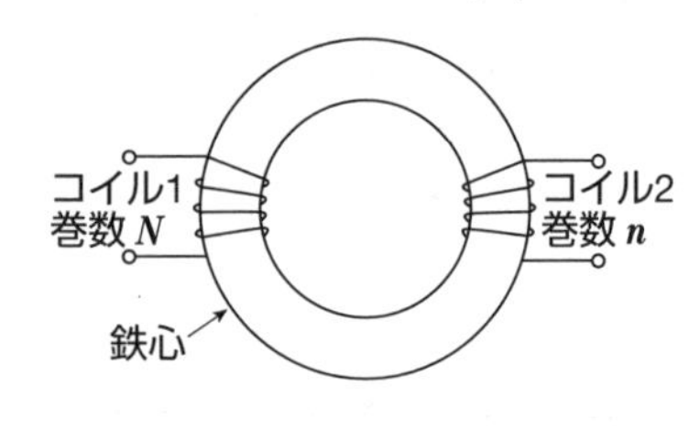

(1)　$\dfrac{N}{4}$　(2)　$\dfrac{N}{2}$　(3)　$2N$　(4)　$4N$　(5)　$16N$

解22 解答 (5)

アンペアの周回積分の法則によれば，問題の環状鉄心コイルにおいて次式が成立する．

$$\frac{B}{\mu}l = NI$$

$$\therefore \quad \mu = \frac{Bl}{NI} = \frac{1.28 \times 0.2}{8\,000 \times 0.1} = 3.2 \times 10^{-4}\ \mathrm{H/m}$$

解23 解答 (3)

環状鉄心の磁気抵抗を R〔A/Wb〕とすると，コイル1に電流 I〔A〕を流したとき環状鉄心を通る磁束 ϕ は，

$$\phi = \frac{NI}{R}\text{〔Wb〕}$$

で表せるから，コイル1の自己インダクタンス L は次式で与えられる．

$$L = \frac{N\phi}{I} = \frac{N}{I}\cdot\frac{NI}{R} = \frac{N^2}{R}\text{〔H〕}$$

これと同様に考えれば，コイル2の自己インダクタンス $4L$ は，

$$4L = \frac{n^2}{R}\text{〔H〕}$$

で表せるから，求める巻数 n は次式となる．

$$\frac{n^2}{R} = 4\frac{N^2}{R}$$

$$\therefore \quad n = 2N$$

問24 Check! □□□ （令和４年㊤ Ⓐ問題３）

図のような環状鉄心に巻かれたコイルがある．

図の環状コイルについて，

・端子 1-2 間の自己インダクタンスを測定したところ，40 mH であった．

・端子 3-4 間の自己インダクタンスを測定したところ，10 mH であった．

・端子 2 と 3 を接続した状態で端子 1-4 間のインダクタンスを測定したところ，86 mH であった．

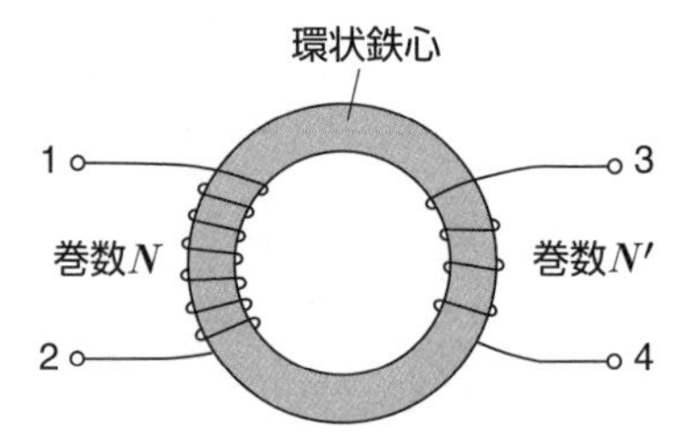

このとき，端子 1-2 間のコイルと端子 3-4 間のコイルとの間の結合係数 k の値として，最も近いものを次の(1)～(5)のうちから一つ選べ．

(1) 0.81 (2) 0.90 (3) 0.95 (4) 0.98 (5) 1.8

解24 解答 (2)

端子2と3を接続してコイルに電流を流した場合，端子1−2間のコイルがつくる磁束ϕ_{12}と，端子3−4間のコイルがつくる磁束ϕ_{34}は図に示すとおり同一方向（互いに強め合う方向）となる．したがって，端子1−2間のコイルの自己インダクタンスをL_1 [mH]，端子3−4間のコイルの自己インダクタンスをL_2 [mH]，二つのコイルの相互インダクタンスをM [mH]とすれば，合成インダクタンスL [mH]は，

$$L = L_1 + L_2 + 2M = 40 + 10 + 2M = 86\ \mathrm{mH}$$

この式よりMを求めると，

$$2M = 86 - 40 - 10 = 36$$

$$M = \frac{36}{2} = 18\ \mathrm{mH}$$

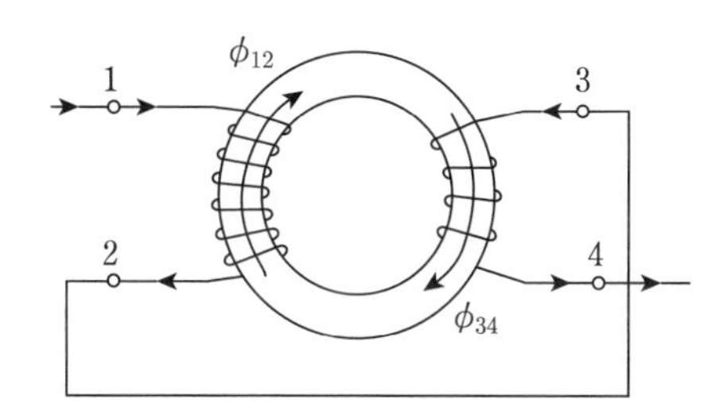

一方，$M = k\sqrt{L_1 L_2}$ であるから，

$$18 = k\sqrt{40 \times 10} = k\sqrt{400} = 20k$$

よって，

$$k = \frac{18}{20} = 0.90$$

問25 Check! □□□ (平成 29 年 Ⓐ 問題 3)

環状鉄心に，コイル 1 及びコイル 2 が巻かれている．二つのコイルを図 1 のように接続したとき，端子 A–B 間の合成インダクタンスの値は 1.2 H であった．次に，図 2 のように接続したとき，端子 C–D 間の合成インダクタンスの値は 2.0 H であった．このことから，コイル 1 の自己インダクタンス L の値 [H]，コイル 1 及びコイル 2 の相互インダクタンス M の値 [H] の組合せとして，正しいものを次の(1)〜(5)のうちから一つ選べ．

ただし，コイル 1 及びコイル 2 の自己インダクタンスはともに L [H]，その巻数を N とし，また，鉄心は等断面，等質であるとする．

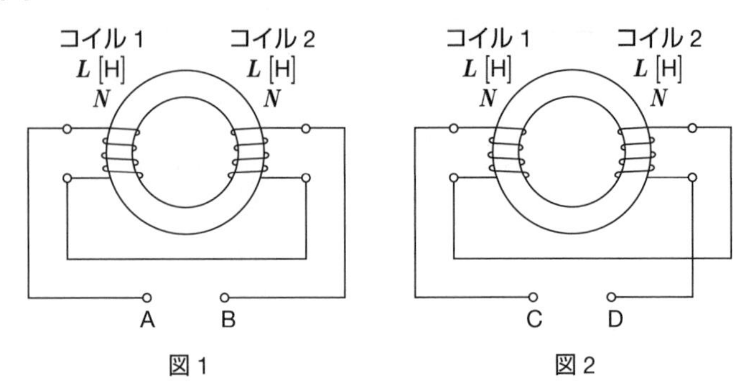

図 1　　図 2

	自己インダクタンス L	相互インダクタンス M
(1)	0.4	0.2
(2)	0.8	0.2
(3)	0.8	0.4
(4)	1.6	0.2
(5)	1.6	0.4

解25 解答 (2)

第１図において，A → B の方向に電流 I [A] を流したとき，コイル１およびコイル２が環状鉄心内に通す磁束 ϕ_1 および ϕ_2 は互いに打ち消す方向であるので，次式が成立する．

$$L+L-2M=2\times(L-M)=1.2$$

$$\therefore\quad L-M=0.6\ \mathrm{H} \qquad ①$$

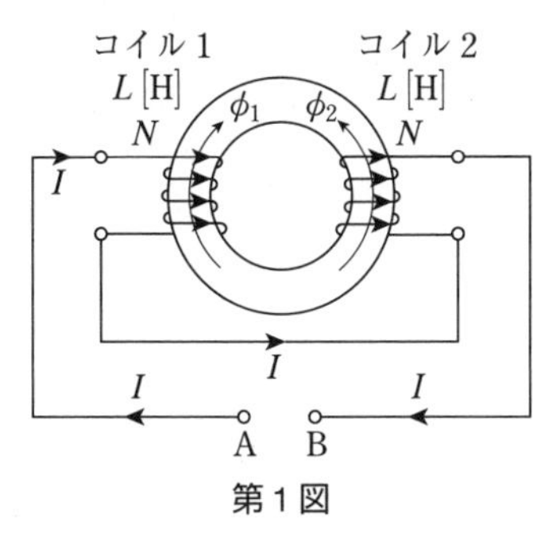

第１図

次に，第２図において，C → D の方向に電流 I [A] を流したとき，コイル１およびコイル２が環状鉄心内に通す磁束 ϕ_1 および ϕ_2 は互いに強め合う方向であるので，次式が成立する．

$$L+L+2M=2\times(L+M)=2.0$$

$$\therefore\quad L+M=1\ \mathrm{H} \qquad ②$$

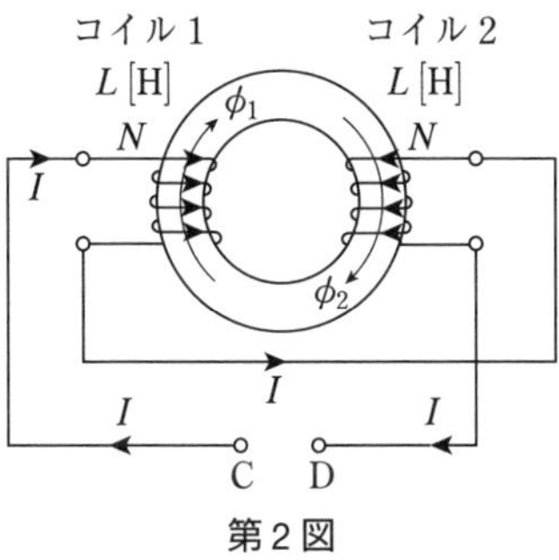

第２図

①式＋②式より，

$$2L=1.6$$

$$\therefore\quad L=\frac{1.6}{2}=0.8\ \mathrm{H}$$

②式より，

$$M=1-L=1-0.8=0.2\ \mathrm{H}$$

問26 Check! □□□

(平成 20 年 Ⓐ 問題 3)

図のように，磁路の平均の長さ l〔m〕，断面積 S〔m²〕で透磁率 μ〔H/m〕の環状鉄心に巻数 N のコイルが巻かれている．この場合，環状鉄心の磁気抵抗は $\dfrac{l}{\mu S}$〔A/Wb〕である．いま，コイルに流れている電流を I〔A〕としたとき，起磁力は［ (ア) ］〔A〕であり，したがって，磁束は［ (イ) ］〔Wb〕となる．

ただし，鉄心及びコイルの漏れ磁束はないものとする．

上記の記述中の空白箇所(ア)及び(イ)に当てはまる式として，正しいものを組み合わせたのは次のうちどれか．

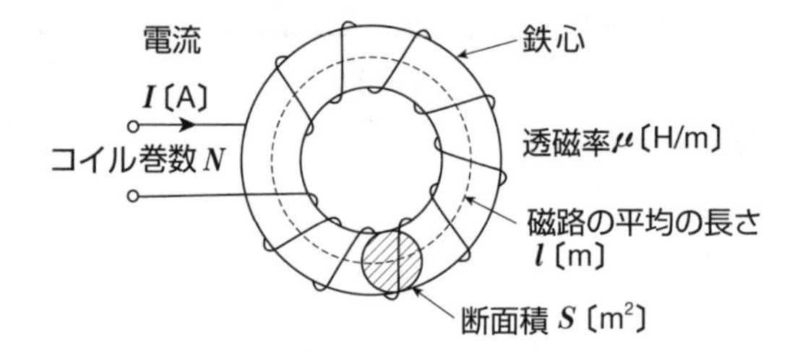

	(ア)	(イ)
(1)	I	$\dfrac{l}{\mu S}I$
(2)	I	$\dfrac{\mu S}{l}I$
(3)	NI	$\dfrac{lN}{\mu S}I$
(4)	NI	$\dfrac{\mu SN}{l}I$
(5)	N^2I	$\dfrac{\mu SN^2}{l}I$

解26 解答 (4)

(ア) コイルの巻数が N であるから，起磁力 F は次式となる．

$$F = NI\,〔\mathrm{A}〕$$

(イ) 磁気オームの法則より，環状鉄心を通る磁束 ϕ は次式となる．

$$\phi = \frac{F}{R} = \frac{NI}{\dfrac{l}{\mu S}} = \frac{\mu SN}{l}I\,〔\mathrm{Wb}〕$$

問27 Check! □□□

(平成 29 年 B 問題 17)

巻数 N のコイルを巻いた鉄心 1 と，空隙（エアギャップ）を隔てて置かれた鉄心 2 からなる図 1 のような磁気回路がある．この二つの鉄心の比透磁率はそれぞれ μ_{r1} = 2 000，μ_{r2} = 1 000 であり，それらの磁路の平均の長さはそれぞれ l_1 = 200 mm，l_2 = 98 mm，空隙長は δ = 1 mm である．ただし，鉄心 1 及び鉄心 2 のいずれの断面も同じ形状とし，磁束は断面内で一様で，漏れ磁束や空隙における磁束の広がりはないものとする．このとき，次の(a)及び(b)の問に答えよ．

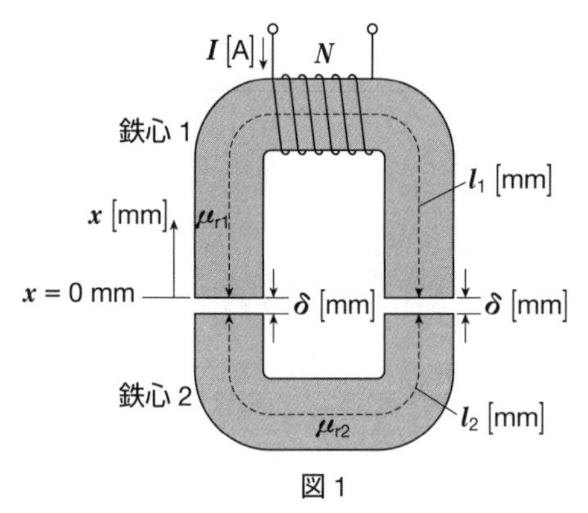

図 1

(a) 空隙における磁界の強さ H_0 に対する磁路に沿った磁界の強さ H の比 $\dfrac{H}{H_0}$ を表すおおよその図として，最も近いものを図 2 の(1)〜(5)のうちから一つ選べ．ただし，図 1 に示す x = 0 mm から時計回りに磁路を進む距離を x [mm] とする．また，図 2 は片対数グラフであり，空隙長 δ [mm] は実際より大きく表示している．

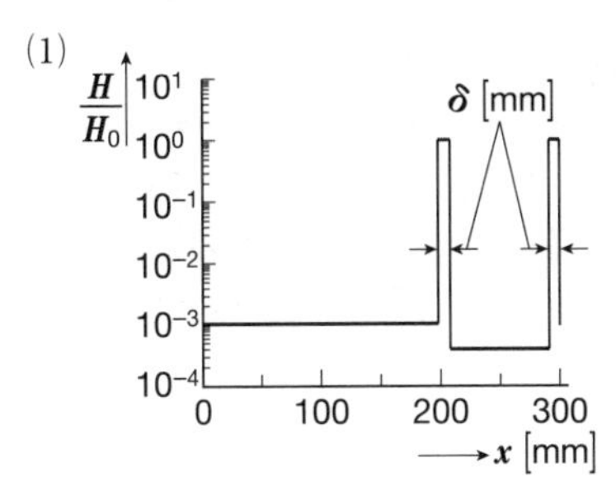

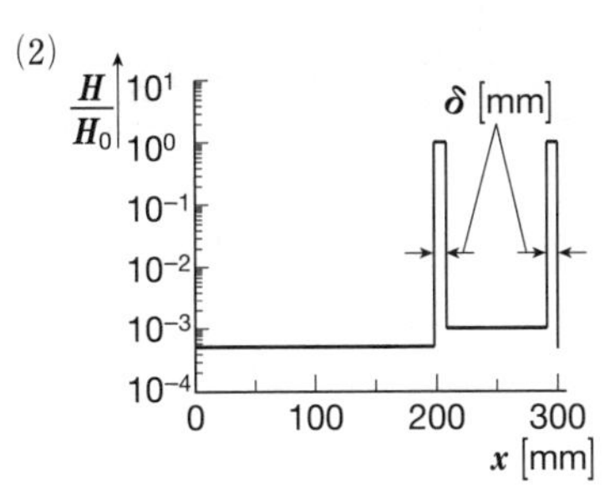

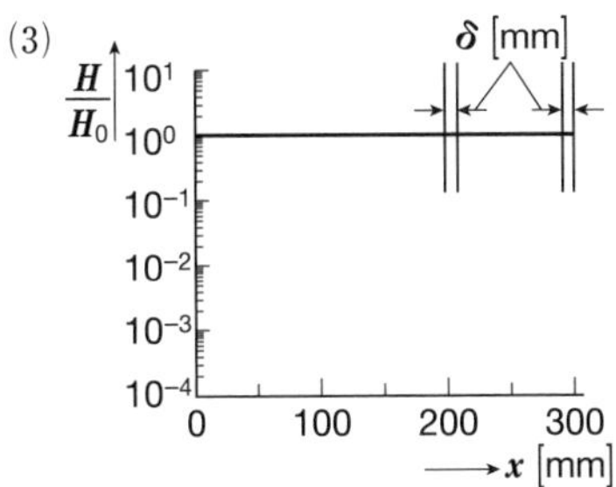

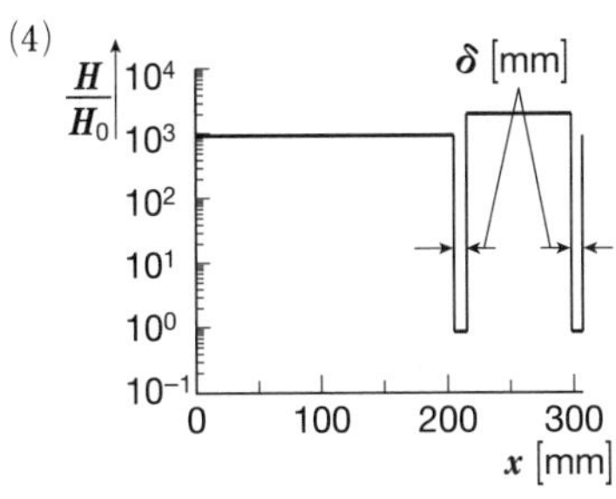

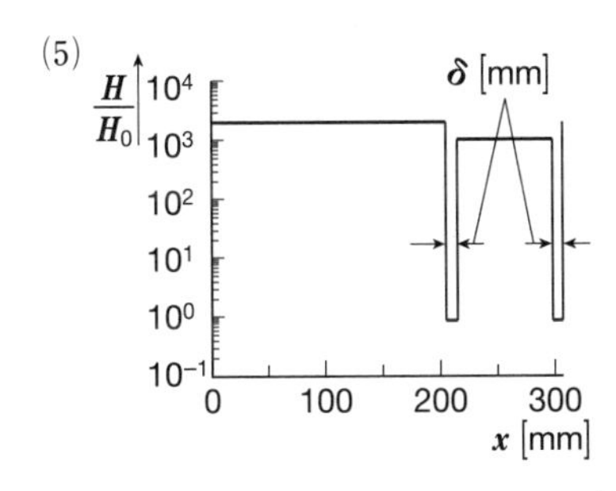

図 2

(b) コイルに電流 $I = 1$ A を流すとき，空隙における磁界の強さ H_0 を 2×10^4 A/m 以上とするのに必要なコイルの最小巻数 N の値として，最も近いものを次の(1)～(5)のうちから一つ選べ．

(1) 24　(2) 44　(3) 240　(4) 4 400　(5) 40 400

解27 解答 (a)−(2), (b)−(2)

(a) 磁気回路を通過する磁束を ϕ [Wb]，鉄心1および2における磁界を H_1 [A/m] および H_2 [A/m] とすると，空げきにおける磁界の強さ H_0 および磁路に沿った磁界の強さ H は，磁路の断面積を S [m^2]，真空の透磁率を μ_0 [H/m] とすると，次式で与えられる．

$$\left.\begin{aligned} H_1 &= \frac{\phi}{2\,000\mu_0 S} \quad (0 \leqq x \leqq 200) \\ H_2 &= \frac{\phi}{1\,000\mu_0 S} \quad (201 < x \leqq 299) \end{aligned}\right\} \tag{1}$$

$$H_0 = \frac{\phi}{\mu_0 S} \quad (200 < x \leqq 201,\ 299 < x \leqq 300) \tag{2}$$

ここに，(1)式および(2)式において，

$$\frac{H_1}{H_0} = \frac{\phi}{2\,000\mu_0 S} \cdot \frac{\mu_0 S}{\phi} = \frac{1}{2\,000} = 5 \times 10^{-4}$$

$$\frac{H_2}{H_0} = \frac{\phi}{1\,000\mu_0 S} \cdot \frac{\mu_0 S}{\phi} = \frac{1}{1\,000} = 1 \times 10^{-3}$$

であるから，磁界の比 H/H_0 は，次のようになる．

$$\frac{H}{H_0} = \begin{cases} 5 \times 10^{-4} & (0 \leqq x \leqq 200) \\ 1 \times 10^{0} & (200 < x \leqq 201) \\ 1 \times 10^{-3} & (201 < x \leqq 299) \\ 1 \times 10^{0} & (299 < x < 300) \end{cases}$$

以上から，上式を表す図は(2)となる．

(b) アンペアの周回積分の法則より，次式が成立する．

$$2H_0\delta + H_1 l_1 + H_2 l_2 = NI$$

$$\therefore\ N = \frac{2H_0\delta + H_1 l_1 + H_2 l_2}{I} = \frac{2\delta + \dfrac{H_1}{H_0} l_1 + \dfrac{H_2}{H_0} l_2}{I} H_0 \tag{3}$$

したがって，求めるコイルの最小巻数 N は，$\delta = 1$ mm，$l_1 = 200$ mm，$l_2 = 98$ mm，$I = 1$ A，$H_1/H_0 = 5 \times 10^{-4}$，$H_2/H_0 = 1 \times 10^{-3}$，$H_0 = 2 \times 10^4 \times 1 \times 10^{-3} = 20$ A/mm を(3)式へ代入すると，

$$N = \frac{2 \times 1 + 5 \times 10^{-4} \times 200 + 1 \times 10^{-3} \times 98}{1} \times 20 = 43.96 \fallingdotseq 44$$

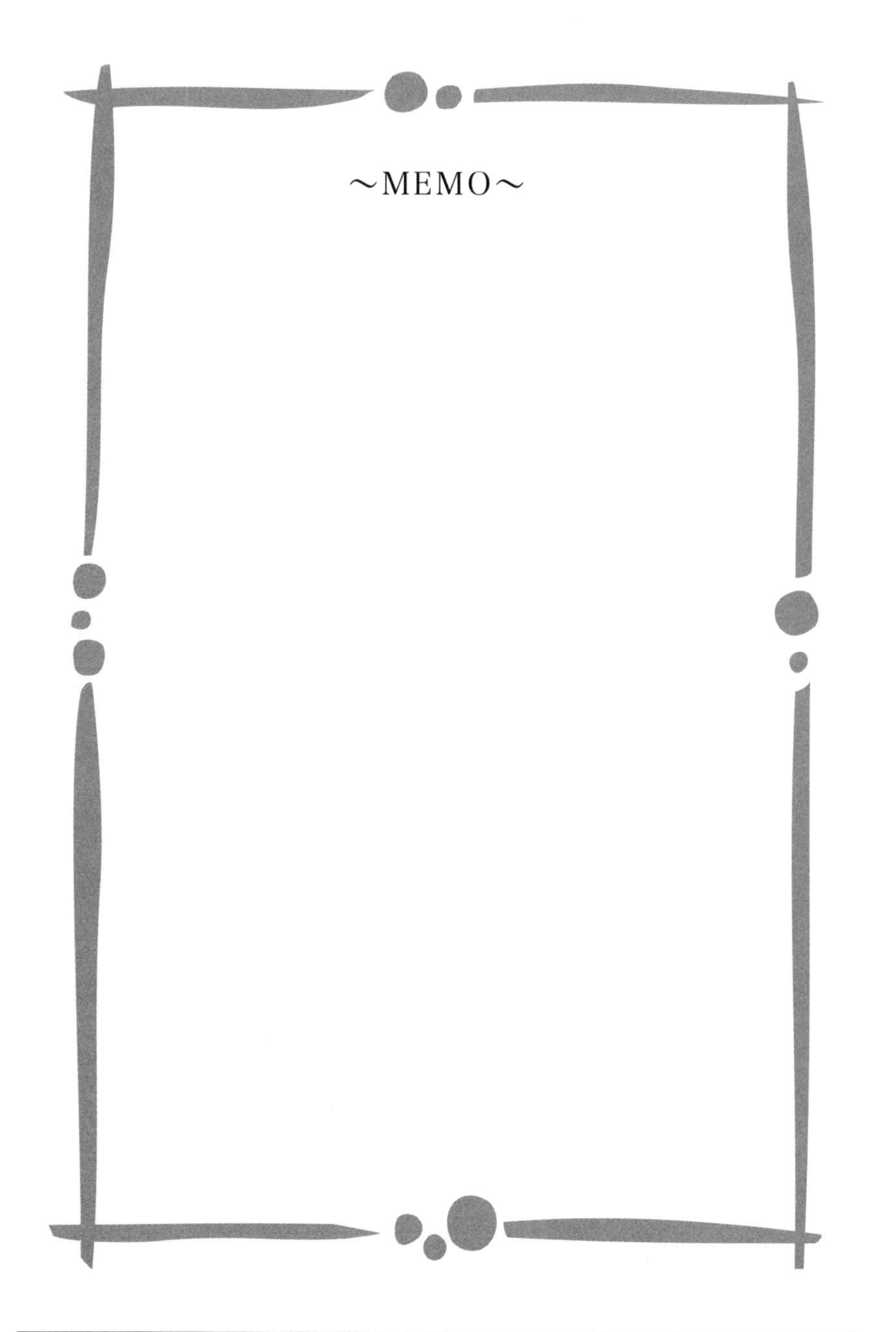
～MEMO～

問28 Check! □□□

(平成 21 年 Ⓐ 問題 3)

次の文章は，コイルの磁束鎖交数とコイルに蓄えられる磁気エネルギーについて述べたものである．

インダクタンス 1〔mH〕のコイルに直流電流 10〔A〕が流れているとき，このコイルの磁束鎖交数 Ψ_1〔Wb〕は [(ア)]〔Wb〕である．また，コイルに蓄えられている磁気エネルギー W_1〔J〕は [(イ)]〔J〕である．

次に，このコイルに流れる直流電流を 30〔A〕とすると，磁束鎖交数 Ψ_2〔Wb〕と蓄えられる磁気エネルギー W_2〔J〕はそれぞれ [(ウ)] となる．

上記の記述中の空白箇所(ア)，(イ)及び(ウ)に当てはまる語句又は数値として，正しいものを組み合わせたのは次のうちどれか．

	(ア)	(イ)	(ウ)
(1)	5×10^{-3}	5×10^{-2}	Ψ_2 は Ψ_1 の 3 倍，W_2 は W_1 の 9 倍
(2)	1×10^{-2}	5×10^{-2}	Ψ_2 は Ψ_1 の 3 倍，W_2 は W_1 の 9 倍
(3)	1×10^{-2}	1×10^{-2}	Ψ_2 は Ψ_1 の 9 倍，W_2 は W_1 の 3 倍
(4)	1×10^{-2}	5×10^{-1}	Ψ_2 は Ψ_1 の 3 倍，W_2 は W_1 の 9 倍
(5)	5×10^{-2}	5×10^{-1}	Ψ_2 は Ψ_1 の 9 倍，W_2 は W_1 の 27 倍

解28 解答 (2)

インダクタンス L〔H〕のコイルに直流電流 I〔A〕が流れているとき，コイルの磁束鎖交数 Ψ およびコイルに蓄えられる磁気エネルギー W はそれぞれ，次式で与えられる．

$$\Psi = LI \text{〔Wb〕},\quad W = \frac{1}{2}LI^2 \text{〔J〕}$$

(ア) インダクタンス 1〔mH〕のコイルに直流電流 10〔A〕が流れているときのコイルの磁束鎖交数 Ψ_1 は，

$$\Psi_1 = 1\times10^{-3}\times10 = 1\times10^{-2} \text{〔Wb〕}$$

(イ) コイルに蓄えられる磁気エネルギー W_1 は，

$$W_1 = \frac{1}{2}\times1\times10^{-3}\times10^2 = 5\times10^{-2} \text{〔J〕}$$

(ウ) コイルに流れる直流電流を 30〔A〕とすると，磁束鎖交数 Ψ_2 および磁気エネルギー W_2 はそれぞれ次式となる．

$$\Psi_2 = \frac{I_2}{I_1}\Psi_1 = \frac{30}{10}\Psi_1 = 3\Psi_1,\quad W_2 = \frac{I_2^2}{I_1^2}W_1 = \left(\frac{30}{10}\right)^2 W_1 = 9W_1$$

問29 Check! □□□ （平成27年 Ⓐ問題3）

次の文章は，ある強磁性体の初期磁化特性について述べたものである．

磁界の向きに強く磁化され，比透磁率 μ_r が1よりも非常に［(ア)］物質を強磁性体という．まだ磁化されていない強磁性体に磁界 H [A/m] を加えて磁化していくと，磁束密度 B [T] は図のように変化する．よって，透磁率 μ [H/m] $\left(=\dfrac{B}{H}\right)$ も磁界の強さによって変化する．図から，この強磁性体の透磁率 μ の最大値はおよそ $\mu_{max}=$［(イ)］H/m であることが分かる．このとき，強磁性体の比透磁率はほぼ $\mu_r=$［(ウ)］である．点P以降は磁界に対する磁束密度の増加が次第に緩くなり，磁束密度はほぼ一定の値となる．この現象を［(エ)］という．

ただし，真空の透磁率を $\mu_0=4\pi\times10^{-7}$ [H/m] とする．

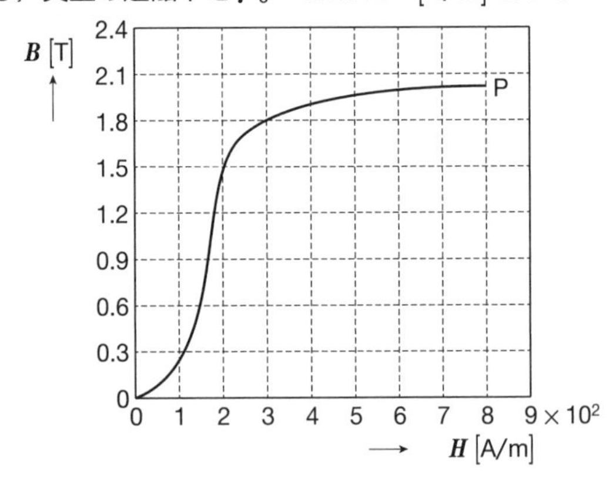

上記の記述中の空白箇所(ア)，(イ)，(ウ)及び(エ)に当てはまる組合せとして，正しいものを次の(1)～(5)のうちから一つ選べ．

	(ア)	(イ)	(ウ)	(エ)
(1)	大きい	7.5×10^{-3}	6.0×10^{3}	磁気飽和
(2)	小さい	7.5×10^{-3}	9.4×10^{-9}	残留磁気
(3)	小さい	1.5×10^{-2}	9.4×10^{-9}	磁気遮へい
(4)	大きい	7.5×10^{-3}	1.2×10^{4}	磁気飽和
(5)	大きい	1.5×10^{-2}	1.2×10^{4}	残留磁気

解29 解答 (1)

(ア) 比透磁率が1より非常に大きい物質を強磁性体という．

(イ) 磁性体の透磁率 μ は，$\mu = B/H$ [H/m] で与えられるから，磁化曲線（$B-H$ カーブ）上の種々の磁界 H の値における B/H の値（$B-H$ カーブの接線の傾き）が最も大きいときの透磁率が最大値となる．したがって，磁化曲線より，強磁性体の最大透磁率 μ_{max} は $H = 200$ A/m のときの値で，

$$\mu_{\mathrm{max}} = \frac{1.5}{200} = 7.5 \times 10^{-3} \text{ H/m}$$

(ウ) 最大透磁率 μ_{max} における比透磁率 μ_{r} は，

$$\mu_{\mathrm{r}} = \frac{\mu_{\mathrm{max}}}{\mu_0} = \frac{7.5 \times 10^{-3}}{4\pi \times 10^{-7}} \fallingdotseq 5\,968.3 \fallingdotseq 6.0 \times 10^3$$

(エ) 磁界を強くしても磁性体の磁束密度が増加せず，ほぼ一定となる現象を磁気飽和という．

問30 Check! □□□

(令和5年㊤ Ⓐ問題4)

磁界及び磁束に関する記述として，誤っているものを次の(1)～(5)のうちから一つ選べ.

(1) 1 m 当たりの巻数が N の無限に長いソレノイドに電流 I [A] を流すと，ソレノイドの内部には磁界 $H = NI$ [A/m] が生じる．磁界の大きさは，ソレノイドの寸法や内部に存在する物質の種類に影響されない.

(2) 均一磁界中において，磁界の方向と直角に置かれた直線状導体に直流電流を流すと，導体には電流の大きさに比例した力が働く.

(3) 2 本の平行な直線状導体に反対向きの電流を流すと，導体には導体間距離の 2 乗に反比例した反発力が働く.

(4) フレミングの左手の法則では，親指の向きが導体に働く力の向きを示す.

(5) 磁気回路において，透磁率は電気回路の導電率に，磁束は電気回路の電流にそれぞれ対応する.

解30 解答 (3)

(3)が誤りで，“2本の平行な直線状導体に反対向きの電流を流すと，導体には**導体間距離に反比例した**反発力が働く”が正しい．

図のように，距離 d [m] 隔てた2本の無限長直線状導体A，Bにそれぞれ図の向きに $\boldsymbol{I}_{\mathrm{A}}$ [A] および $\boldsymbol{I}_{\mathrm{B}}$ [A] の電流を流したとき，真空の透磁率を μ_0 [H/m] とすると，導体Aにおける $\boldsymbol{I}_{\mathrm{B}}$ による磁束密度 $\boldsymbol{B}_{\mathrm{B}}$，および導体Bにおける $\boldsymbol{I}_{\mathrm{A}}$ による磁束密度 $\boldsymbol{B}_{\mathrm{A}}$ の大きさ B_{A} および B_{B} はそれぞれ，

$$B_{\mathrm{A}} = \frac{\mu_0}{2\pi}\frac{I_{\mathrm{A}}}{d}\ [\mathrm{T}]$$

$$B_{\mathrm{B}} = \frac{\mu_0}{2\pi}\frac{I_{\mathrm{B}}}{d}\ [\mathrm{T}]$$

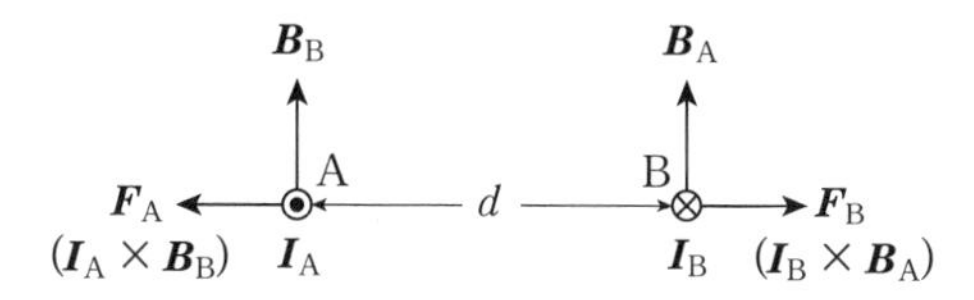

導体AおよびBの単位長当たりに働く力 $\boldsymbol{F}_{\mathrm{A}}$ および $\boldsymbol{F}_{\mathrm{B}}$ の大きさ F_{A} および F_{B} はそれぞれ，

$$F_{\mathrm{A}} = I_{\mathrm{A}}B_{\mathrm{B}}\sin 90° = I_{\mathrm{A}} \times \frac{\mu_0}{2\pi}\frac{I_{\mathrm{B}}}{d} = \frac{\mu_0}{2\pi}\frac{I_{\mathrm{A}}I_{\mathrm{B}}}{d}\ [\mathrm{N/m}]$$

$$F_{\mathrm{B}} = I_{\mathrm{B}}B_{\mathrm{A}}\sin 90° = I_{\mathrm{B}} \times \frac{\mu_0}{2\pi}\frac{I_{\mathrm{A}}}{d} = \frac{\mu_0}{2\pi}\frac{I_{\mathrm{A}}I_{\mathrm{B}}}{d}\ [\mathrm{N/m}]$$

となって，大きさが等しい反発力となる．

問31 Check! □□□

(平成25年 Ⓐ問題3)

磁界及び磁束に関する記述として，誤っているものを次の(1)～(5)のうちから一つ選べ．

(1) 1〔m〕当たりの巻数がNの無限に長いソレノイドに電流I〔A〕を流すと，ソレノイドの内部には磁界$H = NI$〔A/m〕が生じる．磁界の大きさは，ソレノイドの寸法や内部に存在する物質の種類に影響されない．

(2) 均一磁界中において，磁界の方向と直角に置かれた直線状導体に直流電流を流すと，導体には電流の大きさに比例した力が働く．

(3) 2本の平行な直線状導体に反対向きの電流を流すと，導体には導体間距離の2乗に反比例した反発力が働く．

(4) フレミングの左手の法則では，親指の向きが導体に働く力の向きを示す．

(5) 磁気回路において，透磁率は電気回路の導電率に，磁束は電気回路の電流にそれぞれ対応する．

問32 Check! □□□

(令和2年 Ⓐ問題4)

磁力線は，磁極の働きを理解するのに考えた仮想的な線である．この磁力線に関する記述として，誤っているものを次の(1)～(5)のうちから一つ選べ．

(1) 磁力線は，磁石のN極から出てS極に入る．

(2) 磁極周囲の物質の透磁率をμ [H/m] とすると，m [Wb] の磁極から$\dfrac{m}{\mu}$本の磁力線が出入りする．

(3) 磁力線の接線の向きは，その点の磁界の向きを表す．

(4) 磁力線の密度は，その点の磁束密度を表す．

(5) 磁力線同士は，互いに反発し合い，交わらない．

解31 解答 (3)

(3)の記述について考える．

図のように距離 d〔m〕で平行に配置されたA，B 2本の無限長の直線状の導体に，反対向きに電流 I_a，I_b を流すと，導体間には電磁力が働く．

① 力の向き

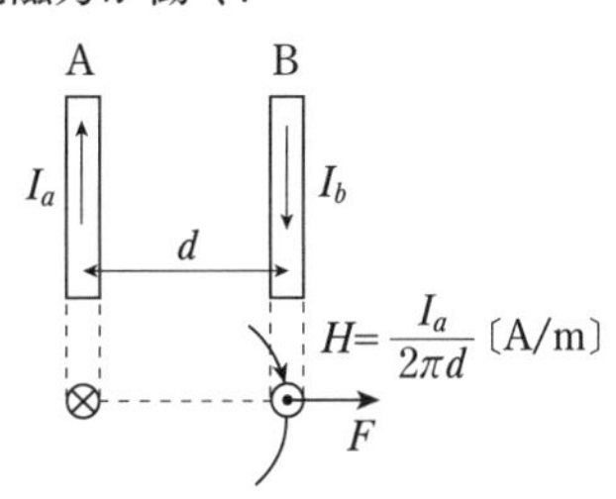

フレミングの左手の法則により，反発力になるので，力の向きに関する(3)の記述は正しい．

② 力の大きさ

導体Aの電流によって，導体Bの位置に生じる磁界の強さは，アンペアの周回積分の法則により，

$$H_a=\frac{I_a}{2\pi d}\text{〔A/m〕}$$

この磁界は導体Bと直交するので，導体Bの単位長さ当たりに働く力の大きさは，

$$F=BI_b=\mu_0 H_a I_b=\frac{\mu_0 I_a I_b}{2\pi d}\text{〔N/m〕}$$

となり，導体間距離 d に反比例する．

したがって，力の大きさに関する(3)の記述は誤りである．

解32 解答 (4)

(1)～(3)，(5)の記述は正しく，(4)が誤りである．

ある点における磁束の面積密度が磁束密度であり，磁力線の面積密度はその点の磁界の強さを表す．

問33 Check! □□□

(令和5年㊤ Ⓐ問題3)

磁気回路における磁気抵抗に関する次の記述のうち，誤っているものを次の(1)～(5)のうちから一つ選べ．

(1) 磁気抵抗は，次の式で表される．

$$磁気抵抗=\frac{起磁力}{磁束}$$

(2) 磁気抵抗は，磁路の断面積に比例する．

(3) 磁気抵抗は，比透磁率に反比例する．

(4) 磁気抵抗は，磁路の長さに比例する．

(5) 磁気抵抗の単位は，$[H^{-1}]$ である．

問34 Check! □□□

(平成26年 Ⓐ問題3)

環状鉄心に絶縁電線を巻いて作った磁気回路に関する記述として，誤っているものを次の(1)～(5)のうちから一つ選べ．

(1) 磁気抵抗は，磁束の通りにくさを表している．毎ヘンリー〔H^{-1}〕は，磁気抵抗の単位である．

(2) 電気抵抗が導体断面積に反比例するように，磁気抵抗は，鉄心断面積に反比例する．

(3) 鉄心の透磁率が大きいほど，磁気抵抗は小さくなる．

(4) 起磁力が同じ場合，鉄心の磁気抵抗が大きいほど，鉄心を通る磁束は小さくなる．

(5) 磁気回路における起磁力と磁気抵抗は，電気回路におけるオームの法則の電流と電気抵抗にそれぞれ対応する．

解33 解答 (2)

(2)が誤りで，“磁気抵抗は，磁路の断面積に**反比例**する．”が正しい．

磁路の断面積を S [m^2]，平均磁路長を l [m]，磁路の透磁率を μ [H/m] とすると，磁路の磁気抵抗 R は，

$$R=\frac{l}{\mu S}\,[\mathrm{H}^{-1}]$$

で与えられる．

解34 解答 (5)

(5)が誤りである．磁気回路における起磁力と磁気抵抗は，電気回路におけるオームの法則の**電圧**と電気抵抗にそれぞれ対応するが正しい．

磁気回路におけるオームの法則と電気回路におけるオームの法則を比較すると，次のようになる．

電気回路	磁気回路
電圧，起電力 V〔V〕	起磁力 F〔A〕
電流 I〔A〕	磁束 ϕ〔Wb〕
電気抵抗 R〔Ω〕	磁気抵抗 R〔A/Wb〕または〔H^{-1}〕

問35 Check! □□□ （令和４年㊦ Ⓐ問題３）

無限に長い直線状導体に直流電流を流すと，導体の周りに磁界が生じる．この磁界中に小磁針を置くと，小磁針の［(ア)］は磁界の向きを指して静止する．そこで，小磁針を磁界の向きに沿って少しずつ動かしていくと，導体を中心とした［(イ)］の線が得られる．この線に沿って磁界の向きに矢印をつけたものを［(ウ)］という．

また，磁界の強さを調べてみると，電流の大きさに比例し，導体からの［(エ)］に反比例している．

上記の記述中の空白箇所(ア)～(エ)に当てはまる組合せとして，正しいものを次の(1)～(5)のうちから一つ選べ．

	(ア)	(イ)	(ウ)	(エ)
(1)	N極	放射状	電気力線	距離の２乗
(2)	N極	同心円状	電気力線	距離の２乗
(3)	S極	放射状	磁力線	距離
(4)	N極	同心円状	磁力線	距離
(5)	S極	同心円状	磁力線	距離の２乗

解35 解答 (4)

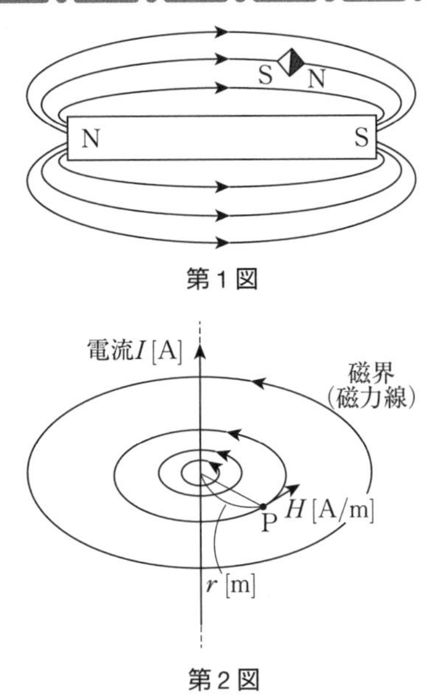

第1図

第2図

(ア) **第1図**のように大きな磁石がつくる磁界中に小磁針を置いた場合を考える．磁界は大きな磁石のN極から出てS極に至っている．ここに小磁針を置くと，小磁針のN極は大きな磁石のS極の方向へ磁界に沿って引きつけられる．したがって，小磁針の**N極**が磁界の向きを指すこととなる．

(イ) 無限に長い直線電流の周りには，**第2図**のように**同心円状**に磁界が生じる．

(ウ) 磁界に沿って磁界の向きに矢印を付けた線を**磁力線**という．なお，磁力線の密度はその点の磁界の強さH [A/m]に比例する．

(エ) 第2図のような無限に長い直線電流I [A]から距離r [m]の点Pにおける磁界の強さH [A/m]を考えると，アンペアの周回積分の法則より，

$$H \times \text{円周の長さ} = I$$

であるから，

$$2\pi r H = I$$

$$H = \frac{I}{2\pi r}\,[\text{A/m}]$$

となる．よって，磁界の強さは**距離**に反比例する．

問36 Check! □□□

（平成 17 年 Ⓐ 問題 3）

無限に長い直線状導体に直流電流を流すと，導体の周りに磁界が生じる．この磁界中に小磁針を置くと，小磁針の (ア) は磁界の向きを指して静止する．そこで，小磁針を磁界の向きに沿って少しずつ動かしていくと，導体を中心とした (イ) の線が得られる．この線に沿って磁界の向きに矢印をつけたものを (ウ) という．

また，磁界の強さを調べてみると，電流の大きさに比例し，導体からの (エ) に反比例している．

上記の記述中の空白箇所(ア)，(イ)，(ウ)及び(エ)に記入する語句として，正しいものを組み合わせたのは次のうちどれか．

	(ア)	(イ)	(ウ)	(エ)
(1)	N 極	放射状	電気力線	距離の 2 乗
(2)	N 極	同心円状	電気力線	距離の 2 乗
(3)	S 極	放射状	磁力線	距離
(4)	N 極	同心円状	磁力線	距離
(5)	S 極	同心円状	磁力線	距離の 2 乗

解36 解答 (4)

磁界の方向は，左図のように磁針のN極の向く方向であるから，磁界中に小磁針を置くと，小磁針のN極は磁界の向きを指して静止する．

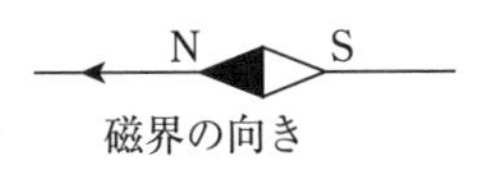

また，図のように無限長直線導体に電流 I を紙面裏側から表側に流したとき，導体周辺には導体を中心とした同心円状の磁界ができる．

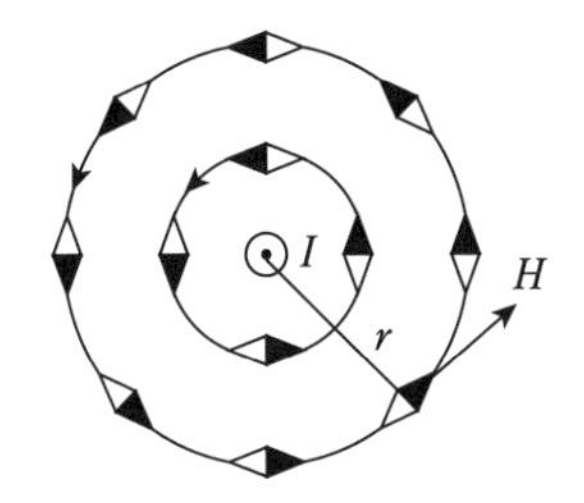

この磁界の方向を表す同心円を磁力線といい，磁力線上の点における磁界の強さは導体からの距離に反比例し，その方向は同心円の接線方向となる．

問37 Check! □□□

（平成28年 Ⓐ 問題8）

電気に関する法則の記述として，正しいものを次の(1)〜(5)のうちから一つ選べ.

(1) オームの法則は，「均一の物質から成る導線の両端の電位差をVとするとき，これに流れる定常電流IはVに反比例する」という法則である.

(2) クーロンの法則は，「二つの点電荷の間に働く静電力の大きさは，両電荷の積に反比例し，電荷間の距離の2乗に比例する」という法則である.

(3) ジュールの法則は「導体内に流れる定常電流によって単位時間中に発生する熱量は，電流の値の2乗と導体の抵抗に反比例する」という法則である.

(4) フレミングの右手の法則は，「右手の親指・人差し指・中指をそれぞれ直交するように開き，親指を磁界の向き，人差し指を導体が移動する向きに向けると，中指の向きは誘導起電力の向きと一致する」という法則である.

(5) レンツの法則は，「電磁誘導によってコイルに生じる起電力は，誘導起電力によって生じる電流がコイル内の磁束の変化を妨げる向きとなるように発生する」という法則である.

解37 解答 (5)

(5)の記述が正しく，(1)~(4)の記述が誤りである．正しい記述は次のとおりである．

(1) オームの法則は，「均一の物質から成る導線の両端の電位差を V とするとき，これに流れる定常電流 I は V に**比例する**」という法則である．

(2) クーロンの法則は，「二つの点電荷の間に働く静電力の大きさは，両電荷の積に**比例し**，電荷間の距離の 2 乗に**反比例する**」という法則である．

(3) ジュールの法則は，「導体内に流れる定常電流によって単位時間中に発生する熱量は，電流の値の 2 乗と導体の抵抗に**比例する**」という法則である．

(4) フレミングの右手の法則は，「右手の親指・人差し指・中指をそれぞれ直交するように開き，**人差し指を磁界の向き**，**親指を導体が移動する向き**に向けると，中指の向きは誘導起電力の向きと一致する」という法則である．

問38 Check! □□□

(平成23年 A 問題3)

次の文章は，磁界中に置かれた導体に働く電磁力に関する記述である．

電流が流れている長さ L〔m〕の直線導体を磁束密度が一様な磁界中に置くと，フレミングの (ア) の法則に従い，導体には電流の向きにも磁界の向きにも直角な電磁力が働く．直線導体の方向を変化させて，電流の方向が磁界の方向と同じになれば，導体に働く力の大きさは (イ) となり，直角になれば， (ウ) となる．力の大きさは，電流の (エ) に比例する．

上記の記述中の空白箇所(ア)，(イ)，(ウ)及び(エ)に当てはまる組合せとして，正しいものを次の(1)～(5)のうちから一つ選べ．

	(ア)	(イ)	(ウ)	(エ)
(1)	左手	最大	零	2乗
(2)	左手	零	最大	2乗
(3)	右手	零	最大	1乗
(4)	右手	最大	零	2乗
(5)	左手	零	最大	1乗

解38 解答 (5)

問題の文章はフレミングの左手の法則に関するものである．

図のように，磁束密度 B〔T〕の磁界内に置かれた長さ l〔m〕の導体に磁界と θ の角をなす方向に電流 I を流したとき，導体（電流）に働く力の大きさ F は，次式で与えられる．

$$F = BIl \sin\theta \text{〔N〕}$$

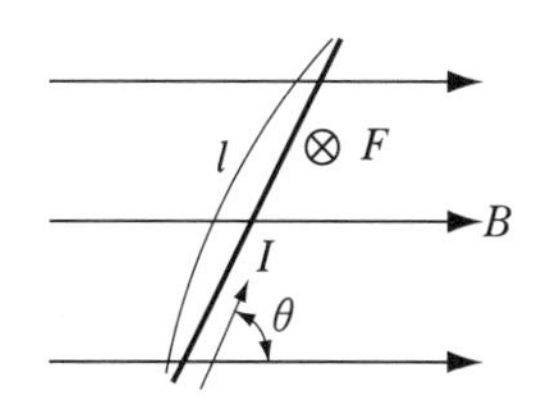

また，力の方向は紙面表から裏への方向となる．これをフレミングの左手の法則といい，働く力の大きさ F は，磁束密度 B，電流 I および導体の長さ l にそれぞれ比例し，I と B のなす角 θ の正弦 $\sin\theta$ に比例する．

これによれば，導体（電流）に働く力 F は，電流 I と磁界（磁束密度）B が同方向（I と B のなす角 $\theta = 0$）のとき，

$$F = BIl \sin 0° = 0 \text{〔N〕}$$

となり，電流 I の方向が磁界（磁束密度）B と直角（I と B のなす角 $\theta = 90°$）のとき，

$$F = BIl \sin 90° = BIl \text{〔N〕}$$

となって，働く力は最大となる．

問39 Check! □□□

(平成 24 年 Ⓐ 問題 3)

次の文章は，コイルのインダクタンスに関する記述である．ここで，鉄心の磁気飽和は，無視するものとする．

均質で等断面の環状鉄心に被覆電線を巻いてコイルを作製した．このコイルの自己インダクタンスは，巻数の [(ア)] に比例し，磁路の [(イ)] に反比例する．

同じ鉄心にさらに被覆電線を巻いて別のコイルを作ると，これら二つのコイル間には相互インダクタンスが生じる．相互インダクタンスの大きさは，漏れ磁束が [(ウ)] なるほど小さくなる．それぞれのコイルの自己インダクタンスを L_1〔H〕，L_2〔H〕とすると，相互インダクタンスの最大値は [(エ)]〔H〕である．

これら二つのコイルを [(オ)] とすると，合成インダクタンスの値は，それぞれの自己インダクタンスの合計値よりも大きくなる．

上記の記述中の空白箇所(ア)，(イ)，(ウ)，(エ)及び(オ)に当てはまる組合せとして，正しいものを次の(1)～(5)のうちから一つ選べ．

	(ア)	(イ)	(ウ)	(エ)	(オ)
(1)	1乗	断面積	少なく	L_1+L_2	差動接続
(2)	2乗	長さ	多く	L_1+L_2	和動接続
(3)	1乗	長さ	多く	$\sqrt{L_1L_2}$	和動接続
(4)	2乗	断面積	少なく	L_1+L_2	差動接続
(5)	2乗	長さ	多く	$\sqrt{L_1L_2}$	和動接続

解39 解答 (5)

断面積 S〔m²〕，磁路の長さ l〔m〕，透磁率 μ〔H/m〕の環状鉄心に被覆電線を N_1 回巻いて作製されたコイルの自己インダクタンス L は，次式で表せる．

$$L = \frac{\mu S {N_1}^2}{l} \text{〔H〕}$$

したがって，自己インダクタンス L は巻数 N_1 の 2 乗に比例し，磁路の長さ l に反比例する．

同じ鉄心に同じ被覆電線を N_2 回巻いてコイルを作ったとき，二つのコイルの相互インダクタンスは，一方のコイルの作る磁束が他方のコイルと鎖交することによって生じるから，漏れ磁束が多くなるほど小さくなる．

また，相互インダクタンスの最大値 M_m は，一方のコイルが作る全磁束が他方のコイルと鎖交するときに生じ，

$$M_m = \sqrt{L_1 L_2} \text{〔H〕}$$

で与えられる．

また，二つのコイルを直列接続するときの合成インダクタンス L は，二つのコイルの相互インダクタンスを M とすると，

$$L = L_1 + L_2 \pm 2M \text{〔H〕}$$

で与えられ，上式の正符号は，二つのコイルの作る磁束が同方向になるように接続したときにとり，負符号は，二つのコイルの作る磁束が反対方向になるように接続したときにとる．

したがって，和動接続（二つのコイルの作る磁束が同方向になる接続）のとき，合成インダクタンスは，それぞれの自己インダクタンスの合計値よりも大きくなる．

問40 Check! □□□ (平成18年 A問題3)

次の文章は，強磁性体の磁化現象について述べたものである．

図のように磁界の大きさH〔A/m〕をH_mから$-H_m$まで変化させた後，再び正の向きにH_mまで変化させると，磁束密度B〔T〕は一つの閉曲線を描く．

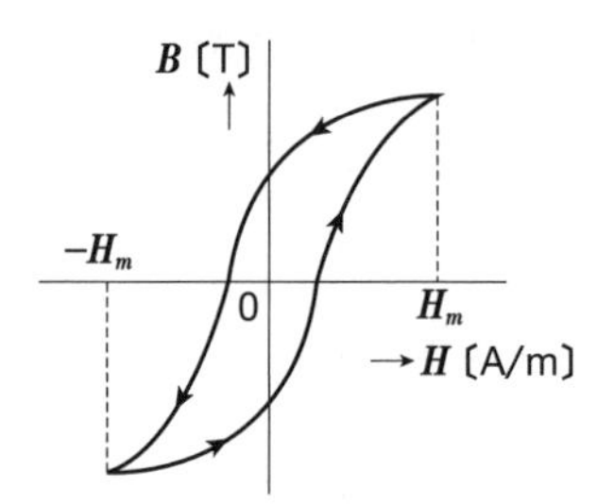

この曲線を (ア) という．この曲線を一周りした後ではB〔T〕とH〔A/m〕は元の値に戻り，磁化の状態も元の状態に戻る．その間に加えられた単位体積当たりのエネルギーW_h〔J/m³〕は，この曲線 (イ) に等しい．そのエネルギーW_h〔J/m³〕は強磁性体に与えられるが，最終的には熱の形になって放出される．もし，1秒間にf回この曲線を描かせると$P=$ (ウ) 〔W/m³〕の電力が熱となる．これを (エ) と名づけている．

上記の記述中の空白箇所(ア)，(イ)，(ウ)及び(エ)に当てはまる語句又は式として，正しいものを組み合わせたのは次のうちどれか．

	(ア)	(イ)	(ウ)	(エ)
(1)	ヒステリシス曲線	の周囲の長さ	f^2W_h	鉄損
(2)	ヒステリシス曲線	に囲まれた面積	fW_h	ヒステリシス損
(3)	ヒステリシス曲線	に囲まれた面積	$f^{1.6}W_h$	ヒステリシス損
(4)	励磁曲線	の周囲の長さ	f^2W_h	渦電流損
(5)	励磁曲線	に囲まれた面積	fW_h	鉄損

解40 解答 (2)

残留磁気のない強磁性体を磁界 H 内に置き，磁界 H を0から徐々に増加させると，強磁性体内の磁束密度 B は図の①～②のように変化する.

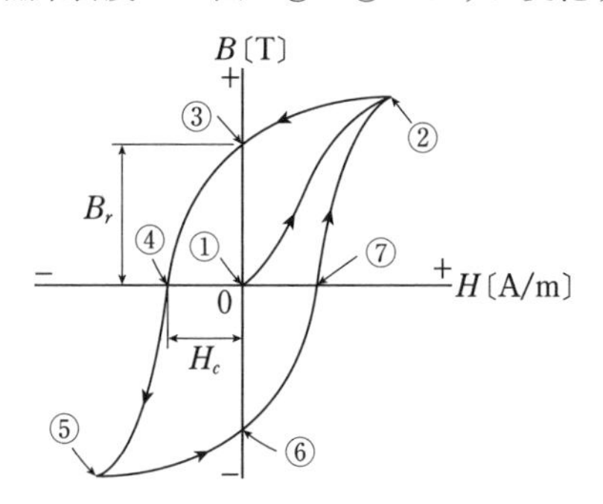

次に，磁界 H を減少し，$H=0$ まで減少すると，磁束密度 B は②～①の曲線とは異なり，②～③のように変化し，$H=0$ で $B=B_r$〔T〕となり，0とはならない．この B_r を残留磁気という.

ここで，磁界 H の向きを逆転し，磁界 H を増加させると磁束密度 B は③～④～⑤のように変化し，$H=H_c$ のとき磁束密度 $B=0$ となる．この H_c を保磁力という.

次に，磁界 H の向きをさらに逆転し，磁界 H を増加させると，磁束密度 B は⑤～⑥～⑦～②のように変化する.

このような B–H の曲線をヒステリシス曲線（ヒステリシスループ）といい，この曲線を描く間に加えられた単位体積当たりのエネルギー W_h〔J/m^3〕は，ヒステリシス曲線に囲まれた面積に等しい.

また，ヒステリシス曲線を1秒間に f 回描かせると，すなわち強磁性体を周波数 f〔Hz〕の交番磁界で磁化させると，

$$P=f\text{〔Hz〕}\times W_h\text{〔J/m}^3\text{〕}=fW_h\text{〔W/m}^3\text{〕}$$

の電力が熱となって消費される．この消費されたエネルギーをヒステリシス損という.

問41 Check! □□□

(令和元年 Ⓐ問題 3)

図は積層した電磁鋼板の鉄心の磁化特性（ヒステリシスループ）を示す．図中の B [T] 及び H [A/m] はそれぞれ磁束密度及び磁界の強さを表す．この鉄心にコイルを巻きリアクトルを製作し，商用交流電源に接続した．実効値が V [V] の電源電圧を印加すると図中に矢印で示す軌跡が確認された．コイル電流が最大のときの点は ［(ア)］ である．次に，電源電圧実効値が一定に保たれたまま，周波数がやや低下したとき，ヒステリシスループの面積は ［(イ)］．一方，周波数が一定で，電源電圧実効値が低下したとき，ヒステリシスループの面積は ［(ウ)］．最後に，コイル電流実効値が一定で，周波数がやや低下したとき，ヒステリシスループの面積は ［(エ)］．

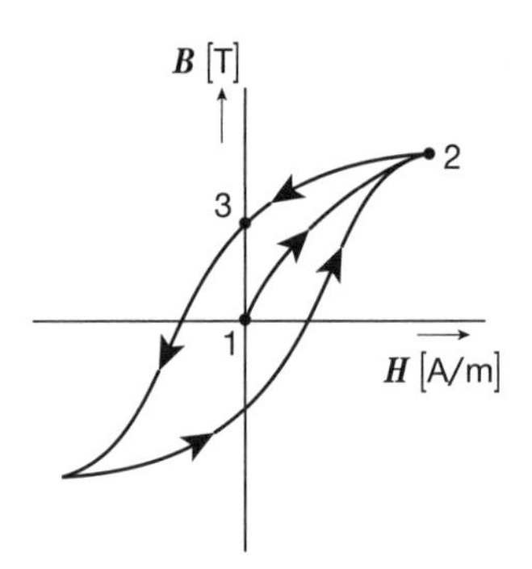

上記の記述中の空白箇所(ア)，(イ)，(ウ)及び(エ)に当てはまる組合せとして，正しいものを次の(1)～(5)のうちから一つ選べ．

	(ア)	(イ)	(ウ)	(エ)
(1)	1	大きくなる	小さくなる	大きくなる
(2)	2	大きくなる	小さくなる	あまり変わらない
(3)	3	あまり変わらない	あまり変わらない	小さくなる
(4)	2	小さくなる	大きくなる	あまり変わらない
(5)	1	小さくなる	大きくなる	あまり変わらない

解41 解答 (2)

コイル鉄心の単位体積当たりのヒステリシス損 p_h は，電圧を E [V]，周波数を f [Hz]，k_h を比例定数とすると，

$$p_h = k_h \frac{E^2}{f} [\mathrm{W/kg}] \tag{1}$$

で表すことができ，また，ヒステリシスループの面積 S に比例する．

問題のコイル鉄心の B-H 曲線において，コイル電流が最大のときの点は 2 である．

いま，電源電圧実効値 E が一定で，周波数 f が低下したとすると，(1)式より，ヒステリシス損 p_h は増加するから，ヒステリシスループの面積 S は大きくなる．

一方，周波数 f が一定で，電源電圧実効値 E が低下したとすると，(1)式より，ヒステリシス損 p_h は減少し，ヒステリシスループの面積 S は小さくなる．

次に，コイルのインダクタンスを L とし，L が周波数 f や磁束 ϕ の変化に対し，ほぼ一定とすると，コイル電流実効値 I は，

$$I = \frac{E}{2\pi f L} \propto \frac{E}{f}$$

となって，コイル電流実効値は E/f にほぼ比例する．

したがって，コイル電流実効値 I が一定であれば，E/f もほぼ一定であるため，(1)式より，ヒステリシス損 p_h はほぼ一定となり，ヒステリシスループの面積 S は，あまり変わらないことになる．

問42 Check! □□□

(平成29年 Ⓐ問題4)

図は，磁性体の磁化曲線（*BH* 曲線）を示す．次の文章は，これに関する記述である．

1　直交座標の横軸は，(ア) である．

2　a は，(イ) の大きさを表す．

3　鉄心入りコイルに交流電流を流すと，ヒステリシス曲線内の面積に (ウ) した電気エネルギーが鉄心の中で熱として失われる．

4　永久磁石材料としては，ヒステリシス曲線の a と b がともに (エ) 磁性体が適している．

上記の記述中の空白箇所(ア)，(イ)，(ウ)及び(エ)に当てはまる組合せとして，正しいものを次の(1)～(5)のうちから一つ選べ．

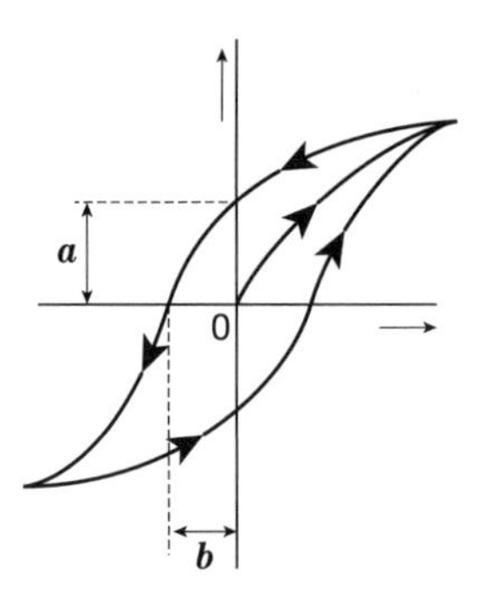

	(ア)	(イ)	(ウ)	(エ)
(1)	磁界の強さ [A/m]	保磁力	反比例	大きい
(2)	磁束密度 [T]	保磁力	反比例	小さい
(3)	磁界の強さ [A/m]	残留磁気	反比例	小さい
(4)	磁束密度 [T]	保磁力	比例	大きい
(5)	磁界の強さ [A/m]	残留磁気	比例	大きい

解42 解答 (5)

磁化されていない強磁性体を磁界Hにより磁化すると，Hの増加に伴い曲線Oa（初期磁化曲線）に沿って磁束密度Bが増加し，a点に達する．次にHを減少すると,Bは曲線Oaとは異なる曲線abに沿って減少するが,$H=0$となっても,$B=B_r$となり(b点),0にはならない．このときの磁束密度B_rを残留磁気という．さらに，$H<0$，すなわち磁界Hを逆方向に増加していくと，磁束密度Bは曲線bcに沿って減少し，逆方向の磁界Hの大きさがH_cとなるとき（$H=-H_c$:c点），初めてBが0となる．このときの磁界の大きさH_cを保磁力という．磁界Hをさらに逆方向に大きくしていくと，磁束密度Bは曲線cdに沿って増加し，d点に達する．次に，磁界Hを逆向きにして増加していくと，磁束密度Bは曲線defaに沿って増加する．

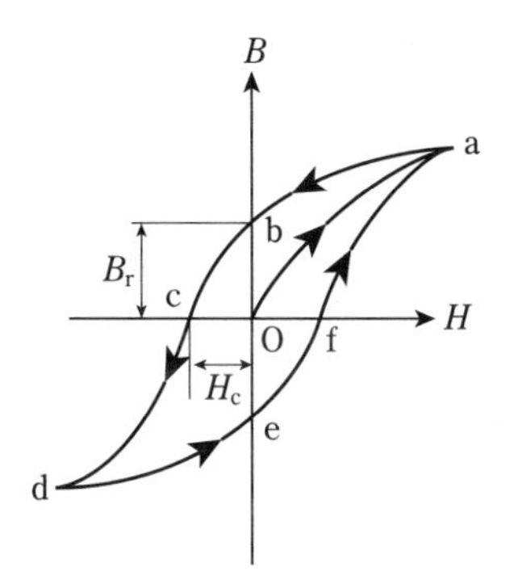

このような磁化曲線（B–H曲線）をヒステリシス曲線（ヒステリシスループ）といい，磁性体が交流磁界によって磁化されるときヒステリシス曲線の面積に比例するエネルギーが熱として消費される．この熱損失はヒステリシス損と呼ばれる．また，残留磁気B_rと保磁力H_cが大きい磁性体は永久磁石に適している．

問43 Check! □□□

（平成19年 A 問題2）

磁界中に物質を置くと，その物質の性質によって図1又は図2に示されるような磁極が現われるものがある．このように物質を磁界中にもってきたために磁気を帯びるようになることを磁化されたといい，この現象を ㈠ という．

磁化によって，図1のように磁界と同じ向きの磁束を物質中に生じる磁極が現われる物質の比透磁率は1より大きく，これは ㈡ と名付けられている．一方，図2のように磁界と逆向きの磁束を生じる磁極が現われる物質の比透磁率は1より小さく，これは ㈢ といわれる．

特に強く磁化される物質は強磁性体といわれるが，これには ㈣ のような物質がある．

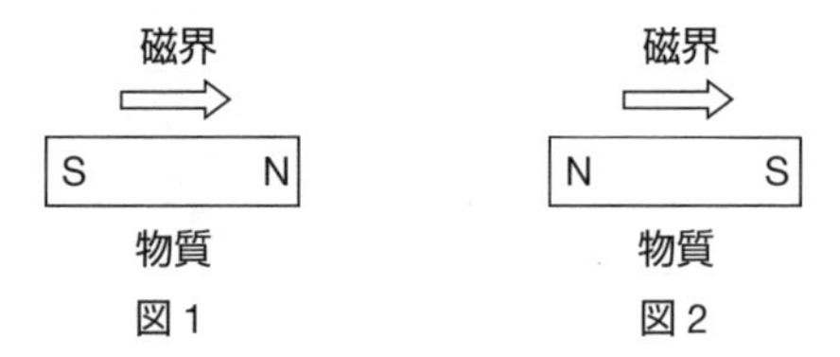

図1　図2

上記の記述中の空白箇所㈠，㈡，㈢及び㈣に当てはまる語句として，正しいものを組み合わせたのは次のうちどれか．

	㈠	㈡	㈢	㈣
(1)	電磁誘導	常磁性体	反磁性体	鉄，ニッケル
(2)	電磁誘導	反磁性体	常磁性体	銅，銀
(3)	相互誘導	常磁性体	反磁性体	鉄，ニッケル
(4)	磁気誘導	常磁性体	反磁性体	鉄，ニッケル
(5)	磁気誘導	反磁性体	常磁性体	銅，銀

解43 解答 (4)

平等磁界中（点線）に物質を置くと，第１図，第２図の実線で示されるような磁束が生じる．

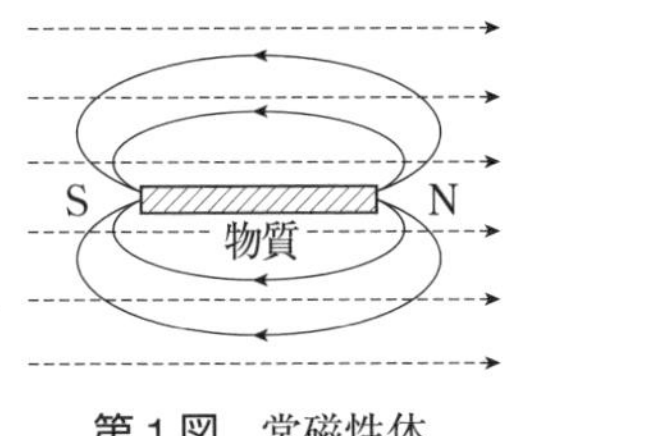

第１図　常磁性体

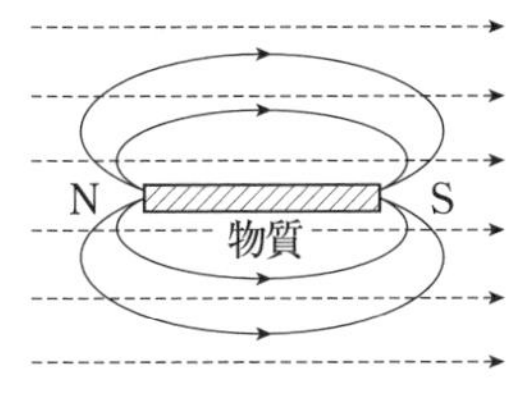

第２図　反磁性体

これは物質を磁界中に持って来たために，物質が磁束を作る性質を持つようになったためで，これを物質が磁化されたといい，このように物質が磁化される現象を磁気誘導という．

物質の磁化の方向は第１図および第２図の２種類があり，第１図の向きに磁化される物質を常磁性体といい，第２図の向きに磁化される物質を反磁性体という．

特に，鉄（Fe），ニッケル（Ni），コバルト（Co）またはこれらの合金類では第１図の向きに磁化され，他の金属や合金類に比べ，非常に強い磁化現象が現れるので，これらの物質を強磁性体という．

問44 Check! □□□ (平成28年 Ⓐ問題4)

図のように，磁極 N，S の間に中空球体鉄心を置くと，N から S に向かう磁束は，(ア) ようになる．このとき，球体鉄心の中空部分（内部の空間）の点 A では，磁束密度は極めて (イ) なる．これを (ウ) という．

ただし，磁極 N，S の間を通る磁束は，中空球体鉄心を置く前と置いた後とで変化しないものとする．

上記の記述中の空白箇所(ア)，(イ)及び(ウ)に当てはまる組合せとして，正しいものを次の(1)～(5)のうちから一つ選べ．

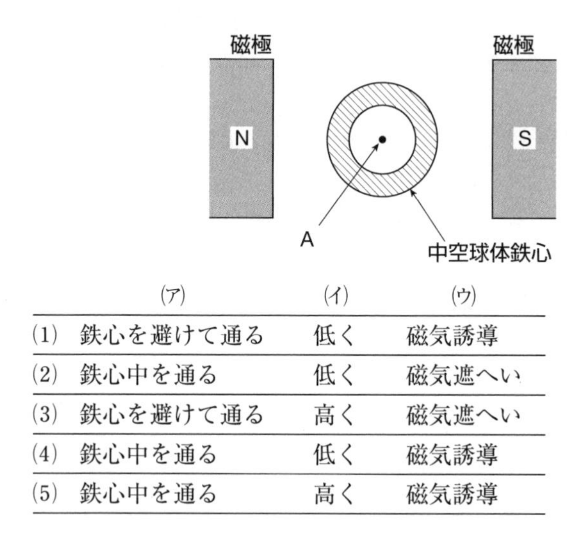

	(ア)	(イ)	(ウ)
(1)	鉄心を避けて通る	低く	磁気誘導
(2)	鉄心中を通る	低く	磁気遮へい
(3)	鉄心を避けて通る	高く	磁気遮へい
(4)	鉄心中を通る	低く	磁気誘導
(5)	鉄心中を通る	高く	磁気誘導

解44 解答 (2)

図のように，磁極 N，S の間に中空球体鉄心を置くと，N から S へ向かう磁束は，そのほとんどが透磁率の大きい鉄心中を通り，A 点がある中空部分にはほとんど磁束が通らない．

このように，透磁率の大きい物体で空間を取り囲むと磁極 N，S 間の磁界が内部空間へ与える影響を少なくすることができる．これを磁気遮へいという．

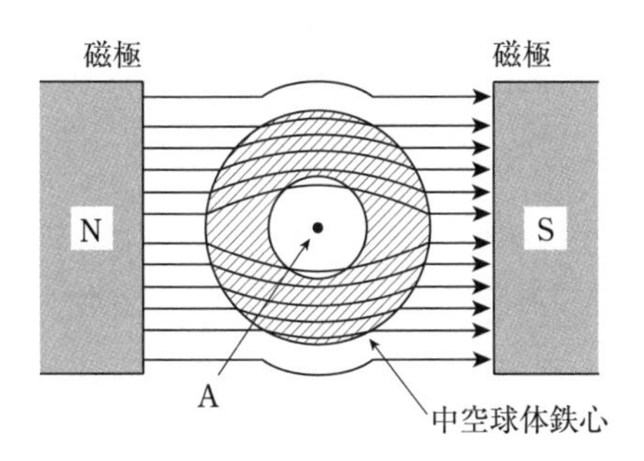

問45 Check! □□□

(令和５年㊦ Ⓐ問題３)

次の文章は，強磁性体の応用に関する記述である．

磁界中に強磁性体を置くと，周囲の磁束は，磁束が (ア) 強磁性体の (イ) を通るようになる．このとき，強磁性体を中空にしておくと，中空の部分には外部の磁界の影響がほとんど及ばない．このように，強磁性体でまわりを囲んで，磁界の影響が及ばないようにすることを (ウ) という．

上記の記述中の空白箇所(ア)～(ウ)に当てはまる組合せとして，正しいものを次の(1)～(5)のうちから一つ選べ．

	(ア)	(イ)	(ウ)
(1)	通りにくい	内部	磁気遮へい
(2)	通りにくい	外部	磁気遮へい
(3)	通りにくい	外部	静電遮へい
(4)	通りやすい	内部	磁気遮へい
(5)	通りやすい	内部	静電遮へい

解45 解答 (4)

図のように，透磁率 μ_0 の真空中の磁界内に比透磁率 μ_r（> 1）の中空強磁性体を置くと，周囲の磁束 ϕ のほとんどは磁束が**通りやすい**強磁性体の**内部**を通るようになり，強磁性体の中空部分には磁束が通りにくくなる．

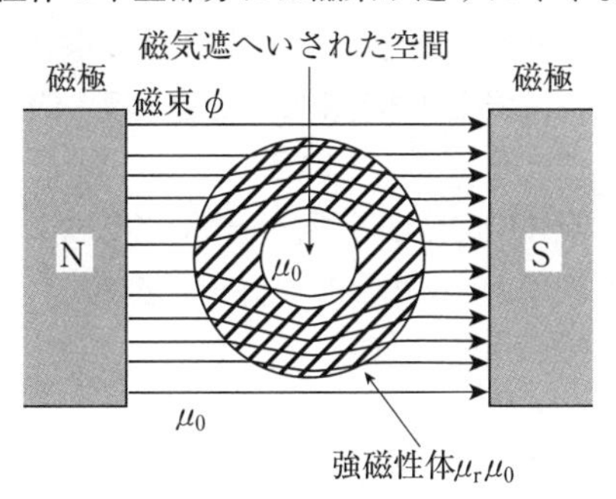

この現象は強磁性体の比透磁率 μ_r が大きいほど顕著となり，μ_r が十分大きい場合には中空部分を通る磁束はわずかとなり，中空部分は磁界の影響をほとんど受けることがなくなる．これを**磁気遮へい**という．

問46 Check! □□□

（令和３年 Ⓐ問題３）

次の文章は，強磁性体の応用に関する記述である．

磁界中に強磁性体を置くと，周囲の磁束は，磁束が［(ア)］強磁性体の［(イ)］を通るようになる．このとき，強磁性体を中空にしておくと，中空の部分には外部の磁界の影響がほとんど及ばない．このように，強磁性体でまわりを囲んで，磁界の影響が及ばないようにすることを［(ウ)］という．

上記の記述中の空白箇所(ア)～(ウ)に当てはまる組合せとして，正しいものを次の(1)～(5)のうちから一つ選べ．

	(ア)	(イ)	(ウ)
(1)	通りにくい	内部	磁気遮へい
(2)	通りにくい	外部	磁気遮へい
(3)	通りにくい	外部	静電遮へい
(4)	通りやすい	内部	磁気遮へい
(5)	通りやすい	内部	静電遮へい

解46 解答 (4)

図のように，透磁率 μ_0 の真空中の磁界内に比透磁率 μ_r (> 1) の中空強磁性体を置くと，周囲の磁束 ϕ のほとんどは磁束が通りやすい強磁性体の内部を通るようになり，強磁性体の中空部分には磁束が通りにくくなる．

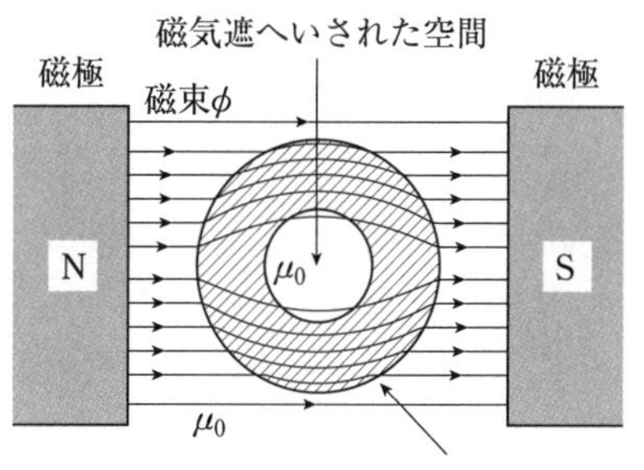

この現象は強磁性体の比透磁率 μ_r が大きいほど顕著となり，μ_r が十分大きい場合には中空部分を通る磁束はわずかとなり，中空部分は磁界の影響をほとんど受けることがなくなる．これを磁気遮へいという．

第3章

直流回路

●計算

・基礎的直流回路計算
・ブリッジの平衡条件
・定電流源を含む回路計算
・最大電力の計算
・過渡現象の計算

問1 Check! □□□

(平成 27 年 Ⓐ 問題 7)

以下の記述で，誤っているものを次の(1)～(5)のうちから一つ選べ．

(1) 直流電圧源と抵抗器，コンデンサが直列に接続された回路のコンデンサには，定常状態では電流が流れない．

(2) 直流電圧源と抵抗器，コイルが直列に接続された回路のコイルの両端の電位差は，定常状態では零である．

(3) 電線の抵抗値は，長さに比例し，断面積に反比例する．

(4) 並列に接続した二つの抵抗器 R_1，R_2 を一つの抵抗器に置き換えて考えると，合成抵抗の値は R_1，R_2 の抵抗値の逆数の和である．

(5) 並列に接続した二つのコンデンサ C_1，C_2 を一つのコンデンサに置き換えて考えると，合成静電容量は C_1，C_2 の静電容量の和である．

問2 Check! □□□

(平成 25 年 Ⓐ 問題 5)

図のように，抵抗 $\boldsymbol{R}$〔Ω〕と抵抗 $\boldsymbol{R_x}$〔Ω〕を並列に接続した回路がある．この回路に直流電圧 V〔V〕を加えたところ，電流 $\boldsymbol{I}$〔A〕が流れた．$\boldsymbol{R_x}$〔Ω〕の値を表す式として，正しいものを次の(1)～(5)のうちから一つ選べ．

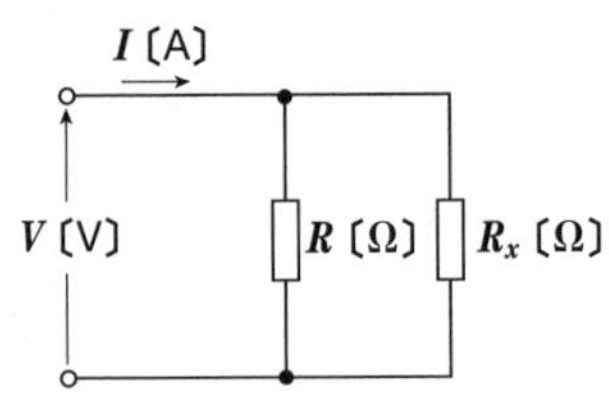

(1) $\dfrac{V}{I}+R$　(2) $\dfrac{V}{I}-R$　(3) $\dfrac{R}{\dfrac{IR}{V}-V}$

(4) $\dfrac{V}{\dfrac{I}{V-R}}$　(5) $\dfrac{VR}{IR-V}$

解1 解答 (4)

(4)が誤りである．

並列に接続した二つの抵抗 R_1，R_2 の合成抵抗を R とすると，合成抵抗 R は次式で表せる．

$$\frac{1}{R}=\frac{1}{R_1}+\frac{1}{R_2}$$

$$\therefore \quad R=\frac{1}{\frac{1}{R_1}+\frac{1}{R_2}}$$

したがって，並列に接続した二つの抵抗 R_1，R_2 の合成抵抗の値は，「R_1，R_2 の抵抗値の逆数の和の逆数」で表せる．

解2 解答 (5)

図のように，I は抵抗 R に流れる電流 I_1 と，抵抗 R_x に流れる電流 I_2 の和になるので，

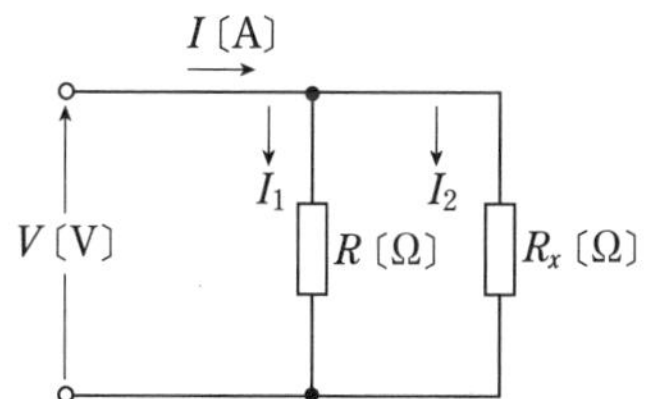

$$I=I_1+I_2=\frac{V}{R}+\frac{V}{R_x}\text{〔A〕}$$

上式を R_x を表す式に変形すると，

$$\frac{V}{R_x}=I-\frac{V}{R}$$

$$R_x=\frac{V}{I-\frac{V}{R}}=\frac{VR}{IR-V}\text{〔Ω〕}$$

問3 Check! □□□

（令和４年㊤ Ⓐ問題５）

図１のように，二つの抵抗 $R_1 = 1\ \Omega$，R_2 [Ω] と電圧 V [V] の直流電源からなる回路がある．この回路において，抵抗 R_2 [Ω] の両端の電圧値が 100 V，流れる電流 I_2 の値が 5 A であった．この回路に図２のように抵抗 $R_3 = 5\ \Omega$ を接続したとき，抵抗 R_3 [Ω] に流れる電流 I_3 の値 [A] として，最も近いものを次の(1)〜(5)のうちから一つ選べ．

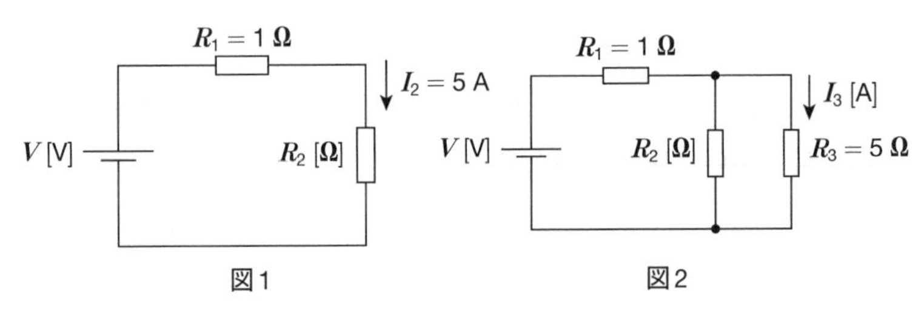

図１　　図２

(1) 4.2　(2) 16.8　(3) 20　(4) 21　(5) 26.3

問4 Check! □□□

（令和５年㊦ Ⓐ問題６）

図のような直流回路において，抵抗 6 Ω の端子間電圧の大きさ V の値 [V] として，正しいものを次の(1)〜(5)のうちから一つ選べ．

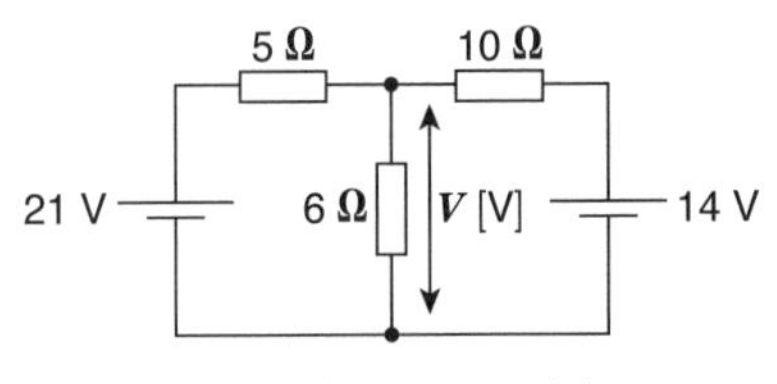

(1) 2　(2) 5　(3) 7　(4) 12　(5) 15

解3 解答 (2)

R_2 [Ω] の値は,

$$R_2 = \frac{100}{5} = 20\ \Omega$$

また, V [V] の値は,

$$V = 1 \times 5 + 100 = 105\ \mathrm{V}$$

R_2 と R_3 を並列接続した図の回路の点線部分の合成抵抗 R_a [Ω] は,

$$R_a = \frac{20 \times 5}{20 + 5} = \frac{100}{25} = 4\ \Omega$$

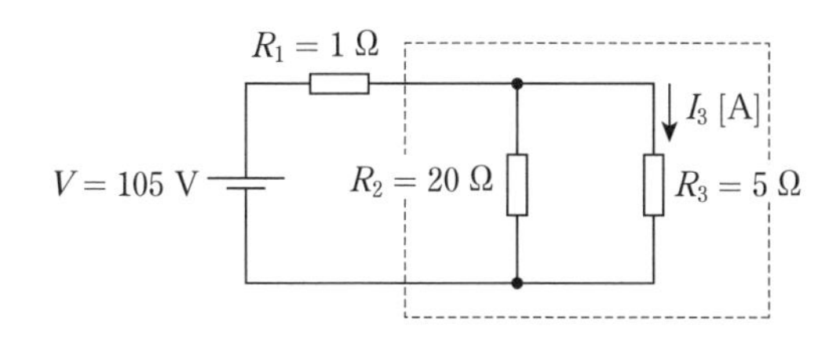

したがって, R_3 両端に加わる電圧 V_3 [V] は,

$$V_3 = \frac{R_a}{R_1 + R_a} V = \frac{4}{1+4} \times 105 = 84\ \mathrm{V}$$

よって,

$$I_3 = \frac{V_3}{R_3} = \frac{84}{5} = 16.8\ \mathrm{A}$$

解4 解答 (4)

ミルマンの定理によれば, 抵抗 6 Ω の端子間電圧の大きさ V は,

$$V = \frac{\frac{21}{5} + \frac{14}{10}}{\frac{1}{5} + \frac{1}{6} + \frac{1}{10}} = \frac{126 + 42}{6 + 5 + 3} = \frac{168}{14} = 12\ \mathrm{V}$$

問5 Check! □□□

（平成18年 Ⓐ問題6）

図のように，既知の直流電源 E〔V〕，未知の抵抗 R_1〔Ω〕，既知の抵抗 R_2〔Ω〕及び R_3〔Ω〕からなる直流回路がある．抵抗 R_3〔Ω〕に流れる電流が I_3〔A〕であるとき，抵抗 R_1〔Ω〕を求める式として，正しいのは次のうちどれか．

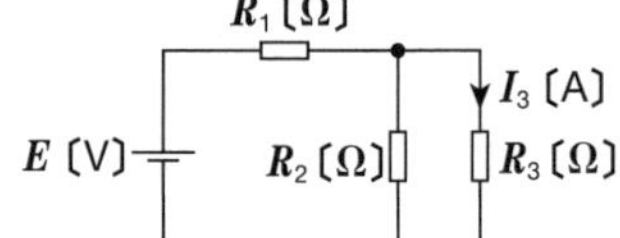

(1) $R_1=\dfrac{R_2R_3}{R_2+R_3}\left(\dfrac{E}{R_2I_3}-\dfrac{R_2}{R_3}\right)$

(2) $R_1=\dfrac{R_2R_3}{R_2+R_3}\left(\dfrac{E}{R_2I_3}-\dfrac{R_3}{R_2}\right)$

(3) $R_1=\dfrac{R_2R_3}{R_2+R_3}\left(\dfrac{E}{R_2I_3}-1\right)$

(4) $R_1=\dfrac{R_2R_3}{R_2+R_3}\left(\dfrac{E}{R_3I_3}-\dfrac{R_3}{R_2}\right)$

(5) $R_1=\dfrac{R_2R_3}{R_2+R_3}\left(\dfrac{E}{R_3I_3}-1\right)$

問6 Check! □□□

（平成18年 Ⓐ問題5）

図のように，内部抵抗 r〔Ω〕，起電力 E〔V〕の電池に抵抗 R〔Ω〕の可変抵抗器を接続した回路がある．$R=2.25$〔Ω〕にしたとき，回路を流れる電流は $I=3$〔A〕であった．次に $R=3.45$〔Ω〕にしたとき，回路を流れる電流は $I=2$〔A〕となった．この電池の起電力 E〔V〕の値として，正しいのは次のうちどれか．

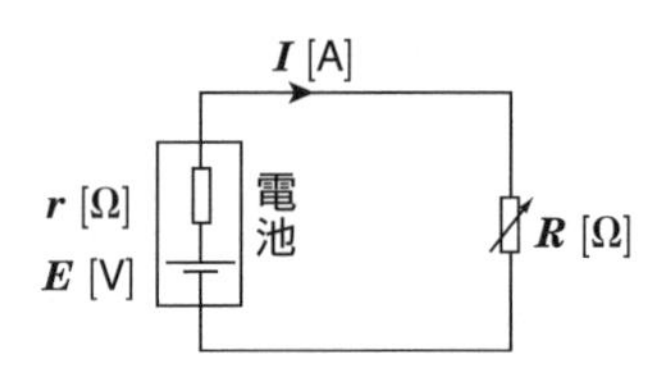

(1) 6.75　(2) 6.90　(3) 7.05　(4) 7.20　(5) 9.30

解5 解答 (5)

図のように，電圧 V_1，V_3，電流 I_1 および I_2 を決めると，

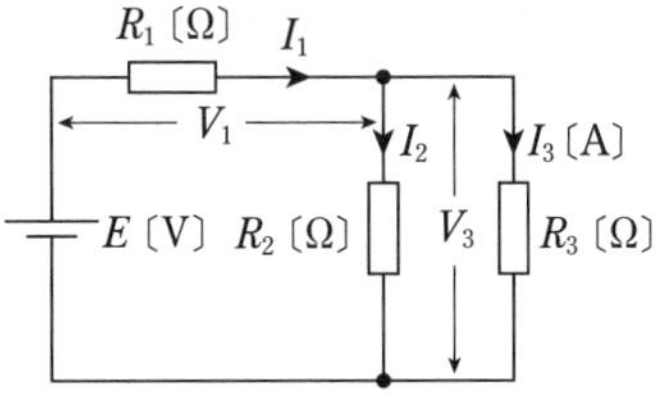

$$V_3 = R_3 I_3 \text{〔V〕} \quad ①$$

$$I_2 = \frac{V_3}{R_2} = \frac{R_3}{R_2} I_3 \text{〔A〕} \quad ②$$

$$I_1 = I_2 + I_3 = \frac{R_3}{R_2} I_3 + I_3 = \frac{R_2 + R_3}{R_2} I_3 \text{〔A〕} \quad ③$$

$$V_1 = E - V_3 = E - R_3 I_3 \text{〔V〕} \quad ④$$

で表せるから，求める抵抗 R_1 を表す式は，④式および③式より，

$$R_1 = \frac{V_1}{I_1} = \frac{E - R_3 I_3}{\dfrac{R_2 + R_3}{R_2} I_3} = \frac{R_2}{R_2 + R_3}\left(\frac{E}{I_3} - R_3\right) = \frac{R_2 R_3}{R_2 + R_3}\left(\frac{E}{R_3 I_3} - 1\right)$$

解6 解答 (4)

問題の回路にある電池の起電力 E は，次式で表せる．

$$E = (r + R)I$$

上式に与えられた数値を代入すると，次の 2 式が得られる．

$$E = (r + 2.25) \times 3 \quad ①$$

$$E = (r + 3.45) \times 2 \quad ②$$

①式 = ②式から，

$$3(r + 2.25) = 2(r + 3.45)$$

$$3r + 6.75 = 2r + 6.9$$

$$\therefore \quad r = 6.9 - 6.75 = 0.15 \text{〔Ω〕}$$

よって，求める電池の起電力 E は，$r = 0.15$〔Ω〕を①式に代入して，

$$E = (0.15 + 2.25) \times 3 = 7.2 \text{〔V〕}$$

問7 Check! □□□

(平成 20 年 Ⓐ 問題 7)

図のように，2 種類の直流電源と 3 種類の抵抗からなる回路がある．各抵抗に流れる電流を図に示す向きに定義するとき，電流 I_1〔A〕，I_2〔A〕，I_3〔A〕の値として，正しいものを組み合わせたのは次のうちどれか．

	I_1	I_2	I_3
(1)	−1	−1	0
(2)	−1	1	−2
(3)	1	1	0
(4)	2	1	1
(5)	1	−1	2

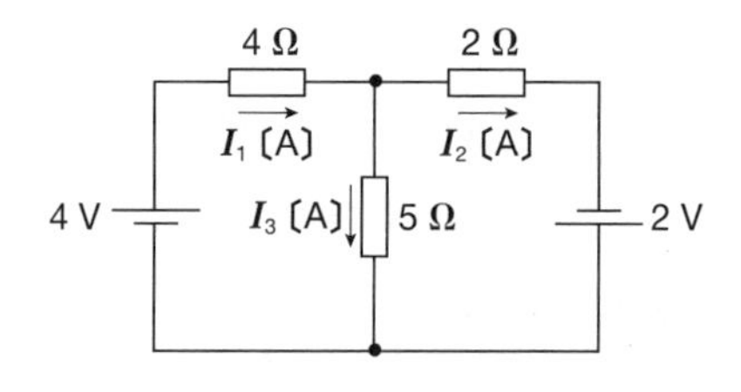

解7　解答 (3)

図のように5〔Ω〕の端子電圧をV〔V〕とすると，各部を流れる電流I_1，I_2およびI_3について次式が成立する．

$$I_1 = I_2 + I_3$$

$$I_1 = \frac{4-V}{4}\text{〔A〕},\quad I_2 = \frac{V+2}{2}\text{〔A〕},\quad I_3 = \frac{V}{5}\text{〔A〕}$$

$$\therefore\quad \frac{4-V}{4} = \frac{V+2}{2} + \frac{V}{5}$$

$$20 - 5V = 10V + 20 + 4V$$

$$\therefore\quad 19V = 0 \qquad \therefore\quad V = 0$$

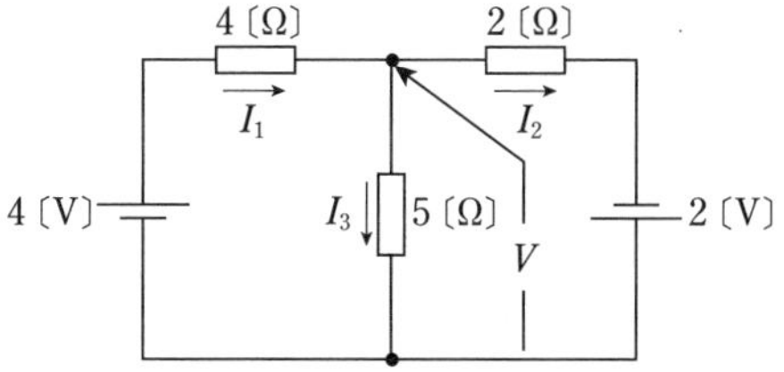

よって，求める電流I_1，I_2およびI_3はそれぞれ，

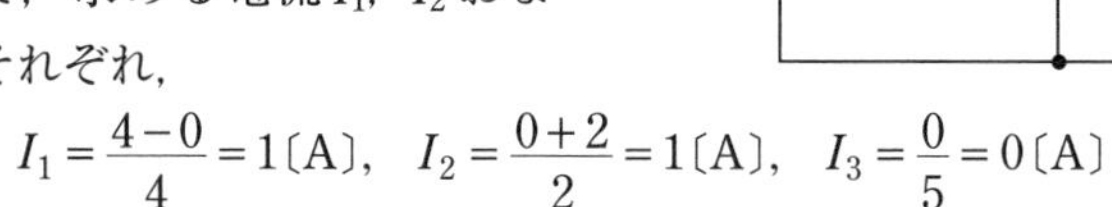

$$I_1 = \frac{4-0}{4} = 1\text{〔A〕},\quad I_2 = \frac{0+2}{2} = 1\text{〔A〕},\quad I_3 = \frac{0}{5} = 0\text{〔A〕}$$

問8　Check! □□□

（令和６年㊤　Ⓐ問題５）

図の直流回路において，抵抗 $R = 10\ \Omega$ で消費される電力の値 [W] として，最も近いものを次の(1)～(5)のうちから一つ選べ．

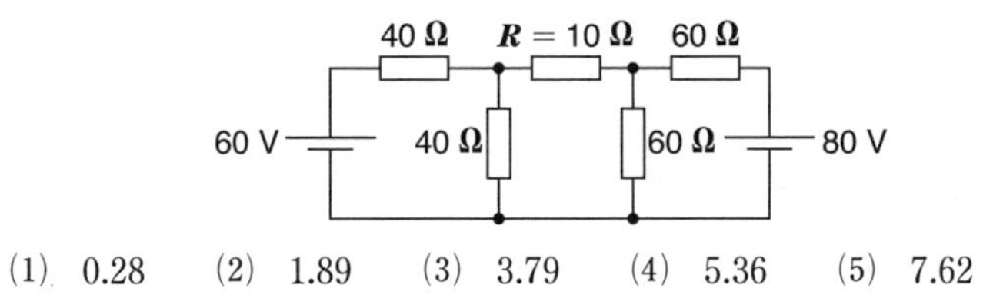

(1)　0.28　　(2)　1.89　　(3)　3.79　　(4)　5.36　　(5)　7.62

解8 解答 (1)

図のように問題の回路をPQで切り離し，60 V電源側の回路および80 V電源側の回路の等価回路を作成し，等価回路を変形していく．

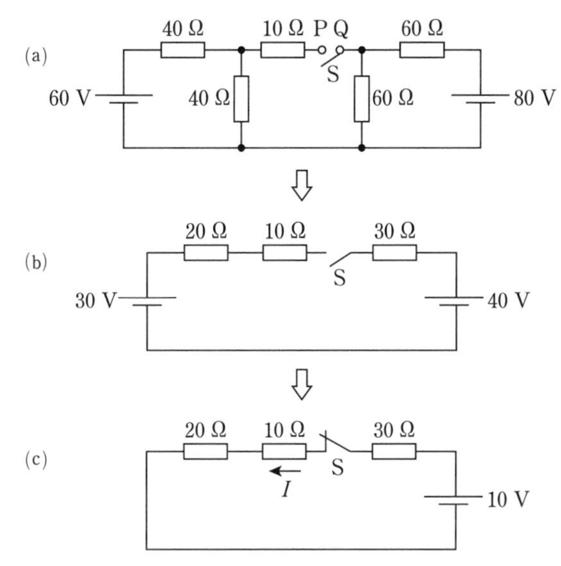

上図(c)の回路において，抵抗10 Ωを流れる電流Iは，

$$I=\frac{10}{30+10+20}=\frac{1}{6}\,\mathrm{A}$$

したがって，抵抗10 Ωの消費電力Pは，

$$P=10\times\left(\frac{1}{6}\right)^2 \fallingdotseq 0.277\,8 \fallingdotseq \mathbf{0.28}\ \mathrm{W}$$

問9 Check! □□□

(平成 28 年 Ⓐ 問題 6)

図のような抵抗の直並列回路に直流電圧 $E = 5$ V を加えたとき，電流比 $\frac{I_2}{I_1}$ の値として，最も近いものを次の(1)～(5)のうちから一つ選べ.

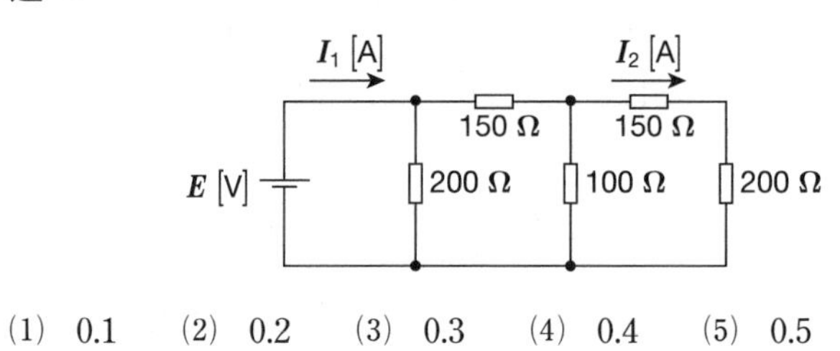

(1) 0.1 (2) 0.2 (3) 0.3 (4) 0.4 (5) 0.5

問10 Check! □□□

(平成 17 年 Ⓐ 問題 5)

図のように，抵抗 $R_{ab} = 140$〔Ω〕のすべり抵抗器に抵抗 $R_1 = 10$〔Ω〕，抵抗 $R_2 = 5$〔Ω〕を接続した回路がある．この回路を流れる電流が $I = 9$〔A〕のとき，抵抗 R_1 を流れる電流は $I_1 = 3$〔A〕であった．このときのすべり抵抗器の抵抗比（抵抗 R_{ac}：抵抗 R_{bc}）の値として，正しいのは次のうちどれか.

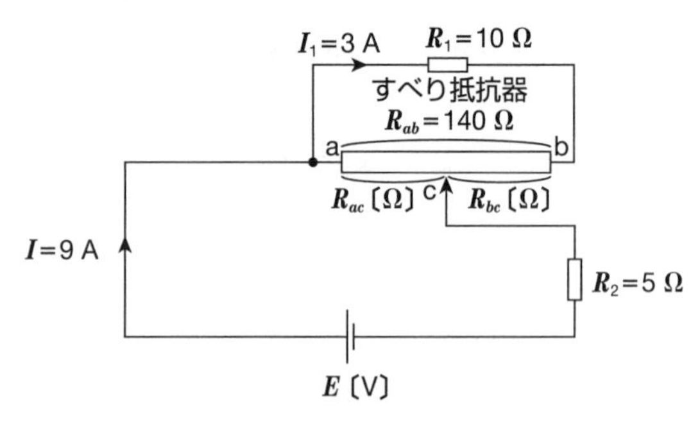

(1) 1：13 (2) 1：3 (3) 5：9 (4) 9：5 (5) 13：1

解9　解答（1）

問題の回路の各部の電流および電圧を図のように決めると，次式が成立する．

$$v_1 = (150 + 200)I_2 = 350I_2\ [\mathrm{V}]$$

$$i_1 = \frac{v_1}{100} = \frac{350I_2}{100} = 3.5I_2\ [\mathrm{A}]$$

$$i_2 = i_1 + I_2 = 3.5I_2 + I_2 = 4.5I_2\ [\mathrm{A}]$$

$$E = v_1 + 150i_2$$

$$= 350I_2 + 150 \times 4.5I_2 = 1\,025I_2\ [\mathrm{V}]$$

$$i_3 = \frac{E}{200} = \frac{1\,025I_2}{200} = 5.125I_2\ [\mathrm{A}]$$

$$I_1 = i_3 + i_2 = 5.125I_2 + 4.5I_2 = 9.625I_2\ [\mathrm{A}]$$

したがって，求める電流比 I_2/I_1 は，

$$\frac{I_2}{I_1} = \frac{1}{9.625} \fallingdotseq 0.103\,9 \fallingdotseq 0.1$$

解10　解答（3）

問題の回路を描きかえると，図のようになる．

回路図から，R_{ac} に流れる電流 I_2 は，$I_2 = I - I_1 = 9 - 3 = 6$〔A〕となり，$R_1$ と R_{bc} の直列回路と R_{ac} が並列に接続されているので，次式が成立する．

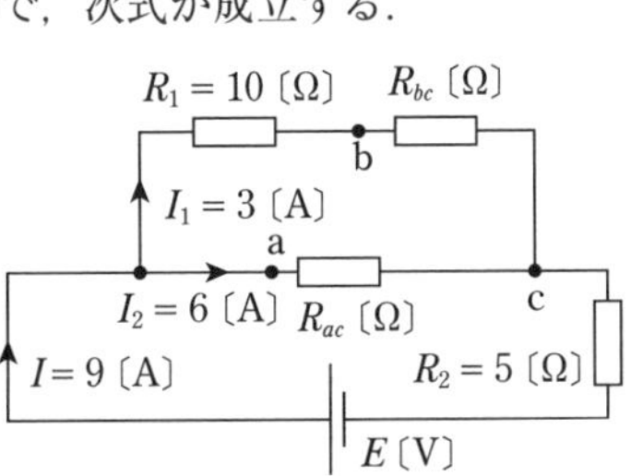

$$R_{ac}I_2 = (R_1 + R_{bc})I_1$$

$$\therefore\quad 6R_{ac} = 3(10 + R_{bc}) = 30 + 3R_{bc} \qquad ①$$

また，題意より $R_{ab} = 140$〔Ω〕であるから，

$$R_{ac} + R_{bc} = R_{ab} = 140 \qquad ②$$

となる．よって，②式から，

$$R_{bc} = 140 - R_{ac} \qquad ③$$

③式を①式へ代入して，

$$6R_{ac} = 30 + 3(140 - R_{ac}) = 30 + 420 - 3R_{ac}$$

$$\therefore\quad R_{ac} = \frac{30 + 420}{6 + 3} = 50〔\Omega〕$$

また，③式から，

$$R_{bc} = 140 - 50 - 90〔\Omega〕$$

$$\therefore\quad R_{ac} : R_{bc} = 50 : 90 = 5 : 9$$

問11 Check! □□□

（令和２年 Ⓐ問題６）

図のように，三つの抵抗 R_1 = 3 Ω，R_2 = 6 Ω，R_3 = 2 Ω と電圧 V [V] の直流電源からなる回路がある．抵抗 R_1，R_2，R_3 の消費電力をそれぞれ P_1 [W]，P_2 [W]，P_3 [W] とするとき，その大きさの大きい順として，正しいものを次の(1)～(5)のうちから一つ選べ．

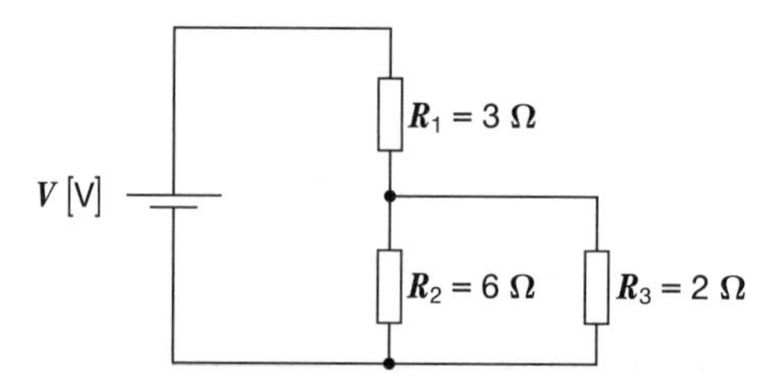

(1) $P_1 > P_2 > P_3$　(2) $P_1 > P_3 > P_2$　(3) $P_2 > P_1 > P_3$

(4) $P_2 > P_3 > P_1$　(5) $P_3 > P_1 > P_2$

解11 解答 (2)

抵抗 R_2 と R_3 の合成抵抗 R_{23} は,

$$R_{23}=\frac{R_2R_3}{R_2+R_3}=\frac{6\times2}{6+2}=\frac{12}{8}=1.5\,\Omega$$

であるから，抵抗 R_1 にかかる電圧 V_1 および抵抗 R_2 と R_3 にかかる電圧 V_{23} はそれぞれ,

$$V_1=\frac{R_1}{R_1+R_{23}}V=\frac{3}{3+1.5}V=\frac{2}{3}V$$

$$V_{23}=V-V_1=\frac{1}{3}V$$

抵抗 R_1，R_2 および R_3 の消費電力 P_1，P_2 および P_3 はそれぞれ,

$$P_1=\frac{{V_1}^2}{R_1}=\frac{4V^2}{3\times9}=\frac{4}{27}V^2\,[\mathrm{W}]$$

$$P_2=\frac{{V_{23}}^2}{R_2}=\frac{V^2}{6\times9}=\frac{1}{54}V^2\,[\mathrm{W}]$$

$$P_3=\frac{{V_{23}}^2}{R_3}=\frac{V^2}{2\times9}=\frac{1}{18}V^2\,[\mathrm{W}]$$

以上から，消費電力 P_1，P_2 および P_3 を大きい順に並べると，$P_1>P_3>P_2$ となる.

【別解】 $R_{23}=1.5\,\Omega$ で $R_1=3\,\Omega$ と直列に接続されているから，回路電流を I とすると,

$$R_1I^2>R_{23}I^2$$

$$\therefore\quad P_1>P_2+P_3$$

また，R_2 と R_3 にかかる電圧は等しく V_{23} であるから,

$$\frac{{V_{23}}^2}{R_2}<\frac{{V_{23}}^2}{R_3}$$

$$\therefore\quad P_2<P_3$$

以上から，$P_1>P_3>P_2$ となる.

問12 Check! □□□

(平成 27 年 Ⓐ 問題 4)

図のような直流回路において，直流電源の電圧が 90 V であるとき，抵抗 R_1 [Ω]，R_2 [Ω]，R_3 [Ω] の両端電圧はそれぞれ 30 V，15 V，10 V であった．抵抗 R_1, R_2, R_3 のそれぞれの値 [Ω] の組合せとして，正しいものを次の(1)～(5)のうちから一つ選べ．

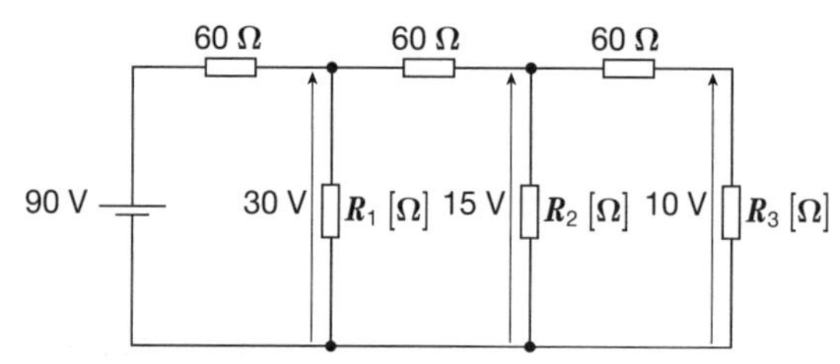

	R_1	R_2	R_3
(1)	30	90	120
(2)	80	60	120
(3)	30	90	30
(4)	60	60	30
(5)	40	90	120

問13 Check! □□□

(平成 25 年 Ⓐ 問題 8)

図に示すような抵抗の直並列回路がある．この回路に直流電圧 5〔V〕を加えたとき，電源から流れ出る電流 I〔A〕の値として，最も近いものを次の(1)～(5)のうちから一つ選べ．

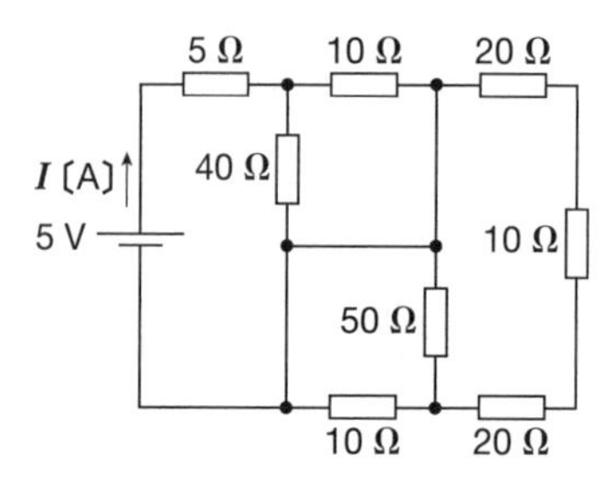

(1) 0.2　(2) 0.4　(3) 0.6　(4) 0.8　(5) 1.0

解12 解答 (5)

抵抗 R_1 および R_2 を流れる電流を I_1 および I_2 とし，簡単に求められる回路各部の電圧および電流を書き入れた回路図を示すと，図のようになる．

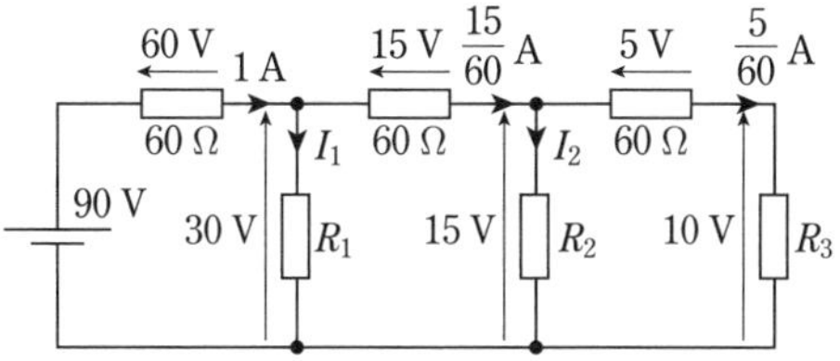

したがって，抵抗 R_3 は，

$$R_3 = \frac{10}{5/60} = 10 \times 12 = 120\,\Omega$$

次に，抵抗 R_2 を流れる電流 I_2 は，

$$I_2 = \frac{15}{60} - \frac{5}{60} = \frac{10}{60} = \frac{1}{6}\,\mathrm{A}$$

であるから，抵抗 R_2 は，

$$R_2 = \frac{15}{1/6} = 15 \times 6 = 90\,\Omega$$

さらに，抵抗 R_1 を流れる電流 I_1 は，

$$I_1 = 1 - \frac{15}{60} = 1 - \frac{1}{4} = \frac{3}{4}\,\mathrm{A}$$

であるから，抵抗 R_1 は，

$$R_1 = \frac{30}{3/4} = 30 \times \frac{4}{3} = 40\,\Omega$$

解13 解答 (2)

第１図のⓐ，ⓑ間は短絡されているので，この間の電圧は零である．

したがって，ⓐ，ⓑ間よりも負荷側（右側）の五つの抵抗には電流が流れないので，等価回路は第２図となる．

合成抵抗は，

$$R = 5 + \frac{40 \times 10}{40 + 10} = 13\,〔\Omega〕$$

電源から流れ出る電流は，

$$I = \frac{V}{R} = \frac{5}{13} = 0.38 \fallingdotseq 0.4\,〔\mathrm{A}〕$$

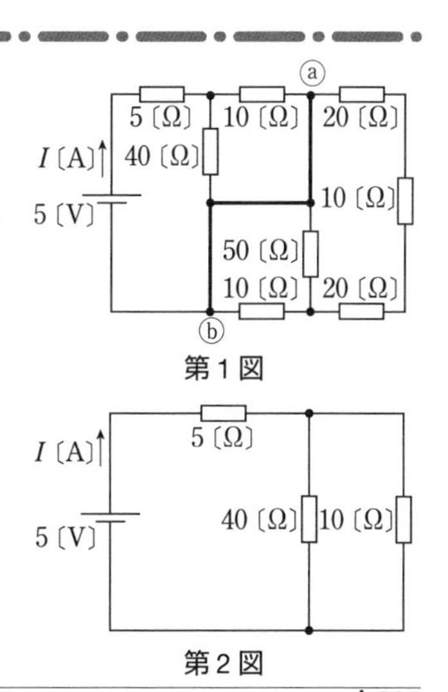

第１図

第２図

問14 Check! □□□ （平成26年 Ⓐ問題6）

図のように，抵抗を直並列に接続した直流回路がある．この回路を流れる電流 I の値は，$I = 10$ mA であった．このとき，抵抗 R_2〔kΩ〕として，最も近い R_2 の値を次の(1)〜(5)のうちから一つ選べ．

ただし，抵抗 R_1〔kΩ〕に流れる電流 I_1〔mA〕と抵抗 R_2〔kΩ〕に流れる電流 I_2〔mA〕の電流比 $\dfrac{I_1}{I_2}$ の値は $\dfrac{1}{2}$ とする．

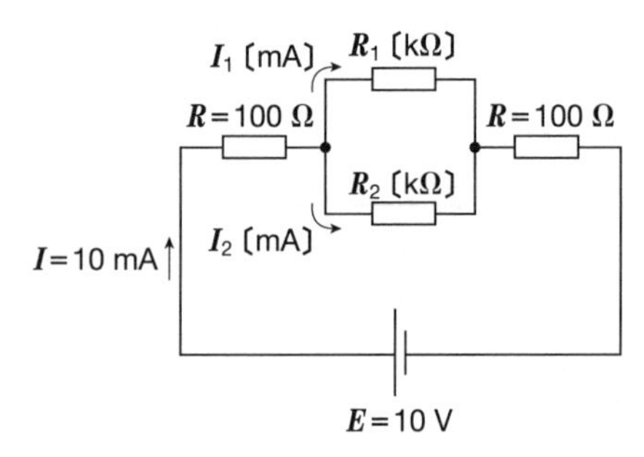

(1) 0.3　(2) 0.6　(3) 1.2　(4) 2.4　(5) 4.8

解14 解答 (3)

題意より，抵抗 $R=100$〔Ω〕の端子電圧 V_R は，

$$V_R=0.01\times100=1\ 〔\mathrm{V}〕$$

であるから，抵抗 R_1 および R_2 の並列回路にかかる電圧 V_{12} は，

$$V_{12}=E-2V_R=10-2\times1=8\ 〔\mathrm{V}〕$$

となり，これを図示すれば，図のようになる．

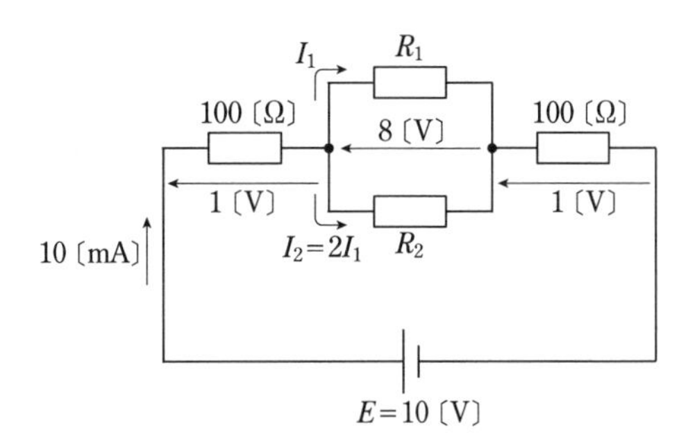

ここに，題意より，R_1 および R_2 に流れる電流 I_1 および I_2 の比が $\dfrac{I_1}{I_2}=\dfrac{1}{2}$ であるから，抵抗 R_1 および R_2 の比 $\dfrac{R_1}{R_2}$ は，

$$\frac{R_1}{R_2}=\frac{I_2}{I_1}=2$$

$$\therefore\quad R_1=2R_2$$

一方，抵抗 R_1 および R_2 の並列合成コンダクタンス G_{12} は，

$$G_{12}=\frac{I}{V_{12}}=\frac{10}{8}\ 〔\mathrm{mS}〕$$

であるから，求める抵抗 R_2〔kΩ〕の値は，

$$G_{12}=\frac{1}{R_1}+\frac{1}{R_2}=\frac{1}{2R_2}+\frac{1}{R_2}=\frac{3}{2R_2}=\frac{10}{8}\ 〔\mathrm{mS}〕$$

$$\frac{1}{R_2}=\frac{10}{8}\times\frac{2}{3}=\frac{10}{12}\ 〔\mathrm{mS}〕$$

$$\therefore\quad R_2=\frac{12}{10}=1.2\ 〔\mathrm{k\Omega}〕$$

問15 Check! □□□

(平成30年 Ⓐ問題6)

R_a, R_b 及び R_c の三つの抵抗器がある．これら三つの抵抗器から二つの抵抗器（R_1 及び R_2）を選び，図のように，直流電流計及び電圧 $E = 1.4$ V の直流電源を接続し，次のような実験を行った．

実験Ⅰ：R_1 を R_a, R_2 を R_b としたとき，電流 I の値は 56 mA であった．

実験Ⅱ：R_1 を R_b, R_2 を R_c としたとき，電流 I の値は 35 mA であった．

実験Ⅲ：R_1 を R_a, R_2 を R_c としたとき，電流 I の値は 40 mA であった．

これらのことから，R_b の抵抗値 [Ω] として，最も近いものを次の(1)～(5)のうちから一つ選べ．ただし，直流電源及び直流電流計の内部抵抗は無視できるものとする．

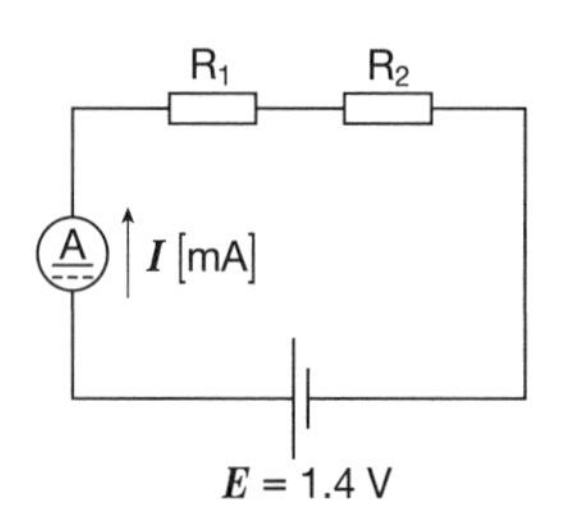

(1) 10　(2) 15　(3) 20　(4) 25　(5) 30

解15 解答 (2)

題意より，次の3式が成立する．

$$R_a + R_b = \frac{1.4}{0.056} = 25\,\Omega \qquad (1)$$

$$R_b + R_c = \frac{1.4}{0.035} = 40\,\Omega \qquad (2)$$

$$R_a + R_c = \frac{1.4}{0.040} = 35\,\Omega \qquad (3)$$

ここで，(1)式～(3)式を辺々加えると，

$$2(R_a + R_b + R_c) = 25 + 40 + 35 = 100\,\Omega$$

$$\therefore \quad R_a + R_b + R_c = 50\,\Omega \qquad (4)$$

以上から，求める R_b の抵抗値は，(4)式－(3)式より，

$$R_b = (R_a + R_b + R_c) - (R_a + R_c) = 50 - 35 = 15\,\Omega$$

問16 Check! □□□

（令和５年㊦ Ⓐ問題７）

図のように，抵抗，切換スイッチ S 及び電流計を接続した回路がある．この回路に直流電圧 100 V を加えた状態で，図のようにスイッチ S を開いたとき電流計の指示値は 2.0 A であった．また，スイッチ S を①側に閉じたとき電流計の指示値は 2.5 A，スイッチ S を②側に閉じたとき電流計の指示値は 5.0 A であった．このとき，抵抗 r の値 [Ω] として，正しいものを次の(1)～(5)のうちから一つ選べ．

ただし，電流計の内部抵抗は無視できるものとし，測定誤差はないものとする．

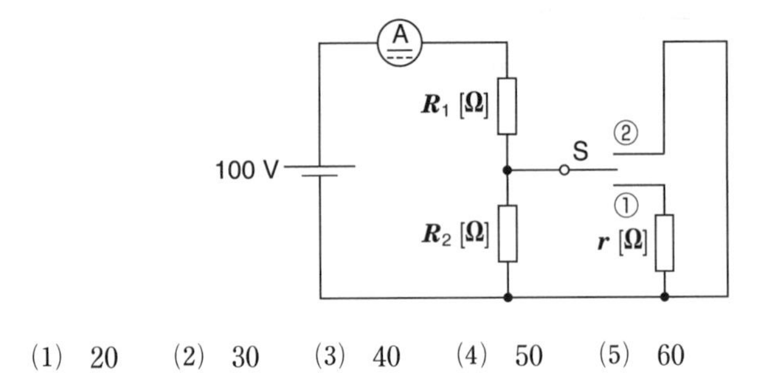

(1) 20　(2) 30　(3) 40　(4) 50　(5) 60

解16 解答 (5)

題意より，スイッチSを②側に閉じたときの電流計の指示値が5.0 Aであったことから，抵抗R_1の値は，

$$R_1 = \frac{100}{5.0} = 20\ \Omega$$

次に，スイッチSを開いたときの電流計の指示値が2.0 Aであったことから，抵抗R_2の値は，

$$R_2 = \frac{100}{2.0} - 20 = 30\ \Omega$$

また，スイッチSを①側に閉じたときの電流計の指示値が2.5 Aであったことから，抵抗$R_2 = 30\ \Omega$にかかる電圧Vは，

$$V = 100 - 20 \times 2.5 = 50\ \mathrm{V}$$

したがって，求める抵抗rの値は，

$$r = \frac{50}{2.5 - \frac{50}{30}} = \frac{1\,500}{75 - 50} = 60\ \Omega$$

問17 Check! □□□ (平成20年 Ⓐ問題6)

図のように，抵抗，切換スイッチS及び電流計を接続した回路がある.

この回路に直流電圧100〔V〕を加えた状態で，図のようにスイッチSを開いたとき電流計の指示値は2.0〔A〕であった．また，スイッチSを①側に閉じたとき電流計の指示値は2.5〔A〕，スイッチSを②側に閉じたとき電流計の指示値は5.0〔A〕であった．このとき，抵抗r〔Ω〕の値として，正しいのは次のうちどれか.

ただし，電流計の内部抵抗は無視できるものとし，測定誤差はないものとする.

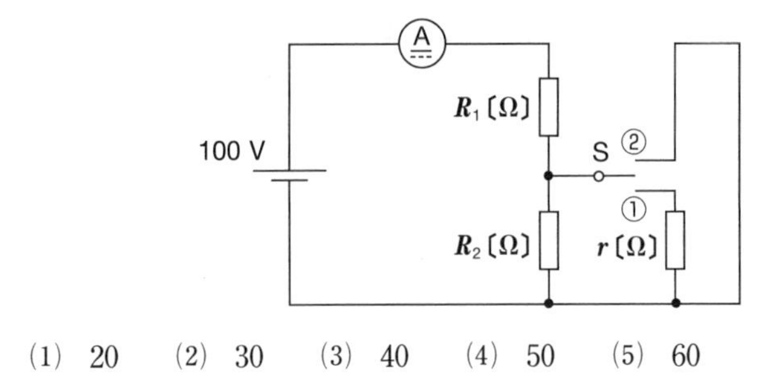

(1) 20　(2) 30　(3) 40　(4) 50　(5) 60

解17 解答 (5)

スイッチSを開いたときの等価回路は第1図のようになる．

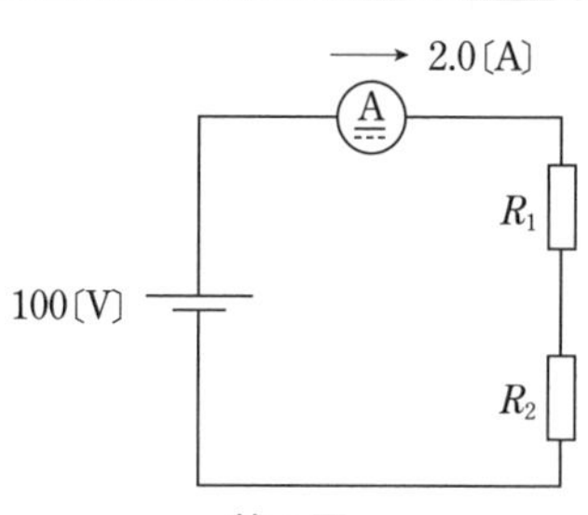

第1図

第1図において，次式が成立する．

$$R_1+R_2=\frac{100}{2.0}=50〔\Omega〕 \qquad ①$$

次に，スイッチSを①側に閉じたときの等価回路は，第2図のようになる．

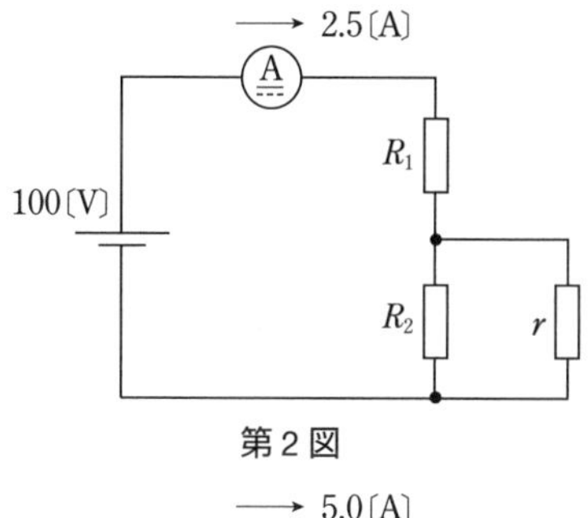

第2図

第2図において，次式が成立する．

$$R_1+\frac{R_2r}{R_2+r}=\frac{100}{2.5}=40〔\Omega〕 \qquad ②$$

また，スイッチSを②側に閉じたときの等価回路は，第3図のようになる．

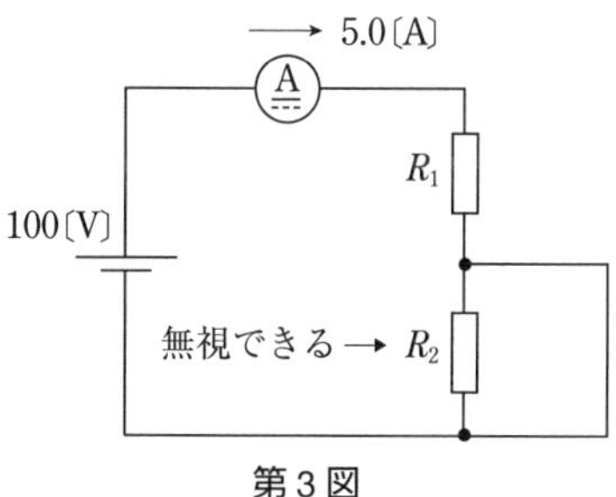

第3図

第3図において，次式が成立する．

$$R_1=\frac{100}{5.0}=20〔\Omega〕 \qquad ③$$

したがって，①式より，

$$R_2=50-R_1=50-20=30〔\Omega〕$$

よって，求める抵抗rは，②式より，

$$20+\frac{30r}{30+r}=40$$

$$\frac{30r}{30+r}=20$$

$$30r=600+20r$$

$$\therefore \quad r=\frac{600}{30-20}=60〔\Omega〕$$

問18 Check! □□□

(平成21年 Ⓐ問題6)

抵抗値が異なる抵抗 R_1〔Ω〕と R_2〔Ω〕を図1のように直列に接続し，30〔V〕の直流電圧を加えたところ，回路に流れる電流は 6〔A〕であった．

次に，この抵抗 R_1〔Ω〕と R_2〔Ω〕を図2のように並列に接続し，30〔V〕の直流電圧を加えたところ，回路に流れる電流は 25〔A〕であった．このとき，抵抗 R_1〔Ω〕, R_2〔Ω〕のうち小さい方の抵抗〔Ω〕の値として，正しいのは次のうちどれか．

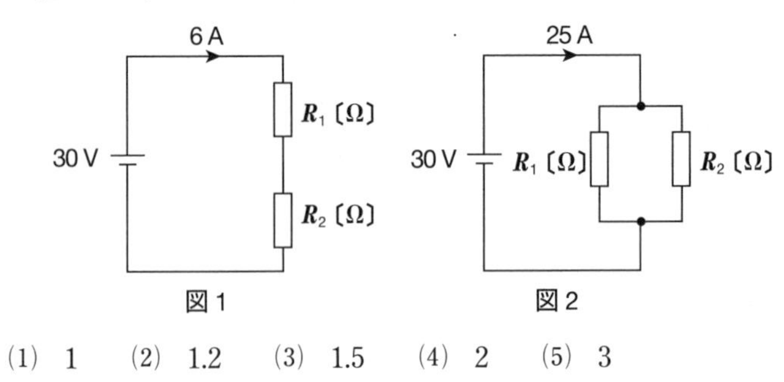

図1　図2

(1) 1　(2) 1.2　(3) 1.5　(4) 2　(5) 3

解18 解答 (4)

図 1 の回路において，次式が成立する．

$$R_1 + R_2 = \frac{30}{6} = 5\,〔\Omega〕 \quad ①$$

また，図 2 の回路において，次式が成立する．

$$\frac{R_1 R_2}{R_1 + R_2} = \frac{30}{25} = 1.2\,〔\Omega〕 \quad ②$$

ここで，②式へ①式を代入すると，

$$\frac{R_1 R_2}{R_1 + R_2} = \frac{R_1 R_2}{5} = 1.2$$

$$\therefore \quad R_1 R_2 = 1.2 \times 5 = 6 \quad ③$$

次に，①式より，

$$R_2 = 5 - R_1 \quad ④$$

であるから，④式を③式へ代入すると，

$$R_1 R_2 = R_1 (5 - R_1) = 6$$

$$\therefore \quad R_1^2 - 5R_1 + 6 = (R_1 - 2)(R_1 - 3) = 0$$

$$\therefore \quad R_1 = 2,\ 3\,〔\Omega〕 \quad ⑤$$

また，④式および⑤式より，

$$R_2 = 3,\ 2\,〔\Omega〕$$

となり，抵抗 R_1，R_2 の組合せは，

$R_1 = 2\,〔\Omega〕$，$R_2 = 3\,〔\Omega〕$ または $R_1 = 3\,〔\Omega〕$，$R_2 = 2\,〔\Omega〕$

のいずれかとなる．

したがって，求める抵抗 R_1，R_2 のうち小さい方の抵抗値は 2〔Ω〕となる．

問19 Check! □□□

(平成 22 年 Ⓐ 問題 6)

図 1 の直流回路において，端子 a–c 間に直流電圧 100〔V〕を加えたところ，端子 b–c 間の電圧は 20〔V〕であった．また，図 2 のように端子 b–c 間に 150〔Ω〕の抵抗を並列に追加したとき，端子 b–c 間の端子電圧は 15〔V〕であった．いま，図 3 のように端子 b–c 間を短絡したとき，電流 I〔A〕の値として，正しいのは次のうちどれか．

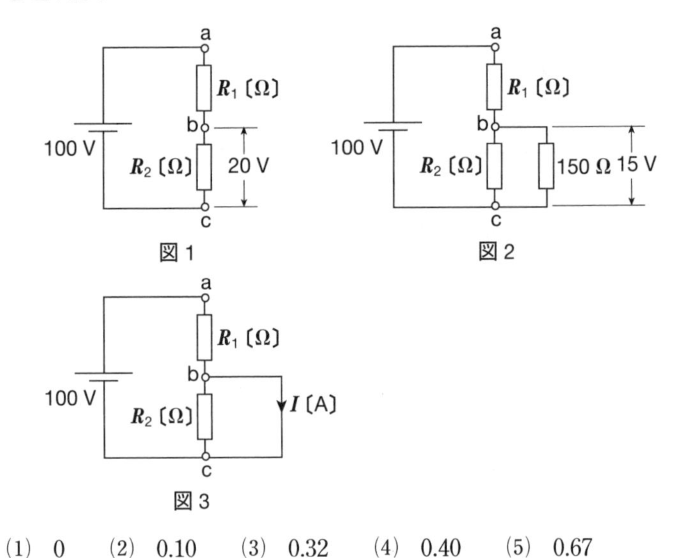

図 1　図 2　図 3

(1) 0　(2) 0.10　(3) 0.32　(4) 0.40　(5) 0.67

解19 解答 (4)

図1の回路より抵抗 R_1 の端子電圧 V_{11} は,

$$V_{11} = 100 - 20 = 80\,〔\mathrm{V}〕$$

となるから，抵抗 R_1 は，抵抗 R_2 の $\dfrac{100-20}{20} = 4$〔倍〕の値であることがわかる．したがって，次式が成立する．

$$R_1 = 4R_2 \qquad ①$$

次に，図2の回路から，抵抗 R_1 の端子電圧 V_{12} は,

$$V_{12} = 100 - 15 = 85\,〔\mathrm{V}〕$$

となるから，抵抗 R_1 は，抵抗 R_2 と 150〔Ω〕の並列合成抵抗 $r_2 = \dfrac{150R_2}{R_2+150}$ の $\dfrac{100-15}{15} = \dfrac{85}{15} = \dfrac{17}{3}$〔倍〕の値であることがわかる．したがって，次式が成立する．

$$R_1 = \frac{17}{3}r_2 = \frac{17}{3}\cdot\frac{150R_2}{R_2+150} \qquad ②$$

ここに，①式＝②式であるから,

$$4R_2 = \frac{17}{3}\cdot\frac{150R_2}{R_2+150}$$

$$\frac{17}{3}\cdot\frac{150}{R_2+150} = 4$$

$$12(R_2+150) = 17\times150 = 2\,550$$

$$R_2+150 = \frac{2\,550}{12} = 212.5$$

$$\therefore\quad R_2 = 212.5 - 150 = 62.5\,〔\Omega〕$$

また，①式より,

$$R_1 = 4R_2 = 4\times62.5 = 250\,〔\Omega〕$$

となる．

以上から，求める図3の回路に流れる電流 I は,

$$I = \frac{100}{R_1} = \frac{100}{250} = 0.4\,〔\mathrm{A}〕$$

となる．

問20 Check! □□□ (平成24年 Ⓐ問題6)

図のように，抵抗を直並列に接続した回路がある．この回路において，I_1 = 100〔mA〕のとき，I_4〔mA〕の値として，最も近いものを次の(1)〜(5)のうちから一つ選べ．

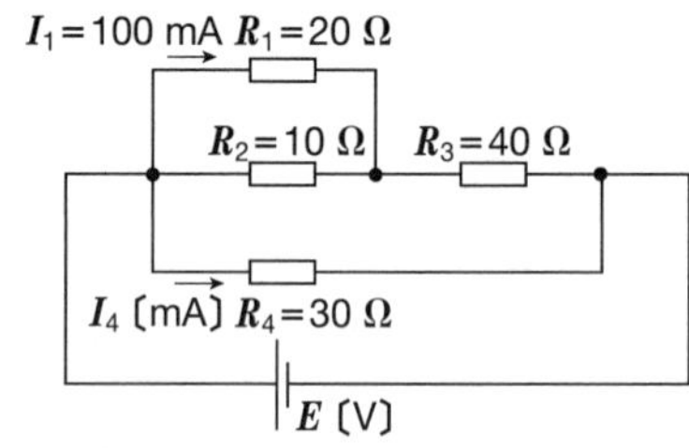

(1) 266　(2) 400　(3) 433　(4) 467　(5) 533

解20 解答 (4)

図のように，問題の回路の各部の電圧および電流を決めると，それぞれの電圧・電流は次のようになる．

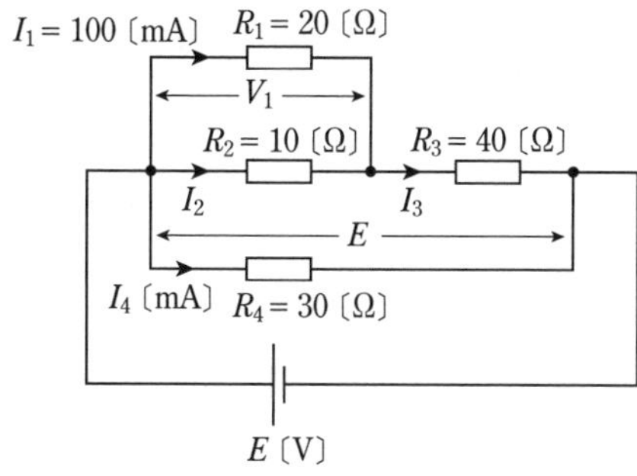

抵抗 R_1 の両端の電圧 V_1

$$V_1 = R_1 I_1 = 20 \times 0.1 = 2 \text{〔V〕}$$

抵抗 R_2 に流れる電流 I_2

$$I_2 = \frac{V_1}{R_2} = \frac{2}{10} = 0.2 \text{〔A〕}$$

抵抗 R_3 に流れる電流 I_3

$$I_3 = I_1 + I_2 = 0.1 + 0.2 = 0.3 \text{〔A〕}$$

電源電圧 E

$$E = V_1 + R_3 I_3 = 2 + 40 \times 0.3 = 14 \text{〔V〕}$$

以上から，求める電流 I_4 は，次式のようになる．

$$I_4 = \frac{E}{R_4} = \frac{14}{30} \fallingdotseq 0.467 \text{〔A〕} \Rightarrow 467 \text{〔mA〕}$$

問21 Check! □□□

(平成30年 Ⓐ問題5)

次の文章は，抵抗器の許容電力に関する記述である.

許容電力 $\frac{1}{4}$ W，抵抗値 100 Ω の抵抗器 A，及び許容電力 $\frac{1}{8}$ W，抵抗値 200 Ω の抵抗器 B がある．抵抗器 A と抵抗器 B とを直列に接続したとき，この直列抵抗に流すことのできる許容電流の値は ［(ア)］ mA である．また，直列抵抗全体に加えることのできる電圧の最大値は，抵抗器 A と抵抗器 B とを並列に接続したときに加えることのできる電圧の最大値の ［(イ)］ 倍である.

上記の記述中の空白箇所(ア)及び(イ)に当てはまる数値の組合せとして，最も近いものを次の(1)〜(5)のうちから一つ選べ.

	(ア)	(イ)
(1)	25.0	1.5
(2)	25.0	2.0
(3)	37.5	1.5
(4)	50.0	0.5
(5)	50.0	2.0

解21 解答（1）

許容電力 P_{max} [W]，抵抗値 R [Ω] に流しうる許容電流 I_{max} および加えうる電圧 V_{max} は，それぞれ次式で与えられる．

$$RI_{max}{}^2 = P_{max}$$

$$\therefore \quad I_{max} = \sqrt{\frac{P_{max}}{R}} \qquad (1)$$

$$\frac{V_{max}{}^2}{R} = P_{max}$$

$$\therefore \quad V_{max} = \sqrt{RP_{max}} \qquad (2)$$

さて，抵抗器Aは 1/4 W，100 Ω，抵抗器Bは 1/8 W，200 Ωで，抵抗器Aと抵抗器Bを直列接続したとき同じ電流が流れるから，(1)式より，許容電力 P_{max} がより小さく，また抵抗値 R がより大きい抵抗器Bの許容電力によって許容電流 I_{max} は制限されることになる．

したがって，求める許容電流 I_{max} は(1)式より，

$$I_{max} = \sqrt{\frac{P_{max}}{R}} = \sqrt{\frac{1}{8} \times \frac{1}{200}} = \frac{1}{40} = 0.025\ \text{A} = 25\ \text{mA}$$

また，このとき抵抗器Aと抵抗器Bの直列抵抗全体に加えることのできる電圧 V_{1max} は，

$$V_{1max} = (100 + 200) \times 0.025 = 7.5\ \text{V}$$

次に，抵抗器Aと抵抗器Bを並列接続したとき同じ電圧が加わるから，(2)式より，抵抗値 R と許容電力 P_{max} の積 RP_{max} で決まるが，

抵抗器A：$RP_{max} = 100 \times \dfrac{1}{4} = 25$

抵抗器B：$RP_{max} = 200 \times \dfrac{1}{8} = 25$

と両者は同じ値となるので，加えることのできる電圧 V_{2max} は(2)式より，

$$V_{2max} = \sqrt{RP_{max}} = \sqrt{25} = 5\ \text{V}$$

したがって，

$$\frac{V_{1max}}{V_{2max}} = \frac{7.5}{5} = 1.5\ \text{倍}$$

問22 Check! □□□

（令和 6 年上 A問題 5）

図の直流回路において，抵抗 $R = 10\ \Omega$ で消費される電力の値[W] として，最も近いものを次の(1)～(5)のうちから一つ選べ．

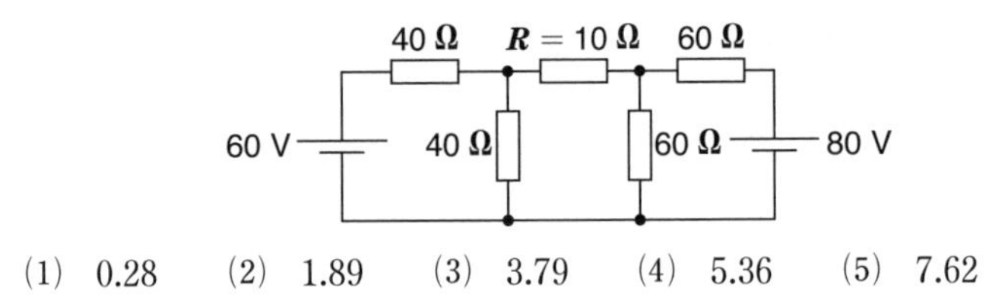

(1) 0.28　(2) 1.89　(3) 3.79　(4) 5.36　(5) 7.62

解22 解答 (1)

図のように問題の回路を PQ で切り離し，60 V 電源側の回路および 80 V 電源側の回路の等価回路を作成し，等価回路を変形していく．

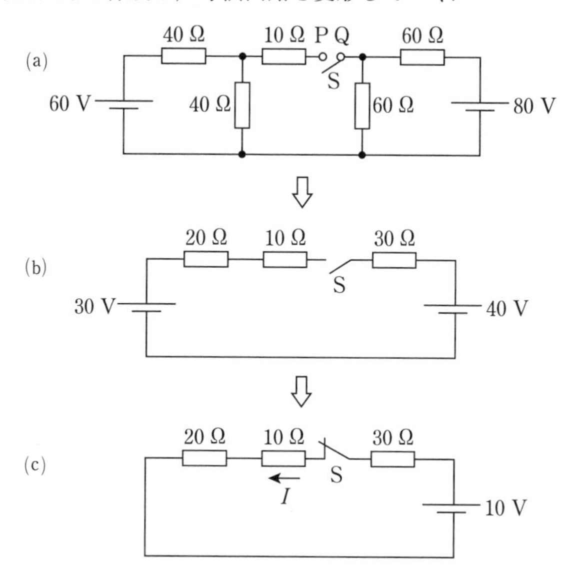

上図(c)の回路において，抵抗 10 Ω を流れる電流 I は，

$$I=\frac{10}{30+10+20}=\frac{1}{6}\ \mathrm{A}$$

したがって，抵抗 10 Ω の消費電力 P は，

$$P=10\times\left(\frac{1}{6}\right)^2 \fallingdotseq 0.277\,8 \fallingdotseq \mathbf{0.28}\ \mathrm{W}$$

問23 Check! □□□

(令和５年㊤ Ⓐ問題５)

図の直流回路において，抵抗 R = 10 Ω で消費される電力の値[W] として，最も近いものを次の(1)～(5)のうちから一つ選べ.

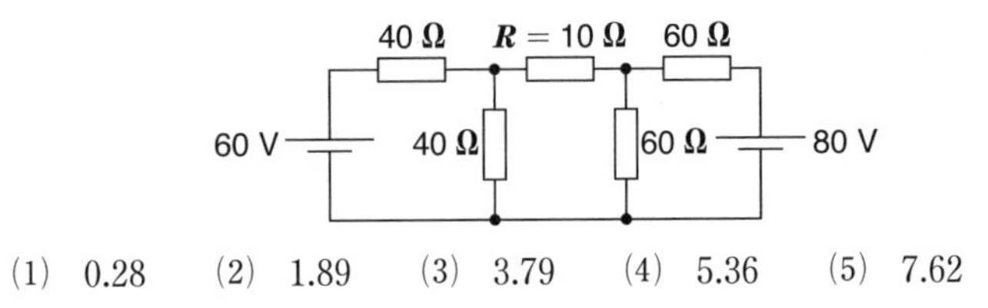

(1) 0.28　(2) 1.89　(3) 3.79　(4) 5.36　(5) 7.62

解23 解答 (1)

図のように，抵抗 $R = 10\ \Omega$ を問題の回路図の点 P および点 Q で切り離したとする．

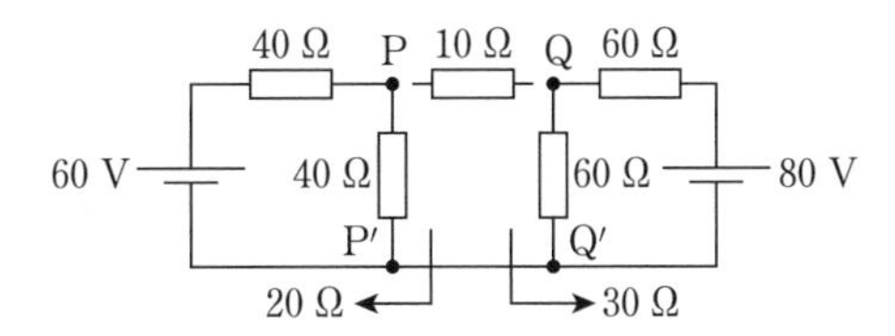

このとき，点 P および点 Q の電位 V_P および V_Q はそれぞれ，

$$V_P = 40 \times \frac{60}{40+40} = 30\ \text{V}$$

$$V_Q = 60 \times \frac{80}{60+60} = 40\ \text{V}$$

よって，PQ 間の電位差 V_{QP} は，

$$V_{QP} = V_Q - V_P = 40 - 30 = 10\ \text{V}$$

一方，P-P′ から 60 V 側を見た全抵抗 R_P は，60 V を短絡して考えれば，

$$R_P = \frac{40 \times 40}{40+40} = 20\ \Omega$$

同様に，Q-Q′ から 80 V 側を見た全抵抗 R_Q は，80 V を短絡して考えれば，

$$R_Q = \frac{60 \times 60}{60+60} = 30\ \Omega$$

となるから，PQ 間の全抵抗 R_{PQ} は，

$$R_{PQ} = R_P + R_Q = 20 + 30 = 50\ \Omega$$

したがって，テブナンの定理によれば，抵抗 $R = 10\ \Omega$ の消費電力 P_R は，

$$P_R = R\left(\frac{V_{QP}}{R_{PQ}+R}\right)^2 = 10 \times \left(\frac{10}{50+10}\right)^2 \fallingdotseq 0.277\,8 \fallingdotseq \mathbf{0.28\ W}$$

問24 Check! □□□

（平成 25 年 Ⓐ 問題 6）

図の直流回路において，抵抗 $R=10$〔Ω〕で消費される電力〔W〕の値として，最も近いものを次の(1)～(5)のうちから一つ選べ．

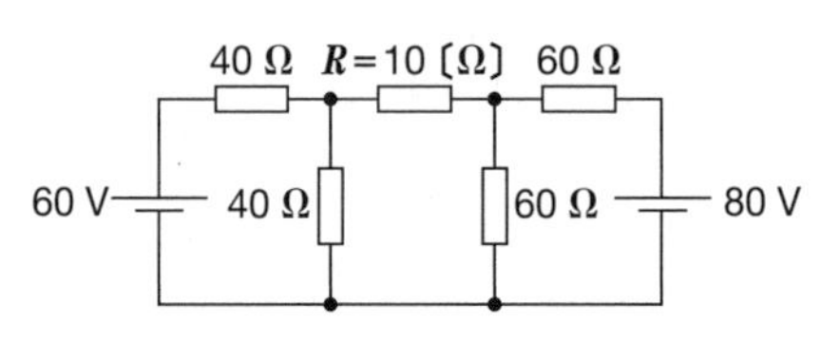

(1) 0.28　(2) 1.89　(3) 3.79　(4) 5.36　(5) 7.62

問25 Check! □□□

（平成 28 年 Ⓐ 問題 5）

図のように，内部抵抗 $r=0.1$ Ω，起電力 $E=9$ V の電池 4 個を並列に接続した電源に抵抗 $R=0.5$ Ω の負荷を接続した回路がある．この回路において，抵抗 $R=0.5$ Ω で消費される電力の値 [W] として，最も近いものを次の(1)～(5)のうちから一つ選べ．

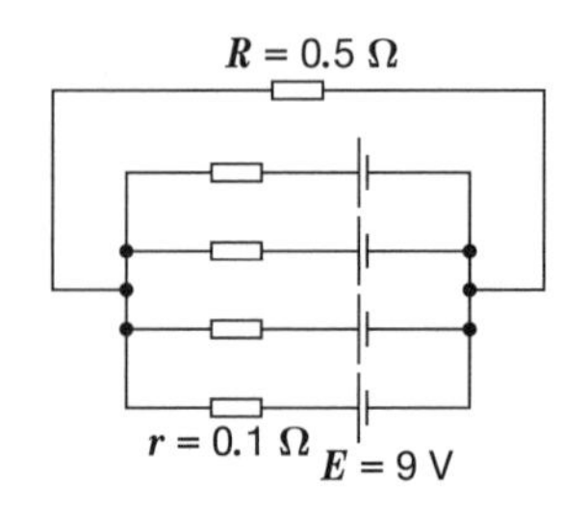

(1) 50　(2) 147　(3) 253　(4) 820　(5) 4 050

解24 解答（1）

$R=10$〔Ω〕の抵抗に流れる電流 I〔A〕がわかれば，その消費電力は $P=RI^2$〔W〕となる．電流 I〔A〕を鳳・テブナンの定理を用いて求めると次のようになる．

第１図のように回路から R を取り除くと，端子 a，b の電圧 V_a，V_b は，

$$V_a=80\times\frac{60}{60+60}=40〔V〕$$

$$V_b=60\times\frac{40}{40+40}=30〔V〕$$

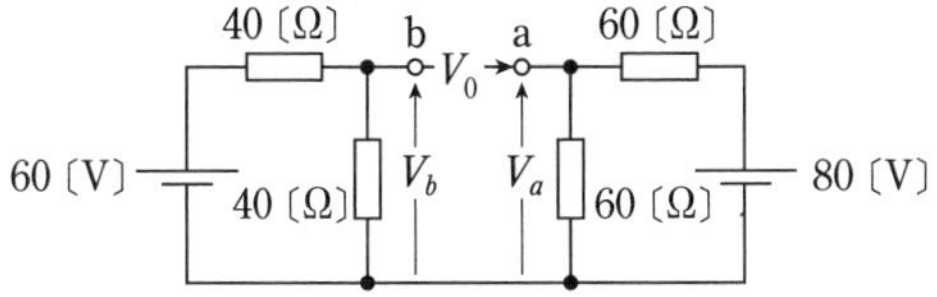

第１図

したがって，ab 端子間の電圧は，

$$V_0=40-30=10〔V〕$$

また，第１図の回路の電源を取り除いて短絡すると**第２図**のようになり，ab 端子から見た内部抵抗は，

$$R_i=\frac{40\times40}{40+40}+\frac{60\times60}{60+60}=20+30=50〔Ω〕$$

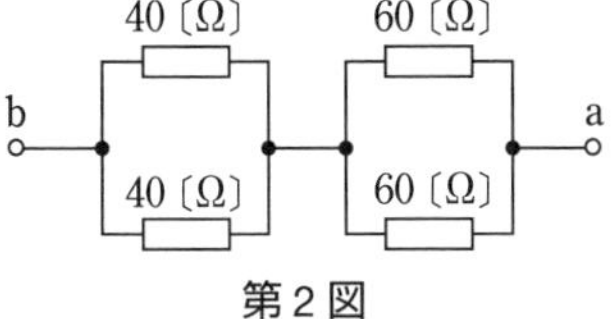

第２図

以上より，全体の等価回路は**第３図**のようになるので，$R=10$〔Ω〕の抵抗に流れる電流 I〔A〕は，

$$I=\frac{V_0}{R_i+R}=\frac{10}{50+10}=\frac{1}{6}〔A〕$$

消費電力は，

$$P=RI^2=10\times\left(\frac{1}{6}\right)^2=0.28〔W〕$$

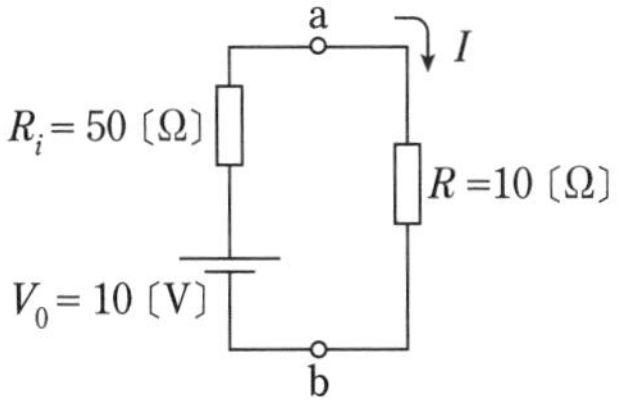

第３図

解25 解答（2）

問題の回路において，内部抵抗 $r=0.1$ Ω，起電力 $E=9$ V の電池 4 個を接続した回路は，起電力は等しく 9 V，等価内部抵抗

$$r_0=0.1/4=0.025\ \Omega$$

の等価電池に置き換えることができるから，図のような等価回路が得られる．

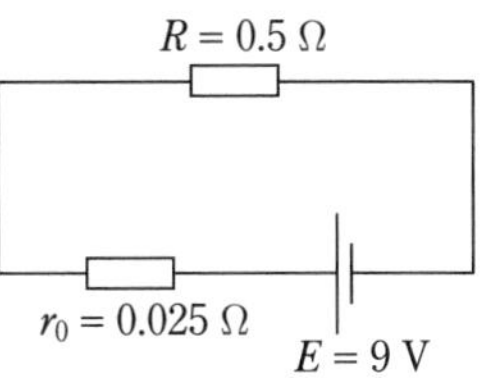

したがって，抵抗 $R=0.5$ Ω で消費される電力 P は，

$$P=\frac{1}{0.5}\left(\frac{0.5}{0.025+0.5}\times9\right)^2\fallingdotseq146.939\fallingdotseq147\ \mathrm{W}$$

問26 Check! □□□

(平成 29 年 Ⓐ 問題 7)

次の文章は，直流回路に関する記述である．

図の回路において，電流の値 I [A] は 4 A よりも (ア) ．このとき，抵抗 R_1 の中で動く電子の流れる向きは図の (イ) であり，電界の向きを併せて考えると，電気エネルギーが失われることになる．また，0.25 s の間に電源が供給する電力量に対し，同じ時間に抵抗 R_1 が消費する電力量の比は (ウ) である．抵抗は，消費した電力量だけの熱を発生することで温度が上昇するが，一方で，周囲との温度差に (エ) する熱を放出する．

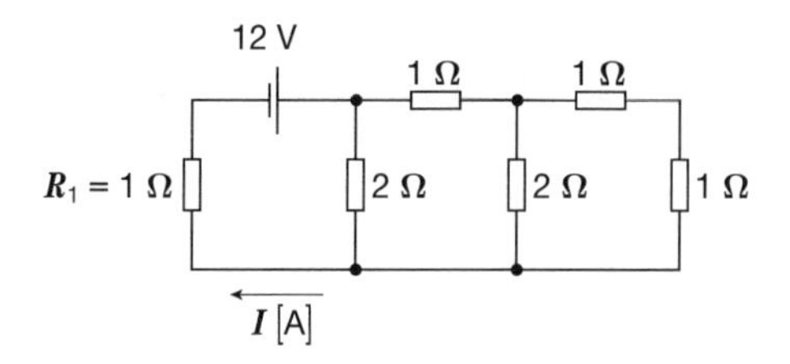

上記の記述中の空白箇所(ア)，(イ)，(ウ)及び(エ)に当てはまる組合せとして，正しいものを次の(1)〜(5)のうちから一つ選べ．

	(ア)	(イ)	(ウ)	(エ)
(1)	大きい	上から下	0.5	ほぼ比例
(2)	小さい	上から下	0.25	ほぼ反比例
(3)	大きい	上から下	0.25	ほぼ比例
(4)	小さい	下から上	0.25	ほぼ反比例
(5)	大きい	下から上	0.5	ほぼ反比例

解26 解答 (1)

問題のはしご形抵抗回路の最も右端の抵抗 1 Ω から電源側へ向かって各部分の合成抵抗を計算すると，下図のようになり，12 V の直流電源の右側の抵抗回路の合成抵抗は 1 Ω となる．

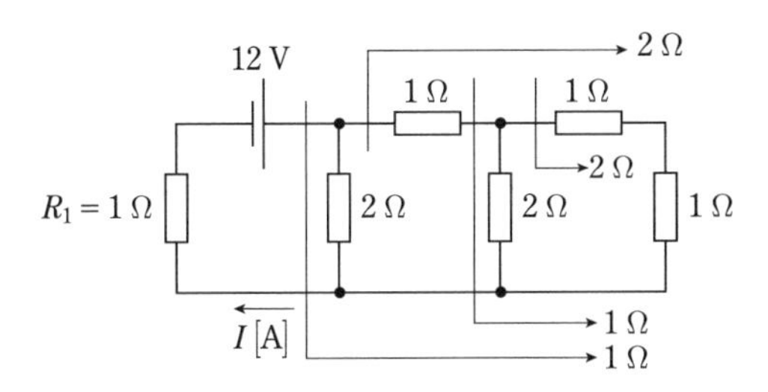

したがって，回路電流 I の値は，

$$I = \frac{12}{1+1} = 6 \text{ A}$$

となる．したがって，問題の回路において，電流の値 I [A] は 4 A よりも大きい．このとき，抵抗 R_1 の中で動く電子の流れる向きは電流 I と逆方向の上から下となる．

また，回路の消費電力 W および抵抗 R_1 の消費電力 W_1 はそれぞれ，

$$W = 12 \times 6 = 72 \text{ W}$$

$$W_1 = 1 \times 6^2 = 36 \text{ W}$$

であるから，0.25 s の間に電源が供給する電力量に対する抵抗 R_1 が消費する電力量の比は電力に比例するので 0.5 となり，抵抗は消費した電力量だけの熱を発生することで温度が上昇するが，一方で，周囲との温度差にほぼ比例する熱を放出する（熱オームの法則）．

問27 Check! □□□

(令和5年㊦ Ⓐ問題5)

図に示す直流回路は，100 V の直流電圧源に直流電流計を介して 10 Ω の抵抗が接続され，50 Ω の抵抗と抵抗 R [Ω] が接続されている．電流計は 5 A を示している．抵抗 R [Ω] で消費される電力の値 [W] として，最も近いものを次の(1)～(5)のうちから一つ選べ．なお，電流計の内部抵抗は無視できるものとする．

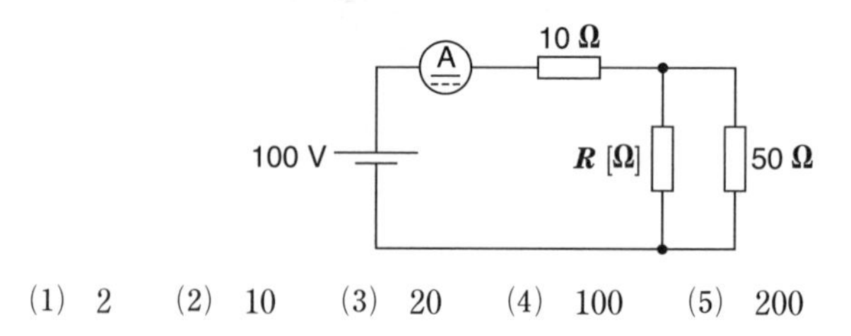

(1) 2　(2) 10　(3) 20　(4) 100　(5) 200

問28 Check! □□□

(令和元年 Ⓐ問題6)

図に示す直流回路は，100 V の直流電圧源に直流電流計を介して 10 Ω の抵抗が接続され，50 Ω の抵抗と抵抗 R [Ω] が接続されている．電流計は 5 A を示している．抵抗 R [Ω] で消費される電力の値 [W] として，最も近いものを次の(1)～(5)のうちから一つ選べ．なお，電流計の内部抵抗は無視できるものとする．

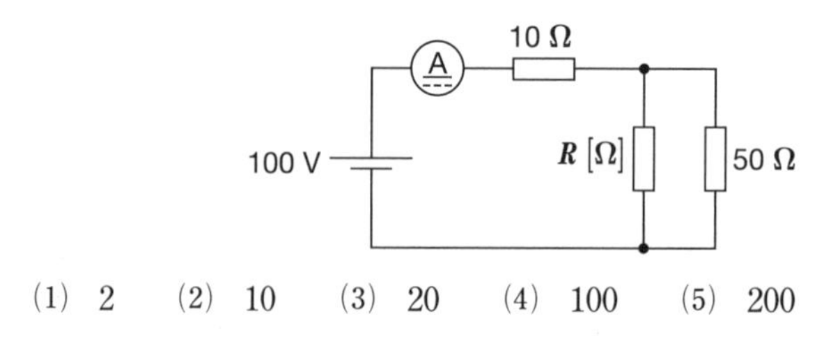

(1) 2　(2) 10　(3) 20　(4) 100　(5) 200

解27 解答 (5)

50 Ω の抵抗にかかる電圧 V は，

$$V = 100 - 10 \times 5 = 50\ \text{V}$$

抵抗 R で消費される電力 P_R は，電源より回路に供給される電力から抵抗 10 Ω および抵抗 50 Ω で消費される電力を差し引けば求められるから，

$$P_R = 100 \times 5 - 10 \times 5^2 - \frac{50^2}{50} = 200\ \text{W}$$

解28 解答 (5)

50 Ω の抵抗にかかる電圧 V は，

$$V = 100 - 10 \times 5 = 50\ \text{V}$$

一方，抵抗 R に流れる電流 I_R は，

$$I_R = I - \frac{V}{50} = 5 - \frac{50}{50} = 4\ \text{A}$$

したがって，抵抗 R で消費される電力 P は，

$$P = VI_R = 50 \times 4 = 200\ \text{W}$$

問29 Check! □□□

(平成 26 年 Ⓐ 問題 7)

図に示す直流回路において，抵抗 $R_1 = 5\ \Omega$ で消費される電力は抵抗 $R_3 = 15\ \Omega$ で消費される電力の何倍となるか．その倍率として，最も近い値を次の(1)～(5)のうちから一つ選べ．

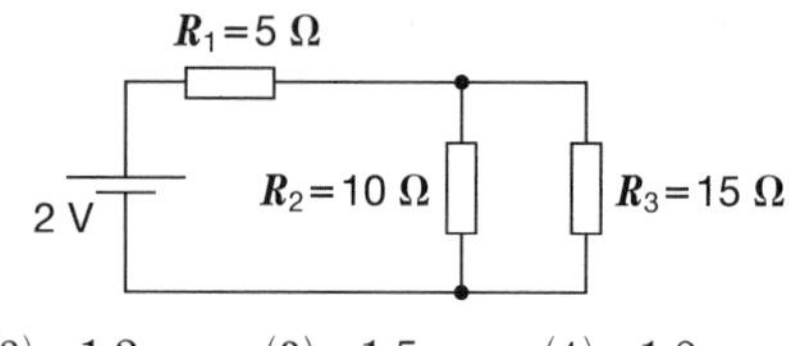

(1) 0.9　(2) 1.2　(3) 1.5　(4) 1.8　(5) 2.1

問30 Check! □□□

(平成 22 年 Ⓐ 問題 5)

図の直流回路において，12〔Ω〕の抵抗の消費電力が 27〔W〕である．このとき，抵抗 R〔Ω〕の値として，正しいのは次のうちどれか．

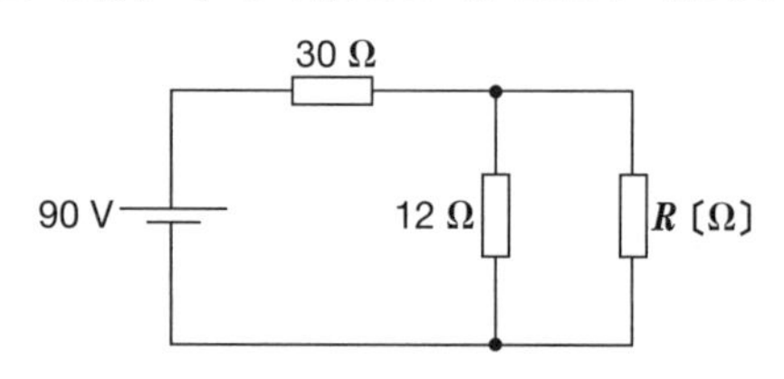

(1) 4.5　(2) 7.5　(3) 8.6　(4) 12　(5) 20

解29 解答 (5)

抵抗 $R_1 = 5$〔Ω〕に流れる電流を I_1〔A〕とすると, $R_3 = 15$〔Ω〕に流れる電流 I_3 は,

$$I_3 = \frac{R_2}{R_2 + R_3} I_1 = \frac{10}{10+15} I_1 = 0.4 I_1 \text{〔A〕}$$

ここに，抵抗 R_1 で消費される電力 P_1 および抵抗 R_3 で消費される電力 P_3 はそれぞれ,

$$P_1 = R_1 I_1^2 \text{〔W〕}$$

$$P_3 = R_3 I_3^2 \text{〔W〕}$$

で表せるから，抵抗 R_1 で消費される電力 P_1 の抵抗 R_3 で消費される電力 P_3 に対する倍数 n は，次式のように求められる．

$$n = \frac{P_1}{P_3} = \frac{R_1 I_1{}^2}{R_3 I_3{}^2} = \frac{R_1}{R_3} \cdot \left(\frac{I_1}{I_3}\right)^2 = \frac{5}{15} \times \left(\frac{1}{0.4}\right)^2 = \frac{2.5^2}{3} = 2.083$$

解30 解答 (5)

図のように，回路の各部の電圧と電流を決める．

題意より，12〔Ω〕の抵抗の消費電力が 27〔W〕であったことから，12〔Ω〕の抵抗を流れる電流 I_2 について，次式が成立する．

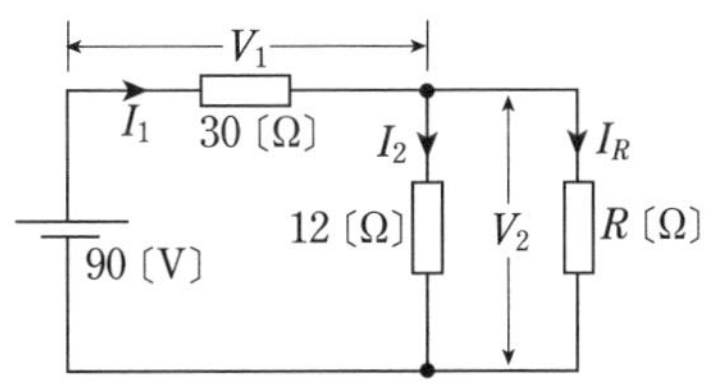

$$12 \times I_2{}^2 = 27 \text{〔W〕}$$

$$\therefore \quad I_2 = \sqrt{\frac{27}{12}} = \sqrt{\frac{9}{4}} = \frac{3}{2} = 1.5 \text{〔A〕}$$

したがって, 12〔Ω〕の抵抗の両端電圧 V_2 は,

$$V_2 = 12 I_2 = 12 \times 1.5 = 18 \text{〔V〕}$$

となり，30〔Ω〕の抵抗の端子電圧 V_1 は,

$$V_1 = 90 - V_2 = 90 - 18 = 72 \text{〔V〕}$$

また，30〔Ω〕の抵抗を流れる電流 I_1 は,

$$I_1 = \frac{V_1}{30} = \frac{72}{30} = 2.4 \text{〔A〕}$$

となるから，抵抗 R を流れる電流 I_R は，次のようになる．

$$I_R = I_1 - I_2 = 2.4 - 1.5 = 0.9 \text{〔A〕}$$

したがって，求める抵抗 R の値は，次式となる．

$$R = \frac{V_2}{I_R} = \frac{18}{0.9} = 20 \text{〔Ω〕}$$

問31 Check! □□□

(平成 23 年 Ⓐ 問題 6)

図の直流回路において，200〔V〕の直流電源から流れ出る電流が 25〔A〕である．16〔Ω〕と r〔Ω〕の抵抗の接続点 a の電位を V_a〔V〕，8〔Ω〕と R〔Ω〕の抵抗の接続点 b の電位を V_b〔V〕とする．$V_a = V_b$ となる r〔Ω〕と R〔Ω〕の値の組合せとして，正しいものを次の(1)～(5)のうちから一つ選べ．

	r	R
(1)	2.9	5.8
(2)	4.0	8.0
(3)	5.8	2.9
(4)	8.0	4.0
(5)	8.0	16

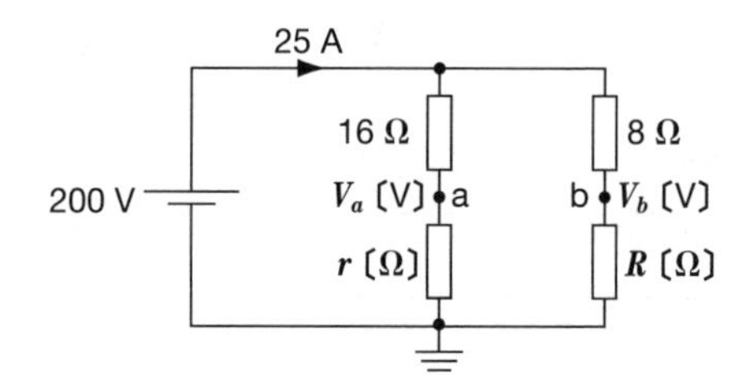

解31 解答 (4)

右図のように，接続点 a および b を流れる電流をそれぞれ，I_a および I_b とすると，この回路において次式が成立する．

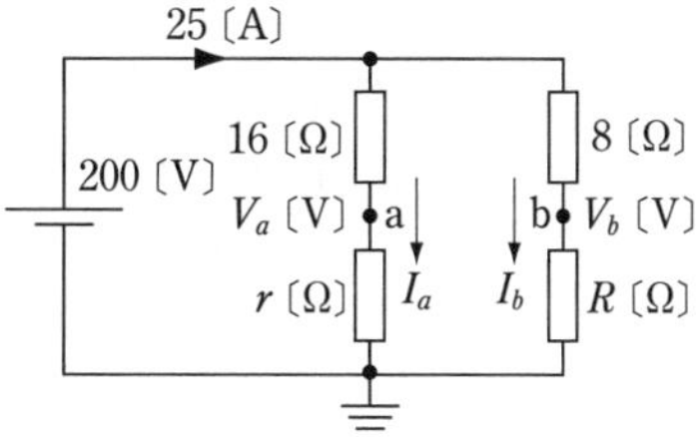

$$(16 + r)I_a = (8 + R)I_b \quad ①$$

また，題意より，$V_a = V_b$ であるから，

$$V_a = rI_a = V_b = RI_b$$

$$\therefore \quad rI_a = RI_b \quad ②$$

ここで，①式を②式で辺々除すると，抵抗 r と R の関係は，次のようになる．

$$\frac{(16 + r)I_a}{rI_a} = \frac{(8 + R)I_b}{RI_b}$$

$$\frac{16 + r}{r} = \frac{8 + R}{R}$$

$$\frac{16}{r} + 1 = \frac{8}{R} + 1$$

$$\frac{16}{r} = \frac{8}{R}$$

$$\therefore \quad r = 2R \quad ③$$

したがって，電流 I_a および I_b はそれぞれ，

$$I_a = \frac{200}{16 + r} = \frac{200}{16 + 2R} = \frac{100}{8 + R}\text{〔A〕}$$

$$I_b = \frac{200}{8 + R}\text{〔A〕}$$

で表され，$I_b = 2I_a$ であるから，題意より，

$$I_a + I_b = I_a + 2I_a = 3I_a = 25$$

$$\therefore \quad I_a = \frac{25}{3}\text{〔A〕}$$

よって，求める抵抗 r および R は，

$$I_a = \frac{100}{8 + R} = \frac{25}{3} = \frac{100}{12}$$

$$\therefore \quad R = 4\text{〔Ω〕}$$

$$r = 2R = 2 \times 4 = 8\text{〔Ω〕}$$

Check! □□□

（令和元年 Ⓐ問題 5）

図のように，七つの抵抗及び電圧 E = 100 V の直流電源からなる回路がある．この回路において，A–D 間，B–C 間の各電位差を測定した．このとき，A–D 間の電位差の大きさ [V] 及び B–C 間の電位差の大きさ [V] の組合せとして，正しいものを次の⑴～⑸のうちから一つ選べ．

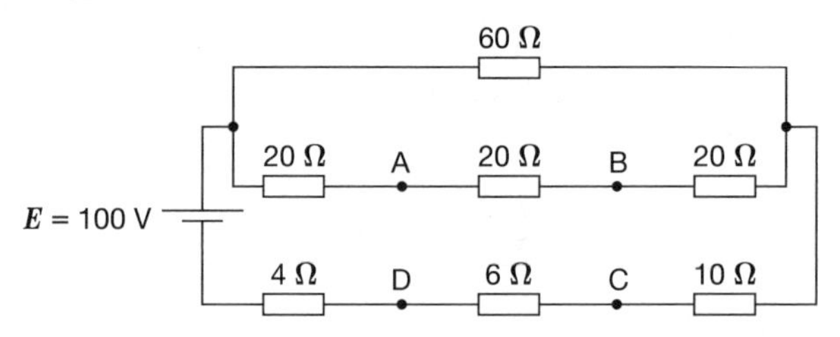

	A–D 間の電位差の大きさ	B–C 間の電位差の大きさ
⑴	28	60
⑵	40	72
⑶	60	28
⑷	68	80
⑸	72	40

解32 解答 (5)

直流電源 $E = 100$ V のマイナス端子の電位を 0 V とする.

電源から見た全抵抗 R は,

$$R = \frac{60 \times 20 \times 3}{60 + 20 \times 3} + 10 + 6 + 4 = 50\ \Omega$$

であるから，電源から出ていく電流 I は,

$$I = \frac{E}{R} = \frac{100}{50} = 2\ \text{A}$$

となり，A 点および B 点を流れる電流 I_{AB} は,

$$I_{\text{AB}} = \frac{60}{60 + 20 \times 3} I = \frac{60}{120} \times 2 = 1\ \text{A}$$

よって，A，B，C および D 各点の電位 V_{A}，V_{B}，V_{C} および V_{D} はそれぞれ,

$$V_{\text{A}} = 100 - 20 I_{\text{AB}} = 100 - 20 \times 1 = 80\ \text{V}$$

$$V_{\text{B}} = V_{\text{A}} - 20 I_{\text{AB}} = 80 - 20 \times 1 = 60\ \text{V}$$

$$V_{\text{C}} = (4 + 6) I = 10 \times 2 = 20\ \text{V}$$

$$V_{\text{D}} = 4I = 4 \times 2 = 8\ \text{V}$$

以上から，A–D 間の電位差 V_{AD} および B–C 間の電位差 V_{BC} はそれぞれ,

$$V_{\text{AD}} = V_{\text{A}} - V_{\text{D}} = 80 - 8 = 72\ \text{V}$$

$$V_{\text{BC}} = V_{\text{B}} - V_{\text{C}} = 60 - 20 = 40\ \text{V}$$

問33 Check! □□□

（平成 17 年 Ⓑ 問題 15）

図の直流回路において，次の(a)及び(b)に答えよ．

ただし，電源電圧 E〔V〕の値は一定で変化しないものとする．

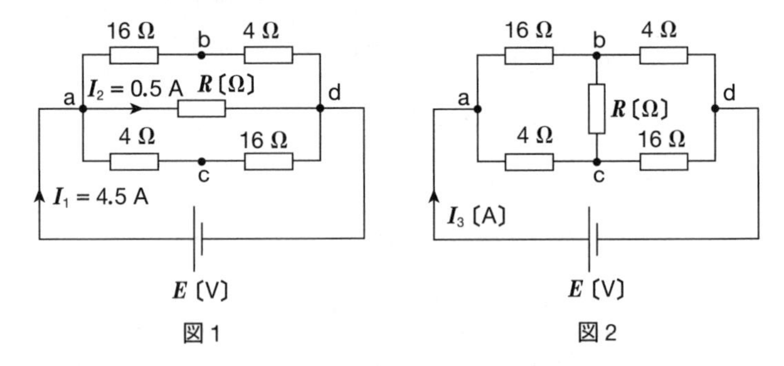

図 1　　　　図 2

(a) 図 1 のように抵抗 R〔Ω〕を端子 a，d 間に接続したとき，$I_1 = 4.5$〔A〕，$I_2 = 0.5$〔A〕の電流が流れた．抵抗 R〔Ω〕の値として，正しいのは次のうちどれか．

(1) 20　(2) 40　(3) 80　(4) 160　(5) 180

(b) 図 1 の抵抗 R〔Ω〕を図 2 のように端子 b，c 間に接続し直したとき，回路に流れる電流 I_3〔A〕の値として，最も近いのは次のうちどれか．

(1) 4.0　(2) 4.2　(3) 4.5　(4) 4.8　(5) 5.5

解33 解答 (a)－(3)，(b)－(2)

(a)　abd 間および acd 間の合成抵抗 R_{abd} および R_{acd} はそれぞれ，

$$R_{abd}=16+4=20\,[\Omega]$$

$$R_{acd}=4+16=20\,[\Omega]$$

であるから，これらを用いて図１の回路を描きかえると**第１図**のようになる．

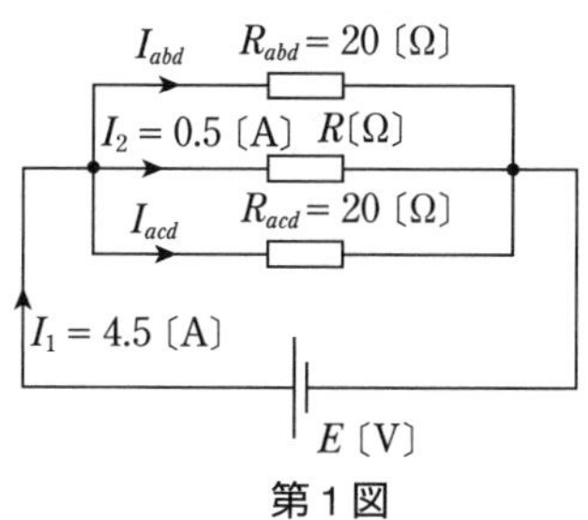

第１図

いま，第１図の回路において R_{abd} および R_{acd} に流れる電流を I_{abd} および I_{acd} とすると，$R_{abd}=R_{acd}$ より，

$$I_{abd}=I_{acd}=\frac{1}{2}(I_1-I_2)=\frac{1}{2}\times(4.5-0.5)=2\,[\mathrm{A}]$$

となる．したがって，電源電圧 E は，

$$E=R_{abd}I_{abd}=20\times2=40\,[\mathrm{V}]$$

求める抵抗 R の値は次式となる．

$$R=\frac{E}{I_2}=\frac{40}{0.5}=80\,[\Omega]$$

(b)　図２の回路はブリッジ回路であるが，平衡していないので，図２の回路を**第２図**のように描きかえると，R_b，R_c および R_d はそれぞれ次式で表される．

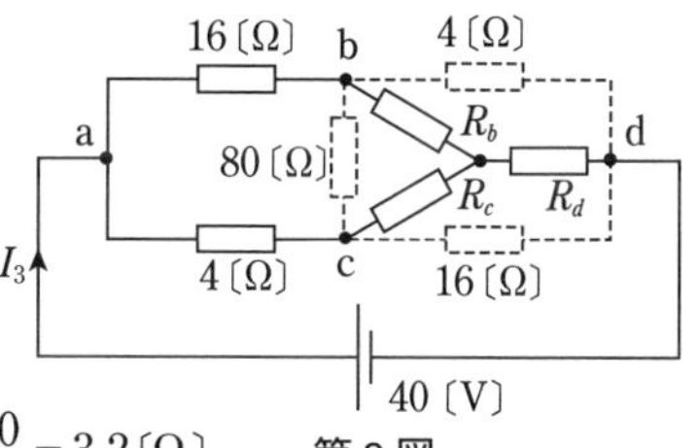

第２図

$$R_b=\frac{R_{bc}R_{db}}{R_{bc}+R_{cd}+R_{db}}=\frac{80\times4}{80+16+4}=\frac{320}{100}=3.2\,[\Omega]$$

$$R_c=\frac{R_{bc}R_{cd}}{R_{bc}+R_{cd}+R_{db}}=\frac{80\times16}{80+16+4}=\frac{1280}{100}=12.8\,[\Omega]$$

$$R_d=\frac{R_{cd}R_{db}}{R_{bc}+R_{cd}+R_{db}}=\frac{16\times4}{80+16+4}=\frac{64}{100}=0.64\,[\Omega]$$

したがって，第２図の回路は**第３図**のようになり，求める回路電流 I_3 は次式となる．

$$I_3=\frac{40}{\dfrac{(16+3.2)\times(4+12.8)}{16+3.2+4+12.8}+0.64}=\frac{40}{8.96+0.64}\fallingdotseq4.17\,[\mathrm{A}]$$

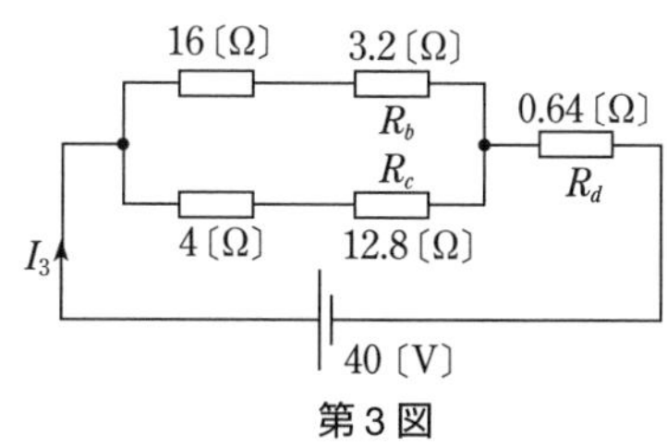

第３図

問34 Check! □□□

(平成29年 Ⓐ問題5)

図のように直流電源と4個の抵抗からなる回路がある．この回路において20 Ωの抵抗に流れる電流 I の値 [A] として，最も近いものを次の(1)～(5)のうちから一つ選べ．

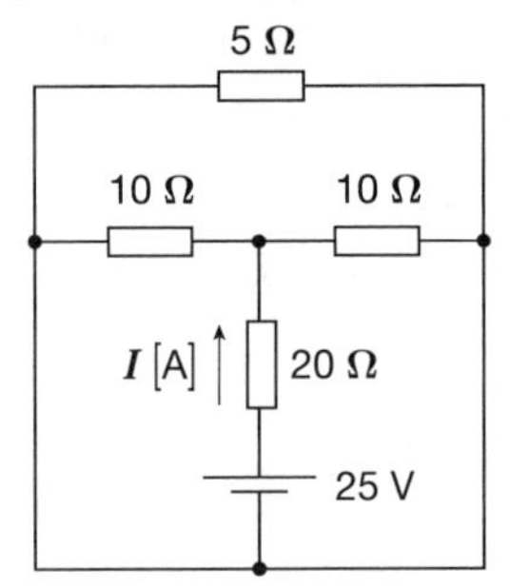

(1) 0.5　(2) 0.8　(3) 1.0　(4) 1.2　(5) 1.5

解34 解答 (3)

問題の回路の 5 Ω，10 Ω および 10 Ω からなる △ 接続回路を図のように Y 接続回路へ等価変換したときの等価抵抗 R_1, R_2 および R_3 はそれぞれ，次のようになる.

$$R_1 = R_3 = \frac{5\times 10}{5+10+10} = \frac{50}{25} = 2\,\Omega$$

$$R_2 = \frac{10\times 10}{5+10+10} = \frac{100}{25} = 4\,\Omega$$

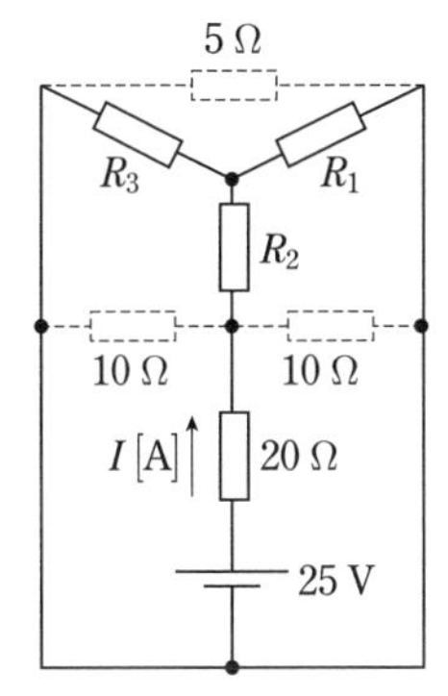

したがって，直流電源 25 V から見た全抵抗 R は，

$$R = 20 + R_2 + \frac{R_1 R_3}{R_1 + R_3} = 20 + 4 + \frac{2\times 2}{2+2} = 25\,\Omega$$

したがって，求める電流 I の値は，

$$I = \frac{25}{R} = \frac{25}{25} = 1\,\mathrm{A}$$

問35　Check! □□□

（平成23年 Ⓐ 問題7）

図のように，可変抵抗 R_1〔Ω〕，R_2〔Ω〕，抵抗 R_x〔Ω〕，電源 E〔V〕からなる直流回路がある．次に示す条件1のときの R_x〔Ω〕に流れる電流 I〔A〕の値と条件2のときの電流 I〔A〕の値は等しくなった．このとき，R_x〔Ω〕の値として，正しいものを次の(1)〜(5)のうちから一つ選べ．

条件1：$R_1 = 90$〔Ω〕，$R_2 = 6$〔Ω〕

条件2：$R_1 = 70$〔Ω〕，$R_2 = 4$〔Ω〕

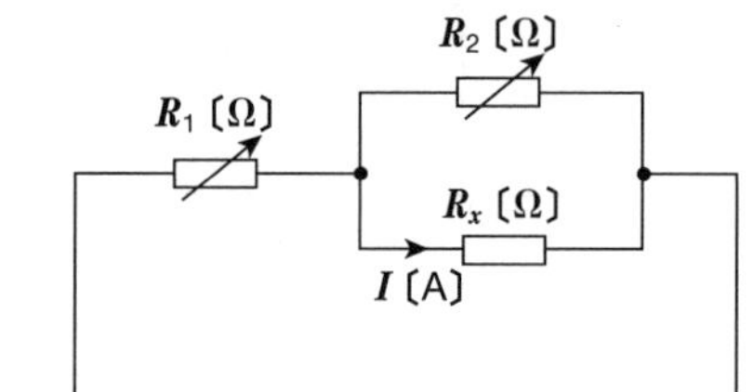

(1)　1　　(2)　2　　(3)　4　　(4)　8　　(5)　12

解35 解答 (4)

図のように，抵抗 R_1 および抵抗 R_2 の端子電圧を V_1 および V_2 とする．

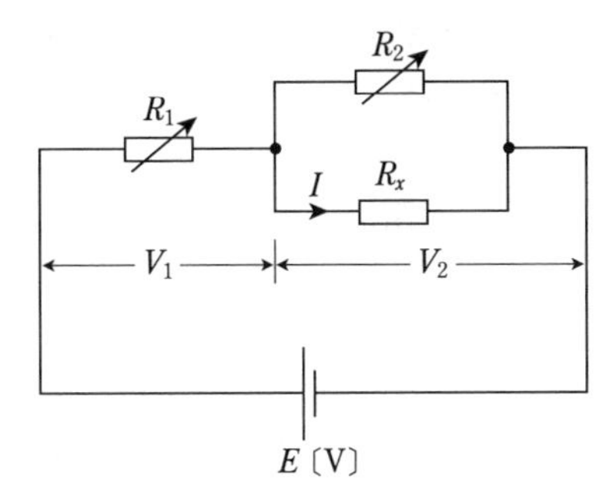

このとき，端子電圧 V_2 は，

$$V_2 = R_x I$$

で表されるが，題意より，抵抗 R_1，R_2 を条件 1 および 2 の値に設定したとき，ともに電流 I の値は等しくなったことから，端子電圧 V_2 は条件 1 および 2 において一定となり，端子電圧 V_1 も一定となることがわかる．

これは，条件 1 および 2 において，抵抗 R_1 と抵抗 R_2 および R_x の並列合成抵抗 $r = \dfrac{R_2 R_x}{R_2 + R_x}$ の比が一定であることを示している．

したがって，条件 1 および 2 において次式が成立する．

$$90 : \frac{6R_x}{6 + R_x} = 70 : \frac{4R_x}{4 + R_x}$$

よって，求める抵抗 R_x の値は，

$$\frac{420R_x}{6 + R_x} = \frac{360R_x}{4 + R_x}$$

$$\frac{7}{6 + R_x} = \frac{6}{4 + R_x}$$

$$28 + 7R_x = 36 + 6R_x$$

$$\therefore \quad R_x = 8 \text{〔}\Omega\text{〕}$$

となる．

問36　Check! □□□　（令和４年㊤　Ⓑ問題 16）

図は，抵抗 R_{ab} [kΩ] のすべり抵抗器，抵抗 R_d [kΩ]，抵抗 R_e [kΩ] と直流電圧 $E_s = 12$ V の電源を用いて，端子 H，G 間に接続した未知の直流電圧 [V] を測るための回路である．次の(a)及び(b)の問に答えよ．

ただし，端子 G を電位の基準（0 V）とする．

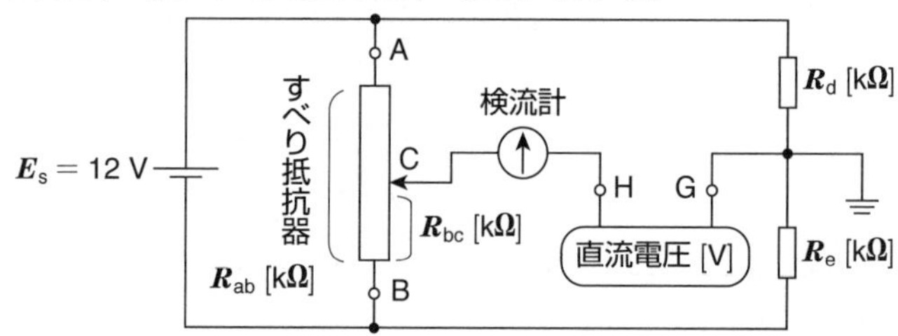

(a)　抵抗 $R_d = 5$ kΩ，抵抗 $R_e = 5$ kΩ として，直流電圧 3 V の電源の正極を端子 H に，負極を端子 G に接続した．すべり抵抗器の接触子 C の位置を調整して検流計の電流を零にしたところ，すべり抵抗器の端子 B と接触子 C 間の抵抗 $R_{bc} = 18$ kΩ となった．すべり抵抗器の抵抗 R_{ab} [kΩ] の値として，最も近いものを次の(1)〜(5)のうちから一つ選べ．

(1)　18　　(2)　24　　(3)　36　　(4)　42　　(5)　50

(b)　次に，直流電圧 3 V の電源を取り外し，未知の直流電圧 E_x [V] の電源を端子 H，G 間に接続した．ただし，端子 G から見た端子 H の電圧を E_x [V] とする．

抵抗 $R_d = 2$ kΩ，抵抗 $R_e = 22$ kΩ としてすべり抵抗器の接触子 C の位置を調整し，すべり抵抗器の端子 B と接触子 C 間の抵抗 $R_{bc} = 12$ kΩ としたときに，検流計の電流が零となった．このときの E_x [V] の値として，最も近いものを次の(1)〜(5)のうちから一つ選べ．

(1)　−5　　(2)　−3　　(3)　0　　(4)　3　　(5)　5

解36 解答 (a)−(2), (b)−(1)

(a) 問題の回路を描き直すと図のようになる．

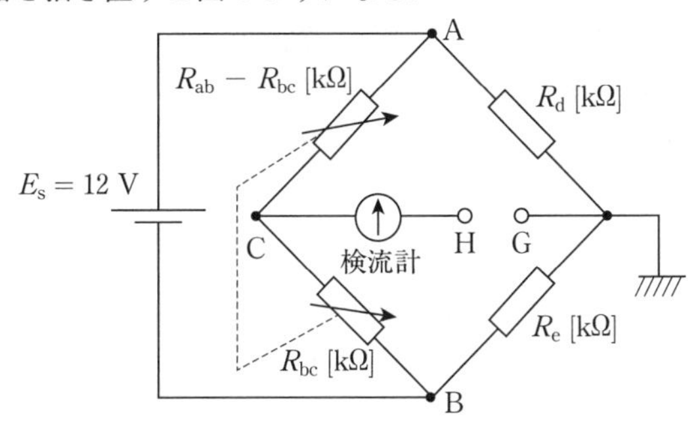

この回路において，3 V の直流電源を端子 H-G 間に接続（H が正）した場合に検流計に電流が流れないためには，接触子 C の電位が 3 V であればよい．

このとき，$R_d = R_e$ であり，C-G 間に電流が流れないことから，端子 A，B の電位はそれぞれ 6 V，−6 V となる．

したがって，

$$\left(\frac{R_{bc}}{R_{ab}} \times 12\right) - 6 = 3$$

R_{bc} は 18 kΩ であるから，上式に代入し，

$$\frac{18}{R_{ab}} \times 12 = 9$$

$$\therefore \quad R_{ab} = \frac{18 \times 12}{9} = 24 \text{ k}\Omega$$

(b) 端子 B の電位は，C-G 間に電流が流れないことから，

$$-\frac{R_e}{R_d + R_e} \times 12 = -\frac{22}{2 + 22} \times 12 = -11 \text{ V}$$

したがって，接触子 C の電位は，

$$\left(\frac{R_{bc}}{R_{ab}} \times 12\right) - 11 = \left(\frac{12}{24} \times 12\right) - 11 = -5 \text{ V}$$

電圧 E_x [V] の直流電源を接続した際に電流が流れない条件は，接触子 C の電位と E_x が等しいことである．よって，

$$E_x = -5 \text{ V}$$

問37　Check! □□□　（平成27年　Ⓑ問題15）

図のように，a－b 間の長さが 15 cm，最大値が 30 Ω のすべり抵抗器 R，電流計，検流計，電池 E_0 [V]，電池 E_x [V] が接続された回路がある．この回路において次のような実験を行った．

実験Ⅰ：図1でスイッチ S を開いたとき，電流計は 200 mA を示した．

実験Ⅱ：図1でスイッチ S を閉じ，すべり抵抗器 R の端子 c を b の方向へ移動させて行き，検流計が零を指したとき移動を停止した．このとき，a－c 間の距離は 4.5 cm であった．

実験Ⅲ：図2に配線を変更したら，電流計の値は 50 mA であった．

次の(a)及び(b)の問に答えよ．

ただし，各計測器の内部抵抗及び接触抵抗は無視できるものとし，また，すべり抵抗器 R の長さ [cm] と抵抗値 [Ω] とは比例するものであるとする．

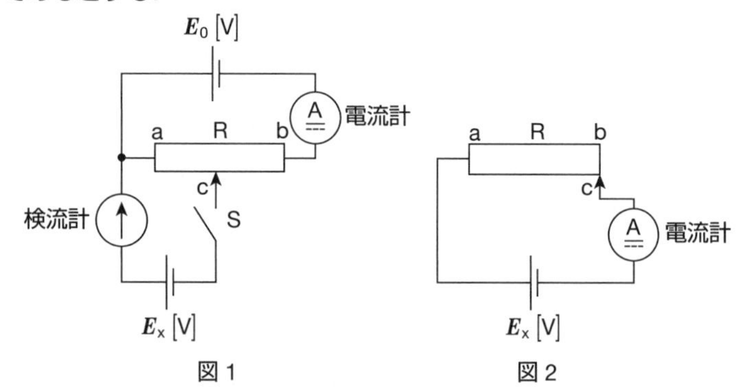

図1　　図2

(a)　電池 E_x の起電力の値 [V] として，最も近いものを次の(1)～(5)のうちから一つ選べ．

(1)　1.0　(2)　1.2　(3)　1.5　(4)　1.8　(5)　2.0

(b)　電池 E_x の内部抵抗の値 [Ω] として，最も近いものを次の(1)～(5)のうちから一つ選べ．

(1)　0.5　(2)　2.0　(3)　3.5　(4)　4.2　(5)　6.0

解37 解答 (a)－(4), (b)－(5)

(a) 実験Ⅰより，電池 E_0 の起電力は，

$$E_0 = 30 \times 0.2 = 6.0\ \mathrm{V}$$

実験Ⅱより，滑り抵抗器の ac 間の距離 $\overline{\mathrm{ac}} = 4.5\ \mathrm{cm}$ のときに，検流計の指示が 0 になったことから，滑り抵抗器の ac 間の電圧 E_{ac} と電池 E_{x} の起電力が等しいと考えられる．

したがって，求める電池 E_{x} の起電力 E_{x} は，次式で求められる．

$$E_{\mathrm{x}} = E_{\mathrm{ac}} = \frac{\overline{\mathrm{ac}}}{\overline{\mathrm{ab}}} E_0 = \frac{4.5}{15} \times 6.0 = 1.8\ \mathrm{V}$$

(b) 実験Ⅲより，求める電池 E_{x} の内部抵抗 r_{x} は，次式で求められる．

$$r_{\mathrm{x}} = \frac{E_{\mathrm{x}}}{I} - R_{\mathrm{ab}} = \frac{1.8}{0.05} - 30 = 6.0\ \Omega$$

問38 Check! □□□

（令和３年 Ⓐ問題６）

直流の出力電流又は出力電圧が常に一定の値になるように制御された電源を直流安定化電源と呼ぶ．直流安定化電源の出力電流や出力電圧にはそれぞれ上限値があり，一定電流（定電流モード）又は一定電圧（定電圧モード）で制御されている際に負荷の変化によってどちらかの上限値を超えると，定電流モードと定電圧モードとの間で切り替わる．

図のように，直流安定化電源（上限値：100 A，20 V），三つの抵抗（$R_1 = R_2 = 0.1\ \Omega$，$R_3 = 0.8\ \Omega$），二つのスイッチ（SW_1，SW_2）で構成されている回路がある．両スイッチを閉じ，回路を流れる電流 $I = 100$ A の定電流モードを維持している状態において，時刻 $t = t_1$ [s] で SW_1 を開き，時刻 $t = t_2$ [s] で SW_2 を開くとき，I [A] の波形として，正しいものを次の(1)～(5)のうちから一つ選べ．

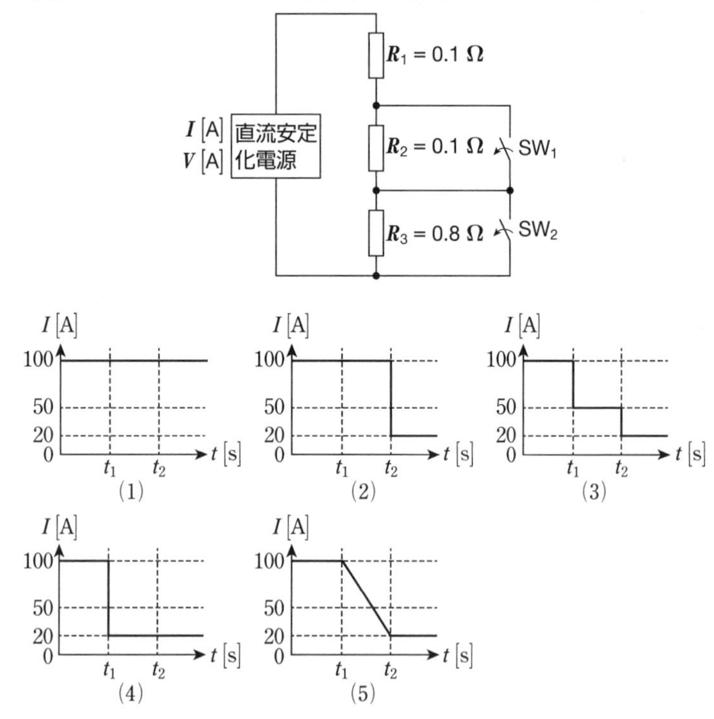

解38 解答 (2)

スイッチ SW_1 および SW_2 の開閉状態によって，次の三つの時間帯に分けて考える．

① $0 \leqq t < t_1$ SW_1 閉，SW_2 閉

電流 $I = 100$ A の定電流モードで動作する．

② $t_1 \leqq t < t_2$ SW_1 開，SW_2 閉

$t = t_1$ [s] で SW_1 を開くと，安定化電源の負荷抵抗は，

$$R_1 + R_2 = 0.1 + 0.1 = 0.2\ \Omega$$

となり，安定化電源の端子電圧 V は，

$$V = 0.2 \times 100 = 20\ \mathrm{V}$$

となって，安定化電源の電圧上限値 20 V に達するが，電流 $I = 100$ A の定電流モードで動作する．

③ $t_2 \leqq t$ SW_1 開，SW_2 開

$t = t_2$ [s] で SW_2 を開くと，安定化電源の負荷抵抗は，

$$R_1 + R_2 + R_3 = 0.1 + 0.1 + 0.8 = 1\ \Omega$$

となって，安定化電源の端子電圧 V は，上限値 20 V を超えるから，安定化電源は定電流モードから定電圧モードへ切り換わる．したがって，安定化電源の出力電流 I は，

$$I = \frac{20}{1} = 20\ \mathrm{A}$$

となる．

以上から，I [A] の波形は，(2)の波形となる．

問39 Check! □□□

(令和４年㊦ Ⓐ問題５)

図のような直流回路において，抵抗 3 Ω の端子間の電圧が 1.8 V であった．このとき，電源電圧 E [V] の値として，最も近いものを次の(1)〜(5)のうちから一つ選べ．

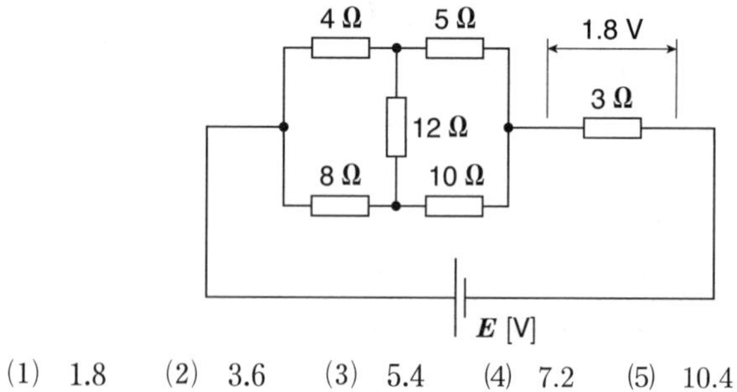

(1) 1.8　(2) 3.6　(3) 5.4　(4) 7.2　(5) 10.4

解39 解答 (3)

問題の回路を第1図のように描き直す．この回路の点線内のブリッジ回路は，

$$4 \times 10 = 5 \times 8$$

であるから平衡している．したがって，12 Ωの抵抗には電流が流れないので取り除いても回路各部の電流電圧に影響がない．

これより，問題の回路は第2図のように表すことができる．

この回路の点線部分の合成抵抗は，

$$\frac{(8+10)\times(4+5)}{(8+10)+(4+5)}=\frac{162}{27}=6\ \Omega$$

したがって，問題の回路は第3図のように表すことができる．いま，この回路に流れている電流は，

$$\frac{1.8}{3}=0.6\ \mathrm{A}$$

であるから，6 Ωの抵抗の両端の電圧は，

$$6 \times 0.6 = 3.6\ \mathrm{V}$$

よって，電源電圧 E は，

$$E = 3.6 + 1.8 = \mathbf{5.4\ V}$$

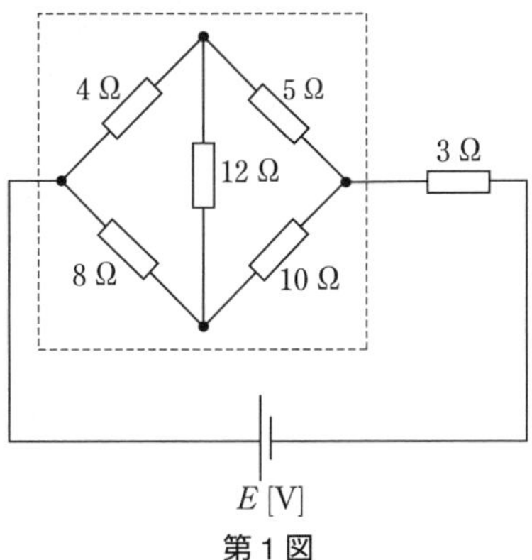

第1図

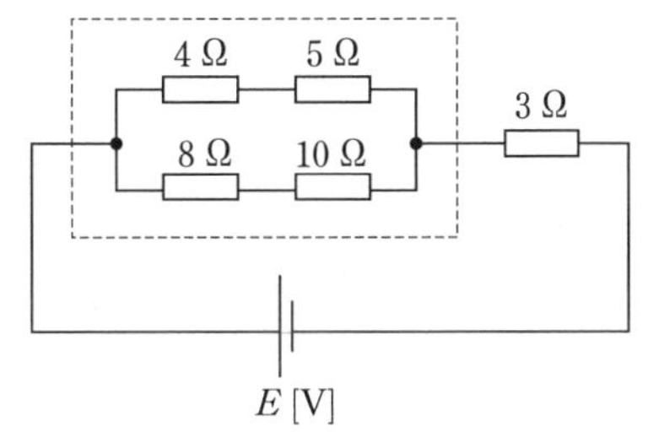

第2図

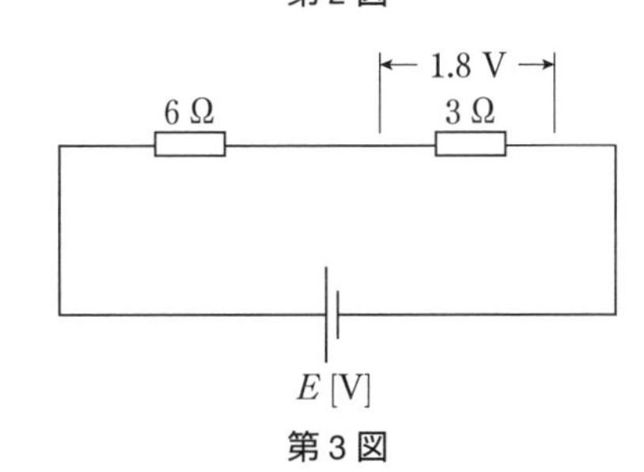

第3図

問40 Check! □□□

(平成 27 年 Ⓐ 問題 6)

図のように，抵抗とスイッチ S を接続した直流回路がある．いま，スイッチ S を開閉しても回路を流れる電流 I [A] は，$I = 30$ A で一定であった．このとき，抵抗 R_4 の値 [Ω] として，最も近いものを次の(1)〜(5)のうちから一つ選べ．

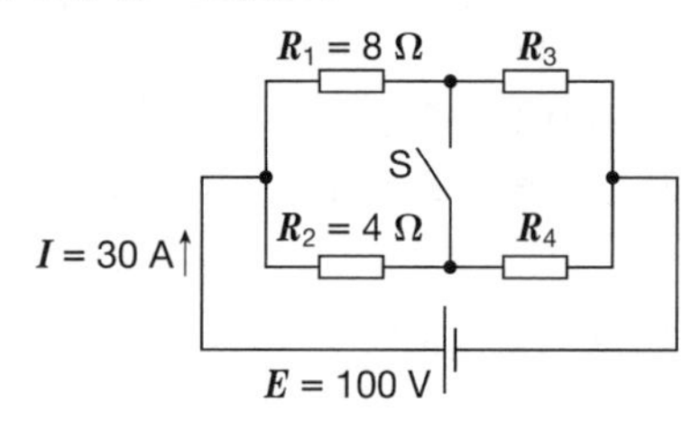

(1) 0.5　(2) 1.0　(3) 1.5　(4) 2.0　(5) 2.5

問41 Check! □□□

(令和 4 年㊤ Ⓐ問題 7)

図のように，抵抗 6 個を接続した回路がある．この回路において，ab 端子間の合成抵抗の値が 0.6 Ω であった．このとき，抵抗 R_x の値 [Ω] として，最も近いものを次の(1)〜(5)のうちから一つ選べ．

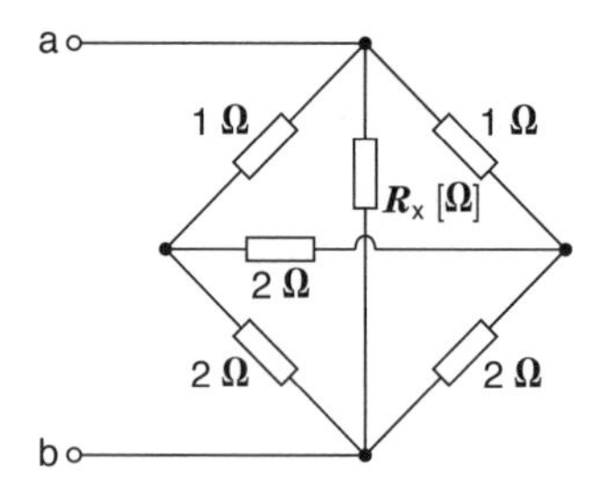

(1) 1.0　(2) 1.2　(3) 1.5　(4) 1.8　(5) 2.0

解40 解答 (2)

抵抗R_2を流れる電流をI_2とすると，題意より，スイッチSを開閉しても回路電流は$I=30$ AであったことからR_1，R_2の端子電圧は等しいので，スイッチS開のときの電流I_2は，次のようになる．

$$I_2=\frac{R_1}{R_2+R_1}I=\frac{8}{8+4}\times 30=20\ \text{A}$$

スイッチS開のとき，この電流I_2は抵抗R_4にも流れるから，求める抵抗R_4の値は，次式のようになる．

$$R_4=\frac{E}{I_2}-R_2=\frac{100}{20}-4=1.0\ \Omega$$

解41 解答 (1)

問題の回路を描き直した**第1図**において，$R_1\cdot R_3=R_2\cdot R_4$となっているので，このブリッジ回路は平衡状態にある．よって，R_5はab間の合成抵抗には影響しない．したがって，問題の回路は**第2図**のように描き換えられる．

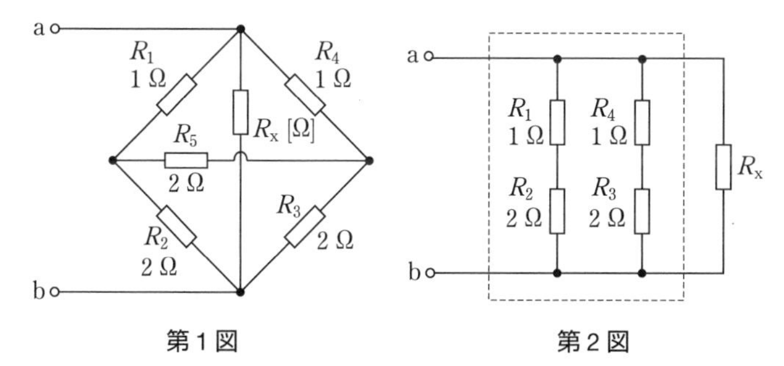

第1図　　**第2図**

この回路において点線で囲まれた部分の合成抵抗R_a [Ω]は，

$$R_a=\frac{(1+2)\times(1+2)}{(1+2)+(1+2)}=1.5\ \Omega$$

ab端子間の合成抵抗の値が0.6 Ωであることから求める抵抗R_xの値[Ω]は，

$$\frac{1.5R_x}{1.5+R_x}=0.6$$

$$1.5R_x=0.6\times(1.5+R_x)=0.9+0.6R_x$$

$$(1.5-0.6)R_x=0.9R_x=0.9$$

$$R_x=\mathbf{1.0\ \Omega}$$

問42 Check! □□□ （平成19年 Ⓐ問題6）

図のような直流回路において，スイッチSを閉じても，開いても電流計の指示値は，$\frac{E}{4}$〔A〕一定である．このとき，抵抗 R_3〔Ω〕，R_4〔Ω〕のうち小さい方の抵抗〔Ω〕の値として，正しいのは次のうちどれか．

ただし，直流電圧源は E〔V〕とし，電流計の内部抵抗は無視できるものとする．

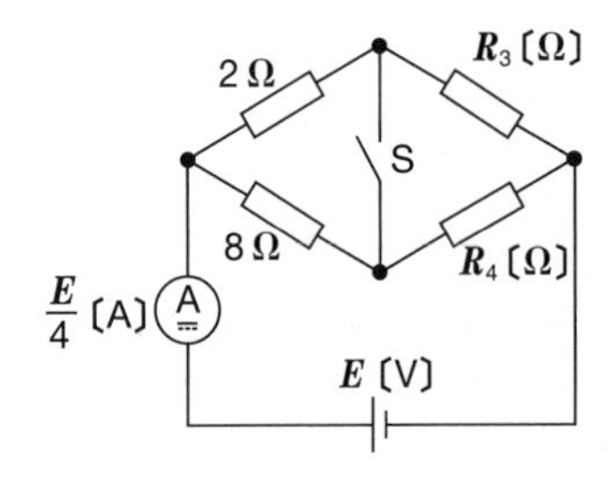

(1) 1　(2) 2　(3) 3　(4) 4　(5) 8

解42 解答 (3)

題意より，スイッチSを閉じても開いても回路電流が等しいことから，このブリッジ回路は平衡していることがわかる．ブリッジ平衡条件から次式が成立する．

$$2R_4 = 8R_3$$

$$\therefore \quad R_4 = 4R_3 \qquad ①$$

スイッチを閉じたとき，回路電流が $E/4$〔A〕だったことから，回路の全抵抗 R は，

$$R = \frac{E}{E/4} = 4 \,〔\Omega〕$$

また，この場合の回路を図のように描きかえると，2〔Ω〕と8〔Ω〕の並列回路の合成抵抗が

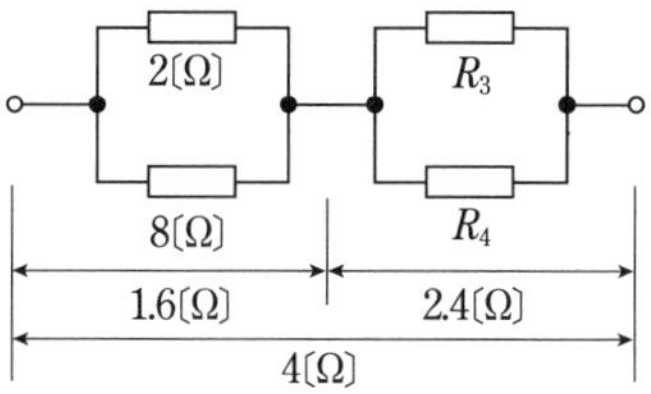

$$\frac{2 \times 8}{2 + 8} = 1.6 \,〔\Omega〕$$

となり，R_3 と R_4 の並列回路の合成抵抗 R_{34} は，

$$R_{34} = \frac{R_3 R_4}{R_3 + R_4} = 4 - 1.6 = 2.4 \,〔\Omega〕$$

$$\therefore \quad R_3 R_4 = 2.4 \times (R_3 + R_4) \qquad ②$$

ここに，①式より，$R_3 < R_4$ であるから，②式へ①式を代入すると，

$$R_3 \cdot 4R_3 = 2.4 \times (R_3 + 4R_3)$$

$$\therefore \quad 4R_3^2 = 12R_3$$

よって，求める小さい方の抵抗 R_3 は上式より次式となる．

$$R_3 = 3 \,〔\Omega〕$$

問43 Check! □□□

(平成18年 Ⓑ問題16)

図のブリッジ回路を用いて，未知抵抗R_xを測定したい．抵抗R_1 = 3〔kΩ〕，R_2 = 2〔kΩ〕，R_4 = 3〔kΩ〕とし，R_3 = 6〔kΩ〕の滑り抵抗器の接触子の接点cをちょうど中央に調整したとき（R_{ac} = R_{bc} = 3〔kΩ〕）ブリッジが平衡したという．次の(a)及び(b)に答えよ．

ただし，直流電圧源は6〔V〕とし，電流計の内部抵抗は無視できるものとする．

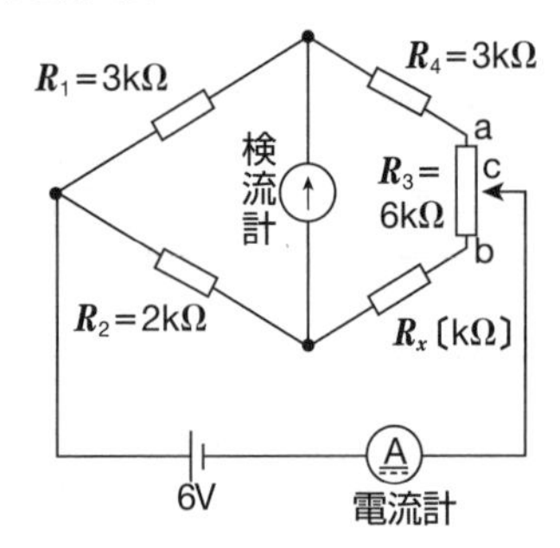

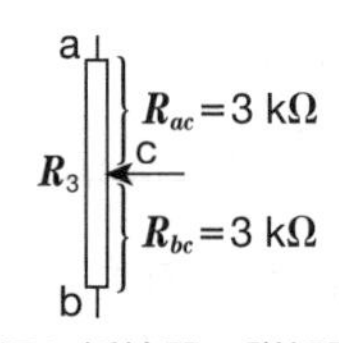

滑り抵抗器の詳細図

(a) 未知抵抗R_x〔kΩ〕の値として，正しいのは次のうちどれか．

(1) 0.1　(2) 0.5　(3) 1.0　(4) 1.5　(5) 2.0

(b) 平衡時の電流計の指示値〔mA〕の値として，最も近いのは次のうちどれか．

(1) 0　(2) 0.4　(3) 1.5　(4) 1.7　(5) 2.0

解43 解答 (a)－(3), (b)－(4)

(a) 題意より，ブリッジが平衡したときの等価回路は図のようになる．

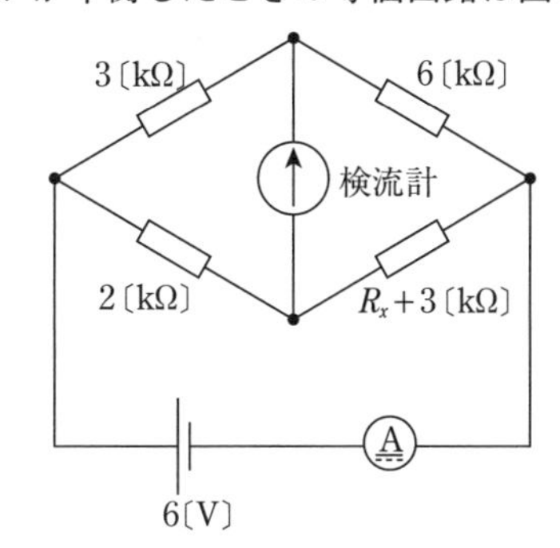

したがって，求める未知抵抗 R_x は次式となる．

$$3(R_x+3)=2\times 6$$

$$\therefore \quad R_x=\frac{12}{3}-3=1\,〔\mathrm{k\Omega}〕$$

(b) ブリッジが平衡したとき，検流計には電流が流れないから，ブリッジから検流計を取り外してもよい．この場合，回路の全抵抗 R は，

$$R=\frac{(3+6)\times(2+1+3)}{3+6+2+1+3}=\frac{9\times 6}{15}=3.6\,〔\mathrm{k\Omega}〕$$

となるから，求める電流計の指示値 I は次式となる．

$$I=\frac{6}{3.6}\fallingdotseq 1.67\,〔\mathrm{mA}〕$$

問44 Check! □□□

（令和２年 Ⓐ問題７）

図のように，直流電源にスイッチＳ，抵抗５個を接続したブリッジ回路がある．この回路において，スイッチＳを開いたとき，Ｓの両端間の電圧は１Ｖであった．スイッチＳを閉じたときに８Ωの抵抗に流れる電流Iの値［A］として，最も近いものを次の(1)〜(5)のうちから一つ選べ．

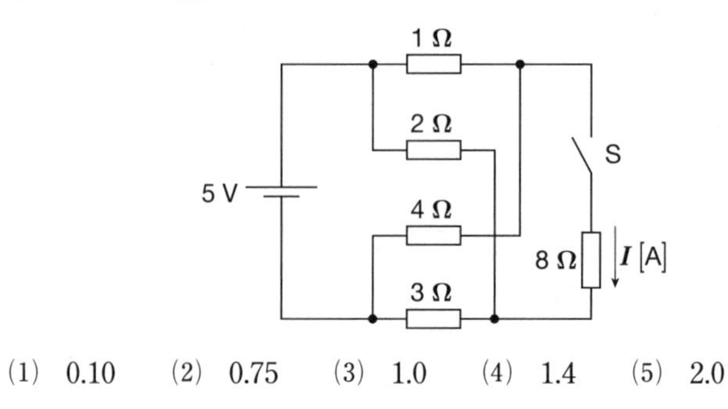

(1)　0.10　　(2)　0.75　　(3)　1.0　　(4)　1.4　　(5)　2.0

解44 解答 (1)

第1図のように問題の回路接続点をA, B, CおよびDとし，スイッチSと8Ωの抵抗を回路から切り離すと，第2図のようになる.

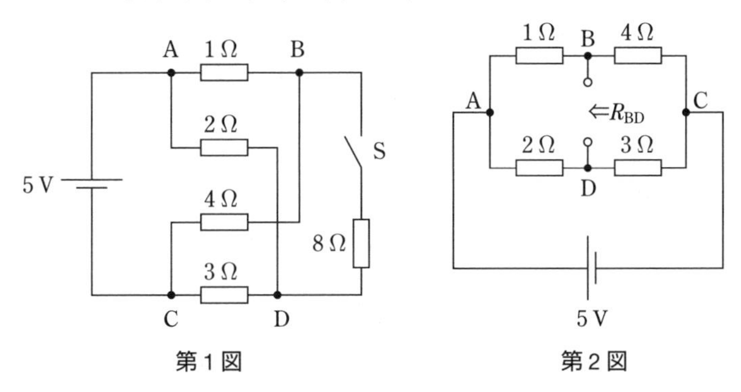

第1図　　第2図

第2図の回路において，直流電源5Vを短絡してBD間から見た全抵抗R_{BD}は，

$$R_{BD}=\frac{1\times4}{1+4}+\frac{2\times3}{2+3}=\frac{4}{5}+\frac{6}{5}=2\,\Omega$$

であるから，BD間に抵抗8Ωを接続したとき，これに流れる電流Iは，

$$I=\frac{1}{2+8}=0.10\,\text{A}$$

問45 Check! □□□

(令和3年 Ⓐ問題14)

図のブリッジ回路を用いて，未知の抵抗の値 R_x [Ω] を推定したい．可変抵抗 R_3 を調整して，検流計に電流が流れない状態を探し，平衡条件を満足する R_x [Ω] の値を求める．求めた値が真値と異なる原因が，R_k（k = 1，2，3）の真値からの誤差 ΔR_k のみである場合を考え，それらの誤差率 $\varepsilon_k = \dfrac{\Delta R_k}{R_k}$ が次の値であったとき，R_x の誤差率として，最も近いものを次の(1)〜(5)のうちから一つ選べ．

$\varepsilon_1 = 0.01$，$\varepsilon_2 = -0.01$，$\varepsilon_3 = 0.02$

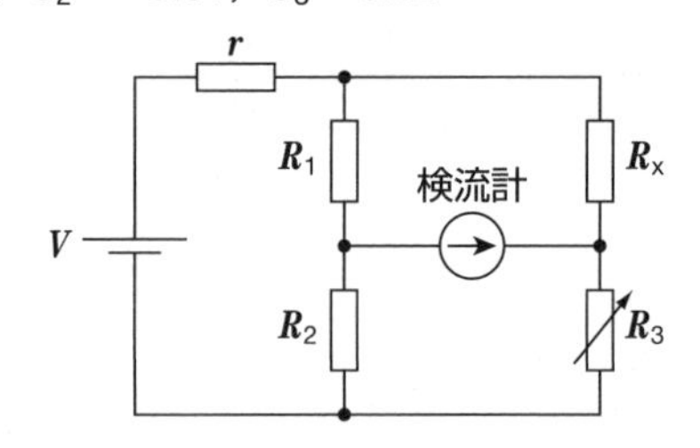

(1) 0.000 1　(2) 0.01　(3) 0.02　(4) 0.03　(5) 0.04

解45 解答 (5)

ブリッジの平衡条件より，未知抵抗 R_x は次式で与えられる．

$$R_x R_2 = R_1 R_3 \quad \to \quad R_x = \frac{R_1 R_3}{R_2} \tag{1}$$

(1)式の両辺の自然対数をとると，

$$\log_e R_x = \log_e \frac{R_1 R_3}{R_2} = \log_e R_1 + \log_e R_3 - \log_e R_2 \tag{2}$$

(2)式を全微分すると，

$$\frac{dR_x}{R_x} = \frac{dR_1}{R_1} + \frac{dR_3}{R_3} - \frac{dR_2}{R_2}$$

したがって，

$$\frac{\Delta R_x}{R_x} \fallingdotseq \frac{\Delta R_1}{R_1} + \frac{\Delta R_3}{R_3} - \frac{\Delta R_2}{R_2}$$

よって，求める未知抵抗 R_x の誤差率 ε_x は，

$$\therefore \quad \varepsilon_x \fallingdotseq \varepsilon_1 + \varepsilon_3 - \varepsilon_2 = 0.01 + 0.02 - (-0.01) = 0.04$$

【別解】 $k = 1, 2, 3, x$ とし，抵抗 R_k の真値を R_{k0}，真値からの誤差を ΔR_k とすると，R_1，R_2，R_3 および R_x はそれぞれ，次のように表せる．

$$R_k = R_{k0} + \Delta R_k = R_{k0}\left(1 + \frac{\Delta R_k}{R_{k0}}\right) = R_{k0}(1 + \varepsilon_k)$$

したがって，ブリッジの平衡条件から，次式が得られる．

$$R_{x0}(1 + \varepsilon_x) \cdot R_{20}(1 + \varepsilon_2) = R_{10}(1 + \varepsilon_1) \cdot R_{30}(1 + \varepsilon_3)$$

ここに，$R_{x0} \cdot R_{20} = R_{10} \cdot R_{30}$ であるから，

$$(1 + \varepsilon_x)(1 + \varepsilon_2) = (1 + \varepsilon_1)(1 + \varepsilon_3)$$

$$1 + \varepsilon_x + \varepsilon_2 + \varepsilon_2\varepsilon_x = 1 + \varepsilon_1 + \varepsilon_3 + \varepsilon_1\varepsilon_3$$

$$\therefore \quad \varepsilon_x + \varepsilon_2 + \varepsilon_2\varepsilon_x = \varepsilon_1 + \varepsilon_3 + \varepsilon_1\varepsilon_3$$

ここに，ε_1，ε_2，ε_3 および ε_x は非常に小さく，これらのうちの二つの積 $\varepsilon_2\varepsilon_x$ および $\varepsilon_1\varepsilon_3$ はさらに小さいからこれらを無視すれば，

$$\varepsilon_x + \varepsilon_2 \fallingdotseq \varepsilon_1 + \varepsilon_3$$

$$\therefore \quad \varepsilon_x \fallingdotseq \varepsilon_1 + \varepsilon_3 - \varepsilon_2 = 0.01 + 0.02 - (-0.01) = 0.04$$

問46 Check! □□□

（令和５年㊤ Ⓐ問題６）

図のような直流回路において，3 Ω の抵抗を流れる電流の値 [A] として，最も近いものを次の(1)～(5)のうちから一つ選べ.

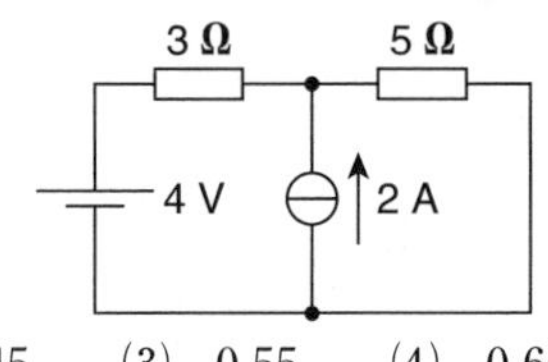

(1) 0.35　(2) 0.45　(3) 0.55　(4) 0.65　(5) 0.75

問47 Check! □□□

（平成 30 年 Ⓐ 問題 7）

図のように，直流電圧 E = 10 V の定電圧源，直流電流 I = 2 A の定電流源，スイッチ S，r = 1 Ω と R [Ω] の抵抗からなる直流回路がある．この回路において，スイッチ S を閉じたとき，R [Ω] の抵抗に流れる電流 I_R の値 [A] が S を閉じる前に比べて 2 倍に増加した．R の値 [Ω] として，最も近いものを次の(1)～(5)のうちから一つ選べ.

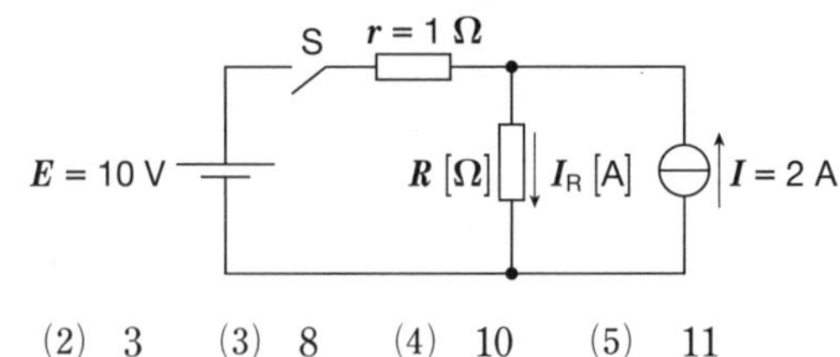

(1) 2　(2) 3　(3) 8　(4) 10　(5) 11

解46 解答 (5)

図のように，3 Ω の抵抗を流れる電流を I [A] とすると，5 Ω の抵抗を流れる電流は $I+2$ [A] で表せる．

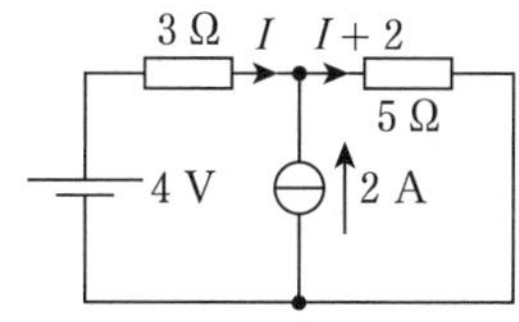

したがって，回路において次式が成立する．

$$3I + 5(I+2) = 4$$

$$8I + 10 = 4$$

$$I = \frac{4-10}{8} = -\frac{6}{8} = -0.75\ \mathrm{A}$$

電流 I の負符号は，仮定した電流の向きが逆であったことを示しており，大きさは 0.75 A となる．

解47 解答 (1)

第 1 図は，スイッチ S が開いているときの回路で，抵抗 R に流れる電流は，電流源によって，$I_R = 2$ A となる．

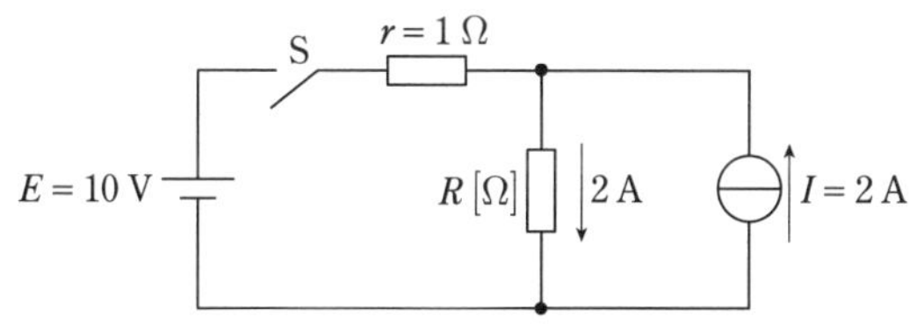

第 1 図　スイッチ S が開いているとき

次に，スイッチ S を閉じたときの回路は第 2 図のようになり，題意より抵抗 R に流れる電流は，$I_R = 4$ A となる．

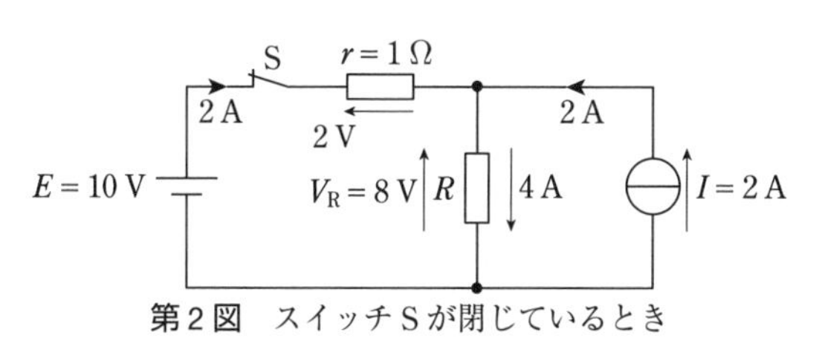

第 2 図　スイッチ S が閉じているとき

このとき，抵抗 R の電圧 V_R は，

$$V_R = 10 - 1 \times 2 = 8\ \mathrm{V}$$

となるから，抵抗 R は，

$$R = \frac{8}{4} = 2\ \Omega$$

問48 Check! □□□

(平成 24 年 Ⓐ 問題 5)

図 1 のように電圧が E〔V〕の直流電圧源で構成される回路を，図 2 のように電流が I〔A〕の直流電流源（内部抵抗が無限大で，負荷変動があっても定電流を流出する電源）で構成される等価回路に置き替えることを考える．この場合，電流 I〔A〕の大きさは図 1 の端子 a－b を短絡したとき，そこを流れる電流の大きさに等しい．また，図 2 のコンダクタンス G〔S〕の大きさは図 1 の直流電圧源を短絡し，端子 a－b からみたコンダクタンスの大きさに等しい．I〔A〕と G〔S〕の値を表す式の組合せとして，正しいものを次の(1)～(5)のうちから一つ選べ．

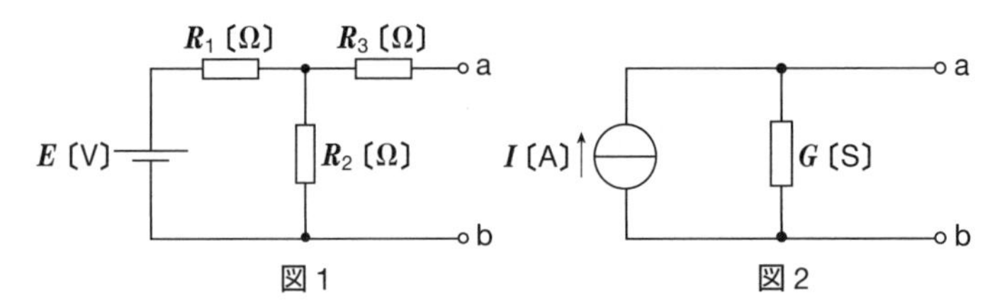

図 1　図 2

	I〔A〕	G〔S〕
(1)	$\dfrac{R_1}{R_1R_2+R_2R_3+R_3R_1}E$	$\dfrac{R_2+R_3}{R_1R_2+R_2R_3+R_3R_1}$
(2)	$\dfrac{R_2}{R_1R_2+R_2R_3+R_3R_1}E$	$\dfrac{R_1+R_2}{R_1R_2+R_2R_3+R_3R_1}$
(3)	$\dfrac{R_2}{R_1R_2+R_2R_3+R_3R_1}E$	$\dfrac{R_2+R_3}{R_1R_2+R_2R_3+R_3R_1}$
(4)	$\dfrac{R_1}{R_1R_2+R_2R_3+R_3R_1}E$	$\dfrac{R_1+R_2}{R_1R_2+R_2R_3+R_3R_1}$
(5)	$\dfrac{R_3}{R_1R_2+R_2R_3+R_3R_1}E$	$\dfrac{R_1+R_2}{R_1R_2+R_2R_3+R_3R_1}$

解48 解答 (2)

第１図，第２図のように，端子 ab 間を短絡したときに流れる電流 I_{ab1} および I_{ab2} はそれぞれ次のようになる．

$$I_{ab1}=\frac{E}{R_1+\dfrac{R_2R_3}{R_2+R_3}}\times\frac{R_2}{R_2+R_3}=\frac{R_2}{R_1R_2+R_2R_3+R_3R_1}E\,〔\mathrm{A}〕$$

$$I_{ab2}=I\,〔\mathrm{A}〕$$

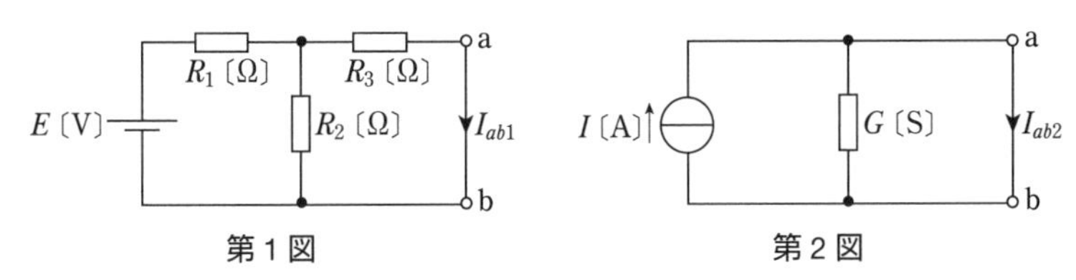

第１図　　第２図

ここに，$I_{ab1}=I_{ab2}$ から，

$$I=\frac{R_2}{R_1R_2+R_2R_3+R_3R_1}E\,〔\mathrm{A}〕$$

次に，第３図，第４図のように，電圧源 E を短絡，電流源 I を開放したときの端子 ab から見た全抵抗 R_{ab1} および R_{ab2} はそれぞれ次のようになる．

$$R_{ab1}=R_3+\frac{R_1R_2}{R_1+R_2}=\frac{R_1R_2+R_2R_3+R_3R_1}{R_1+R_2}\,〔\Omega〕$$

$$R_{ab2}=\frac{1}{G}\,〔\Omega〕$$

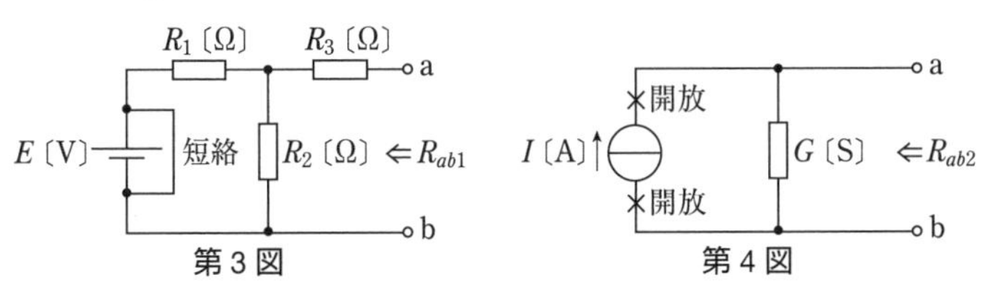

第３図　　第４図

ここに，$R_{ab1}=R_{ab2}$ から，

$$\frac{1}{G}=\frac{R_1R_2+R_2R_3+R_3R_1}{R_1+R_2}$$

$$\therefore\quad G=\frac{R_1+R_2}{R_1R_2+R_2R_3+R_3R_1}\,〔\mathrm{S}〕$$

となる．

問49 Check! □□□

(令和6年㊤ Ⓐ問題7)

起電力が E [V] で内部抵抗が r [Ω] の電池がある．この電池に抵抗 R_1 [Ω] と可変抵抗 R_2 [Ω] を並列につないだとき，抵抗 R_2 [Ω] から発生するジュール熱が最大となるときの抵抗 R_2 の値 [Ω] を表す式として，正しいものを次の(1)～(5)のうちから一つ選べ．

(1) $R_2 = r$　(2) $R_2 = R_1$　(3) $R_2 = \dfrac{rR_1}{r + R_1}$

(4) $R_2 = \dfrac{rR_1}{R_1 - r}$　(5) $R_2 = \dfrac{rR_1}{r - R_1}$

問50 Check! □□□

(平成19年 Ⓐ問題5)

起電力が E〔V〕で内部抵抗が r〔Ω〕の電池がある．この電池に抵抗 R_1〔Ω〕と可変抵抗 R_2〔Ω〕を並列につないだとき，抵抗 R_2〔Ω〕から発生するジュール熱が最大となるときの抵抗 R_2〔Ω〕の値を表す式として，正しいのは次のうちどれか．

(1) $R_2 = r$　(2) $R_2 = R_1$　(3) $R_2 = \dfrac{rR_1}{r - R_1}$

(4) $R_2 = \dfrac{rR_1}{R_1 - r}$　(5) $R_2 = \dfrac{rR_1}{r + R_1}$

解49 解答 (3)

図のように，問題の回路を描き変えると，上図(b)の等価回路の抵抗 R は，

$$R=\frac{rR_1}{r+R_1}$$

電力最大定理より，可変抵抗 R_2 から発生するジュール熱が最大となるのは，

$$\boldsymbol{R_2}=R=\frac{\boldsymbol{rR_1}}{\boldsymbol{r+R_1}}$$

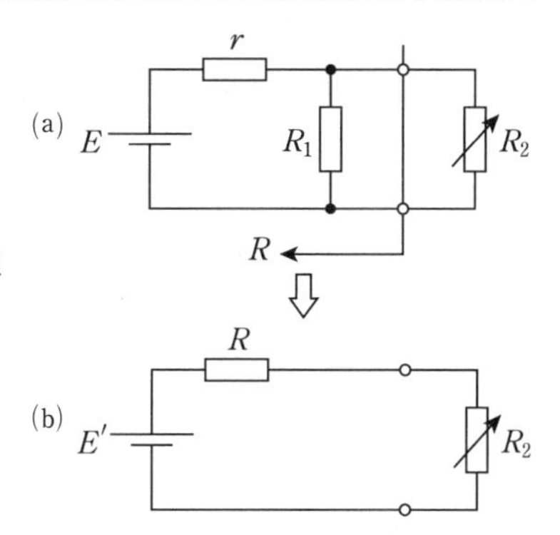

解50 解答 (5)

可変抵抗 R_2 から発生するジュール熱が最大になる場合とは，R_2 の消費電力が最大になることであるから，R_2 の消費電力が最大となる条件を求めればよい．

いま，第1図のような起電力 E，内部抵抗 r の電池に可変抵抗 R を接続したとき，可変抵抗の消費電力 P が最大となるのは，$R=r$ となるときである．

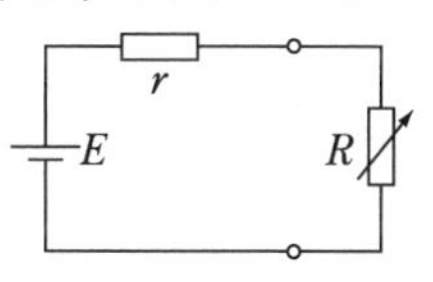

第1図

したがって，第2図のように，起電力 E〔V〕，内部抵抗 r〔Ω〕の電池に，R_1〔Ω〕の抵抗と可変抵抗 R_2〔Ω〕を並列に接続したとき，点線部より左側全部を電源回路に見たてると，電源回路の等価内部抵抗 r_0 は，

$$r_0=\frac{rR_1}{r+R_1}〔\Omega〕$$

で表せ，可変抵抗 R_2 の消費電力が最大となるのは，次式が成立する場合となる．

$$R_2=r_0=\frac{rR_1}{r+R_1}〔\Omega〕$$

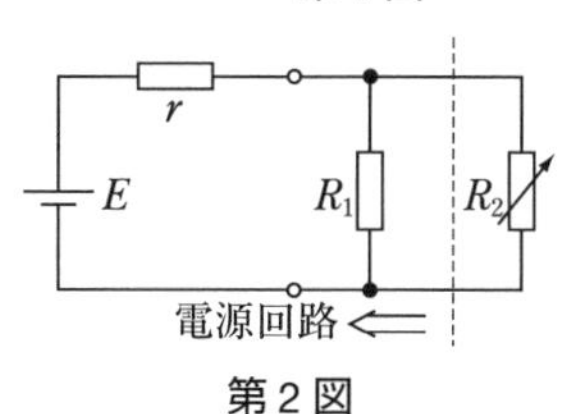

第2図

問51 Check! □□□

（令和３年 Ａ問題７）

図のように，起電力 E [V]，内部抵抗 r [Ω] の電池 n 個と可変抵抗 R [Ω] を直列に接続した回路がある．この回路において，可変抵抗 R [Ω] で消費される電力が最大になるようにその値 [Ω] を調整した．このとき，回路に流れる電流 I の値 [A] を表す式として，正しいものを次の(1)～(5)のうちから一つ選べ．

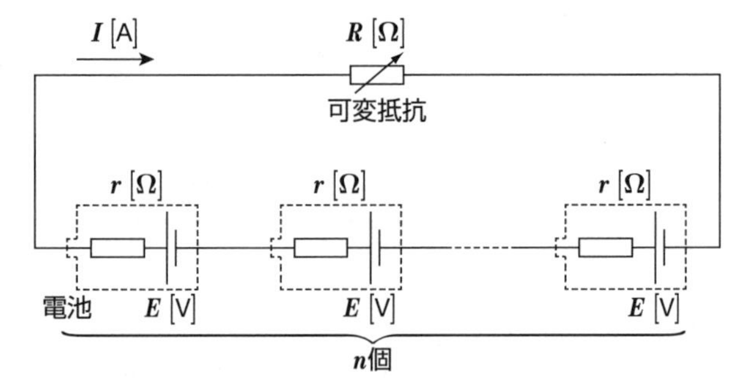

(1) $\dfrac{E}{r}$　　(2) $\dfrac{nE}{\left(\dfrac{1}{n}+n\right)r}$　　(3) $\dfrac{nE}{(1+n)r}$

(4) $\dfrac{E}{2r}$　　(5) $\dfrac{nE}{r}$

解51 解答 (4)

起電力 E [V]，内部抵抗 r [Ω] の電池 n 個が直列接続されたものは，起電力 nE [V]，内部抵抗 nr [Ω] の電池 1 個と等価である．また，この等価電池に接続された可変抵抗 R [Ω] で消費される電力 P が最大となるのは，

$$R = nr\ [\Omega]$$

のときである（電力最大定理）から，回路電流 I の値は，

$$I = \frac{nE}{R+nr} = \frac{nE}{nr+nr} = \frac{nE}{2nr} = \frac{E}{2r}\ [\mathrm{A}]$$

回路電流 I は，

$$I = \frac{nE}{R+nr}\ [\mathrm{A}]$$

で与えられるから，可変抵抗 R が消費する電力 P は，

$$P = RI^2 = R\frac{n^2E^2}{(R+nr)^2} = \frac{n^2R}{R^2+n^2r^2+2nrR}E^2$$

$$= \frac{n^2E^2}{R+\dfrac{n^2r^2}{R}+2nr}\ [\mathrm{W}]$$

上式の分母に着目すれば，$R>0$，$n^2r^2/R>0$ であるから，相加平均 ≧ 相乗平均の関係を用いると，

$$P = \frac{n^2E^2}{R+\dfrac{n^2r^2}{R}+2nr} \leqq \frac{n^2E^2}{2\sqrt{R\cdot\dfrac{n^2r^2}{R}}+2nr}$$

$$P \leqq \frac{n^2E^2}{2nr+2nr} = \frac{nE^2}{4r}\ [\mathrm{W}]$$

となって，P の最大値は上式の等号成立時に生じる．

等号成立条件は，

$$R = \frac{n^2r^2}{R} \rightarrow R = nr$$

となって，可変抵抗 R が等価電池の等価内部抵抗 nr に等しくなるとき，R の消費電力が最大となる．

問52 Check! □□□

(令和2年 Ⓐ問題10)

図の回路のスイッチを閉じたあとの電圧 $v(t)$ の波形を考える．破線から左側にテブナンの定理を適用することで，回路の時定数 [s] と $v(t)$ の最終値 [V] の組合せとして，最も近いものを次の(1)～(5)のうちから一つ選べ．

ただし，初めスイッチは開いており，回路は定常状態にあったとする．

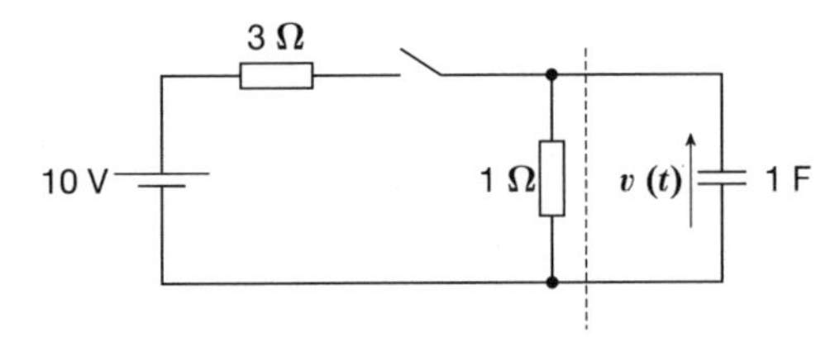

	時定数 [s]	最終値 [V]
(1)	0.75	10
(2)	0.75	2.5
(3)	4	2.5
(4)	1	10
(5)	1	0

解52 解答 (2)

問題の回路において，破線の箇所でコンデンサ1Fを回路から切り離してスイッチを閉じたとき，抵抗1Ωの端子電圧Eは，

$$E=\frac{1}{3+1}\times 10=2.5\ \mathrm{V}$$

また，直流電源10Vを短絡して，破線から左側の回路を見たときの全抵抗Rは，

$$R=\frac{3\times 1}{3+1}=\frac{3}{4}=0.75\ \Omega$$

となるから，テブナンの定理によれば，問題の回路において，時刻$t=0$でスイッチを閉じたときの等価回路は図のようになる．

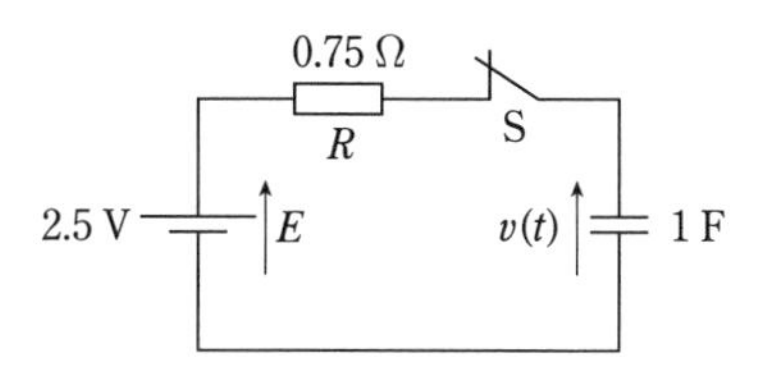

したがって，図の回路の時定数τは，

$$\tau=RC=0.75\times 1=0.75\ \mathrm{s}$$

また，$v(t)$の最終値$v(\infty)$は，

$$v(\infty)=2.5\ \mathrm{V}$$

問53 Check! □□□

(平成29年 Ⓐ問題10)

図のように，電圧 E [V] の直流電源に，開いた状態のスイッチS，R_1 [Ω] の抵抗，R_2 [Ω] の抵抗及び電流が0Aのコイル（インダクタンス L [H]）を接続した回路がある．次の文章は，この回路に関する記述である．

1　スイッチSを閉じた瞬間（時刻 $t = 0$ s）に R_1 [Ω] の抵抗に流れる電流は，(ア) [A] となる．

2　スイッチSを閉じて回路が定常状態とみなせるとき，R_1 [Ω] の抵抗に流れる電流は，(イ) [A] となる．

上記の記述中の空白箇所(ア)及び(イ)に当てはまる式の組合せとして，正しいものを次の(1)～(5)のうちから一つ選べ．

	(ア)	(イ)
(1)	$\dfrac{E}{R_1+R_2}$	$\dfrac{E}{R_1}$
(2)	$\dfrac{R_2E}{(R_1+R_2)R_1}$	$\dfrac{E}{R_1}$
(3)	$\dfrac{E}{R_1}$	$\dfrac{E}{R_1+R_2}$
(4)	$\dfrac{E}{R_1}$	$\dfrac{E}{R_1}$
(5)	$\dfrac{E}{R_1+R_2}$	$\dfrac{E}{R_1+R_2}$

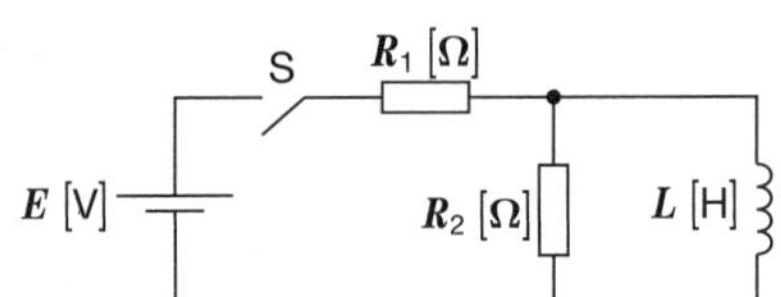

解53 解答 (1)

スイッチSを閉じた瞬間は，インダクタンスLに電流が流れることはできないから，その瞬間の等価回路は**第1図**のようになる．

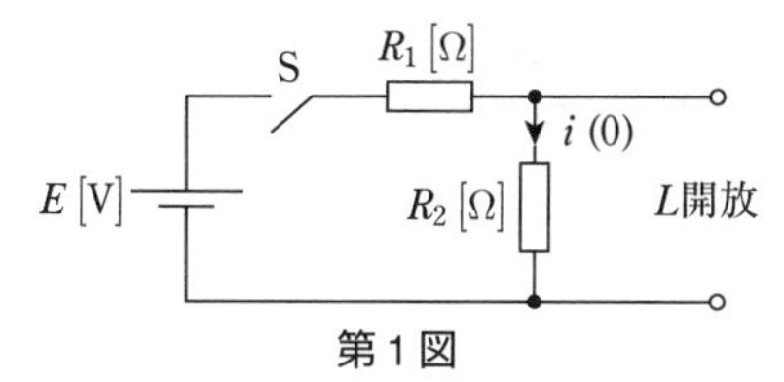

第1図

したがって，抵抗R_1に流れる電流$i(0)$は，

$$i(0)=\frac{E}{R_1+R_2}\,[\mathrm{A}]$$

となる．

スイッチSを閉じて回路が定常状態とみなせるとき，インダクタンスLは短絡状態となるから，その状態における等価回路は**第2図**のようになる．

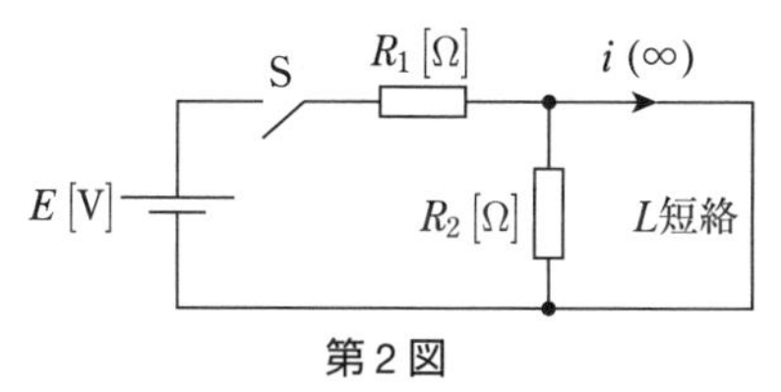

第2図

したがって，抵抗R_1に流れる電流$i(\infty)$は，

$$i(\infty)=\frac{E}{R_1}\,[\mathrm{A}]$$

となる．

問54 Check! □□□

(令和元年 Ⓐ問題 10)

図のように，電圧 1 kV に充電された静電容量 100 μF のコンデンサ，抵抗 1 kΩ，スイッチからなる回路がある．スイッチを閉じた直後に過渡的に流れる電流の時定数 τ の値 [s] と，スイッチを閉じてから十分に時間が経過するまでに抵抗で消費されるエネルギー W の値 [J] の組合せとして，正しいものを次の(1)～(5)のうちから一つ選べ．

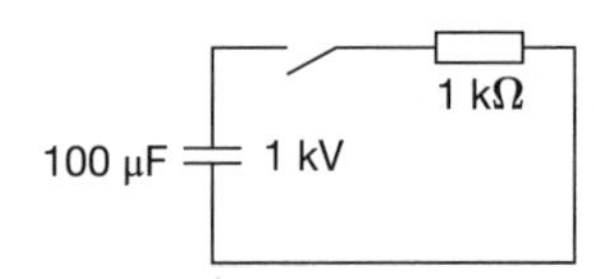

	τ	W
(1)	0.1	0.1
(2)	0.1	50
(3)	0.1	1 000
(4)	10	0.1
(5)	10	50

解54 解答 (2)

問題のような RC 回路の時定数 τ は，$\tau = RC$ で表せる．

したがって，求める時定数 τ は，

$$\tau = RC = 1 \times 10^3 \times 100 \times 10^{-6} = 0.1\ \mathrm{s}$$

また，スイッチを閉じてから十分に時間が経過するまでに抵抗で消費されるエネルギー W は，スイッチを閉じる前にコンデンサが保有していた静電エネルギーに等しいから，

$$W = \frac{1}{2}CV^2 = \frac{1}{2} \times 100 \times 10^{-6} \times 1\,000^2 = 50\ \mathrm{J}$$

【解説】 コンデンサ C の保有する電荷を q とすると，時刻 $t=0$ でスイッチを閉じ，抵抗 R で放電させる場合，放電電流 i は，$i = -\dfrac{\mathrm{d}q}{\mathrm{d}t}$ で表せるから，放電時の回路方程式は，次のようになる．

$$\frac{q}{C} = Ri = -R\frac{\mathrm{d}q}{\mathrm{d}t}$$

$$\therefore \quad R\frac{\mathrm{d}q}{\mathrm{d}t} + \frac{q}{C} = 0$$

上式を $t=0$，$q = Q_0$ の条件で解くと，

$$q = Q_0 \mathrm{e}^{-\frac{t}{RC}} = Q_0 \mathrm{e}^{-\frac{t}{\tau}}$$

$$\therefore \quad i = -\frac{\mathrm{d}q}{\mathrm{d}t} = \frac{Q_0}{RC}\mathrm{e}^{-\frac{t}{\tau}}$$

となり，$\tau=RC$ を時定数という．

放電完了までに抵抗 R が消費するエネルギー W は，

$$W = \int_0^\infty Ri^2\,\mathrm{d}t = \int_0^\infty R \cdot \frac{{Q_0}^2}{R^2C^2}\mathrm{e}^{-\frac{2}{RC}t}\,\mathrm{d}t = R \cdot \frac{{Q_0}^2}{R^2C^2}\left[-\frac{RC}{2}\mathrm{e}^{-\frac{2}{RC}t}\right]_0^\infty$$

$$= R \cdot \frac{{Q_0}^2}{R^2C^2} \cdot \frac{RC}{2} = \frac{{Q_0}^2}{2C}$$

となって，抵抗 R が消費するエネルギー W はコンデンサが保有していた静電エネルギーに等しいことがわかる．

問55 Check! □□□ (平成22年 Ⓐ問題10)

図に示す回路において，スイッチSを閉じた瞬間（時刻 $t=0$）に点Aを流れる電流を I_0〔A〕とし，十分に時間が経ち，定常状態に達したのちに点Aを流れる電流を I〔A〕とする．電流比 $\frac{I_0}{I}$ の値を2とするために必要な抵抗 R_3〔Ω〕の値を表す式として，正しいのは次のうちどれか．

ただし，コンデンサの初期電荷は零とする．

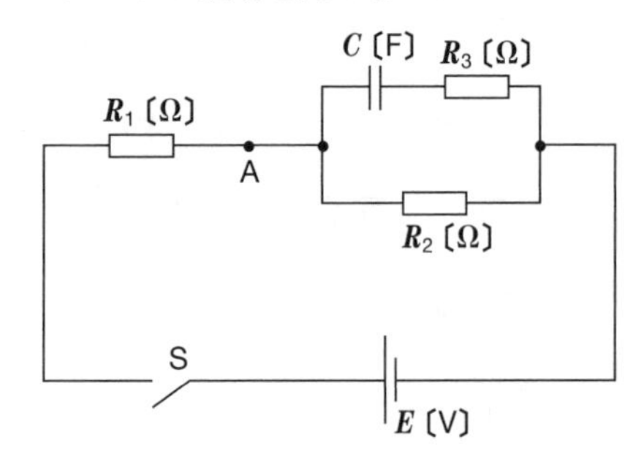

(1) $\dfrac{R_1}{R_1+R_2}\left(\dfrac{R_1}{2}+R_2\right)$　　(2) $\dfrac{R_1}{R_1+R_2}\left(\dfrac{R_2}{3}-R_1\right)$

(3) $\dfrac{R_1}{R_1+R_2}(R_1-R_2)$　　(4) $\dfrac{R_2}{R_1+R_2}(R_1+R_2)$

(5) $\dfrac{R_2}{R_1+R_2}(R_2-R_1)$

解55 解答 (5)

(i) スイッチSを閉じた瞬間に点Aを流れる電流

スイッチSを閉じた瞬間，コンデンサの初期電荷が零である場合，コンデンサの電圧 V_C は0となり，等価的には，コンデンサ C が短絡された状態となる．

よって，この場合に点Aを流れる電流 I_0 は，

$$I_0=\frac{E}{R_1+\dfrac{1}{\dfrac{1}{R_2}+\dfrac{1}{R_3}}}\text{〔A〕} \qquad (1)$$

(ii) 定常状態に達した後に点Aを流れる電流

定常状態に達した後は，コンデンサ C に流れる電流は0となるので，等価的にはコンデンサ C が開放された状態となる．

よって，この場合に点Aを流れる電流 I は，

$$I=\frac{E}{R_1+R_2}\text{〔A〕} \qquad (2)$$

以上から，電流比 $\dfrac{I_0}{I}=2$ とするためには，(1)式および(2)式より，次式が成立すればよい．

$$R_1+R_2=2\times\left(R_1+\frac{1}{\dfrac{1}{R_2}+\dfrac{1}{R_3}}\right)$$

したがって，求める抵抗 R_3 の値は，

$$R_2-R_1=\frac{2}{\dfrac{1}{R_2}+\dfrac{1}{R_3}}$$

$$\frac{1}{R_2}+\frac{1}{R_3}=\frac{2}{R_2-R_1}$$

$$\frac{1}{R_3}=\frac{2}{R_2-R_1}-\frac{1}{R_2}=\frac{2R_2-R_2+R_1}{R_2(R_2-R_1)}=\frac{R_2+R_1}{R_2(R_2-R_1)}$$

$$\therefore\quad R_3=\frac{R_2}{R_1+R_2}(R_2-R_1)\text{〔}\Omega\text{〕}$$

問56 Check! □□□

（令和元年 Ⓐ問題 7）

図のように，三つの抵抗 R_1 [Ω]，R_2 [Ω]，R_3 [Ω] とインダクタンス L [H] のコイルと静電容量 C [F] のコンデンサが接続されている回路に V [V] の直流電源が接続されている．定常状態において直流電源を流れる電流の大きさを表す式として，正しいものを次の(1)～(5)のうちから一つ選べ．

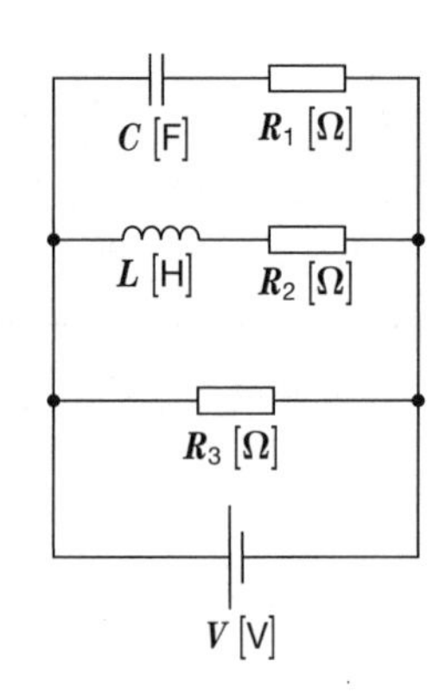

(1) $\dfrac{V}{R_3}$

(2) $\dfrac{V}{\dfrac{1}{\dfrac{1}{R_1}+\dfrac{1}{R_2}}}$

(3) $\dfrac{V}{\dfrac{1}{\dfrac{1}{R_1}+\dfrac{1}{R_3}}}$

(4) $\dfrac{V}{\dfrac{1}{\dfrac{1}{R_2}+\dfrac{1}{R_3}}}$

(5) $\dfrac{V}{\dfrac{1}{\dfrac{1}{R_1}+\dfrac{1}{R_2}+\dfrac{1}{R_3}}}$

解56 解答 (4)

回路の定常状態においては，静電容量 C は開放（抵抗∞），インダクタンス L は短絡（抵抗 0）となる．したがって，定常状態では，直流電源から回路を見れば，単純な抵抗 R_2 と抵抗 R_3 の並列回路となるので，定常状態において直流電源を流れる電流の大きさ I は，

$$I = \frac{V}{R_2 // R_3} = \frac{V}{\dfrac{1}{\dfrac{1}{R_2} + \dfrac{1}{R_3}}}$$

問57　Check! □□□

（令和５年㊦　Ⓐ問題 10）

図のように，電圧 E [V] の直流電源，スイッチ S，R [Ω] の抵抗及び静電容量 C [F] のコンデンサからなる回路がある．この回路において，スイッチ S を 1 側に接続してコンデンサを十分に充電した後，時刻 $t = 0$ s でスイッチ S を 1 側から 2 側に切り換えた．2 側に切り換えた以降の記述として，誤っているものを次の(1)～(5)のうちから一つ選べ．

ただし，自然対数の底は，2.718 とする．

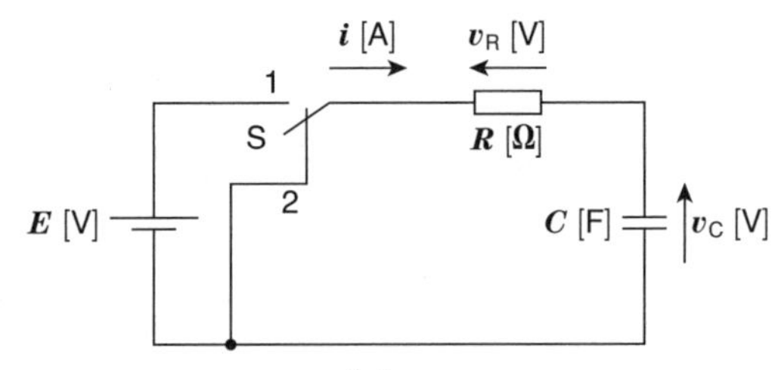

(1)　回路の時定数は，C の値 [F] に比例する．

(2)　コンデンサの端子電圧 v_C [V] は，R の値 [Ω] が大きいほど緩やかに減少する．

(3)　時刻 $t = 0$ s から回路の時定数だけ時間が経過すると，コンデンサの端子電圧 v_C [V] は直流電源の電圧 E [V] の 0.368 倍に減少する．

(4)　抵抗の端子電圧 v_R [V] の値は負である．

(5)　時刻 $t = 0$ s における回路の電流 i [A] は，C の値 [F] に関係する．

解57 解答 (5)

(1)〜(4)の記述が正しく，(5)の記述が誤りである．

時刻 $t < 0$（スイッチ切換え前）におけるコンデンサ C の電圧は $v_C = E$ [V] であり，v_C は C の値に無関係である．この状態において時刻 $t = 0$ s でスイッチ S を 2 側に切り換えた瞬間の回路電流 $i(0)$ は，

$$i(0) = -\frac{v_C}{R} = -\frac{E}{R}$$

で表されるから，C の値に無関係となる．

問58 Check! □□□ (平成 28 年 Ⓐ 問題 10)

図のように，電圧 E [V] の直流電源，スイッチ S，R [Ω] の抵抗及び静電容量 C [F] のコンデンサからなる回路がある．この回路において，スイッチ S を 1 側に接続してコンデンサを十分に充電した後，時刻 $t = 0$ s でスイッチ S を 1 側から 2 側に切り換えた．2 側に切り換えた以降の記述として，誤っているものを次の(1)〜(5)のうちから一つ選べ．

ただし，自然対数の底は，2.718 とする．

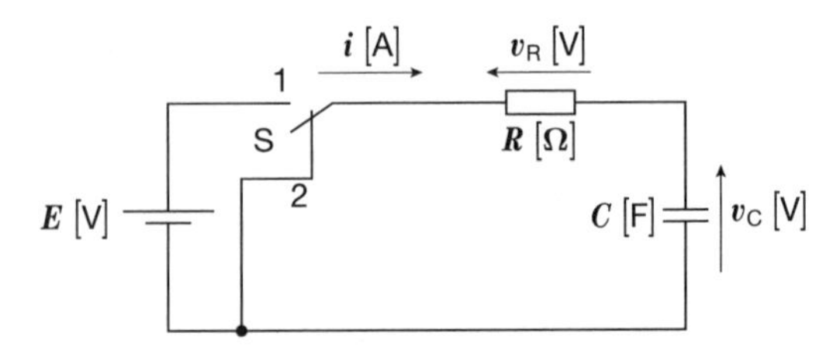

(1) 回路の時定数は，C の値 [F] に比例する．

(2) コンデンサの端子電圧 v_C [V] は，R の値 [Ω] が大きいほど緩やかに減少する．

(3) 時刻 $t = 0$ s から回路の時定数だけ時間が経過すると，コンデンサの端子電圧 v_C [V] は直流電源の電圧 E [V] の 0.368 倍に減少する．

(4) 抵抗の端子電圧 v_R [V] の極性は，切り換え前（コンデンサ充電中）と逆になる．

(5) 時刻 $t = 0$ s における回路の電流 i [A] は，C の値 [F] に関係する．

解58 解答 (5)

(1)〜(4)の記述が正しく，(5)の記述が誤りである．

時刻 $t<0$（スイッチ切換前）におけるコンデンサ C の電圧は $v_C=E\,[\mathrm{V}]$ であり，v_C は C の値に無関係である．この状態において時刻 $t=0\,\mathrm{s}$ でスイッチ S を 2 側に切り換えた瞬間の回路電流 $i(0)$ は，

$$i(0)=\frac{v_C}{R}=\frac{E}{R}$$

で表されるから，C の値に無関係となる．

問59 Check! □□□

(平成17年 Ⓐ問題9)

図のように，抵抗 R とインダクタンス L のコイルを直列に接続した回路がある．この回路において，スイッチ S を時刻 $t=0$ で閉じた場合に流れる電流及び各素子の端子間電圧に関する記述として，誤っているのは次のうちどれか．

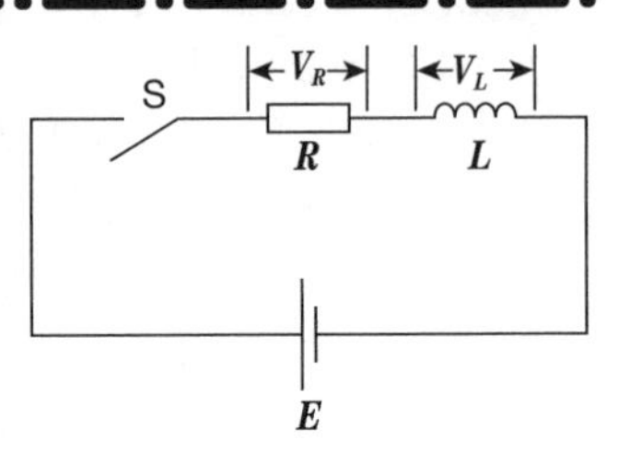

(1) この回路の時定数は，L の値に比例している．

(2) R の値を大きくするとこの回路の時定数は，小さくなる．

(3) スイッチ S を閉じた瞬間（時刻 $t=0$）のコイルの端子間電圧 V_L の大きさは，零である．

(4) 定常状態の電流は，L の値に関係しない．

(5) 抵抗 R の端子間電圧 V_R の大きさは，定常状態では電源電圧 E の大きさに等しくなる．

問60 Check! □□□

(平成20年 Ⓐ問題10)

図のように，開いた状態のスイッチ S，R〔Ω〕の抵抗，インダクタンス L〔H〕のコイル，直流電源 E〔V〕からなる直列回路がある．この直列回路において，スイッチ S を閉じた直後に過渡現象が起こる．この場合に，「回路に流れる電流」，「抵抗の端子電圧」及び「コイルの端子電圧」に関し，時間の経過にしたがって起こる過渡現象として，正しいものを組み合わせたのは次のうちどれか．

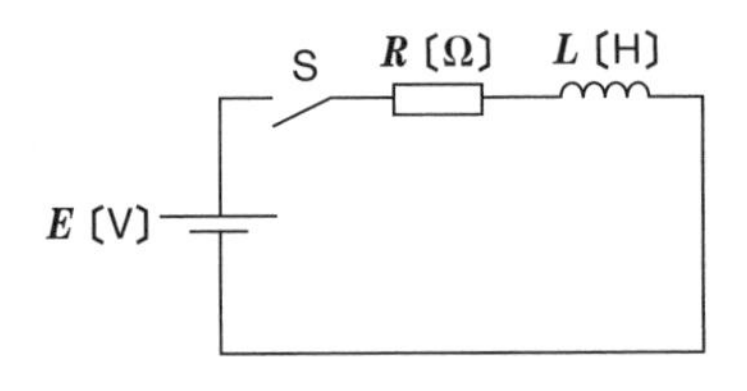

	回路に流れる電流	抵抗の端子電圧	コイルの端子電圧
(1)	大きくなる	低下する	上昇する
(2)	小さくなる	上昇する	低下する
(3)	大きくなる	上昇する	上昇する
(4)	小さくなる	低下する	上昇する
(5)	大きくなる	上昇する	低下する

解59 解答 (3)

(3)が誤りで，正しくは，「スイッチSを閉じた瞬間（時刻 $t=0$）のコイルの端子間電圧 V_L は電源電圧 E に等しい.」である.

これは，問題の回路において $t=0$ でスイッチSを投入したとき，回路に流れる電流 i がインダクタンス L に生じる逆起電力によって，$i=0$ となるためで，この場合，抵抗 R の端子間電圧は0となり，電源電圧 E のすべてがインダクタンス L のコイルにかかるためである.

また，次のように考えることもできる.

インダクタンス L のコイルに電流 i が流れているとき，コイルは，$\frac{1}{2}Li^2$ の磁気エネルギーを保有することになる．いま，$t=0$ でスイッチSを閉じた瞬間に $i=I$ なる電流が流れたとすると，インダクタンス L は時間0でいきなり $\frac{1}{2}LI^2$ の磁気エネルギーを保有することになり，エネルギー保存則に反することになる．したがって，スイッチS投入直後のインダクタンス L の保有する磁気エネルギーは0でなければならず，回路に流れる電流は0となって，電源電圧のすべてがインダクタンス L にかかることになる.

解60 解答 (5)

スイッチSを閉じる前には回路に電流は流れていないから，インダクタンス L に蓄えられるエネルギーは0である.

次に，スイッチSを閉じて回路に直流電圧 E〔V〕を加えると，回路電流 i が流れようとする．i が流れると，インダクタンス L には，

$$W=\frac{1}{2}Li^2$$

のエネルギーが蓄えられるが，スイッチSを閉じる直前には $W=0$ で，エネルギー W は急変することができないので，回路電流 i は $i=0$ からスタートし，時間の経過に伴い，次第に大きくなる．抵抗の端子電圧 v_R は，$v_R=Ri$ で表せるから，i に比例するので，v_R は i と同様に $v_R=0$ からスタートして時間の経過にともない，しだいに上昇する．また，インダクタンスの電圧 v_L は，

$$v_L=E-v_R$$

で表されるから，$v_L=E$ からスタートして時間の経過に伴い，次第に低下することになる.

問61 Check! □□□

(平成29年 A 問題6)

$R_1 = 20\ \Omega$，$R_2 = 30\ \Omega$ の抵抗，インダクタンス $L_1 = 20$ mH，$L_2 = 40$ mH のコイル及び静電容量 $C_1 = 400\ \mu$F，$C_2 = 600\ \mu$F のコンデンサからなる図のような直並列回路がある．直流電圧 $E = 100$ V を加えたとき，定常状態において L_1，L_2，C_1 及び C_2 に蓄えられるエネルギーの総和の値 [J] として，最も近いものを次の(1)〜(5)のうちから一つ選べ．

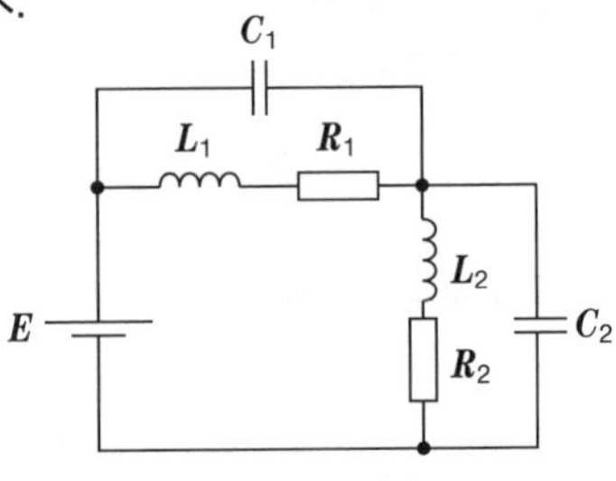

(1) 0.12　(2) 1.20　(3) 1.32　(4) 1.40　(5) 1.52

問62 Check! □□□

(平成18年 A 問題10)

図のような回路において，スイッチSを①側に閉じて，回路が定常状態に達した後で，スイッチSを切り換え②側に閉じた．スイッチS，抵抗 R_2 及びコンデンサ C からなる閉回路の時定数の値として，正しいのは次のうちどれか．

ただし，抵抗 $R_1 = 300$〔Ω〕，抵抗 $R_2 = 100$〔Ω〕，コンデンサ C の静電容量 = 20〔μF〕，直流電圧 $E = 10$〔V〕とする．

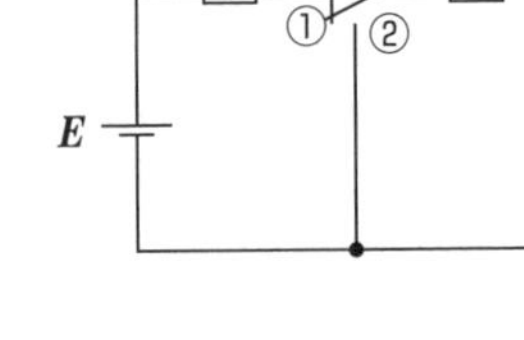

(1) 0.05〔μs〕　(2) 0.2〔μs〕　(3) 1.5〔ms〕
(4) 2.0〔ms〕　(5) 8.0〔ms〕

解61 解答 (5)

定常状態においては，コンデンサは開放，インダクタンスは短絡と考えてよいので，回路電流を I，静電容量 C_1 および C_2 の端子電圧 V_1 および V_2 はそれぞれ，次のようになる．

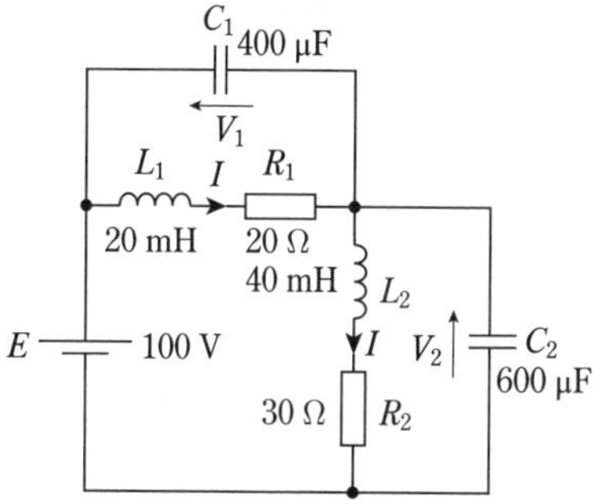

$$I=\frac{E}{R_1+R_2}=\frac{100}{20+30}=2\text{ A}$$

$$V_1=\frac{R_1}{R_1+R_2}E$$

$$=\frac{20}{20+30}\times 100=40\text{ V}$$

$$V_2=E-V_1=100-40=60\text{ V}$$

したがって，L_1，L_2，C_1 および C_2 に蓄えられるエネルギーの総和 W は，

$$W=\frac{1}{2}(L_1+L_2)I^2+\frac{1}{2}C_1{V_1}^2+\frac{1}{2}C_2{V_2}^2$$

$$=\frac{1}{2}\times(20+40)\times 10^{-3}\times 2^2+\frac{1}{2}\times 400\times 10^{-6}\times 40^2+\frac{1}{2}\times 600\times 10^{-6}\times 60^2$$

$$=0.12+0.32+1.08=1.52\text{ J}$$

解62 解答 (4)

RC 直列回路の時定数 τ は，$\tau=RC$〔s〕で表される．問題の回路において，スイッチSを②側に閉じたとき，R_2C の直列回路が形成されるから，その時定数 τ は，$\tau=R_2C$ で与えられる．

よって，求める閉回路の時定数 τ は，

$$\tau=100\times 20\times 10^{-6}\times 10^3=2.0\,〔\text{ms}〕$$

問63　Check! □□□

(平成30年 Ⓐ問題10)

静電容量が1Fで初期電荷が0Cのコンデンサがある．起電力が10Vで内部抵抗が0.5Ωの直流電源を接続してこのコンデンサを充電するとき，充電電流の時定数の値[s]として，最も近いものを次の(1)～(5)のうちから一つ選べ．

(1)　0.5　　(2)　1　　(3)　2　　(4)　5　　(5)　10

問64　Check! □□□

(平成19年 Ⓐ問題10)

図1から図5に示す5種類の回路は，R〔Ω〕の抵抗と静電容量C〔F〕のコンデンサの個数と組み合わせを異にしたものである．コンデンサの初期電荷を零として，スイッチSを閉じたときの回路の過渡的な現象を考える．そのとき，これら回路のうちで時定数が最も大きい回路を示す図として，正しいのは次のうちどれか．

(1)

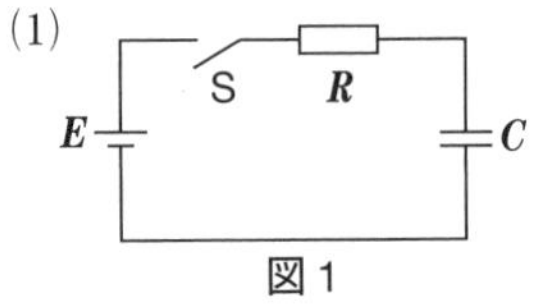

図1

(2)

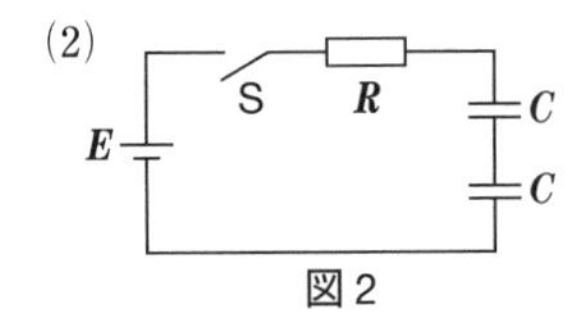

図2

(3)

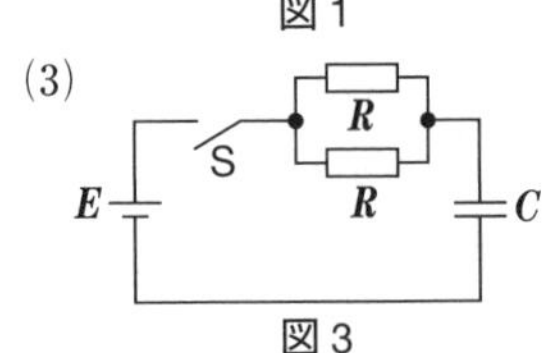

図3

(4)

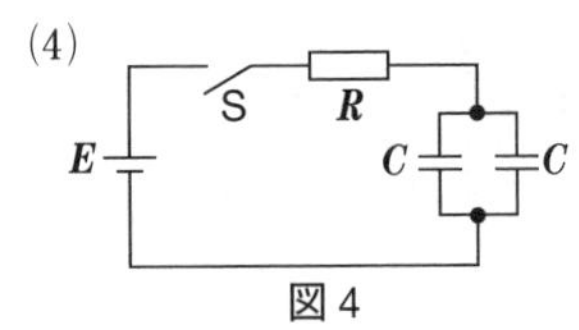

図4

(5)

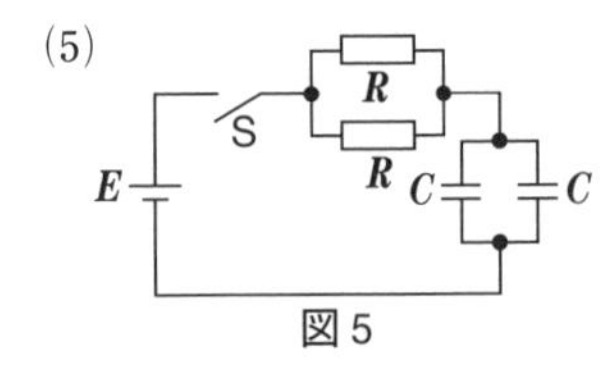

図5

解63 解答 (1)

内部抵抗 R を有する直流電源でコンデンサ C を充電する回路は，RC 直列回路であり，その過渡現象の時間特性を決める時定数 τ [s] は，$\tau = RC$ で与えられる．したがって，求める充電電流の τ は，

$$\tau = RC = 0.5 \times 1 = 0.5 \text{ s}$$

解64 解答 (4)

RC 回路の過渡現象における時定数 T は，

$$T = RC \text{〔s〕}$$

で表せ，回路の抵抗 R と静電容量 C の積で与えられる．

ここで，(1)～(5)の回路の時定数 T_1 ～ T_5 を求めると，

$$T_1 = RC \text{〔s〕}$$

$$T_2 = R \cdot \frac{C}{2} = \frac{1}{2} RC \text{〔s〕}$$

$$T_3 = \frac{R}{2} \cdot C = \frac{1}{2} RC \text{〔s〕}$$

$$T_4 = R \cdot 2C = 2RC$$

$$T_5 = \frac{R}{2} \cdot 2C = RC \text{〔s〕}$$

となるから，$T_4 = 2RC$〔s〕が最も大きい．

問65 Check! □□□

（令和４年㊤　Ⓐ問題 10）

図の回路において，スイッチ S が開いているとき，静電容量 $C_1 = 4$ mF のコンデンサには電荷 $Q_1 = 0.3$ C が蓄積されており，静電容量 $C_2 = 2$ mF のコンデンサの電荷は $Q_2 = 0$ C である．この状態でスイッチ S を閉じて，それから時間が十分に経過して過渡現象が終了した．この間に抵抗 R [Ω] で消費された電気エネルギー [J] の値として，最も近いものを次の(1)～(5)のうちから一つ選べ．

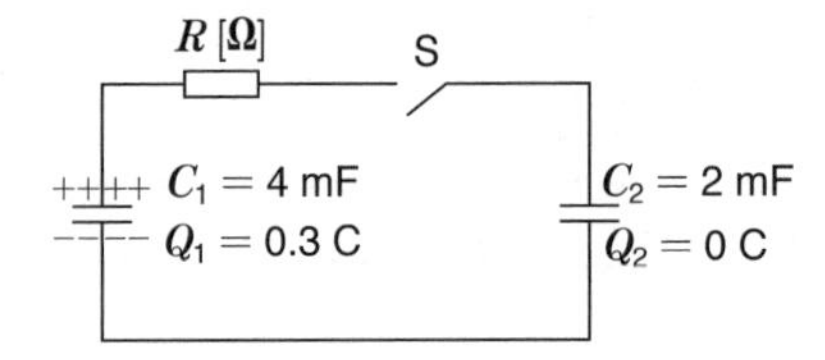

(1)　1.25　　(2)　2.50　　(3)　3.75　　(4)　5.63　　(5)　7.50

解65 解答 (3)

スイッチを閉じる前の C_1，C_2 の両端の電圧 V_1 [V]，V_2 [V] は，

$$V_1 = \frac{Q_1}{C_1} = \frac{0.3}{4\times10^{-3}} = 0.075\times10^3 = 75\ \mathrm{V},\quad V_2 = \frac{Q_2}{C_2} = 0\ \mathrm{V}$$

静電容量 C [C]，端子電圧 V [V] のコンデンサがもつエネルギー U [J] は，

$$U = \frac{1}{2}CV^2\ [\mathrm{J}]$$

であるから，スイッチを閉じる前に二つのコンデンサがもつエネルギーの合計 U_o [J] は，C_2 の両端の電圧 V_2 が 0 V であることを考慮して，

$$U_o = \frac{1}{2}C_1V_1^2 = \frac{1}{2}\times4\times10^{-3}\times75^2 = 2\times5\,625\times10^{-3} = 11.25\ \mathrm{J}$$

スイッチを閉じた後の二つのコンデンサの合成静電容量 C [mF] は，

$$C = C_1 + C_2 = 4 + 2 = 6\ \mathrm{mF}$$

また，二つのコンデンサに蓄えられている総電荷量 Q [C] は，スイッチを閉じる前後で変化しないことから，

$$Q = Q_1 + Q_2 = 0.3\ \mathrm{C}$$

スイッチを閉じて十分に時間が経過した後のコンデンサ両端の電圧 V [V] は，

$$V = \frac{Q}{C} = \frac{0.3}{6\times10^{-3}} = 0.05\times10^3 = 50\ \mathrm{V}$$

よって，スイッチを閉じた後に二つのコンデンサがもつエネルギーの合計 U_c [J] は，

$$U_c = \frac{1}{2}CV^2 = \frac{1}{2}\times6\times10^{-3}\times50^2 = 3\times2\,500\times10^{-3}$$

$$= 7\,500\times10^{-3} = 7.5\ \mathrm{J}$$

抵抗で消費されたエネルギー W [J] は，スイッチを閉じる前後で二つのコンデンサがもつエネルギーの合計の差，すなわち，U_o と U_c の差であるから，

$$W = U_o - U_c = 11.25 - 7.5 = \mathbf{3.75}\ \mathrm{J}$$

問66 Check! □□□

(平成27年 Ⓐ問題10)

図のように，直流電圧 E [V] の電源，抵抗 R [Ω] の抵抗器，インダクタンス L [H] のコイルまたは静電容量 C [F] のコンデンサ，スイッチSからなる2種類の回路（RL 回路，RC 回路）がある．各回路において，時刻 $t = 0$ s でスイッチSを閉じたとき，回路を流れる電流 i [A]，抵抗の端子電圧 v_r [V]，コイルの端子電圧 v_l [V]，コンデンサの端子電圧 v_c [V] の波形の組合せを示す図として，正しいものを次の(1)～(5)のうちから一つ選べ．

ただし，電源の内部インピーダンス及びコンデンサの初期電荷は零とする．

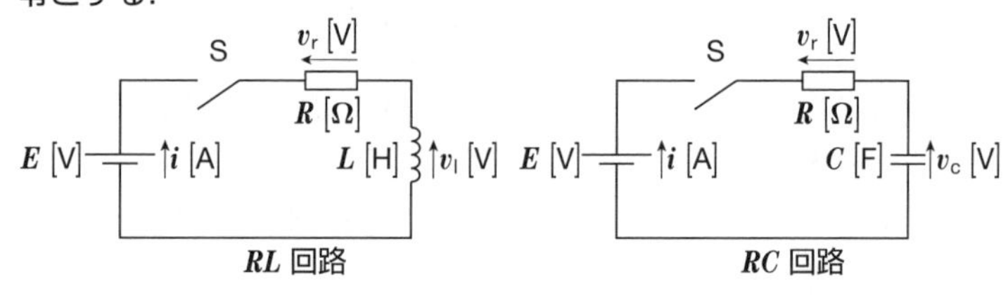

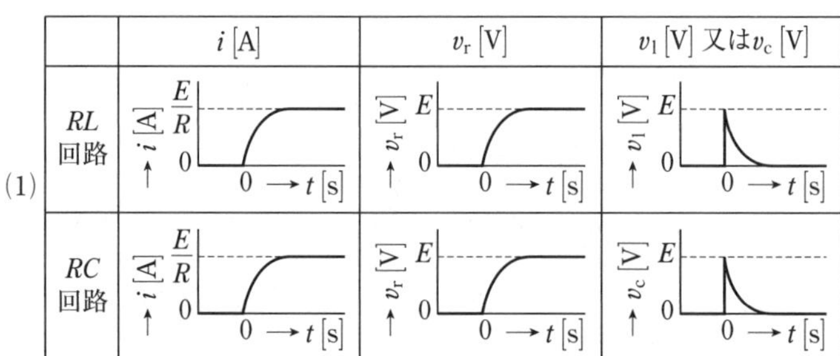

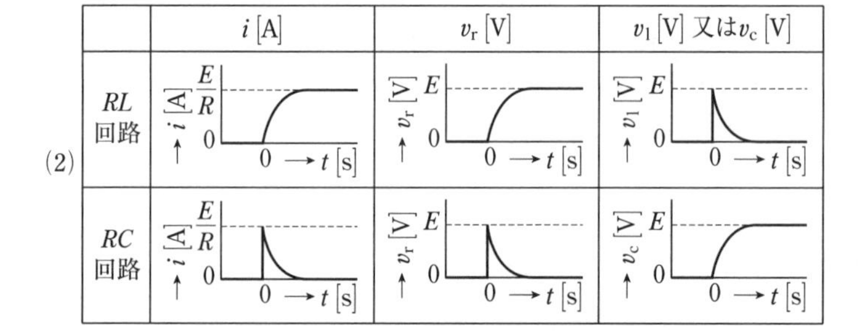

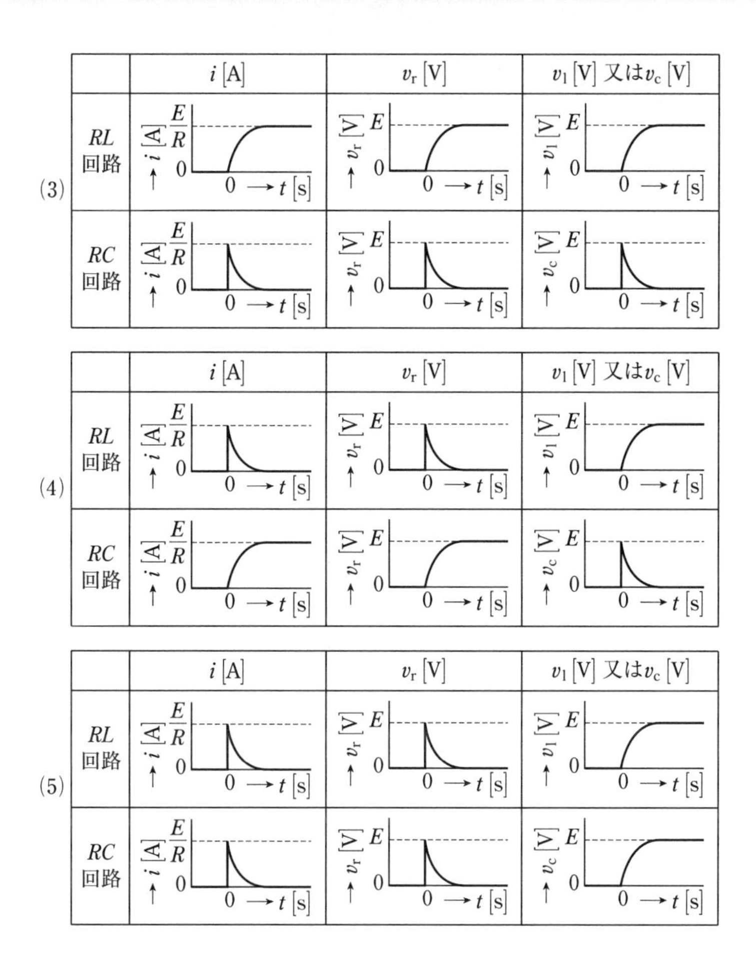
(3)
(4)
(5)
i [A]
v_r [V]
v_1 [V] 又はv_c [V]
RL 回路
RC 回路
E/R
E
0
0 → t [s]
↑ i [A]
↑ v_r [V]
↑ v_1 [V]
↑ v_c [V]

解66 解答 (2)

(1) RL 直列回路

時刻 $t=0$ でスイッチSを閉じたとき，インダクタンス L に電流が流れることができない（もし，スイッチSのオン直後に L に電流 i [A] が流れたとすれば，時間0で L に磁気エネルギー $\frac{1}{2}Li^2$ [J] が蓄えられたことになってしまう.）ので，$t=0$ で $i=0$ である．また，時刻 $t=\infty$ で $i=E/R$ [A] となり，$t=0\sim\infty$ で電流が $i=0$ から $i=E/R$ [A] まで増加するので，**第1図**のような波形となる.

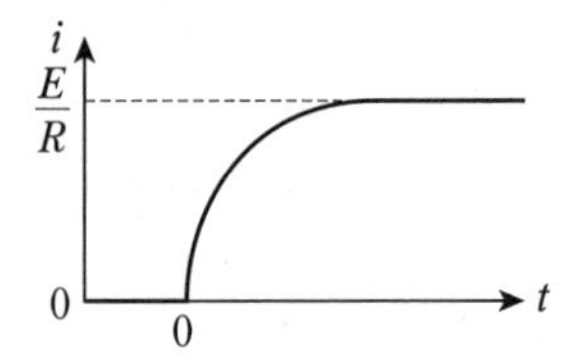

第1図 RL 直列回路の回路電流

次に，抵抗およびインダクタンスの端子電圧 v_r および v_l はそれぞれ，

$$v_r = Ri,\quad v_l = E - Ri$$

で表せるから，v_r および v_l の波形は，**第2図**のようになる.

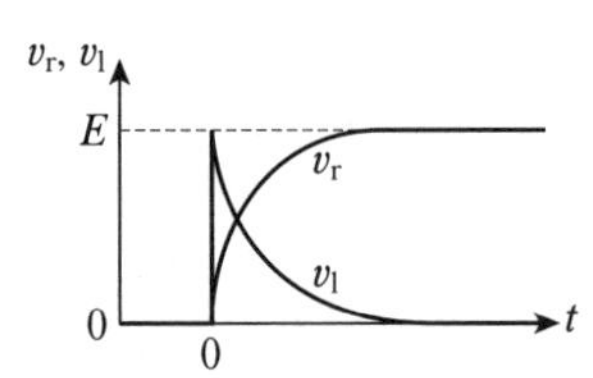

第2図 抵抗およびインダクタンスの端子電圧

(2) RC 直列回路

時刻 $t=0$ でスイッチSを閉じたとき，コンデンサの端子電圧 v_c は0となる（もし，スイッチSオンの直後に C の端子電圧が v_c [V] になったとすれば，時間0で C に電荷 Cv_c [C] が蓄えられたことになってしまう.）ので，$t=0$ で $v_c=0$ である．また，時刻 $t=\infty$ で $v_c=E$ [V] となり，$t=0\sim\infty$ でコンデンサ端子電圧が $v_c=0$ から $v_c=E$ [V] まで増加するので，**第3図**のような波形となる.

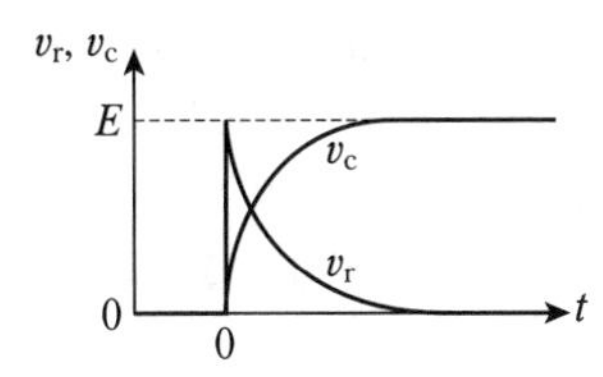

第 3 図　抵抗および静電容量の端子電圧

次に，回路電流 i は $i = v_r/R$ で表せるから，その波形は**第 4 図**のようになる．

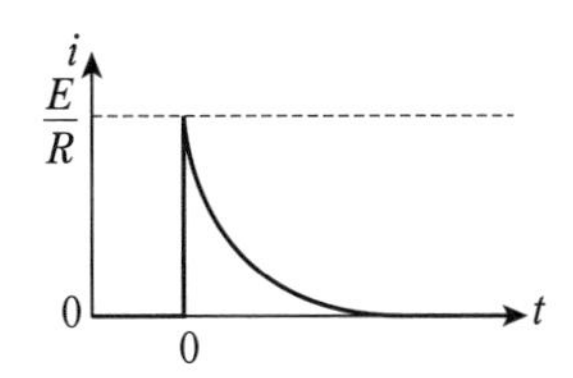

第 4 図　RC 直列回路の回路電流

問67　Check! □□□

（令和6年㊤　Ⓐ問題10）

図の回路のスイッチSを$t = 0$ sで閉じる．電流i_S [A]の波形として最も適切に表すものを次の(1)～(5)のうちから一つ選べ．

ただし，スイッチSを閉じる直前に，回路は定常状態にあったとする．

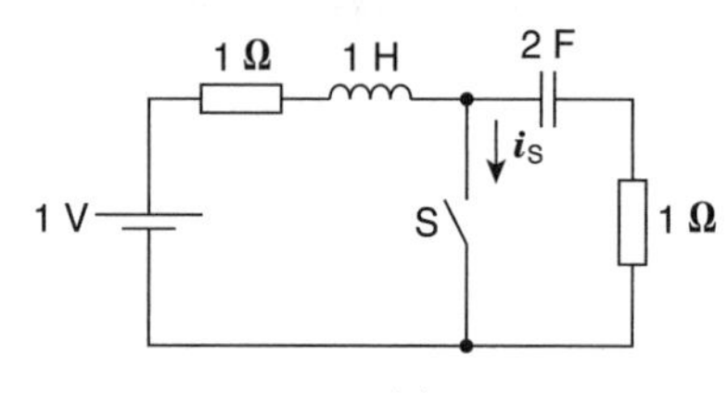

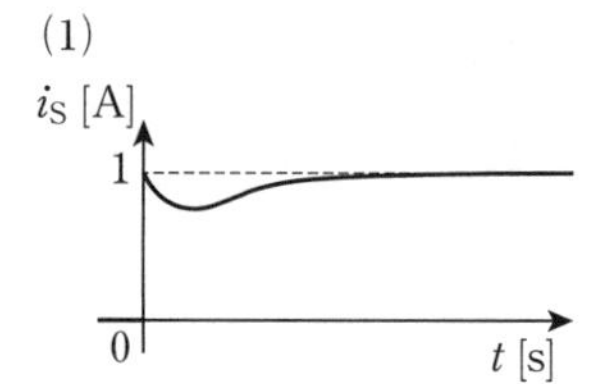

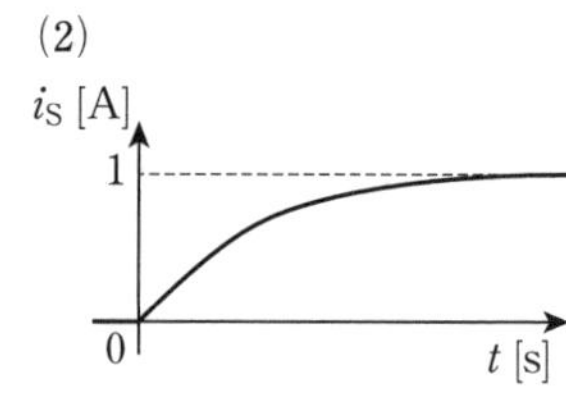

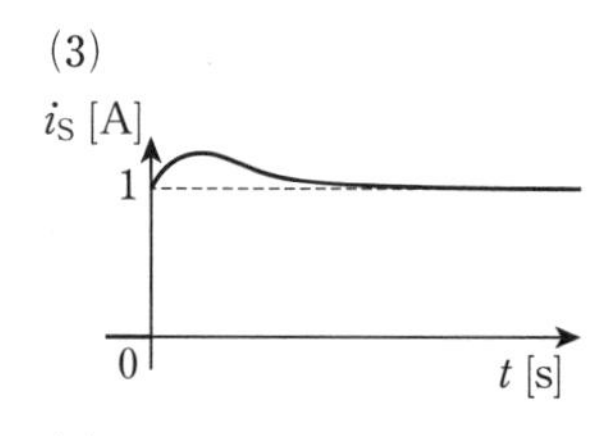

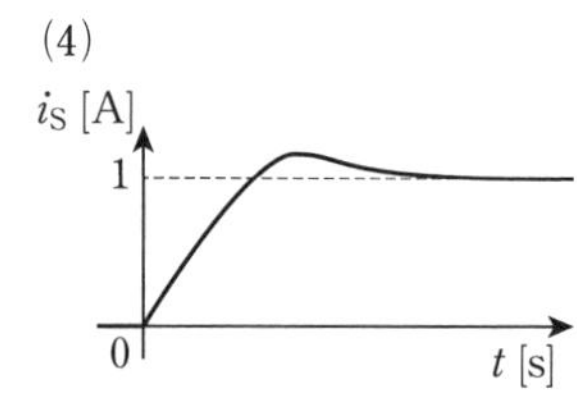

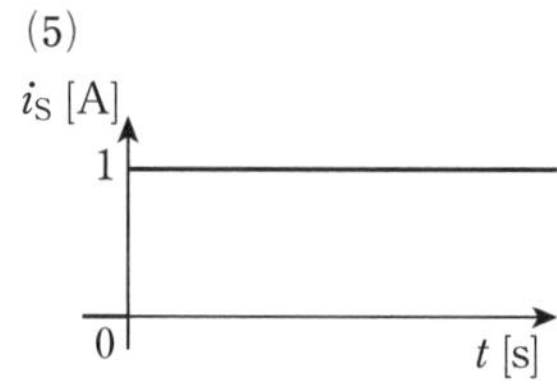

解67 解答 (3)

図のようにスイッチSを閉じた後に流れる電流 i_S は，インダクタンス $L=1$ H を流れる電流 i_L とコンデンサ2Fの放電電流 i_C の和 $i_S=i_L+i_C$ で表せる．

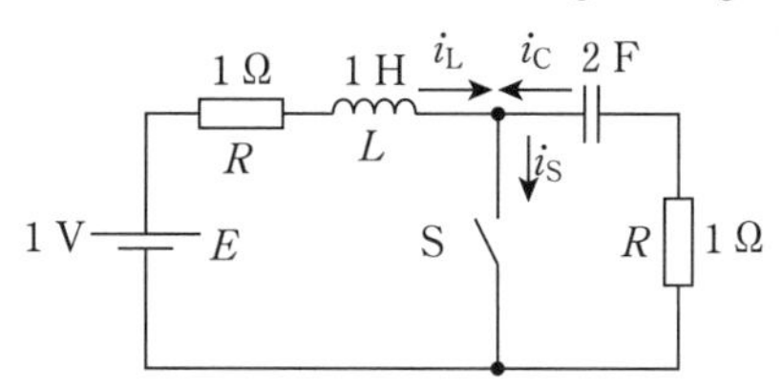

ここに，電流 i_L と電流 i_C はそれぞれ，

$$i_L=\frac{E}{R}\left(1-e^{-\frac{R}{L}t}\right)=1-e^{-t}\ [\mathrm{A}]$$

$$i_C=\frac{E}{R}e^{-\frac{t}{RC}}=e^{-\frac{t}{2}}\ [\mathrm{A}]$$

で与えられるから，電流 i_S は，

$$i_S=i_L+i_C=1-e^{-t}+e^{-\frac{t}{2}}=1+e^{-\frac{t}{2}}-e^{-t}\ [\mathrm{A}]$$

上式において，$t>0$ の有限の時間帯において，$e^{-\frac{t}{2}}>e^{-t}$ であるから，$i_S>1$ となる時間帯が存在する．

また，$t\to\infty$ で $e^{-\frac{t}{2}}\to 0$，$e^{-t}\to 0$ であるから $t\to\infty$ で，$i_S\to 1$ A となる．これらを満足する電流 i_S の波形は(3)となる．

問68 Check! □□□

（令和４年㊦ Ⓐ問題 10）

図の回路のスイッチSを $t = 0$ s で閉じる．電流 i_S [A] の波形として最も適切に表すものを次の(1)〜(5)のうちから一つ選べ．

ただし，スイッチSを閉じる直前に，回路は定常状態にあったとする．

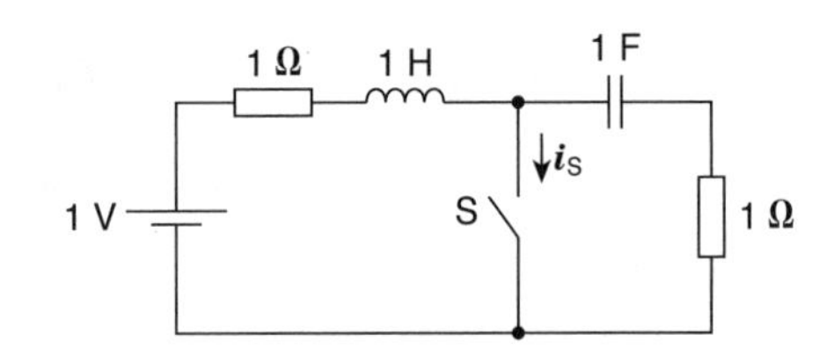

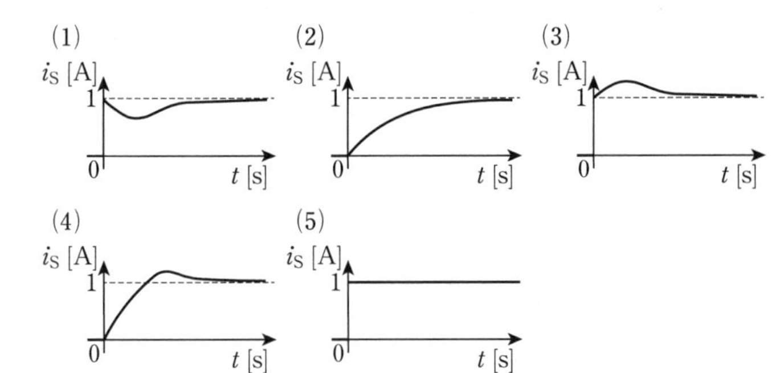

解68 解答 (5)

各部の電流を図のように定めると，

$$i_S = i_L + i_C$$

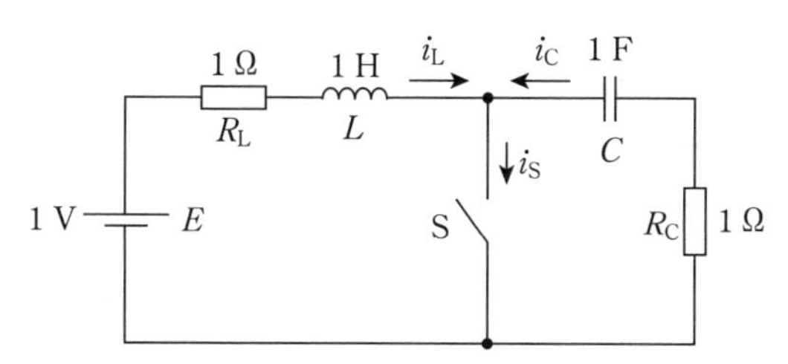

ここで，時刻 t における i_L は，

$$i_L = \frac{E}{R}\left(1 - e^{-\frac{R}{L}t}\right) = \frac{1}{1}\left(1 - e^{-\frac{1}{1}t}\right) = 1 - e^{-t}$$

一方，i_C は，

$$i_C = \frac{E}{R}e^{-\frac{1}{CR}t} = \frac{1}{1}e^{-\frac{1}{1\times1}t} = e^{-t}$$

よって，

$$i_S = i_L + i_C = (1 - e^{-t}) + e^{-t} = 1$$

したがって，i_S は1 A で一定となる．

これより，i_S の波形は(5)のグラフで表される．

問69 Check! □□□

(平成 23 年 A 問題 10)

図のように，2 種類の直流電源，R〔Ω〕の抵抗，静電容量 C〔F〕のコンデンサ及びスイッチ S からなる回路がある．この回路において，スイッチ S を①側に閉じて回路が定常状態に達した後に，時刻 $t = 0$〔s〕でスイッチ S を①側から②側に切り換えた．②側への切り換え以降の，コンデンサから流れ出る電流 i〔A〕の時間変化を示す図として，正しいものを次の(1)～(5)のうちから一つ選べ．

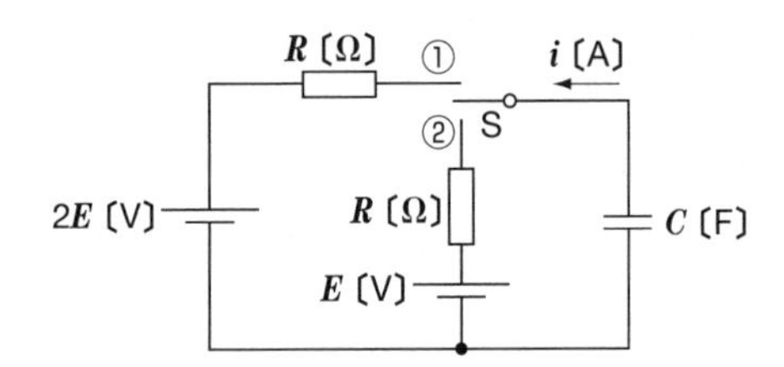

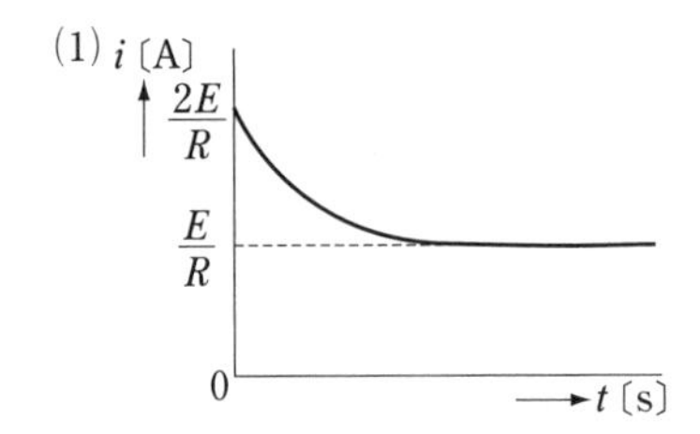

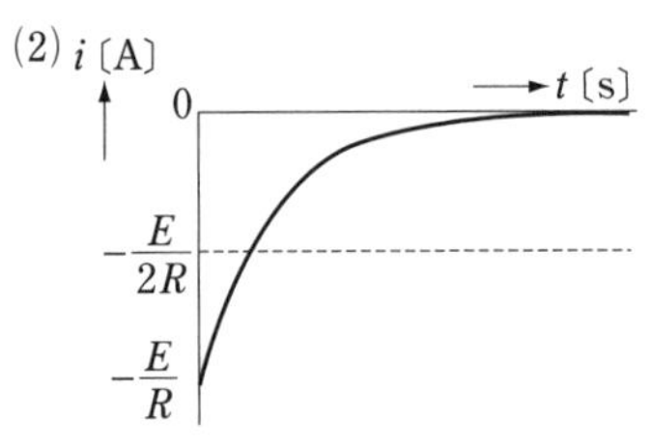

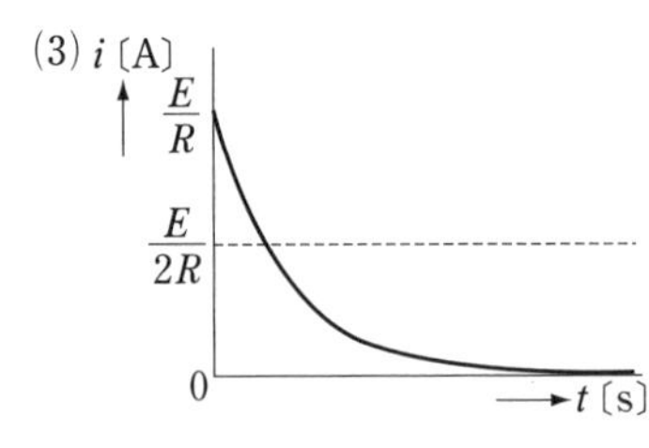

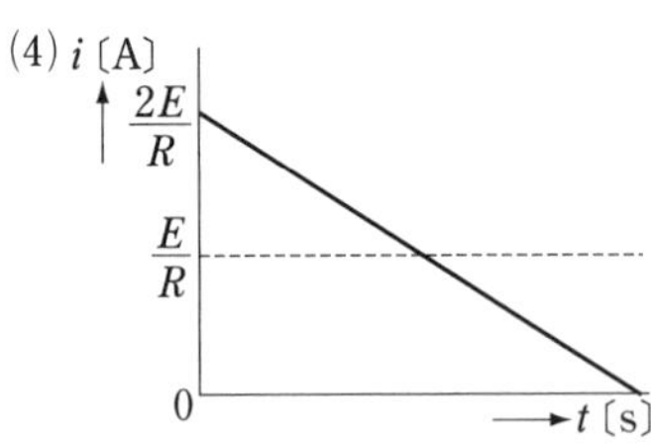

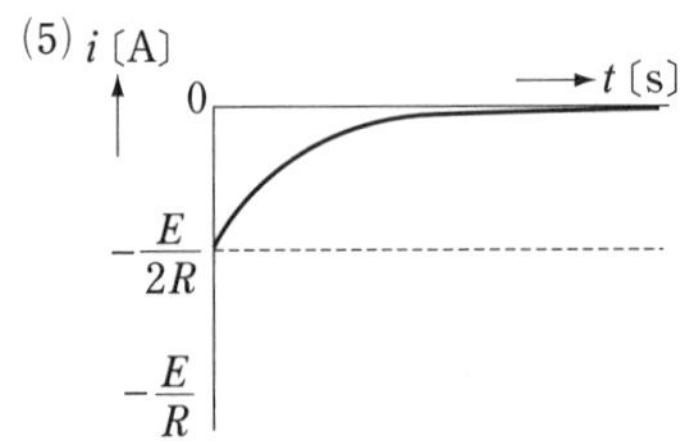

解69 解答 (3)

第1図は，スイッチSを①側に閉じて，回路が定常状態に達した様子を示したもので，コンデンサCは直流電圧$2E$で充電され，$q_0 = 2CE$〔C〕の電荷が蓄えられている．

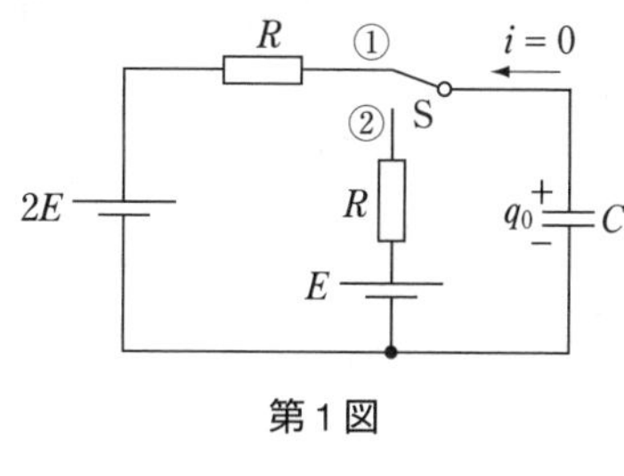

第1図

次に，時刻$t = 0$〔s〕でスイッチSを①側から②側に切り換えたときの回路の状態を示したのが第2図である．

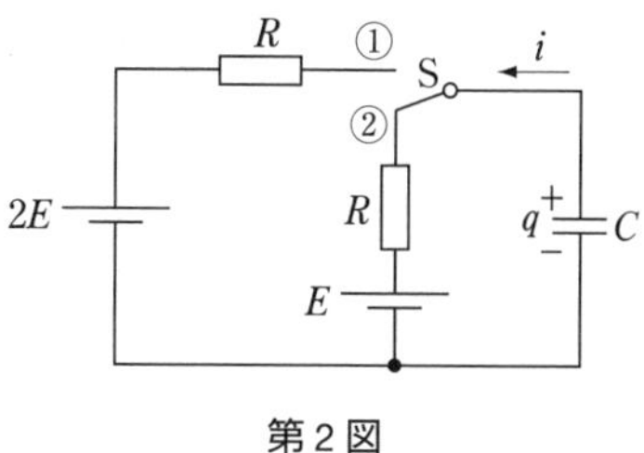

第2図

この場合，コンデンサCの電圧 $v = \dfrac{q}{C}$ が直流電源Eよりも高いので，コンデンサCの電荷qが直流電源へ向かって放電されることによって，回路に電流iが流れる．

$$i = \frac{v - E}{R} = \frac{\frac{q}{C} - E}{R} \text{〔A〕}$$

回路に電流iが流れることにより，次第にコンデンサの電荷qは減少していき，コンデンサの電圧が直流電源Eに等しくなったとき，回路に流れる電流iは0となる．

また，スイッチSを①側から②側に切り換えた瞬間（$t = 0$）の電流i_0は，上式より，

$$i_0 = \frac{\frac{q_0}{C} - E}{R} = \frac{\frac{2CE}{C} - E}{R} = \frac{E}{R} \text{〔A〕}$$

であるから，電流iの時間変化を表す図は，第3図のようになり，(3)が正解となる．

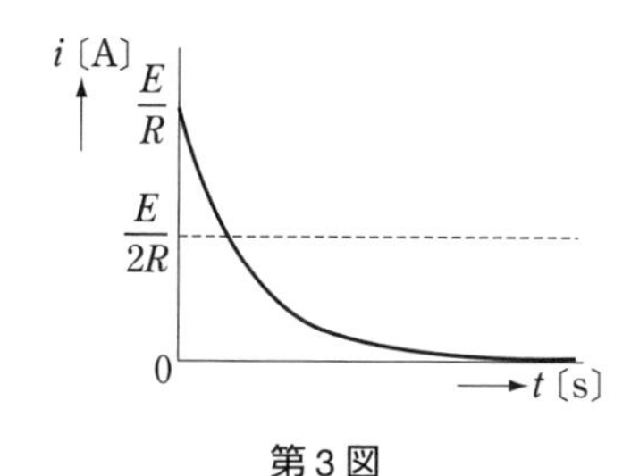

第3図

問70　Check! □□□　（平成24年 Ⓐ問題9）

図のように，直流電圧 E〔V〕の電源，R〔Ω〕の抵抗，インダクタンス L〔H〕のコイル，スイッチ S_1 と S_2 からなる回路がある．電源の内部インピーダンスは零とする．時刻 $t = t_1$〔s〕でスイッチ S_1 を閉じ，その後，時定数 $\dfrac{L}{R}$〔s〕に比べて十分に時間が経過した時刻 $t = t_2$〔s〕でスイッチ S_2 を閉じる．このとき，電源から流れ出る電流 i〔A〕の波形を示す図として，最も近いものを次の(1)～(5)のうちから一つ選べ．

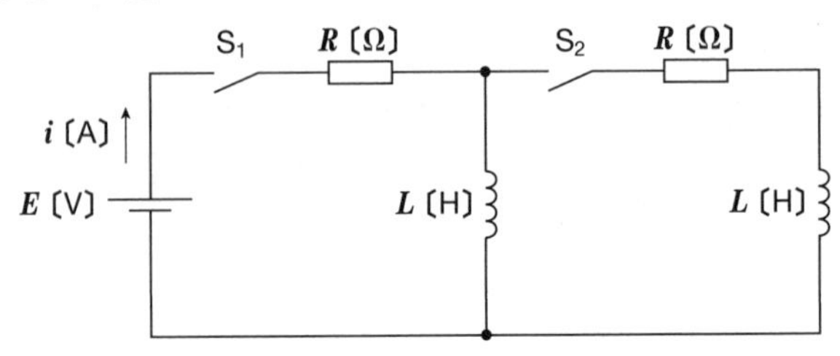

(1)

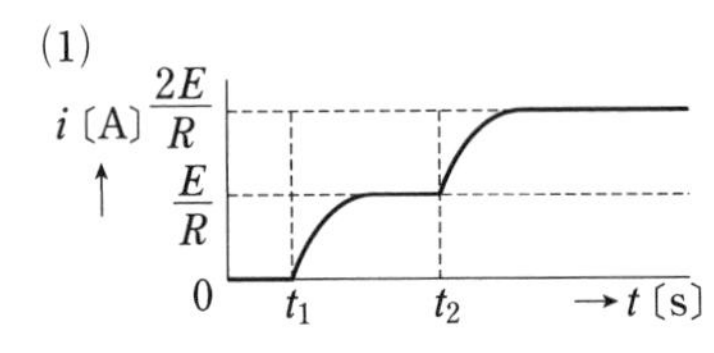

(2)

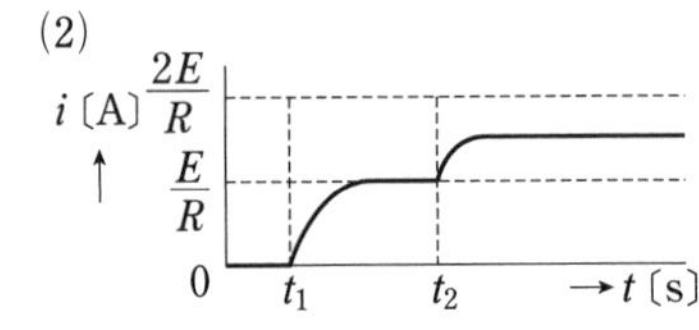

(3)

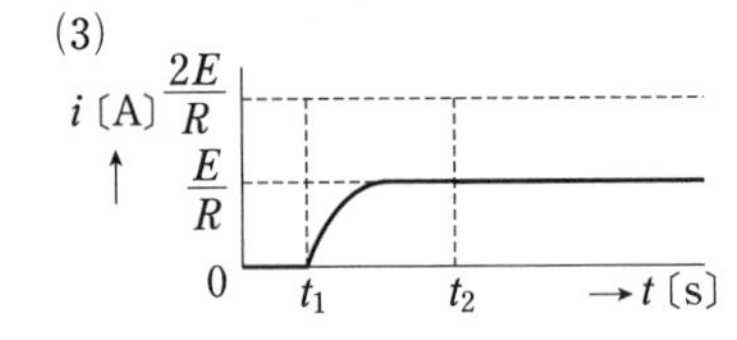

(4)

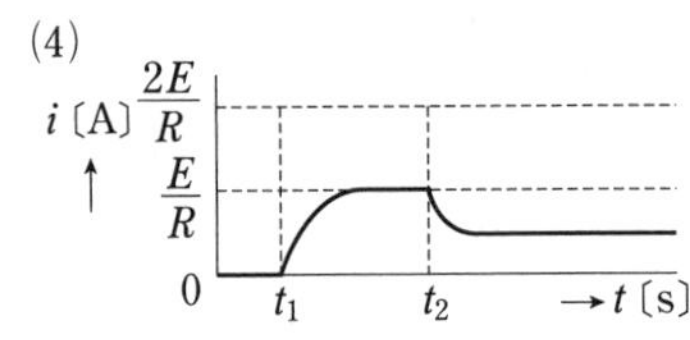

(5)

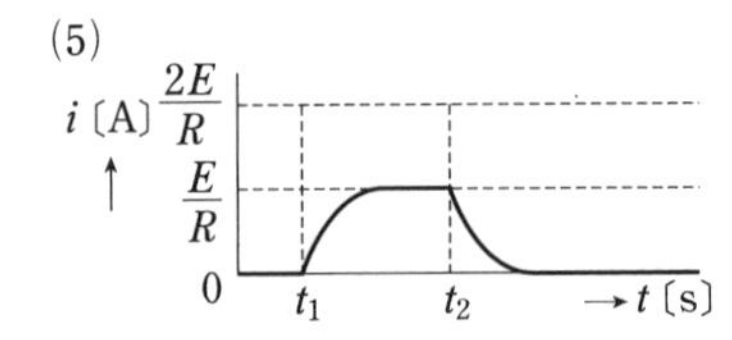

解70 解答 (3)

題意のように，$t = t_1$〔s〕でスイッチ S_1 を閉じた後，時定数 $\dfrac{L}{R}$〔s〕に比べて十分に時間が経過した時刻 $t = t_2$〔s〕でスイッチ S_2 を閉じる直前の回路の様子を描くと図のようになる．

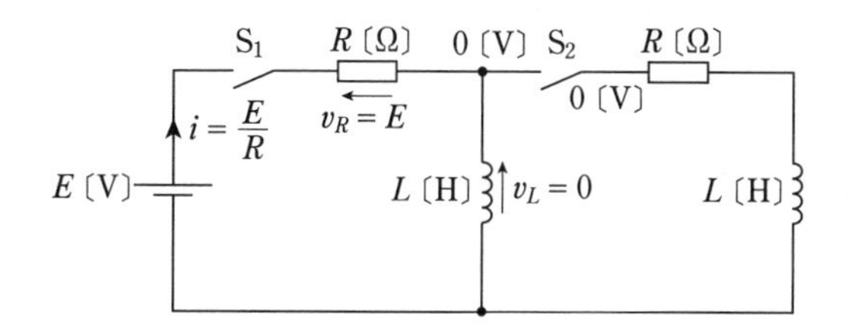

このときの回路電流は $i = \dfrac{E}{R}$ でほぼ一定となっており，インダクタンス L の電圧は $v_L = 0$ となっている．したがって，スイッチ S_2 の二つの極の電位は 0 で，その電位差も 0 であるから，$t = t_2$〔s〕でスイッチ S_2 を閉じても回路には何らの変化も生じないことになり，電流 i〔A〕の波形は，(3)の波形となる．

問71　Check! □□□

(平成21年 Ⓐ問題10)

図1のようなインダクタンス L〔H〕のコイルと R〔Ω〕の抵抗からなる直列回路に，図2のような振幅 E〔V〕，パルス幅 T_0〔s〕の方形波電圧 v_i〔V〕を加えた．このときの抵抗 R〔Ω〕の端子間電圧 v_R〔V〕の波形を示す図として，正しいのは次のうちどれか．

ただし，図1の回路の時定数 $\dfrac{L}{R}$〔s〕は T_0〔s〕より十分小さく $\left(\dfrac{L}{R} \ll T_0\right)$，方形波電圧 v_i〔V〕を発生する電源の内部インピーダンスは0〔Ω〕とし，コイルに流れる初期電流は0〔A〕とする．

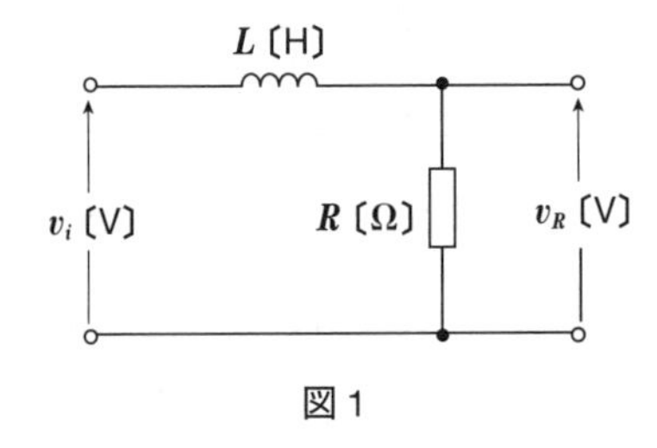

図1

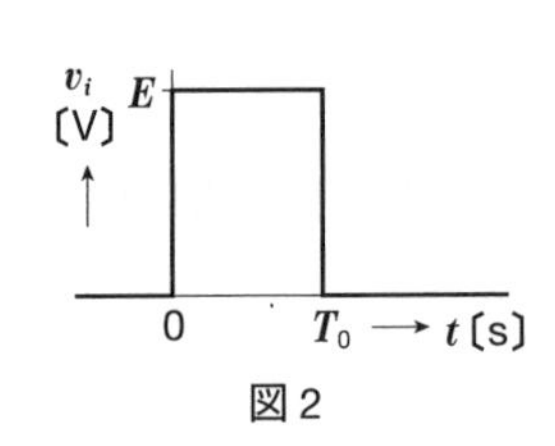

図2

(1)
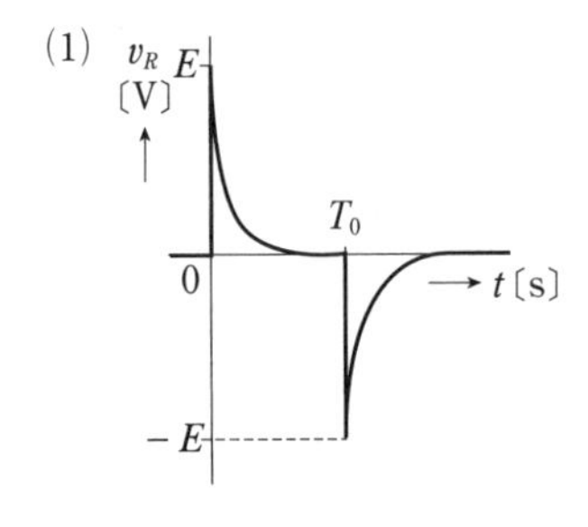

(2)
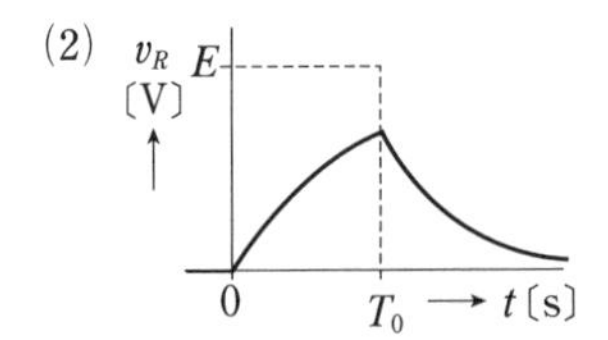

(3)
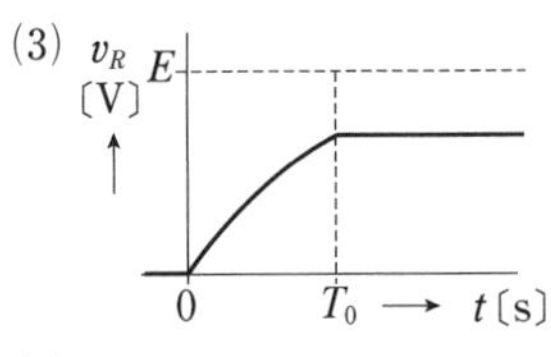

(4)
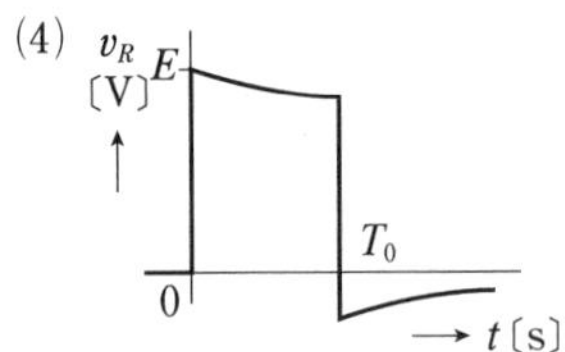

(5)
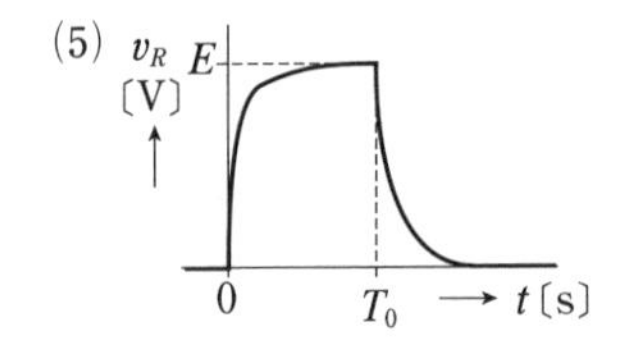

解71 解答 (5)

図のように，インダクタンス L の端子間電圧を v_L とする．

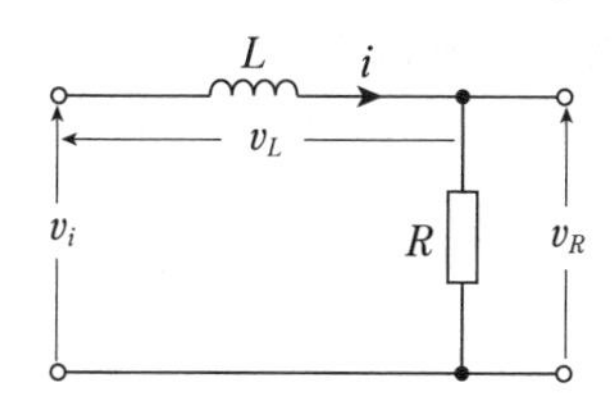

いま，時刻 $t = 0$ で方形波電圧 v_i を加えた後の RL 直列回路の動作について考えてみる．方形波電圧 v_i を印加した瞬間，v_i によって，回路に電流 i が流れようとするが，インダクタンス L の磁束 ϕ は方形波電圧 v_i の印加前後で不変（$\phi = 0$ 一定：これが成立しなければ，方形波電圧印加瞬時にインダクタンス L はある磁気エネルギー W を保有することになり，エネルギー保存の法則に矛盾が生じる．）でなければならないから，方形波電圧印加直後は回路に電流 i が流れることはできない．

すなわち，時刻 $t = 0$ で $v_L = E$ となって，$i = 0$ となり，抵抗 R の端子電圧 v_R は 0 となる．

次に，方形波電圧印加後，時間 t（$t < T_0$）が経過すると，v_L は次第に小さくなって（$v_L < E$），回路に電流 i が流れ始める．また，時間 t の経過とともに電流 i が増加していき，これに伴って v_R も 0 から次第に上昇していく．

また，題意より，問題の RL 回路の時定数 $T = L/R$ は，$T = L/R \ll T_0$ であるから，インダクタンス L の端子電圧 v_L の減少は非常に速く，時刻 $t = T_0$ に達する前に，$v_L \fallingdotseq 0$ となり，$i \fallingdotseq E/R$ となるから，$v_R \fallingdotseq E$ となる．

したがって，v_R の波形は，(5)となる．

問72　Check! □□□

(平成25年　Ⓐ問題12)

図の回路において，十分に長い時間開いていたスイッチSを時刻t=0〔ms〕から時刻t=15〔ms〕の間だけ閉じた．このとき，インダクタンス20〔mH〕のコイルの端子間電圧v〔V〕の時間変化を示す図として，最も近いものを次の(1)～(5)のうちから一つ選べ．

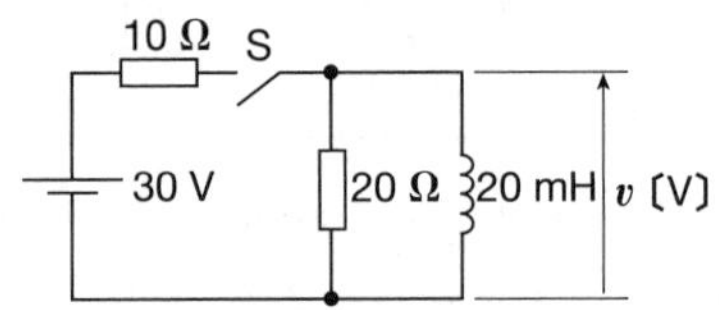

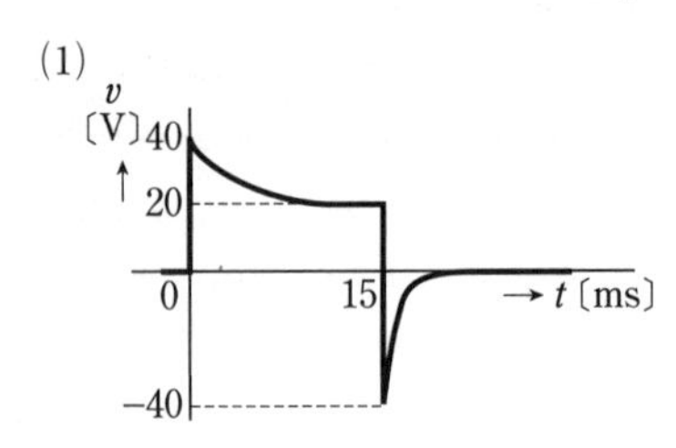

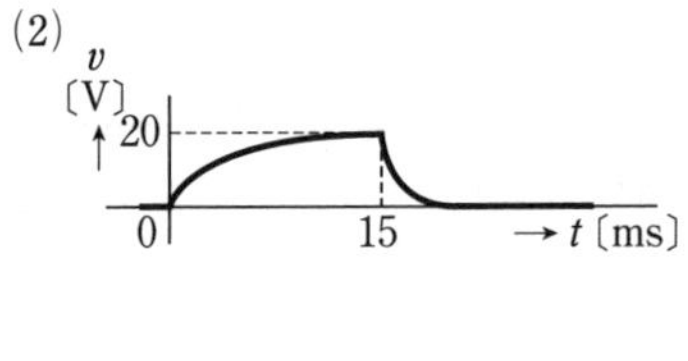

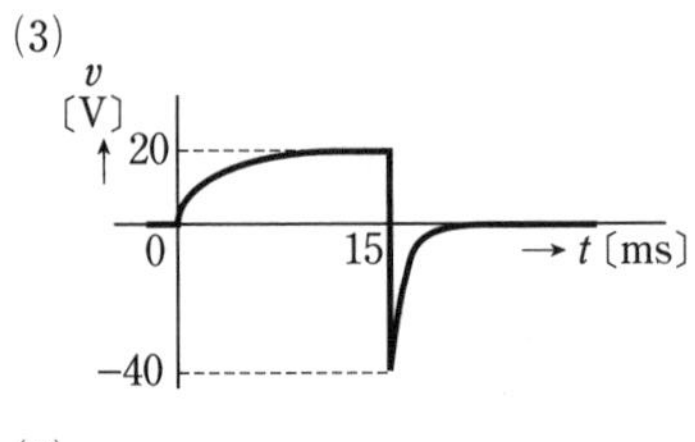

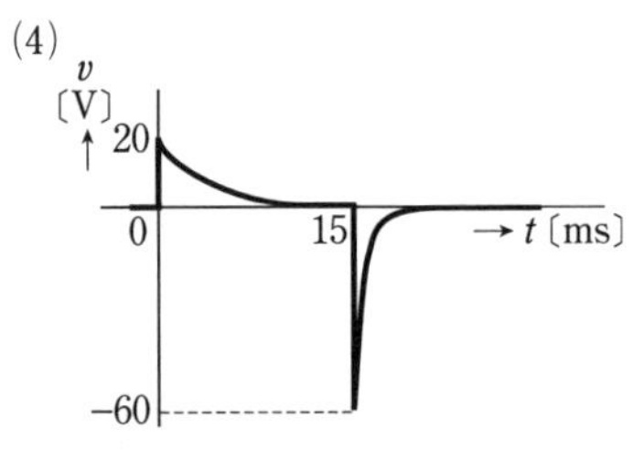

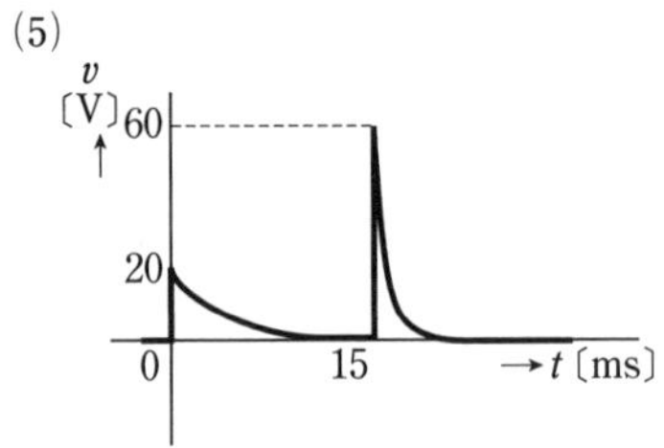

解72 解答 (4)

$t=0$ でスイッチを閉じると，閉じた瞬間はコイルに電流は流れず，**第1図**のようになる．

したがって，v は次の値になる．

$$v_{t=0}=30\times\frac{20}{10+20}=20\,〔\mathrm{V}〕$$

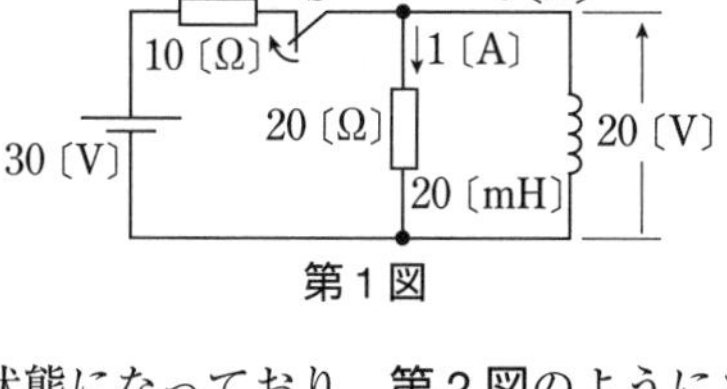

第1図

この回路の抵抗とインダクタンスの値から考えて，$t=15$〔ms〕では，回路は定常状態になっており，**第2図**のようにコイルには，

$$i_{t=15}=\frac{30}{10}=3\,〔\mathrm{A}〕$$

の電流が流れている状態になる．

ただし，20〔Ω〕の抵抗に流れる電流は零であるから，v の値は $v_{t=15}=0$〔V〕である．

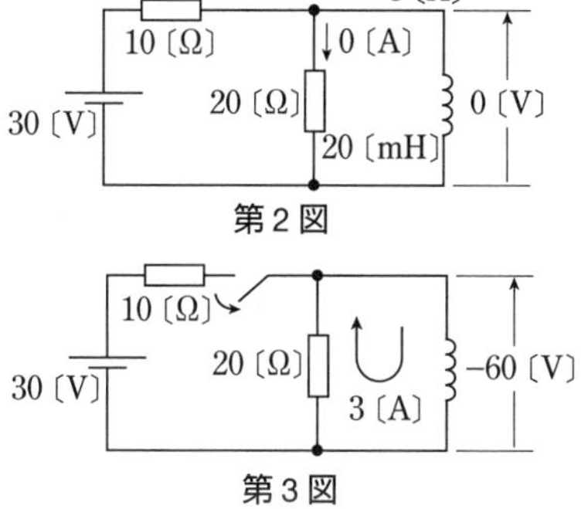

第2図

第3図

この状態でスイッチを開くと，開いた瞬間は，コイルに流れていた3〔A〕の電流が，**第3図**のように流れるため，

$$v_{t=15}=-3\times20=-60\,〔\mathrm{V}〕$$

となるが，やがてコイルに蓄えられたエネルギーが抵抗で消費され，電流は零になる．

以上より，電圧 v は**第4図**のように，20〔V〕→0〔V〕→−60〔V〕→0〔V〕と変化する．

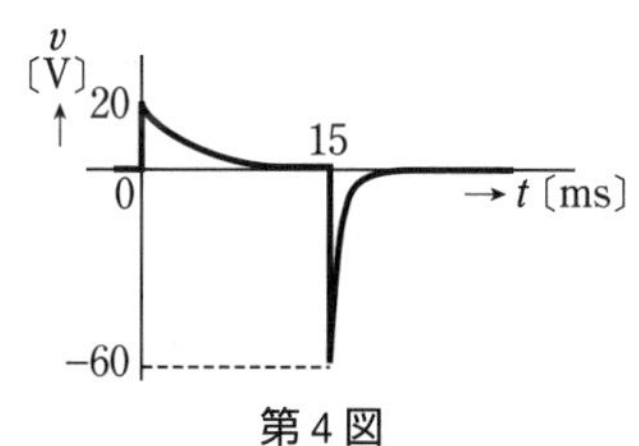

第4図

問73 Check! □□□

（令和3年 Ⓐ問題10）

開放電圧が V [V] で出力抵抗が十分に低い直流電圧源と，インダクタンスが L [H] のコイルが与えられ，抵抗 R [Ω] が図1のようにスイッチSを介して接続されている．時刻 $t=0$ でスイッチSを閉じ，コイルの電流 i_L [A] の時間に対する変化を計測して，波形として表す．$R=1$ Ω としたところ，波形が図2であったとする．$R=2$ Ω であればどのような波形となるか，波形の変化を最も適切に表すものを次の(1)～(5)のうちから一つ選べ．

ただし，選択肢の図中の点線は図2と同じ波形を表し，実線は $R=2$ Ω のときの波形を表している．

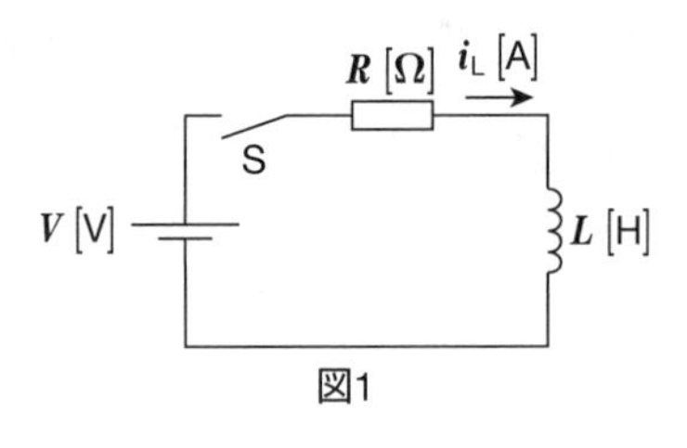

図1

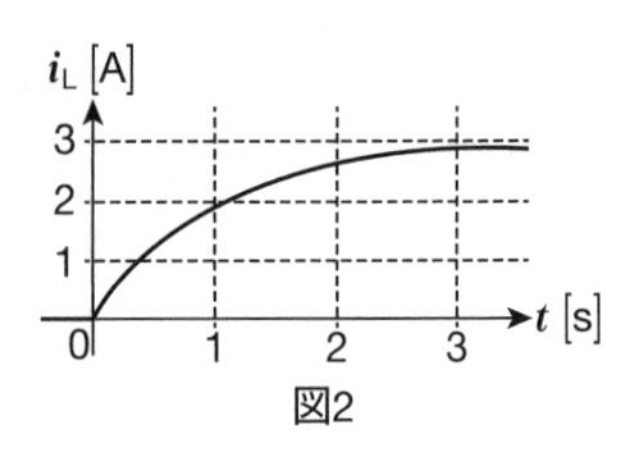

図2

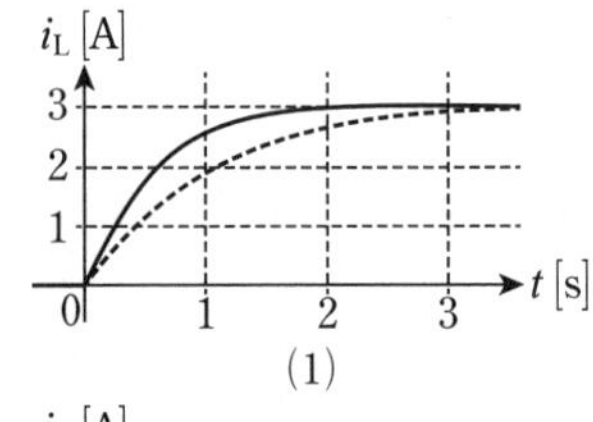

(1)

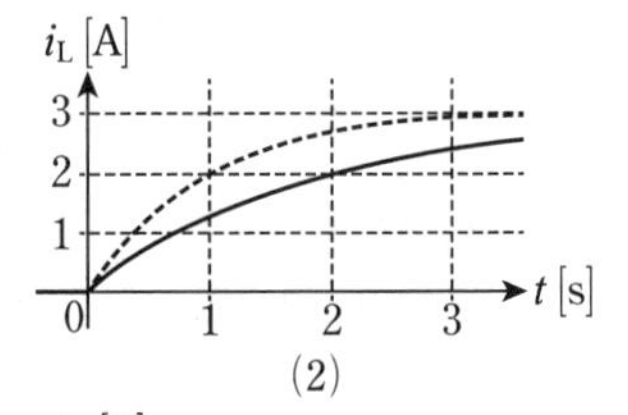

(2)

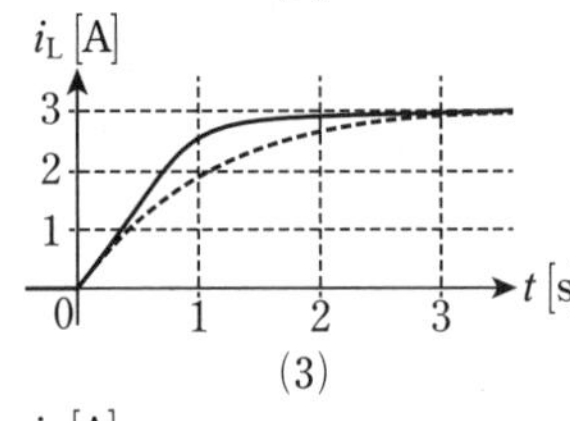

(3)

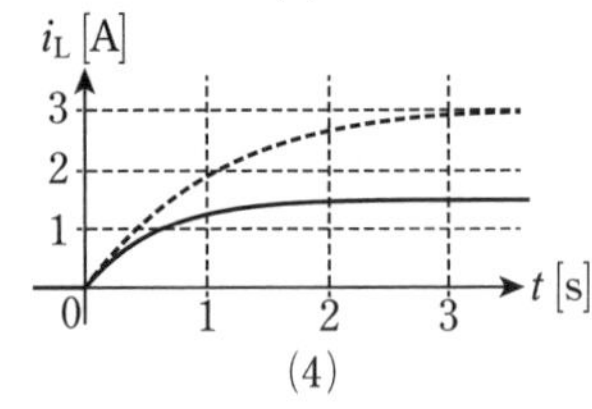

(4)

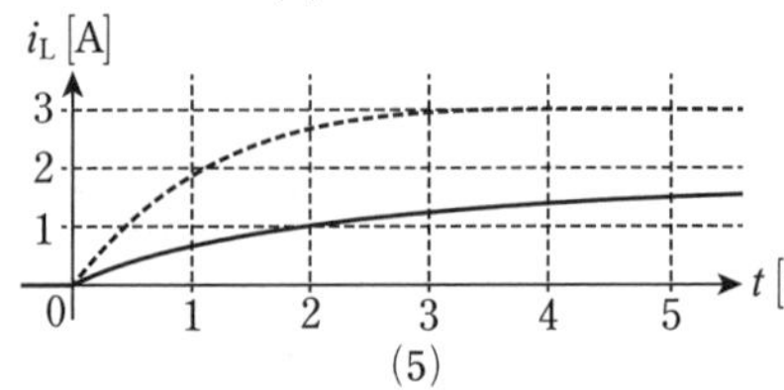

(5)

解73 解答 (4)

$t=0$ でスイッチSを閉じたときのコイルの電流 i_L は,

$$i_L=\frac{V}{R}(1-e^{-\frac{R}{L}t}) \tag{1}$$

で表されるから, $R=1\,\Omega$ および $R=2\,\Omega$ の場合のコイルの電流 i_{L1} および i_{L2} はそれぞれ, 次式で表される.

$$i_{L1}=\frac{V}{1}(1-e^{-\frac{1}{L}t}) \tag{2}$$

$$i_{L2}=\frac{V}{2}(1-e^{-\frac{2}{L}t}) \tag{3}$$

問題図2および(2)式より, 定常状態 ($t=\infty$) におけるコイルの電流は,

$$i_{L1}(\infty)=\frac{V}{1}=3\,\mathrm{A}$$

となるから, $R=2\,\Omega$ の場合のコイルの定常電流 $i_{L2}(\infty)$ は,

$$i_{L2}(\infty)=\frac{V}{2}=\frac{3}{2}=1.5\,\mathrm{A}$$

一方, (2)式および(3)式中に含まれる指数関数 $e^{-t/L}$ と $e^{-2t/L}$ を比べると, 時間 t の経過に対し, $e^{-2t/L}$ の方が $e^{-t/L}$ に比べて早く減衰するので, コイルの電流 i_{L2} は i_{L1} に比べて早く定常値に近づく.

以上から, (4)の波形が正解となる.

問74 Check! □□□

(平成26年 Ⓐ問題11)

図のように，直流電圧 E〔V〕の電源が2個，R〔Ω〕の抵抗が2個，静電容量 C〔F〕のコンデンサ，スイッチ S_1 と S_2 からなる回路がある．スイッチ S_1 と S_2 の初期状態は，共に開いているものとする．電源の内部インピーダンスは零とする．時刻 $t=t_1$〔s〕でスイッチ S_1 を閉じ，その後，時定数 CR〔s〕に比べて十分に時間が経過した時刻 $t=t_2$〔s〕でスイッチ S_1 を開き，スイッチ S_2 を閉じる．このとき，コンデンサの端子電圧 v〔V〕の波形を示す図として，最も近いものを次の(1)～(5)のうちから一つ選べ．

ただし，コンデンサの初期電荷は零とする．

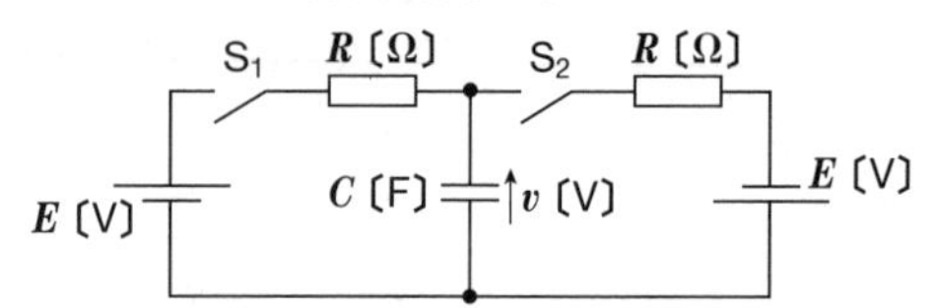

(1)
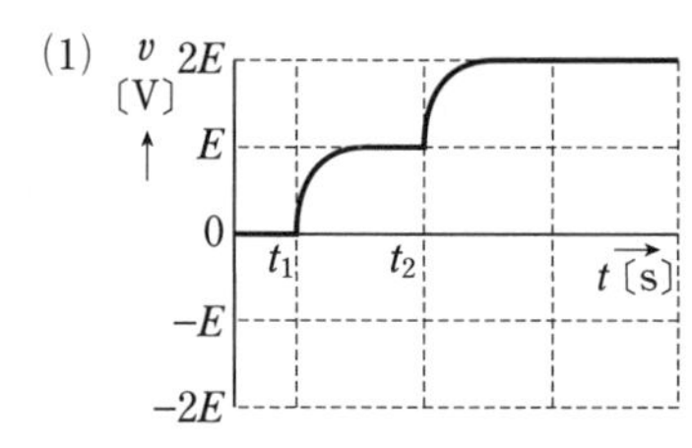

(2)
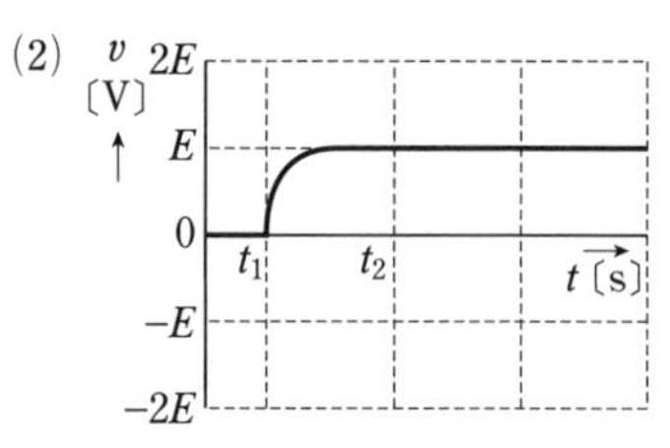

(3)
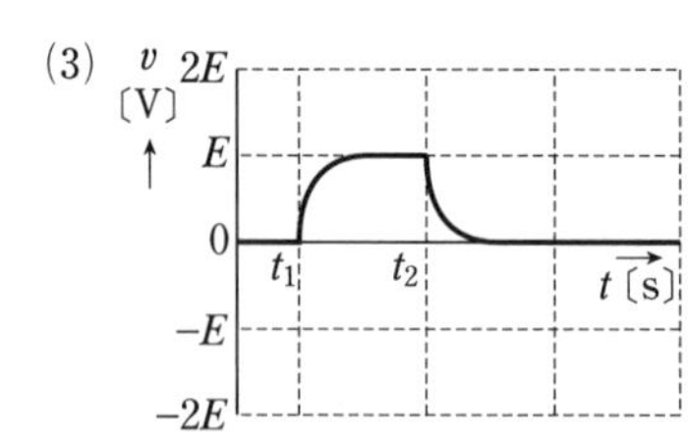

(4)
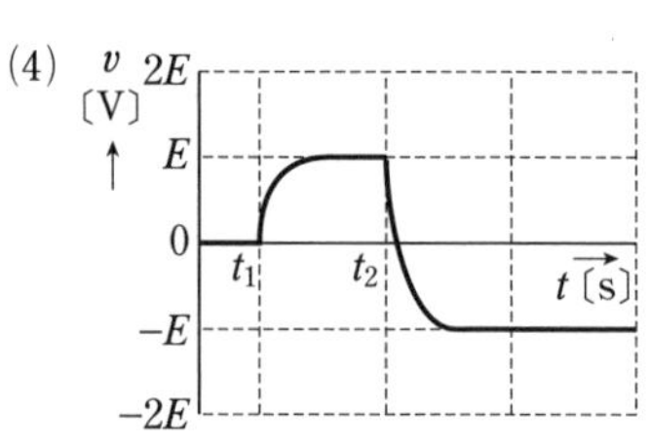

(5)
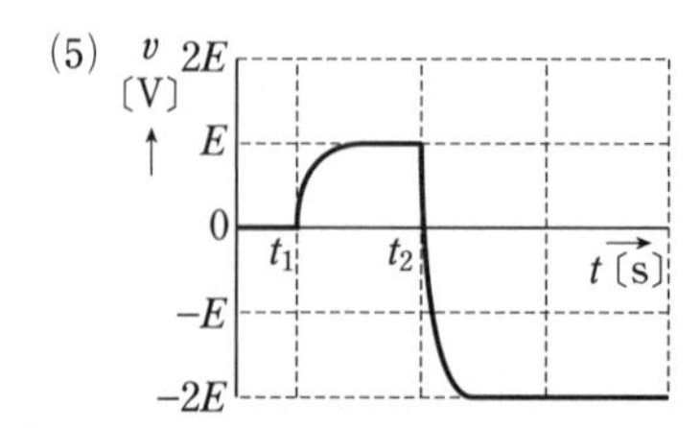

解74 解答 (4)

(i) $t=t_1$ でスイッチ S_1 を閉じたとき，第1図のように回路に電流 i_1 が流れてコンデンサ C に電荷 q が蓄えられる．コンデンサの端子電圧 v は，

$v=\dfrac{q}{C}\propto q$ で表せるから，v は電荷 q の増加に比例して増加する．

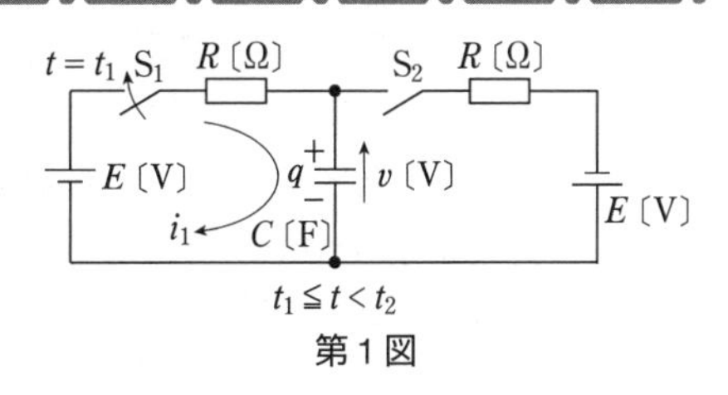

第1図

また，時刻 $t=t_2$ 直前では，時定数 CR に比べ十分に時間が経過しているので，コンデンサの端子電圧は $v \fallingdotseq E$ となり，ほぼ満充電の状態となる．

(ii) 時刻 $t=t_2$ でスイッチ S_1 を開き，スイッチ S_2 を閉じると，第2図のように回路電流 i_2 が流れる．

時刻 $t_2 \leqq t < t_3$ の期間では，電流 i_2 はコンデンサ C の電荷放電による電流で，時刻 $t=t_3$ でコンデンサ C の電荷はすべて放電され，その端子電圧は $v=0$ となる．

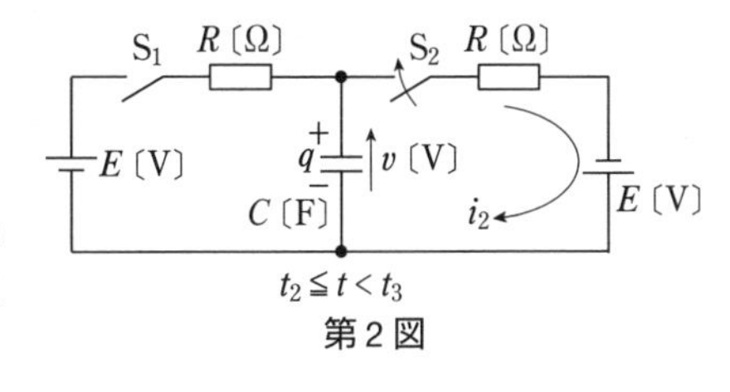

第2図

(iii) 時刻 $t_3 \leqq t$ においては，第3図のように回路電流 i_2 は，コンデンサ C の充電電流となって，コンデンサは以前と逆方向に充電される．

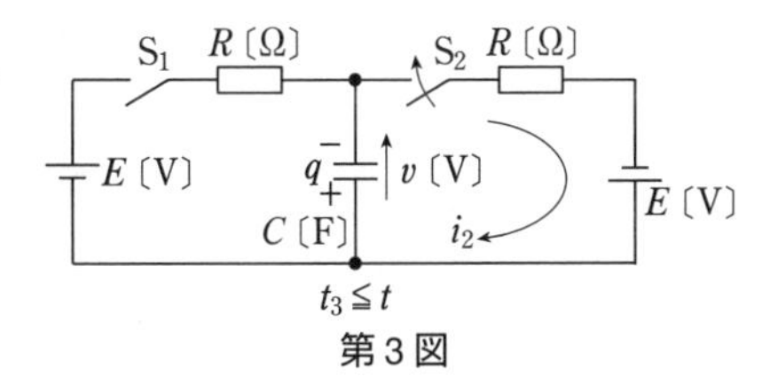

第3図

(iv) コンデンサの逆方向への充電がさらに進むと，コンデンサの端子電圧の大きさはほぼ電源電圧 E となるが，充電の方向が逆であるので，コンデンサの端子電圧は満充電付近で $v \fallingdotseq -E$ となる．

以上の動作を図示すると第4図のようになり，求めるコンデンサの端子電圧 v の波形は(4)の波形となる．

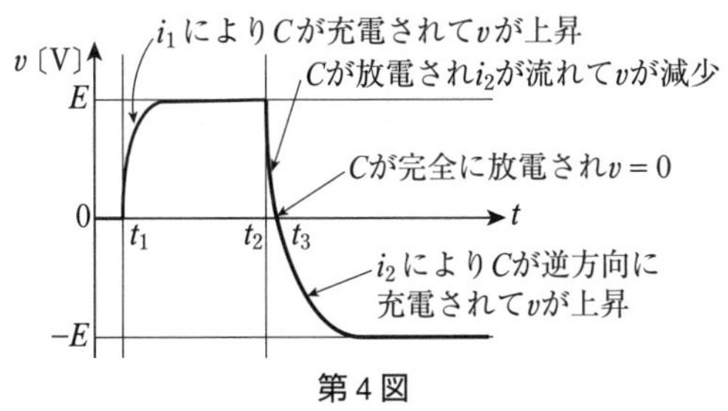

第4図

問75 Check! □□□

(平成 23 年 Ⓑ 問題 16)

図のように，電圧 100〔V〕に充電された静電容量 C = 300〔μF〕のコンデンサ，インダクタンス L = 30〔mH〕のコイル，開いた状態のスイッチ S からなる回路がある．時刻 t = 0〔s〕でスイッチ S を閉じてコンデンサに充電された電荷を放電すると，回路には振動電流 i〔A〕(図の矢印の向きを正とする)が流れる．このとき，次の(a)及び(b)の問に答えよ．

ただし，回路の抵抗は無視できるものとする．

(a) 振動電流 i〔A〕の波形を示す図として，正しいものを次の(1)～(5)のうちから一つ選べ．

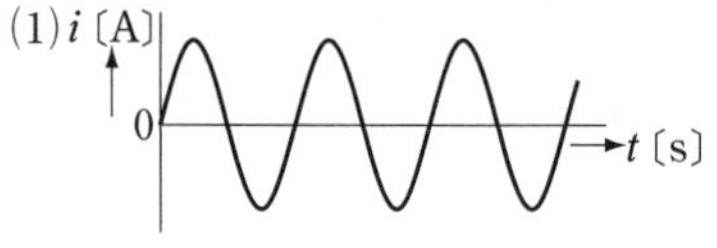

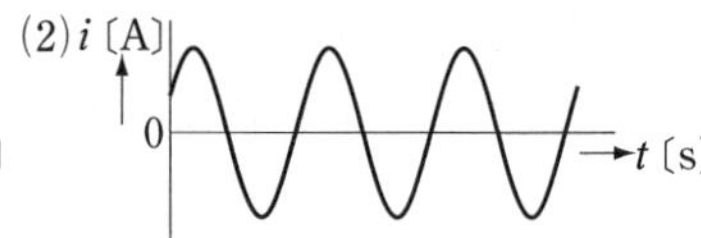

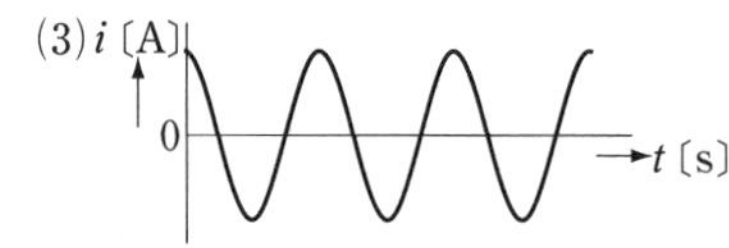

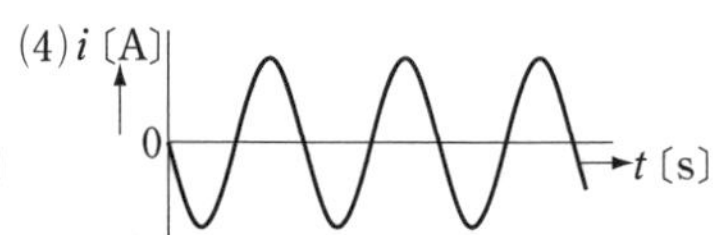

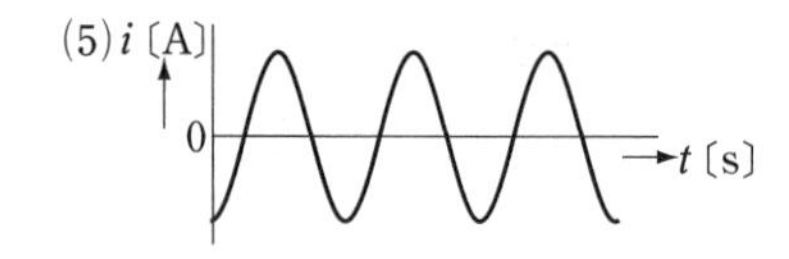

(b) 振動電流の最大値〔A〕及び周期〔ms〕の値の組合せとして，最も近いものを次の(1)～(5)のうちから一つ選べ．

	最大値	周期
(1)	1.0	18.8
(2)	1.0	188
(3)	10.0	1.88
(4)	10.0	18.8
(5)	10.0	188

解75 解答 (a)−(1), (b)−(4)

(a) 時間 $t=0$ でスイッチSを閉じた瞬間，コンデンサ C の放電による放電電流 i が，$C\to L\to C$ の経路で流れようとするが，$t<0$ の期間にインダクタンス L には電流が流れていない（$i=0$）ので，L を流れる電流 i は急変することができず（L に発生する逆起電力で阻止される），$t=0$ で $i=0$ である．

時間 t の経過とともに，L の逆起電力は小さくなり，コンデンサからの放電電流 i が $C\to L\to C$ の経路で流れていくので，(1)の波形が正解である．

(b) この回路の場合，コンデンサ C とその保有電荷 q が等価的に交流電源としてインダクタンス L に電流 i を流していると考えることができる．

また，等価交流電源の最大値 E は，コンデンサの初期電圧であり，角周波数 ω は LC 共振角周波数となり，次式となる．

$$\omega=\frac{1}{\sqrt{LC}}\,〔\mathrm{rad/s}〕$$

したがって，回路のインピーダンス Z はインダクタンス L のリアクタンスのみとなり，次式となる．

$$Z=\omega L=\frac{1}{\sqrt{LC}}\cdot L=\sqrt{\frac{L}{C}}\,〔\Omega〕$$

したがって，振動電流 i の瞬時値は，

$$i=\frac{E}{Z}\sin\omega t=\frac{E}{\sqrt{\frac{L}{C}}}\sin\frac{1}{\sqrt{LC}}t\,〔\mathrm{A}〕$$

または，

$$i=I_m\sin\frac{2\pi}{T}t\,〔\mathrm{A}〕$$

で表すことができ，振動電流 i の最大値 I_m および周期 T は，コンデンサの初期電圧を E とすると，それぞれ次式で求めることができる．

$$I_m=\frac{E}{\sqrt{\frac{L}{C}}}\,〔\mathrm{A}〕$$

$$\frac{2\pi}{T}=\frac{1}{\sqrt{LC}}$$

$$\therefore\quad T=2\pi\sqrt{LC}\,〔\mathrm{s}〕$$

ここに，題意より，$C=300$〔μF〕，$L=30$〔mH〕，$E=100$〔V〕であるから，

振動電流の最大値 I_m および周期 T は,

$$\sqrt{\frac{L}{C}} = \sqrt{\frac{30 \times 10^{-3}}{300 \times 10^{-6}}} = \sqrt{0.1 \times 10^{3}} = \sqrt{1 \times 10^{2}} = 10〔\Omega〕$$

$$I_m = \frac{E}{\sqrt{\frac{L}{C}}} = \frac{100}{10} = 10〔\mathrm{A}〕$$

$$\begin{aligned} T &= 2\pi\sqrt{LC} = 2\pi\sqrt{30 \times 10^{-3} \times 300 \times 10^{-6}} \times 1\,000 \\ &= 2\pi\sqrt{9\,000 \times 10^{-9}} \times 1\,000 = 2\pi\sqrt{9 \times 10^{-6}} \times 1\,000 \\ &= 2\pi \times 3 \times 10^{-3} \times 1\,000 = 6\pi \fallingdotseq 18.8〔\mathrm{ms}〕 \end{aligned}$$

単相交流回路

- ●計算
  - ・交流の基礎知識
  - ・交流回路計算
  - ・共振回路
  - ・ひずみ波交流
  - ・交流ブリッジの平衡条件
- ●論説・空白
  - ・交流の基礎知識
  - ・共振回路

問1 Check! □□□

(平成17年 Ⓐ問題6)

ある回路に電圧 $v=100\sin\left(100\pi t+\frac{\pi}{3}\right)$〔V〕を加えたところ，回路に $i=2\sin\left(100\pi t+\frac{\pi}{4}\right)$〔A〕の電流が流れた．この電圧と電流の位相差 θ〔rad〕を時間〔s〕の単位に変換して表した値として，正しいのは次のうちどれか．

(1) $\frac{1}{400}$　(2) $\frac{1}{600}$　(3) $\frac{1}{1\,200}$　(4) $\frac{1}{1\,440}$　(5) $\frac{1}{2\,400}$

問2 Check! □□□

(平成21年 Ⓐ問題9)

ある回路に $i=4\sqrt{2}\sin 120\pi t$〔A〕の電流が流れている．この電流の瞬時値が，時刻 $t=0$〔s〕以降に初めて4〔A〕となるのは，時刻 $t=t_1$〔s〕である．t_1〔s〕の値として，正しいのは次のうちどれか．

(1) $\frac{1}{480}$　(2) $\frac{1}{360}$　(3) $\frac{1}{240}$　(4) $\frac{1}{160}$　(5) $\frac{1}{120}$

解1 解答 (3)

電圧 v と電流 i の位相差 θ は，v および i が sin の関数で表されているので次式となる．

$$\theta = \frac{\pi}{3} - \frac{\pi}{4} = \frac{\pi}{12} \text{〔rad〕}$$

ところで，電圧 v および電流 i の位相は 1〔s〕間に，

$$100\pi \times 1 = 100\pi \text{〔rad〕}$$

変化するので，これを時間の単位で換算すると，100π〔rad〕が時間 1〔s〕に相当することになる．したがって，位相差 $\pi/12$〔rad〕を時間の単位に換算すると，

$$\frac{\frac{\pi}{12}}{100\pi} = \frac{1}{1\,200} \text{〔s〕}$$

に相当することになる．

解2 解答 (1)

題意より，次式が成立する．

$$4\sqrt{2}\sin 120\pi t = 4$$

$$\therefore \quad \sin 120\pi t = \frac{4}{4\sqrt{2}} = \frac{1}{\sqrt{2}} = \sin\frac{\pi}{4}$$

したがって，電流 i が 4〔A〕となるのは，n を整数とすると次式となる．

$$120\pi t = \frac{\pi}{4} + 2n\pi$$

ここに，上式において $n = 0$ とすれば，時刻 $t = 0$〔s〕以降に初めて $i = 4$〔A〕となる時刻 t_1 は次式となる．

$$120\pi t_1 = \frac{\pi}{4}$$

$$\therefore \quad t_1 = \frac{1}{480} \text{〔s〕}$$

問3　Check! □□□

（平成18年 Ⓐ問題8）

図のように，二つの正弦波交流電圧源 e_1〔V〕，e_2〔V〕が直列に接続されている回路において，合成電圧 v〔V〕の最大値は e_1 の最大値の (ア) 倍となり，その位相は e_1 を基準として (イ) 〔rad〕の (ウ) となる．

$e_1 = E\sin(\omega t+\theta)$〔V〕

$e_2 = \sqrt{3}E\sin\left(\omega t+\theta+\frac{\pi}{2}\right)$〔V〕

v〔V〕

上記の記述中の空白箇所(ア)，(イ)及び(ウ)に当てはまる語句，式又は数値として，正しいものを組み合わせたのは次のうちどれか．

	(ア)	(イ)	(ウ)
(1)	$\frac{1}{2}$	$\frac{\pi}{3}$	進み
(2)	$1+\sqrt{3}$	$\frac{\pi}{6}$	遅れ
(3)	2	$\frac{2\pi}{3}$	進み
(4)	$\sqrt{3}$	$\frac{\pi}{6}$	遅れ
(5)	2	$\frac{\pi}{3}$	進み

解3 解答 (5)

題意より，正弦波交流電圧 e_2 は e_1 に比べ，その大きさが $\sqrt{3}$ 倍で，位相が $\pi/2$〔rad〕進んでいることがわかる．したがって，e_1 および e_2 をベクトル $\dot{E}_1$ および $\dot{E}_2$ で表すと，図のようになるから，その合成電圧 v のベクトル $\dot{V}$ は図示のようになる．

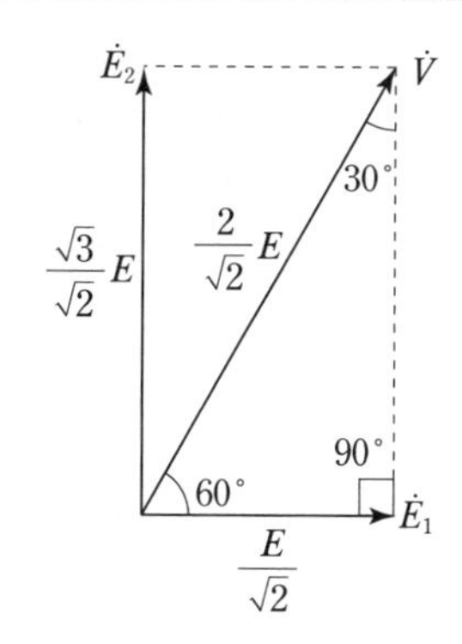

したがって，合成電圧 v の最大値は e_1 の最大値の2倍となり，その位相は e_1 を基準として $\pi/3$〔rad〕(60°) の進みとなる．

問4 Check! □□□

(令和3年 A問題8)

図1の回路において，図2のような波形の正弦波交流電圧 v [V] を抵抗 5 Ω に加えたとき，回路を流れる電流の瞬時値 i [A] を表す式として，正しいものを次の(1)～(5)のうちから一つ選べ．ただし，電源の周波数を 50 Hz，角周波数を ω [rad/s]，時間を t [s] とする．

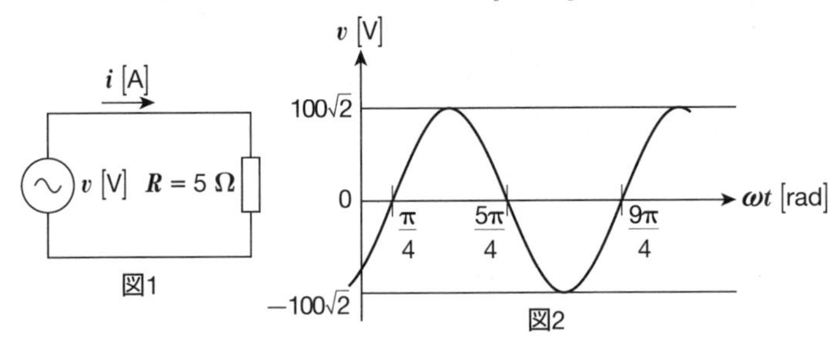

(1) $20\sqrt{2}\sin\left(50\pi t-\frac{\pi}{4}\right)$　(2) $20\sin\left(50\pi t+\frac{\pi}{4}\right)$

(3) $20\sin\left(100\pi t-\frac{\pi}{4}\right)$　(4) $20\sqrt{2}\sin\left(100\pi t+\frac{\pi}{4}\right)$

(5) $20\sqrt{2}\sin\left(100\pi t-\frac{\pi}{4}\right)$

問5 Check! □□□

(平成25年 A問題7)

4〔Ω〕の抵抗と静電容量が C〔F〕のコンデンサを直列に接続した RC 回路がある．この RC 回路に，周波数 50〔Hz〕の交流電圧 100〔V〕の電源を接続したところ，20〔A〕の電流が流れた．では，この RC 回路に，周波数 60〔Hz〕の交流電圧 100〔V〕の電源を接続したとき，RC 回路に流れる電流〔A〕の値として，最も近いものを次の(1)～(5)のうちから一つ選べ．

(1) 16.7　(2) 18.6　(3) 21.2　(4) 24.0　(5) 25.6

解4 解答 (5)

問題図 2 および電源周波数 50 Hz より，正弦波交流電圧 v は，次式で表せる．

$$v=100\sqrt{2}\sin\left(2\pi\times50\times t-\frac{\pi}{4}\right)=100\sqrt{2}\sin\left(100\pi t-\frac{\pi}{4}\right)[\mathrm{V}]$$

したがって，回路電流の瞬時値 i は，

$$i=\frac{v}{R}=20\sqrt{2}\sin\left(100\pi t-\frac{\pi}{4}\right)[\mathrm{A}]$$

解5 解答 (3)

図のように，R〔Ω〕の抵抗と X_C〔Ω〕の容量リアクタンスを直列につなぐと，回路のインピーダンスは，

$$Z=\sqrt{R^2+X_C{}^2}\ 〔\Omega〕$$

となる．

R〔Ω〕　X_C〔Ω〕

① 周波数が 50〔Hz〕のときのインピーダンスは，

$$Z=\frac{V}{I}=\frac{100}{20}=5〔\Omega〕$$

抵抗は $R=4$〔Ω〕であるから，

$$Z=\sqrt{R^2+X_C{}^2}=\sqrt{4^2+X_C{}^2}=5〔\Omega〕$$

$$X_C=\sqrt{5^2-4^2}=3〔\Omega〕$$

② 周波数が 60〔Hz〕のときは，

$$容量リアクタンス\ X_C=\frac{1}{\omega C}\ 〔\Omega〕$$

となり，周波数に反比例するので，

$$容量リアクタンス\ X_C'=3\times\frac{50}{60}=2.5〔\Omega〕$$

したがって，このときに流れる電流は，

$$I=\frac{100}{\sqrt{4^2+2.5^2}}=\frac{100}{4.72}=21.2〔\mathrm{A}〕$$

問6 Check! □□□

(平成27年 Ⓐ問題8)

R = 10 Ω の抵抗と誘導性リアクタンス X [Ω] のコイルとを直列に接続し，100 V の交流電源に接続した交流回路がある．いま，回路に流れる電流の値は I = 5 A であった．このとき，回路の有効電力 P の値 [W] として，最も近いものを次の(1)～(5)のうちから一つ選べ．

(1) 250　(2) 289　(3) 425　(4) 500　(5) 577

問7 Check! □□□

(令和6年㊤ Ⓑ問題15)

図の交流回路において，回路素子は，インダクタンス L のコイル又は静電容量 C のコンデンサである．この回路に正弦波交流電圧 $v = 500\sin(1\,000t)$ [V] を加えたとき，回路に流れる電流は，$i = -50\cos(1\,000t)$ [A] であった．このとき，次の(a)及び(b)の問に答えよ．

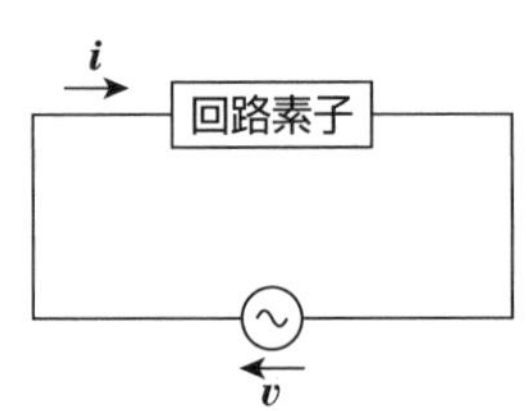

(a) 回路素子の値として，最も近いものを次の(1)～(5)のうちから一つ選べ．

(1) C = 10 nF　(2) C = 100 nF　(3) C = 10 μF
(4) L = 10 mH　(5) L = 100 mH

(b) この回路素子に蓄えられるエネルギーの最大値 W_{max} の値 [J] として，最も近いものを次の(1)～(5)のうちから一つ選べ．

ただし，インダクタンスの場合には $\frac{1}{2}Li^2$ の，静電容量の場合には $\frac{1}{2}Cv^2$ のエネルギーが蓄えられるものとする．

(1) 2.5　(2) 6.25　(3) 12.5　(4) 25　(5) 125

解6 解答 (1)

抵抗 R と誘導性リアクタンス X が直列に接続されているので，回路の有効電力 P は，次式で求められる．

$$P = RI^2 = 10 \times 5^2 = 250\ \mathrm{W}$$

解7 解答 (a)−(4), (b)−(3)

(a)　題意より，回路電流 i は，

$$i = -50\cos(1\,000t) = 50\cos(1\,000t - \pi) = 50\sin\left(1000t - \pi + \frac{\pi}{2}\right)$$

$$= 50\sin\left(1000t - \frac{\pi}{2}\right)[\mathrm{A}]$$

であるので，回路素子はインダクタンス L であることがわかる．したがって，求めるインダクタンス L の値は，

$$L = \frac{1}{1\,000} \times \frac{500}{50} \times 10^3 = 10\ \mathrm{mH}$$

(b)　インダクタンス L に蓄えられるエネルギーの最大値 W_{max} は，

$$W_{\mathrm{max}} = \frac{1}{2}L{i_{\mathrm{max}}}^2 = \frac{1}{2} \times 10 \times 10^{-3} \times 50^2 = 12.5\ \mathrm{J}$$

問8 Check! □□□

(平成 17 年 Ⓑ 問題 16)

図の交流回路において，回路素子は，インダクタンス L のコイル又は静電容量 C のコンデンサである．この回路に正弦波交流電圧 $v = 500\sin(1\,000\,t)$〔V〕を加えたとき，回路に流れる電流は，$i = -50\cos(1\,000\,t)$〔A〕であった．このとき，次の(a)及び(b)に答えよ．

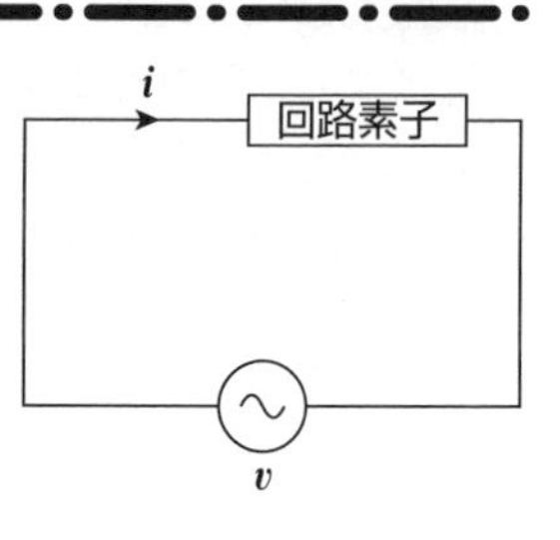

(a) 回路素子の値として，正しいのは次のうちどれか．

(1) $C = 100$〔nF〕　(2) $L = 10$〔mH〕　(3) $L = 100$〔mH〕
(4) $C = 10$〔nF〕　(5) $C = 10$〔μF〕

(b) この回路素子に蓄えられるエネルギーの最大値 W_{max}〔J〕の値として，正しいのは次のうちどれか．

ただし，インダクタンスの場合には $\frac{1}{2}Li^2$ の，静電容量の場合には $\frac{1}{2}Cv^2$ のエネルギーが蓄えられるものとする．

(1) 125　(2) 25　(3) 12.5　(4) 6.25　(5) 2.5

問9 Check! □□□

(平成 18 年 Ⓐ 問題 9)

図のように，R〔Ω〕の抵抗とインダクタンス L〔H〕のコイルを直列に接続した回路がある．この回路に角周波数 ω〔rad/s〕の正弦波交流電圧 $\dot{E}$〔V〕を加えたとき，この電圧の位相〔rad〕に対して回路を流れる電流 $\dot{I}$〔A〕の位相〔rad〕として，正しいのは次のうちどれか．

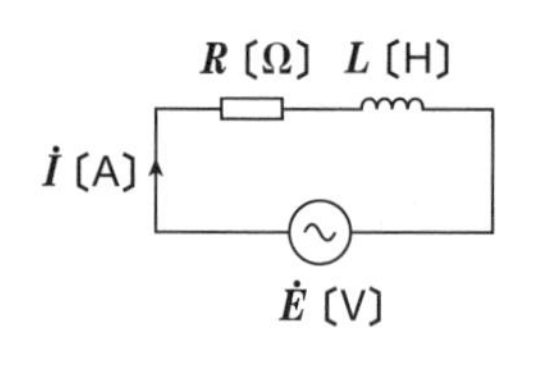

(1) $\sin^{-1}\dfrac{R}{\omega L}$〔rad〕進む　(2) $\cos^{-1}\dfrac{R}{\omega L}$〔rad〕遅れる

(3) $\cos^{-1}\dfrac{\omega L}{R}$〔rad〕進む　(4) $\tan^{-1}\dfrac{R}{\omega L}$〔rad〕遅れる

(5) $\tan^{-1}\dfrac{\omega L}{R}$〔rad〕遅れる

解8 解答 (a)－(2), (b)－(3)

(a) $\sin(1\,000t)$ を位相の基準（基準ベクトル）とすると，$-\cos(1\,000t)$ の位相は図のようになり，$-\cos(1\,000t)$ は $\sin(1\,000t)$ より，90°（$\pi/2$）位相遅れとなることがわかる．

したがって，回路電流 $i = -50\cos(1\,000t)$〔A〕は，正弦波交流電圧 $v = 500\sin(1\,000t)$〔V〕より 90°遅れ位相となり，問題の回路素子はインダクタンス L のコイルであることになる．

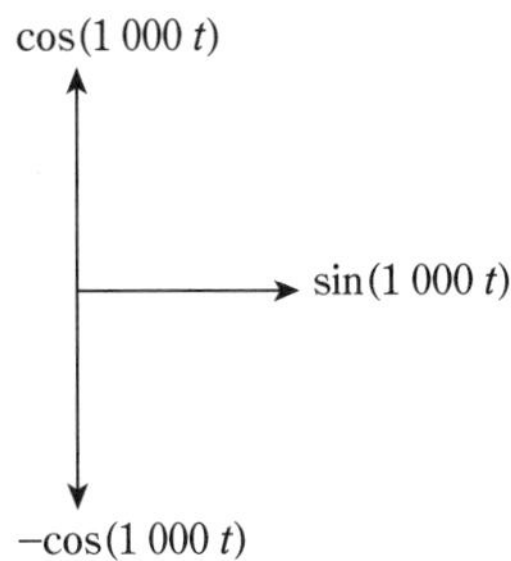

したがって，コイルのリアクタンス X は，

$$X = \frac{\dfrac{500}{\sqrt{2}}}{\dfrac{50}{\sqrt{2}}} = 10〔\Omega〕$$

であるから，求める回路素子の値 L は次式となる．

$$L = \frac{X}{\omega} = \frac{10}{1\,000} = 0.01〔\mathrm{H}〕= 10〔\mathrm{mH}〕$$

(b) この回路素子に蓄えられるエネルギー w は，

$$w = \frac{1}{2}Li^2 = \frac{1}{2}\times 10\times 10^{-3}\times 50^2\cos^2(1\,000t) = 12.5\cos^2(1\,000t)〔\mathrm{J}〕$$

で表されるから，求めるエネルギーの最大値 W_{max} は，$\cos^2(1\,000t) = 1$ となるときで，次式となる．

$$W_{max} = 12.5〔\mathrm{J}〕$$

解9 解答 (5)

RL 直列回路のインピーダンス $\dot{Z}$ は，電源の角周波数を ω〔rad/s〕とすると，

$$\dot{Z} = R + j\omega L = \sqrt{R^2+\omega^2L^2}\angle\left(\tan^{-1}\frac{\omega L}{R}\right)〔\Omega〕$$

で与えられるから，電源電圧を $\dot{E}$ とすると，回路電流 $\dot{I}$ は次式となる．

$$\dot{I} = \frac{\dot{E}}{\dot{Z}} = \frac{\dot{E}}{\sqrt{R^2+\omega^2L^2}\angle\left(\tan^{-1}\dfrac{\omega L}{R}\right)} = \frac{\dot{E}}{\sqrt{R^2+\omega^2L^2}}\angle\left(-\tan^{-1}\frac{\omega L}{R}\right)〔\mathrm{A}〕$$

よって，回路電流 $\dot{I}$ は $\dot{E}$ より $\tan^{-1}(\omega L/R)$〔rad〕だけ遅れ位相となる．

問10 Check! □□□

(平成 24 年 Ⓐ 問題 8)

図のように，正弦波交流電圧 E = 200〔V〕の電源がインダクタンス L〔H〕のコイルと R〔Ω〕の抵抗との直列回路に電力を供給している．回路を流れる電流が I = 10〔A〕，回路の無効電力が Q = 1 200〔var〕のとき，抵抗 R〔Ω〕の値として，正しいものを次の(1)～(5)のうちから一つ選べ．

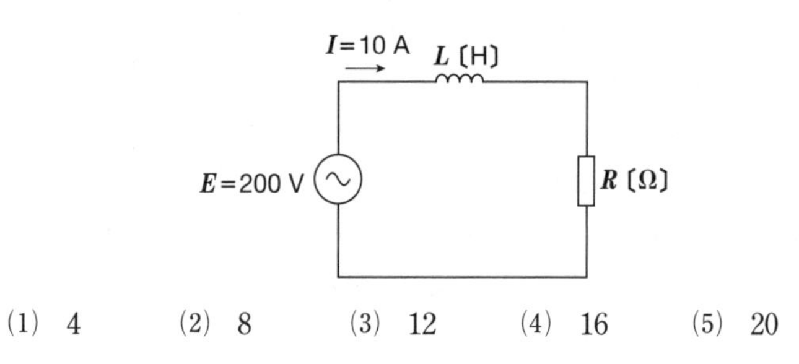

(1) 4　(2) 8　(3) 12　(4) 16　(5) 20

問11 Check! □□□

(令和 5 年㊤ Ⓐ問題 9)

図のように，抵抗 R [Ω] と誘導性リアクタンス X_L [Ω] が直列に接続された交流回路がある． $\frac{R}{X_L} = \frac{1}{\sqrt{2}}$ の関係があるとき，この回路の力率 $\cos\phi$ の値として，最も近いものを次の(1)～(5)のうちから一つ選べ．

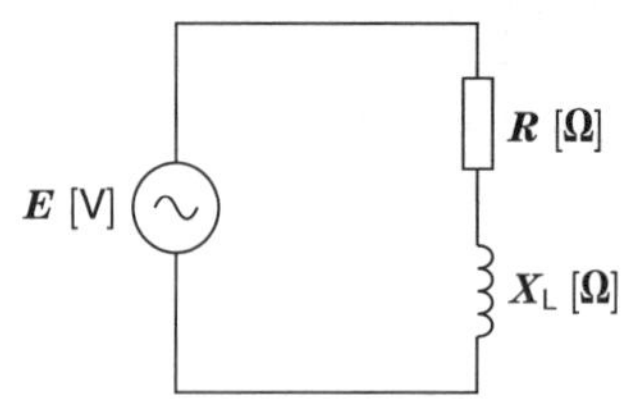

(1) 0.43　(2) 0.50　(3) 0.58　(4) 0.71　(5) 0.87

解10 解答 (4)

題意より，回路の無効電力が $Q = 1\,200$〔var〕であるから，回路の誘導リアクタンス X は，次のようになる．

$$X = \frac{Q}{I^2} = \frac{1\,200}{10^2} = 12〔\Omega〕$$

一方，回路のインピーダンス Z は，

$$Z = \frac{E}{I} = \frac{200}{10} = 20〔\Omega〕$$

であるから，求める抵抗 R は，次式で求められる．

$$Z = \sqrt{Z^2 - X^2} = \sqrt{20^2 - 12^2} = \sqrt{256} = 16〔\Omega〕$$

解11 解答 (3)

題意より，回路の力率 $\cos\phi$ は次式で与えられる．

$$\cos\phi = \frac{R}{\sqrt{R^2 + {X_\mathrm{L}}^2}} = \frac{R}{\sqrt{R^2 + (\sqrt{2}R)^2}} = \frac{R}{\sqrt{3}R}$$

$$= \frac{1}{\sqrt{3}} \fallingdotseq 0.577 \fallingdotseq 0.58$$

問12 Check! □□□

(平成29年 Ⓐ問題8)

図のように，交流電圧 $E = 100$ V の電源，誘導性リアクタンス $X = 4\ \Omega$ のコイル，R_1 [Ω]，R_2 [Ω] の抵抗からなる回路がある．いま，回路を流れる電流の値が $I = 20$ A であり，また，抵抗 R_1 に流れる電流 I_1 [A] と抵抗 R_2 に流れる電流 I_2 [A] との比が，$I_1 : I_2 = 1 : 3$ であった．このとき，抵抗 R_1 の値 [Ω] として，最も近いものを次の(1)～(5)のうちから一つ選べ．

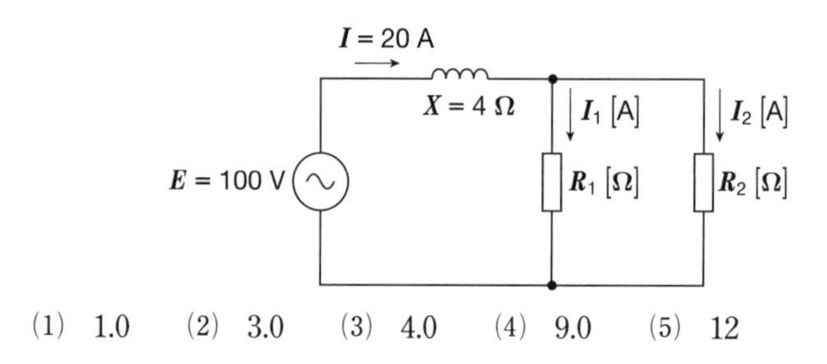

(1) 1.0　(2) 3.0　(3) 4.0　(4) 9.0　(5) 12

問13 Check! □□□

(平成30年 Ⓐ問題8)

図のように，角周波数 ω [rad/s] の交流電源と力率 $\frac{1}{\sqrt{2}}$ の誘導性負荷 $\dot{Z}$ [Ω] との間に，抵抗値 R [Ω] の抵抗器とインダクタンス L [H] のコイルが接続されている．$R = \omega L$ とするとき，電源電圧 $\dot{V}_1$ [V] と負荷の端子電圧 $\dot{V}_2$ [V] との位相差の値 [°] として，最も近いものを次の(1)～(5)のうちから一つ選べ．

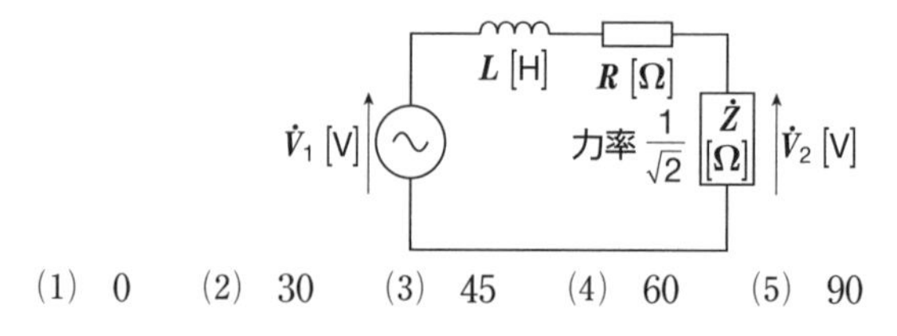

(1) 0　(2) 30　(3) 45　(4) 60　(5) 90

解12 解答 (5)

題意より，抵抗 R_1 と R_2 の並列回路の合成抵抗 R は，

$$R=\sqrt{\left(\frac{100}{20}\right)^2-4^2}=\sqrt{9}=3\,\Omega$$

一方，抵抗 R_1，R_2 を流れる電流 I_1，I_2 が $I_1:I_2=1:3$ であるので $R_1=3R_2$ となる．したがって，求める抵抗 R_1 の値は次のようになる．

$$R=\frac{R_1R_2}{R_1+R_2}=\frac{R_1\cdot\dfrac{R_1}{3}}{R_1+\dfrac{R_1}{3}}=\frac{R_1}{4}=3\,\Omega$$

$$\therefore\quad R_1=3\times4=12\,\Omega$$

解13 解答 (1)

問題の回路より，負荷の端子電圧 $\dot{V}_2$ は，

$$\dot{V}_2=\frac{\dot{Z}}{R+\mathrm{j}\omega L+\dot{Z}}\dot{V}_1$$

ここに，題意より，$R=\omega L$ であることから，

$$R+\mathrm{j}\omega L=R+\mathrm{j}\,R=\sqrt{2}R\left(\frac{1}{\sqrt{2}}+\mathrm{j}\frac{1}{\sqrt{2}}\right)=\sqrt{2}R\angle45^\circ\,[\Omega]$$

また，$\dot{Z}$ が力率 $1/\sqrt{2}$ の誘導性負荷であることから，

$$\dot{Z}=Z\left(\frac{1}{\sqrt{2}}+\mathrm{j}\frac{1}{\sqrt{2}}\right)=Z\angle45^\circ\,[\Omega]$$

したがって，

$$\dot{V}_2=\frac{\dot{Z}}{R+\mathrm{j}\omega L+\dot{Z}}\dot{V}_1=\frac{Z\angle45^\circ}{\sqrt{2}R\angle45^\circ+Z\angle45^\circ}\dot{V}_1=\frac{Z}{\sqrt{2}R+Z}\dot{V}_1$$

となるから，負荷の端子電圧 $\dot{V}_2$ は電源電圧 $\dot{V}_1$ と同相となり，位相差は 0 となる．

問14　Check! □□□

(平成 19 年　Ⓐ問題 8)

図のように，8〔Ω〕の抵抗と静電容量 C〔F〕のコンデンサを直列に接続した交流回路がある．この回路において，電源 E〔V〕の周波数を 50〔Hz〕にしたときの回路の力率は，80〔%〕になる．電源 E〔V〕の周波数を 25〔Hz〕にしたときの回路の力率〔%〕の値として，最も近いのは次のうちどれか．

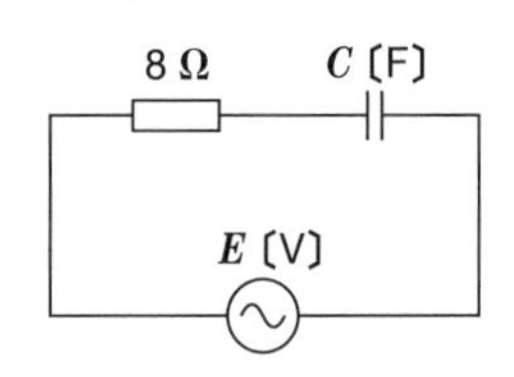

(1)　40　　(2)　42　　(3)　56　　(4)　60　　(5)　83

問15　Check! □□□

(令和 2 年　Ⓐ問題 8)

図のように，静電容量 2 μF のコンデンサ，R [Ω] の抵抗を直列に接続した．この回路に，正弦波交流電圧 10 V，周波数 1 000 Hz を加えたところ，電流 0.1 A が流れた．抵抗 R の値 [Ω] として，最も近いものを次の(1)～(5)のうちから一つ選べ．

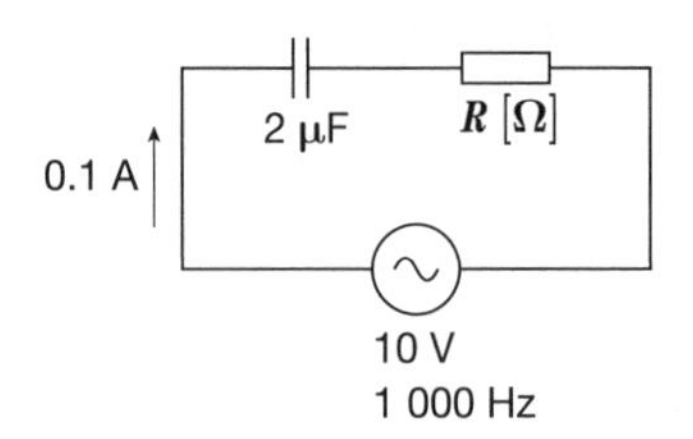

(1)　4.50　　(2)　20.4　　(3)　30.3　　(4)　60.5　　(5)　79.6

解14 解答 (3)

電源周波数が 50〔Hz〕の場合のコンデンサのリアクタンスを X_C〔Ω〕とすると，題意より回路力率が 80〔%〕であるから，次式が成立する．

$$\frac{8}{\sqrt{8^2+X_C{}^2}}=0.8$$

$$\therefore\quad 8^2+X_C{}^2=100$$

$$\therefore\quad X_C=\sqrt{100-8^2}=6〔\Omega〕\quad (X_C>0)$$

次に，電源周波数を 25〔Hz〕にしたとき，コンデンサのリアクタンス $X_C{}'$ は，

$$X_C{}'=\frac{50}{25}X_C=2\times 6=12〔\Omega〕$$

となるから，25〔Hz〕にしたときの回路力率 $\cos\theta$ は次式となる．

$$\cos\theta=\frac{8}{\sqrt{8^2+12^2}}\fallingdotseq 0.555\to 55.5〔\%〕$$

解15 解答 (4)

コンデンサのリアクタンス X_{C} は，

$$X_{\mathrm{C}}=\frac{1}{2\pi\times 1\,000\times 2\times 10^{-6}}\fallingdotseq 79.58\,\Omega$$

一方，回路の合成インピーダンス Z は，

$$Z=\frac{10}{0.1}=100\,\Omega$$

であるから，求める抵抗 R は，

$$R=\sqrt{Z^2-X_{\mathrm{C}}{}^2}=\sqrt{100^2-79.58^2}\fallingdotseq 60.556\,\Omega$$

問16 Check! □□□ (平成21年 A 問題8)

図のように，$R=\sqrt{3}\omega L$〔Ω〕の抵抗，インダクタンス L〔H〕のコイル，スイッチSが角周波数 ω〔rad/s〕の交流電圧 $\dot{E}$〔V〕の電源に接続されている．スイッチSを開いているとき，コイルを流れる電流の大きさを I_1〔A〕，電源電圧に対する電流の位相差を θ_1〔°〕とする．また，スイッチSを閉じているとき，コイルを流れる電流の大きさを I_2〔A〕，電源電圧に対する電流の位相差を θ_2〔°〕とする．このとき，$\dfrac{I_1}{I_2}$ 及び $|\theta_1-\theta_2|$〔°〕の値として，正しいものを組み合わせたのは次のうちどれか．

	$\dfrac{I_1}{I_2}$	$\lvert\theta_1-\theta_2\rvert$
(1)	$\dfrac{1}{2}$	30
(2)	$\dfrac{1}{2}$	60
(3)	2	30
(4)	2	60
(5)	2	90

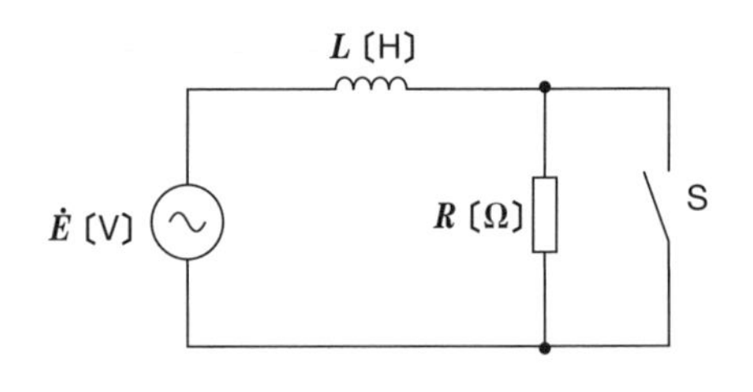

解16 解答 (2)

スイッチSを開いているときのコイルを流れる電流の大きさI_1と電圧の位相差θ_1は，題意よりそれぞれ，

$$I_1=\frac{|\dot{E}|}{\sqrt{R^2+\omega^2L^2}}=\frac{|\dot{E}|}{\sqrt{3\omega^2L^2+\omega^2L^2}}=\frac{|\dot{E}|}{2\omega L}\text{〔A〕}$$

$$\theta_1=\tan^{-1}\frac{\omega L}{R}=\tan^{-1}\frac{\omega L}{\sqrt{3}\omega L}=\tan^{-1}\frac{1}{\sqrt{3}}=30° \text{（遅れ）}$$

で表せる．一方，スイッチSを閉じているときのコイルを流れる電流の大きさI_2と電圧の位相差θ_2は，それぞれ，

$$I_2=\frac{|\dot{E}|}{\omega L}\text{〔A〕}$$

$$\theta_2=90° \text{（遅れ）}$$

したがって，求める電流の比$\dfrac{I_1}{I_2}$および位相差$|\theta_1-\theta_2|$はそれぞれ次式となる．

$$\frac{I_1}{I_2}=\frac{|\dot{E}|}{2\omega L}\cdot\frac{\omega L}{|\dot{E}|}=\frac{1}{2}$$

$$|\theta_1-\theta_2|=|30°-90°|=60°$$

問17 Check! □□□

(令和４年㊤ Ⓐ問題８)

図のように，周波数 f [Hz] の正弦波交流電圧 E [V] の電源に，R [Ω] の抵抗，インダクタンス L [H] のコイルとスイッチ S を接続した回路がある．スイッチ S が開いているときに回路が消費する電力 [W] は，スイッチ S が閉じているときに回路が消費する電力 [W] の $\frac{1}{2}$ になった．このとき，L [H] の値を表す式として，正しいものを次の(1)〜(5)のうちから一つ選べ．

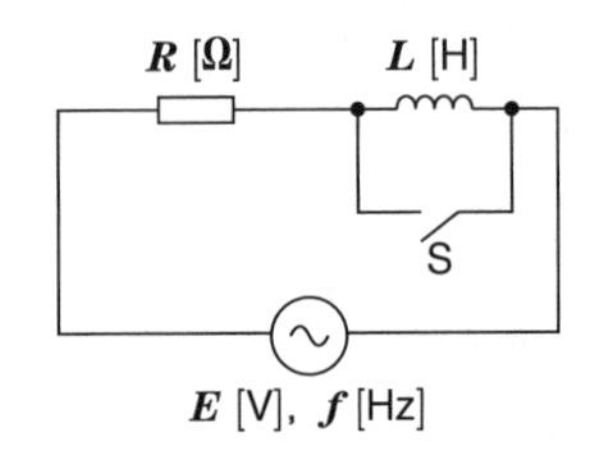

(1) $2\pi fR$　(2) $\dfrac{R}{2\pi f}$　(3) $\dfrac{2\pi f}{R}$　(4) $\dfrac{(2\pi f)^2}{R}$　(5) $\dfrac{R}{\pi f}$

解17 解答 (2)

インダクタンスLのリアクタンスをX_L [Ω] とすると，Sが閉じているときの回路電流I_c [A] は，

$$I_c = \frac{E}{R}$$

であり，Sが開いているときの回路電流I_o [A] は，

$$I_o = \frac{E}{\sqrt{R^2 + X_L{}^2}}$$

また，この回路で電力を消費するのは抵抗Rのみであるから，Sが閉じているときに回路が消費する電力P_c [W] は，

$$P_c = I_c^2 R \text{ [W]}$$

Sが開いているときに回路が消費する電力P_o [W] は，

$$P_o = I_o^2 R \text{ [W]}$$

題意より，$P_o = \frac{1}{2} P_c$であるから，

$$I_o{}^2 R = \frac{1}{2} I_c{}^2 R, \quad I_o{}^2 = \frac{1}{2} I_c{}^2, \quad I_o = \frac{1}{\sqrt{2}} I_c \text{ [A]}$$

したがって，

$$\frac{E}{\sqrt{R^2 + X_L{}^2}} = \frac{1}{\sqrt{2}} \cdot \frac{E}{R}$$

$$\sqrt{R^2 + X_L{}^2} = \sqrt{2} R, \quad R^2 + X_L{}^2 = 2R^2$$

$$X_L{}^2 = 2R^2 - R^2 = R^2$$

$$X_L = R \text{ [Ω]}$$

ここで，$X_L = 2\pi f L$ より，

$$2\pi f L = R$$

$$L = \boldsymbol{\frac{R}{2\pi f}} \text{ [H]}$$

問18 Check! □□□

(平成20年 Ⓐ 問題9)

図のように，周波数 f〔Hz〕の交流電圧 E〔V〕の電源に，R〔Ω〕の抵抗，インダクタンス L〔H〕のコイルとスイッチSを接続した回路がある．スイッチSが開いているときに回路が消費する電力〔W〕は，スイッチSが閉じているときに回路が消費する電力〔W〕の $\frac{1}{2}$ になった．このとき，L〔H〕の値を表す式として，正しいのは次のうちどれか．

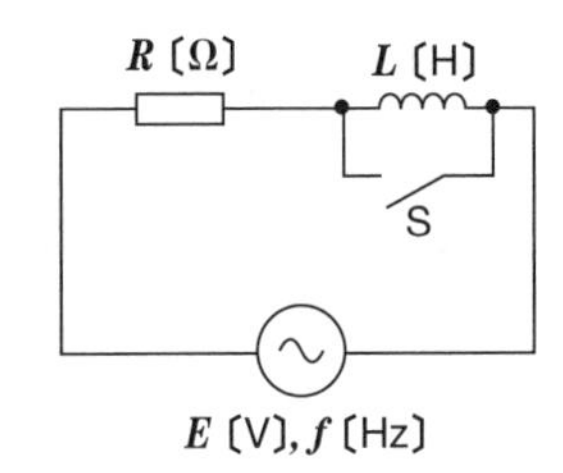

(1) $2\pi fR$　　(2) $\dfrac{R}{2\pi f}$　　(3) $\dfrac{2\pi f}{R}$

(4) $\dfrac{(2\pi f)^2}{R}$　　(5) $(2\pi f)^2 R$

解18 解答 (2)

回路電流を I〔A〕とすれば，回路の消費する電力 P は，$P=RI^2 \propto I^2$ で表せ，抵抗 R が一定であれば，回路電流 I の 2 乗に比例することになる．

また，回路のインピーダンスを Z〔Ω〕とすれば，

$$I=\frac{E}{Z}\text{〔A〕}$$

であるから，消費電力 P は，

$$P \propto I^2 \propto \left(\frac{E}{Z}\right)^2 \propto \frac{1}{Z^2}$$

となって，交流電圧 E が一定なら，インピーダンス Z の 2 乗に逆比例（反比例）することになる．

さて，スイッチ S が閉じているときの回路インピーダンス Z_1 は，

$$Z_1=R\text{〔Ω〕}$$

で，スイッチ S が開いているときの回路インピーダンス Z_2 は，

$$Z_2=\sqrt{R^2+(2\pi fL)^2}\text{〔Ω〕}$$

で表せるが，題意よりスイッチ S が開いているときの消費電力が閉じているときの 1/2 であったから，次式が成立する．

$$\frac{P_2}{P_1}=\frac{R^2}{R^2+(2\pi fL)^2}=\frac{1}{2}$$

$$\therefore \quad 2R^2=R^2+(2\pi fL)^2$$

$$\therefore \quad 2\pi fL=R \quad (2\pi fL>0)$$

$$\therefore \quad L=\frac{R}{2\pi f}\text{〔H〕}$$

問19 Check! □□□

(平成23年 Ⓐ問題9)

図のように，1 000〔Ω〕の抵抗と静電容量 C〔μF〕のコンデンサを直列に接続した交流回路がある．いま，電源の周波数が1 000〔Hz〕のとき，電源電圧 $\dot{E}$〔V〕と電流 $\dot{I}$〔A〕の位相差は $\frac{\pi}{3}$〔rad〕であった．このとき，コンデンサの静電容量 C〔μF〕の値として，最も近いものを次の(1)〜(5)のうちから一つ選べ．

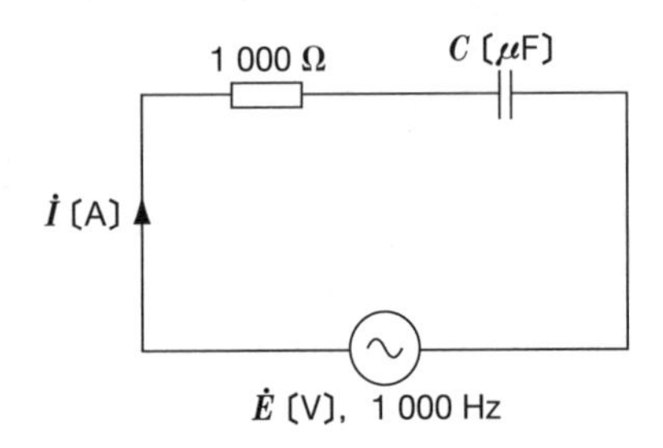

(1) 0.053　(2) 0.092　(3) 0.107　(4) 0.159　(5) 0.258

解19 解答 (2)

電源の周波数が1 000〔Hz〕のときのコンデンサのリアクタンスを x_c とすると，題意より，電源電圧 $\dot{E}$ と電流 $\dot{I}$ の位相差が $\frac{\pi}{3}$〔rad〕であったから，回路のインピーダンスのベクトル図は下図のようになる．

したがって，この場合のコンデンサのリアクタンス x_c は，

$$x_c = R\tan\frac{\pi}{3} = 1\,000\sqrt{3}\,〔\Omega〕$$

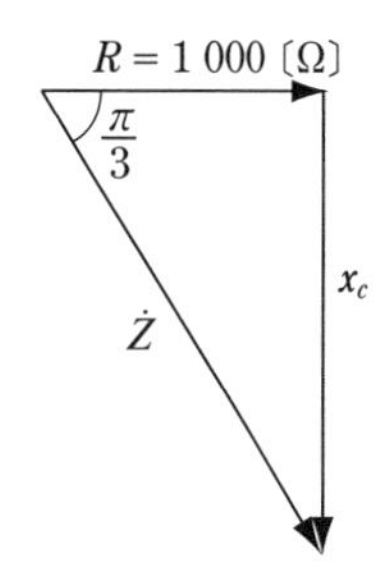

となるから，求めるコンデンサの静電容量 C は，

$$\frac{1}{2\pi \times 1\,000 \times C \times 10^{-6}} = 1\,000\sqrt{3}$$

$$\therefore\quad C = \frac{1}{2\pi \times 1\,000 \times 10^{-6} \times 1\,000\sqrt{3}} \fallingdotseq 0.0919\,〔\mu\mathrm{F}〕$$

問20 Check! □□□ （平成27年 Ⓐ問題9）

図のように，静電容量 $C_1 = 10$ μF，$C_2 = 900$ μF，$C_3 = 100$ μF，$C_4 = 900$ μF のコンデンサからなる直並列回路がある．この回路に周波数 $f = 50$ Hz の交流電圧 V_{in} [V] を加えたところ，C_4 の両端の交流電圧は V_{out} [V] であった．このとき，$\frac{V_{out}}{V_{in}}$ の値として，最も近いものを次の(1)～(5)のうちから一つ選べ．

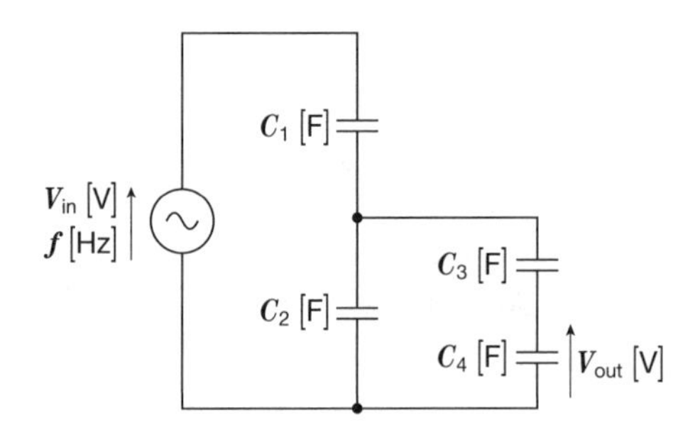

(1) $\frac{1}{1000}$　(2) $\frac{9}{1000}$　(3) $\frac{1}{100}$

(4) $\frac{99}{1000}$　(5) $\frac{891}{1000}$

解20 解答 (1)

問題の回路より，コンデンサ C_3 にかかる電圧を V_{C3} とすると，コンデンサ C_3 と C_4 が直列接続されており，C_3 と C_4 に蓄えられている電荷が等しいから，

$$V_{C3}=\frac{C_4V_{out}}{C_3}=\frac{900V_{out}}{100}=9V_{out}\,[\mathrm{V}]$$

したがって，コンデンサ C_2 にかかる電圧 V_{C2} は，

$$V_{C2}=V_{C3}+V_{out}=9V_{out}+V_{out}=10V_{out}\,[\mathrm{V}]$$

となり，これらを図示すると，図のようになる．

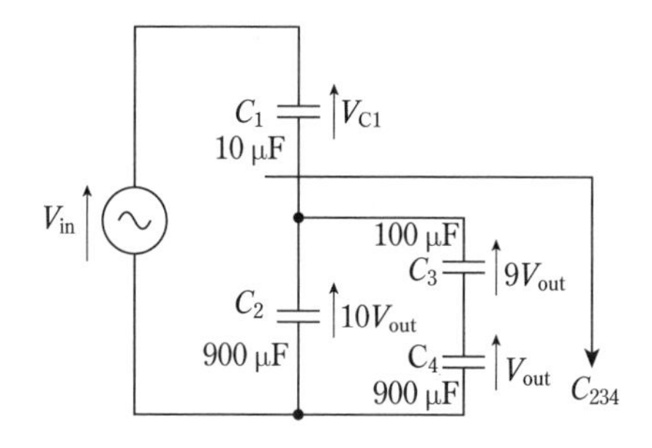

次に，コンデンサ C_2，C_3 および C_4 からなる回路の合成静電容量 C_{234} は，

$$C_{234}=C_2+\frac{C_3C_4}{C_3+C_4}=900+\frac{100\times900}{100+900}=900+90=990\,\mu\mathrm{F}$$

であるから，コンデンサ C_1 にかかる電圧 V_{C1} は，C_1 と C_{234} が直列接続されているから，

$$V_{C1}=\frac{C_{234}\times10V_{out}}{C_1}=\frac{990\times10V_{out}}{10}=990V_{out}\,[\mathrm{V}]$$

となり，交流電圧 V_{in} は，

$$V_{in}=V_{C1}+10V_{out}=990V_{out}+10V_{out}=1\,000V_{out}\,[\mathrm{V}]$$

以上から，求める電圧比 V_{out}/V_{in} は，

$$\frac{V_{out}}{V_{in}}=\frac{V_{out}}{1\,000V_{out}}=\frac{1}{1\,000}$$

となる．

問21 Check! □□□

（令和元年 Ａ問題 9）

図は，実効値が 1 V で角周波数 ω [krad/s] が変化する正弦波交流電源を含む回路である．いま，ω の値が ω_1 = 5 krad/s，ω_2 = 10 krad/s，ω_3 = 30 krad/s と 3 通りの場合を考え，$\omega = \omega_k$（k = 1，2，3）のときの電流 i [A] の実効値を I_k と表すとき，I_1，I_2，I_3 の大小関係として，正しいものを次の(1)～(5)のうちから一つ選べ．

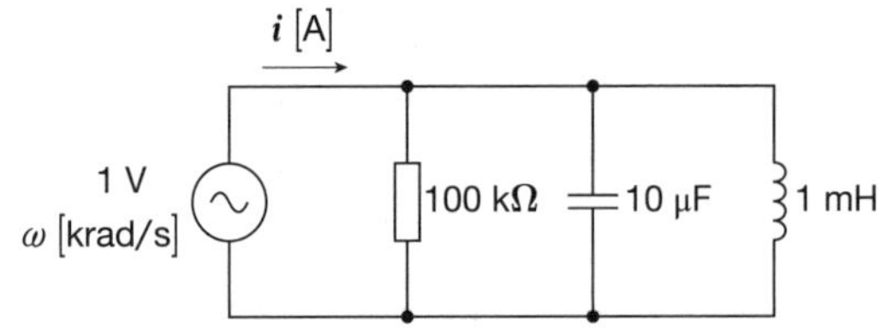

(1) $I_1 < I_2 < I_3$　(2) $I_1 = I_2 < I_3$　(3) $I_2 < I_1 < I_3$

(4) $I_2 < I_1 = I_3$　(5) $I_3 < I_2 < I_1$

解21 解答 (3)

抵抗 100 kΩ に流れる電流は角周波数 ω に無関係であるから，容量リアクタンスおよび誘導リアクタンスによる無効電流 $\dot{I}_q$ を比較すればよい．

(a) $\omega_1 = 5$ krad/s のときの無効電流 $\dot{I}_{q1}$

$$\dot{I}_{q1} = \mathrm{j}5\,000 \times 10 \times 10^{-6} - \mathrm{j}\frac{1}{5\,000 \times 1 \times 10^{-3}} = \mathrm{j}0.05 - \mathrm{j}0.2 = -\mathrm{j}0.15\ \mathrm{A}$$

(b) $\omega_2 = 10$ krad/s のときの無効電流 $\dot{I}_{q2}$

$$\dot{I}_{q2} = \mathrm{j}10\,000 \times 10 \times 10^{-6} - \mathrm{j}\frac{1}{10\,000 \times 1 \times 10^{-3}} = \mathrm{j}0.1 - \mathrm{j}0.1 = 0\ \mathrm{A}$$

(c) $\omega_3 = 30$ krad/s のときの無効電流 $\dot{I}_{q3}$

$$\dot{I}_{q3} = \mathrm{j}30\,000 \times 10 \times 10^{-6} - \mathrm{j}\frac{1}{30\,000 \times 1 \times 10^{-3}} = \mathrm{j}0.3 - \mathrm{j}0.033\,33$$

$$= \mathrm{j}0.266\,67\ \mathrm{A}$$

ここに，無効電流 $\dot{I}_q$ の大きさ（絶対値）が大きいほど回路電流 I も大きくなるので，回路電流 I_1，I_2 および I_3 の大小関係は，I_{q1}，I_{q2} および I_{q3} の大小関係で決まり，$I_2 < I_1 < I_3$ となる．

問22 Check! □□□

（令和４年㊦ Ⓐ問題９）

図のような RC 交流回路がある．この回路に正弦波交流電圧 E [V] を加えたとき，容量性リアクタンス 6 Ω のコンデンサの端子間電圧の大きさは 12 V であった．このとき，E [V] と図の破線で囲んだ回路で消費される電力 P [W] の値の組合せとして，正しいものを次の(1)〜(5)のうちから一つ選べ．

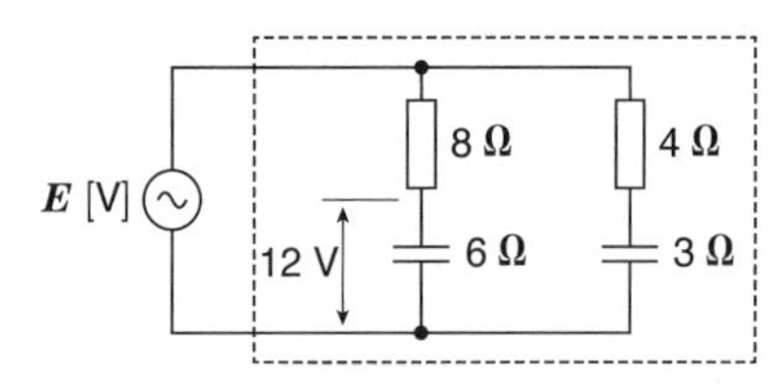

	E [V]	P [W]
(1)	20	32
(2)	20	96
(3)	28	120
(4)	28	168
(5)	40	309

解22 解答 (2)

8 Ω の抵抗と 6 Ω のコンデンサの直列回路のインピーダンスを Z, その回路に流れる電流を I とすると,

$$I = \frac{E}{Z} = \frac{E}{\sqrt{8^2 + 6^2}} = \frac{E}{\sqrt{100}} = \frac{E}{10}\,[\mathrm{A}]$$

ここで, コンデンサの両端の電圧が 12 V であるから,

$$I = \frac{12}{6} = 2\ \mathrm{A}$$

よって,

$$2 = \frac{E}{10}$$

$$E = \mathbf{20}\ \mathrm{V}$$

このとき, 8 Ω の抵抗で消費される電力は,

$$2^2 \times 8 = 32\ \mathrm{W}$$

一方, 4 Ω の抵抗に流れる電流は,

$$\frac{20}{\sqrt{4^2 + 3^2}} = \frac{20}{\sqrt{16 + 9}} = \frac{20}{5} = 4\ \mathrm{A}$$

よって, 4 Ω の抵抗で消費される電力は,

$$4^2 \times 4 = 64\ \mathrm{W}$$

これより, 図の破線で囲んだ回路で消費される電力 P [W] は,

$$P = 32 + 64 = \mathbf{96}\ \mathrm{W}$$

問23 Check! □□□

（令和6年㊤ Ⓐ問題13）

図1は，静電容量 C [F] のコンデンサとコイルからなる共振回路の等価回路である．このようにコイルに内部抵抗 r [Ω] が存在する場合は，インダクタンス L [H] と抵抗 r [Ω] の直列回路として表すことができる．この直列回路は，コイルの抵抗 r [Ω] が，誘導性リアクタンス ωL [Ω] に比べて十分小さいものとすると，図2のように，等価抵抗 R_p [Ω] とインダクタンス L [H] の並列回路に変換することができる．このときの等価抵抗 R_p [Ω] の値を表す式として，正しいのは次のうちどれか．

ただし，I_c [A] は電流源の電流を表す．

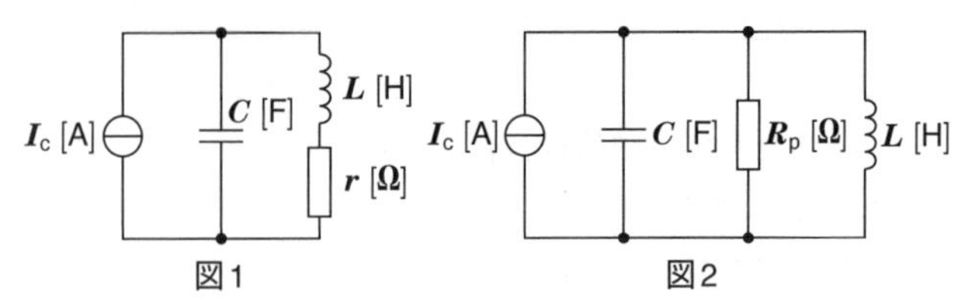

図1　　図2

(1) $\dfrac{\omega L}{r}$　(2) $\dfrac{r}{(\omega L)^2}$　(3) $\dfrac{(\omega L)^2}{r}$　(4) $\dfrac{r^2}{\omega L}$　(5) $r(\omega L)^2$

解23 解答 (3)

電流源 I_c の角周波数を ω とすると，問題図 1 のインダクタンス L と抵抗 R の直列回路のアドミタンス $\dot{Y}_1$ は，$r \ll \omega L$ を考慮すれば，

$$\dot{Y}_1 = \frac{1}{r + \mathrm{j}\omega L} = \frac{r - \mathrm{j}\omega L}{r^2 + (\omega L)^2} \fallingdotseq \frac{r}{(\omega L)^2} - \mathrm{j}\frac{1}{\omega L}$$

一方，問題図 2 のインダクタンス L と抵抗 R_p の並列回路のアドミタンス $\dot{Y}_2$ は，

$$\dot{Y}_2 = \frac{1}{R_p} - \mathrm{j}\frac{1}{\omega L}$$

$\dot{Y}_1 = \dot{Y}_2$ であるから，

$$\frac{1}{R_p} = \frac{r}{(\omega L)^2} \rightarrow R_p = \boldsymbol{\frac{(\omega L)^2}{r}}$$

問24 Check! □□□ （平成 22 年 Ⓐ問題 13）

図 1 は，静電容量 C〔F〕のコンデンサとコイルからなる共振回路の等価回路である．このようにコイルに内部抵抗 r〔Ω〕が存在する場合は，インダクタンス L〔H〕と抵抗 r〔Ω〕の直列回路として表すことができる．この直列回路は，コイルの抵抗 r〔Ω〕が，誘導性リアクタンス ωL〔Ω〕に比べて十分小さいものとすると，図 2 のように，等価抵抗 R_p〔Ω〕とインダクタンス L〔H〕の並列回路に変換することができる．このときの等価抵抗 R_p〔Ω〕の値を表す式として，正しいのは次のうちどれか．

ただし，I_c〔A〕は電流源の電流を表す．

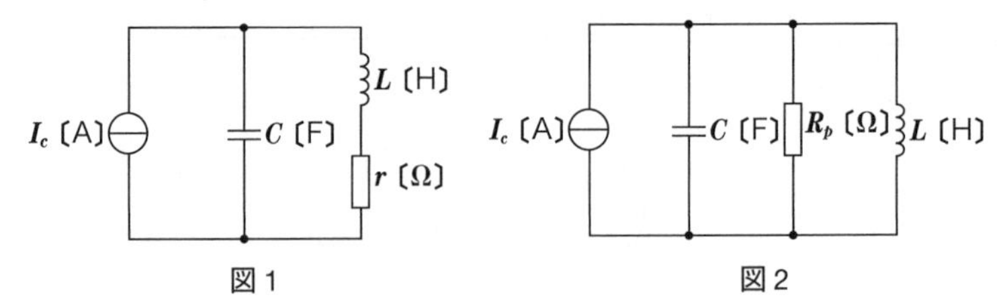

図 1　図 2

(1) $\dfrac{\omega L}{r}$　(2) $\dfrac{r}{(\omega L)^2}$　(3) $\dfrac{r^2}{\omega L}$　(4) $\dfrac{(\omega L)^2}{r}$　(5) $r(\omega L)^2$

解24 解答 (4)

電流源の電流 I_c の角周波数を ω とすると，図 1 の等価回路の合成アドミタンス $\dot{Y}_1$ は次式で表せる．

$$\dot{Y}_1 = j\omega C + \frac{1}{r + j\omega L} = \frac{r}{r^2 + (\omega L)^2} + j\omega C - j\frac{\omega L}{r^2 + (\omega L)^2}$$

ここに，題意より，$r \ll \omega L$ とすると，

$$\dot{Y}_1 = \frac{r}{(\omega L)^2} + j\omega C - j\frac{1}{\omega L}$$

で表される．次に，図 2 の等価回路の合成アドミタンス $\dot{Y}_2$ は次式で表せる．

$$\dot{Y}_2 = \frac{1}{R_p} + j\omega C - j\frac{1}{\omega L}$$

ここに，$\dot{Y}_1 = \dot{Y}_2$ であるから，求める等価抵抗 R_p は，

$$\frac{1}{R_p} = \frac{r}{(\omega L)^2}$$

$$\therefore \quad R_p = \frac{(\omega L)^2}{r}$$

問25 Check! □□□ (平成19年 Ⓐ問題9)

図1に示す，R〔Ω〕の抵抗，インダクタンスL〔H〕のコイル，静電容量C〔F〕のコンデンサからなる並列回路がある．この回路に角周波数ω〔rad/s〕の交流電圧E〔V〕を加えたところ，この回路に流れる電流$\dot{I}$〔A〕，$\dot{I}_R$〔A〕，$\dot{I}_L$〔A〕，$\dot{I}_C$〔A〕のベクトル図が図2に示すようになった．このときのLとCの関係を表す式として，正しいのは次のうちどれか．

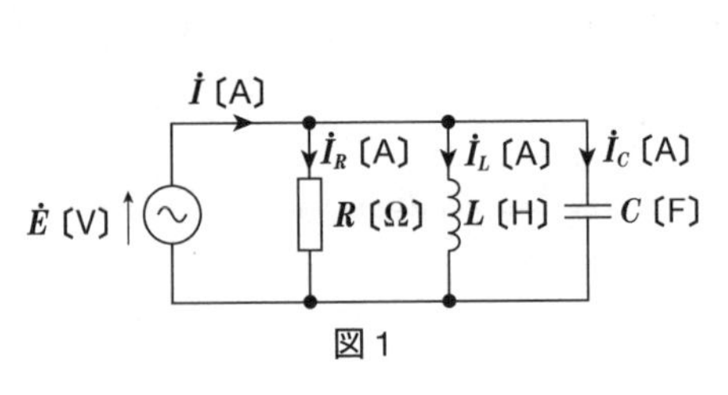

図1

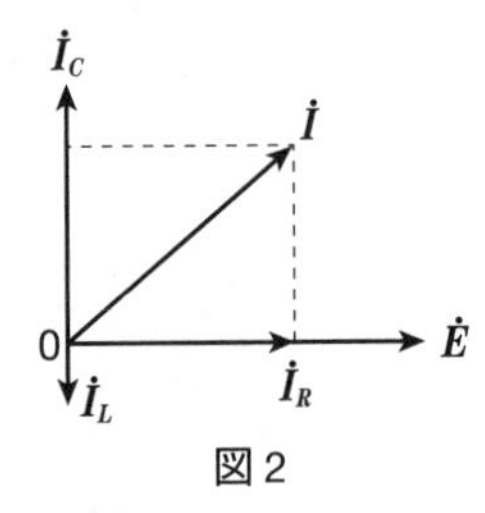

図2

(1) $\omega L < \dfrac{1}{\omega C}$　(2) $\omega L > \dfrac{1}{\omega C}$　(3) $\omega^2 = \dfrac{1}{\sqrt{LC}}$

(4) $\omega L = \dfrac{1}{\omega C}$　(5) $R = \sqrt{\dfrac{L}{C}}$

解25 解答 (2)

抵抗 R，インダクタンス L および静電容量 C を流れる電流 $\dot{I}_R$，$\dot{I}_L$ および $\dot{I}_C$ はそれぞれ次式で表せる．

$$\dot{I}_R = \frac{\dot{E}}{R}\text{〔A〕},\quad \dot{I}_L = \frac{\dot{E}}{j\omega L}\text{〔A〕},\quad \dot{I}_C = j\omega C\dot{E}\text{〔A〕}$$

ここに，$\dot{I}_L$ および $\dot{I}_C$ の大きさ I_L および I_C はそれぞれ，

$$I_L = \frac{E}{\omega L}\text{〔A〕},\quad I_C = \omega CE\text{〔A〕}$$

で表せるが，ベクトル図より，

$$I_C > I_L$$

であるから，求める L と C の関係は次式となる．

$$\omega CE > \frac{E}{\omega L}$$

$$\therefore\quad \omega L > \frac{1}{\omega C}$$

問26 Check! □□□

(平成 25 年 Ⓐ 問題 9)

図 1 のように，R〔Ω〕の抵抗，インダクタンス L〔H〕のコイル，静電容量 C〔F〕のコンデンサからなる並列回路がある．この回路に角周波数 ω〔rad/s〕の交流電圧 v〔V〕を加えたところ，この回路に流れる電流は i〔A〕であった．電圧 v〔V〕及び電流 i〔A〕のベクトルをそれぞれ電圧 $\dot{V}$〔V〕と電流 $\dot{I}$〔A〕とした場合，両ベクトルの関係を示す図 2（ア，イ，ウ）及び v〔V〕と i〔A〕の時間 t〔s〕の経過による変化を示す図 3（エ，オ，カ）の組合せとして，正しいものを次の(1)～(5)のうちから一つ選べ．

ただし，$R \gg \omega L$ 及び $\omega L = \dfrac{2}{\omega C}$ とし，一切の過渡現象は無視するものとする．

図 1

	図 2	図 3
(1)	ア	オ
(2)	ア	カ
(3)	イ	エ
(4)	ウ	オ
(5)	ウ	カ

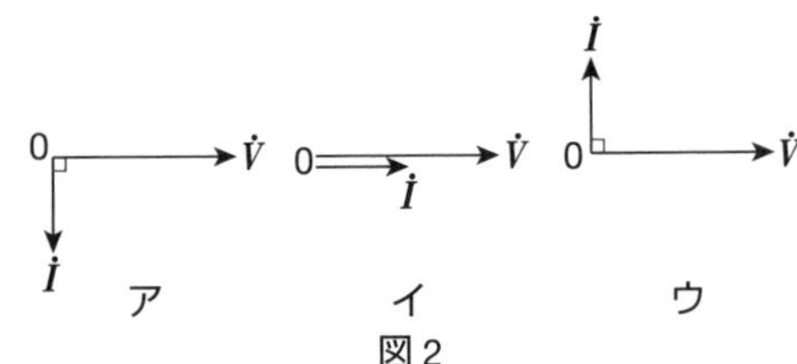

図 2

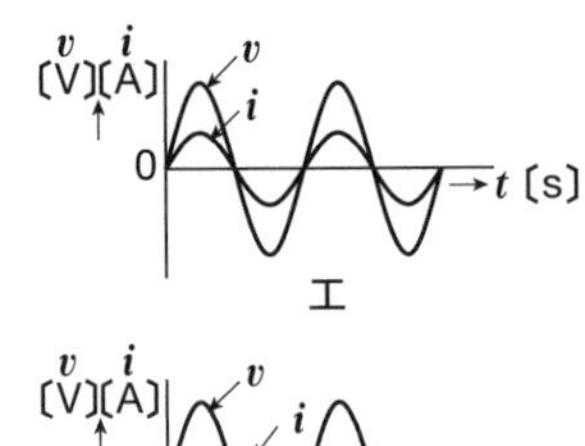

オ

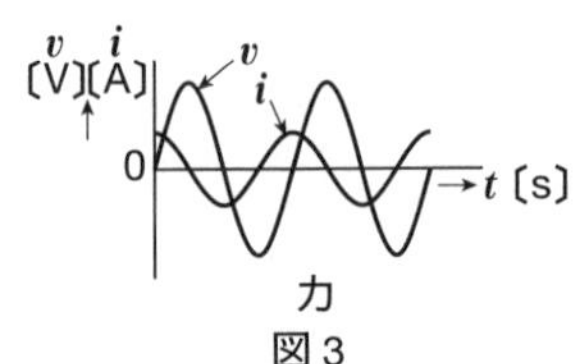

図 3

解26 解答 (5)

第1図のように電流を定めると, $R \gg \omega L$ より, $\dot{I}_R$ は非常に小さくて無視できる.

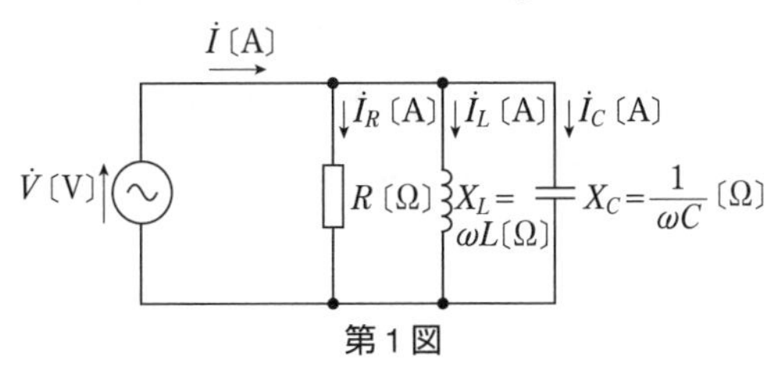

第1図

また, $\omega L = \dfrac{2}{\omega C}$ より $X_L = 2X_C$ となるので, $\dot{I}_L$ の大きさは $\dot{I}_C$ の大きさの $\dfrac{1}{2}$ になる.

以上を考慮すると, ベクトル図は**第2図**となる.

したがって, 電流 i は電圧 v よりもほぼ 90° 進んだ波形になるので, **第3図**のようになる.

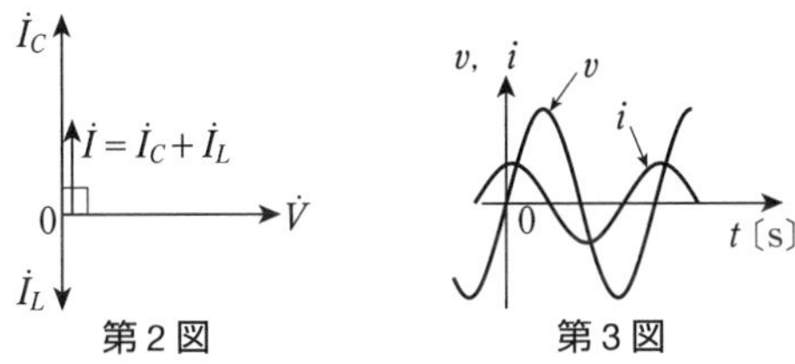

第2図　　第3図

抵抗, コイルおよびコンデンサの並列回路の印加電圧と各部の電流のベクトル図は次のようになる (**第4図**).

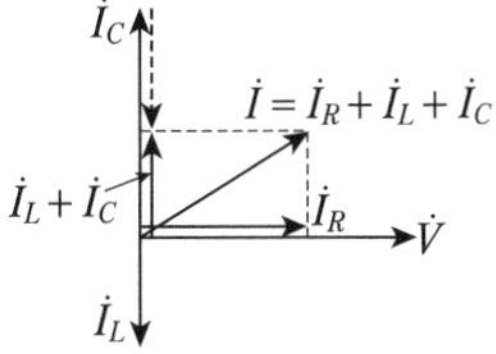

第4図

① 抵抗に流れる電流 $\dot{I}_R$

大きさは $\dfrac{V}{R}$〔A〕で, $\dot{V}$ と同方向のベクトルとなる.

② コイルに流れる電流 $\dot{I}_L$

大きさは $\dfrac{V}{X_L}$〔A〕で, $\dot{V}$ よりも 90° 遅れた方向のベクトルとなる.

ただし, 誘導リアクタンス $X_L = \omega L$〔Ω〕である.

③ コンデンサに流れる電流 $\dot{I}_C$

大きさは $\dfrac{V}{X_C}$〔A〕で, $\dot{V}$ よりも 90° 進んだ方向のベクトルとなる.

ただし, 容量リアクタンス $X_C = \dfrac{1}{\omega C}$〔Ω〕である.

問27 Check! □□□ (平成22年 A 問題7)

抵抗 $R=4$〔Ω〕と誘導性リアクタンス $X=3$〔Ω〕が直列に接続された負荷を，図のように線間電圧 $\dot{V}_{ab}=100\angle 0°$〔V〕, $\dot{V}_{bc}=100\angle 0°$〔V〕の単相3線式電源に接続した．このとき，これらの負荷で消費される総電力 P〔W〕の値として，正しいのは次のうちどれか．

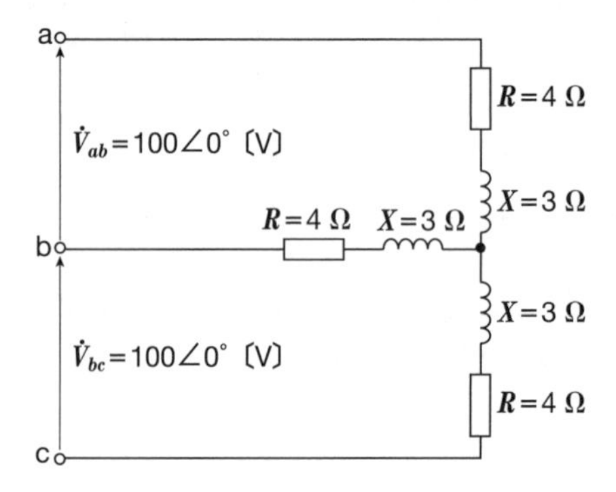

(1) 800　(2) 1 200　(3) 3 200　(4) 3 600　(5) 4 800

解27 解答 (3)

問題の回路は，単相3線式の回路であり，負荷が平衡しているので，b相には電流が流れない．したがって，負荷電流は第1図のようにac相間のみを流れる電流$\dot{I}$のみとなる．

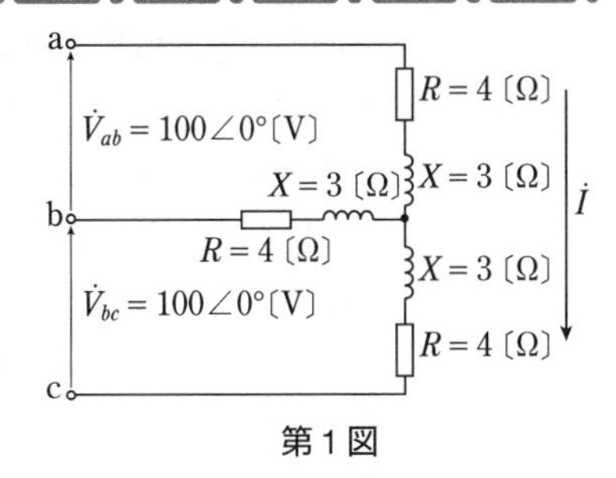

第1図

ここに，負荷電流$\dot{I}$の大きさは，

$$I=\frac{200}{\sqrt{(4+4)^2+(3+3)^2}}=\frac{200}{\sqrt{8^2+6^2}}$$

$$=20〔A〕$$

よって，求める負荷で消費される総電力Pは，次式で求められる．

$$P=8\times 20^2=3\,200〔W〕$$

また，問題の回路のb相に電流が流れないのは，次のように考えればよい．

いま，c相の電位を基準（電位0）とし，負荷側中性点の電位を$\dot{V}_N$とし，各相の線電流を$\dot{I}_a$，$\dot{I}_b$および$\dot{I}_c$とすると，

$$\dot{I}_a=\frac{\dot{V}_{ab}+\dot{V}_{bc}-\dot{V}_N}{R+jX}=\frac{2\dot{V}_{bc}-\dot{V}_N}{R+jX}$$

$$\dot{I}_b=\frac{\dot{V}_{bc}-\dot{V}_N}{R+jX}$$

$$\dot{I}_c=\frac{0-\dot{V}_N}{R+jX}$$

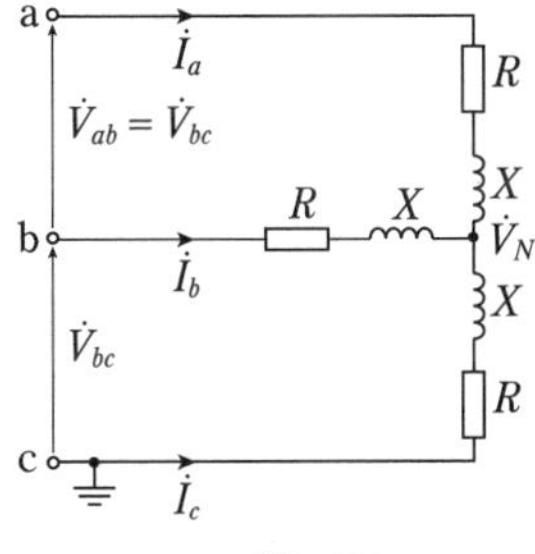

第2図

ここで，負荷側中性点において，キルヒホッフ第1法則が成立するから，

$$\dot{I}_a+\dot{I}_b+\dot{I}_c=0$$

$$\frac{2\dot{V}_{bc}-\dot{V}_N}{R+jX}+\frac{\dot{V}_{bc}-\dot{V}_N}{R+jX}+\frac{0-\dot{V}_N}{R+jX}=0$$

$$\frac{3\dot{V}_N}{R+jX}=\frac{3\dot{V}_{bc}}{R+jX}$$

$$\therefore\quad V_N=\dot{V}_{bc}\quad(\because\quad R+jX\neq 0)$$

したがって，b相の電流$\dot{I}_b$は，

$$\dot{I}_b=\frac{\dot{V}_{bc}-\dot{V}_N}{R+jX}=\frac{\dot{V}_{bc}-\dot{V}_{bc}}{R+jX}=0$$

となって，b相には電流が流れない．

問28 Check! □□□

(平成21年 Ⓐ問題7)

図のように抵抗，コイル，コンデンサからなる負荷がある．この負荷に線間電圧 $\dot{V}_{ab}=100\angle0°$〔V〕，$\dot{V}_{bc}=100\angle0°$〔V〕，$\dot{V}_{ac}=200\angle0°$〔V〕の単相3線式交流電源を接続したところ，端子a，端子b，端子cを流れる線電流はそれぞれ $\dot{I}_a$〔A〕，$\dot{I}_b$〔A〕及び $\dot{I}_c$〔A〕であった．$\dot{I}_a$〔A〕，$\dot{I}_b$〔A〕，$\dot{I}_c$〔A〕の大きさをそれぞれ I_a〔A〕，I_b〔A〕，I_c〔A〕としたとき，これらの大小関係を表す式として，正しいのは次のうちどれか．

(1) $I_a=I_c>I_b$

(2) $I_a>I_c>I_b$

(3) $I_b>I_c>I_a$

(4) $I_b>I_a>I_c$

(5) $I_c>I_a>I_b$

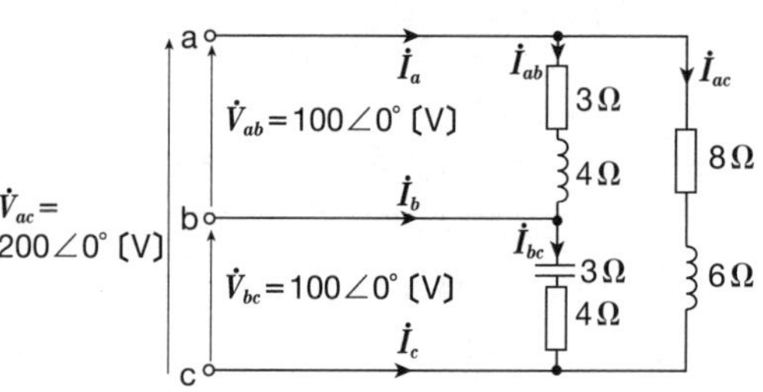

解28 解答 (2)

問題の回路より，電流 $\dot{I}_{ab}$，$\dot{I}_{bc}$ および $\dot{I}_{ac}$ はそれぞれ，次のようになる．

$$\dot{I}_{ab}=\frac{\dot{V}_{ab}}{\dot{Z}_{ab}}=\frac{100\angle 0°}{3+j4}=\frac{100}{3+j4}=\frac{100(3-j4)}{3^2+4^2}=12-j16〔A〕$$

$$\dot{I}_{bc}=\frac{\dot{V}_{bc}}{\dot{Z}_{bc}}=\frac{100\angle 0°}{4-j3}=\frac{100}{4-j3}=\frac{100(4+j3)}{4^2+3^2}=16+j12〔A〕$$

$$\dot{I}_{ac}=\frac{\dot{V}_{ac}}{\dot{Z}_{ac}}=\frac{200\angle 0°}{8+j6}=\frac{200}{8+j6}=\frac{200(8-j6)}{8^2+6^2}=16-j12〔A〕$$

したがって，端子 a，端子 b および端子 c を流れる線電流 $\dot{I}_a$，$\dot{I}_b$，$\dot{I}_c$ およびその大きさ I_a，I_b，I_c はそれぞれ，次のようになる．

$$\dot{I}_a=\dot{I}_{ab}+\dot{I}_{ac}=12-j16+16-j12=28-j28〔A〕$$

$$\therefore\quad I_a=\sqrt{28^2+28^2}=28\sqrt{2}\fallingdotseq 39.60〔A〕$$

$$\dot{I}_b=\dot{I}_{bc}-\dot{I}_{ab}=16+j12-(12-j16)=4+j28〔A〕$$

$$\therefore\quad I_b=\sqrt{4^2+28^2}=\sqrt{800}\fallingdotseq 28.28〔A〕$$

$$\dot{I}_c=-(\dot{I}_{bc}+\dot{I}_{ac})=-(16+j12+16-j12)=-32〔A〕$$

$$\therefore\quad I_c=32〔A〕$$

したがって，求める線電流の大小関係は次のようになる．

$$I_a>I_c>I_b$$

問29 Check! □□□

(平成 22 年 Ⓐ 問題 8)

抵抗 R〔Ω〕と誘導性リアクタンス X_L〔Ω〕を直列に接続した回路の力率（cos ϕ）は，$\frac{1}{2}$ であった．いま，この回路に容量性リアクタンス X_C〔Ω〕を直列に接続したところ，R〔Ω〕，X_L〔Ω〕，X_C〔Ω〕直列回路の力率は，$\frac{\sqrt{3}}{2}$（遅れ）になった．容量性リアクタンス X_C〔Ω〕の値を表す式として，正しいのは次のうちどれか．

(1) $\frac{R}{\sqrt{3}}$　(2) $\frac{2R}{3}$　(3) $\frac{\sqrt{3}R}{2}$　(4) $\frac{2R}{\sqrt{3}}$　(5) $\sqrt{3}R$

問30 Check! □□□

(平成 26 年 Ⓑ 問題 15)

図のように，正弦波交流電圧 E〔V〕の電源が誘導性リアクタンス X〔Ω〕のコイルと抵抗 R〔Ω〕との並列回路に電力を供給している．この回路において，電流計の指示値は 12.5 A，電圧計の指示値は 300 V，電力計の指示値は 2 250 W であった．

ただし，電圧計，電流計及び電力計の損失はいずれも無視できるものとする．次の(a)及び(b)の問に答えよ．

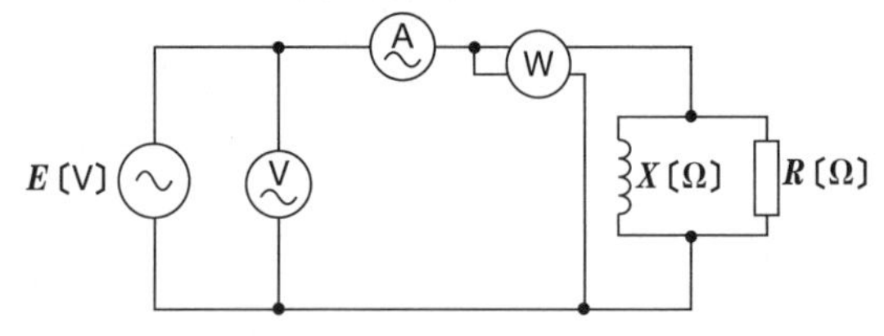

(a) この回路における無効電力 Q〔var〕として，最も近い Q の値を次の(1)～(5)のうちから一つ選べ．

(1) 1 800　(2) 2 250　(3) 2 750　(4) 3 000　(5) 3 750

(b) 誘導性リアクタンス X〔Ω〕として，最も近い X の値を次の(1)～(5)のうちから一つ選べ．

(1) 16　(2) 24　(3) 30　(4) 40　(5) 48

解29 解答 (4)

題意より，回路インピーダンスのベクトル図を描くと図のようになる．

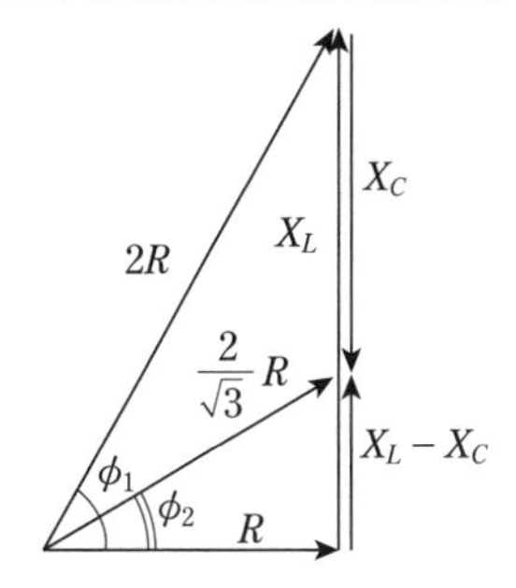

題意より，誘導性リアクタンス X_L は，

$$X_L=\sqrt{\left(\frac{R}{\cos\phi_1}\right)^2-R^2}=R\sqrt{\left(\frac{1}{\frac{1}{2}}\right)^2-1}=\sqrt{3}R\,〔\Omega〕$$

また，回路に容量性リアクタンス X_C を直列に接続したときの全リアクタンス X_L-X_C は題意より，

$$X_L-X_C=\sqrt{\left(\frac{R}{\cos\phi_2}\right)^2-R^2}=R\sqrt{\left(\frac{1}{\frac{\sqrt{3}}{2}}\right)^2-1}=R\sqrt{\frac{1}{3}}=\frac{R}{\sqrt{3}}$$

となるから，求める容量性リアクタンス X_C の値は，

$$X_C=X_L-(X_L-X_C)=\sqrt{3}R-\frac{R}{\sqrt{3}}=\frac{3R-R}{\sqrt{3}}=\frac{2R}{\sqrt{3}}\,〔\Omega〕$$

となる．

解30 解答 (a)−(4), (b)−(3)

(a) 題意より，負荷の皮相電力 S は，

$$S=VI=300\times12.5=3\,750\,〔\mathrm{V{\cdot}A}〕$$

であるから，求める回路の無効電力 Q は，

$$Q=\sqrt{S^2-P^2}=\sqrt{3\,750^2-2\,250^2}=3\,000\,〔\mathrm{var}〕$$

(b) 誘導性リアクタンス X は，

$$X=\frac{V^2}{Q}=\frac{300^2}{3\,000}=30\,〔\Omega〕$$

問31 Check! □□□ (平成24年 Ⓐ 問題10)

図のように，R_1 = 20〔Ω〕と R_2 = 30〔Ω〕の抵抗，静電容量 $C = \dfrac{1}{100\pi}$〔F〕のコンデンサ，インダクタンス $L = \dfrac{1}{4\pi}$〔H〕のコイルからなる回路に周波数 f〔Hz〕で実効値 V〔V〕が一定の交流電圧を加えた．f = 10〔Hz〕のときに R_1 を流れる電流の大きさを I_{10Hz}〔A〕，f =10〔MHz〕のときに R_1 を流れる電流の大きさを I_{10MHz}〔A〕とする．このとき，電流比 $\dfrac{I_{10Hz}}{I_{10MHz}}$ の値として，最も近いものを次の(1)～(5)のうちから一つ選べ．

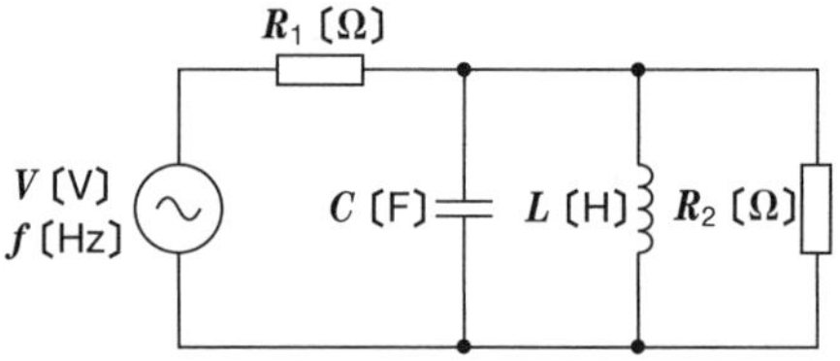

(1) 0.4　(2) 0.6　(3) 1.0　(4) 1.7　(5) 2.5

解31 解答（1）

電源周波数が$f=10$〔Hz〕のときの容量リアクタンス$X_{C10\mathrm{Hz}}$および誘導リアクタンス$X_{L10\mathrm{Hz}}$はそれぞれ，

$$X_{C10\mathrm{Hz}}=\frac{1}{2\pi fC}=\frac{100\pi}{2\pi\times 10}=5〔\Omega〕$$

$$X_{L10\mathrm{Hz}}=2\pi fL=2\pi\times 10\times\frac{1}{4\pi}=5〔\Omega〕$$

であるから，$f=10$〔Hz〕において回路は並列共振となり，この場合の回路インピーダンス$\dot{Z}_{10\mathrm{Hz}}$は，

$$\dot{Z}_{10\mathrm{Hz}}=R_1+R_2=20+30=50〔\Omega〕$$

となる．よって，R_1を流れる電流の大きさ$I_{10\mathrm{Hz}}$は，

$$I_{10\mathrm{Hz}}=\frac{V}{Z_{10\mathrm{Hz}}}=\frac{V}{50}〔\mathrm{A}〕$$

となる．

次に，電源周波数が$f=10$〔MHz〕のときの容量リアクタンス$X_{C10\mathrm{MHz}}$および誘導リアクタンス$X_{L10\mathrm{MHz}}$はそれぞれ，次のようになる．

$$X_{C10\mathrm{MHz}}=\frac{1}{2\pi fC}=\frac{100\pi}{2\pi\times 10\times 10^6}=5\times 10^{-6}〔\Omega〕$$

$$X_{L10\mathrm{MHz}}=2\pi fL=2\pi\times 10\times\frac{1}{4\pi}=5\times 10^6〔\Omega〕$$

この場合，$X_{C10\mathrm{MHz}}$は抵抗$R_1=20$〔Ω〕および$R_2=30$〔Ω〕に比べて非常に小さいのでこれを無視（$X_{C10\mathrm{MHz}}\fallingdotseq 0$）し，また，$X_{L10\mathrm{MHz}}$は抵抗$R_1=20$〔Ω〕および$R_2=30$〔Ω〕に比べて非常に大きいのでこれを$X_{L10\mathrm{MHz}}\fallingdotseq\infty$と考えれば，$f=10$〔MHz〕のとき，コンデンサ$C$は短絡，インダクタンス$L$は開放とみなすことができる．よって，$R_1$を流れる電流の大きさ$I_{10\mathrm{MHz}}$は，

$$I_{10\mathrm{MHz}}=\frac{V}{R_1}=\frac{V}{20}〔\mathrm{A}〕$$

となるから，求める電流の比$\dfrac{I_{10\mathrm{Hz}}}{I_{10\mathrm{MHz}}}$は，次のようになる．

$$\frac{I_{10\mathrm{Hz}}}{I_{10\mathrm{MHz}}}=\frac{\dfrac{V}{50}}{\dfrac{V}{20}}=\frac{20}{50}=0.4$$

問32 Check! □□□

(平成 23 年 Ⓐ 問題 8)

図の交流回路において，電源電圧を $\dot{E}=140\angle 0°$〔V〕とする．いま，この電源に力率 0.6 の誘導性負荷を接続したところ，電源から流れ出る電流の大きさは 37.5〔A〕であった．次に，スイッチ S を閉じ，この誘導性負荷と並列に抵抗 R〔Ω〕を接続したところ，電源から流れ出る電流の大きさが 50〔A〕となった．このとき，抵抗 R〔Ω〕の大きさとして，正しいものを次の(1)～(5)のうちから一つ選べ．

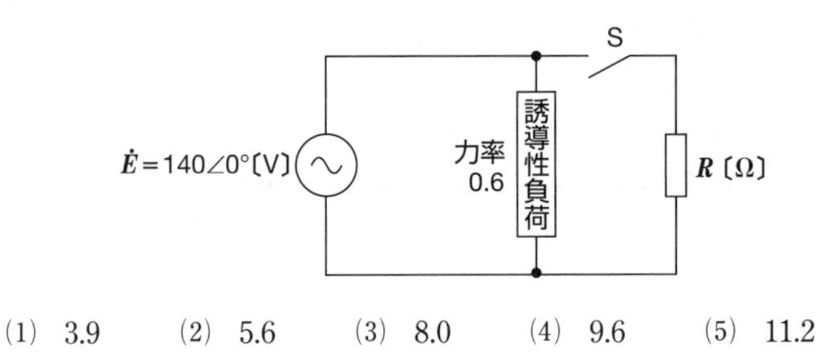

(1) 3.9　(2) 5.6　(3) 8.0　(4) 9.6　(5) 11.2

問33 Check! □□□

(平成 26 年 Ⓐ 問題 8)

図の交流回路において，電源を流れる電流 I〔A〕の大きさが最小となるように静電容量 C〔F〕の値を調整した．このときの回路の力率の値として，最も近いものを次の(1)～(5)のうちから一つ選べ．

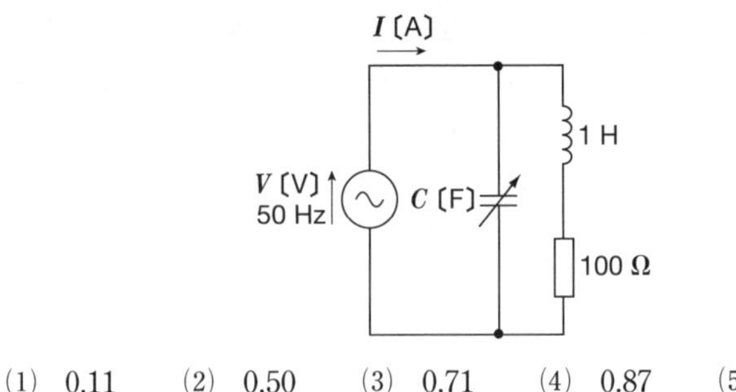

(1) 0.11　(2) 0.50　(3) 0.71　(4) 0.87　(5) 1

解32 解答 (3)

力率 0.6 の誘導性負荷に流れる電流を $\dot{I}_Z$ とすると，題意より $\dot{I}_Z$ は

$$\dot{I}_Z = 37.5 \times (0.6 - j\sqrt{1-0.6^2}) = 37.5 \times (0.6 - j0.8) = 22.5 - j30\ \text{〔A〕}$$

いま，抵抗 R を接続したとき，これに流れる電流を $\dot{I}_R$ とすると，$\dot{I}_R$ は電源電圧 $\dot{E}$ と同相であるから，$\dot{I}_R = I_R$ で表すことができる．

ここに，題意より，$\dot{I}_Z$ と $\dot{I}_R$ の合成電流の大きさが 50〔A〕であったことから，次式が成立する．

$$\left|\dot{I}_Z + \dot{I}_R\right|^2 = (22.5 + I_R)^2 + 30^2 = 50^2$$

$$(22.5 + I_R)^2 = 50^2 - 30^2 = 1\,600$$

$$22.5 + I_R = \sqrt{1\,600} = 40 \quad (\because \quad I_R > 0)$$

$$\therefore \quad I_R = 40 - 22.5 = 17.5\ \text{〔A〕}$$

以上から，求める抵抗 R の大きさは，次式のようになる．

$$R = \frac{E}{I_R} = \frac{140}{17.5} = 8\ \text{〔Ω〕}$$

解33 解答 (5)

100〔Ω〕の抵抗および 1〔H〕のインダクタンスの直列回路で表される負荷に，並列にコンデンサ C を接続して力率改善を行う場合，回路の力率が 1 となったとき，回路電流は最小となる．

電源を流れる電流 $\dot{I}$ は，電源電圧を $\dot{E}$〔V〕，角周波数を ω〔rad/s〕，抵抗を R〔Ω〕，インダクタンスを L〔H〕とすると，次式で表せる．

$$\dot{I} = \left(j\omega C + \frac{1}{R + j\omega L}\right)\dot{E} = \left(j\omega C + \frac{R - j\omega L}{R^2 + \omega^2 L^2}\right)\dot{E}$$

$$= \left\{\frac{R}{R^2 + \omega^2 L^2} + j\omega\left(C - \frac{L}{R^2 + \omega^2 L^2}\right)\right\}\dot{E}\ \text{〔A〕}$$

したがって，電源を流れる電流 $\dot{I}$ の大きさが最小となるのは，上式において，

$C = \dfrac{L}{R^2 + \omega^2 L^2}$ が成立するときであり，この場合，

$$\dot{I} = \frac{R}{R^2 + \omega^2 L^2}\dot{E}$$

となり，$\dot{I}$ は $\dot{E}$ と同相になり，その力率は 1 となる．

問34　Check! □□□　（平成25年 B問題16）

振幅 V_m〔V〕の交流電源の電圧 $v = V_m \sin \omega t$〔V〕をオシロスコープで計測したところ，画面上に図のような正弦波形が観測された．次の(a)及び(b)の問に答えよ．

ただし，オシロスコープの垂直感度は5〔V〕/div，掃引時間は2〔ms〕/divとし，測定に用いたプローブの減衰比は1対1とする．

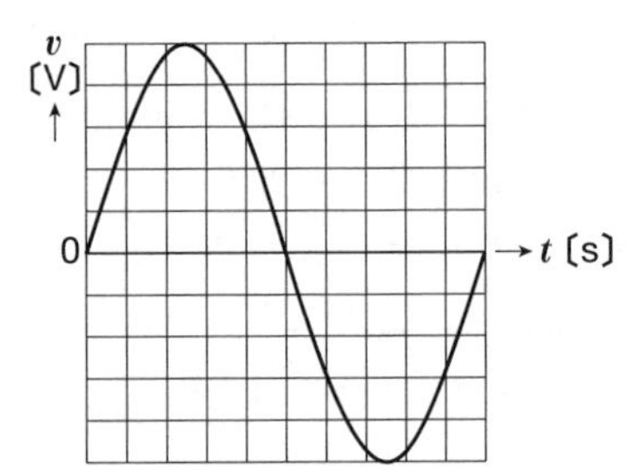

(a)　この交流電源の電圧の周期〔ms〕，周波数〔Hz〕，実効値〔V〕の値の組合せとして，最も近いものを次の(1)～(5)のうちから一つ選べ．

	周期	周波数	実効値
(1)	20	50	15.9
(2)	10	100	25.0
(3)	20	50	17.7
(4)	10	100	17.7
(5)	20	50	25.0

(b)　この交流電源をある負荷に接続したとき，$i = 25\cos\left(\omega t - \dfrac{\pi}{3}\right)$〔A〕の電流が流れた．この負荷の力率〔%〕の値として，最も近いものを次の(1)～(5)のうちから一つ選べ．

(1)　50　　(2)　60　　(3)　70.7　　(4)　86.6　　(5)　100

解34　解答　(a)－(3), (b)－(4)

(a)　第１図のように，5〔V〕/div および 2〔ms〕/div は，波形の１目盛が 5〔V〕および 2〔ms〕であることを表している．

① 周期

$$T = 2\,〔\mathrm{ms}〕\times 10\,\text{目盛} = 20\,〔\mathrm{ms}〕$$

② 周波数

$$f = \frac{1}{T〔\mathrm{s}〕} = \frac{1}{0.02} = 50\,〔\mathrm{Hz}〕$$

③ 実効値

$$V = \frac{V_m}{\sqrt{2}} = \frac{5〔\mathrm{V}〕\times 5\,\text{目盛}}{\sqrt{2}} \fallingdotseq 17.7\,〔\mathrm{V}〕$$

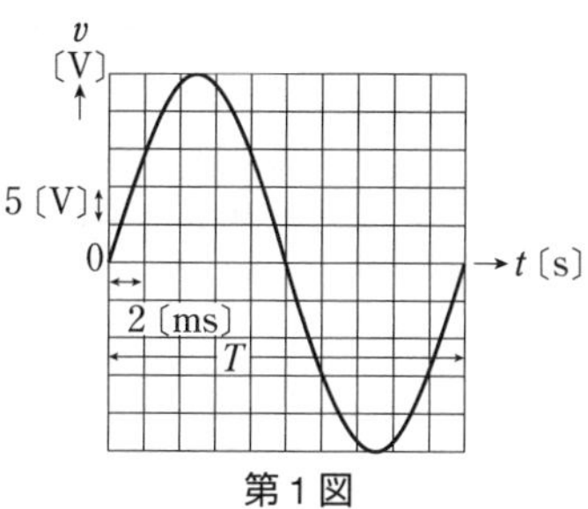

第１図

(b)　電圧と電流波形の関係は第２図のようになる．

力率角 $\theta = \frac{\pi}{6}$〔rad〕であるから，

$$\cos\theta = \cos\frac{\pi}{6} = \frac{\sqrt{3}}{2} = 0.866$$

よって，力率は 86.6〔%〕である．

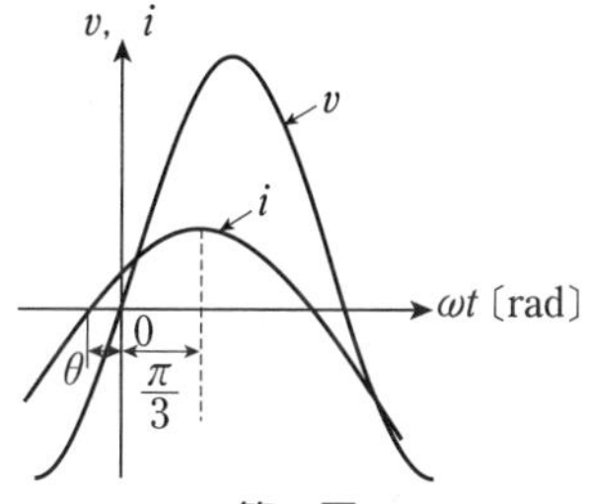

第２図

電流 $i = 25\cos\left(\omega t - \frac{\pi}{3}\right)$〔A〕は，$\cos\omega t$ よりも $\pi/3$〔rad〕遅れた波形になるので，第３図のようになる．

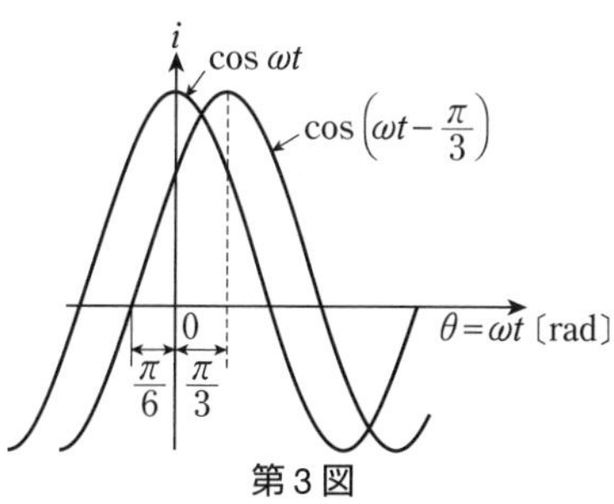

第３図

問35 Check! □□□

(令和4年㊤ Ａ問題9)

図のように，5 Ω の抵抗，200 mH のインダクタンスをもつコイル，20 μF の静電容量をもつコンデンサを直列に接続した回路に周波数 f [Hz] の正弦波交流電圧 E [V] を加えた．周波数 f を回路に流れる電流が最大となるように変化させたとき，コイルの両端の電圧の大きさは抵抗の両端の電圧の大きさの何倍か．最も近いものを次の(1)～(5)のうちから一つ選べ．

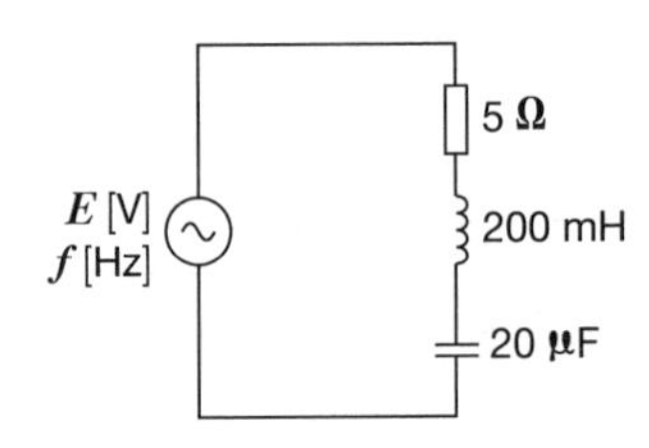

(1) 5　(2) 10　(3) 15　(4) 20　(5) 25

問36 Check! □□□

(平成18年 Ａ問題7)

図のように，$R=200$〔Ω〕の抵抗，インダクタンス $L=2$〔mH〕のコイル，静電容量 $C=0.8$〔μF〕のコンデンサを直列に接続した交流回路がある．この回路において，電源電圧 $\dot{E}$〔V〕と電流 $\dot{I}$〔A〕とが同相であるとき，この電源電圧の角周波数 ω〔rad/s〕の値として，正しいのは次のうちどれか．

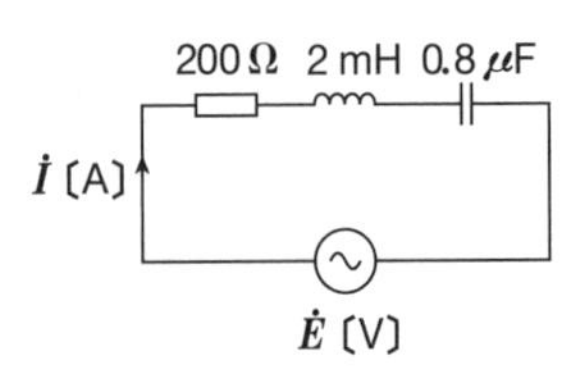

(1) 1.0×10^3　(2) 3.0×10^3　(3) 2.0×10^4
(4) 2.5×10^4　(5) 3.5×10^4

解35 解答 (4)

この回路は直列共振回路であるから，回路に流れる電流が最大となるのは周波数fが回路の共振周波数のときである．

この回路の共振周波数f_0 [Hz] は，

$$f_0 = \frac{1}{2\pi\sqrt{LC}}$$

このときのコイルのリアクタンスX_L [Ω] は，

$$X_L = 2\pi f_0 L = 2\pi \times \frac{1}{2\pi\sqrt{LC}} L = \sqrt{\frac{L^2}{LC}} = \sqrt{\frac{L}{C}} \ [\Omega]$$

この式に問題の値を代入すると，

$$X_L = \sqrt{\frac{200\times10^{-3}}{20\times10^{-6}}} = \sqrt{10\times10^3} = \sqrt{10^4} = 10^2 = 100\ \Omega$$

コイルの両端の電圧の大きさと抵抗の両端の電圧の大きさの比は，コイルと抵抗に同じ値の電流が流れていることから，コイルのリアクタンスの値と抵抗の値の比に等しい．よって，

$$\frac{100}{5} = 20$$

解36 解答 (4)

RLC直列回路に流れる電流$\dot{I}$と電源電圧$\dot{E}$が同相であるとき回路は共振状態であるから，電源の角周波数ωは，

$$\omega = \frac{1}{\sqrt{LC}} \text{〔rad/s〕}$$

で表せる．したがって，求める角周波数ωは，上式に$L = 2\times10^{-3}$〔H〕，$C = 0.8\times10^{-6}$〔F〕を代入すると，

$$\omega = \frac{1}{\sqrt{2\times10^{-3}\times0.8\times10^{-6}}} = \frac{1}{\sqrt{1.6\times10^{-9}}} = \frac{1}{\sqrt{16\times10^{-10}}} = \frac{1}{4\times10^{-5}}$$

$$= 0.25\times10^5 = 2.5\times10^4 \text{〔rad/s〕}$$

問37 Check! □□□

(令和5年㊦ Ⓐ問題8)

図のような交流回路において，電源の周波数を変化させたところ，共振時のインダクタンス L の端子電圧 V_L は 314 V であった．共振周波数の値 [kHz] として，最も近いものを次の(1)～(5)のうちから一つ選べ．

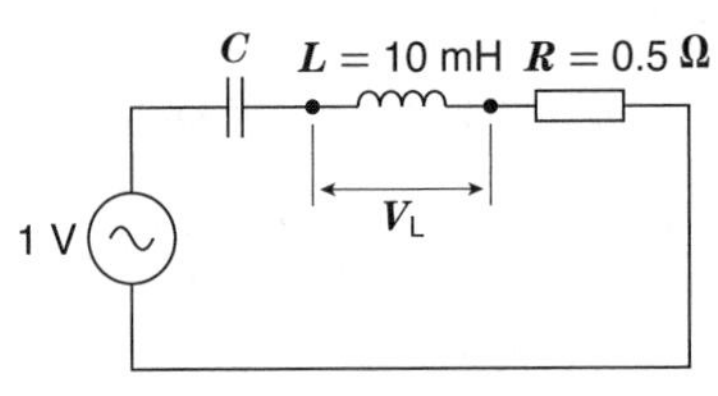

(1) 2.0　(2) 2.5　(3) 3.0　(4) 3.5　(5) 4.0

問38 Check! □□□

(平成25年 Ⓐ問題10)

図は，インダクタンス L〔H〕のコイルと静電容量 C〔F〕のコンデンサ，並びに R〔Ω〕の抵抗の直列回路に，周波数が f〔Hz〕で実効値が V (≠0)〔V〕である電源電圧を与えた回路を示している．この回路において，抵抗の端子間電圧の実効値 V_R〔V〕が零となる周波数 f〔Hz〕の条件を全て列挙したものとして，正しいものを次の(1)～(5)のうちから一つ選べ．

(1) 題意を満たす周波数はない

(2) $f=0$

(3) $f=\dfrac{1}{2\pi\sqrt{LC}}$

(4) $f=0$，$f\to\infty$

(5) $f=\dfrac{1}{2\pi\sqrt{LC}}$，$f\to\infty$

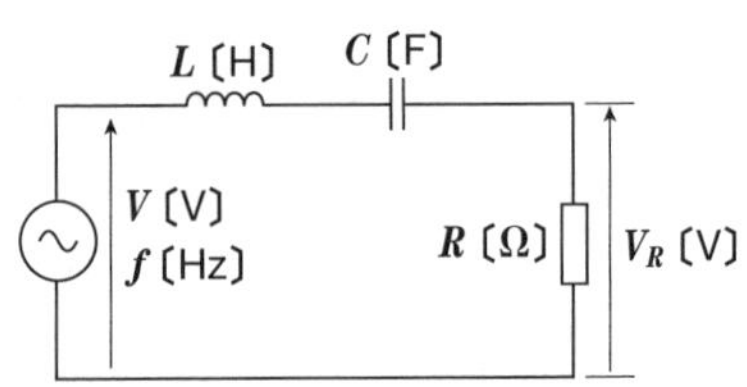

解37 解答 (2)

回路図より，直列共振時は電源電圧のすべてが抵抗 $R = 0.5\ \Omega$ にかかるので，この場合の回路電流 I は，

$$I = \frac{1}{0.5} = 2\ \mathrm{A}$$

したがって，共振周波数 f は，

$$2\pi fLI = V_{\mathrm{L}}$$

$$f = \frac{V_{\mathrm{L}}}{2\pi LI} = \frac{314}{2\pi \times 10 \times 10^{-3} \times 2} \times 10^{-3} \fallingdotseq 2.498\,7$$

$$\fallingdotseq 2.50\ \mathrm{kHz}$$

解38 解答 (4)

回路に流れる電流の大きさを I〔A〕とすると，抵抗の端子間電圧は $V_R = RI$〔V〕となるので，$V_R = 0$〔V〕になるときは $I = 0$〔A〕のときである．

ここで，回路のインピーダンスの大きさを Z〔Ω〕とすると，

$$I = \frac{V}{Z} = \frac{V}{\sqrt{R^2 + \left(\omega L - \dfrac{1}{\omega C}\right)^2}}\text{〔A〕}$$

ただし，$\omega = 2\pi f$〔rad/s〕

したがって，$I = 0$〔A〕になる場合は $Z \to \infty$ になるときで，次の二つの条件があてはまる．

① $f = 0$ のとき

$$\frac{1}{\omega C} \to \infty \text{ となるので } \quad Z \to \infty$$

② $f \to \infty$ のとき

$$\omega L \to \infty \text{ となるので } \quad Z \to \infty$$

以上より，求める条件は(4)である．

問39 Check! □□□

(平成 20 年 A 問題 8)

図のように，正弦波交流電圧 $e = E_m \sin \omega t$〔V〕の電源，静電容量 C〔F〕のコンデンサ及びインダクタンス L〔H〕のコイルからなる交流回路がある．

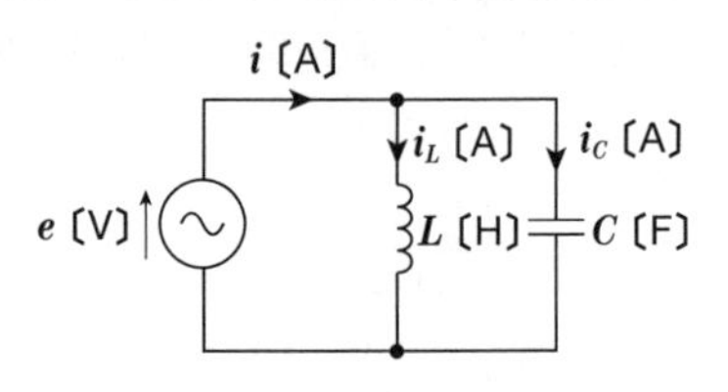

この回路に流れる電流 i〔A〕が常に零となるための角周波数 ω〔rad/s〕の値を表す式として，正しいのは次のうちどれか．

(1) $\dfrac{1}{\sqrt{LC}}$　(2) $\sqrt{LC}$　(3) $\dfrac{1}{LC}$　(4) $\sqrt{\dfrac{L}{C}}$　(5) $\sqrt{\dfrac{C}{L}}$

問40 Check! □□□

(平成 17 年 A 問題 8)

図のように，静電容量 C_x〔F〕及び C〔F〕のコンデンサとインダクタンス L〔H〕のコイルを直列に接続した交流回路がある．この回路において，スイッチ S を開いたときの共振周波数は f_1〔Hz〕，閉じたときの共振周波数は f_2〔Hz〕である．f_1〔Hz〕が f_2〔Hz〕の 2 倍であるとき，静電容量の比 $\dfrac{C}{C_x}$ の値として，正しいのは次のうちどれか．

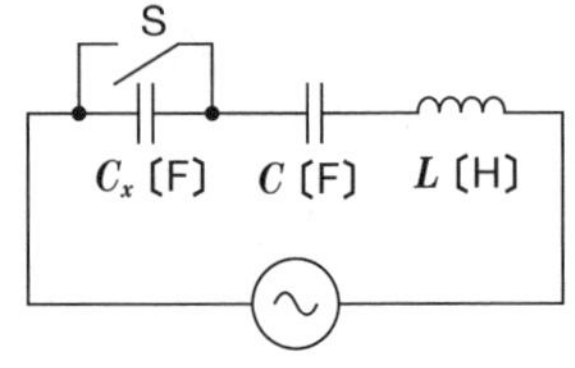

(1) $\dfrac{1}{3}$　(2) $\dfrac{1}{2}$　(3) 1　(4) 2　(5) 3

解39 解答 (1)

回路電流 i が零となるためには，LC 並列回路が共振（並列共振）状態にあればよい．

よって，求める角周波数 ω は，

$$\omega = \frac{1}{\sqrt{LC}} \text{〔rad/s〕}$$

となる．

解40 解答 (5)

題意より，共振周波数 f_1 および f_2 は次式で表せる．

$$f_1 = \frac{1}{2\pi\sqrt{L \cdot \dfrac{CC_x}{C+C_x}}} \text{〔Hz〕}, \quad f_2 = \frac{1}{2\pi\sqrt{LC}} \text{〔Hz〕}$$

ここに，f_1 が f_2 の 2 倍であるから，次式が成立する．

$$\frac{1}{2\pi\sqrt{L \cdot \dfrac{CC_x}{C+C_x}}} = \frac{2}{2\pi\sqrt{LC}}$$

$$\sqrt{L \cdot \frac{CC_x}{C+C_x}} = \frac{1}{2}\sqrt{LC}$$

$$\sqrt{\frac{CC_x}{C+C_x}} = \frac{\sqrt{C}}{2}$$

$$\frac{CC_x}{C+C_x} = \frac{C}{4}$$

$$4CC_x = C^2 + CC_x$$

$$\therefore \quad 3CC_x = C^2$$

よって，求める静電容量の比 C/C_x は，次式となる．

$$\frac{C^2}{CC_x} = \frac{C}{C_x} = 3$$

問41 Check! □□□

(平成 30 年 Ⓐ 問題 9)

次の文章は，図の回路に関する記述である．

交流電圧源の出力電圧を 10 V に保ちながら周波数 f [Hz] を変化させるとき，交流電圧源の電流の大きさが最小となる周波数は (ア) Hz である．このとき，この電流の大きさは (イ) A であり，その位相は電源電圧を基準として (ウ) ．

ただし，電流の向きは図に示す矢印のとおりとする．

上記の記述中の空白箇所(ア)，(イ)及び(ウ)に当てはまる組合せとして，正しいものを次の(1)～(5)のうちから一つ選べ．

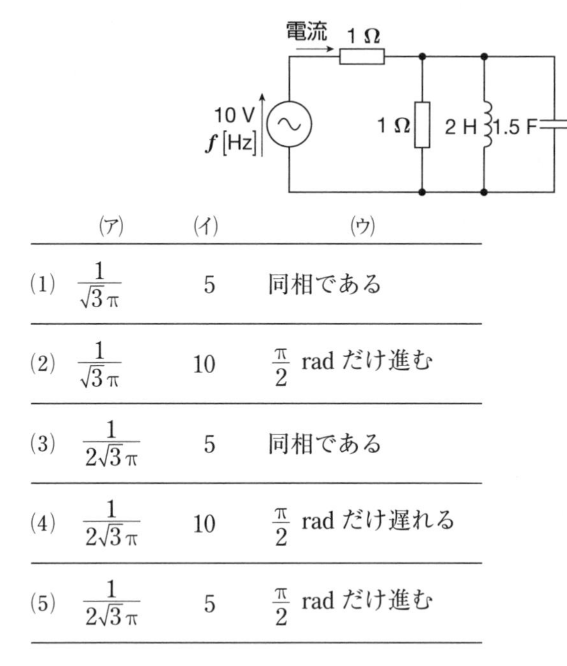

	(ア)	(イ)	(ウ)
(1)	$\frac{1}{\sqrt{3}\pi}$	5	同相である
(2)	$\frac{1}{\sqrt{3}\pi}$	10	$\frac{\pi}{2}$ rad だけ進む
(3)	$\frac{1}{2\sqrt{3}\pi}$	5	同相である
(4)	$\frac{1}{2\sqrt{3}\pi}$	10	$\frac{\pi}{2}$ rad だけ遅れる
(5)	$\frac{1}{2\sqrt{3}\pi}$	5	$\frac{\pi}{2}$ rad だけ進む

解41 解答 (3)

交流電圧源の電流の大きさが最小となるのは，2 H のインダクタンスと 1.5 F の静電容量が並列共振した場合で，その並列共振周波数 f は，

$$f = \frac{1}{2\pi\sqrt{LC}} = \frac{1}{2\pi\sqrt{2\times1.5}} = \frac{1}{2\sqrt{3}\pi}\ \mathrm{Hz}$$

また，2 H のインダクタンスと 1.5 F の静電容量が並列共振した場合，その合成インピーダンスは無限大となり，電流はこれらと並列接続された 1 Ω のみに流れるから，交流電源からみたインピーダンスは抵抗分 2 Ω のみとなるから，電流の大きさ I は，

$$I = \frac{10}{2} = 5\ \mathrm{A}$$

となり，その位相は電源電圧と同相となる．

問42 Check! □□□

(令和6年㊤ Ⓐ問題8)

図のように，二つのLC直列共振回路A，Bがあり，それぞれの共振周波数がf_A [Hz]，f_B [Hz] である．これらA，Bをさらに直列に接続した場合，全体としての共振周波数がf_{AB} [Hz] になった．f_A，f_B及びf_{AB}の大小関係として，正しいものを次の(1)～(5)のうちから一つ選べ．

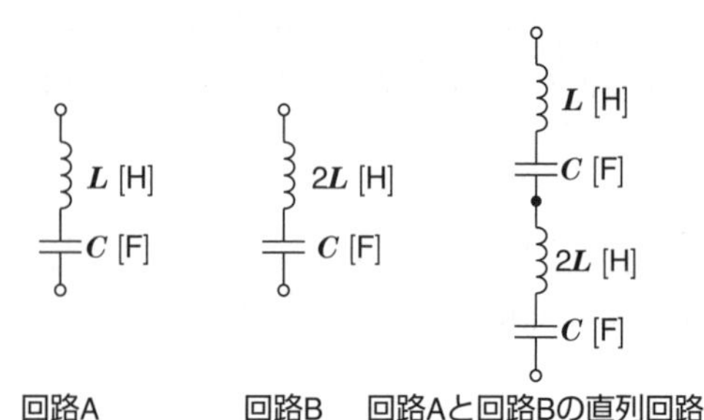

(1) $f_A < f_B < f_{AB}$　(2) $f_A < f_{AB} < f_B$　(3) $f_B < f_{AB} < f_A$
(4) $f_{AB} < f_A < f_B$　(5) $f_{AB} < f_B < f_A$

問43 Check! □□□

(平成26年 Ⓐ問題9)

図のように，二つのLC直列共振回路A，Bがあり，それぞれの共振周波数がf_A〔Hz〕，f_B〔Hz〕である．これらA，Bをさらに直列に接続した場合，全体としての共振周波数がf_{AB}〔Hz〕になった．f_A，f_B，f_{AB}の大小関係として，正しいものを次の(1)～(5)のうちから一つ選べ．

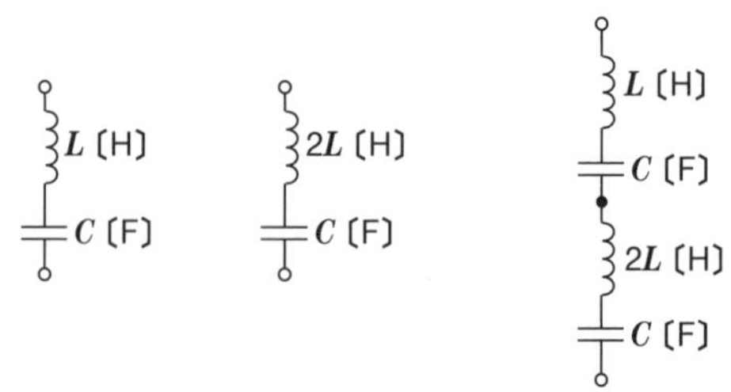

(1) $f_A < f_B < f_{AB}$　(2) $f_A < f_{AB} < f_B$　(3) $f_{AB} < f_A < f_B$
(4) $f_{AB} < f_B < f_A$　(5) $f_B < f_{AB} < f_A$

解42 解答 (3)

与えられた回路の共振周波数 f_A, f_B および f_AB を求めると，次のようになる．

$$f_\mathrm{A} = \frac{1}{2\pi\sqrt{LC}}\,[\mathrm{Hz}]$$

$$f_\mathrm{B} = \frac{1}{2\pi\sqrt{2LC}} = \frac{1}{\sqrt{2}}\cdot\frac{1}{2\pi\sqrt{LC}} = \frac{1}{\sqrt{2}}f_\mathrm{A} = \frac{\sqrt{2}}{2}f_\mathrm{A} \fallingdotseq 0.707\,1 f_\mathrm{A}\,[\mathrm{Hz}]$$

$$f_\mathrm{AB} = \frac{1}{2\pi\sqrt{3L\cdot\frac{C}{2}}} = \frac{1}{\sqrt{\frac{3}{2}}}\cdot\frac{1}{2\pi\sqrt{LC}} = \frac{\sqrt{2}}{\sqrt{3}}f_\mathrm{A} \fallingdotseq 0.816\,5 f_\mathrm{A}\,[\mathrm{Hz}]$$

したがって，f_A, f_B および f_AB の大小関係は，

$$\boldsymbol{f_\mathrm{B} < f_\mathrm{AB} < f_\mathrm{A}}$$

解43 解答 (5)

L_0〔H〕のインダクタンスと C_0〔F〕のコンデンサの直列回路の共振周波数 f_0 は，

$$f_0 = \frac{1}{2\pi\sqrt{L_0C_0}}〔\mathrm{Hz}〕$$

したがって，題意より，f_A, f_B および f_{AB} を求めると，次のようになる．

$$f_A = \frac{1}{2\pi\sqrt{LC}}〔\mathrm{Hz}〕$$

$$f_B = \frac{1}{2\pi\sqrt{2LC}} = \frac{1}{\sqrt{2}}\cdot\frac{1}{2\pi\sqrt{LC}} = \frac{1}{\sqrt{2}}f_A = \frac{\sqrt{2}}{2}f_A \fallingdotseq 0.7071\,f_A〔\mathrm{Hz}〕$$

$$f_{AB} = \frac{1}{2\pi\sqrt{3L\cdot\frac{C}{2}}} = \frac{1}{\sqrt{\frac{3}{2}}}\cdot\frac{1}{2\pi\sqrt{LC}} = \frac{\sqrt{2}}{\sqrt{3}}f_A \fallingdotseq 0.8165\,f_A〔\mathrm{Hz}〕$$

以上から，f_A, f_B および f_{AB} の大小関係は，次のようになる．

$$f_B < f_{AB} < f_A$$

問44 Check! □□□

(令和２年 Ⓐ問題９)

図のように，R [Ω] の抵抗，インダクタンス L [H] のコイル，静電容量 C [F] のコンデンサと電圧 $\dot{V}$ [V]，角周波数 ω [rad/s] の交流電源からなる二つの回路 A と B がある．両回路においてそれぞれ $\omega^2 LC = 1$ が成り立つとき，各回路における図中の電圧ベクトルと電流ベクトルの位相の関係として，正しいものの組合せを次の(1)～(5)のうちから一つ選べ．ただし，ベクトル図における進み方向は反時計回りとする．

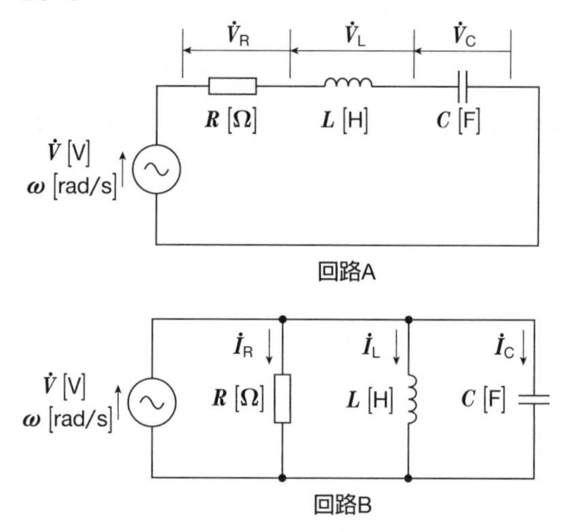

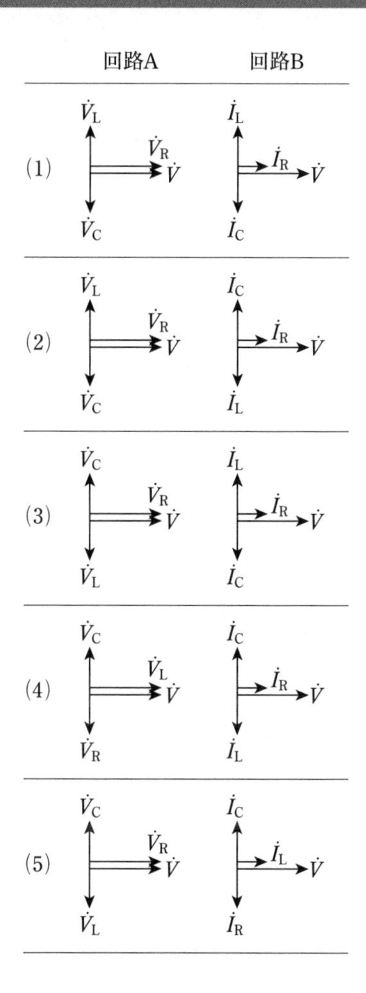

回路A
回路B
(1)
(2)
(3)
(4)
(5)

解44 解答 (2)

回路Aおよび回路Bにおいて$\omega^2 LC=1$が成立するとき，回路Aは直列共振状態，回路Bは並列共振状態にある．したがって，回路Aにおける全電流を$\dot{I}$とすると，抵抗R，インダクタンスLおよびコンデンサCの端子電圧$\dot{V}_{\mathrm{R}}$，$\dot{V}_{\mathrm{L}}$および$\dot{V}_{\mathrm{C}}$はそれぞれ，

$$\dot{V}_{\mathrm{R}}=R\dot{I}\quad(\dot{I}\text{と同相})$$

$$\dot{V}_{\mathrm{L}}=\mathrm{j}\omega L\dot{I}\quad(\dot{I}\text{より}90°\text{進み位相})$$

$$\dot{V}_{\mathrm{C}}=\frac{1}{\mathrm{j}\omega C}\dot{I}=-\mathrm{j}\frac{1}{\omega C}\dot{I}\quad(\dot{I}\text{より}90°\text{遅れ位相})$$

となるから，電圧・電流ベクトル図は**第1図**のようになる．

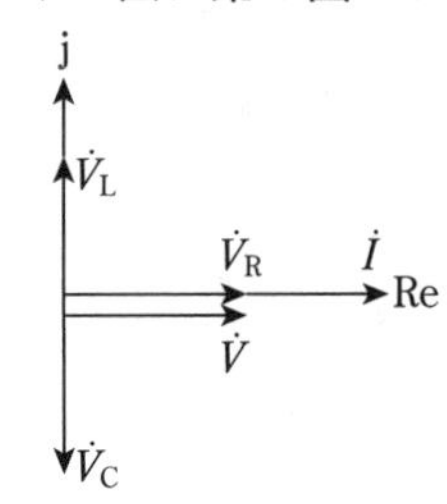

第1図

次に，回路Bの抵抗R，インダクタンスLおよびコンデンサCを流れる電流$\dot{I}_{\mathrm{R}}$，$\dot{I}_{\mathrm{L}}$および$\dot{I}_{\mathrm{C}}$はそれぞれ，

$$\dot{I}_{\mathrm{R}}=\frac{1}{R}\dot{V}\quad(\dot{V}\text{と同相})$$

$$\dot{I}_{\mathrm{L}}=\frac{1}{\mathrm{j}\omega L}\dot{V}=-\mathrm{j}\frac{1}{\omega L}\dot{V}\quad(\dot{V}\text{より}90°\text{遅れ位相})$$

$$\dot{I}_{\mathrm{C}}=\mathrm{j}\omega C\dot{V}\quad(\dot{V}\text{より}90°\text{進み位相})$$

となるから，電圧・電流ベクトル図は**第2図**のようになる．

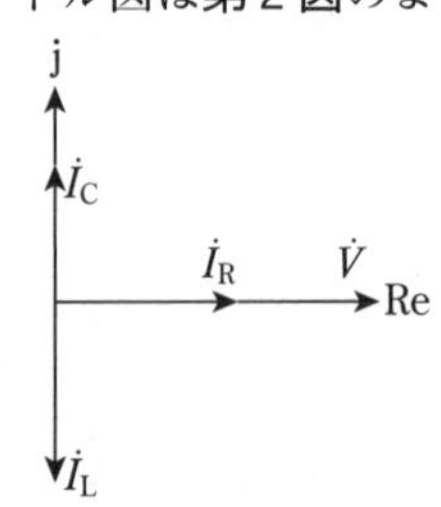

第2図

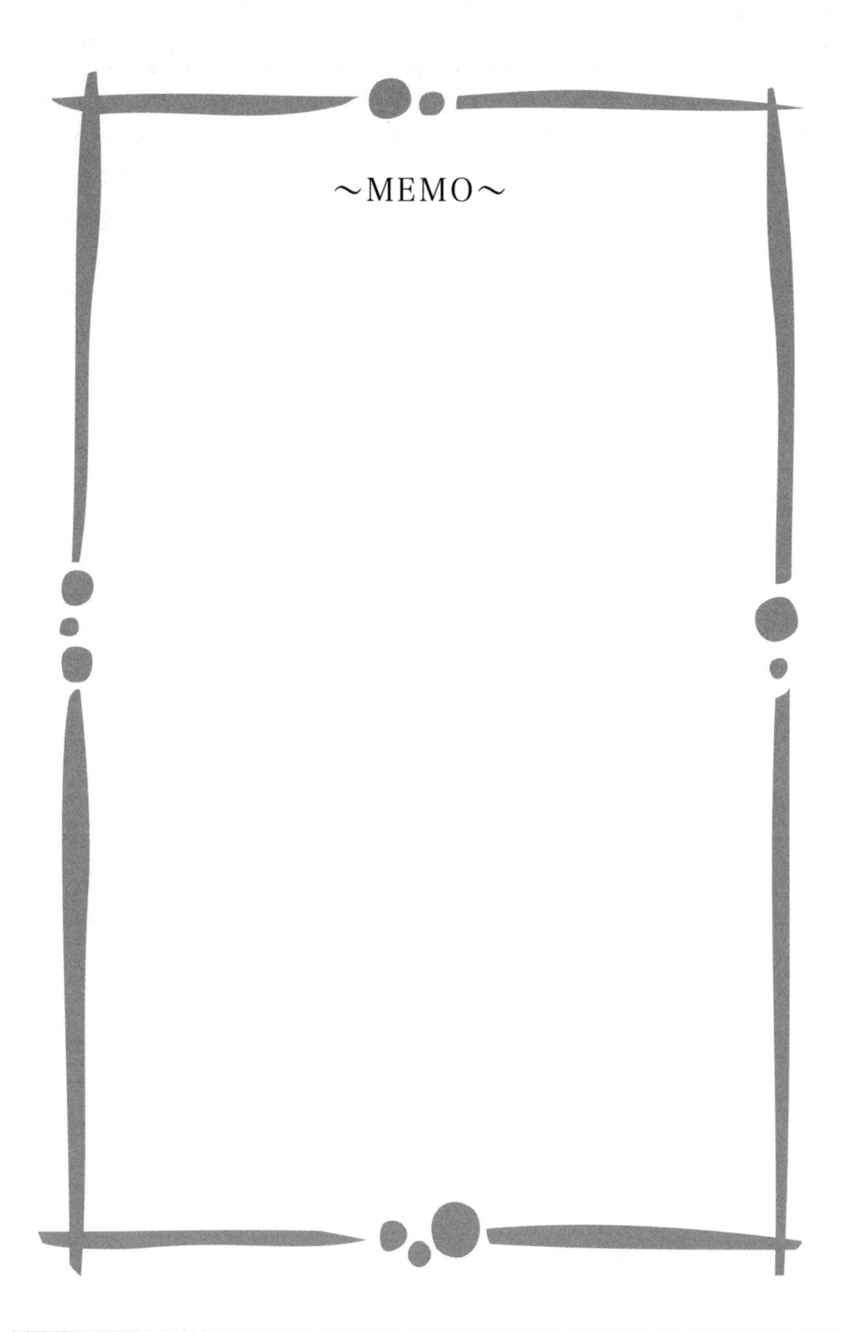
～MEMO～

問45 Check! □□□

(平成28年 Ⓐ問題9)

図のように，$R = 1\ \Omega$ の抵抗，インダクタンス $L_1 = 0.4\ \mathrm{mH}$，$L_2 = 0.2\ \mathrm{mH}$ のコイル，及び静電容量 $C = 8\ \mu\mathrm{F}$ のコンデンサからなる直並列回路がある．この回路に交流電圧 $V = 100\ \mathrm{V}$ を加えたとき，回路のインピーダンスが極めて小さくなる直列共振角周波数 ω_1 の値 [rad/s] 及び回路のインピーダンスが極めて大きくなる並列共振角周波数 ω_2 の値 [rad/s] の組合せとして，最も近いものを次の⑴～⑸のうちから一つ選べ．

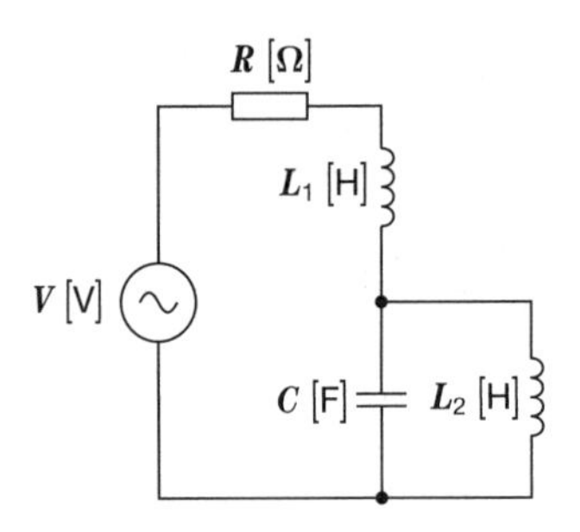

	ω_1	ω_2
(1)	2.5×10^4	3.5×10^3
(2)	2.5×10^4	3.1×10^4
(3)	3.5×10^3	2.5×10^4
(4)	3.1×10^4	3.5×10^3
(5)	3.1×10^4	2.5×10^4

解45 解答 (5)

回路が直列共振するとき，電源から見たリアクタンス X_1 は，次式で与えられる．

$$X_1 = \omega_1 L_1 - \frac{\omega_1 L_2 \cdot \dfrac{1}{\omega_1 C}}{\omega_1 L_2 - \dfrac{1}{\omega_1 C}} = \omega_1 L_1 - \frac{\omega_1 L_2}{\omega_1{}^2 L_2 C - 1} = 0$$

$$L_1 = \frac{L_2}{\omega_1{}^2 L_2 C - 1}$$

$$\omega_1{}^2 L_1 L_2 C - L_1 = L_2$$

$$\omega_1{}^2 = \frac{L_1 + L_2}{L_1 L_2 C}$$

$$\therefore \quad \omega_1 = \sqrt{\frac{L_1 + L_2}{L_1 L_2 C}} = \sqrt{\frac{1}{C}\left(\frac{1}{L_1} + \frac{1}{L_2}\right)} \tag{1}$$

(1)式へ，$L_1 = 4 \times 10^{-4}$ H，$L_2 = 2 \times 10^{-4}$ H および $C = 8 \times 10^{-6}$ F を代入すると，

$$\omega_1 = \sqrt{\frac{1}{C}\left(\frac{1}{L_1} + \frac{1}{L_2}\right)} = \sqrt{\frac{10^6}{8} \times \left(\frac{10^4}{4} + \frac{10^4}{2}\right)} = \sqrt{\frac{1}{8} \times \frac{3}{4}} \times 10^5$$

$$\fallingdotseq 3.061\,86 \times 10^4 \fallingdotseq 3.1 \times 10^4 \text{ rad/s}$$

次に，回路が並列共振するときの角周波数 ω_2 は次式で与えられる．

$$\omega_2 = \frac{1}{\sqrt{L_2 C}} \tag{2}$$

(2)式へ，$L_2 = 2 \times 10^{-4}$ H および $C = 8 \times 10^{-6}$ F を代入すると，

$$\omega_2 = \frac{1}{\sqrt{L_2 C}} = \frac{1}{\sqrt{2 \times 10^{-4} \times 8 \times 10^{-6}}} = \frac{1}{4 \times 10^{-5}} = 2.5 \times 10^4 \text{ rad/s}$$

問46 Check! □□□

（令和元年 Ａ問題 8）

図の回路において，正弦波交流電源と直流電源を流れる電流 I の実効値 [A] として，最も近いものを次の(1)〜(5)のうちから一つ選べ．ただし，E_a は交流電圧の実効値 [V]，E_d は直流電圧の大きさ [V]，X_c は正弦波交流電源に対するコンデンサの容量性リアクタンスの値 [Ω]，R は抵抗値 [Ω] とする．

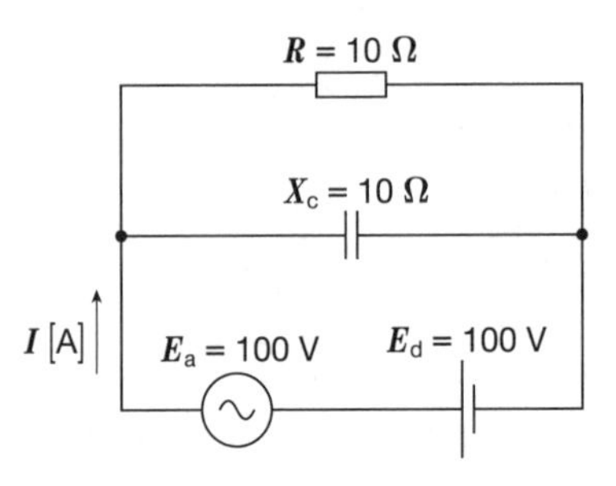

(1) 10.0　(2) 14.1　(3) 17.3　(4) 20.0　(5) 40.0

問47 Check! □□□

（令和 6 年㊤ Ａ問題 9）

次式に示す電圧 e [V] 及び電流 i [A] による電力の値 [kW] として，最も近いものを次の(1)〜(5)のうちから一つ選べ．

$$e = 100\sin\omega t + 50\sin\left(3\omega t - \frac{\pi}{6}\right)\text{[V]}$$

$$i = 20\sin\left(\omega t - \frac{\pi}{6}\right) + 10\sqrt{3}\sin\left(3\omega t + \frac{\pi}{6}\right)\text{[A]}$$

(1) 0.95　(2) 1.08　(3) 1.16　(4) 1.29　(5) 1.34

解46 解答 (3)

直流電源 $E_d = 100$ V による回路電流 I_d は，

$$I_d = \frac{E_d}{R} = \frac{100}{10} = 10\ \mathrm{A}$$

また，正弦波交流電源 $E_a = 100$ V による回路電流 I_a は，

$$\dot{I}_a = \frac{E_a}{R} + \frac{E_a}{-\mathrm{j}X_c} = \frac{E_a}{R} + \mathrm{j}\frac{E_a}{X_c} = \frac{100}{10} + \mathrm{j}\frac{100}{10}$$

$$= 10 + \mathrm{j}10\ \mathrm{A}$$

$$I_a = \sqrt{10^2 + 10^2} = 10\sqrt{2}\ \mathrm{A}$$

したがって，回路電流の実効値 I は，

$$I = \sqrt{I_d{}^2 + I_a{}^2} = \sqrt{10^2 + (10\sqrt{2})^2} = 10\sqrt{1+2} = 10\sqrt{3} \fallingdotseq 17.3\ \mathrm{A}$$

解47 解答 (2)

ひずみ波電圧・電流による電力 P は，次式で求められる．

$$P = \frac{100}{\sqrt{2}} \times \frac{20}{\sqrt{2}} \times \cos\frac{\pi}{6} + \frac{50}{\sqrt{2}} \times \frac{10\sqrt{3}}{\sqrt{2}} \times \cos\frac{\pi}{3}$$

$$\fallingdotseq 866.0 + 216.5 = 1\,082.5\ \mathrm{W} \fallingdotseq \mathbf{1.08}\ \mathrm{kW}$$

問48 Check! □□□

(令和5年㊦ Ⓐ問題9)

次式に示す電圧 e [V] 及び電流 i [A] による電力の値 [kW] として，最も近いものを次の(1)～(5)のうちから一つ選べ．

$$e = 100\sin\omega t + 50\sin\left(3\omega t - \frac{\pi}{6}\right) \text{ [V]}$$

$$i = 20\sin\left(\omega t - \frac{\pi}{6}\right) + 10\sqrt{3}\sin\left(3\omega t + \frac{\pi}{6}\right) \text{ [A]}$$

(1) 0.95　(2) 1.08　(3) 1.16　(4) 1.29　(5) 1.34

問49 Check! □□□

(平成29年 Ⓐ問題9)

$R = 5\ \Omega$ の抵抗に，ひずみ波交流電流

$$i = 6\sin\omega t + 2\sin 3\omega t \text{ [A]}$$

が流れた．

このとき，抵抗 $R = 5\ \Omega$ で消費される平均電力 P の値 [W] として，最も近いものを次の(1)～(5)のうちから一つ選べ．ただし，ω は角周波数 [rad/s]，t は時刻 [s] とする．

(1) 40　(2) 90　(3) 100　(4) 180　(5) 200

解48 解答 (2)

ひずみ波交流電圧・電流間の電力 P は，同一周波数の電圧・電流間にのみに生じるから，次式で求められる．

$$P = \frac{0.1}{\sqrt{2}} \times \frac{20}{\sqrt{2}} \times \cos\frac{\pi}{6} + \frac{0.05}{\sqrt{2}} \times \frac{10\sqrt{3}}{\sqrt{2}} \times \cos\left(-\frac{\pi}{6} - \frac{\pi}{6}\right)$$

$$= 1 \times \frac{\sqrt{3}}{2} + 0.25\sqrt{3} \times \frac{1}{2} = 0.625\sqrt{3} \fallingdotseq 1.082\,5$$

$$\fallingdotseq 1.08\ \mathrm{kW}$$

解49 解答 (3)

$5\ \Omega$ の抵抗に流れるひずみ波電流の実効値 I は，

$$I = \frac{\sqrt{6^2 + 2^2}}{\sqrt{2}} = \frac{\sqrt{40}}{\sqrt{2}} = \sqrt{20}\ \mathrm{A}$$

であるから，$5\ \Omega$ の抵抗で消費される平均電力 P は，

$$P = 5 \times (\sqrt{20})^2 = 100\ \mathrm{W}$$

問50 Check! □□□

(平成 29 年 B 問題 15)

図は未知のインピーダンス $\dot{Z}$ [Ω] を測定するための交流ブリッジである．電源の電圧を $\dot{E}$ [V]，角周波数を ω [rad/s] とする．ただし ω，静電容量 C_1 [F]，抵抗 R_1 [Ω]，R_2 [Ω]，R_3 [Ω] は零でないとする．次の(a)及び(b)の問に答えよ．

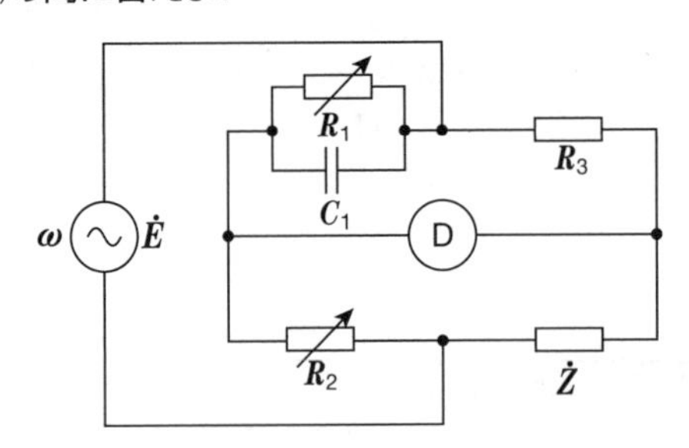

(a) 交流検出器 D による検出電圧が零となる平衡条件を $\dot{Z}$，R_1，R_2，R_3，ω 及び C_1 を用いて表すと，

$$(\boxed{})\dot{Z} = R_2R_3$$

となる．

上式の空白に入る式として適切なものを次の(1)～(5)のうちから一つ選べ．

(1) $R_1 + \dfrac{1}{\mathrm{j}\omega C_1}$ (2) $R_1 - \dfrac{1}{\mathrm{j}\omega C_1}$ (3) $\dfrac{R_1}{1+\mathrm{j}\omega C_1R_1}$

(4) $\dfrac{R_1}{1-\mathrm{j}\omega C_1R_1}$ (5) $\sqrt{\dfrac{R}{\mathrm{j}\omega C_1}}$

(b) $\dot{Z} = R + \mathrm{j}X$ としたとき，この交流ブリッジで測定できる R [Ω] と X [Ω] の満たす条件として，正しいものを次の(1)～(5)のうちから一つ選べ．

(1) $R \geqq 0$，$X \leqq 0$ (2) $R > 0$，$X < 0$ (3) $R = 0$，$X > 0$

(4) $R > 0$，$X > 0$ (5) $R = 0$，$X \leqq 0$

解50　解答 (a)－(3), (b)－(4)

(a)　ブリッジの平衡条件は，次式で与えられる．

$$\frac{1}{\dfrac{1}{R_1}+\mathrm{j}\omega C_1}\cdot\dot{Z}=R_2R_3 \tag{1}$$

$$\frac{R_1}{1+\mathrm{j}\omega C_1R_1}\cdot\dot{Z}=R_2R_3$$

(b)　(1)式より，

$$\dot{Z}=R_2R_3\left(\frac{1}{R_1}+\mathrm{j}\omega C_1\right)=\frac{R_2R_3}{R_1}+\mathrm{j}\omega C_1R_2R_3$$

$$\dot{Z}=R+\mathrm{j}X=\frac{R_2R_3}{R_1}+\mathrm{j}\omega C_1R_2R_3 \tag{2}$$

題意より，$\omega>0$，$C_1>0$，$R_1>0$，$R_2>0$，$R_3>0$ であるから，この交流ブリッジで測定できる R [Ω] と X [Ω] の条件は(2)式より，

$R>0$，$X>0$

問51 Check! □□□

（令和４年下 A 問題８）

次の文章は，交流における波形率，波高率に関する記述である．

波形率とは，実効値の (ア) に対する比 $\left(\text{波形率} = \dfrac{\text{実効値}}{(\text{ア})}\right)$ をいう．波形率の値は波形によって異なり，正弦波と比較して，三角波のようにとがっていれば，波形率の値は (イ) なり，方形波のように平らであれば，波形率の値は (ウ) なる．

波高率とは， (エ) の実効値に対する比 $\left(\text{波高率} = \dfrac{(\text{エ})}{\text{実効値}}\right)$ をいう．波高率の値は波形によって異なり，正弦波と比較して，三角波のようにとがっていれば，波高率の値は (オ) なり，方形波のように平らであれば，波高率の値は (カ) なる．

上記の記述中の空白箇所(ア)～(カ)に当てはまる組合せとして，正しいものを次の(1)～(5)のうちから一つ選べ．

	(ア)	(イ)	(ウ)	(エ)	(オ)	(カ)
(1)	平均値	大きく	小さく	最大値	大きく	小さく
(2)	最大値	大きく	小さく	平均値	大きく	小さく
(3)	平均値	小さく	大きく	最大値	小さく	大きく
(4)	最大値	小さく	大きく	平均値	小さく	大きく
(5)	最大値	大きく	大きく	平均値	小さく	小さく

解51 解答 (1)

(ア) 波形率は,

$$波形率 = \frac{実効値}{平均値}$$

で表される.

(イ) 次表より三角波のようにとがった波形は平均値に対する実効値の比が大きいので波形率は**大きく**なる.

(ウ) 一方, 方形波のように平らな波形は, 平均値に対する実効値の比が小さいので, 波形率は**小さく**なる.

	波形	実効値	平均値	波高値	波形率	波高率
正弦波	E_m, $-E_m$	$\frac{E_m}{\sqrt{2}}$	$\frac{2E_m}{\pi}$	E_m	$\frac{\pi}{2\sqrt{2}}$	$\sqrt{2}$
三角波	E_m, $-E_m$	$\frac{E_m}{\sqrt{3}}$	$\frac{E_m}{2}$	E_m	$\frac{2}{\sqrt{3}}$	$\sqrt{3}$
方形波	E_m, $-E_m$	E_m	E_m	E_m	1	1

(エ) 波高率は,

$$波高率 = \frac{最大値}{実効値}$$

で表される.

(オ) 表より三角波のようにとがった波形は実効値に対する最大値の比が大きいので波高率が**大きく**なる.

(カ) 一方, 方形波のように平らな波形は実効値に対する最大値の比が小さいので, 波高率は**小さく**なる.

問52 Check! □□□

(平成26年 Ⓐ問題10)

交流回路に関する記述として，誤っているものを次の(1)～(5)のうちから一つ選べ．

ただし，抵抗 R〔Ω〕，インダクタンス L〔H〕，静電容量 C〔F〕とする．

(1) 正弦波交流起電力の最大値を E_m〔V〕，平均値を E_a〔V〕とすると，平均値と最大値の関係は，理論的に次のように表される．

$$E_a = \frac{2E_m}{\pi} \fallingdotseq 0.637E_m \text{〔V〕}$$

(2) ある交流起電力の時刻 t〔s〕における瞬時値が，$e = 100\sin 100\pi t$〔V〕であるとすると，この起電力の周期は 20 ms である．

(3) RLC 直列回路に角周波数 ω〔rad/s〕の交流電圧を加えたとき，$\omega L > \frac{1}{\omega C}$ の場合，回路を流れる電流の位相は回路に加えた電圧より遅れ，$\omega L < \frac{1}{\omega C}$ の場合，回路を流れる電流の位相は回路に加えた電圧より進む．

(4) RLC 直列回路に角周波数 ω〔rad/s〕の交流電圧を加えたとき，$\omega L = \frac{1}{\omega C}$ の場合，回路のインピーダンス Z〔Ω〕は，$Z = R$〔Ω〕となり，回路に加えた電圧と電流は同相になる．この状態を回路が共振状態であるという．

(5) RLC 直列回路のインピーダンス Z〔Ω〕，電力 P〔W〕及び皮相電力 S〔V·A〕を使って回路の力率 $\cos\theta$ を表すと，$\cos\theta = \frac{R}{Z}$，$\cos\theta = \frac{S}{P}$ の関係がある．

解52 解答 (5)

(5)が誤りである．RLC 直列回路のインピーダンスを Z〔Ω〕，その抵抗分を R〔Ω〕，電力（有効電力）を P〔W〕，皮相電力を S〔V·A〕とすると，回路の力率 $\cos\theta$ は，

$$\cos\theta = \frac{R}{Z} = \frac{P}{S}$$

で与えられる．

問53 Check! □□□

（令和３年 Ⓐ問題９）

実効値 V [V]，角周波数 ω [rad/s] の交流電圧源，R [Ω] の抵抗 R，インダクタンス L [H] のコイル L，静電容量 C [F] のコンデンサ C からなる共振回路に関する記述として，正しいものと誤りのものの組合せとして，正しいものを次の(1)～(5)のうちから一つ選べ.

(a) RLC 直列回路の共振状態において，L と C の端子間電圧の大きさはともに 0 である.

(b) RLC 並列回路の共振状態において，L と C に電流は流れない.

(c) RLC 直列回路の共振状態において交流電圧源を流れる電流は，RLC 並列回路の共振状態において交流電圧源を流れる電流と等しい.

	(a)	(b)	(c)
(1)	誤り	誤り	正しい
(2)	誤り	正しい	誤り
(3)	正しい	誤り	誤り
(4)	誤り	誤り	誤り
(5)	正しい	正しい	正しい

解53 解答 (1)

(a) 誤り

正しくは,「RLC 直流回路の共振状態において,L と C の端子間電圧の大きさは等しい.」である.

(b) 誤り

正しくは,「RLC 並列回路の共振状態において,L と C に流れる電流の大きさは等しく,逆位相となる.」である.

(c) 正しい

問54 Check! □□□

(令和5年上 A問題8)

次の文章は，RLC 直列共振回路に関する記述である.

R [Ω] の抵抗，インダクタンス L [H] のコイル，静電容量 C [F] のコンデンサを直列に接続した回路がある.

この回路に交流電圧を加え，その周波数を変化させると，特定の周波数 f_r [Hz] のときに誘導性リアクタンス $= 2\pi f_r L$ [Ω] と容量性リアクタンス $= \dfrac{1}{2\pi f_r C}$ [Ω] の大きさが等しくなり，その作用が互いに打ち消し合って回路のインピーダンスが (ア) なり，(イ) 電流が流れるようになる．この現象を直列共振といい，このときの周波数 f_r [Hz] をその回路の共振周波数という．回路のリアクタンスは共振周波数 f_r [Hz] より低い周波数では (ウ) となり，電圧より位相が (エ) 電流が流れる．また，共振周波数 f_r [Hz] より高い周波数では (オ) となり，電圧より位相が (カ) 電流が流れる.

上記の記述中の空白箇所(ア)～(カ)に当てはまる組合せとして，正しいものを次の(1)～(5)のうちから一つ選べ.

	(ア)	(イ)	(ウ)	(エ)	(オ)	(カ)
(1)	大きく	小さな	容量性	進んだ	誘導性	遅れた
(2)	小さく	大きな	誘導性	遅れた	容量性	進んだ
(3)	小さく	大きな	容量性	進んだ	誘導性	遅れた
(4)	大きく	小さな	誘導性	遅れた	容量性	進んだ
(5)	大きく	大きな	容量性	遅れた	誘導性	進んだ

解54 解答 (3)

R [Ω] の抵抗，インダクタンス L [H] のコイルおよび静電容量 C [F] のコンデンサを接続した回路のインピーダンス $\dot{Z}$ は，電源の周波数を f [Hz] とすると，

$$\dot{Z} = R + \mathrm{j}\left(2\pi fL - \frac{1}{2\pi fC}\right) [\Omega]$$

で与えられる．

電源周波数が共振周波数 f_r に等しいとき，コイルとコンデンサのリアクタンスは等しく，$2\pi f_r L = \dfrac{1}{2\pi f_r C}$ となり，回路インピーダンス $\dot{Z}_r$ は，$\dot{Z}_r = R$ となって，インピーダンスは最小となり，これを流れる電流 $\dot{I}_r$ は最大値となる．

また，回路リアクタンス X は，

$$X = 2\pi fL - \frac{1}{2\pi fC}$$

で表せるから，電源周波数 f の大きさにより X の符号と回路電流の位相を調べると，次のようになる．

① $f < f_r$ のとき

$$2\pi fL < \frac{1}{2\pi fC} \rightarrow X < 0 \rightarrow \text{容量性} \rightarrow \text{回路電流は進相電流}$$

② $f > f_r$ のとき

$$2\pi fL > \frac{1}{2\pi fC} \rightarrow X > 0 \rightarrow \text{誘導性} \rightarrow \text{回路電流は遅相電流}$$

問55 Check! □□□

(平成24年 Ⓐ問題7)

次の文章は，RLC 直列共振回路に関する記述である．

R〔Ω〕の抵抗，インダクタンス L〔H〕のコイル，静電容量 C〔F〕のコンデンサを直列に接続した回路がある．

この回路に交流電圧を加え，その周波数を変化させると，特定の周波数 f_r〔Hz〕のときに誘導性リアクタンス $= 2\pi f_r L$〔Ω〕と容量性リアクタンス $= \dfrac{1}{2\pi f_r C}$〔Ω〕の大きさが等しくなり，その作用が互いに打ち消し合って回路のインピーダンスが (ア) なり，(イ) 電流が流れるようになる．この現象を直列共振といい，このときの周波数 f_r〔Hz〕をその回路の共振周波数という．

回路のリアクタンスは共振周波数 f_r〔Hz〕より低い周波数では (ウ) となり，電圧より位相が (エ) 電流が流れる．また，共振周波数 f_r〔Hz〕より高い周波数では (オ) となり，電圧より位相が (カ) 電流が流れる．

上記の記述中の空白箇所(ア)，(イ)，(ウ)，(エ)，(オ)及び(カ)に当てはまる組合せとして，正しいものを次の(1)～(5)のうちから一つ選べ．

	(ア)	(イ)	(ウ)	(エ)	(オ)	(カ)
(1)	大きく	小さな	容量性	進んだ	誘導性	遅れた
(2)	小さく	大きな	誘導性	遅れた	容量性	進んだ
(3)	小さく	大きな	容量性	進んだ	誘導性	遅れた
(4)	大きく	小さな	誘導性	遅れた	容量性	進んだ
(5)	小さく	大きな	容量性	遅れた	誘導性	進んだ

解55 解答 (3)

R〔Ω〕の抵抗，インダクタンス L〔H〕のコイル，静電容量 C〔F〕のコンデンサを直列に接続した回路に周波数 f〔Hz〕の交流電圧 $\dot{E}$ を加えると，回路電流 $\dot{I}$

$$\dot{I}=\frac{\dot{E}}{R+j\left(2\pi fL-\dfrac{1}{2\pi fC}\right)}=\frac{R-j\left(2\pi fL-\dfrac{1}{2\pi fC}\right)}{R^2+\left(2\pi fL-\dfrac{1}{2\pi fC}\right)^2}\dot{E}\text{〔A〕}$$

が流れる．電源の周波数 f が，

$$2\pi f_r L-\frac{1}{2\pi f_r C}=0 \text{ すなわち } f_r=\frac{1}{2\pi\sqrt{LC}}\text{〔Hz〕}$$

のとき，回路のインピーダンス $\dot{Z}$ が最小となり，回路電流 $\dot{I}$ が最大となる．この現象を直列共振といい，周波数 f_r を共振周波数という．

電源の周波数が $f<f_r$ である場合，$2\pi f_r L<\dfrac{1}{2\pi f_r C}$ となり，回路リアクタンス $X=2\pi f_r L-\dfrac{1}{2\pi f_r C}<0$，すなわち容量性となって，電流 $\dot{I}$ は $\dot{E}$ より位相の進んだ，進み電流となる．一方，電源の周波数が $f>f_r$ である場合，$2\pi f_r L>\dfrac{1}{2\pi f_r C}$ となり，回路リアクタンス $X>0$，すなわち誘導性となって，電流 $\dot{I}$ は $\dot{E}$ より位相の遅れた，遅れ電流となる．

第5章
三相交流回路

●計算
・線電流の計算
・電圧・電力・力率などの計算

問1 Check! □□□

(令和3年 B問題15)

図のように，線間電圧400 Vの対称三相交流電源に抵抗 R [Ω] と誘導性リアクタンス X [Ω] からなる平衡三相負荷が接続されている．平衡三相負荷の全消費電力は6 kWであり，これに線電流 $I = 10$ Aが流れている．電源と負荷との間には，変流比20：5の変流器がa相及びc相に挿入され，これらの二次側が交流電流計Ⓐを通して並列に接続されている．この回路について，次の(a)及び(b)の問に答えよ．

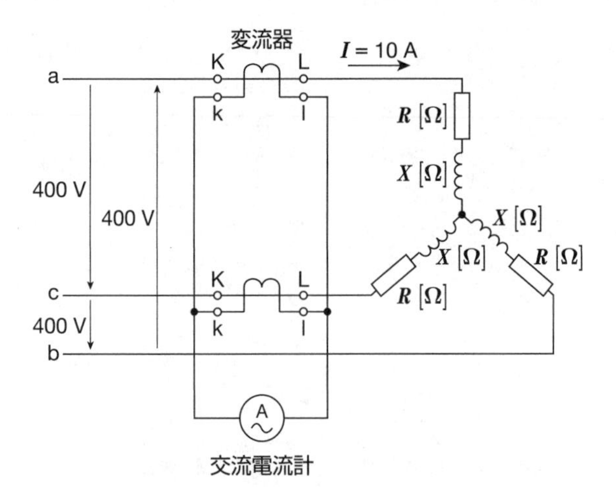

(a) 交流電流計Ⓐの指示値 [A] として，最も近いものを次の(1)～(5)のうちから一つ選べ．

(1) 0 (2) 2.50 (3) 4.33 (4) 5.00 (5) 40.0

(b) 誘導性リアクタンス X の値 [Ω] として，最も近いものを次の(1)～(5)のうちから一つ選べ．

(1) 11.5 (2) 20.0 (3) 23.1 (4) 34.6 (5) 60.0

解1 解答 (a)−(2), (b)−(1)

(a) a 相の線電流 $\dot{I}_a = 10 \angle 0°$ A を基準ベクトル（基準位相）とすると，b 相の線電流は $\dot{I}_b = 10 \angle -120°$ A，c 相の線電流は $\dot{I}_c = 10 \angle 120°$ A で表され，交流電流計には a 相および c 相の変流器二次側を流れる電流の和の電流が流れる．したがって，交流電流計を流れる電流の大きさ i_D は，

$$i_D = \frac{5}{20}\left|\dot{I}_a + \dot{I}_c\right| = \frac{1}{4}\left|-\dot{I}_b\right| = \frac{I}{4} = \frac{10}{4} = 2.5 \text{ A}$$

$$(\because \quad \dot{I}_a + \dot{I}_b + \dot{I}_c = 0)$$

(b) 題意より，負荷の力率 $\cos\varphi$ は，

$$\cos\varphi = \frac{6}{\sqrt{3} \times 0.4 \times 10} = \frac{3}{2\sqrt{3}} \quad \text{（遅れ）}$$

一方，負荷 1 相のインピーダンス Z は，

$$Z = \frac{400/\sqrt{3}}{10} = \frac{40}{\sqrt{3}} \, \Omega$$

よって，誘導性リアクタンス X の値は，

$$X = Z\sin \text{j} = \frac{40}{\sqrt{3}} \times \sqrt{1-\left(\frac{3}{2\sqrt{3}}\right)^2} = \frac{40}{\sqrt{3}} \times \sqrt{1-\frac{3}{4}} = \frac{40}{\sqrt{3}} \times \frac{1}{2}$$

$$\fallingdotseq 11.547 \fallingdotseq 11.5 \, \Omega$$

問2 Check! □□□

（令和2年 B問題 15）

図のように，線間電圧（実効値）200 V の対称三相交流電源に，1台の単相電力計 W_1，$X = 4\ \Omega$ の誘導性リアクタンス3個，$R = 9\ \Omega$ の抵抗3個を接続した回路がある．単相電力計 W_1 の電流コイルは a 相に接続し，電圧コイルは b–c 相間に接続され，指示は正の値を示していた．この回路について，次の(a)及び(b)の問に答えよ．

ただし，対称三相交流電源の相順は，a，b，c とし，単相電力計 W_1 の損失は無視できるものとする．

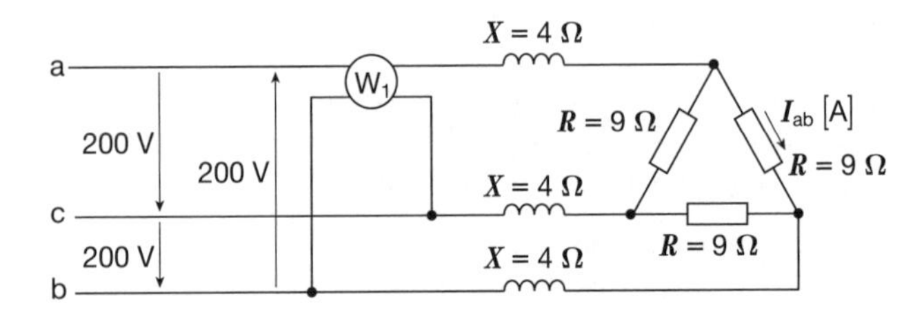

(a) $R = 9\ \Omega$ の抵抗に流れる電流 I_{ab} の実効値 [A] として，最も近いものを次の(1)～(5)のうちから一つ選べ．

(1) 6.77　(2) 13.3　(3) 17.3　(4) 23.1　(5) 40.0

(b) 単相電力計 W_1 の指示値 [kW] として，最も近いものを次の(1)～(5)のうちから一つ選べ．

(1) 0　(2) 2.77　(3) 3.70　(4) 4.80　(5) 6.40

解2 解答 (a)−(2), (b)−(3)

(a) △結線された抵抗 9 Ω を Y 結線 1 相分に換算すると，

$$R_{\mathrm{Y}}=\frac{9}{3}=3\,\Omega$$

であるから，問題の三相回路の 1 相分の等価回路は，**第 1 図**のようになる．

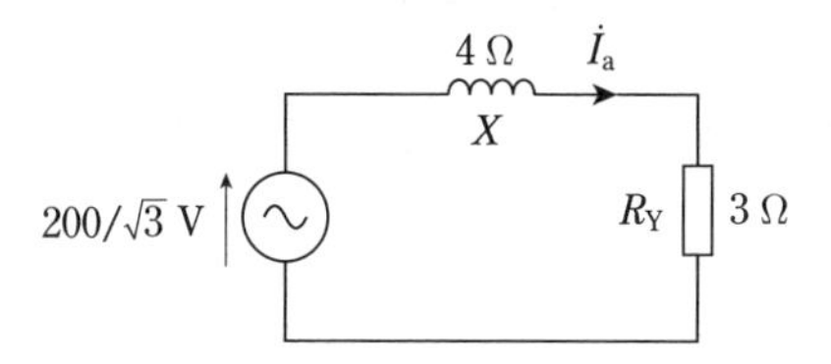

第 1 図 1 相分の等価回路

a 相の線電流の大きさ I_{a} は，

$$I_{\mathrm{a}}=\frac{200/\sqrt{3}}{\sqrt{3^2+4^2}}=\frac{40}{\sqrt{3}}\ \mathrm{A}$$

したがって，△結線された抵抗 9 Ω を流れる電流の大きさ I_{ab} は，

$$I_{\mathrm{ab}}=\frac{I_{\mathrm{a}}}{\sqrt{3}}=\frac{40}{3}\fallingdotseq 13.333\fallingdotseq 13.3\ \mathrm{A}$$

(b) a 相，b 相および c 相の相電圧を $\dot{E}_{\mathrm{a}}$，$\dot{E}_{\mathrm{b}}$ および $\dot{E}_{\mathrm{c}}$ とし，電圧・電流ベクトル図を描けば，**第 2 図**のようになる．

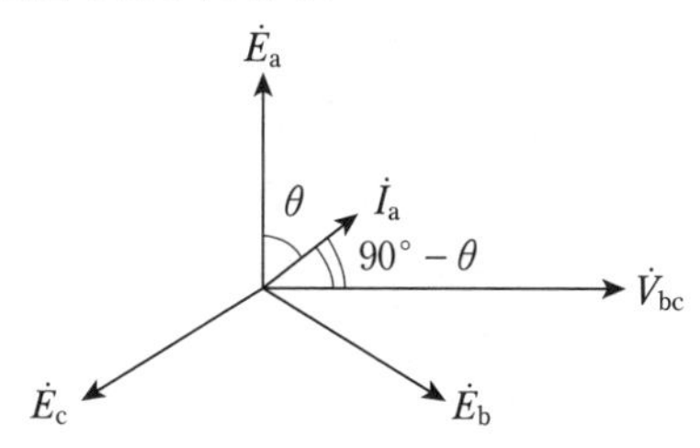

第 2 図 電圧・電流ベクトル図

単相電力計 W_1 の電流コイルには電流 $\dot{I}_{\mathrm{a}}$ が流れ，電圧コイルには $\dot{V}_{\mathrm{bc}}$ の電圧がかかっているから，その指示値 P_1 は，

$$P_1=0.2\times\frac{40}{\sqrt{3}}\times\cos(90°-\theta)=\frac{8}{\sqrt{3}}\sin\theta=\frac{8}{\sqrt{3}}\times\frac{4}{5}\fallingdotseq 3.695\,0\fallingdotseq 3.70\ \mathrm{kW}$$

問3 Check! □□□ (平成30年 B 問題15)

図のように，起電力$\dot{E}_a$ [V], $\dot{E}_b$ [V], $\dot{E}_c$ [V] をもつ三つの定電圧源に，スイッチ S_1，S_2，$R_1 = 10\ \Omega$ 及び $R_2 = 20\ \Omega$ の抵抗を接続した交流回路がある．次の(a)及び(b)の問に答えよ．

ただし，$\dot{E}_a$ [V]，$\dot{E}_b$ [V]，$\dot{E}_c$ [V] の正の向きはそれぞれ図の矢印のようにとり，これらの実効値は 100 V，位相は $\dot{E}_a$ [V]，$\dot{E}_b$ [V]，$\dot{E}_c$ [V] の順に $\frac{2}{3}\pi$ [rad] ずつ遅れているものとする．

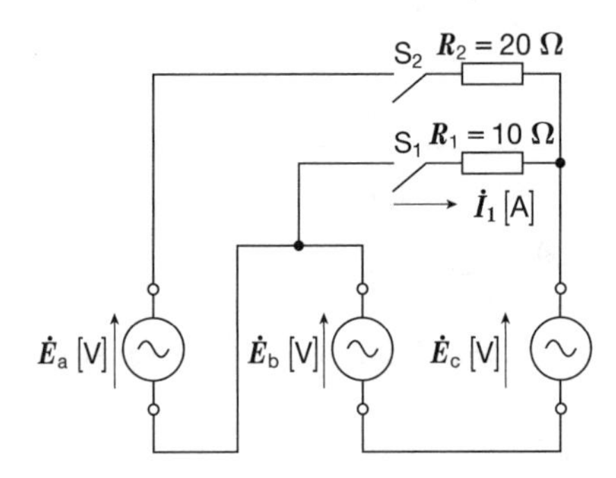

(a) スイッチ S_2 を開いた状態でスイッチ S_1 を閉じたとき，R_1 [Ω] の抵抗に流れる電流 $\dot{I}_1$ の実効値 [A] として，最も近いものを次の(1)～(5)のうちから一つ選べ．

(1) 0　(2) 5.77　(3) 10.0　(4) 17.3　(5) 20.0

(b) スイッチ S_1 を開いた状態でスイッチ S_2 を閉じたとき，R_2 [Ω] の抵抗で消費される電力の値 [W] として，最も近いものを次の(1)～(5)のうちから一つ選べ．

(1) 0　(2) 500　(3) 1 500　(4) 2 000　(5) 4 500

解3 解答 (a)－(4), (b)－(4)

(a) 題意より，$\dot{E}_a = 100\angle 0$ V を基準ベクトルとし，$\dot{E}_b = 100\angle(-2\pi/3)$ V，$\dot{E}_c = 100\angle(2\pi/3)$ V とすれば，

$$\dot{V}_{bc} = \dot{E}_b - \dot{E}_c = \dot{V}_{ab}\angle(-2\pi/3) = \sqrt{3}\,\dot{E}_a\angle(\pi/6)\times 1\angle(-2\pi/3)$$
$$= 100\sqrt{3}\angle(-\pi/2) = -\mathrm{j}100\sqrt{3}\ \mathrm{V}$$

で表せるから，スイッチ S_2 を開いた状態でスイッチ S_1 を閉じたとき，抵抗 R_1 に流れる電流 $\dot{I}_1$ は，

$$\dot{I}_1 = \frac{\dot{V}_{bc}}{R_1} = \frac{-\mathrm{j}\,100\sqrt{3}}{10} = -\mathrm{j}\,10\sqrt{3} \fallingdotseq -\mathrm{j}\,17.32\ \mathrm{A}$$

$$\therefore\ I_1 = 17.32\ \mathrm{A}$$

(b) 抵抗 R_2 に加わる電圧 $\dot{V}_{R2}$ は，

$$\dot{V}_{R2} = -\dot{E}_c + \dot{E}_b + \dot{E}_a$$

一方，題意より，$\dot{E}_a + \dot{E}_b + \dot{E}_c = 0$ であるから，

$$\dot{V}_{R2} = -\dot{E}_c + \dot{E}_b + \dot{E}_a = -\dot{E}_c + (-\dot{E}_c) = -2\dot{E}_c$$

$$\therefore\ V_{R2} = 2E_c = 2\times 100 = 200\ \mathrm{V}$$

したがって，スイッチ S_1 を開いた状態でスイッチ S_2 を閉じたとき，抵抗 R_2 で消費される電力 P_2 は，

$$P_2 = \frac{V_{R2}{}^2}{R_2} = \frac{200^2}{20} = 2\,000\ \mathrm{W}$$

問4 Check! □□□

（令和５年㊦ Ⓑ問題 15）

抵抗 R [Ω], 誘導性リアクタンス X [Ω] からなる平衡三相負荷（力率 80 %）に対称三相交流電源を接続した交流回路がある．次の(a)及び(b)の問に答えよ．

(a) 図１のように，Y 結線した平衡三相負荷に線間電圧 210 V の三相電圧を加えたとき，回路を流れる線電流 I は $\frac{14}{\sqrt{3}}$ A であった．

負荷の誘導性リアクタンス X の値 [Ω] として，最も近いものを次の(1)〜(5)のうちから一つ選べ．

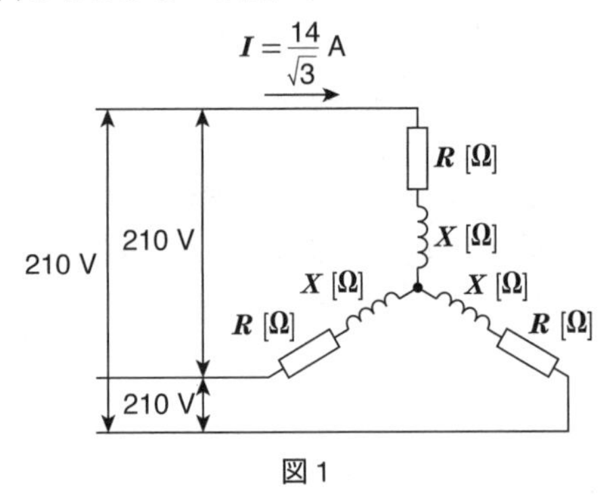

図１

(1) 4　(2) 5　(3) 9　(4) 12　(5) 15

(b) 図１の各相の負荷を使って △ 結線し，図２のように相電圧 200 V の対称三相電源に接続した．この平衡三相負荷の全消費電力の値 [kW] として，最も近いものを次の(1)〜(5)のうちから一つ選べ．

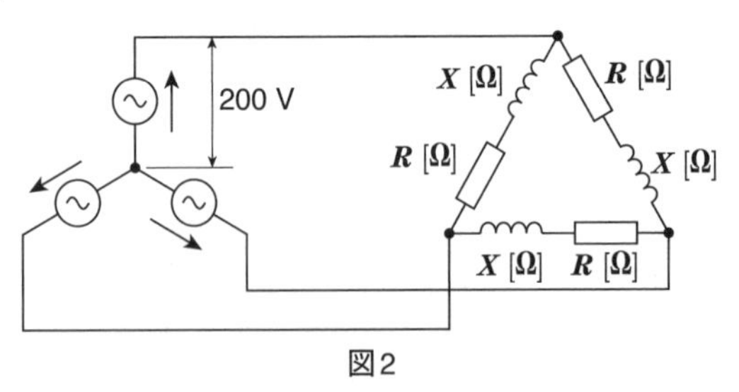

図２

(1) 8　(2) 11.1　(3) 13.9　(4) 19.2　(5) 33.3

解4 解答 (a)－(3)，(b)－(4)

(a) 題意より，負荷インピーダンスの大きさZは，

$$Z=\frac{210/\sqrt{3}}{14/\sqrt{3}}=15\ \Omega$$

負荷の誘導性リアクタンスXは，力率が$\cos\theta=0.8$であるから，

$$X=Z\sin\theta=15\times\sqrt{1-0.8^2}=9\ \Omega$$

(b) △接続された負荷インピーダンスZにかかる電圧は$200\sqrt{3}$ Vであるから，平衡三相負荷の全消費電力P [kW] は，

$$P=3\times\frac{V^2}{Z}\cos\theta=3\times\frac{(200\sqrt{3})^2}{15}\times10^{-3}\times0.8$$

$$=19.2\ \text{kW}$$

問5 Check! □□□ （平成 18 年 B 問題 15）

抵抗 R〔Ω〕，誘導性リアクタンス X〔Ω〕からなる平衡三相負荷（力率 80〔%〕）に対称三相交流電源を接続した交流回路がある．次の(a)及び(b)に答えよ．

(a) 図 1 のように，Y 結線した平衡三相負荷に線間電圧 210〔V〕の三相電圧を加えたとき，回路を流れる線電流 I は $\frac{14}{\sqrt{3}}$〔A〕であった．負荷の誘導性リアクタンス X〔Ω〕の値として，正しいのは次のうちどれか．

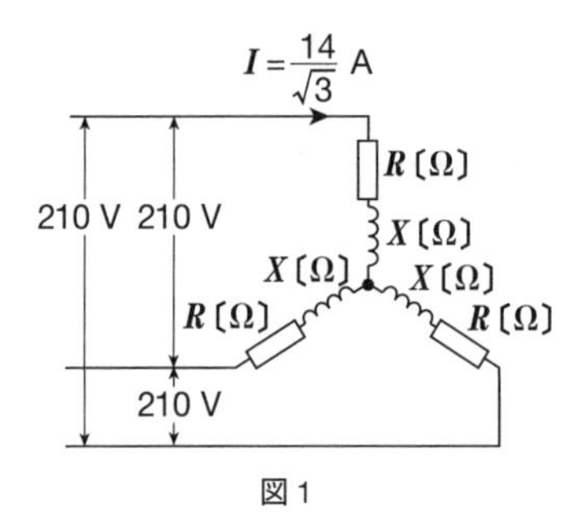

図 1

(1) 4 (2) 5 (3) 9 (4) 12 (5) 15

(b) 図 1 の各相の負荷を使って△結線し，図 2 のように相電圧 200〔V〕の対称三相電源に接続した．この平衡三相負荷の全消費電力〔kW〕の値として，正しいのは次のうちどれか．

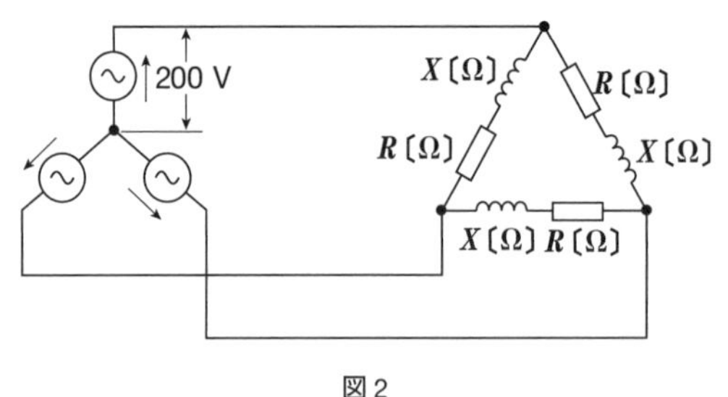

図 2

(1) 8 (2) 11.1 (3) 13.9 (4) 19.2 (5) 33.3

解5　解答 (a)−(3), (b)−(4)

(a)　平衡三相負荷1相のインピーダンスZは，線間電圧が210〔V〕であるから，

$$Z=\frac{\frac{210}{\sqrt{3}}}{\frac{14}{\sqrt{3}}}=\frac{210}{14}=15〔\Omega〕$$

したがって，求める負荷の誘導性リアクタンスXは，負荷力率が80〔%〕であるから，

$$X=Z\sin\varphi=15\times\sqrt{1-0.8^2}=9〔\Omega〕$$

また，負荷抵抗Rは，

$$R=Z\cos\varphi=15\times0.8=12〔\Omega〕$$

(b)　電源の線間電圧が$200\sqrt{3}$〔V〕であるから，負荷インピーダンスに流れる電流$I_{\triangle}$は，

$$I_{\mathrm{D}}=\frac{200\sqrt{3}}{15}\fallingdotseq23.094〔\mathrm{A}〕$$

したがって，求める平衡三相負荷の全消費電力Pは，(a)の結果から，

$$P=3RI_{\mathrm{D}}{}^2=3\times12\times23.094^2\times10^{-3}\fallingdotseq19.2〔\mathrm{kW}〕$$

問6　Check! □□□

(平成24年 Ⓑ問題16)

図のように，相電圧200〔V〕の対称三相交流電源に，複素インピーダンス $\dot{Z}=5\sqrt{3}+j5$〔Ω〕の負荷がY結線された平衡三相負荷を接続した回路がある．次の(a)及び(b)の問に答えよ．

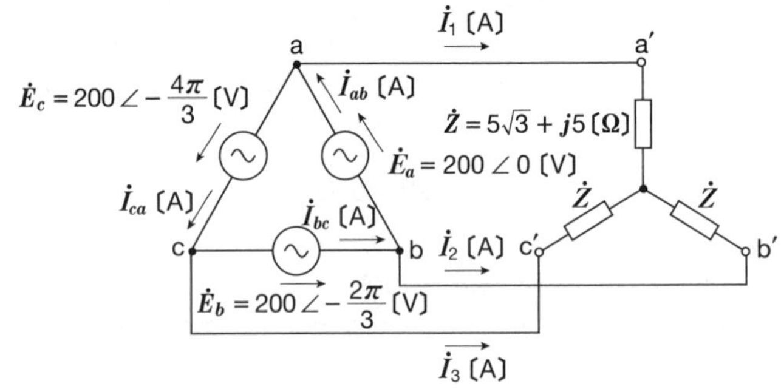

(a)　電流 $\dot{I}_1$〔A〕の値として，最も近いものを次の(1)～(5)のうちから一つ選べ．

(1)　$20.00\angle-\frac{\pi}{3}$　(2)　$20.00\angle-\frac{\pi}{6}$　(3)　$16.51\angle-\frac{\pi}{6}$

(4)　$11.55\angle-\frac{\pi}{3}$　(5)　$11.55\angle-\frac{\pi}{6}$

(b)　電流 $\dot{I}_{ab}$〔A〕の値として，最も近いものを次の(1)～(5)のうちから一つ選べ．

(1)　$20.00\angle-\frac{\pi}{6}$　(2)　$11.55\angle-\frac{\pi}{3}$　(3)　$11.55\angle-\frac{\pi}{6}$

(4)　$6.67\angle-\frac{\pi}{3}$　(5)　$6.67\angle-\frac{\pi}{6}$

解6　解答 (a)−(4)，(b)−(5)

(a)　a 相，b 相および c 相の相電圧をそれぞれ，$\dot{V}_a$，$\dot{V}_b$ および $\dot{V}_c$ とし，線間電圧 $\dot{E}_a$，$\dot{E}_b$ および $\dot{E}_c$ とのベクトル図を描くと，図のようになる．

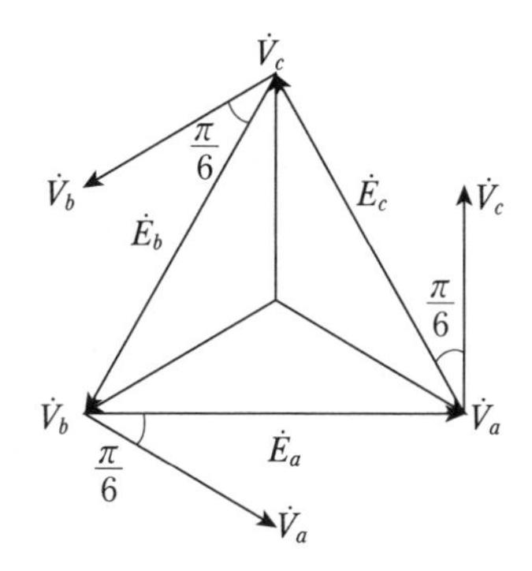

したがって，ベクトル図より，a 相の相電圧 $\dot{V}_a$ は次式で表せる．

$$\dot{V}_a = \frac{\dot{E}_a}{\sqrt{3}} \angle -\frac{\pi}{6} = \frac{200}{\sqrt{3}} \angle -\frac{\pi}{6} \text{〔V〕}$$

また，負荷インピーダンス $\dot{Z}$ は，

$$\dot{Z} = 5\sqrt{3} + j5 = 10\left(\frac{\sqrt{3}}{2} + j\frac{1}{2}\right) = 10 \angle \frac{\pi}{6} \text{〔Ω〕}$$

であるから，求める電流 $\dot{I}_1$ は，

$$\dot{I}_1 = \frac{\dot{V}_a}{\dot{Z}} = \frac{\frac{200}{\sqrt{3}} \angle -\frac{\pi}{6}}{10 \angle \frac{\pi}{6}} = \frac{20}{\sqrt{3}} \angle -\frac{\pi}{3} \fallingdotseq 11.547 \angle -\frac{\pi}{3} \text{〔A〕}$$

となる．

(b)　電流 $\dot{I}_{ab}$ は，$\dot{I}_1$ の $\frac{1}{\sqrt{3}}$ 倍の大きさで，$\frac{\pi}{6}$〔rad〕だけ進み位相であるから，求める電流 $\dot{I}_{ab}$ は，

$$\dot{I}_{ab} = \frac{\dot{I}_1}{\sqrt{3}} \angle \frac{\pi}{6} = \frac{11.547}{\sqrt{3}} \angle -\frac{\pi}{3} \times 1 \angle \frac{\pi}{6} \fallingdotseq 6.67 \angle -\frac{\pi}{6} \text{〔A〕}$$

となる．

問7 Check! □□□ （令和4年㊤ Ⓑ問題15）

図のように，線間電圧200 Vの対称三相交流電源に，三相負荷として誘導性リアクタンス $X=9\ \Omega$ の3個のコイルと R [Ω], 20 Ω, 20 Ω，60 Ωの4個の抵抗を接続した回路がある．端子a，b，cから流入する線電流の大きさは等しいものとする．この回路について，次の(a)及び(b)の問に答えよ．

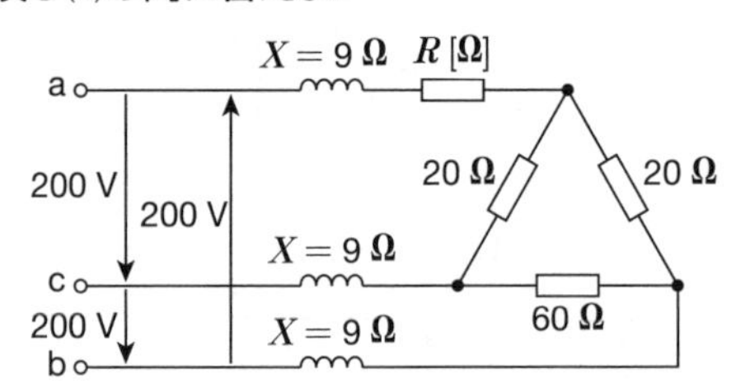

(a) 線電流の大きさが7.7 A，三相負荷の無効電力が1.6 kvarであるとき，三相負荷の力率の値として，最も近いものを次の(1)〜(5)のうちから一つ選べ．

(1) 0.5　(2) 0.6　(3) 0.7　(4) 0.8　(5) 1.0

(b) a相に接続された R の値 [Ω] として，最も近いものを次の(1)〜(5)のうちから一つ選べ．

(1) 4　(2) 8　(3) 12　(4) 40　(5) 80

解7 解答 (a)−(4), (b)−(2)

(a) この回路の三相負荷の皮相電力は,

$$\sqrt{3} \times 200 \times 7.7 \fallingdotseq 2\,667.4\ \text{V·A} = 2.667\,4\ \text{kV·A}$$

したがって，この回路の有効電力は,

$$\sqrt{2.667\,4^2 - 1.6^2} = \sqrt{7.115\,0 - 2.56} = \sqrt{4.555\,0} \fallingdotseq 2.134\,2\ \text{kW}$$

よって，力率は,

$$\frac{2.134\,2}{2.667\,4} \fallingdotseq \mathbf{0.8}$$

(b) 問題の△結線の回路を図のようにY結線に描き直すと，抵抗の△−Y変換により,

$$R_a = \frac{20 \times 20}{20 + 60 + 20} = \frac{400}{100} = 4\ \Omega$$

$$R_b = R_c = \frac{20 \times 60}{20 + 60 + 20} = \frac{1\,200}{100} = 12\ \Omega$$

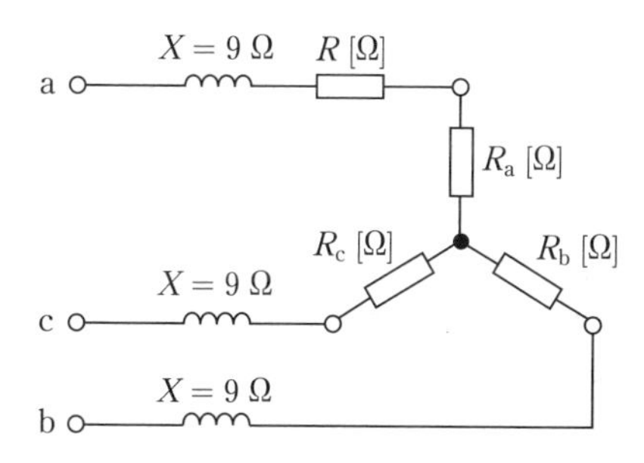

端子a, b, cから流入する線電流の大きさが等しいので, 次の関係が成立する.

$$R + R_a = R_b = R_c$$

$$\therefore\quad R = 12 - 4 = \mathbf{8\ \Omega}$$

問8 Check! □□□ (平成21年 B 問題16)

平衡三相回路について，次の(a)及び(b)に答えよ．

(a) 図1のように，抵抗 R 〔Ω〕が接続された平衡三相負荷に線間電圧 E 〔V〕の対称三相交流電源を接続した．このとき，図1に示す電流 $\dot{I}_1$ 〔A〕の大きさの値を表す式として，正しいのは次のうちどれか．

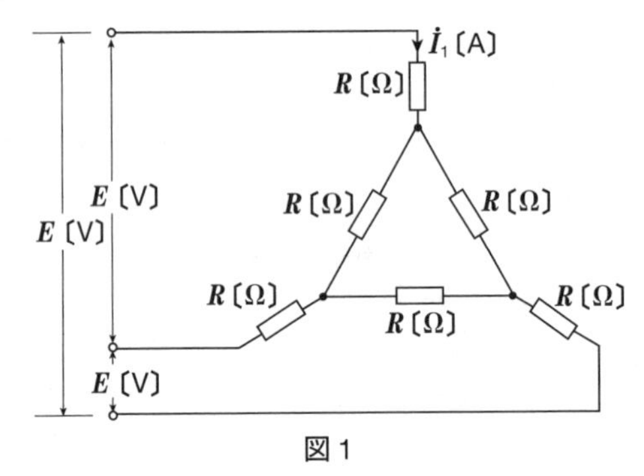

図1

(1) $\dfrac{E}{4\sqrt{3}R}$　(2) $\dfrac{E}{4R}$　(3) $\dfrac{\sqrt{3}E}{4R}$　(4) $\dfrac{\sqrt{3}E}{R}$　(5) $\dfrac{4E}{\sqrt{3}R}$

(b) 次に，図1を図2のように，抵抗 R 〔Ω〕をインピーダンス $\dot{Z}=12+j9$ 〔Ω〕の負荷に置き換え，線間電圧 $E=200$ 〔V〕とした．このとき，図2に示す電流 $\dot{I}_2$ 〔A〕の大きさの値として，最も近いのは次のうちどれか．

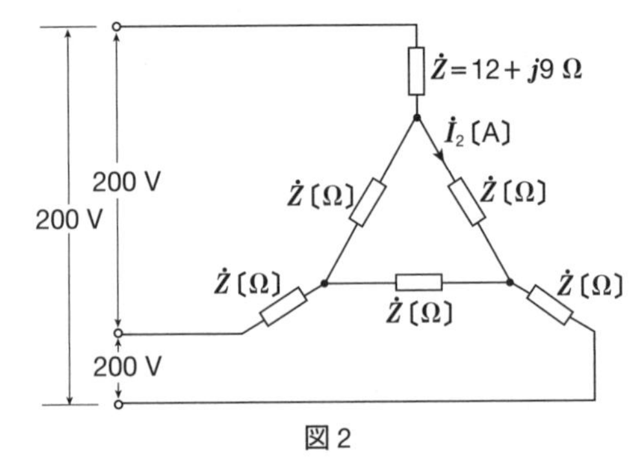

図2

(1) 2.5　(2) 3.3　(3) 4.4　(4) 5.8　(5) 7.7

解8 解答 (a)−(3), (b)−(2)

(a) △接続された抵抗 R〔Ω〕を△–Y変換すると，Y1相の抵抗は $R/3$〔Ω〕となるから，問題図1の回路の等価回路を描くと**第1図**のようになる．

したがって，求める電流 $\dot{I}_1$ の大きさ I_1 は次式となる．

$$I_1=\frac{\dfrac{E}{\sqrt{3}}}{R+\dfrac{R}{3}}=\frac{\dfrac{E}{\sqrt{3}}}{\dfrac{4}{3}R}=\frac{\sqrt{3}E}{4R}\text{〔A〕}$$

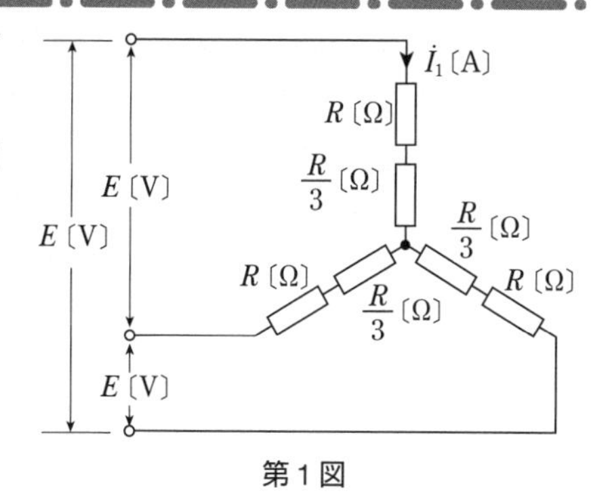

第1図

(b) △接続されたインピーダンス $\dot{Z}$〔Ω〕を△–Y変換すると，Y1相のインピーダンスは $\dot{Z}/3$〔Ω〕となるから，問題図2の回路の等価回路を描くと**第2図**のようになる．

ここに，第2図の電流 $\dot{I}_2'$ およびその大きさ I_2' は，

$$\dot{I}_2'=\frac{\dfrac{200}{\sqrt{3}}}{\dot{Z}+\dfrac{\dot{Z}}{3}}=\frac{\dfrac{200}{\sqrt{3}}}{\dfrac{4}{3}\dot{Z}}=\frac{200\sqrt{3}}{4\dot{Z}}=\frac{200\sqrt{3}}{4\times(12+j9)}\text{〔A〕}$$

$$\therefore\ \ I_2'=\frac{200\sqrt{3}}{4\times\sqrt{12^2+9^2}}=\frac{200\sqrt{3}}{4\times15}\fallingdotseq3.33\sqrt{3}\text{〔A〕}$$

となるから，求める電流 $\dot{I}_2$ の大きさ I_2 は次式となる．

$$I_2=\frac{I_2'}{\sqrt{3}}=\frac{3.33\sqrt{3}}{\sqrt{3}}=3.33\text{〔A〕}$$

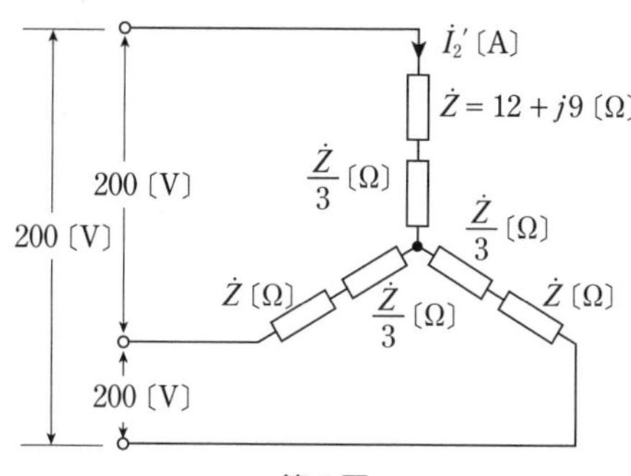

第2図

問9 Check! □□□

(平成22年 A 問題9)

Y結線の対称三相交流電源にY結線の平衡三相抵抗負荷を接続した場合を考える．負荷側における線間電圧をV_l〔V〕，線電流をI_l〔A〕，相電圧をV_p〔V〕，相電流をI_p〔A〕，各相の抵抗をR〔Ω〕，三相負荷の消費電力をP〔W〕とする．

このとき，誤っているのは次のうちどれか．

(1) $V_l = \sqrt{3}V_p$ が成り立つ．

(2) $I_l = I_p$ が成り立つ．

(3) $I_l = \dfrac{V_p}{R}$ が成り立つ．

(4) $P = \sqrt{3}V_p I_p$ が成り立つ．

(5) 電源と負荷の中性点を中性線で接続しても，中性線に電流は流れない．

問10 Check! □□□

(平成17年 A 問題7)

図のように，相電圧10〔kV〕の対称三相交流電源に，抵抗R〔Ω〕と誘導性リアクタンスX〔Ω〕からなる平衡三相負荷を接続した交流回路がある．平衡三相負荷の全消費電力が200〔kW〕，線電流$\dot{I}$〔A〕の大きさ（スカラ量）が20〔A〕のとき，R〔Ω〕とX〔Ω〕の値として，正しいものを組み合わせたのは次のうちどれか．

	R〔Ω〕	X〔Ω〕
(1)	50	$500\sqrt{2}$
(2)	100	$100\sqrt{3}$
(3)	150	$500\sqrt{2}$
(4)	500	$500\sqrt{2}$
(5)	750	$100\sqrt{3}$

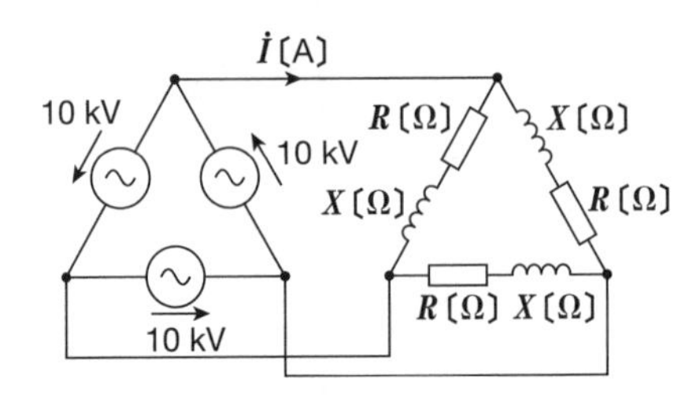

解9 解答 (4)

(4)が誤りである．三相負荷の消費電力 P は力率を 1，負荷側の相電圧を V_p，線電流を I_l とすると，三相分を考慮すれば，次式で与えられる．

$$P = 3V_p I_l$$

ここに，負荷側の線間電圧を V_l，Y 結線相電流を I_p とすると，

$$V_l = \sqrt{3}V_p,\quad I_p = I_l$$

であるから，

$$P = 3V_p I_l = 3\cdot\frac{V_l}{\sqrt{3}}\cdot I_l = \sqrt{3}V_l I_p$$

で表せる．

解10 解答 (4)

線電流 $\dot{I}$ の大きさが $I = 20$〔A〕であるから，抵抗 R〔Ω〕を流れる電流 $I_\triangle$ は，

$$I_\triangle = \frac{20}{\sqrt{3}}\text{〔A〕}$$

となる．ところで，平衡三相負荷の全消費電力 P が 200〔kW〕であるから，次式が成立する．

$$3RI_\triangle{}^2 = P$$

$$\therefore\quad R = \frac{P}{3I_\triangle{}^2}\text{〔Ω〕}$$

したがって，上式に $P = 200\times10^3$〔W〕，$I_\triangle = 20/\sqrt{3}$〔A〕を代入すると，求める抵抗 R は，

$$R = \frac{200\times10^3}{3\times\left(\frac{20}{\sqrt{3}}\right)^2} = \frac{200\times10^3}{3\times\frac{400}{3}} = \frac{200\times10^3}{400} = 500\text{〔Ω〕}$$

また，△負荷 1 相のインピーダンス Z は，

$$Z = \frac{10\times10^3}{I_\triangle} = \frac{10\times10^3}{\frac{20}{\sqrt{3}}} = 500\sqrt{3}\text{〔Ω〕}$$

であるから，求めるリアクタンス X は次式となる．

$$X = \sqrt{Z^2 - R^2} = \sqrt{\left(500\sqrt{3}\right)^2 - 500^2} = 500\sqrt{3-1} = 500\sqrt{2}\text{〔Ω〕}$$

問11　Check! □□□

（平成26年 Ⓐ問題14）

図のように200 Vの対称三相交流電源に抵抗R〔Ω〕からなる平衡三相負荷を接続したところ，線電流は1.73 Aであった．いま，電力計の電流コイルをc相に接続し，電圧コイルをc－a相間に接続したとき，電力計の指示P〔W〕として，最も近いPの値を次の(1)～(5)のうちから一つ選べ．

ただし，対称三相交流電源の相回転はa，b，cの順とし，電力計の電力損失は無視できるものとする．

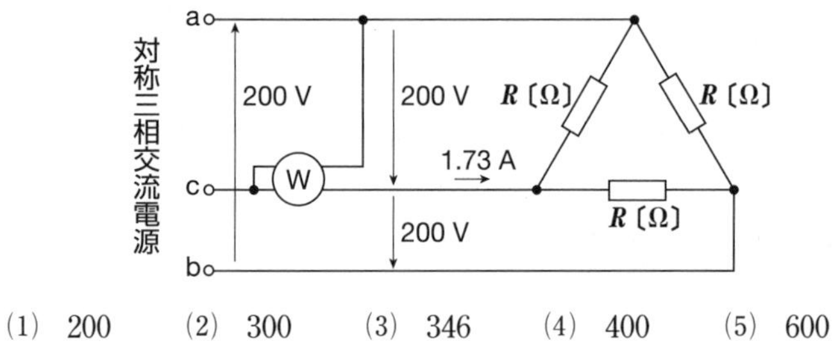

(1)　200　　(2)　300　　(3)　346　　(4)　400　　(5)　600

解11 解答 (2)

対称三相交流各相の相電圧を $\dot{E}_a$, $\dot{E}_b$, $\dot{E}_c$, 線電流を $\dot{I}_a$, $\dot{I}_b$, $\dot{I}_c$ とし，c－a 間の線間電圧を $\dot{V}_{ca}$ とする．

問題の負荷は三相平衡した抵抗負荷であり，その力率は1であるから，各相の相電圧と線電流は同相となる．したがって，この場合の電圧・電流ベクトル図を描くと，図のようになる．

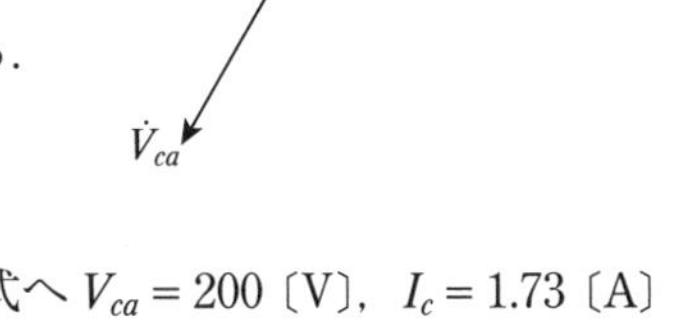

題意により，電力計の電流コイルには c 相電流 $\dot{I}_c$ が流れ，電圧コイルには線間電圧 $\dot{V}_{ca}$ がかかっているから，電力計の指示値 P は，次式で与えられる．

$$P = V_{ca} I_c \cos 30° = \frac{\sqrt{3}}{2} V_{ca} I_c$$

したがって，求める電力計の指示値 P は，上式へ $V_{ca} = 200$〔V〕，$I_c = 1.73$〔A〕を代入すると，

$$P = \frac{\sqrt{3}}{2} \times 200 \times 1.73 \fallingdotseq 299.64 \fallingdotseq 300 \text{〔W〕}$$

問12 Check! □□□ （平成23年 B 問題15）

図のように，R〔Ω〕の抵抗，静電容量 C〔F〕のコンデンサ，インダクタンス L〔H〕のコイルからなる平衡三相負荷に線間電圧 V〔V〕の対称三相交流電源を接続した回路がある．次の(a)及び(b)の問に答えよ．

ただし，交流電源電圧の角周波数は ω〔rad/s〕とする．

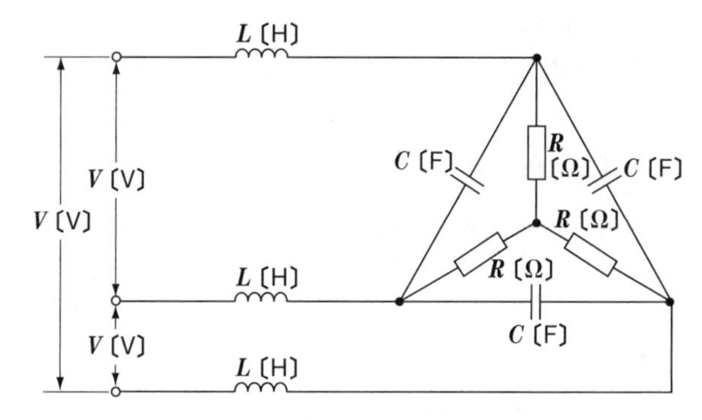

(a) 三相電源からみた平衡三相負荷の力率が1になったとき，インダクタンス L〔H〕のコイルと静電容量 C〔F〕のコンデンサの関係を示す式として，正しいものを次の(1)～(5)のうちから一つ選べ．

(1) $L=\dfrac{3C^2R^2}{1+9(\omega CR)^2}$　　(2) $L=\dfrac{3CR^2}{1+9(\omega CR)^2}$

(3) $L=\dfrac{3C^2R}{1+9(\omega CR)^2}$　　(4) $L=\dfrac{9CR^2}{1+9(\omega CR)^2}$

(5) $L=\dfrac{R}{1+9(\omega CR)^2}$

(b) 平衡三相負荷の力率が1になったとき，静電容量 C〔F〕のコンデンサの端子電圧〔V〕の値を示す式として，正しいものを次の(1)～(5)のうちから一つ選べ．

(1) $\sqrt{3}V\sqrt{1+9(\omega CR)^2}$　　(2) $V\sqrt{1+9(\omega CR)^2}$

(3) $\dfrac{V\sqrt{1+9(\omega CR)^2}}{\sqrt{3}}$　　(4) $\dfrac{\sqrt{3}V}{\sqrt{1+9(\omega CR)^2}}$

(5) $\dfrac{V}{\sqrt{1+9(\omega CR)^2}}$

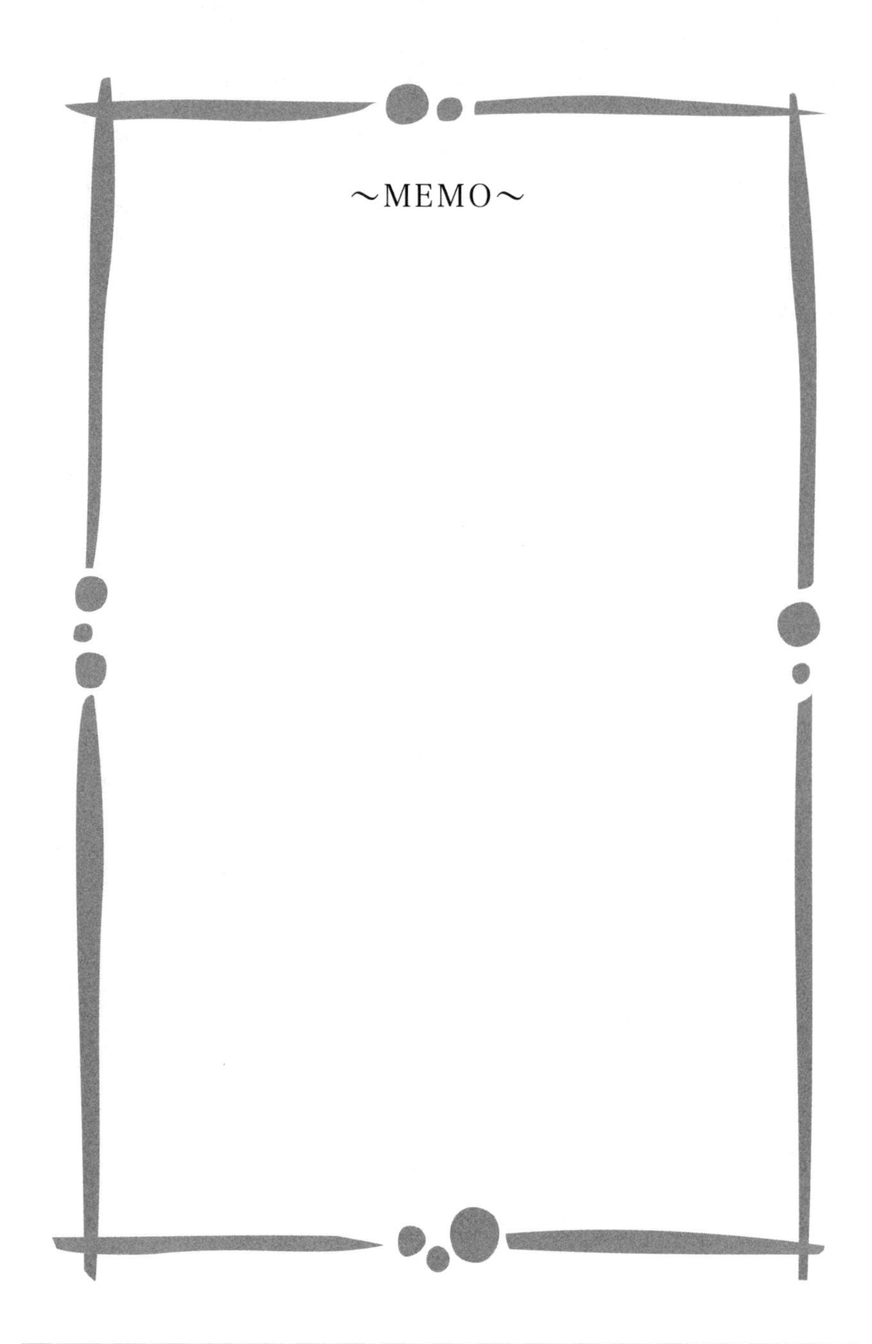
～MEMO～

解12 解答 (a)−(2), (b)−(2)

(a) △結線された静電容量 C〔F〕を△−Y変換すると，Y結線1相当たりの静電容量は $3C$〔F〕となるから，問題の三相回路の等価回路は，**第1図**のようになる．

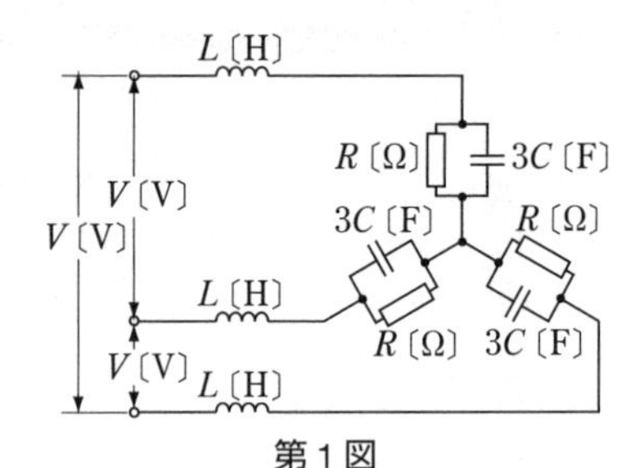

第1図

したがって，第1図の1相当たりの等価回路は**第2図**のようになり，1相当たりの等価インピーダンス $\dot{Z}$ は，次のようになる．

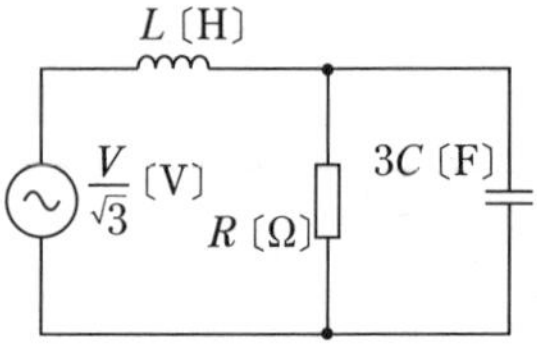

$$\dot{Z}=j\omega L+\frac{R\cdot\dfrac{1}{j3\omega C}}{R+\dfrac{1}{j3\omega C}}=j\omega L+\frac{R}{1+j3\omega CR}$$

$$=j\omega L+\frac{R(1-j3\omega CR)}{1+9(\omega CR)^2}$$

$$=\frac{R}{1+9(\omega CR)^2}+j\omega\left\{L-\frac{3CR^2}{1+9(\omega CR)^2}\right\}〔\Omega〕 \quad ①$$

第2図

ここで，題意より，三相電源から見た平衡三相負荷の力率が1になったことから，1相当たりの等価インピーダンス $\dot{Z}$ は純抵抗であることになる．よって，求めるインダクタンス L と静電容量 C の関係は，①式の虚部を0とすることによって，次のようになる．

$$L-\frac{3CR^2}{1+9(\omega CR)^2}=0$$

$$\therefore\ L=\frac{3CR^2}{1+9(\omega CR)^2}$$

(b) (a)の結果より，平衡三相負荷の力率が1になったときの線電流 $\dot{I}$ は，

$$\dot{Z}=\frac{R}{1+9(\omega CR)^2} \quad ②$$

であるから，

$$\dot{I}=\frac{\dfrac{V}{\sqrt{3}}}{\dot{Z}}=\frac{V}{\sqrt{3}\dot{Z}}=\frac{1+9(\omega CR)^2}{\sqrt{3}R}V〔\mathrm{A}〕$$

となるから，抵抗にかかる電圧 $\dot{V}_R$ は，第2図より，

$$\dot{V}_R = \frac{R}{1+j3\omega CR}\dot{I} = \frac{1+9(\omega CR)^2}{\sqrt{3}R}V \cdot \frac{R}{1+j3\omega CR}\text{〔V〕}$$

で表せるから，その大きさ V_R は，

$$V_R = \frac{1+9(\omega CR)^2}{\sqrt{3}R}V \cdot \left|\frac{R}{1+j3\omega CR}\right|$$

$$= \frac{1+9(\omega CR)^2}{\sqrt{3}R}V \cdot \frac{R}{\sqrt{1+9(\omega CR)^2}}$$

$$= \frac{V}{\sqrt{3}}\sqrt{1+9(\omega CR)^2}\text{〔V〕}$$

以上から，求める静電容量 C の端子電圧 V_C は，C には線間電圧がかかっていることを考慮すれば，

$$V_C = \sqrt{3}V_R = \sqrt{3}\cdot\frac{V}{\sqrt{3}}\sqrt{1+9(\omega CR)^2}$$

$$= V\sqrt{1+9(\omega CR)^2}\text{〔V〕}$$

となる．

問13 Check! □□□

(令和元年 B問題 16)

図のように線間電圧 200 V，周波数 50 Hz の対称三相交流電源にRLC 負荷が接続されている．R = 10 Ω，電源角周波数を ω [rad/s]として，ωL = 10 Ω，$\dfrac{1}{\omega C}$ = 20 Ω である．次の(a)及び(b)の問に答えよ．

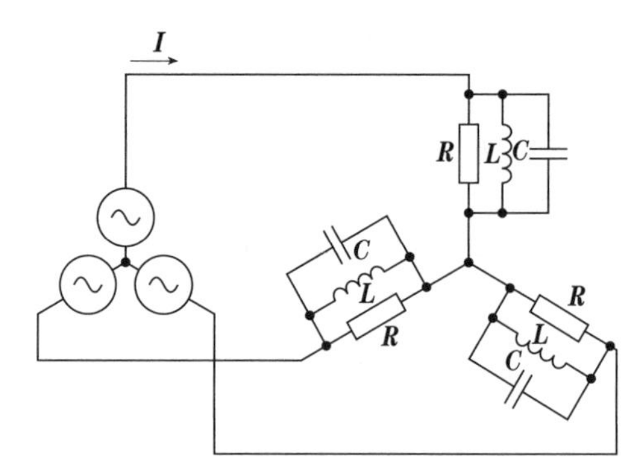

(a) 電源電流 I の値 [A] として，最も近いものを次の(1)～(5)のうちから一つ選べ．

(1) 7　(2) 10　(3) 13　(4) 17　(5) 22

(b) 三相負荷の有効電力の値 [kW] として，最も近いものを次の(1)～(5)のうちから一つ選べ．

(1) 1.3　(2) 2.6　(3) 3.6　(4) 4.0　(5) 12

解13 解答 (a)−(3), (b)−(4)

(a) 題意より，1相当たりの負荷アドミタンス $\dot{Y}$ は，

$$\dot{Y}=\frac{1}{R}+\mathrm{j}\left(\omega C-\frac{1}{\omega L}\right)=\frac{1}{10}+\mathrm{j}\left(\frac{1}{20}-\frac{1}{10}\right)=\frac{1}{10}-\mathrm{j}\frac{1}{20}\ \mathrm{S}$$

したがって，電源電流 $\dot{I}$ は，

$$\dot{I}=\dot{Y}\dot{E}=\frac{200}{\sqrt{3}}\left(\frac{1}{10}-\mathrm{j}\frac{1}{20}\right)=\frac{20-\mathrm{j}10}{\sqrt{3}}\ \mathrm{A}$$

$$\therefore\quad I=\frac{10\sqrt{2^2+1}}{\sqrt{3}}=\frac{10\sqrt{5}}{\sqrt{3}}\fallingdotseq 12.91\ \mathrm{A}$$

(b) 三相負荷の有効電力 P は，

$$P=\mathrm{Re}\left[3\dot{E}\bar{\dot{I}}\right]=3\times\frac{0.2}{\sqrt{3}}\times\frac{20}{\sqrt{3}}=4.0\ \mathrm{kW}$$

問14 Check! □□□ （平成19年 B問題15）

平衡三相回路について，次の(a)及び(b)に答えよ．

(a) 図1のように，抵抗RとコイルLからなる平衡三相負荷に，線間電圧200〔V〕，周波数50〔Hz〕の対称三相交流電源を接続したところ，三相負荷全体の有効電力は$P = 2.4$〔kW〕で，無効電力は$Q = 3.2$〔kvar〕であった．負荷電流I〔A〕の値として，最も近いのは次のうちどれか．

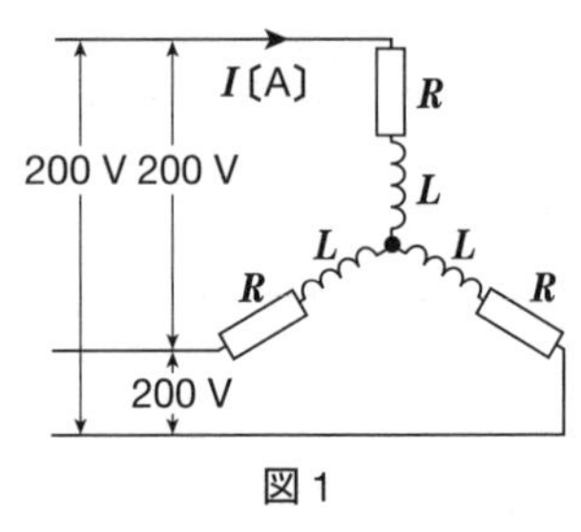

図1

(1) 2.3　(2) 4.0　(3) 6.9　(4) 9.2　(5) 11.5

(b) 図1に示す回路の各線間に同じ静電容量のコンデンサCを図2に示すように接続した．このとき，三相電源からみた力率が1となった．このコンデンサCの静電容量〔μF〕の値として，最も近いのは次のうちどれか．

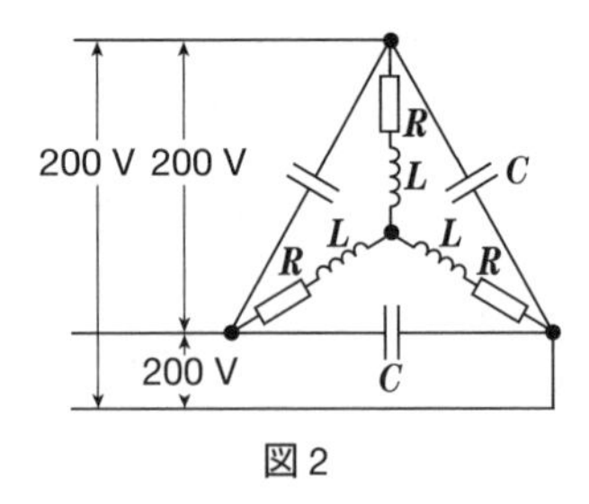

図2

(1) 48.8　(2) 63.4　(3) 84.6　(4) 105.7　(5) 146.5

解14　解答 (a)－(5)，(b)－(3)

(a)　三相負荷の皮相電力 S は題意より，

$$S=\sqrt{P^2+Q^2}=\sqrt{2.4^2+3.2^2}=4\ 〔\mathrm{kV\cdot A}〕$$

となるから，求める負荷電流 I は次式となる．

$$I=\frac{S}{\sqrt{3}V}=\frac{4\times10^3}{\sqrt{3}\times200}\fallingdotseq11.55〔\mathrm{A}〕$$

(b)　図2より，三つのコンデンサがとる無効電力 Q_C は，

$$Q_C=2\pi\times50\times C\times10^{-6}\times200^2\times10^{-3}\times3=0.012\pi C〔\mathrm{kvar}〕$$

で表せるが，題意より，三つのコンデンサを接続したとき三相電源から見た力率が1となったことから，次式が成立する．

$$Q_C=0.012\pi C=3.2〔\mathrm{kvar}〕$$

よって，求めるコンデンサ C の静電容量は，

$$C=\frac{3.2}{0.012\pi}\fallingdotseq84.88〔\mu\mathrm{F}〕$$

問15 Check! □□□

（令和5年㊤ Ⓑ問題15）

図の平衡三相回路について，次の(a)及び(b)の問に答えよ．

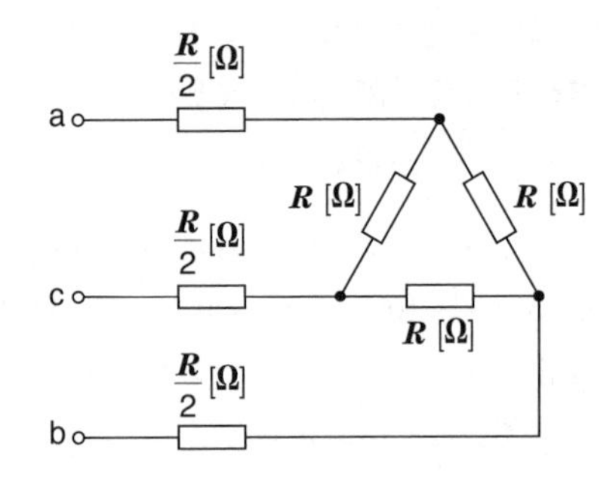

(a) 端子 a，c に 100 V の単相交流電源を接続したところ，回路の消費電力は 200 W であった．抵抗 R の値 [Ω] として，最も近いものを次の(1)～(5)のうちから一つ選べ．

(1) 0.30　(2) 30　(3) 33　(4) 50　(5) 83

(b) 端子 a，b，c に線間電圧 200 V の対称三相交流電源を接続したときの全消費電力の値 [kW] として，最も近いものを次の(1)～(5)のうちから一つ選べ．

(1) 0.48　(2) 0.80　(3) 1.2　(4) 1.6　(5) 4.0

解15 解答 (a)−(2), (b)−(4)

(a) △接続された抵抗 R [Ω] を△−Y変換したときの1相の抵抗 R_Y は，$R_Y = \frac{R}{3}$ [Ω] となる．

題意より，端子a，cに100 Vの単相交流電源を接続したときの回路の消費電力が200 Wであったことから，次式が成立する．

$$P = \frac{100^2}{2 \times \frac{R}{2} + 2R_Y} = 200 \text{ W}$$

$$\frac{100^2}{R + 2R_Y} = \frac{100^2}{R + \frac{2}{3}R} = \frac{3 \times 100^2}{5R} = 200 \text{ W}$$

$$R = \frac{3 \times 100^2}{5 \times 200} = 30 \ \Omega$$

(b) 1相分の全抵抗 R_1 は，

$$R_1 = \frac{R}{2} + R_Y = \frac{R}{2} + \frac{R}{3} = \frac{5}{6}R = \frac{5}{6} \times 30 = 25 \ \Omega$$

したがって，端子a，b，cに線間電圧200 Vの対称三相交流電源を接続したときの全消費電力 P_3 は，

$$P_3 = 3 \times \frac{(200/\sqrt{3})^2}{25} \times 10^{-3} = 1.6 \text{ kW}$$

問16 Check! □□□

(平成22年 B 問題15)

図の平衡三相回路について，次の(a)及び(b)に答えよ．

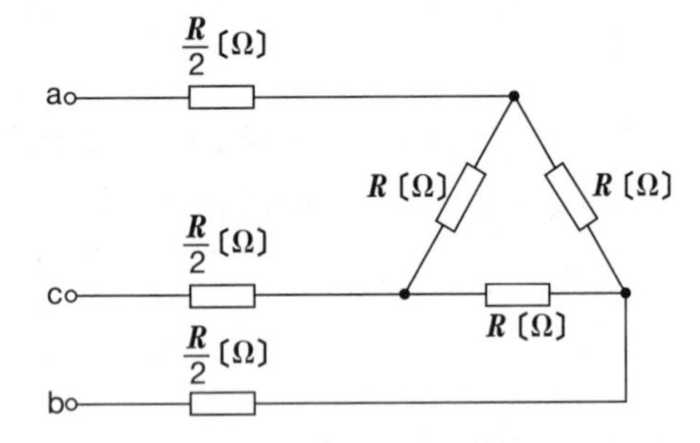

(a) 端子a，cに100〔V〕の単相交流電源を接続したところ，回路の消費電力は200〔W〕であった．抵抗R〔Ω〕の値として，正しいのは次のうちどれか．

(1) 0.30 (2) 30 (3) 33 (4) 50 (5) 83

(b) 端子a，b，cに線間電圧200〔V〕の対称三相交流電源を接続したときの全消費電力〔kW〕の値として，正しいのは次のうちどれか．

(1) 0.48 (2) 0.80 (3) 1.2 (4) 1.6 (5) 4.0

解16 解答 (a)－(2)，(b)－(4)

(a) 端子 a，c に 100〔V〕の単相交流電源を接続した場合の等価回路は，**第 1 図**のようになる．

ここに，単相交流電源から見た全抵抗 r は，

$$r=\frac{R}{2}+\frac{R\cdot 2R}{R+2R}+\frac{R}{2}=R+\frac{2}{3}R=\frac{5}{3}R〔\Omega〕$$

であるから，回路の消費電力 P は，次式で与えられる．

$$P=\frac{100^2}{r}=\frac{3\times 10\,000}{5R}=\frac{6\,000}{R}=200〔\mathrm{W}〕$$

よって，求める抵抗 R の値は，

$$R=\frac{6\,000}{200}=30〔\Omega〕$$

となる．

(b) △接続された抵抗 R〔Ω〕を △–Y 変換すると，Y 接続 1 相分の抵抗 R_{Y} は，

$$R_{\mathrm{Y}}=\frac{1}{3}R=\frac{30}{3}=10〔\Omega〕$$

また，この場合の 1 相分の等価回路は**第 2 図**のようになる．

ここに，1 相分の全抵抗 r_1 は，

$$r_1=\frac{R}{2}+R_{\mathrm{Y}}=\frac{30}{2}+10=25〔\Omega〕$$

であるから，求める回路の全消費電力 P_3 は，

$$P_3=3\times\frac{\left(\frac{200}{\sqrt{3}}\right)^2}{25}\times 10^{-3}=\frac{200^2}{25}\times 10^{-3}=1.6〔\mathrm{kW}〕$$

となる．

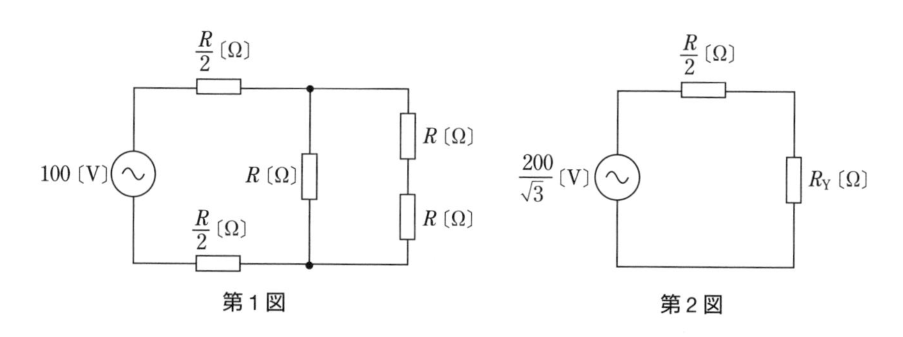

第 1 図　　第 2 図

問17 Check! □□□

（令和４年㊦ Ⓑ問題 15）

図のように，抵抗 6 Ω と誘導性リアクタンス 8 Ω を Y 結線し，抵抗 r [Ω] を △ 結線した平衡三相負荷に，200 V の対称三相交流電源を接続した回路がある．抵抗 6 Ω と誘導性リアクタンス 8 Ω に流れる電流の大きさを I_1 [A]，抵抗 r [Ω] に流れる電流の大きさを I_2 [A] とする．電流 I_1 [A] と I_2 [A] の大きさが等しいとき，次の(a)及び(b)の問に答えよ．

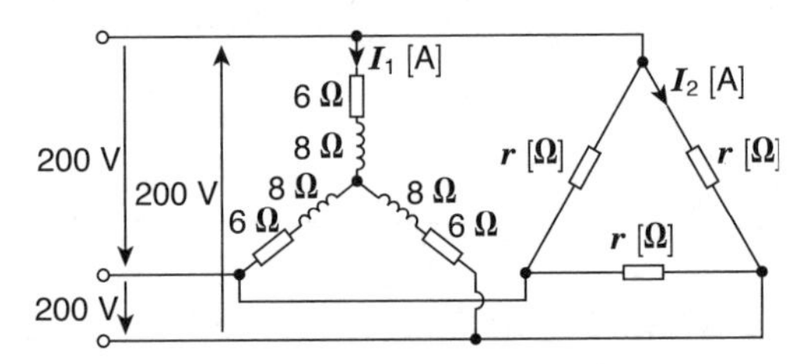

(a) 抵抗 r の値 [Ω] として，最も近いものを次の(1)～(5)のうちから一つ選べ．

(1) 6.0　(2) 10.0　(3) 11.5　(4) 17.3　(5) 19.2

(b) 図中の回路が消費する電力の値 [kW] として，最も近いものを次の(1)～(5)のうちから一つ選べ．

(1) 2.4　(2) 3.1　(3) 4.0　(4) 9.3　(5) 10.9

解17 解答 (a)−(4), (b)−(4)

(a) I_1 の大きさは,

$$I_1=\frac{200}{\sqrt{3}}\times\frac{1}{\sqrt{6^2+8^2}}=\frac{200}{\sqrt{3}\times\sqrt{100}}=\frac{200}{\sqrt{3}\times 10}=\frac{20}{\sqrt{3}}=\frac{20}{3}\sqrt{3}\ \mathrm{A}$$

I_1 と I_2 の大きさが等しいので,

$$r=\frac{200}{I_2}=200\times\frac{3}{20\sqrt{3}}=\frac{30}{\sqrt{3}}=\frac{30}{3}\sqrt{3}=10\sqrt{3}\fallingdotseq 17.321\fallingdotseq \mathbf{17.3\ \Omega}$$

(b) 6 Ω の抵抗 3 個が消費する電力の合計は,

$$3\times {I_1}^2\times 6=3\times\left(\frac{20}{3}\sqrt{3}\right)^2\times 6=\frac{3\times 400\times 3}{9}\times 6=2\,400\ \mathrm{W}$$

抵抗 r 3 個が消費する電力の合計は,

$$3\times {I_2}^2\times 10\sqrt{3}=3\times\left(\frac{20}{3}\sqrt{3}\right)^2\times 10\sqrt{3}=\frac{3\times 400\times 3}{9}\times 10\sqrt{3}$$

$$=4\,000\sqrt{3}\fallingdotseq 6\,928.2\ \mathrm{W}$$

よって, 回路全体が消費する電力は,

$$2\,400+6\,928.2=9\,328.2\ \mathrm{W}\fallingdotseq \mathbf{9.3}\ \mathrm{kW}$$

問18 Check! □□□

(平成20年 B 問題15)

図のように，抵抗 6〔Ω〕と誘導性リアクタンス 8〔Ω〕をＹ結線し，抵抗 r〔Ω〕を△結線した平衡三相負荷に，200〔V〕の対称三相交流電源を接続した回路がある．抵抗 6〔Ω〕と誘導性リアクタンス 8〔Ω〕に流れる電流の大きさを I_1〔A〕，抵抗 r〔Ω〕に流れる電流の大きさを I_2〔A〕とするとき，次の(a)及び(b)に答えよ．

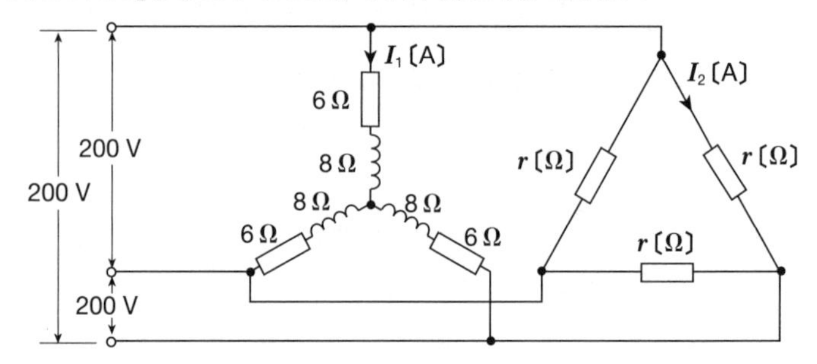

(a) 電流 I_1〔A〕と電流 I_2〔A〕の大きさが等しいとき，抵抗 r〔Ω〕の値として，最も近いのは次のうちどれか．

(1) 6.0 (2) 10.0 (3) 11.5 (4) 17.3 (5) 19.2

(b) 電流 I_1〔A〕と電流 I_2〔A〕の大きさが等しいとき，平衡三相負荷が消費する電力〔kW〕の値として，最も近いのは次のうちどれか．

(1) 2.4 (2) 3.1 (3) 4.0 (4) 9.3 (5) 10.9

解18 解答 (a)－(4)，(b)－(4)

(a)

$$I_1 = \frac{\frac{200}{\sqrt{3}}}{\sqrt{6^2+8^2}} = \frac{20}{\sqrt{3}} \text{〔A〕}$$

であるから，$I_1 = I_2$ であるときの抵抗 r は，

$$r = \frac{200}{I_2} = \frac{200}{\frac{20}{\sqrt{3}}} = 10\sqrt{3} \fallingdotseq 17.3 \text{〔}\Omega\text{〕}$$

(b) 平衡三相負荷が消費する電力 P は，

$$P = 3\times 6\times\left(\frac{20}{\sqrt{3}}\right)^2 + 3\times\frac{200^2}{10\sqrt{3}} = 2\,400 + 6\,928.2 = 9\,328.2 \text{〔W〕}$$

$$\fallingdotseq 9.33 \text{〔kW〕}$$

問19 Check! □□□

（平成26年 B 問題16）

図1のように，線間電圧200 V，周波数50 Hzの対称三相交流電源に1 Ωの抵抗と誘導性リアクタンス$\frac{4}{3}$ Ωのコイルとの並列回路からなる平衡三相負荷（Y結線）が接続されている．また，スイッチSを介して，コンデンサC（△結線）を接続することができるものとする．次の(a)及び(b)の問に答えよ．

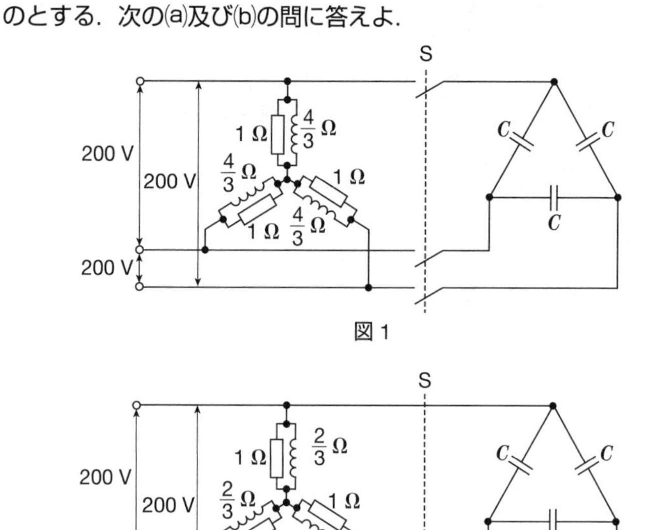

図1

図2

(a) スイッチSが開いた状態において，三相負荷の有効電力Pの値〔kW〕と無効電力Qの値〔kvar〕の組合せとして，正しいものを次の(1)～(5)のうちから一つ選べ．

	P	Q
(1)	40	30
(2)	40	53
(3)	80	60
(4)	120	90
(5)	120	160

(b) 図2のように三相負荷のコイルの誘導性リアクタンスを $\frac{2}{3}$ Ω に置き換え，スイッチSを閉じてコンデンサ C を接続する．このとき，電源からみた有効電力と無効電力が図1の場合と同じ値となったとする．コンデンサ C の静電容量の値〔μF〕として，最も近いものを次の(1)～(5)のうちから一つ選べ．

(1) 800　(2) 1 200　(3) 2 400　(4) 4 800　(5) 7 200

解19 解答 (a)−(1), (b)−(1)

(a) 三相負荷の有効電力 P および無効電力 Q はそれぞれ次のようになる．

$$P = 3\times\frac{\left(\frac{200}{\sqrt{3}}\right)^2}{1}\times10^{-3} = 3\times\frac{40}{3} = 40\,〔\mathrm{kW}〕$$

$$Q = 3\times\frac{\left(\frac{200}{\sqrt{3}}\right)^2}{\frac{4}{3}}\times10^{-3} = 3\times\frac{3}{4}\times\frac{40}{3} = 30\,〔\mathrm{kvar}〕$$

(b) 題意より，コイルの誘導性リアクタンスを $\frac{2}{3}$〔Ω〕に置き換えたときの回路の無効電力 Q' は，

$$Q' = 3\times\frac{\left(\frac{200}{\sqrt{3}}\right)^2}{\frac{2}{3}}\times10^{-3} = 3\times\frac{3}{2}\times\frac{40}{3} = 60\,〔\mathrm{kvar}〕$$

題意より，コンデンサ C を接続して電源から見た無効電力が図1の場合になったことから，△結線されたコンデンサの三相容量 Q_C は，

$$Q_C = 60 - 30 = 30\,〔\mathrm{kvar}〕$$

となる．

したがって，求めるコンデンサ C の静電容量は，

$$Q_C = 3\omega CV^2$$

$$\therefore\quad C = \frac{Q_C}{3\omega V^2} = \frac{30\times10^3}{3\times2\pi\times50\times200^2} \fallingdotseq 7.958\times10^{-4}\,〔\mathrm{F}〕 = 795.8\,〔\mu\mathrm{F}〕$$

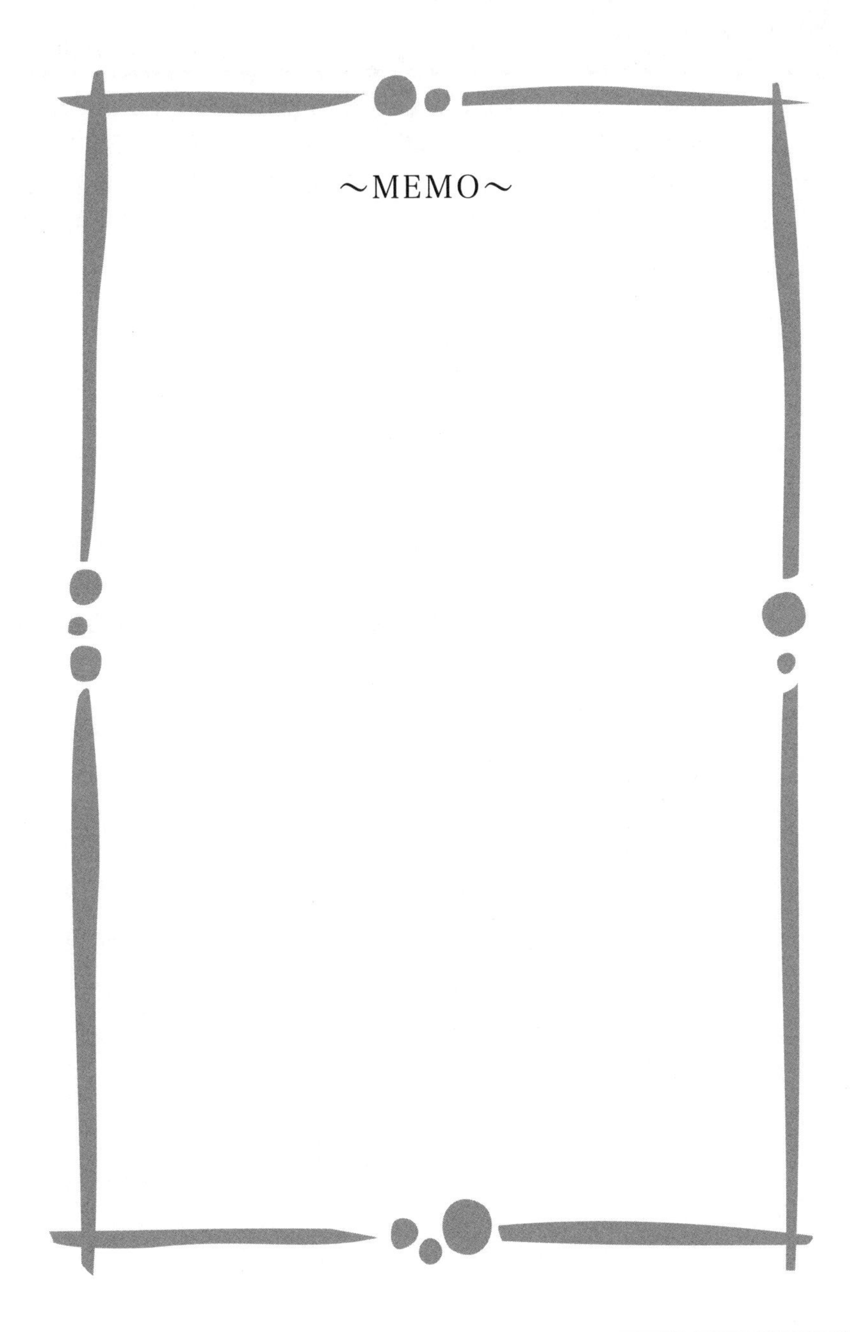
～MEMO～

問20　Check! □□□

(平成29年　B 問題16)

図のように，線間電圧 V [V]，周波数 f [Hz] の対称三相交流電源に，R [Ω] の抵抗とインダクタンス L [H] のコイルからなる三相平衡負荷を接続した交流回路がある．この回路には，スイッチＳを介して，負荷に静電容量 C [F] の三相平衡コンデンサを接続することができる．次の(a)及び(b)の問に答えよ．

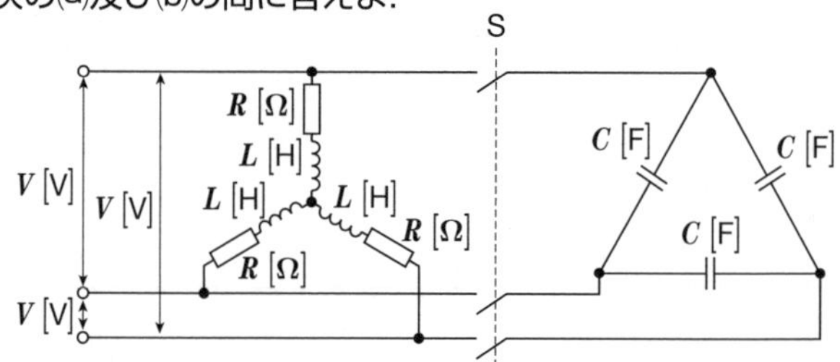

(a)　スイッチＳを開いた状態において，$V=200$ V，$f=50$ Hz，$R=5$ Ω，$L=5$ mH のとき，三相負荷全体の有効電力の値 [W] と力率の値の組合せとして，最も近いものを次の(1)～(5)のうちから一つ選べ．

	有効電力	力率
(1)	2.29×10^3	0.50
(2)	7.28×10^3	0.71
(3)	7.28×10^3	0.95
(4)	2.18×10^4	0.71
(5)	2.18×10^4	0.95

(b)　スイッチＳを閉じてコンデンサを接続したとき，電源からみた負荷側の力率が１になった．

このとき，静電容量 C の値 [F] を示す式として，正しいものを次の(1)～(5)のうちから一つ選べ．

ただし，角周波数を ω [rad/s] とする．

(1)　$C=\dfrac{L}{R^2+\omega^2L^2}$　(2)　$C=\dfrac{\omega L}{R^2+\omega^2L^2}$　(3)　$C=\dfrac{L}{\sqrt{3}(R^2+\omega^2L^2)}$

(4)　$C=\dfrac{L}{3(R^2+\omega^2L^2)}$　(5)　$C=\dfrac{\omega L}{3(R^2+\omega^2L^2)}$

解20 解答 (a)−(3), (b)−(4)

(a) コイルのリアクタンス X は,

$$X = 2\pi \times 50 \times 5 \times 10^{-3} \fallingdotseq 1.571\ \Omega$$

であるから，三相負荷 1 相のインピーダンス Z は,

$$Z = \sqrt{R^2 + X^2} = \sqrt{5^2 + 1.571^2} \fallingdotseq 5.241\ \Omega$$

したがって，求める三相負荷力率 $\cos\varphi$ は,

$$\cos\varphi = \frac{R}{Z} = \frac{5}{5.241} \fallingdotseq 0.9540 \fallingdotseq 0.95$$

また，負荷電流の大きさ I は,

$$I = \frac{V}{\sqrt{3}Z} = \frac{200}{\sqrt{3} \times 5.241} \fallingdotseq 22.032\ \mathrm{A}$$

であるから，求める三相負荷全体の有効電力 P は,

$$P = \sqrt{3}VI\cos\varphi = \sqrt{3} \times 200 \times 22.032 \times 0.9540 \fallingdotseq 7281.03 \fallingdotseq 7.28 \times 10^3\ \mathrm{W}$$

(b) (a)の結果から，三相負荷の無効電力 Q_L は,

$$Q_L = \sqrt{3}VI\sin\varphi = \sqrt{3}V \cdot \frac{V}{\sqrt{3}Z} \cdot \frac{X}{Z} = \frac{X}{Z^2}V^2\ [\mathrm{var}] \quad (\text{遅れ})$$

次に，題意よりコンデンサを接続したとき，電源から見た負荷側の力率が 1 となったことから，コンデンサの無効電力の大きさ Q_C は Q_L に等しく，次式が成立する.

$$Q_C = 3\omega CV^2 = \frac{X}{Z^2}V^2$$

$$C = \frac{X}{3\omega Z^2} = \frac{\omega L}{3\omega(R^2 + \omega^2 L^2)} = \frac{L}{3(R^2 + \omega^2 L^2)}$$

問21 Check! □□□

(平成 25 年 B 問題 15)

図 1 のように，周波数 50〔Hz〕，電圧 200〔V〕の対称三相交流電源に，インダクタンス 7.96〔mH〕のコイルと 6〔Ω〕の抵抗からなる平衡三相負荷を接続した交流回路がある．次の(a)及び(b)の問に答えよ．

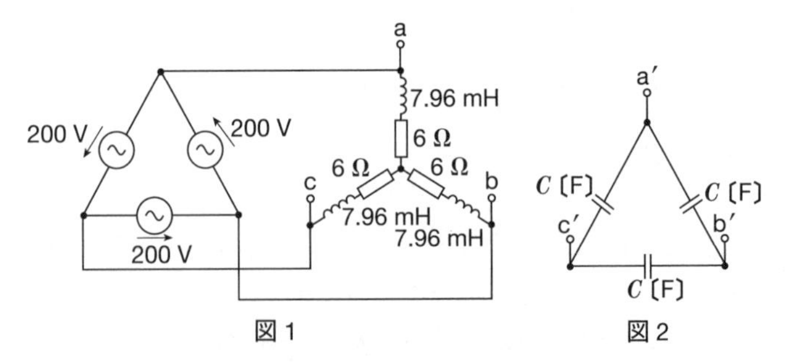

図 1　　図 2

(a)　図 1 において，三相負荷が消費する有効電力 P〔W〕の値として，最も近いものを次の(1)～(5)のうちから一つ選べ．

(1)　1 890　(2)　3 280　(3)　4 020　(4)　5 680　(5)　9 840

(b)　図 2 のように，静電容量 C〔F〕のコンデンサを △ 結線し，その端子 a′，b′ 及び c′ をそれぞれ図 1 の端子 a，b 及び c に接続した．その結果，三相交流電源からみた負荷の力率が 1 になった．静電容量 C〔F〕の値として，最も近いものを次の(1)～(5)のうちから一つ選べ．

(1)　6.28×10^{-5}　(2)　8.88×10^{-5}　(3)　1.08×10^{-4}

(4)　1.26×10^{-4}　(5)　1.88×10^{-4}

解21 解答 (a)−(4), (b)−(1)

(a) 1相分の等価回路は第1図になる.

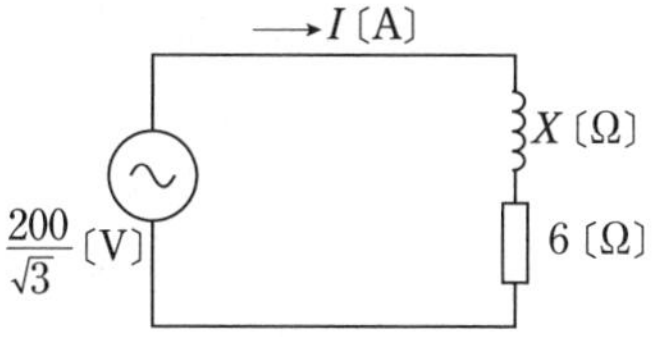

コイルの誘導リアクタンス X は,

$$X=\omega L=2\pi\times 50\times 7.96\times 10^{-3}$$
$$=2.5〔\Omega〕$$

第1図

インピーダンス Z は,

$$Z=\sqrt{6^2+2.5^2}=6.5〔\Omega〕$$

電流 I は,

$$I=\frac{E}{Z}=\frac{\frac{200}{\sqrt{3}}}{6.5}=17.77〔A〕$$

三相負荷が消費する有効電力は,

$$P=3RI^2=3\times 6\times 17.77^2\fallingdotseq 5\,680〔W〕$$

(b) △接続のコンデンサをY接続に変換すると第2図になるので，コンデンサをつなげた後の1相分の等価回路は第3図になる.

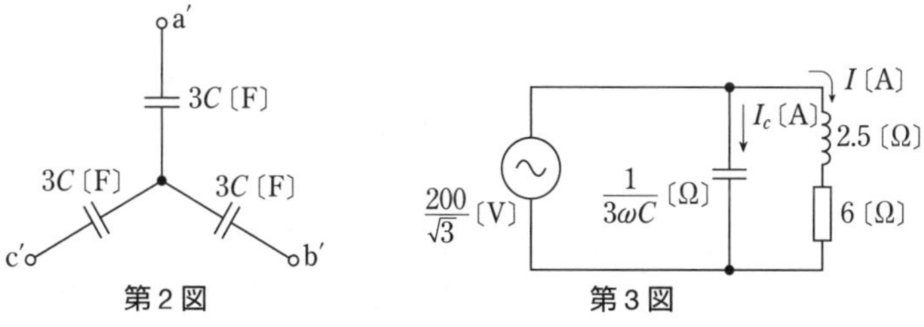

第2図　　第3図

負荷に流れる遅れ電流の無効電流成分は，負荷の力率角を θ とすると,

$$I_q=I\sin\theta=I\times\frac{2.5}{6.5}=17.77\times 0.3846=6.834〔A〕$$

これと同じ電流値がコンデンサに流れれば，電源から見た全体の力率が1になるので,

$$I_c=3\omega CE=6.834〔A〕$$

$$C=\frac{I_c}{3\omega E}=\frac{6.834}{3\times 2\pi\times 50\times 115.5}\fallingdotseq 6.28\times 10^{-5}〔F〕$$

問22 Check! □□□

(平成 27 年 B 問題 17)

図のようなV結線電源と三相平衡負荷とからなる平衡三相回路において，$R = 5\ \Omega$，$L = 16$ mH である．また，電源の線間電圧 e_a [V] は，時刻 t [s] において $e_a = 100\sqrt{6}\sin(100\pi t)$ [V] と表され，線間電圧 e_b [V] は e_a [V] に対して振幅が等しく，位相が 120° 遅れている．ただし，電源の内部インピーダンスは零である．このとき，次の(a)及び(b)の問に答えよ．

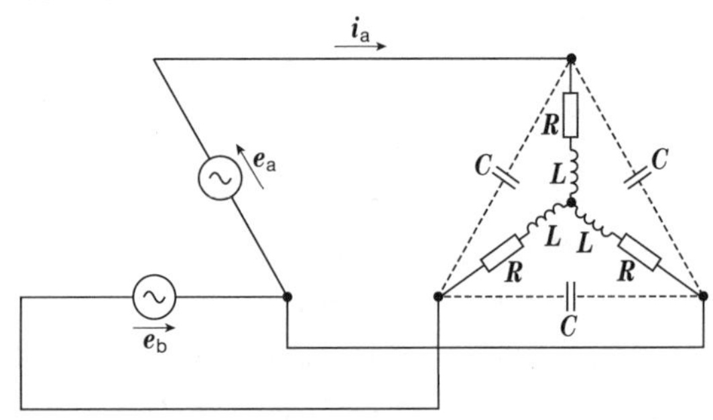

(a) 図の点線で示された配線を切断し，3 個のコンデンサを三相回路から切り離したとき，三相電力 P の値 [kW] として，最も近いものを次の(1)～(5)のうちから一つ選べ．

(1) 1　(2) 3　(3) 6　(4) 9　(5) 18

(b) 点線部を接続することによって同じ特性の 3 個のコンデンサを接続したところ，i_a の波形は e_a の波形に対して位相が 30° 遅れていた．このときのコンデンサ C の静電容量の値 [F] として，最も近いものを次の(1)～(5)のうちから一つ選べ．

(1) 3.6×10^{-5}　(2) 1.1×10^{-4}　(3) 3.2×10^{-4}
(4) 9.6×10^{-4}　(5) 2.3×10^{-3}

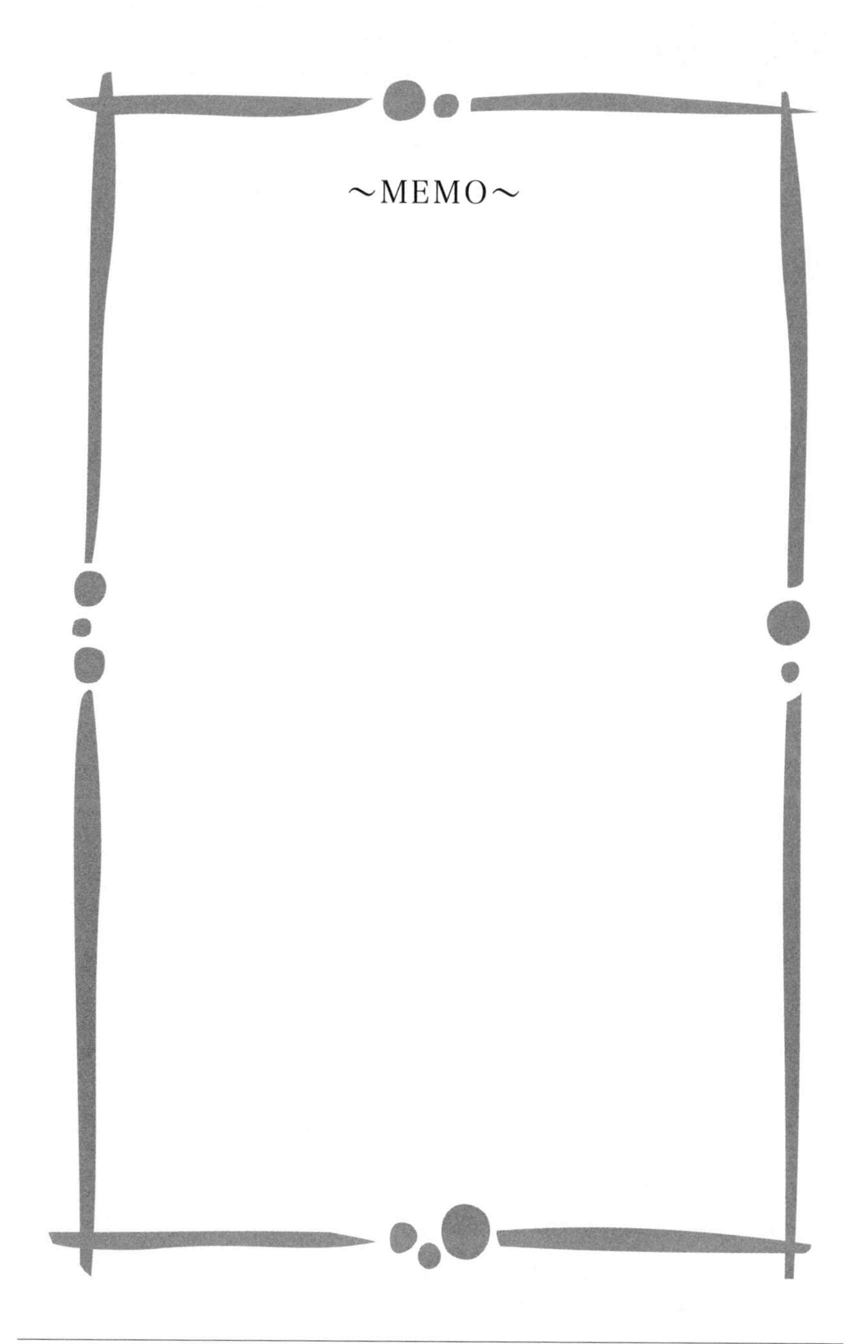
～MEMO～

解22 解答 (a)−(2), (b)−(2)

(a) インダクタンスLのリアクタンスX_Lは，

$$X_L = \omega L = 100\pi \times 16 \times 10^{-3} \fallingdotseq 5.0\ \Omega$$

であるから，三相平衡負荷の1相のインピーダンス$\dot{Z}_Y$は，

$$\dot{Z}_Y = R + jX_L = 5 + j5.0\ \Omega$$

となる．

また，題意より，電源の線間電圧e_aおよびe_bを電圧ベクトル$\dot{E}_a$および$\dot{E}_b$で表現すると題意より，

$$\dot{E}_a = 100\sqrt{3}\angle 0°\ \mathrm{V},\quad \dot{E}_b = 100\sqrt{3}\angle -120°\ \mathrm{V}$$

となる．一方，第1図における電圧$\dot{E}_c$は，

$$\dot{E}_c = -\dot{E}_a - \dot{E}_b = -100\sqrt{3}\angle 0° - 100\sqrt{3}\angle -120° = -100\sqrt{3}(1 + 1\angle -120°)$$

$$= -100\sqrt{3}\left(1 - \frac{1}{2} - j\frac{\sqrt{3}}{2}\right) = 100\sqrt{3}\left(-\frac{1}{2} + j\frac{\sqrt{3}}{2}\right) = 100\sqrt{3}\angle 120°\ \mathrm{V}$$

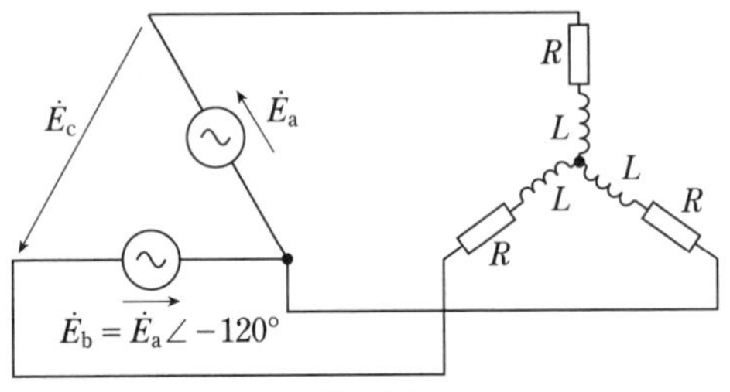

第1図

となって，$\dot{E}_a$，$\dot{E}_b$および$\dot{E}_c$は平衡三相電圧となる．

したがって，第2図のように，

$$\dot{V}_a = \frac{\dot{E}_a}{\sqrt{3}}\angle -30° = 100\angle -30°\ \mathrm{V}$$

$$\dot{V}_b = \frac{\dot{E}_b}{\sqrt{3}}\angle -30° = 100\angle -150°\ \mathrm{V}$$

$$\dot{V}_c = \frac{\dot{E}_c}{\sqrt{3}}\angle -30° = 100\angle 90°\ \mathrm{V}$$

として，Y結線三相平衡電圧$\dot{V}_a$，$\dot{V}_b$および$\dot{V}_c$とすれば，回路電流$\dot{I}_a$の大きさI_aは，

$$I_a = \frac{V_a}{\sqrt{R^2 + X_L{}^2}} = \frac{100}{\sqrt{5^2 + 5^2}} = \frac{100}{5\sqrt{2}} = 10\sqrt{2}\ \mathrm{A}$$

となるから，求める三相電力 P は，

$$P = 3RI_a{}^2 = 3 \times 5 \times (10\sqrt{2})^2 \times 10^{-3} = 3\ \text{kW}$$

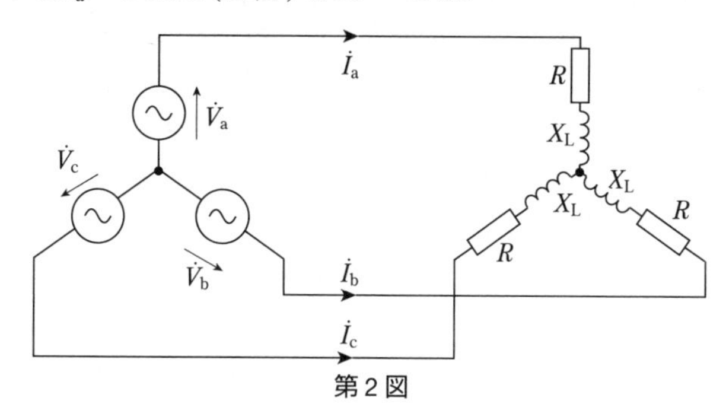

第2図

(b) 題意より，3個のコンデンサ C を接続したとき，i_a の波形が e_a より 30° 遅れ位相となったことから，$\dot{I}_a$ は $\dot{V}_a$ と同位相すなわち，コンデンサを含めた負荷の合成の力率が1になったと考えられる．

ここに，(a)の結果より，$R \fallingdotseq X_L$ であったから，三相平衡負荷の無効電力 Q は，

$$Q \fallingdotseq P = 3\ \text{kvar}\ （遅れ）$$

であるので，接続した3個のコンデンサ全体の無効電力 Q_C は 3 kvar となる．

したがって，求めるコンデンサ C の静電容量は，コンデンサにかかる電圧が線間電圧 $100\sqrt{3}$ V であることを考慮すれば，

$$Q_C = 3 \times \omega CV \times V = 3\omega CV^2$$

$$\therefore \quad C = \frac{Q_C}{3\omega V^2} = \frac{3 \times 10^3}{3 \times 100\pi \times (100\sqrt{3})^2}$$

$$\fallingdotseq 0.000\,106\,1 = 1.061 \times 10^{-4} \fallingdotseq 1.1 \times 10^{-4}\ \text{F}$$

問23 Check! □□□ (平成28年 B 問題15)

図のように，r [Ω] の抵抗6個が線間電圧の大きさ V [V] の対称三相電源に接続されている．b相の×印の位置で断線し，c－a相間が単相状態になったとき，次の(a)及び(b)の問に答えよ．

ただし，電源の線間電圧の大きさ及び位相は，断線によって変化しないものとする．

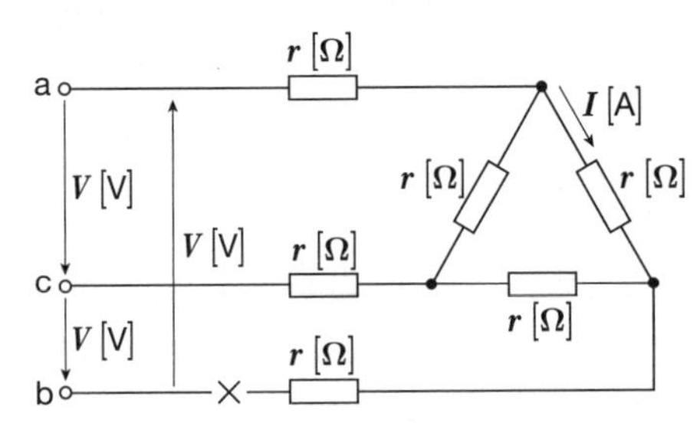

(a) 図中の電流 I の大きさ [A] は，断線前の何倍となるか．その倍率として，最も近いものを次の(1)～(5)のうちから一つ選べ．

(1) 0.50　(2) 0.58　(3) 0.87　(4) 1.15　(5) 1.73

(b) ×印の両側に現れる電圧の大きさ [V] は，電源の線間電圧の大きさ V [V] の何倍となるか．その倍率として，最も近いものを次の(1)～(5)のうちから一つ選べ．

(1) 0　(2) 0.58　(3) 0.87　(4) 1.00　(5) 1.15

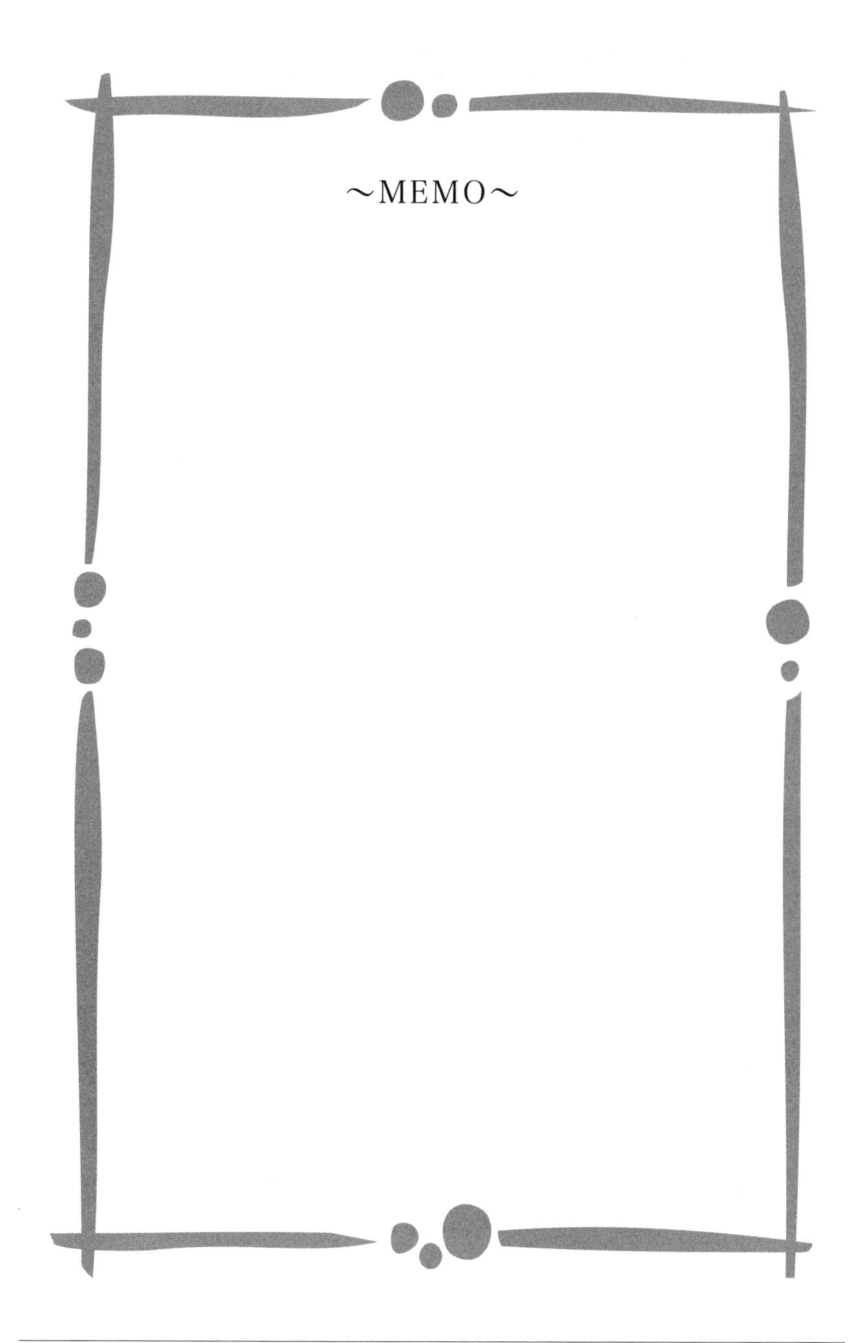
～MEMO～

解23 解答 (a)−(1), (b)−(3)

(a) 断線前の回路の1相当たりの等価回路を描くと第1図のようになる.

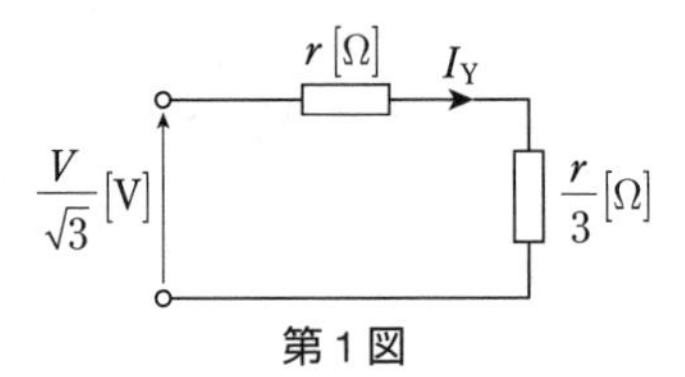

第1図

第1図の線電流 I_Y は,

$$I_Y = \frac{V/\sqrt{3}}{r+(r/3)} = \frac{\sqrt{3}V}{4r} \text{ [A]}$$

であるから, 断線前の△結線された抵抗 r [Ω] を流れる電流 $I_\triangle$ は,

$$I_\triangle = \frac{I_Y}{\sqrt{3}} = \frac{1}{\sqrt{3}} \cdot \frac{\sqrt{3}V}{4r} = \frac{V}{4r} \text{ [A]}$$

次に, b相の×印の位置で断線したときの等価回路を描くと, 第2図のようになる.

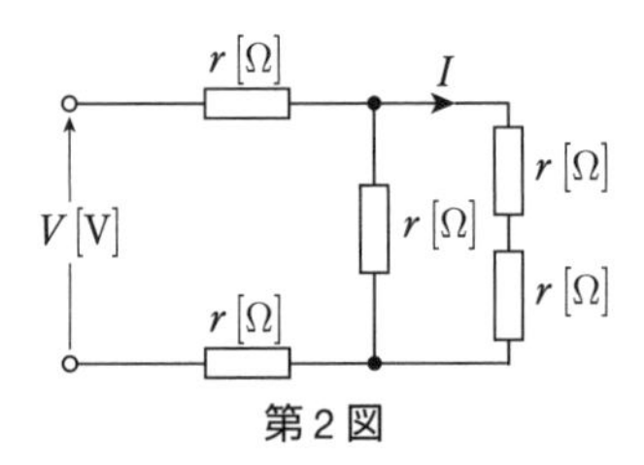

第2図

第2図の電流 I は,

$$I = \frac{V}{2r + \frac{2r \cdot r}{r+2r}} \cdot \frac{r}{r+2r} = \frac{rV}{2r \cdot 3r + 2r^2} = \frac{V}{8r} \text{ [A]}$$

であるから, 電流 I の大きさの断線前の電流 $I_\triangle$ に対する比率 $I/I_\triangle$ は,

$$\frac{I}{I_\triangle} = \frac{V}{8r} \cdot \frac{4r}{V} = \frac{1}{2} = 0.50$$

(b) △結線された抵抗 r を $r/3$ のY結線へ等価変換した回路を描くと, 第3図のようになる.

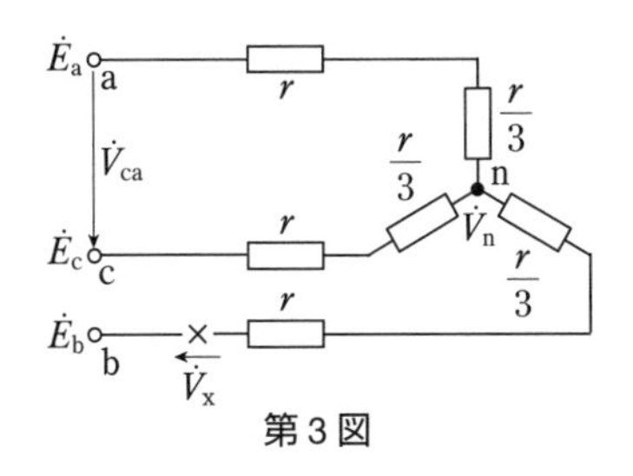

第3図

第3図におけるY結線された抵抗 $r/3$ の中性点をnとし，その電圧を $\dot{V}_n$ とすると，×印の右側の電圧は $\dot{V}_n$ に等しく，また，×印の左側の電圧はb相の相電圧 $\dot{E}_b$ に等しいから，×印の両側に現れる電圧 $\dot{V}_x$ は，$\dot{V}_x = \dot{E}_b - \dot{V}_n$ で表せる．

ここに，第3図の回路における電圧ベクトルを描くと第4図のようになり，$\dot{V}_n$ は $\dot{V}_n = \frac{1}{2}\dot{V}_{ca}$ で与えられるから，ベクトル図より $\dot{V}_x$ の大きさ V_x は，次のように表せる．

$$V_x = \frac{\sqrt{3}}{2}V_{ca} = \frac{\sqrt{3}}{2}V$$

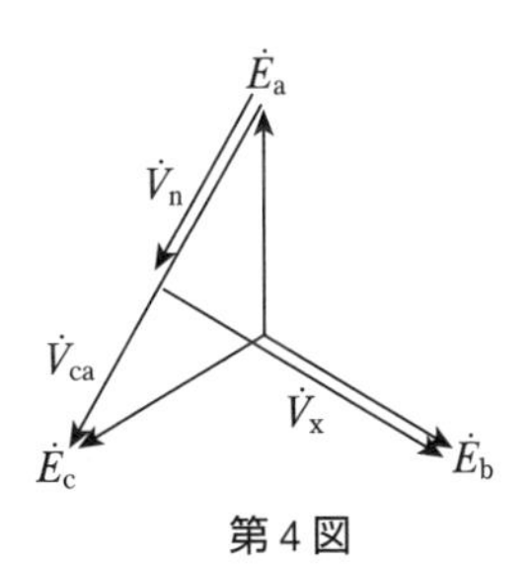

第4図

したがって，求める×印の両側に現れる電圧の大きさ V_x の線間電圧 V に対する比 V_x/V は，

$$\frac{V_x}{V} = \frac{\sqrt{3}}{2} \fallingdotseq 0.866\,0 \fallingdotseq 0.87$$

第6章 電気計測

●計算
・測定誤差
・分流器・倍率器・分圧器
・二電力計法
・波形の実効値・平均値
・電気計測に関するいろいろな計算

●論説・空白
・有効数字と単位の扱い
・各種指示計器
・データ変換
・センサの原理

問1 Check! □□□

(平成28年 B 問題16)

図のような回路において，抵抗 R の値 [Ω] を電圧降下法によって測定した．この測定で得られた値は，電流計 I = 1.600 A，電圧計 V = 50.00 V であった．次の(a)及び(b)の問に答えよ．

ただし，抵抗 R の真の値は 31.21 Ω とし，直流電源，電圧計及び電流計の内部抵抗の影響は無視できるものである．また，抵抗 R の測定値は有効数字 4 桁で計算せよ．

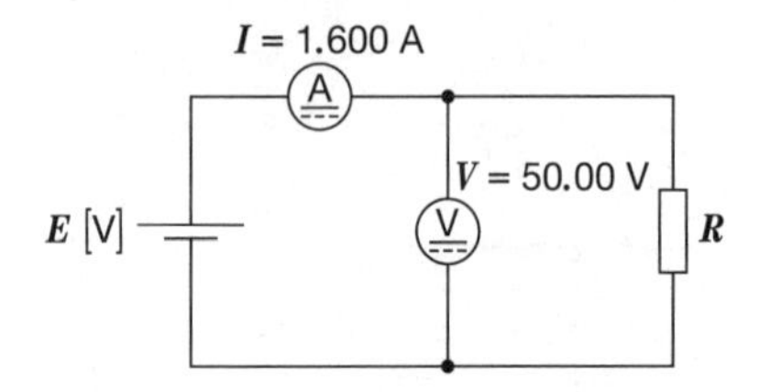

(a) 抵抗 R の絶対誤差 [Ω] として，最も近いものを次の(1)～(5)のうちから一つ選べ．

(1) 0.004　(2) 0.04　(3) 0.14　(4) 0.4　(5) 1.4

(b) 絶対誤差の真の値に対する比率を相対誤差という．これを百分率で示した，抵抗 R の百分率誤差（誤差率）[%] として，最も近いものを次の(1)～(5)のうちから一つ選べ．

(1) 0.0013　(2) 0.03　(3) 0.13　(4) 0.3　(5) 1.3

解1 解答 (a)−(2), (b)−(3)

(a) 題意より，抵抗 R の測定値 R_M は，

$$R_M = \frac{V}{I} = \frac{50.00}{1.600} = 31.25\ \Omega$$

であるから，求める絶対誤差 ε は，

$$\varepsilon = R_M - R_T = 31.25 - 31.21 = 0.04\ \Omega$$

(b) 題意より，百分率誤差 $\%\varepsilon$ は，

$$\%\varepsilon = \frac{\varepsilon}{R_T} \times 100 = \frac{0.04}{31.21} \times 100 \fallingdotseq 0.128\,2 \fallingdotseq 0.13\ \%$$

問2 Check! □□□

（令和５年㊦　Ⓑ問題 16）

図のように，電源 E [V]，負荷抵抗 R [Ω]，内部抵抗 R_v [kΩ] の電圧計及び内部抵抗 R_a [Ω] の電流計を接続した回路がある．この回路において，電圧計及び電流計の指示値がそれぞれ V_1 [V]，I_1 [A] であるとき，次の(a)及び(b)の問に答えよ．ただし，電圧計と電流計の指示値の積を負荷抵抗 R [Ω] の消費電力の測定値とする．

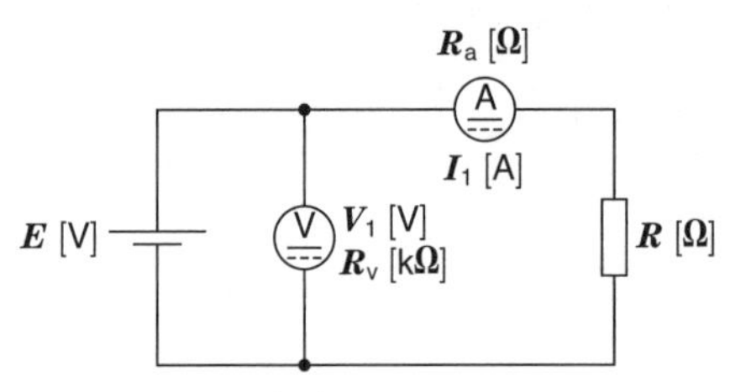

(a) 電流計の電力損失の値 [W] を表す式として，正しいものを次の(1)～(5)のうちから一つ選べ．

(1) $\dfrac{V_1^2}{R_a}$　　(2) $\dfrac{V_1^2}{R_a} - I_1^2 R_a$　　(3) $\dfrac{V_1^2}{R_v} + I_1^2 R_a$

(4) $I_1^2 R_a$　　(5) $I_1^2 R_a - I_1^2 R_v$

(b) 今，負荷抵抗 $R = 320$ Ω，電流計の内部抵抗 $R_a = 4$ Ω が分かっている．

この回路で得られた負荷抵抗 R [Ω] の消費電力の測定値 $V_1 I_1$ [W] に対して，R [Ω] の消費電力を真値とするとき，誤差率の値 [%] として，最も近いものを次の(1)～(5)のうちから一つ選べ．

(1) 0.3　　(2) 0.8　　(3) 0.9　　(4) 1.0　　(5) 1.2

解2 解答 (a)－(4), (b)－(5)

(a) 電流計には，I_1 [A] の電流が流れるから，電流計の電力損失の値は，$\boldsymbol{R_a I_1^2}$ [W] で表せる．

(b) 題意より，電圧計の指示値 V_1 は，

$$V_1 = (R + R_a)I_1 \text{ [V]}$$

R の消費電力の真値は RI_1^2 [W] であるから，誤差率 ε は，

$$\varepsilon = \frac{V_1 I_1 - RI_1^2}{RI_1^2} = \frac{(R + R_a)I_1^2 - RI_1^2}{RI_1^2}$$

$$= \frac{R_a}{R} = \frac{4}{320} = 0.0125 = 1.25 \to 1.2\ \%$$

誤差率は真値が明確になっていないことも多いため，令和 3 年度問 16 の解答のように求めることもある．

問3 Check! □□□

（令和３年 Ⓑ問題 16）

図のように，電源 E [V]，負荷抵抗 R [Ω]，内部抵抗 R_v [Ω] の電圧計及び内部抵抗 R_a [Ω] の電流計を接続した回路がある．この回路において，電圧計及び電流計の指示値がそれぞれ V_1 [V]，I_1 [A] であるとき，次の(a)及び(b)の問に答えよ．ただし，電圧計と電流計の指示値の積を負荷抵抗 R [Ω] の消費電力の測定値とする．

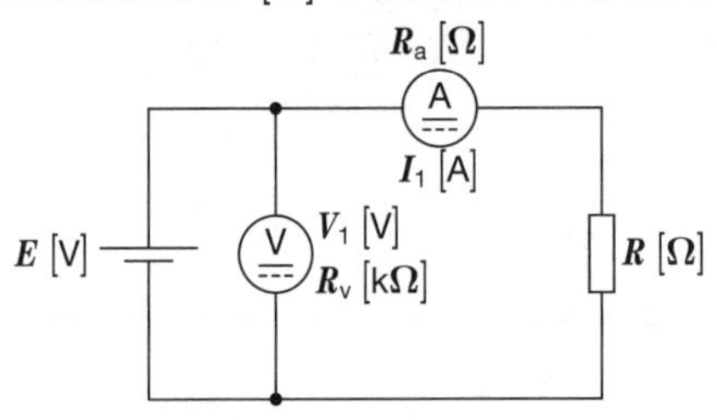

(a) 電流計の電力損失の値 [W] を表す式として，正しいものを次の(1)～(5)のうちから一つ選べ．

(1) $\dfrac{V_1^2}{R_a}$　(2) $\dfrac{V_1^2}{R_a}-I_1^2R_a$　(3) $\dfrac{V_1^2}{R_v}+I_1^2R_a$

(4) $I_1^2R_a$　(5) $I_1^2R_a-I_1^2R_v$

(b) 今，負荷抵抗 $R=320$ Ω，電流計の内部抵抗 $R_a=4$ Ω が分かっている．

この回路で得られた負荷抵抗 R [Ω] の消費電力の測定値 V_1I_1 [W] に対して，R [Ω] の消費電力を真値とするとき，誤差率の値 [%] として最も近いものを次の(1)～(5)のうちから一つ選べ．

(1) 0.3　(2) 0.8　(3) 0.9　(4) 1.0　(5) 1.2

解3 解答 (a)−(4), (b)−(5)

(a) 電流計には，I_1 [A] の電流が流れるから，電流計の電力損失の値は，$R_a I_1^2$ [W] で表せる．

(b) 題意より，電圧計の指示値 V_1 は，

$$V_1 = (R + R_a)I_1 = (320 + 4)I_1 = 324I_1 \text{ [V]}$$

であるから，R の消費電力の測定値 V_1I_1 は，

$$V_1I_1 = 324I_1^2 \text{ [W]}$$

一方，R の消費電力の真値は，

$$RI_1^2 = 320I_1^2 \text{ [W]}$$

で表せるから，測定値 V_1I_1 に対して R の消費電力を真値とするとき，誤差率 ε は，

$$\varepsilon = \frac{324I_1^2 - 320I_1^2}{320I_1^2} \times 100 \fallingdotseq 1.234\,6 \fallingdotseq 1.2\ \%$$

問4 Check! □□□ （平成19年 A 問題14）

次の文章は，電圧計と電流計を用いて抵抗負荷の直流電力を測定する場合について述べたものである．

電源 E〔V〕，負荷抵抗 R〔Ω〕，内部抵抗 R_v〔Ω〕の電圧計及び内部抵抗 R_a〔Ω〕の電流計を，それぞれ図1，図2のように結線した．図1の電圧計及び電流計の指示値はそれぞれ V_1〔V〕，I_1〔A〕，図2の電圧計及び電流計の指示値はそれぞれ V_2〔V〕，I_2〔A〕であった．

図1の回路では，測定で求めた電力 V_1I_1〔W〕には，計器の電力損失 (ア) 〔W〕が誤差として含まれ，図2の回路では，測定で求めた電力 V_2I_2〔W〕には，同様に (イ) 〔W〕が誤差として含まれる．

したがって，$R_v = 10$〔kΩ〕，$R_a = 2$〔Ω〕，$R = 160$〔Ω〕であるときは， (ウ) の回路を利用する方が，電力測定の誤差率を小さくできる．

ただし，計器の電力損失に対する補正は行わないものとする．

上記の記述中の空白箇所(ア)，(イ)及び(ウ)に当てはまる語句又は式として，正しいものを組み合わせたのは次のうちどれか．

	(ア)	(イ)	(ウ)
(1)	$\dfrac{V_1^2}{R_v}$	$I_2^2R_a$	図2
(2)	$I_1^2R_a$	$\dfrac{V_2^2}{R_v}$	図1
(3)	$I_1^2R_a$	$\dfrac{V_2^2}{R_v}$	図2
(4)	$\dfrac{V_1^2}{R_v}$	$I_2^2R_a$	図1
(5)	$I_1R_a^2$	$\dfrac{V_2^2}{R_v}$	図2

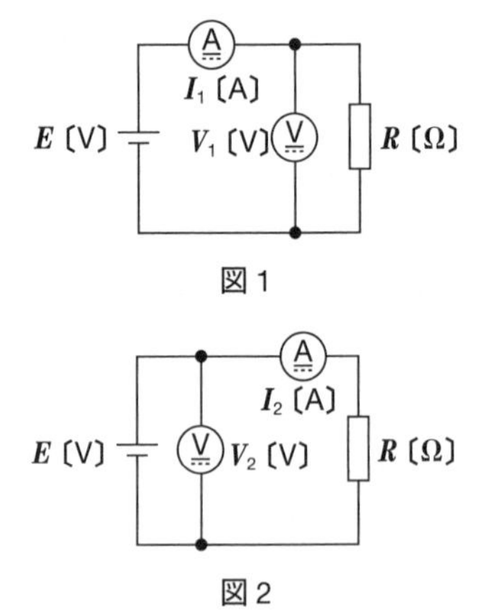

図1
図2

解4 解答 (1)

図1の回路では，電圧計の内部抵抗 R_v による電力損失が誤差として含まれるから，(ア)の測定誤差 $\varDelta P_1$ は，

$$\varDelta P_1 = \frac{V_1^2}{R_v} \text{〔W〕}$$

となる．次に図2の回路では，電流計の内部抵抗 R_a による電力損失が誤差として含まれるから，(イ)の測定誤差 $\varDelta P_2$ は次式となる．

$$\varDelta P_2 = R_a I_2^2 \text{〔W〕}$$

いま，題意より，$R_v = 10$〔kΩ〕，$R_a = 2$〔Ω〕，$R = 160$〔Ω〕であるから，図1の回路の電圧 V_1 は，

$$V_1 = \frac{\dfrac{R_v R}{R_v + R}}{R_a + \dfrac{R_v R}{R_v + R}} E = \frac{\dfrac{10\,000 \times 160}{10\,000 + 160}}{2 + \dfrac{10\,000 \times 160}{10\,000 + 160}} E \fallingdotseq \frac{157.48}{2 + 157.48} E \fallingdotseq 0.9875E \text{〔V〕}$$

となり，測定誤差 $\varDelta P_1$ は，

$$\varDelta P_1 = \frac{(0.9875E)^2}{10\,000} \fallingdotseq 9.75 \times 10^{-5} E^2 \text{〔W〕}$$

一方，図2の回路の電流 I_2 は，

$$I_2 = \frac{E}{R_a + R} = \frac{E}{2 + 160} = \frac{E}{162} \text{〔A〕}$$

であるから，測定誤差 $\varDelta P_2$ は，

$$\varDelta P_2 = R_a I_2^2 = 2 \times \frac{E^2}{162^2} \fallingdotseq 7.62 \times 10^{-5} E^2 \text{〔W〕}$$

したがって，$\varDelta P_2 < \varDelta P_1$ であるから，図2の回路を利用する方がよいことになる．

問5 Check! □□□

（令和５年㊤ Ⓑ問題 16）

内部抵抗が 15 kΩ の 150 V 測定端子と内部抵抗が 10 kΩ の 100 V 測定端子をもつ永久磁石可動コイル形直流電圧計がある．この直流電圧計を使用して，図のように，電流 I [A] の定電流源で電流を流して抵抗 R の両端の電圧を測定した．

測定Ⅰ：150 V の測定端子で測定したところ，直流電圧計の指示値は 101.0 V であった．

測定Ⅱ：100 V の測定端子で測定したところ，直流電圧計の指示値は 99.00 V であった．

次の(a) 及び(b)の問に答えよ．

ただし，測定に用いた機器の指示値に誤差はないものとする．

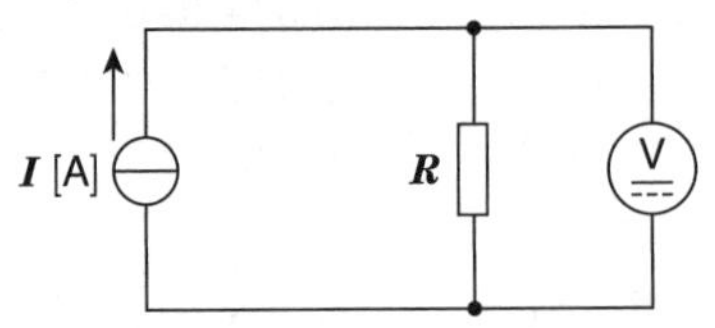

(a) 抵抗 R の抵抗値 [Ω] として，最も近いものを次の(1)～(5)のうちから一つ選べ．

(1) 241 (2) 303 (3) 362 (4) 486 (5) 632

(b) 電流 I の値 [A] として，最も近いものを次の(1)～(5)のうちから一つ選べ．

(1) 0.08 (2) 0.17 (3) 0.25 (4) 0.36 (5) 0.49

解5 解答 (a)－(5), (b)－(2)

(a) 抵抗 R の値を R [kΩ] とする．

測定Ⅰの結果から次式が成立する．

$$\frac{15}{R+15}IR = 0.101\,\text{kV} \quad ①$$

また，測定Ⅱの結果から次式が成立する．

$$\frac{10}{R+10}IR = 0.099\,\text{kV} \quad ②$$

①式を②式で辺々除すると，

$$\frac{15}{R+15}\times\frac{R+10}{10} = \frac{0.101}{0.099}$$

$$R+10 = \frac{0.101}{0.099}\times\frac{10}{15}\times(R+15)$$

$$R+10 \fallingdotseq 0.680\,13R + 10.202\,02$$

$$R = \frac{10.202\,02-10}{1-0.680\,13} = 0.631\,6\,\text{k}\Omega \fallingdotseq 632\ \Omega$$

(b) 電流 I の値は，測定Ⅰの結果から，

$$I = \frac{101.0}{631.6} + \frac{101.0}{15\times10^{3}} \fallingdotseq 0.166\,6 \fallingdotseq 0.17\ \text{A}$$

問6 Check! □□□

（平成30年 B 問題18）

内部抵抗が 15 kΩ の 150 V 測定端子と内部抵抗が 10 kΩ の 100 V 測定端子をもつ永久磁石可動コイル形直流電圧計がある．この直流電圧計を使用して，図のように，電流 I [A] の定電流源で電流を流して抵抗 R の両端の電圧を測定した．

測定Ⅰ：150 V の測定端子で測定したところ，直流電圧計の指示値は 101.0 V であった．

測定Ⅱ：100 V の測定端子で測定したところ，直流電圧計の指示値は 99.00 V であった．

次の(a)及び(b)の問に答えよ．

ただし，測定に用いた機器の指示値に誤差はないものとする．

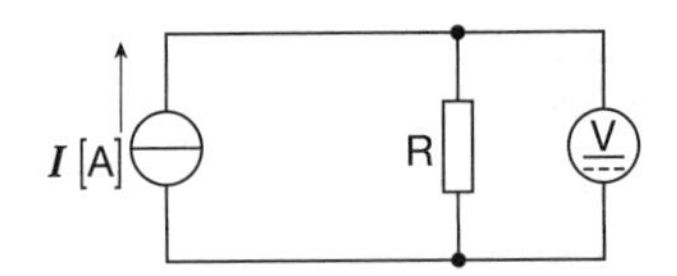

(a) 抵抗 R の抵抗値 [Ω] として，最も近いものを次の(1)～(5)のうちから一つ選べ．

(1) 241　(2) 303　(3) 362　(4) 486　(5) 632

(b) 電流 I の値 [A] として，最も近いものを次の(1)～(5)のうちから一つ選べ．

(1) 0.08　(2) 0.17　(3) 0.25　(4) 0.36　(5) 0.49

解6 解答 (a)−(5), (b)−(2)

(a) 測定Ⅰの結果より，抵抗 R および電流 I について次式が成立する．

$$I=\frac{101.0}{R}+\frac{101.0}{15\times10^{3}}\doteqdot\frac{101.0}{R}+0.006\,733 \tag{1}$$

(b) 測定Ⅱの結果より，抵抗 R および電流 I について次式が成立する．

$$I=\frac{99.00}{R}+\frac{99.00}{10\times10^{3}}=\frac{99.00}{R}+0.009\,9 \tag{2}$$

(1)式＝(2)式より，

$$\frac{101.0}{R}+0.006\,733=\frac{99.00}{R}+0.009\,9$$

$$\frac{2.00}{R}=0.003\,167$$

$$R=\frac{2.00}{0.003\,167}\doteqdot631.512\,5\doteqdot632\ \Omega$$

次に，$R\doteqdot631.512\,5\ \Omega$ を(2)式へ代入すると，

$$I=\frac{99.00}{631.512\,5}+0.009\,9\doteqdot0.166\,7\doteqdot0.167\ \mathrm{A}$$

問7 Check! □□□ （令和2年 B問題16）

最大目盛 150 V，内部抵抗 18 kΩ の直流電圧計 V_1 と最大目盛 300 V，内部抵抗 30 kΩ の直流電圧計 V_2 の二つの直流電圧計がある．ただし，二つの直流電圧計は直動式指示電気計器を使用し，固有誤差はないものとする．次の(a)及び(b)の問に答えよ．

(a) 二つの直流電圧計を直列に接続して使用したとき，測定できる電圧の最大の値 [V] として，最も近いものを次の(1)～(5)のうちから一つ選べ．

(1) 150　(2) 225　(3) 300　(4) 400　(5) 450

(b) 次に，直流電圧 450 V の電圧を測定するために，二つの直流電圧計の指示を最大目盛にして測定したい．そのためには，直流電圧計 (ア) に，抵抗 (イ) kΩ を (ウ) に接続し，これに直流電圧計 (エ) を直列に接続する．このように接続して測定することで，各直流電圧計の指示を最大目盛にして測定をすることができる．

上記の記述中の空白箇所(ア)～(エ)に当てはまる組合せとして，正しいものを次の(1)～(5)のうちから一つ選べ．

	(ア)	(イ)	(ウ)	(エ)
(1)	V_1	90	直列	V_2
(2)	V_1	90	並列	V_2
(3)	V_2	90	並列	V_1
(4)	V_1	18	並列	V_2
(5)	V_2	18	直列	V_1

解7 解答 (a)−(4), (b)−(2)

(a) 直流電圧計 $\mathrm{V_1}$ および $\mathrm{V_2}$ に流し得る最大電流 $I_{1\mathrm{m}}$ および $I_{2\mathrm{m}}$ はそれぞれ,

$$I_{1\mathrm{m}} = \frac{150}{18} \fallingdotseq 8.333\ \mathrm{mA}$$

$$I_{2\mathrm{m}} = \frac{300}{30} = 10\ \mathrm{mA}$$

であるから，直流電圧計 $\mathrm{V_1}$ および $\mathrm{V_2}$ を直列に接続して使用したときに流し得る電流は $I_{1\mathrm{m}} = 8.333\ \mathrm{mA}$ となる．

したがって，測定できる最大の電圧 V_m は,

$$V_\mathrm{m} = (18 + 30) \times 8.333 = 399.984 \fallingdotseq 400\ \mathrm{V}$$

(b) 直流電圧計 $\mathrm{V_1}$ および $\mathrm{V_2}$ を直列に接続し，二つの電圧計の指示を最大目盛にして測定するためには，直流電圧計 $\mathrm{V_1}$ の回路に $\mathrm{V_2}$ の最大電流 $I_{2\mathrm{m}} = 10\ \mathrm{mA}$ を流す必要がある．このためには，直流電圧計 $\mathrm{V_1}$ 自身に流し得る最大電流 $I_{1\mathrm{m}}$ との差,

$$I_{2\mathrm{m}} - I_{1\mathrm{m}} = 10 - 8.333 = 1.667\ \mathrm{mA}$$

の電流を電圧計 $\mathrm{V_1}$ に並列に接続した分流器 R_sh に流せばよい．この場合，分流器 R_sh にかかる電圧は 150 V であるから, 接続すべき分流器の抵抗 R_sh の値は,

$$R_\mathrm{sh} = \frac{150}{1.667} \fallingdotseq 89.982 \fallingdotseq 90\ \mathrm{k\Omega}$$

問8 Check! □□□ (平成22年 Ⓐ問題14)

次の文章は，直流電流計の測定範囲拡大について述べたものである．

内部抵抗 $r = 10$〔mΩ〕，最大目盛0.5〔A〕の直流電流計Mがある．この電流計と抵抗 R_1〔mΩ〕及び R_2〔mΩ〕を図のように結線し，最大目盛が1〔A〕と3〔A〕からなる多重範囲電流計を作った．この多重範囲電流計において，端子3Aと端子＋を使用する場合，抵抗 (ア) 〔mΩ〕が分流器となる．端子1Aと端子＋を使用する場合には，抵抗 (イ) 〔mΩ〕が倍率 (ウ) 倍の分流器となる．また，3〔A〕を最大目盛とする多重範囲電流計の内部抵抗は (エ) 〔mΩ〕となる．

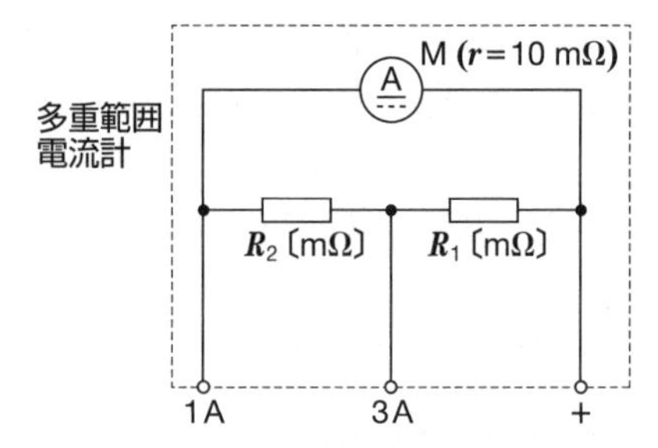

上記の記述中の空白箇所(ア)，(イ)，(ウ)及び(エ)に当てはまる式又は数値として，正しいものを組み合わせたのは次のうちどれか．

	(ア)	(イ)	(ウ)	(エ)
(1)	R_2	R_1	$\dfrac{10+R_2}{R_1}+1$	$\dfrac{20}{3}$
(2)	R_1	R_1+R_2	$\dfrac{10+R_2}{R_1}$	$\dfrac{25}{9}$
(3)	R_2	R_1+R_2	$\dfrac{10}{R_1+R_2}+1$	5
(4)	R_1	R_2	$\dfrac{10}{R_1+R_2}$	$\dfrac{10}{3}$
(5)	R_1	R_1+R_2	$\dfrac{10}{R_1+R_2}+1$	$\dfrac{25}{9}$

解8　解答 (5)

(i)　端子 3A と端子＋を使用し，最大電流 3〔A〕を計測する場合

この場合の等価回路は，第 1 図のようになる．

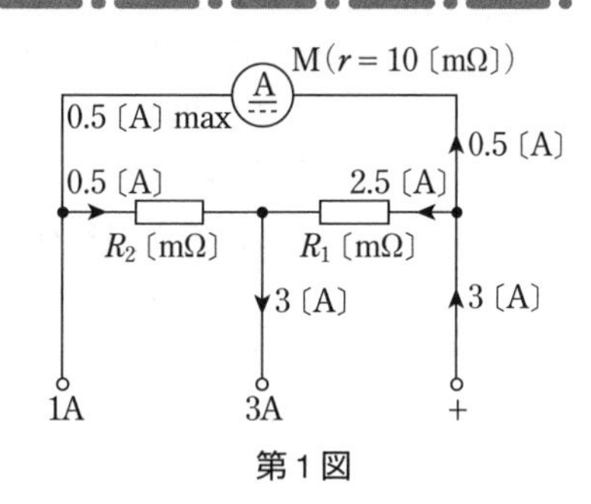

第 1 図

したがって，抵抗 R_1〔mΩ〕が分流器となり，この場合，電流計回路において，次式が成立する．

$$10+R_2=\frac{2.5}{0.5}R_1$$

$$5R_1=10+R_2$$

$$5R_1-R_2=10 \qquad ①$$

(ii)　端子 1A と端子＋を使用し，最大電流 1〔A〕を計測する場合

この場合の等価回路は，第 2 図のようになる．したがって，抵抗 R_1+R_2〔mΩ〕が分流器となり，その倍率 m は，

$$m=\frac{10}{R_1+R_2}+1=2\text{〔倍〕}$$

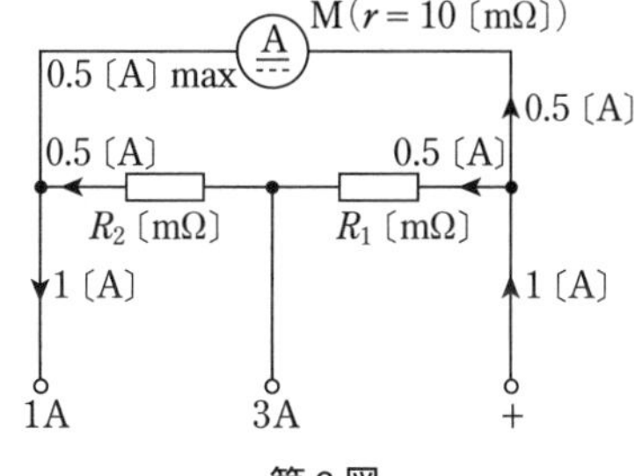

第 2 図

となる．また，抵抗 R_1 および R_2 について，次式が成立する．

$$R_1+R_2=10 \qquad ②$$

以上から，①式＋②式を計算すると，

$$6R_1=20$$

$$\therefore\quad R_1=\frac{20}{6}=\frac{10}{3}\text{〔mΩ〕}$$

②式より，以下が求められる．

$$R_2=10-R_1=10-\frac{10}{3}=\frac{20}{3}\text{〔mΩ〕}$$

したがって，3〔A〕を最大目盛とする多重範囲電流計の内部抵抗 r は，第 1 図より，

$$r=\frac{R_1(R_2+10)}{R_1+R_2+10}=\frac{\frac{10}{3}\times\left(\frac{20}{3}+10\right)}{\frac{10}{3}+\frac{20}{3}+10}=\frac{\frac{500}{9}}{20}=\frac{25}{9}\text{〔mΩ〕}$$

となる．

問9 Check! □□□ (平成 24 年 B 問題 17)

直流電圧計について，次の(a)及び(b)の問に答えよ．

(a) 最大目盛 1〔V〕，内部抵抗 r_v = 1 000〔Ω〕の電圧計がある．この電圧計を用いて最大目盛 15〔V〕の電圧計とするための，倍率器の抵抗 R_m〔kΩ〕の値として，正しいものを次の(1)～(5)のうちから一つ選べ．

(1) 12　(2) 13　(3) 14　(4) 15　(5) 16

(b) 図のような回路で上記の最大目盛 15〔V〕の電圧計を接続して電圧を測ったときに，電圧計の指示〔V〕はいくらになるか．最も近いものを次の(1)～(5)のうちから一つ選べ．

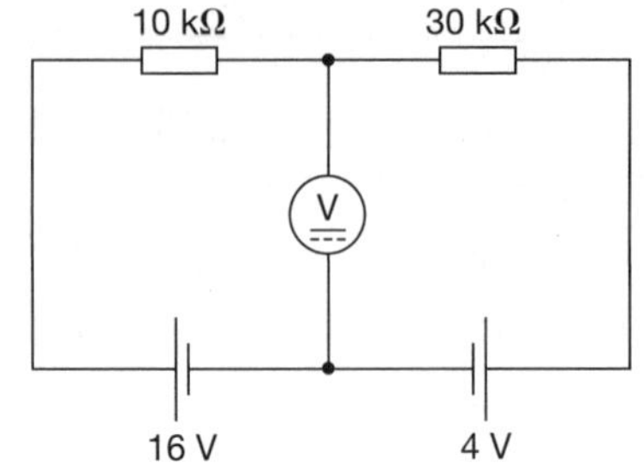

(1) 7.2　(2) 8.7　(3) 9.4　(4) 11.3　(5) 13.1

解9 解答 (a)－(3), (b)－(2)

(a) 図のように，内部抵抗 r_v〔Ω〕，最大目盛 V_v〔V〕の直流電圧計に，抵抗 R_m〔Ω〕の倍率器を直列に接続し，最大目盛 V_m〔V〕の電圧計としたとき，電圧計回路において次式が成立する．

$$V_m = \frac{r_v + R_m}{r_v} V_v$$

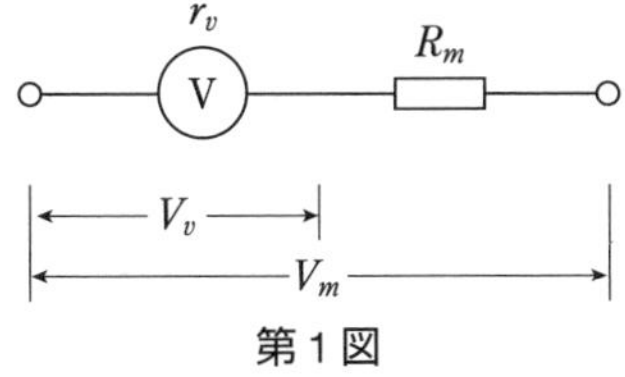

第1図

したがって，倍率器の抵抗 R_m は，

$$R_m = \frac{V_m}{V_v} r_v - r_v = \left(\frac{V_m}{V_v} - 1\right) r_v \text{〔Ω〕}$$

で表せる．

したがって，求める倍率器の抵抗 R_m は，上式へ，$V_v = 1$〔V〕，$r_v = 1\,000$〔Ω〕，$V_m = 15$〔V〕を代入すると，

$$R_m = \left(\frac{15}{1} - 1\right) \times 1\,000 = 14\,000\text{〔Ω〕} = 14\text{〔kΩ〕}$$

(b) 問題の回路の等価回路を描くと，**第2図**のようになる．

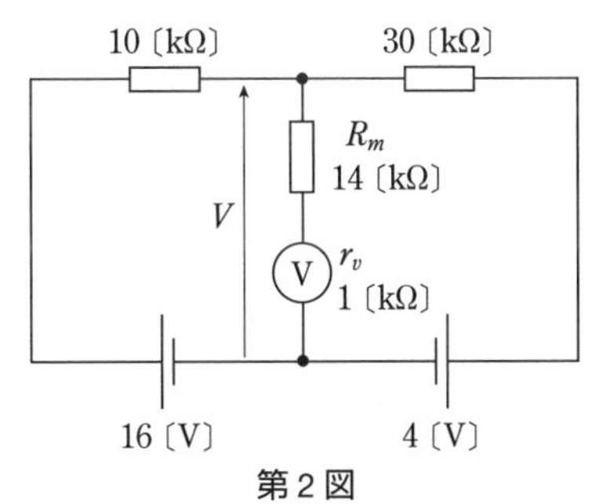

第2図

ここで，ミルマンの定理より，等価回路に示した電圧すなわち，電圧計の指示値は，次式で求められる．

$$V = \frac{\dfrac{16}{10} + \dfrac{4}{30}}{\dfrac{1}{10} + \dfrac{1}{15} + \dfrac{1}{30}} = \frac{\dfrac{52}{30}}{\dfrac{6}{30}} = \frac{52}{6} \fallingdotseq 8.67\text{〔V〕}$$

問10 Check! □□□ (令和4年㊦ B 問題16)

最大目盛 50 A，内部抵抗 0.8×10^{-3} Ω の直流電流計 A_1 と最大目盛 100 A，内部抵抗 0.32×10^{-3} Ω の直流電流計 A_2 の二つの直流電流計がある．次の(a)及び(b)の問に答えよ．

ただし，二つの直流電流計は直読式指示電気計器であるとし，固有誤差はないものとする．

(a) 二つの直流電流計を並列に接続して使用したとき，測定できる電流の最大の値 [A] として，最も近いものを次の(1)～(5)のうちから一つ選べ．

(1) 40 (2) 50 (3) 100 (4) 132 (5) 140

(b) 小問(a)での接続を基にして，直流電流 150 A の電流を測定するために，二つの直流電流計の指示を最大目盛にして測定したい．そのためには，直流電流計 A_2 に抵抗 R [Ω] を直列に接続することで，各直流電流計の指示を最大目盛にして測定することができる．抵抗 R の値 [Ω] として，最も近いものを次の(1)～(5)のうちから一つ選べ．

(1) 3.2×10^{-5} (2) 5.6×10^{-5} (3) 8×10^{-5}
(4) 11.2×10^{-5} (5) 13.6×10^{-5}

解10 解答 (a)－(5), (b)－(3)

(a) 問題の電流計 2 個を並列接続した回路は図のとおり．この図で，二つの電流計の内部抵抗の比

$$\frac{0.8}{0.32}=2.5$$

より，電流計 A_2 には，電流計 A_1 の 2.5 倍の電流が流れる．

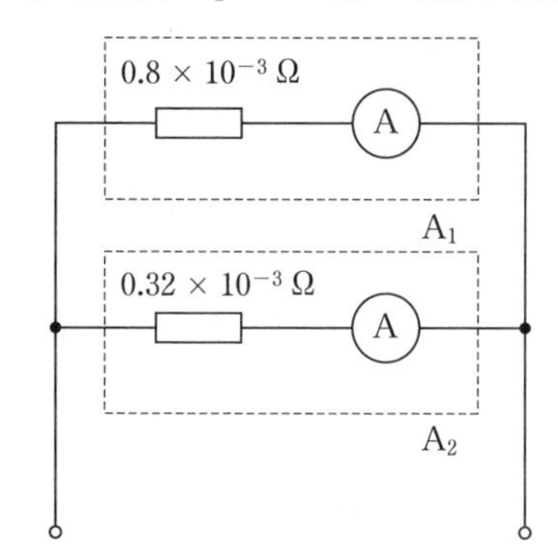

よって，電流計 A_2 が 100 A でフルスケールとなったとき，

$$\frac{100}{2.5}=40\ \text{A}$$

より，電流計 A_1 には 40 A が流れる．

したがって，測定できる電流の最大の値 [A] は，

$$100+40=\mathbf{140\ A}$$

(b) 直流電流 150 A が流れたときに二つの直流電流計の指示が両方とも最大目盛値となる状態，すなわち，A_1 に 50 A，A_2 に 100 A が流れる状態にするには，A_1 と A_2 の内部抵抗の比を

A_1 の内部抵抗：A_2 の内部抵抗 $=100:50=2:1$

とすればよい．

A_1 の内部抵抗は 0.8×10^{-3} であるから，このときの A_2 の内部抵抗は，

$$0.8\times10^{-3}\times\frac{1}{2}=0.4\times10^{-3}\ \Omega$$

よって，直列に接続する抵抗 R [Ω] の値は，

$$0.4\times10^{-3}-0.32\times10^{-3}=0.08\times10^{-3}=\mathbf{8\times10^{-5}}\ \Omega$$

問11 Check! □□□

(平成19年 B 問題16)

可動コイル形計器について，次の(a)及び(b)に答えよ．

(a) 次の文章は，可動コイル形電流計の原理について述べたもので，図はその構造を示す原理図である．

計器の指針に働く電流によるトルクは，その電流の［(ア)］に比例する．これに脈流を流すと可動部の［(イ)］モーメントが大きいので，指針は電流の［(ウ)］を指示する．

この計器を電圧計として使用する場合，［(エ)］を使う．

上記の記述中の空白箇所(ア)，(イ)，(ウ)及び(エ)に当てはまる語句として，正しいものを組み合わせたのは次のうちどれか．

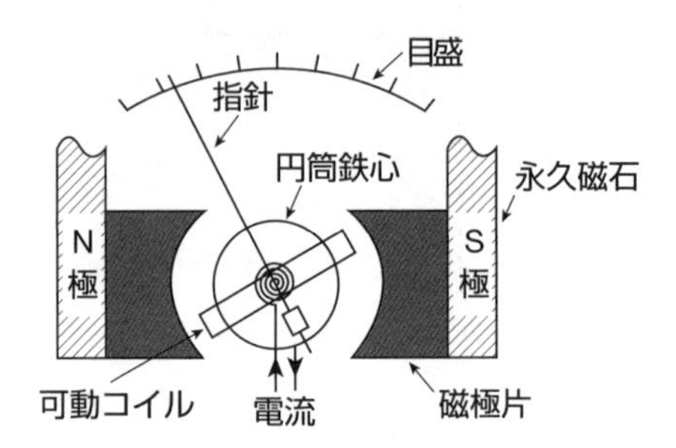

	(ア)	(イ)	(ウ)	(エ)
(1)	1乗	慣性	平均値	倍率器
(2)	1乗	回転	平均値	分流器
(3)	1乗	回転	瞬時値	倍率器
(4)	2乗	回転	実効値	分流器
(5)	2乗	慣性	実効値	倍率器

(b) 内部抵抗 $r_a = 2$〔Ω〕，最大目盛 $I_m = 10$〔mA〕の可動コイル形電流計を用いて，最大 150〔mA〕と最大 1〔A〕の直流電流を測定できる多重範囲の電流計を作りたい．そこで，図のような二つの－端子を有する多重範囲の電流計を考えた．抵抗 R_1〔Ω〕，R_2〔Ω〕の値として，最も近いものを組み合わせたのは次のうちどれか．

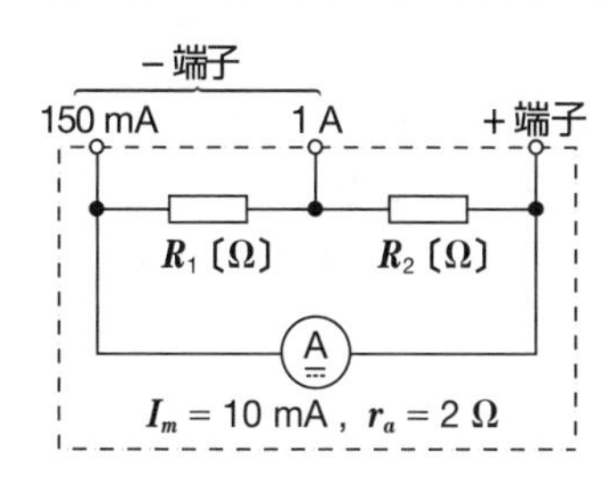

	R_1〔Ω〕	R_2〔Ω〕
(1)	0.12	0.021
(2)	0.12	0.042
(3)	0.14	0.021
(4)	0.24	0.012
(5)	0.24	0.042

解11 解答 (a)−(1), (b)−(1)

(a) 可動コイル形電流計は第1図のように，永久磁石と鉄心を組み合わせて，ギャップに一様な磁界を作るようにし，この磁界の中に可動コイルを入れたものである.

いま，ギャップの磁束密度を B，コイルの辺の長さを a および b，コイルの巻数を n とし，コイルに流れる電流を I とすれば，長さ b のコイル辺に働く力 F は，

$$F = nBIb$$

で表されるから，コイルに働くトルク T は，

$$T = 2 \cdot F \cdot \frac{a}{2} = Fa = nBabI$$

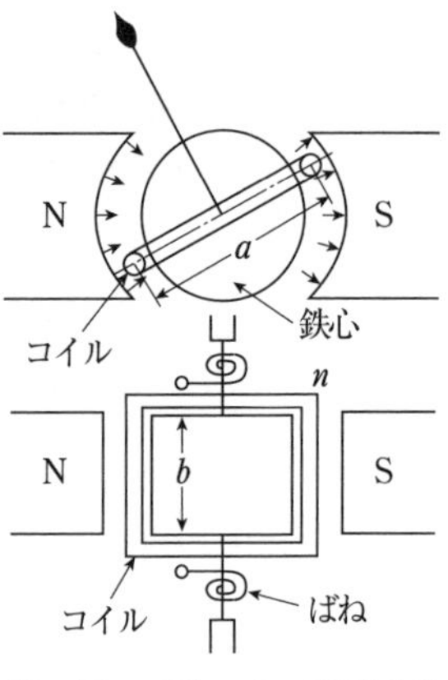

第1図 可動コイル形電流計

で表されることになり，トルクは電流 I に比例することになる.

また，可動コイル形電流計に脈流を流すと，可動コイルは脈流の変化に追従しようとするが，その慣性モーメントにより追従できず，指針は平均値を示すことになる.

(b) この電流計に 150〔mA〕の直流電流を流したときの各部を流れる電流は第2図のようになるから，次式が成立する.

$$2 \times 10 = 140 \times (R_1 + R_2)$$

$$R_1 + R_2 = \frac{1}{7} \qquad ①$$

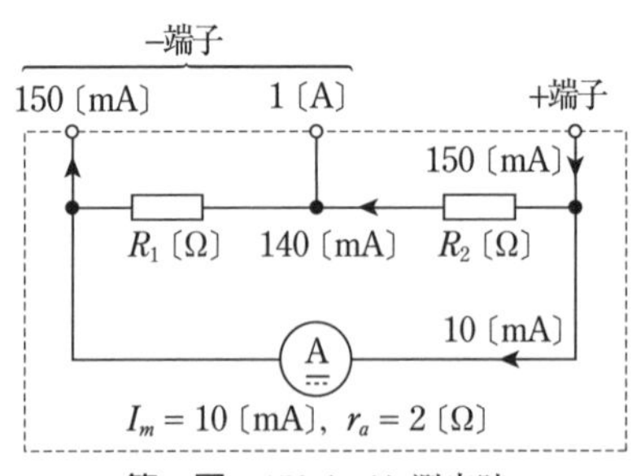

第2図 150〔mA〕測定時

次に，電流計に 1〔A〕の電流を流したときの各部を流れる電流は第3図のようになるから，次式が成立する.

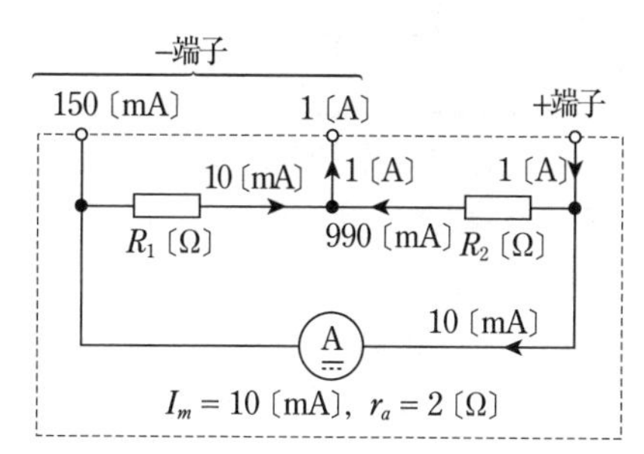

第3図　1〔A〕測定時

$$(R_1+2)\times 10=(1\,000-10)\times R_2$$

$$\therefore\quad R_2=\frac{1}{99}(R_1+2) \qquad ②$$

②式を①式に代入すると,

$$R_1+\frac{1}{99}(R_1+2)=\frac{1}{7}$$

$$\therefore\quad \frac{100}{99}R_1=\frac{1}{7}-\frac{2}{99}$$

よって，求める抵抗 R_1 は,

$$R_1=\frac{99}{100}\times\left(\frac{1}{7}-\frac{2}{99}\right)\fallingdotseq 0.1214〔\Omega〕$$

また，抵抗 R_2 は次式となる.

$$R_2=\frac{1}{99}\times(0.1214+2)\fallingdotseq 0.0214〔\Omega〕$$

問12 Check! □□□

（令和5年㊤　Ⓐ問題14）

図のように，線間電圧 200 V の対称三相交流電源から三相平衡負荷に供給する電力を二電力計法で測定する．2 台の電力計 W_1 及び W_2 を正しく接続したところ，電力計 W_2 の指針が逆振れを起こした．電力計 W_2 の電圧端子の極性を反転して接続した後，2 台の電力計の指示値は，電力計 W_1 が 490 W，電力計 W_2 が 25 W であった．このときの対称三相交流電源が三相平衡負荷に供給する電力の値 [W] として，最も近いものを次の(1)～(5)のうちから一つ選べ．

ただし，三相交流電源の相回転は a，b，c の順とし，電力計の電力損失は無視できるものとする．

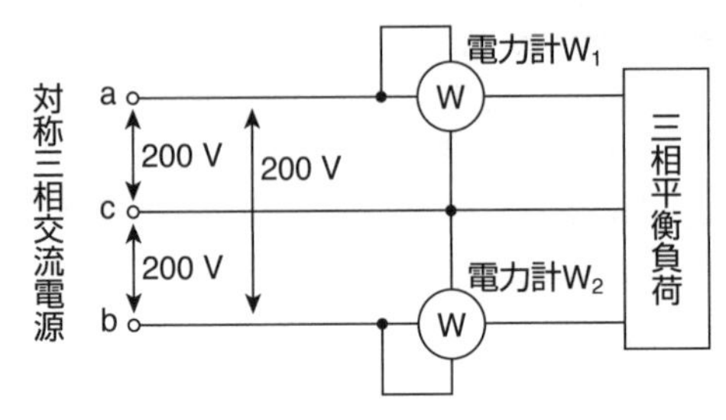

(1)　25　　(2)　258　　(3)　465　　(4)　490　　(5)　515

解12 解答 (3)

電力計の指示値 W は，電力計の電圧コイルにかかる電圧 $\dot{V}$ の大きさ V と電流コイルに流れる電流 $\dot{I}$ の大きさ I の積 VI に $\dot{V}$ と $\dot{I}$ の位相差 φ の余弦を乗じたものに等しく，

$$W = VI\cos\varphi$$

で与えられる．このため，位相差 φ が $\varphi > 90°$ となると電力計の指示値は負となり，逆振れすることになる．

いま，題意のように，二つの電力計を正しく接続したにもかかわらず電力計 $\mathrm{W_2}$ が逆振れしたことから，これを考慮した電圧・電流ベクトル図を描くと，図のようになる．

ただし，負荷の力率角 θ は，$60° < \theta < 90°$ である．

ベクトル図より，電力計 $\mathrm{W_1}$ と $\mathrm{W_2}$ の指示値は，線間電圧の大きさを V [V]，線電流の大きさを I [A] とすると，次のように表せる．

$$W_1 = VI\cos(\theta - 30°)$$
$$= VI\cos 30°\cos\theta + VI\sin 30°\sin\theta \text{ [W]} \quad ①$$
$$W_2 = VI\cos(30° + \theta)$$
$$= VI\cos 30°\cos\theta - VI\sin 30°\sin\theta \text{ [W]} \quad ②$$

①式＋②式を辺々加えると，

$$W_1 + W_2 = 2VI\cos 30°\cos\theta = 2VI \times \frac{\sqrt{3}}{2}\cos\theta$$
$$= \sqrt{3}\,VI\cos\theta = P \text{ [W]} \quad ③$$

したがって，対称三相交流電源が三相平衡負荷に供給する電力 P は二つの電力計の指示値 W_1 と W_2 の和をとればよい．

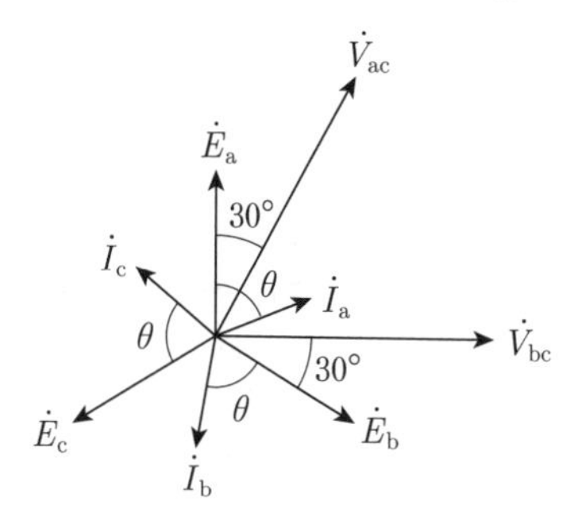

ところが，電力計が逆振れを起こすと指示値が読み取れないため，電圧端子の極性を反転して指示値が読み取れるようにする．このときの指示値が 25 W であったことから，実際の電力計 $\mathrm{W_2}$ の指示値は $W_2 = -25$ W ということになる．したがって，

$$P = W_1 + W_2 = 490 - 25 = \mathbf{465}\text{ W}$$

問13 Check! □□□

(平成27年 Ⓐ問題14)

目盛が正弦波交流に対する実効値になる整流形の電圧計（全波整流形）がある．この電圧計で図のような周期 20 ms の繰り返し波形電圧を測定した．

このとき，電圧計の指示の値 [V] として，最も近いものを次の(1)～(5)のうちから一つ選べ．

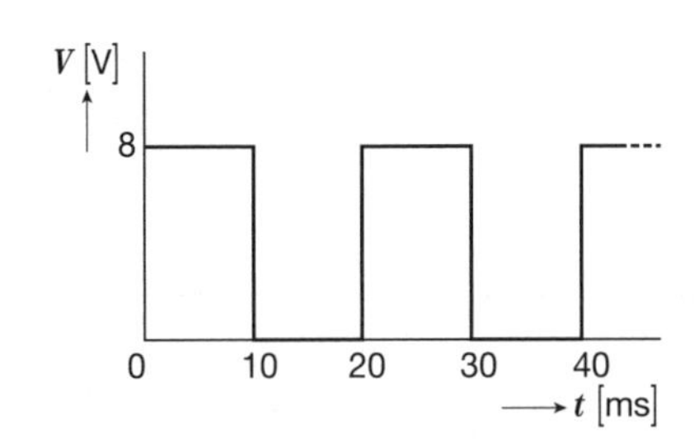

(1) 4.00　(2) 4.44　(3) 4.62　(4) 5.14　(5) 5.66

問14 Check! □□□

(平成17年 Ⓐ問題13)

商用周波数の正弦波交流電圧 $v = 100\sqrt{2}\sin\omega t$〔V〕をダイオードにより半波整流して，100〔Ω〕の抵抗負荷に供給した．このとき，抵抗負荷に流れる電流を，熱電形電流計で測定すると (ア) 〔mA〕，可動コイル形電流計で測定すると (イ) 〔mA〕を示す．

ただし，ダイオードは理想的なものとし，電流計の内部抵抗は無視できるものとする．

上記の記述中の空白箇所(ア)及び(イ)に記入する数値として，最も近いものを組み合わせたのは次のうちどれか．

	(ア)	(イ)
(1)	450	707
(2)	450	900
(3)	900	450
(4)	707	900
(5)	707	450

解13 解答 (2)

整流形電圧計は，正弦波電圧の平均値を可動コイル形計器で指示させるものである．実効値 V [V] の正弦波電圧を整流したときの平均値 V_a は，

$$V_a = 0.900V \text{ [V]}$$

で表せるから，整流形電圧計の指示値 V_m は，

$$V_m = \frac{V_a}{0.900} \fallingdotseq 1.11V \text{ [V]}$$

となる．

さて，問題の繰り返し電圧の平均値 V_a は，

$$V_a = \frac{10}{20} \times 8 = 4 \text{ V}$$

であるから，整流形電圧計の指示値 V_m は，

$$V_m = 1.11V_a = 1.11 \times 4 = 4.44 \ V$$

となる．

解14 解答 (5)

100〔Ω〕の抵抗負荷に流れる電流 i は，正弦波交流電圧 v をダイオードにより半波整流して抵抗負荷に印加しているので，次式で表される．

(i) $0 \leqq \theta \ (= \omega t) \leqq \pi$

$$i = \frac{100\sqrt{2}\sin\omega t}{100} = \sqrt{2}\sin\omega t \text{〔A〕}$$

(ii) $\pi < \theta \leqq 2\pi$

$$i = 0$$

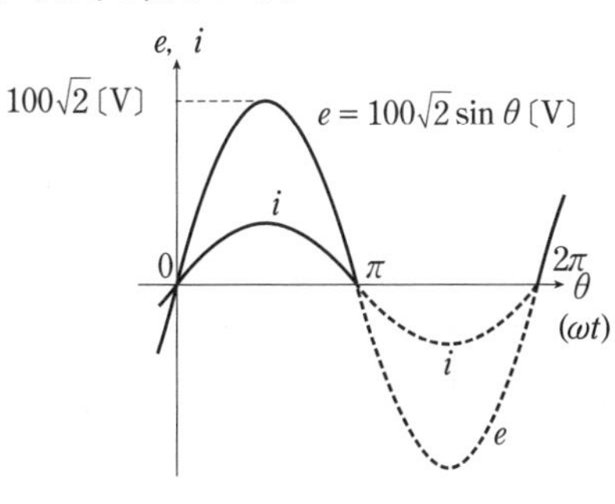

ここに，熱電形電流計は実効値を指示するから，熱電形電流計の指示値 I_1 は，

$$I_1 = \frac{\sqrt{2}}{2} \fallingdotseq 0.707 \text{〔A〕} = 707 \text{〔mA〕}$$

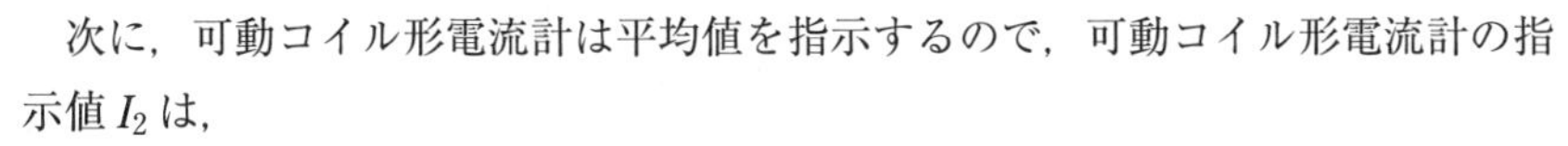

次に，可動コイル形電流計は平均値を指示するので，可動コイル形電流計の指示値 I_2 は，

$$I_2 = \frac{\sqrt{2}}{\pi} = 0.45 \text{〔A〕} = 450 \text{〔mA〕}$$

問15 Check! □□□ (平成21年 Ⓐ問題14)

可動コイル形直流電流計 A_1 と可動鉄片形交流電流計 A_2 の2台の電流計がある．それぞれの電流計の性質を比較するために次のような実験を行った．

図1のように A_1 と A_2 を抵抗100〔Ω〕と電圧10〔V〕の直流電源の回路に接続したとき，A_1 の指示は100〔mA〕，A_2 の指示は (ア) 〔mA〕であった．

また，図2のように，周波数50〔Hz〕，電圧100〔V〕の交流電源と抵抗500〔Ω〕に A_1 と A_2 を接続したとき，A_1 の指示は (イ) 〔mA〕，A_2 の指示は200〔mA〕であった．

ただし，A_1 と A_2 の内部抵抗はどちらも無視できるものであった．

上記の記述中の空白箇所(ア)及び(イ)に当てはまる最も近い値として，正しいものを組み合わせたのは次のうちどれか．

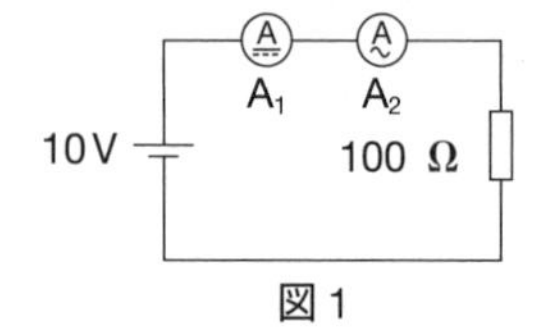

図1

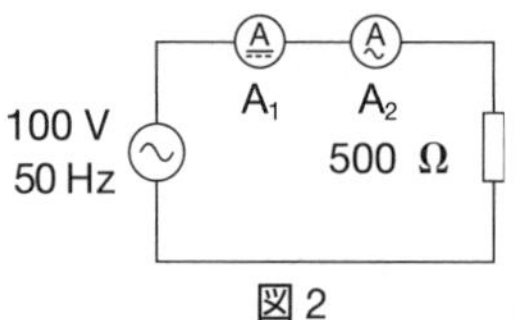

図2

	(ア)	(イ)
(1)	0	0
(2)	141	282
(3)	100	0
(4)	0	141
(5)	100	141

問16 Check! □□□ (平成20年 Ⓐ問題14)

最大目盛100〔mA〕，階級1.0級（JIS）の単一レンジの電流計がある．

この電流計で40〔mA〕を測定するときに，この電流計に許されている誤差〔mA〕の大きさの最大値として，正しいのは次のうちどれか．

(1) 0.2　(2) 0.4　(3) 1.0　(4) 2.0　(5) 4.0

解15 解答 (3)

可動コイル形直流電流計は電流の平均値を指示し，可動鉄片形交流電流計は電流の実効値を指示する．

(ア) 図1の回路に流れる電流はA_1の指示値が100〔mA〕であったから，100〔mA〕の直流電流となるが，この電流の実効値も100〔mA〕であるから，A_2の指示値も100〔mA〕となる．

(イ) 図2の回路に流れる電流はA_2の指示値が200〔mA〕であったから，実効値200〔mA〕の交流電流となるが，A_1は電流の平均値を指示するので，その指示値は0〔mA〕となる．

解16 解答 (3)

階級1.0級の計器とは，許容差が最大目盛の±1.0〔%〕であるものをいう．

したがって，その許容差は測定値に無関係に階級と最大目盛によって決まる．

よって，求める電流計に許されている誤差は次式となる．

$$100 \times 0.01 = 1.0〔mA〕$$

問17 Check! □□□

(令和6年㊤ Ⓑ問題16)

直流電流の測定範囲の拡大について，次の(a)及び(b)の問に答えよ．

(a) 直流電流計Ⅰの最大目盛は 100 A，直流電流計Ⅱ の最大目盛は 50 A，直流電流計Ⅲの最大目盛は 50 A である．この3台の直流電流計を並列に接続し，ある回路に接続したところ，直流電流計Ⅰの指示値は 90 A，直流電流計Ⅱの指示値は 40 A，直流電流計Ⅲの指示値は 35 A であった．この接続において計測できる最大電流の値 [A] として，最も近いものを次の(1)～(5)のうちから一つ選べ．

(1) 100　(2) 144　(3) 165　(4) 183　(5) 200

(b) 次に，直流電流計Ⅰ，直流電流計Ⅱ，直流電流計Ⅲの3台を並列に接続した状態で，別の回路に接続した．この回路を流れる電流の値は 150 A であった．このとき，各電流計が指示した値は，直流電流計Ⅰ ＝ (ア) A，直流電流計Ⅱ ＝ (イ) A，直流電流計Ⅲ ＝ (ウ) A であった．

上記の記述中の空白箇所(ア)～(ウ)に当てはまる最も近い数値の組合せとして，正しいものを次の(1)～(5)のうちから一つ選べ．

	(ア)	(イ)	(ウ)
(1)	31.8	36.4	81.8
(2)	31.8	81.8	36.4
(3)	36.4	31.8	81.8
(4)	81.8	31.8	36.4
(5)	81.8	36.4	31.8

解17 解答 (a)−(4), (b)−(5)

(a) 直流電流計Ⅰ，Ⅱおよび Ⅲの内部コンダクタンスをそれぞれ G_{I} [S]，G_{II} [S] および G_{III} [S] とする．題意より，3台の直流電流計を並列に接続してある回路に接続したとき，それぞれの電流計に流れる電流が $I_{\mathrm{I}} = 90$ A，$I_{\mathrm{II}} = 40$ A および $I_{\mathrm{III}} = 35$ A であったことから，次式が成立する．

$$\frac{90}{G_{\mathrm{I}}} = \frac{40}{G_{\mathrm{II}}} = \frac{35}{G_{\mathrm{III}}} \rightarrow G_{\mathrm{I}} : G_{\mathrm{II}} : G_{\mathrm{III}} = 90 : 40 : 35$$

すなわち，電流計のコンダクタンスは電流計Ⅰが最も大きく，電流計Ⅱの $90/40 = 2.25$ 倍，電流計Ⅲの $90/35 \fallingdotseq 2.57$ 倍となっているので，3台の電流計を並列接続したとき電流計Ⅰに最も大きい電流が流れ，電流計Ⅱの2.25倍，電流計Ⅲの2.57倍の電流が流れる．

一方，題意より，電流計の最大目盛りは電流計Ⅰが100 A，電流計Ⅱが50 A，電流計Ⅲが50 Aであり，電流計Ⅰの最大目盛りは電流計ⅡとⅢの2倍であるため，並列接続時，電流計Ⅰが最も早く最大目盛り100 Aに達する．

したがって，3台並列時に計測できる最大電流 $I_{\max}$ は電流計Ⅰの最大目盛りで決定され，

$$100 = \frac{90}{90 + 40 + 35} I_{\max} = \frac{90}{165} I_{\max}$$

$$I_{\max} = \frac{165}{90} \times 100 \fallingdotseq 183.33 \fallingdotseq \mathbf{183}\ \mathrm{A}$$

(b) 題意より，

$$\text{直流電流計Ⅰ} = 150 \times \frac{90}{165} \fallingdotseq 81.818 \fallingdotseq \mathbf{81.8}\ \mathrm{A}$$

$$\text{直流電流計Ⅱ} = 150 \times \frac{40}{165} \fallingdotseq 36.364 \fallingdotseq \mathbf{36.4}\ \mathrm{A}$$

$$\text{直流電流計Ⅲ} = 150 \times \frac{35}{165} \fallingdotseq 31.818 \fallingdotseq \mathbf{31.8}\ \mathrm{A}$$

問18 Check! □□□

(平成22年 Ⓑ問題16)

電力量計について，次の(a)及び(b)に答えよ．

(a) 次の文章は，交流の電力量計の原理について述べたものである．

計器の指針等を駆動するトルクを発生する動作原理により計器を分類すると，図に示した構造の電力量計の場合は，(ア)に分類される．

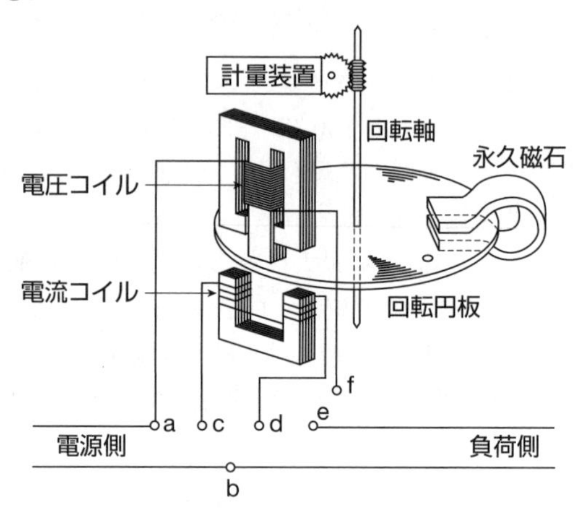

この計器の回転円板が負荷の電力に比例するトルクで回転するように，図中の端子aからfを(イ)のように接続して，負荷電圧を電圧コイルに加え，負荷電流を電流コイルに流す．その結果，コイルに生じる磁束による移動磁界と，回転円板上に生じる渦電流との電磁力の作用で回転円板は回転する．

一方，永久磁石により回転円板には速度に比例する(ウ)が生じ，負荷の電力に比例する速度で回転円板は回転を続ける．したがって，計量装置でその回転数をある時間計量すると，その値は同時間中に消費された電力量を表す．

上記の記述中の空白箇所(ア)，(イ)及び(ウ)に当てはまる語句又は記号として，正しいものを組み合わせたのは次のうちどれか．

	(ア)	(イ)	(ウ)
(1)	誘導形	ac，de，bf	駆動トルク
(2)	電流力計形	ad，bc，ef	制動トルク
(3)	誘導形	ac，de，bf	制動トルク
(4)	電流力計形	ad，bc，ef	駆動トルク
(5)	電力計形	ac，de，bf	駆動トルク

(b) 上記(a)の原理の電力量計の使用の可否を検討するために，電力量計の計量の誤差率を求める実験を行った．実験では，3〔kW〕の電力を消費している抵抗負荷の交流回路に，この電力量計を接続した．このとき，電力量計はこの抵抗負荷の消費電力量を計量しているので，計器の回転円板の回転数を測定することから計量の誤差率を計算できる．

電力量計の回転円板の回転数を測定したところ，回転数は1分間に61であった．この場合，電力量計の計量の誤差率〔%〕の大きさの値として，最も近いのは次のうちどれか．

ただし，電力量計の計器定数（1〔kW·h〕当たりの回転円板の回転数）は，1200〔rev/kW·h〕であり，回転円板の回転数と計量装置の計量値の関係は正しいものとし，電力損失は無視できるものとする．

(1) 0.2　(2) 0.4　(3) 1.0　(4) 1.7　(5) 2.1

解18 解答 (a)－(3), (b)－(4)

(a) 問題の電力量計は，誘導形電力量計である．

また，電圧コイルは電源ラインと並列に接続し，電流コイルは電源ラインに直列に接続するので，結線は次のようになる．

（電圧コイル） bf

（電流コイル） ac，de

また，永久磁石は円板に対する制動トルクを得るために用いられるもので，円板が永久磁石の磁束を切ることによって円板の回転数に比例した渦電流が発生し，この渦電流が永久磁石の磁束に反応して，円板に制動トルクを与える．

いま，電圧コイルにかかる電圧がE，電流コイルに流れる電流がIで，EとIの位相差がφであるとき，円板に対する駆動トルクτ_1は，k_1を比例定数とすると，

$$\tau_1 = k_1 EI\cos\varphi$$

で表される．一方，永久磁石の磁束密度をB，円板の回転数をn，比例定数をk_2とすると，円板に対する制動トルクτ_2は，

$$\tau_2 = k_2 Bn$$

で表され，$\tau_1 = \tau_2$となる回転数で円板は回転するので，その回転数nは，

$$k_2 Bn = k_1 EI\cos\varphi$$

$$\therefore\ n = \frac{k_1}{k_2 B}\cdot EI\cos\varphi = KEI\cos\varphi \quad \left(K \equiv \frac{k_1}{k_2 B}\right)$$

となって，回転数を積算すれば，電力量を計量することができる．

(b) 題意より，この電力量計が1分間に計量した電力量W_Mは，計器定数が1 200〔rev/kW・h〕であるから，

$$W_M = \frac{61}{1\,200} \fallingdotseq 0.050833\text{〔kW・h〕}$$

一方，1分間の真の負荷電力量W_Tは，負荷の消費電力が3〔kW〕であるから，

$$W_T = 3 \times \frac{1}{60} = 0.05\text{〔kW・h〕}$$

したがって，求める誤差率の大きさεは，

$$\varepsilon = \frac{|W_M - W_T|}{W_T} \times 100 = \frac{|0.050833 - 0.05|}{0.05} \times 100 \fallingdotseq 1.67\text{〔\%〕}$$

となる．

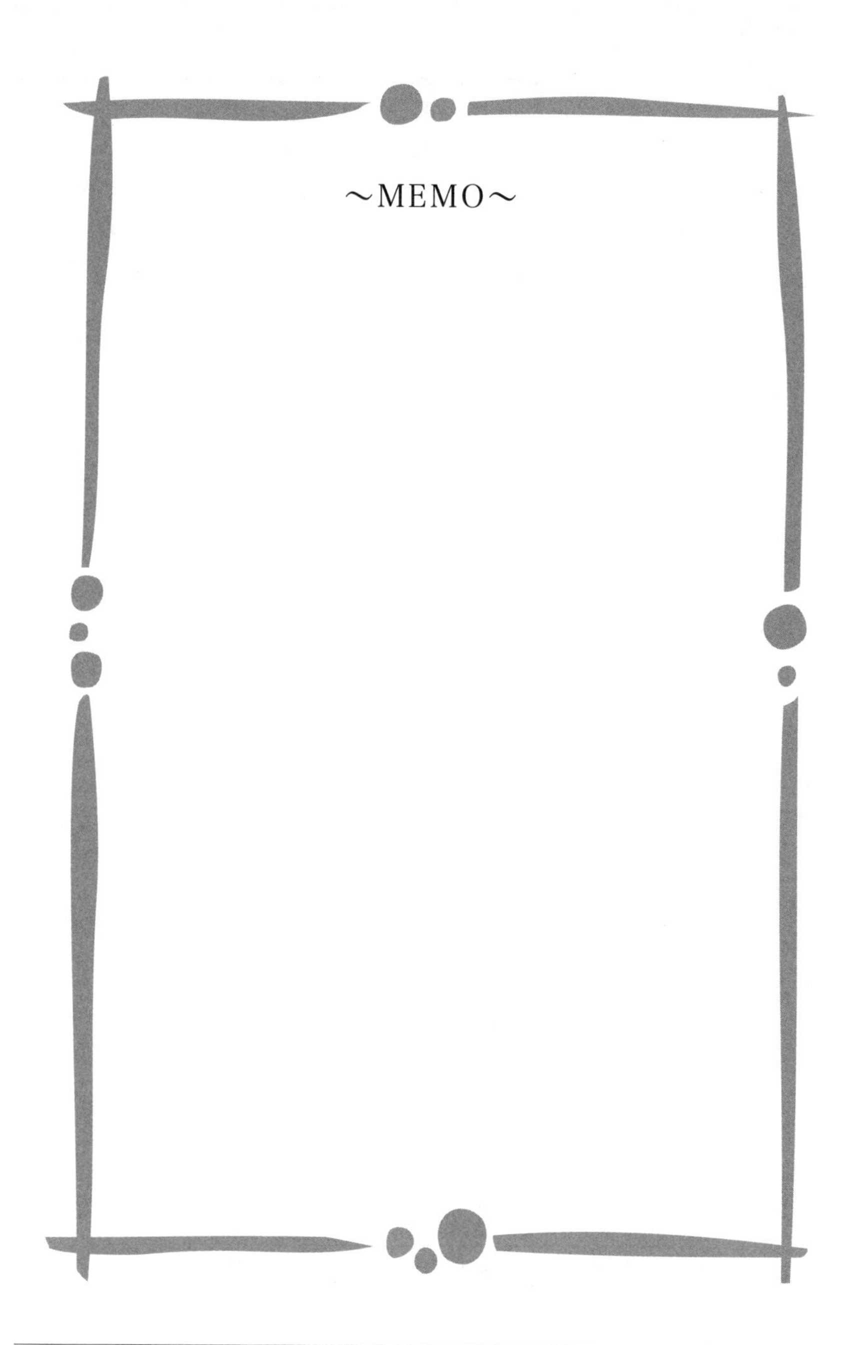
～MEMO～

問19 Check! □□□

（平成23年 B 問題17）

電力計について，次の(a)及び(b)の問に答えよ．

(a) 次の文章は，電力計の原理に関する記述である．

図1に示す電力計は，固定コイルF1，F2に流れる負荷電流$\dot{I}$〔A〕による磁界の強さと，可動コイルMに流れる電流$\dot{I}_M$〔A〕の積に比例したトルクが可動コイルに生じる．したがって，指針の振れ角θは (ア) に比例する．

このような形の計器は，一般に (イ) 計器といわれ， (ウ) の測定に使用される．

負荷$\dot{Z}$〔Ω〕が誘導性の場合，電圧$\dot{V}$〔V〕のベクトルを基準に負荷電流$\dot{I}$〔A〕のベクトルを描くと，図2に示すベクトル①，②，③のうち (エ) のように表される．ただし，φ〔rad〕は位相角である．

上記の記述中の空白箇所(ア)，(イ)，(ウ)及び(エ)に当てはまる組合せとして，正しいものを次の(1)～(5)のうちから一つ選べ．

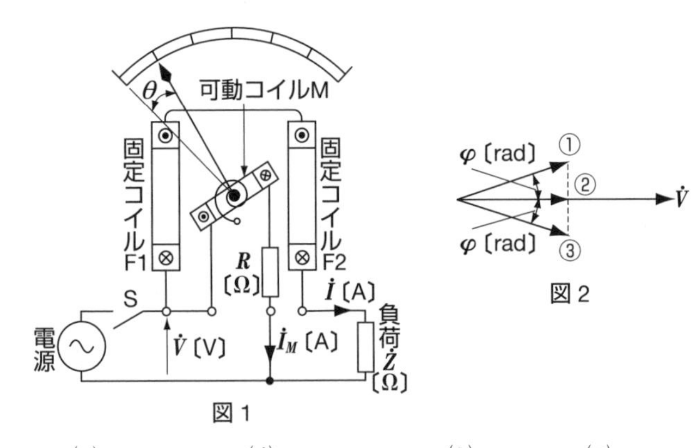

図1

図2

	(ア)	(イ)	(ウ)	(エ)
(1)	負荷電力	電流力計形	交流	③
(2)	電力量	可動コイル形	直流	②
(3)	負荷電力	誘導形	交流直流両方	①
(4)	電力量	可動コイル形	交流直流両方	②
(5)	負荷電力	電流力計形	交流直流両方	③

(b) 次の文章は，図 1 で示した単相電力計を 2 個使用し，三相電力を測定する 2 電力計法の理論に関する記述である．

図 3 のように，誘導性負荷 $\dot{Z}$ を 3 個接続した平衡三相負荷回路に対称三相交流電源が接続されている．ここで，線間電圧を $\dot{V}_{ab}$〔V〕，$\dot{V}_{bc}$〔V〕，$\dot{V}_{ca}$〔V〕，負荷の相電圧を $\dot{V}_a$〔V〕，$\dot{V}_b$〔V〕,$\dot{V}_c$〔V〕，線電流を $\dot{I}_a$〔A〕，$\dot{I}_b$〔A〕，$\dot{I}_c$〔A〕で示す．

この回路で，図のように単相電力計 W_1 と W_2 を接続すれば，平衡三相負荷の電力が，2 個の単相電力計の指示の和として求めることができる．

単相電力計 W_1 の電圧コイルに加わる電圧 $\dot{V}_{ac}$ は，図 4 のベクトル図から $\dot{V}_{ac} = \dot{V}_a - \dot{V}_c$ となる．また，単相電力計 W_2 の電圧コイルに加わる電圧 $\dot{V}_{bc}$ は $\dot{V}_{bc} =$ (オ) となる．

それぞれの電流コイルに流れる電流 $\dot{I}_a$，$\dot{I}_b$ と電圧の関係は図 4 のようになる．図 4 における ϕ〔rad〕は相電圧と線電流の位相角である．

線間電圧の大きさを $V_{ab} = V_{bc} = V_{ca} = V$〔V〕，線電流の大きさを $I_a = I_b = I_c = I$〔A〕とおくと，単相電力計 W_1 及び W_2 の指示をそれぞれ P_1〔W〕，P_2〔W〕とすれば，

$$P_1 = V_{ac} I_a \cos(\boxed{(カ)})\ 〔W〕$$

$$P_2 = V_{bc} I_b \cos(\boxed{(キ)})\ 〔W〕$$

したがって，P_1 と P_2 の和 P〔W〕は，

$$P = P_1 + P_2 = VI(\boxed{(ク)})\cos\phi = \sqrt{3}VI\cos\phi\ 〔W〕$$

となるので，2 個の単相電力計の指示の和は三相電力に等しくなる．

上記の記述中の空白箇所(オ)，(カ)，(キ)及び(ク)に当てはまる組合せとして，正しいものを次の(1)～(5)のうちから一つ選べ．

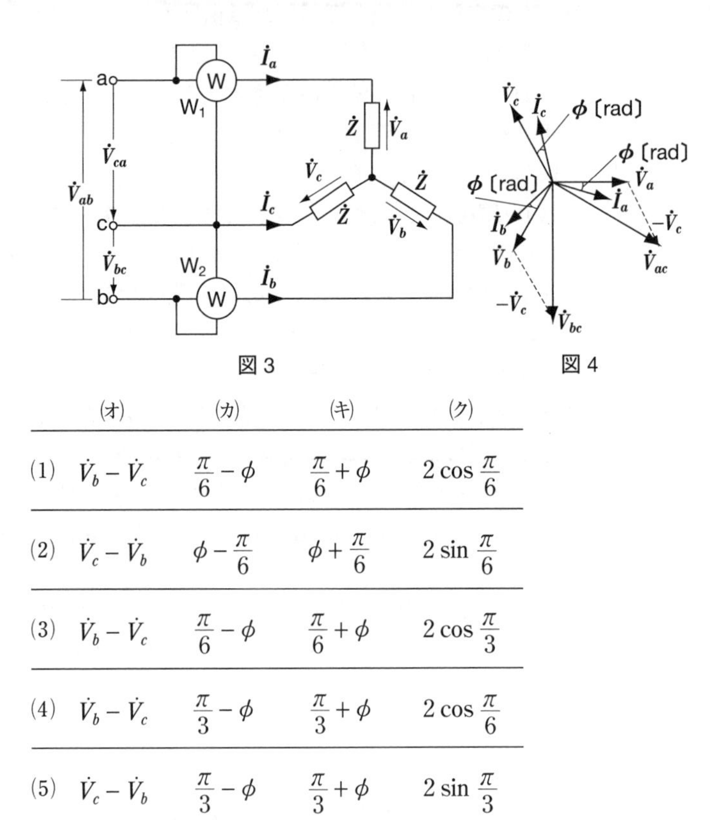

図 3　　　図 4

	(オ)	(カ)	(キ)	(ク)
(1)	$\dot{V}_b - \dot{V}_c$	$\dfrac{\pi}{6} - \phi$	$\dfrac{\pi}{6} + \phi$	$2\cos\dfrac{\pi}{6}$
(2)	$\dot{V}_c - \dot{V}_b$	$\phi - \dfrac{\pi}{6}$	$\phi + \dfrac{\pi}{6}$	$2\sin\dfrac{\pi}{6}$
(3)	$\dot{V}_b - \dot{V}_c$	$\dfrac{\pi}{6} - \phi$	$\dfrac{\pi}{6} + \phi$	$2\cos\dfrac{\pi}{3}$
(4)	$\dot{V}_b - \dot{V}_c$	$\dfrac{\pi}{3} - \phi$	$\dfrac{\pi}{3} + \phi$	$2\cos\dfrac{\pi}{6}$
(5)	$\dot{V}_c - \dot{V}_b$	$\dfrac{\pi}{3} - \phi$	$\dfrac{\pi}{3} + \phi$	$2\sin\dfrac{\pi}{3}$

解19 解答 (a)−(5)，(b)−(1)

(a) 電力計は，電圧コイルに負荷電圧 $\dot{V}$ を，電流コイルに負荷電流 $\dot{I}$ を流すことによって，負荷電力 P

$P = VI\cos\varphi$（φ：$\dot{V}$ と $\dot{I}$ の位相差）

を指示するようにした計器で，電圧コイルに加えた電圧により流れる電圧コイル電流と負荷電流による電流コイル電流の積に比例したトルクを得て指示するもので，このような形の指示計器を電流力計形計器という．

電流力計形電力計は交流・直流の両方に用いられ，指針の振れ角は測定する負荷電力に比例する．

(b) 単相電圧計 W_1 の電圧コイルに加わる電圧は，図3より，$\dot{V}_{ac} = \dot{V}_a - \dot{V}_c$ で，単相電圧計 W_2 の電圧コイルに加わる電圧は，$\dot{V}_{bc} = \dot{V}_b - \dot{V}_c$ (オ)となる．

次に，単相電力計 W_1 および W_2 の指示 P_1 および P_2 は，電力計の電圧コイルに加わる電圧および電流コイルに流れる電流がそれぞれ，

① 単相電圧計 W_1

電圧コイルに加わる電圧 $\dot{V}_{ac}$

電流コイルに流れる電流 $\dot{I}_a$

② 単相電圧計 W_2

電圧コイルに加わる電圧 $\dot{V}_{bc}$

電流コイルに流れる電流 $\dot{I}_b$

であるから，$\angle\dot{V}_{ac}\dot{I}_a$ を $\dot{V}_{ab}$ と $\dot{I}_a$ の位相差を表すものとすれば，図4のベクトル図より次のように表せる．

$$P_1 = \left|\dot{V}_{ac}\right|\left|\dot{I}_a\right|\cos\angle\dot{V}_{ac}\dot{I}_a = VI\cos\left(\frac{\pi}{6} - \phi\right) \qquad \text{(カ)}$$

$$P_2 = \left|\dot{V}_{bc}\right|\left|\dot{I}_b\right|\cos\angle\dot{V}_{bc}\dot{I}_b = VI\cos\left(\frac{\pi}{6} + \phi\right) \qquad \text{(キ)}$$

ここで，指示 P_1 と P_2 の和を計算すれば，

$$\begin{aligned} P_1 + P_2 &= VI\cos\left(\frac{\pi}{6} - \phi\right) + VI\cos\left(\frac{\pi}{6} + \phi\right) \\ &= VI\cos\frac{\pi}{6}\cos\phi + VI\sin\frac{\pi}{6}\sin\phi + VI\cos\frac{\pi}{6}\cos\phi - VI\sin\frac{\pi}{6}\sin\phi \\ &= 2VI\cos\frac{\pi}{6}\cos\phi = 2VI\cdot\frac{\sqrt{3}}{2}\cdot\cos\phi = \sqrt{3}VI\cos\phi \qquad \text{(ク)} \end{aligned}$$

となって，二つの単相電力計の指示値の和は三相電力に等しくなる．

問20 Check! □□□

(平成21年 B問題15)

電気計測に関する記述について，次の(a)及び(b)に答えよ．

(a) ある量の測定に用いる方法には各種あるが，指示計器のように測定量を指針の振れの大きさに変えて，その指示から測定量を知る方法を［(ア)］法という．これに比較して精密な測定を行う場合に用いられている［(イ)］法は，測定量と同種類で大きさを調整できる既知量を別に用意し，既知量を測定量に平衡させて，そのときの既知量の大きさから測定量を知る方法である．［(イ)］法を用いた測定器の例としては，ブリッジや［(ウ)］がある．

上記の記述中の空白箇所(ア)，(イ)及び(ウ)に当てはまる語句として，正しいものを組み合わせたのは次のうちどれか．

	(ア)	(イ)	(ウ)
(1)	偏位	零位	直流電位差計
(2)	偏位	差動	誘導形電力量計
(3)	間接	零位	直流電位差計
(4)	間接	差動	誘導形電力量計
(5)	偏位	零位	誘導形電力量計

(b) 図は，ケルビンダブルブリッジの原理図である．図においてR_x〔Ω〕が未知の抵抗，R_s〔Ω〕は可変抵抗，P〔Ω〕，Q〔Ω〕，p〔Ω〕，q〔Ω〕は固定抵抗である．このブリッジは，抵抗R_x〔Ω〕のリード線の抵抗が，固定抵抗r〔Ω〕及び直流電源側の接続線に含まれる回路構成となっており，低い抵抗の測定に適している．

図の回路において，固定抵抗P〔Ω〕，Q〔Ω〕，p〔Ω〕，q〔Ω〕の抵抗値が［(ア)］=0の条件を満たしていて，可変抵抗R_s〔Ω〕，固定抵抗r〔Ω〕においてブリッジが平衡している．この場合は，次式から抵抗R_x〔Ω〕が求まる．

$$R_x = (\boxed{(イ)})R_s$$

この式が求まることを次の手順で証明してみよう．

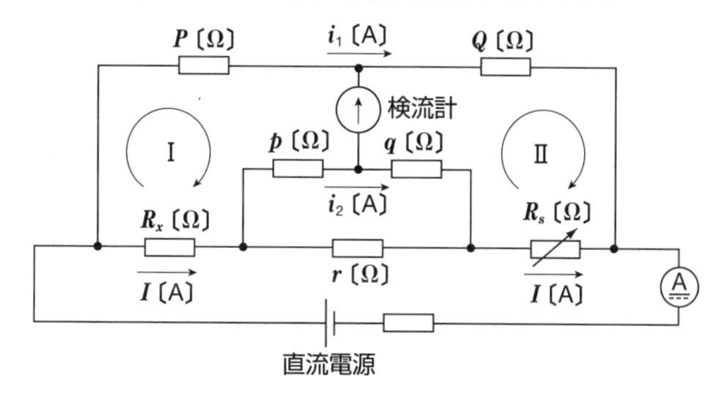

〔証明〕

回路に流れる電流を図に示すようにI〔A〕，i_1〔A〕，i_2〔A〕とし，閉回路Ⅰ及びⅡにキルヒホッフの第2法則を適用すると式①，②が得られる．

$$Pi_1 = R_xI + pi_2 \quad \cdots\cdots ①$$

$$Qi_1 = R_sI + qi_2 \quad \cdots\cdots ②$$

式①，②から

$$\frac{P}{Q} = \frac{R_xI + pi_2}{R_sI + qi_2} = \frac{R_x + p\dfrac{i_2}{I}}{R_s + q\dfrac{i_2}{I}} \quad \cdots\cdots ③$$

また，Iは$(p+q)$とrの回路に分流するので，$(p+q)i_2=r(I-i_2)$の関係から式④が得られる．

$$\frac{i_2}{I}=\boxed{(ウ)} \qquad \cdots\cdots\cdots\cdots\cdots④$$

ここで，$K=\boxed{(ウ)}$とし，式③を整理すると式⑤が得られ，抵抗R_x〔Ω〕が求まる．

$$R_x=(\boxed{(イ)})R_s+(\boxed{(ア)})qK \qquad \cdots\cdots\cdots\cdots\cdots⑤$$

上記の記述中の空白箇所(ア)，(イ)及び(ウ)に当てはまる式として，正しいものを組み合わせたのは次のうちどれか．

	(ア)	(イ)	(ウ)
(1)	$\frac{P}{Q}-\frac{p}{q}$	$\frac{P}{Q}$	$\frac{r}{p+q+r}$
(2)	$\frac{p}{q}-\frac{P}{Q}$	$\frac{P}{q}$	$\frac{p}{p+r}$
(3)	$\frac{p}{q}-\frac{P}{Q}$	$\frac{Q}{p}$	$\frac{q}{q+r}$
(4)	$\frac{Q}{P}-\frac{q}{p}$	$\frac{Q}{P}$	$\frac{r}{p+q+r}$
(5)	$\frac{P}{Q}-\frac{p}{q}$	$\frac{P}{Q}$	$\frac{p}{p+q+r}$

解20　解答　(a)－(1), (b)－(1)

(a)　ばねばかりで物体の質量を測定する際，指針の振れは物体の質量に比例するので物体の質量は指針の振れ角から求めることができる．このように測定量を原因として，その直接の結果として生じる指示値から測定量を知る方法を偏位法という．

また，天びんを用いて重さを量るときのように，別に用意した大きさを調整できる既知量と測定量を平衡させ，これを検出する計器が零を示すときの既知量から測定量を決定する方法を零位法という．例として直流電位差計がある．

(b)　検流計に電流が流れていない場合，閉回路Ⅰおよび閉回路Ⅱについてキルヒホッフ第2法則を適用すると，次のようになる．

(1)　閉回路Ⅰ

P→検流計→p→R_x→Pの順に電圧降下をとると，

$$Pi_1 - pi_2 - R_x I = 0 \qquad \therefore \quad Pi_1 = R_x I + pi_2 \quad \cdots\cdots\cdots ①\ （問題中の式）$$

(2)　閉回路Ⅱ

Q→R_s→q→検流計→Qの順に電圧降下をとると，

$$Qi_1 - R_s I - qi_2 = 0 \qquad \therefore \quad Qi_1 = R_s I + qi_2 \quad \cdots\cdots\cdots ②\ （問題中の式）$$

次に，式①を式②で辺々除すると，以下となる．

$$\frac{P}{Q} = \frac{R_x I + pi_2}{R_s I + qi_2} = \frac{R_x + p(i_2/I)}{R_s + q(i_2/I)} \quad \cdots\cdots\cdots ③\ （問題中の式）$$

また，検流計に電流が流れないので，抵抗 $(p+q)$ の電圧降下と抵抗 r の電圧降下は等しく，

$(p+q)i_2 = r(I - i_2)$（問題中の式），$(p+q+r)i_2 = rI$

$$\therefore \quad \frac{i_2}{I} = \frac{r}{p+q+r} \quad \cdots\cdots\cdots ④\ （問題中の式）$$

ここで，$K = \dfrac{r}{p+q+r}$ とし，これを式③に代入して整理すると，答が求まる．

$$\frac{P}{Q} = \frac{R_x + p(i_2/I)}{R_s + q(i_2/I)} = \frac{R_x + pK}{R_s + qK}$$

$$\frac{P}{Q}(R_s + qK) = R_x + pK$$

$$\therefore \quad R_x = \frac{P}{Q}(R_s + qK) - pK = \frac{P}{Q}R_s + \left(\frac{P}{Q}q - p\right)K$$

$$= \frac{P}{Q}R_s + \left(\frac{P}{Q} - \frac{p}{q}\right)qK \quad \cdots\cdots\cdots ⑤\ （問題中の式）$$

問21 Check! □□□

(令和元年 B 問題 18)

図 1 は，二重積分形 A–D 変換器を用いたディジタル直流電圧計の原理図である．次の(a)及び(b)の問に答えよ．

(a) 図 1 のように，負の基準電圧 $-V_r$ ($V_r > 0$) [V] と切換スイッチが接続された回路があり，その回路を用いて正の未知電圧 $V_x (> 0)$ [V] を測定する．まず，制御回路によってスイッチが S_1 側へ切り換わると，時刻 $t = 0$ s で測定電圧 V_x [V] が積分器へ入力される．その入力電圧 V_i [V] の時間変化が図 2 (a)であり，積分器からの出力電圧 V_o [V] の時間変化が図 2 (b)である．ただし，$t = 0$ s での出力電圧を $V_o = 0$ V とする．時刻 t_1 における V_o [V] は，入力電圧 V_i [V] の期間 $0 \sim t_1$ [s] で囲われる面積 S に比例する．積分器の特性で決まる比例定数を k (> 0) とすると，時刻 $t = T_1$ [s] のときの出力電圧は，$V_m =$ (ア) [V] となる．

定められた時刻 $t = T_1$ [s] に達すると，制御回路によってスイッチが S_2 側に切り換わり，積分器には基準電圧 $-V_r$ [V] が入力される．よって，スイッチ S_2 の期間中の時刻 t [s] における積分器の出力電圧の大きさは，$V_o = V_m -$ (イ) [V] と表される．

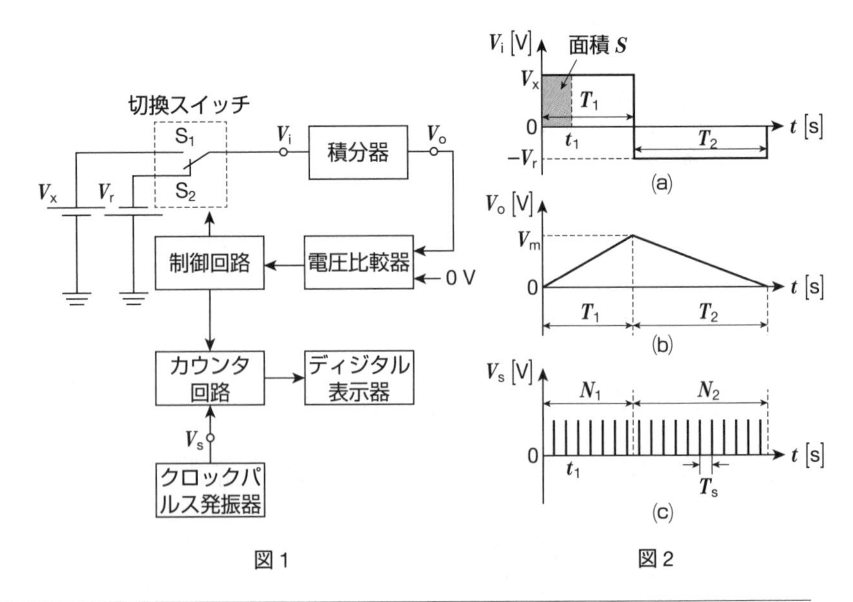

図 1　　図 2

積分器の出力電圧 V_o が 0 V になると，電圧比較器がそれを検出する．$V_o = 0$ V のときの時刻を $t = T_1 + T_2$ [s] とすると，測定電圧は $V_x =$ ［(ウ)］ [V] と表される．さらに，図 2 (c)のようにスイッチ S_1，S_2 の各期間 T_1 [s]，T_2 [s] 中にクロックパルス発振器から出力されるクロックパルス数をそれぞれ N_1，N_2 とすると，N_1 は既知なので N_2 をカウントすれば，測定電圧 V_x がディジタル信号に変換される．ここで，クロックパルスの周期 T_s は，クロックパルス発振器の動作周波数に ［(エ)］ する．

上記の記述中の空白箇所(ア)，(イ)，(ウ)及び(エ)に当てはまる組合せとして，正しいものを次の(1)～(5)のうちから一つ選べ．

	(ア)	(イ)	(ウ)	(エ)
(1)	kV_xT_1	$kV_{\mathrm{T}}(t-T_1)$	$\dfrac{T_2}{T_1}V_r$	反比例
(2)	kV_xT_1	$kV_{\mathrm{T}}T_2$	$\dfrac{T_2}{T_1}V_r$	反比例
(3)	$k\dfrac{V_x}{T_1}$	$k\dfrac{V_r}{T_2}$	$\dfrac{T_1}{T_2}V_r$	比例
(4)	$k\dfrac{V_x}{T_1}$	$k\dfrac{V_r}{T_2}$	$\dfrac{T_1}{T_2}V_r$	反比例
(5)	kV_xT_1	$kV_r(t-T_1)$	$T_1T_2V_r$	比例

(b) 基準電圧が $V_r = 2.0$ V，スイッチ S_1 の期間 T_1 [s] 中のクロックパルス数が $N_1 = 1.0 \times 10^3$ のディジタル直流電圧計がある．この電圧計を用いて未知の電圧 V_x [V] を測定したとき，スイッチ S_2 の期間 T_2 [s] 中のクロックパルス数が $N_2 = 2.0 \times 10^3$ であった．測定された電圧 V_x の値 [V] として，最も近いものを次の(1)～(5)のうちから一つ選べ．

(1) 0.5　(2) 1.0　(3) 2.0　(4) 4.0　(5) 8.0

解21 解答 (a)−(1), (b)−(4)

(a) (ア) 積分器の特性で決まる比例定数が k であるから，時刻 $t = T_1$ [s] のときの出力電圧 V_m は，

$$V_m = kV_xT_1 \text{ [V]}$$

(イ) $t = T_1$ でスイッチが S_2 側になるから，時刻 t ($T_1 < t < T_2$) における積分器の出力電圧 V_o は，

$$V_o = V_m - kV_r(t - T_1) \text{ [V]}$$

(ウ) $V_o = 0$ V のときの時刻が $t = T_1 + T_2$ [s] であるから，測定電圧 V_x は，

$$V_m - kV_r\{(T_1 + T_2) - T_1\} = 0$$

$$kV_xT_1 - kV_rT_2 = 0$$

$$\therefore \quad V_x = \frac{T_2}{T_1}V_r \text{ [V]}$$

(エ) クロックパルスの周期 T_s は，クロックパルス発振器の動作周波数に反比例する．

以上から，(1)が正解となる．

(b) $\dfrac{T_2}{T_1} = \dfrac{N_2}{N_1}$ であるから，(a)の(ウ)より，測定電圧 V_x は，

$$V_x = \frac{T_2}{T_1}V_r = \frac{N_2}{N_1}V_r = \frac{2.0 \times 10^3}{1.0 \times 10^3} \times 2.0 = 4.0 \text{ V}$$

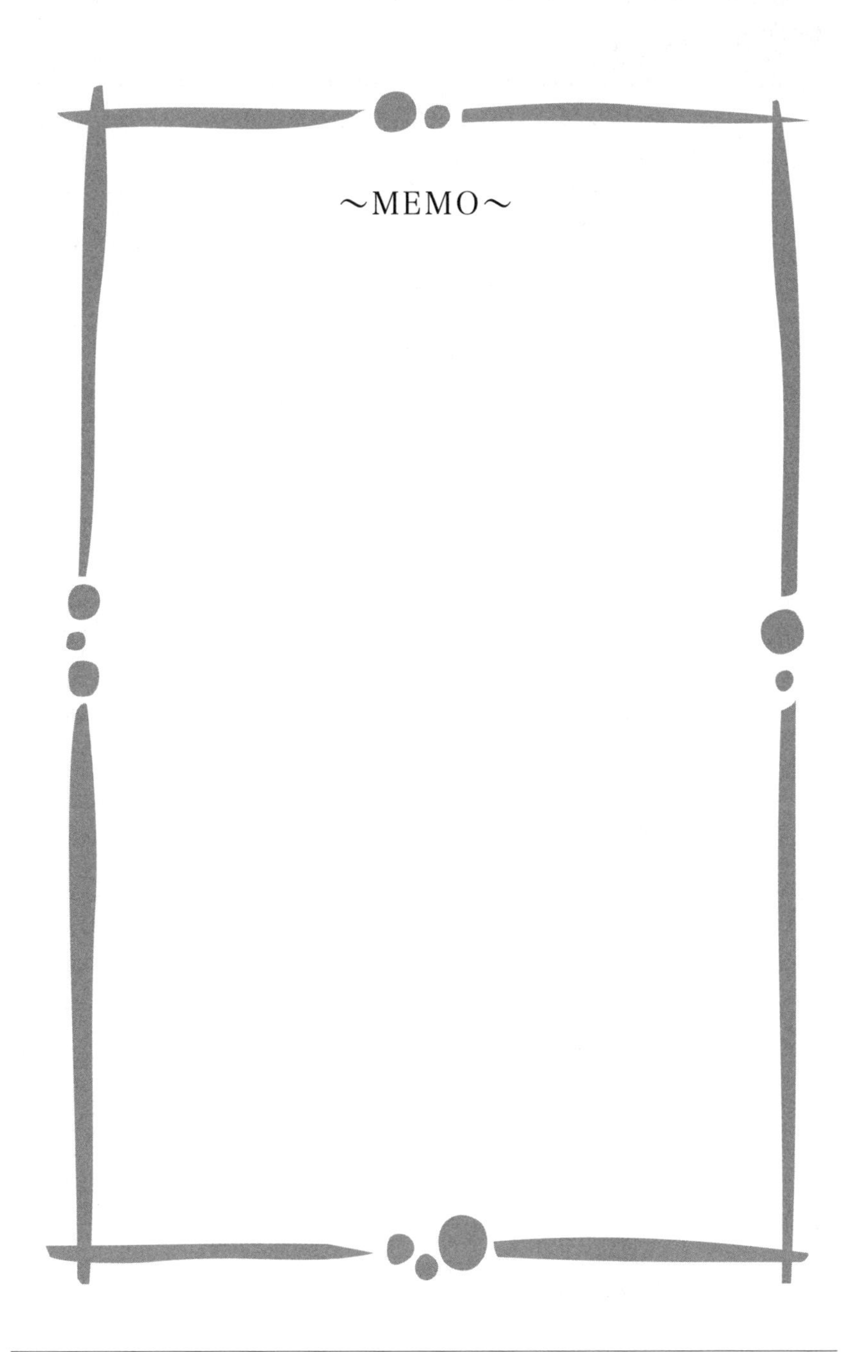
～MEMO～

問22 Check! □□□ (平成20年 B 問題16)

ブラウン管オシロスコープは，水平・垂直偏向電極を有し，波形観測ができる．次の(a)及び(b)に答えよ．

(a) 垂直偏向電極のみに，正弦波交流電圧を加えた場合は，蛍光面に (ア) のような波形が現れる．また，水平偏向電極のみにのこぎり波電圧を加えた場合は，蛍光面に (イ) のような波形が現れる．また，これらの電圧をそれぞれの電極に加えると，蛍光面に (ウ) のような波形が現れる．

このとき波形を静止させて見るためには，垂直偏向電極の電圧の周波数と水平偏向電極の電圧の繰返し周波数との比が整数でなければならない．

上記の記述中の空白箇所(ア)，(イ)及び(ウ)に当てはまる語句として，正しいものを組み合わせたのは次のうちどれか．

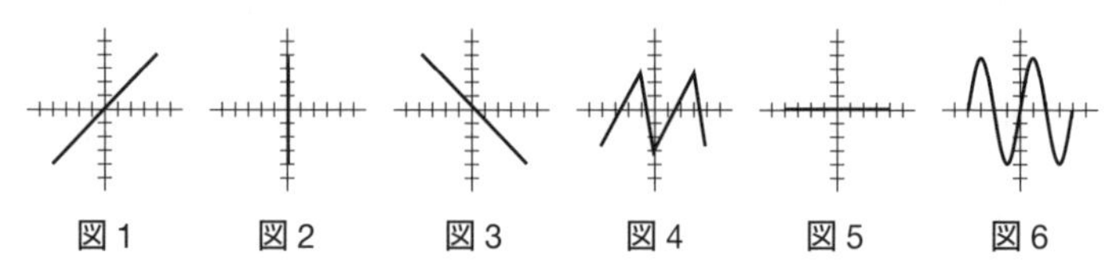

図1　図2　図3　図4　図5　図6

	(ア)	(イ)	(ウ)
(1)	図2	図4	図6
(2)	図3	図5	図1
(3)	図2	図5	図6
(4)	図3	図4	図1
(5)	図2	図5	図1

(b) 正弦波電圧 v_a 及び v_b をオシロスコープで観測したところ，蛍光面に図7に示すような電圧波形が現れた．同図から，v_a の実効値は (ア) 〔V〕，v_b の周波数は (イ) 〔kHz〕，v_a の周期は (ウ) 〔ms〕，v_a と v_b の位相差は (エ) 〔rad〕であることが分かった．

ただし，オシロスコープの垂直感度は 0.1〔V〕/div，掃引時間は 0.2〔ms〕/div とする．

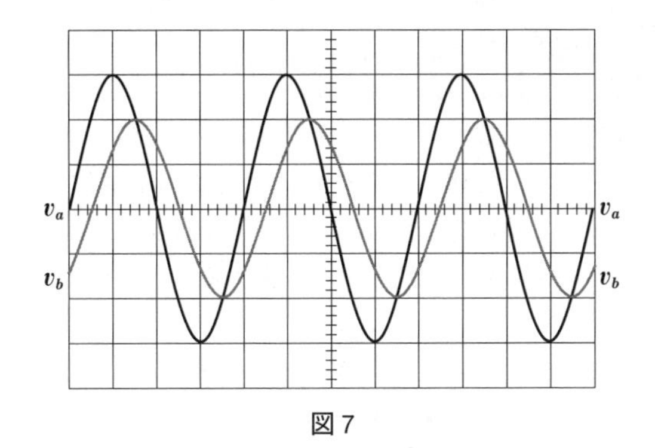

図7

上記の記述中の空白箇所(ア)，(イ)，(ウ)及び(エ)に当てはまる語句として，正しいものを組み合わせたのは次のうちどれか．

	(ア)	(イ)	(ウ)	(エ)
(1)	0.21	1.3	0.8	$\frac{\pi}{4}$
(2)	0.42	1.3	0.4	$\frac{\pi}{3}$
(3)	0.42	2.5	0.4	$\frac{\pi}{3}$
(4)	0.21	1.3	0.4	$\frac{\pi}{4}$
(5)	0.42	2.5	0.8	$\frac{\pi}{2}$

解22 解答 (a)－(3), (b)－(1)

(a) オシロスコープは水平偏向電極に加えられた電圧を x, 垂直偏向電極に加えられた電圧を y とした xy 座標の点 (x, y) の軌跡で観測波形を表示するものである.

したがって, 垂直偏向電極のみに正弦波交流電圧を加えた場合は, 図 2 のように, y 軸上で最大値と最小値を往復するだけの波形しか蛍光面には表示されない.

一方, 水平偏向電極に**第 1 図**のようなのこぎり波電圧を加えた場合は, 図 5 のような水平方向の最大値と最小値を往復するだけの波形しか蛍光面には表示されない.

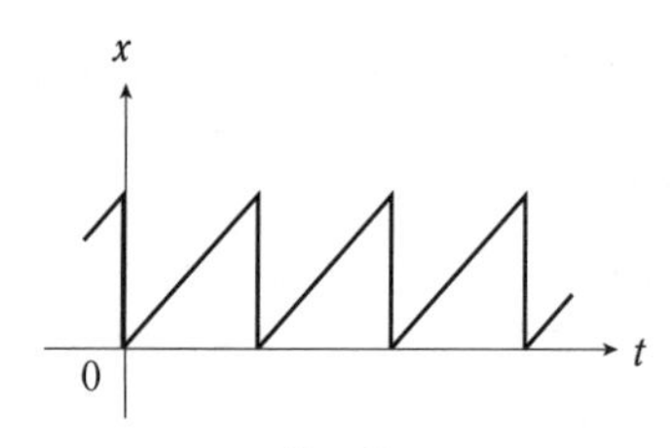

第 1 図

しかしながら, 垂直偏向電極に正弦波電圧, 水平偏向電極にのこぎり波電圧を同時に加えると, 時間の経過を水平方向の変化として表すことができるようになるので, 垂直偏向電極に加えた正弦波電圧の波形も時間の経過とともに x 軸正方向に動いて行くので, 蛍光面に正弦波電圧波形を表示することができるようになる.

(b) オシロスコープの垂直感度が0.1〔V〕/div（大きい1目盛0.1〔V〕），掃引時間が0.2〔ms〕/div（大きい1目盛0.2〔ms〕）であるので，問題の波形の詳細を示すと，**第2図**のようになる．

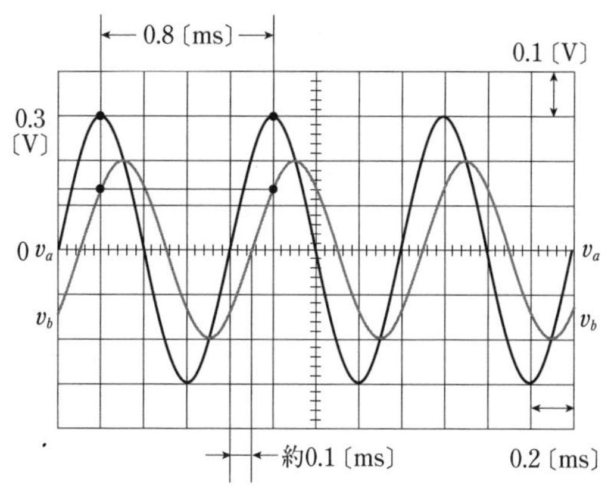

第2図

したがって，v_a の実効値 V_a は，

$$V_a = \frac{0.3}{\sqrt{2}} \fallingdotseq 0.212〔\mathrm{V}〕$$

となり，v_b の周波数 f_b は，その周期 T_b が0.8〔ms〕であるから，

$$f_b = \frac{1}{T_b} = \frac{1}{0.8 \times 10^{-3}} \times 10^{-3} = 1.25〔\mathrm{kHz}〕$$

となる．

また，v_a の周期 T_a は，

$$T_a = 0.8〔\mathrm{ms}〕$$

であり，v_a と v_b の位相差は，v_a と v_b が0となるときの時間差 ΔT が，

$$\Delta T = 約\ 0.1〔\mathrm{ms}〕$$

であるから，位相差 φ は，周期が0.8〔ms〕であるから，

$$\varphi = 2\pi \times \frac{0.1}{0.8} = \frac{\pi}{4}〔\mathrm{rad}〕$$

となる．

問23 Check! □□□

(平成29年 Ⓐ問題14)

次の(1)〜(5)は，計測の結果，得られた測定値を用いた計算である．これらのうち，有効数字と単位の取り扱い方がともに正しいものを一つ選べ．

(1) $0.51\ \mathrm{V} + 2.2\ \mathrm{V} = 2.71\ \mathrm{V}$

(2) $0.670\ \mathrm{V} \div 1.2\ \mathrm{A} = 0.558\ \Omega$

(3) $1.4\ \mathrm{A} \times 3.9\ \mathrm{ms} = 5.5 \times 10^{-6}\ \mathrm{C}$

(4) $0.12\ \mathrm{A} - 10\ \mathrm{mA} = 0.11\ \mathrm{m}$

(5) $0.5 \times 2.4\ \mathrm{F} \times 0.5\ \mathrm{V} \times 0.5\ \mathrm{V} = 0.3\ \mathrm{J}$

問24 Check! □□□

(令和元年 Ⓐ問題14)

直動式指示電気計器の種類，JISで示される記号及び使用回路の組合せとして，正しいものを次の(1)〜(5)のうちから一つ選べ．

	種　類	記号	使用回路
(1)	永久磁石可動コイル形		直流専用
(2)	空心電流力計形		交流・直流両用
(3)	整流形		交流・直流両用
(4)	誘導形		交流専用
(5)	熱電対形（非絶縁）		直流専用

解23 解答 (5)

(5)が正しい計算で，(1)～(4)を正しい有効数字と単位で表すと次のようになる.

(1) $0.51\ \mathrm{V} + 2.2\ \mathrm{V} = 2.71 \fallingdotseq 2.7\ \mathrm{V}$

(2) $0.670\ \mathrm{V} \div 1.2\ \mathrm{A} \fallingdotseq 0.558 \fallingdotseq 0.56\ \Omega$

(3) $1.4\ \mathrm{A} \times 3.9\ \mathrm{ms} \fallingdotseq 5.46 \fallingdotseq 5.5\ \mathrm{mC} \fallingdotseq 5.5 \times 10^{-3}\ \mathrm{C}$

(4) $0.12\ \mathrm{A} - 10\ \mathrm{mA} = 0.12\ \mathrm{A} - 0.01\ \mathrm{A} = 0.11\ \mathrm{A}$

解24 解答 (2)

(2)が正解で，(1)，(3)，(4)および(5)が誤りである.

(1)の記号は，誘導形計器の記号である.

(3)の整流形は交流用である.

(4)の記号は，熱電対形の記号である.

(5)の記号は，永久磁石可動コイル形計器の記号である.

問25 Check! □□□ （平成28年 Ⓐ問題14）

ディジタル計器に関する記述として，誤っているものを次の(1)～(5)のうちから一つ選べ．

(1) ディジタル計器用のA－D変換器には，二重積分形が用いられることがある．

(2) ディジタルオシロスコープでは，周期性のない信号波形を測定することはできない．

(3) 量子化とは，連続的な値を何段階かの値で近似することである．

(4) ディジタル計器は，測定値が数字で表示されるので，読み取りの間違いが少ない．

(5) 測定可能な範囲（レンジ）を切り換える必要がない機能（オートレンジ）は，測定値のおよその値が分からない場合にも便利な機能である．

問26 Check! □□□ （平成25年 Ⓐ問題14）

ディジタル計器に関する記述として，誤っているものを次の(1)～(5)のうちから一つ選べ．

(1) ディジタル交流電圧計には，測定入力端子に加えられた交流電圧が，入力変換回路で直流電圧に変換され，次のA–D変換回路でディジタル信号に変換される方式のものがある．

(2) ディジタル計器では，測定量をディジタル信号で取り出すことができる特徴を生かし，コンピュータに接続して測定結果をコンピュータに入力できるものがある．

(3) ディジタルマルチメータは，スイッチを切り換えることで電圧，電流，抵抗などを測ることができる多機能測定器である．

(4) ディジタル周波数計には，測定対象の波形をパルス列に変換し，一定時間のパルス数を計数して周波数を表示する方式のものがある．

(5) ディジタル直流電圧計は，アナログ指示計器より入力抵抗が低いので，測定したい回路から計器に流れ込む電流は指示計器に比べて大きくなる．

解25 解答 (2)

(2)の記述が誤りである．ディジタルオシロスコープでは，周期性のない信号波形を測定することはできないというのは誤りで，直流や単発のパルス，電気回路における素子の過渡端子電圧など周期性のない信号波形も測定可能である．

解26 解答 (5)

ディジタル計器は可動部をもたないので，アナログ計器のように可動部の駆動エネルギーを回路から得る必要はない．したがって，入力抵抗をできるだけ大きくして，測定回路に影響を及ぼさないようにしている．

以上から，(5)の記述が誤りである．

問27 Check! □□□ （平成24年 Ⓐ問題14）

電気計測に関する記述として，誤っているものを次の(1)～(5)のうちから一つ選べ．

(1) ディジタル指示計器（ディジタル計器）は，測定値が数字のディジタルで表示される装置である．

(2) 可動コイル形計器は，コイルに流れる電流の実効値に比例するトルクを利用している．

(3) 可動鉄片形計器は，磁界中で磁化された鉄片に働く力を応用しており，商用周波数の交流電流計及び交流電圧計として広く普及している．

(4) 整流形計器は感度がよく，交流用として使用されている．

(5) 二電力計法で三相負荷の消費電力を測定するとき，負荷の力率によっては，電力計の指針が逆に振れることがある．

問28 Check! □□□ （令和6年㊤ Ⓐ問題14）

電気計器に関する記述として，正しいものを次の(1)～(5)のうちから一つ選べ．

(1) クランプメータは，電線に流れる電流による磁界をはかることで電流が測定できるため，磁界が打ち消し合うように電線1本のみをクランプする．

(2) 電子電圧計は，増幅器と可動コイル形計器を組み合わせたもので，内部抵抗が小さく，電圧の測定範囲が数μVから100V程度である．

(3) ホイートストンブリッジは抵抗を精密に測定できる．

(4) 接地抵抗計は，屋内配線や機器などの絶縁抵抗を測定する．

(5) 絶縁抵抗計は，接地電極と大地との間の抵抗を測定する．

解27 解答 (2)

(2)の記述が誤りで，可動コイル形計器は，コイルに流れる電流の平均値に比例するトルクを利用している．

解28 解答 (3)

(3)の記述が正しい．

(1) 磁界を打ち消すようにクランプするとあるので誤り．

(2) 電子電圧計は増幅器と可動コイル形計器を組み合わせた電圧計ではないので誤り．

(4) 接地抵抗計は，接地極と大地との間の抵抗（接地抵抗）を測定する計器であるので誤り．

(5) 絶縁抵抗計は，屋内配線や機器等の絶縁抵抗を測定する計器であるので誤り．

問29 Check! □□□

(令和4年㊤ Ⓐ問題14)

次の文章は，電気計測に関する記述である.

電気に関する物理量の測定に用いる方法には各種あるが，指示計器のように測定量を指針の振れの大きさに変えて，その指示から測定量を知る方法を □(ア)□ 法という．これに比較して精密な測定を行う場合に用いられている □(イ)□ 法は，測定量と同種類で大きさを調整できる既知量を別に用意し，既知量を測定量に平衡させて，そのときの既知量の大きさから測定量を知る方法である.

□(イ)□ 法を用いた測定器の例としては，□(ウ)□ がある.

上記の記述中の空白箇所(ア)〜(ウ)に当てはまる組合せとして，正しいものを次の(1)〜(5)のうちから一つ選べ.

	(ア)	(イ)	(ウ)
(1)	偏位	零位	ホイートストンブリッジ
(2)	間接	差動	誘導形電力量計
(3)	間接	零位	ホイートストンブリッジ
(4)	偏位	差動	誘導形電力量計
(5)	偏位	零位	誘導形電力量計

解29 解答 (1)

(ア), (イ) 電圧や電流などを測定する際，その測定量に応じて計器の針を振らし，その指示値から測定量を知る方法を**偏位**法と呼ぶ．一方，ある基準となる電圧，電流，抵抗等に対し，測定量をブリッジ回路などを用いて比較し平衡点を求め，そのときの基準となる電圧等の大きさと平衡条件から測定量を求める方法を**零位**法と呼ぶ．

例えば，ものの重さを量る際，ばねばかりによって測定するのが偏位法，てんびんによって測定するのが零位法である．

(ウ) **ホイートストンブリッジ**は，基準となる抵抗器と測定しようとする抵抗器を組み合わせてブリッジ回路をつくり，平衡点を求めることで抵抗値を測定する零位法を用いた測定器で，図のような回路で構成される．図のブリッジ回路が平衡し検流計Gの指示が0となった場合，

$$R_x = \frac{R_\mathrm{b}}{R_\mathrm{a}} R_\mathrm{s}$$

が成立する．これより，抵抗 R_s の値および抵抗値 R_b と R_a の比 $(R_\mathrm{b}/R_\mathrm{a})$ があらかじめわかっていれば，被測定抵抗 R_x の値を知ることができる．

誘導形電力量計は電力量を測定する際に用いられ，積算計器の一種である．積算計器とは電流や電力などの積算値を測定する場合に用いられる計器で，交流の電力量測定では誘導形計器が広く用いられる．

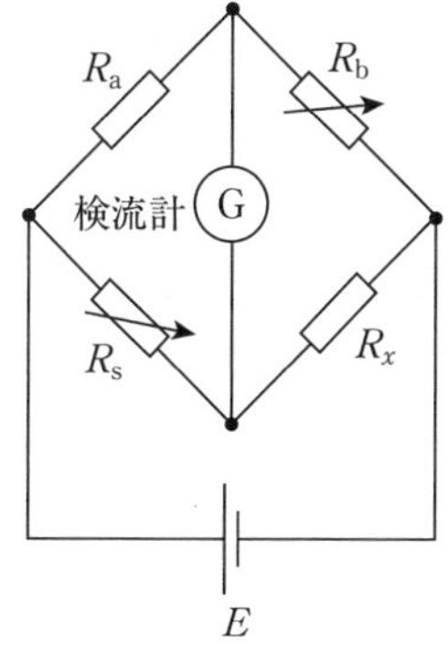

よって，正しい組合せは(1)である．

問30 Check! □□□ (平成17年 A問題14)

図は，［(ア)］の可動鉄片形計器の原理図で，この計器は構造が簡単なのが特徴である．固定コイルに電流を流すと可動鉄片及び固定鉄片が［(イ)］に磁化され，駆動トルクが生じる．指針軸は渦巻きばね（制御ばね）の弾性によるトルクと釣り合うところまで回転し停止する．この計器は，鉄片のヒステリシスや磁気飽和，渦電流やコイルのインピーダンスの変化などで誤差が生じるので，一般に［(ウ)］の電圧，電流の測定に用いられる．

上記の記述中の空白箇所(ア)，(イ)及び(ウ)に記入する語句として，正しいものを組み合わせたのは次のうちどれか．

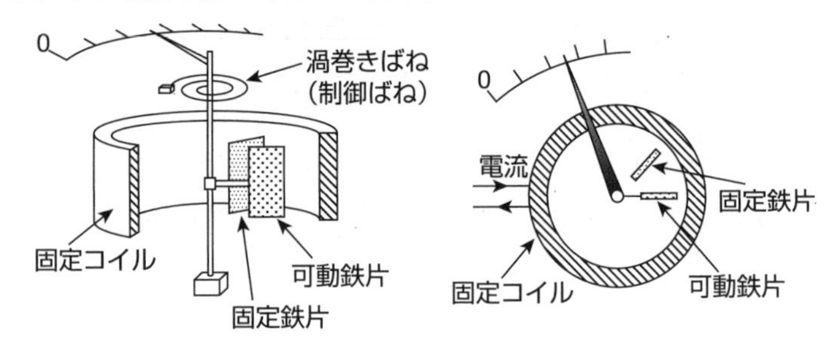

	(ア)	(イ)	(ウ)
(1)	反発形	同一方向	商用周波数
(2)	吸引形	逆方向	直流
(3)	反発形	逆方向	商用周波数
(4)	吸引形	同一方向	高周波及び商用周波数
(5)	反発形	逆方向	直流

解30 解答 (1)

可動鉄片形計器は，問題文にあるように固定コイルに電流が流れると，可動鉄片および固定鉄片が同一方向に磁化されることによって，二つの鉄片が反発し合って，駆動トルクが働き，これによって指示させる計器である．

この駆動トルクは，コイルに流れる電流の 2 乗に比例するから，目盛は平等ではなく 2 乗目盛となる．

このため，図のような反発吸引式も用いられる．

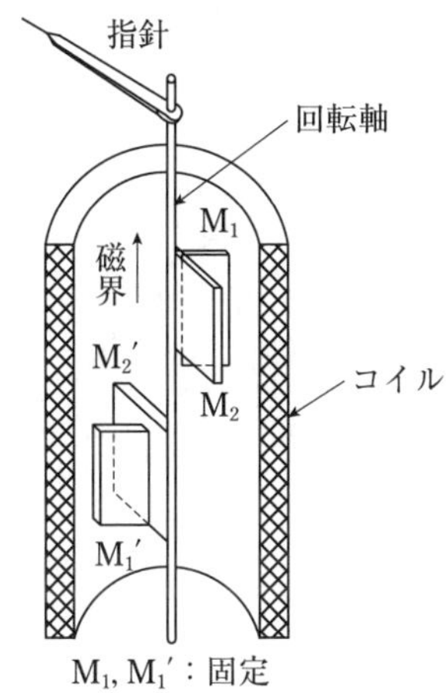

反発吸引式

これは，コイルに電流が流れたとき磁界内の固定と可動の鉄片である M_1 と M_2，M_1' と M_2' がまず反発し，回転角 θ が大きくなるにつれて M_1 と M_2'，M_2 と M_1' との吸引も生じてくるので，これによって目盛を平等目盛に近づけることができるものである．

可動鉄片形計器は原理的には直流でも使用することができるが，鉄片のヒステリシスのため指示に誤差が生じる．また，周波数が高くなると精度が悪くなるため，特に 50〔Hz〕や 60〔Hz〕の商用周波数の計器として広く用いられている．

問31 Check! □□□

(平成18年 Ⓐ問題14)

図の破線で囲まれた部分は，固定コイルA及びC，可動コイルBから構成される (ア) 電力計の原理図で，一般に (イ) の電力の測定に用いられる．

図中の負荷の電力を測定するには各端子間をそれぞれ (ウ) のように配線する必要がある．

上記の記述中の空白箇所(ア)，(イ)及び(ウ)に当てはまる語句として，正しいものを組み合わせたのは次のうちどれか．

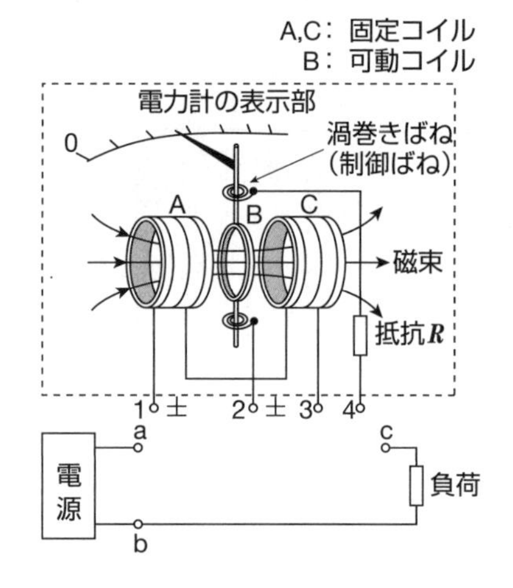

	(ア)	(イ)	(ウ)
(1)	電流力計形	交流及び直流	aと1, aと2, bと4, cと3
(2)	可動コイル形	交流及び直流	aと1, aと4, bと2, cと3
(3)	熱電形	高周波	aと2, bと3, bと4, cと1
(4)	電流力計形	高周波	aと3, aと4, cと1, cと2
(5)	可動コイル形	商用周波数	aと1, aと2, bと4, cと3

解31 解答 (1)

本問は電流力計形電力計に関するもので，その接続は図のようになる．

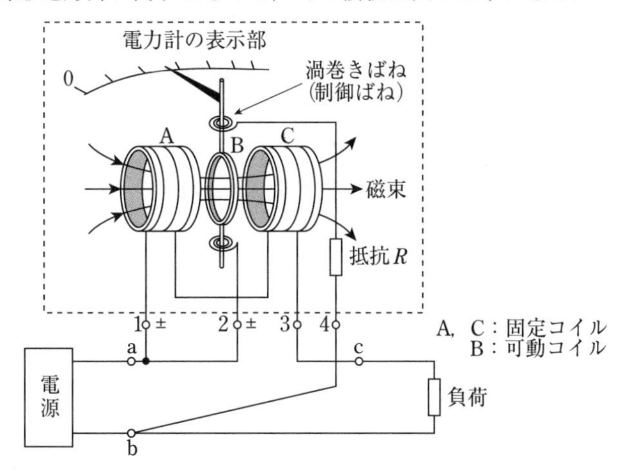

電流力計形計器は可動コイル形の磁石の代わりに固定コイルを使用して磁界を発生させ，可動コイルがこの中で回転するものである．固定コイルおよび可動コイルの二つのコイルを流れる電流を i_1，i_2 とすれば，駆動力は $i_1 i_2$ に比例する．

電流力計形計器は電圧計，電流計および電力計に使用され，その指示は実効値で，直流および交流回路に用いられる．

また，本問の電流力計形電力計の可動コイルは電圧コイル，固定コイル A および C は電流コイルと呼ばれる．

問32 Check! □□□

(令和4年㊦ Ⓐ問題14)

データ変換に関する記述として，誤っているものを次の(1)〜(5)のうちから一つ選べ．

(1) アナログ量を忠実に再現するために必要な標本化の周期の上限は，再現したいアナログ量の最高周波数により決まる．

(2) 量子化において，一般には数値に誤差が生じる．

(3) 符号化では，量子化された数値が2進符号などのディジタル信号に変換される．

(4) ディジタル量は，伝送路の環境変化や伝送路で混入する雑音に強い．

(5) ディジタルオシロスコープで変化する電圧の波形を表示するには，その電圧をアナログ—ディジタル変換してからコンピュータでFFT演算を行い，その結果を出力する．

解32 解答 (5)

⑴ 正しい　アナログ量を忠実に再現するためには，標本化の周期を再現したいアナログ量に含まれる最高周波数成分の周期の 1/2 より短くしなくてはならない.

⑵ 正しい　標本化した信号を量子化する際には，離散値（飛び飛びの値）に当てはめるために切り捨て等の処理を行うので誤差を生じる．これを量子化誤差または量子化ひずみと呼ぶ.

⑶ 正しい　量子化された信号をあらかじめ定められた方式のディジタル符号に変換することを符号化と呼ぶ.

⑷ 正しい　ディジタル信号は誤り訂正符号などを用いることで伝送路のひずみや雑音の影響を小さくすることができる.

⑸ 誤り　ディジタルオシロスコープはアナログ–ディジタル変換した信号の大きさを時系列に時間軸で表示する測定器である．信号を FFT 演算して周波数軸で表示する測定器はスペクトルアナライザの一種の FFT アナライザである.

問33 Check! □□□

（令和２年 Ａ問題 14）

物理現象と，その計測・検出のための代表的なセンサの原理との組合せとして，不適切なものを次の(1)～(5)のうちから一つ選べ．

	物理現象（計測・検出対象）	センサの原理
(1)	光	電磁誘導に関するファラデーの法則
(2)	超音波	圧電現象
(3)	温度	ゼーベック効果
(4)	圧力	ピエゾ抵抗効果
(5)	磁気	ホール効果

問34 Check! □□□

（令和３年 Ａ問題 5）

次の文章は，熱電対に関する記述である．

熱電対の二つの接合点に温度差を与えると，起電力が発生する．この現象を (ア) 効果といい，このとき発生する起電力を (イ) 起電力という．熱電対の接合点の温度の高いほうを (ウ) 接点，低いほうを (エ) 接点という．

上記の記述中の空白箇所(ア)～(エ)に当てはまる組合せとして，正しいものを次の(1)～(5)のうちから一つ選べ．

	(ア)	(イ)	(ウ)	(エ)
(1)	ゼーベック	熱	温	冷
(2)	ゼーベック	熱	高	低
(3)	ペルチエ	誘導	高	低
(4)	ペルチエ	熱	温	冷
(5)	ペルチエ	誘導	温	冷

解33 解答 (1)

(1)が不適切である.

「電磁誘導によって回路に生じる起電力は，回路に鎖交する磁束数の減少割合に比例する」というのがファラデーの法則で，光の計測・検出に用いるセンサの原理ではない.

解34 解答 (1)

2種類の金属端を接合したものを熱電対という．2種類の金属の両端を接合して閉回路をつくり，一方の接合点を高温（**温接点という**）に，他方の接合点を低温（**冷接点という**）にして両接合点に温度差を設けると，回路内に起電力が発生して電流が流れる．この現象を**ゼーベック効果**といい，生じる起電力を**熱起電力**，電流を熱電流という.

ゼーベック効果に対し，2種類の金属からなる閉回路に電流を流すと，高温の接合点では熱の吸収，低温の接合点では熱の発生が生じる．この現象をペルチエ効果という.

第7章

電子理論

●計算

・電子の運動

●論説・空白

・電子の運動・放出

・半導体の概要

・半導体素子の概要

・各種効果

問1 Check! □□□

(平成18年 Ⓐ問題12)

真空中において，図のように電極板の間隔が6〔mm〕，電極板の面積が十分広い平行平板電極があり，電極K，P間には2000〔V〕の直流電圧が加えられている．このとき，電極K，P間の電界の強さは約 (ア) 〔V/m〕である．電極Kをヒータで加熱すると表面から (イ) が放出される．ある1個の電子に着目してその初速度を零とすれば，電子が電極Pに達したときの運動エネルギー W は (ウ) 〔J〕となる．

ただし，電極K，P間の電界は一様とし，電子の電荷 $e=-1.6\times10^{-19}$〔C〕とする．

上記の記述中の空白箇所(ア)，(イ)及び(ウ)に当てはまる語句又は数値として，正しいものを組み合わせたのは次のうちどれか．

	(ア)	(イ)	(ウ)
(1)	3.3×10^{2}	光電子	1.6×10^{-16}
(2)	3.3×10^{5}	熱電子	3.2×10^{-16}
(3)	3.3×10^{2}	光電子	3.2×10^{-16}
(4)	3.3×10^{2}	熱電子	1.6×10^{-16}
(5)	3.3×10^{5}	熱電子	1.6×10^{-16}

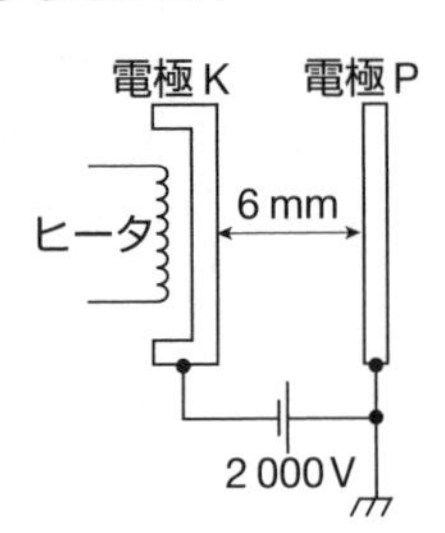

問2 Check! □□□

(令和4年㊤ Ⓐ問題12)

真空中において，電子の運動エネルギーが400 eVのときの速さが 1.19×10^{7} m/sであった．電子の運動エネルギーが100 eVのときの速さ[m/s]の値として，最も近いものを次の(1)～(5)のうちから一つ選べ．

ただし，電子の相対性理論効果は無視するものとする．

(1) 2.98×10^{6}　(2) 5.95×10^{6}　(3) 2.38×10^{7}

(4) 2.98×10^{9}　(5) 5.95×10^{9}

解1　解答 (2)

(ア)　電極 K，P 間の電界の強さ E は，

$$E=\frac{V}{d}=\frac{2\,000}{6\times10^{-3}}\fallingdotseq3.33\times10^{5}\ \text{〔V/m〕}$$

(イ)　ヒータで加熱されることにより，エネルギーを得て極板から飛び出した電子を熱電子という．

(ウ)　絶対値 e〔C〕の電子が電位差 V〔V〕の電界で得る運動エネルギー W は，

$$W=eV\ \text{〔J〕}$$

で与えられる．

よって，求める運動エネルギー W は，

$$W=1.6\times10^{-19}\times2\,000=3.2\times10^{-16}\ \text{〔J〕}$$

解2　解答 (2)

真空中を速度 v [m/s] で移動する質量 m [kg] の電子の運動エネルギー W [J] は，

$$W=\frac{1}{2}mv^2\ [\text{J}]$$

$$\therefore\ v=\sqrt{\frac{2W}{m}}\propto\sqrt{W}$$

すなわち，電子の速度は運動エネルギーの 1/2 乗（平方根）に比例する．よって，運動エネルギーが 400 eV のときの速度に対し，運動エネルギーが 100 eV のときの速度は，

$$\sqrt{\frac{100}{400}}=\sqrt{\frac{1}{4}}=\frac{1}{2}$$

したがって，運動エネルギーが 100 eV のときの速度は，

$$1.19\times10^{7}\times\frac{1}{2}=5.95\times10^{6}\ \text{m/s}$$

問3 Check! □□□

(平成20年 Ⓐ問題12)

真空中において，電子の運動エネルギーが400〔eV〕のときの速さが1.19×10^7〔m/s〕であった．電子の運動エネルギーが100〔eV〕のときの速さ〔m/s〕の値として，正しいのは次のうちどれか．

ただし，電子の相対性理論効果は無視するものとする．

(1) 2.98×10^6　(2) 5.95×10^6　(3) 2.38×10^7

(4) 2.98×10^9　(5) 5.95×10^9

問4 Check! □□□

(平成19年 Ⓐ問題13)

真空中において磁束密度B〔T〕の平等磁界中に，磁界の方向と直角に初速v〔m/s〕で入射した電子は，電磁力$F=$ (ア) 〔N〕によって円運動をする．

その円運動の半径をr〔m〕とすれば，遠心力と電磁力とが釣り合うので，円運動の半径は，$r=$ (イ) 〔m〕となる．また，円運動の角速度は$\omega = v/r$〔rad/s〕であるから，円運動の周期は$T=$ (ウ) 〔s〕となる．

ただし，電子の質量をm〔kg〕，電荷の大きさをe〔C〕とし，重力の影響は無視できるものとする．

上記の記述中の空白箇所(ア)，(イ)及び(ウ)に当てはまる式として，正しいものを組み合わせたのは次のうちどれか．

	(ア)	(イ)	(ウ)
(1)	$Bmev$	$\dfrac{mv}{Be}$	$\dfrac{2\pi m}{Be}$
(2)	Bev	$\dfrac{mv}{Be}$	$\dfrac{2\pi m}{Be}$
(3)	$Bmev$	$\dfrac{v}{Be}$	$\dfrac{2\pi m}{Be}$
(4)	Bev	$\dfrac{mv}{Be}$	$\dfrac{2\pi}{Be}$
(5)	$Bmev$	$\dfrac{v}{Be}$	$\dfrac{2\pi}{Be}$

解3 解答 (2)

電子の静止質量を m〔kg〕，速度を v〔m/s〕とすると，電子の相対性効果を無視すると，電子の運動エネルギー W は，

$$W = \frac{1}{2}mv^2 \text{〔J〕}$$

で表せるから，

$$v = \sqrt{\frac{2W}{m}} \propto \sqrt{W}$$

となって，電子の速度 v は運動エネルギーの平方根に比例することになる．

よって，電子の運動エネルギーが 100〔eV〕のときの速さ v は次式で求められる．

$$v = 1.19 \times 10^7 \times \sqrt{\frac{100}{400}} = 5.95 \times 10^6 \text{〔m/s〕}$$

解4 解答 (2)

図のように，磁束密度 B〔T〕の平等磁界中に初速度 v〔m/s〕で入射した質量 m〔kg〕，電荷量 e〔C〕の電子には，常に O 方向への力 F が働き，F の方向は電子の運動方向と直角であるから，電子は半径 r〔m〕の円運動を行う．

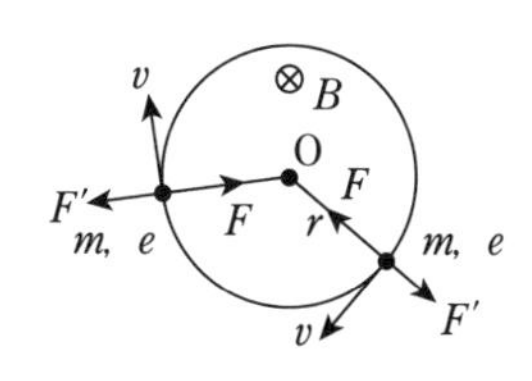

この際，電子に磁界から働く力 F は，

$$F = Bev \text{〔N〕}$$

となり，この力 F と電子に働く遠心力 F'

$$F' = m\frac{v^2}{r} \text{〔N〕}$$

が等しくなるような半径 r の円運動となる．

したがって，半径 r は，

$$Bev = m\frac{v^2}{r}$$

$$\therefore \quad r = \frac{mv}{Be} \text{〔m〕}$$

となる．一方，電子の円運動の角速度 ω は，

$$\omega = \frac{v}{r} = v \cdot \frac{Be}{mv} = \frac{Be}{m} \text{〔rad/s〕}$$

で表せるから，円運動の周期 T は次式となる．

$$T = \frac{2\pi}{\omega} = \frac{2\pi}{Be/m} = \frac{2\pi m}{Be} \text{〔s〕}$$

問5 Check! □□□

(令和元年 Ⓐ問題 12)

図のように，極板間の距離 d [m] の平行板導体が真空中に置かれ，極板間に強さ E [V/m] の一様な電界が生じている．質量 m [kg]，電荷量 q (> 0) [C] の点電荷が正極から放出されてから，極板間の中心 $\frac{d}{2}$ [m] に達するまでの時間 t [s] を表す式として，正しいものを次の(1)〜(5)のうちから一つ選べ．

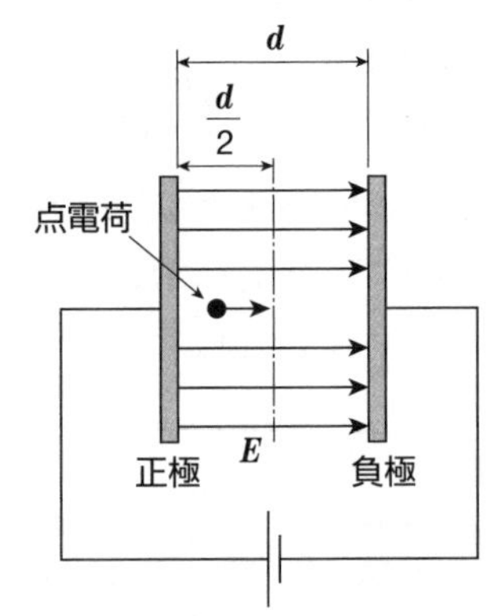

ただし，点電荷の速度は光速より十分小さく，初速度は 0 m/s とする．また，重力の影響は無視できるものとし，平行板導体は十分大きいものとする．

(1) $\sqrt{\dfrac{md}{qE}}$　　(2) $\sqrt{\dfrac{2md}{qE}}$

(3) $\sqrt{\dfrac{qEd}{m}}$　　(4) $\sqrt{\dfrac{qE}{md}}$　　(5) $\sqrt{\dfrac{2qE}{md}}$

解5 解答 (1)

E [V/m] の一様な電界中にある質量 m [kg]，電荷量 q [C] の正の点電荷に働く力は，$F = qE$ [N] であるから，電子の加速度 a は，

$$a = \frac{F}{m} = \frac{qE}{m} \ [\mathrm{m/s^2}]$$

となる．したがって，点電荷が正極から放出されてから，極板間の中心 $d/2$ [m] に達するまでの時間 t は，次のように求められる．

$$\frac{1}{2}at^2 = \frac{d}{2}$$

$$t^2 = \frac{d}{a} = \frac{md}{qE}$$

$$\therefore \quad t = \sqrt{\frac{md}{qE}} \ [\mathrm{s}]$$

問6 Check! □□□

(令和6年㊤ Ⓐ問題12)

真空中に置かれた平行電極板間に，直流電圧 V [V] を加えて平等電界 E [V/m] を作り，この陰極板に電子を置いた場合，初速零で出発した電子が陽極板に到達したときの速さは，v [m/s] となった．このときの電子の運動エネルギーは，電子が陽極板に到達するまでに得るエネルギーに等しいと考えられ，次の式が成立する．

$$\frac{1}{2}mv^2 = \boxed{(ア)}$$

ただし，電子の電気素量を e [C]，電子の質量を m [kg] とする．

したがって，この式から電子の速さ v [m/s] は，(イ) で表される．

上記の記述中の空白箇所(ア)及び(イ)に当てはまる組合せとして，正しいものを次の(1)～(5)のうちから一つ選べ．

	(ア)	(イ)
(1)	eV	$\sqrt{\frac{4eV}{m}}$
(2)	eV	$\sqrt{\frac{2eV}{m}}$
(3)	$2eV$	$\sqrt{\frac{4eV}{m}}$
(4)	eE	$\sqrt{\frac{2eE}{m}}$
(5)	eE	$\sqrt{\frac{4eE}{m}}$

解6 解答 (2)

平行電極板間の距離を d [m] とする．電気素量 e [C] の電子が平等電界から受ける力は eE [N] 一定であるから，電子が電界から得るエネルギー W_{E} は，

$$W_{\mathrm{E}} = eEd = \boldsymbol{eV}\ [\mathrm{J}]$$

となる．一方，陽極板に到達した電子の速さを v [m/s] とすると，電子の運動エネルギーは $\frac{1}{2}mv^2$ [J] で，これが W_{E} に等しいから，

$$\frac{1}{2}mv^2 = eV \rightarrow v = \sqrt{\frac{\boldsymbol{2eV}}{\boldsymbol{m}}}\ [\mathrm{m/s}]$$

で表される．

問7 Check! □□□ (令和5年㊦ Ⓐ問題12)

次の文章は，真空中における電子の運動に関する記述である．

図のように，x 軸上の負の向きに大きさが一定の電界 E [V/m] が存在しているとき，x 軸上に電荷が $-e$ [C]（e は電荷の絶対値），質量 m_0 [kg] の1個の電子を置いた場合を考える．x 軸の正方向の電子の加速度を a [m/s²] とし，また，この電子に加わる力の正方向を x 軸の正方向にとったとき，電子の運動方程式は

$m_0 a =$ (ア) ……………………………………… ①

となる．①式から電子は等加速度運動をすることがわかる．したがって，電子の初速度を零としたとき，x 軸の正方向に向かう電子の速度 v [m/s] は時間 t [s] の (イ) 関数となる．また，電子の走行距離 x_{dis} [m] は時間 t [s] の (ウ) 関数で表される．さらに，電子の運動エネルギーは時間 t [s] の (エ) で増加することがわかる．

ただし，電子の速度 v [m/s] はその質量の変化が無視できる範囲とする．

上記の記述中の空白箇所(ア)～(エ)に当てはまる組合せとして，正しいものを次の(1)～(5)のうちから一つ選べ．

電界 E [V/m]　速度 v [m/s]　x 軸 正方向

電子 {電荷 $-e$ [C]，質量 m_0 [kg]}

	(ア)	(イ)	(ウ)	(エ)
(1)	eE	一次	二次	1乗
(2)	$\frac{1}{2}eE$	二次	一次	1乗
(3)	eE^2	一次	二次	2乗
(4)	$\frac{1}{2}eE$	二次	一次	2乗
(5)	eE	一次	二次	2乗

解7 解答 (5)

質量 m_0 [kg] の電子が電界から受ける力 F は，$F = eE$ [N] であるから，x 軸正方向の電子の加速度を a [m/s^2] とすると，電子の運動方程式は，次式で与えられる．

$$m_0 a = F = \boldsymbol{eE} \quad ①$$

したがって，電子の加速度 a は，

$$a = \frac{eE}{m_0}\,[\mathrm{m/s^2}] \quad (一定)$$

となって，電子は x 軸正方向に等加速度運動をすることになる．

したがって，電子の初速度（時間 $t = 0$ のときの速度）を $v_0 = 0$ とすると，電子の速度 v は，時間 t に対し，

$$v = at\,[\mathrm{m/s}] \quad ②$$

で表せ，時間 t の**一次**関数となる．

また，電子の走行距離 x_{dis} は，

$$x_{\mathrm{dis}} = \frac{1}{2}at^2\,[\mathrm{m}]$$

で表せ，時間 t の**二次**関数となる．

一方，電子の運動エネルギー W は，

$$W = \frac{1}{2}m_0 v^2\,[\mathrm{J}] \quad ③$$

で表せるから，③式へ②式を代入すると，

$$W = \frac{1}{2}m_0(at)^2 = \frac{1}{2}m_0 a^2 t^2\,[\mathrm{J}]$$

となって，時間 t の**2乗**に比例することになる．

問8 Check! □□□

(平成30年 Ⓐ問題12)

次の文章は，磁界中の電子の運動に関する記述である．

図のように，平等磁界の存在する真空かつ無重力の空間に，電子をx方向に初速度v [m/s] で放出する．平等磁界はz方向であり磁束密度の大きさB [T] をもつとし，電子の質量をm [kg]，素電荷の大きさをe [C] とする．ただし，紙面の裏側から表側への向きをz方向の正とし，vは光速に比べて十分小さいとする．このとき，電子の運動は (ア) となり，時間T= (イ) [s] 後に元の位置に戻ってくる．電子の放出直後の軌跡は破線矢印の (ウ) のようになる．

一方，電子を磁界と平行なz方向に放出すると，電子の運動は (エ) となる．

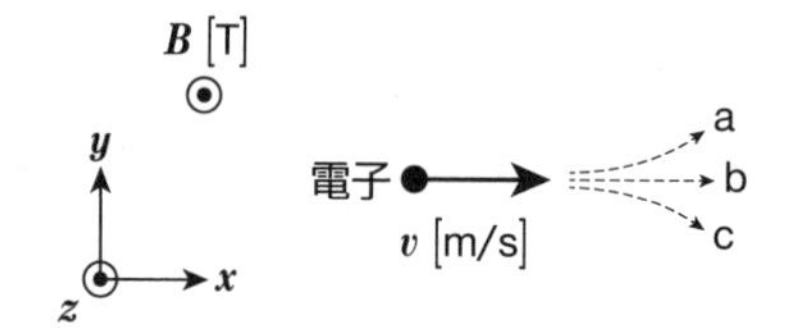

上記の記述中の空白箇所(ア)，(イ)，(ウ)及び(エ)に当てはまる組合せとして，正しいものを次の(1)～(5)のうちから一つ選べ．

	(ア)	(イ)	(ウ)	(エ)
(1)	単振動	$\dfrac{m}{eB}$	a	等加速度運動
(2)	単振動	$\dfrac{m}{2\pi eB}$	b	らせん運動
(3)	等速円運動	$\dfrac{m}{eB}$	c	等速直線運動
(4)	等速円運動	$\dfrac{2\pi m}{eB}$	c	らせん運動
(5)	等速円運動	$\dfrac{2\pi m}{eB}$	a	等速直線運動

解8 解答 (5)

磁束密度 B [T] の磁界中を e [C] の電荷を有する電子が v [m/s] の速度で B と角 θ をなす方向に進行するとき，電子には磁界から，

$$F = evB \sin\theta \text{ [N]}$$

の力が働く．その方向は図のように v と直角となり，電子の速さには変化がなく，円運動することになる．

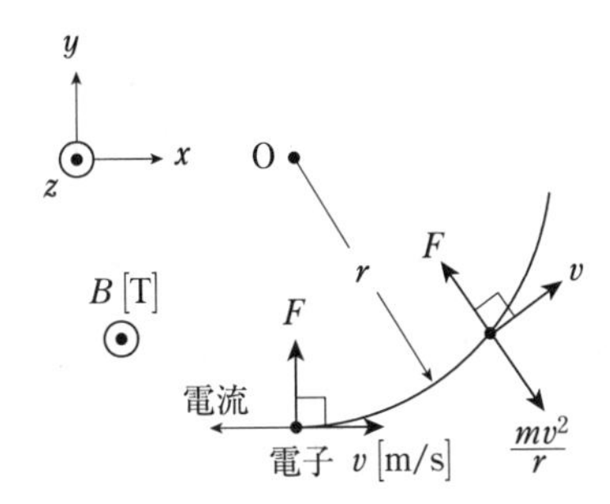

電子の円運動の半径 r は，電子に磁界から働く力 F と遠心力 mv^2/r が釣り合うことから，図のように $\theta = 90°$ の場合，

$$evB = m\frac{v^2}{r}$$

$$\therefore \quad r = \frac{mv}{eB} \text{ [m]}$$

となるから，円運動の周期 T [s] は，

$$T = \frac{2\pi r}{v} = 2\pi\frac{mv}{eB}\cdot\frac{1}{v} = \frac{2\pi m}{eB}$$

また，電子が磁界と平行な方向に進行すると，角 θ は 0 となって，磁界から電子に働く力も 0 となるから，電子は等速直線運動をすることになる．

問9 Check! □□□

(平成24年 Ⓐ問題12)

次の文章は，図に示す「磁界中における電子の運動」に関する記述である．

真空中において，磁束密度 B〔T〕の一様な磁界が紙面と平行な平面の［(ア)］へ垂直に加わっている．ここで，平面上の点aに電荷 $-e$〔C〕，質量 m_0〔kg〕の電子をおき，図に示す向きに速さ v〔m/s〕の初速度を与えると，電子は初速度の向き及び磁界の向きのいずれに対しても垂直で図に示す向きの電磁力 F_A〔N〕を受ける．この力のために電子は加速度を受けるが速度の大きさは変わらないので，その方向のみが変化する．したがって，電子はこの平面上で時計回りに速さ v〔m/s〕の円運動をする．この円の半径を r〔m〕とすると，電子の運動は，磁界が電子に作用する電磁力の大きさ $F_A = Bev$〔N〕と遠心力 $F_B = \dfrac{m_0}{r}v^2$〔N〕とが釣り合った円運動であるので，その半径は $r =$［(イ)］〔m〕と計算される．したがって，この円運動の周期は $T =$［(ウ)］〔s〕，角周波数は $\omega =$［(エ)］〔rad/s〕となる．

ただし，電子の速さ v〔m/s〕は，光速より十分小さいものとする．また，重力の影響は無視できるものとする．

上記の記述中の空白箇所(ア)，(イ)，(ウ)及び(エ)に当てはまる組合せとして，正しいものを次の(1)～(5)のうちから一つ選べ．

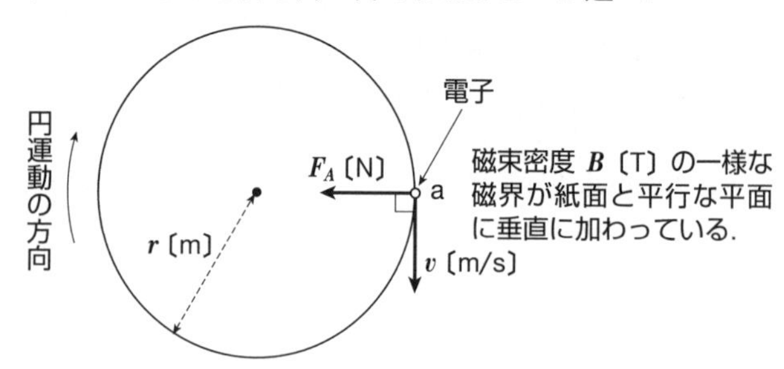

	(ア)	(イ)	(ウ)	(エ)
(1)	裏からおもて	$\dfrac{m_0 v}{eB^2}$	$\dfrac{2\pi m_0}{eB}$	$\dfrac{eB}{m_0}$
(2)	おもてから裏	$\dfrac{m_0 v}{eB}$	$\dfrac{2\pi m_0}{eB}$	$\dfrac{eB}{m_0}$
(3)	おもてから裏	$\dfrac{m_0 v}{eB}$	$\dfrac{2\pi m_0}{e^2 B}$	$\dfrac{2e^2 B}{m_0}$
(4)	おもてから裏	$\dfrac{2m_0 v}{eB}$	$\dfrac{2\pi m_0}{eB^2}$	$\dfrac{eB^2}{m_0}$
(5)	裏からおもて	$\dfrac{m_0 v}{2eB}$	$\dfrac{\pi m_0}{eB}$	$\dfrac{eB}{m_0}$

解9 解答 (2)

問題の図を描き変えると，次図のようになり，電子の速度 v の方向と電子に働く力 F_A の方向から，磁束密度 B の方向は紙面と平行な平面の**表から裏**へ向かう方向であることがわかる．

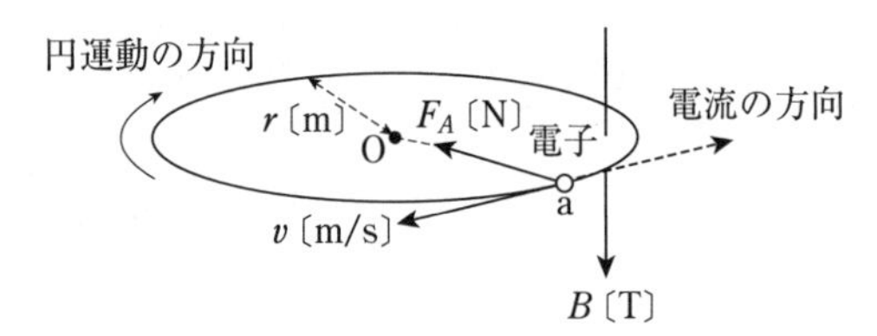

次に，題意より，円運動の半径 r は，$F_A = F_B$ から，

$$Bev = m_0 \frac{v^2}{r}$$

$$\therefore \quad r = \frac{m_0 v}{eB} \text{〔m〕}$$

となる．

また，円運動の周期 T は，円運動の円周が $2\pi r$〔m〕であることから，

$$T = \frac{2\pi r}{v} = \frac{2\pi}{v} \cdot \frac{m_0 v}{eB} = \frac{2\pi m_0}{eB} \text{〔s〕}$$

となる．

さらに，角速度 ω は，

$$\omega = \frac{2\pi}{T} = 2\pi \cdot \frac{eB}{2\pi m_0} = \frac{eB}{m_0} \text{〔rad/s〕}$$

で表せる．

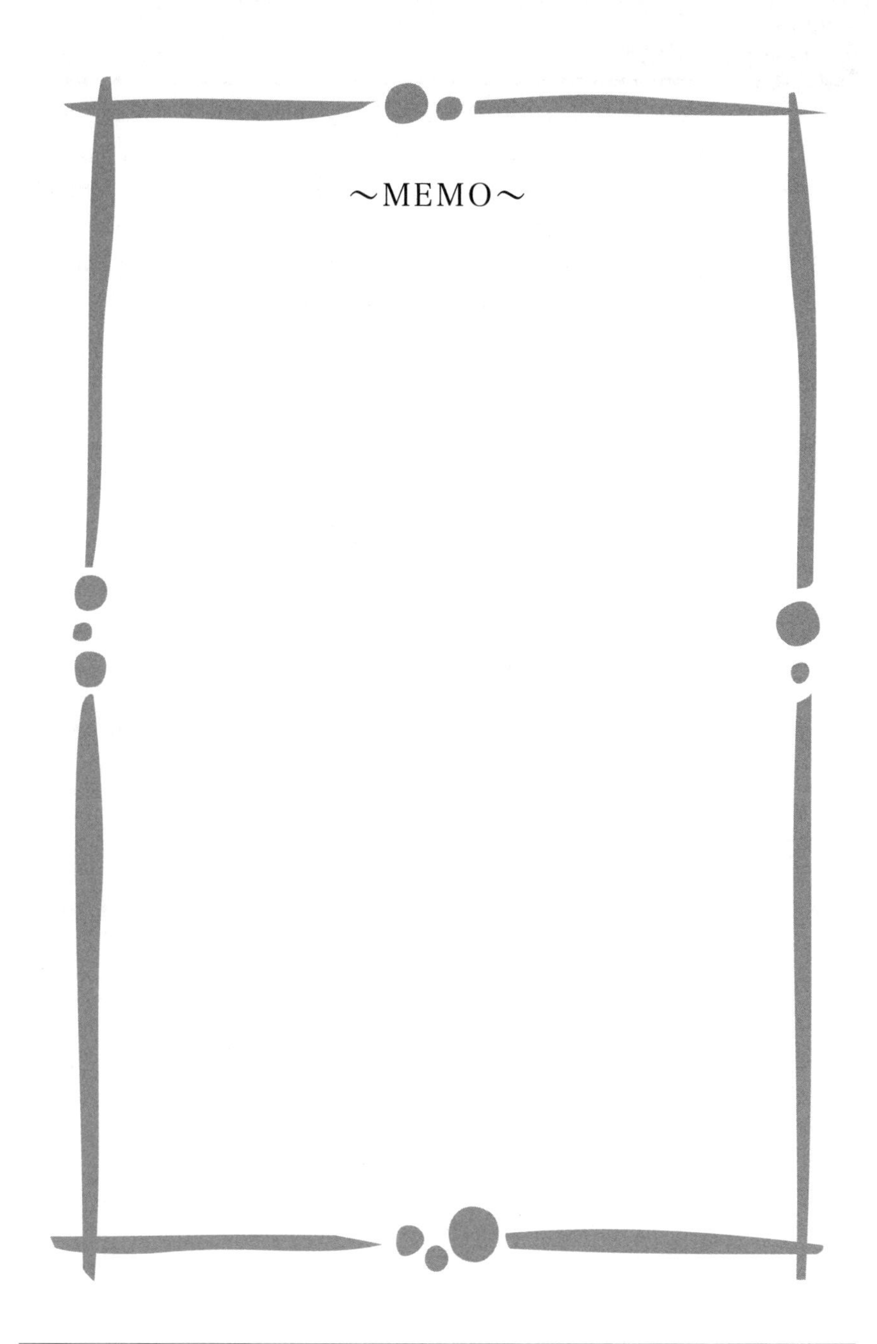
～MEMO～

問10 Check! □□□ （令和３年 Ⓐ問題 12）

図のように，x 方向の平等電界 E [V/m]，y 方向の平等磁界 H [A/m] が存在する真空の空間において，電荷 $-e$ [C]，質量 m [kg] をもつ電子が z 方向の初速度 v [m/s] で放出された．この電子が等速直線運動をするとき，v を表す式として，正しいものを次の(1)〜(5)のうちから一つ選べ．ただし，真空の誘電率を ε_0 [F/m]，真空の透磁率を μ_0 [H/m] とし，重力の影響を無視する．

また，電子の質量は変化しないものとする．図中の⊙は紙面に垂直かつ手前の向きを表す．

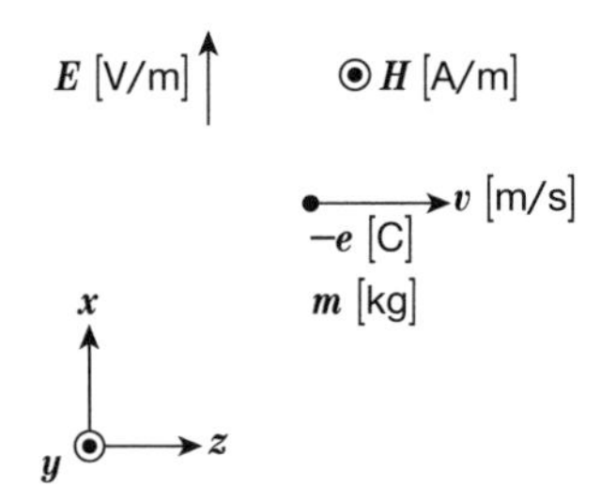

(1) $\dfrac{\varepsilon_0 E}{\mu_0 H}$　(2) $\dfrac{E}{H}$　(3) $\dfrac{E}{\mu_0 H}$　(4) $\dfrac{H}{\varepsilon_0 E}$　(5) $\dfrac{\mu_0 H}{E}$

解10 解答 (3)

平等電界，平等磁界および電子の速度をそれぞれベクトル $\boldsymbol{E}$，$\boldsymbol{H}$ および $\boldsymbol{v}$ で表すと，$-e$ [C] の電子が電界 $\boldsymbol{E}$ および磁界 $\boldsymbol{H}$ から受ける力 $\boldsymbol{F}_{\mathrm{E}}$ および $\boldsymbol{F}_{\mathrm{H}}$ は図のようになり，それぞれ，

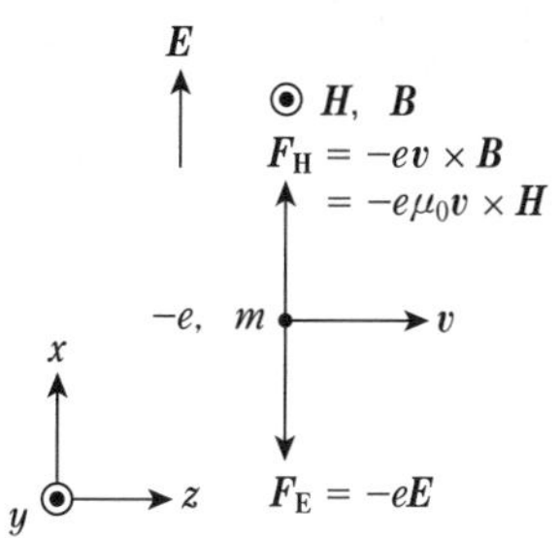

$$\boldsymbol{F}_{\mathrm{E}} = -e\boldsymbol{E}\ [\mathrm{N}] \quad (\boldsymbol{E}\text{ と逆方向})$$

$$\boldsymbol{F}_{\mathrm{H}} = -e\boldsymbol{v} \times \boldsymbol{B} - \mu_0 e\boldsymbol{v} \times \boldsymbol{H}\ [\mathrm{N}] \quad (\boldsymbol{E}\text{ と同方向})$$

で表されるから，$\boldsymbol{F}_{\mathrm{E}}$ および $\boldsymbol{F}_{\mathrm{H}}$ の方向は互いに逆方向となり，これらの大きさ F_{E} および F_{H} はそれぞれ，

$$F_{\mathrm{E}} = eE\ [\mathrm{N}]$$

$$F_{\mathrm{H}} = \mu_0 evH\ [\mathrm{N}]$$

となる．題意より，電子は電界・磁界内で等速直線運動をすることから，電子に働く合成力は $\boldsymbol{F}_{\mathrm{E}} + \boldsymbol{F}_{\mathrm{H}} = 0$ となる．

したがって，

$$F_{\mathrm{E}} = F_{\mathrm{H}} \rightarrow eE = \mu_0 evH$$

$$v = \frac{eE}{\mu_0 eH} = \frac{E}{\mu_0 H}\ [\mathrm{m/s}]$$

問11 Check! □□□ (令和４年㊦ Ⓐ問題 12)

図のように，z 軸の正の向きに磁束密度 $B = 1.0 \times 10^{-3}$ T の平等磁界が存在する真空の空間において，電気量 $e = -4.0 \times 10^{-6}$ C の荷電粒子が yz 平面上を y 軸から 60° の角度で①又は②の向きに速さ v [m/s] で発射された．この瞬間，荷電粒子に働くローレンツ力 F の大きさは 1.0×10^{-8} N，その向きは x 軸の正の向きであった．荷電粒子の速さ v に最も近い値 [m/s] とその向きの組合せとして，正しいものを次の(1)～(5)のうちから一つ選べ．

ただし，重力の影響は無視できるものとする．図中の⊙は，紙面に対して垂直かつ手前の向きを表す．

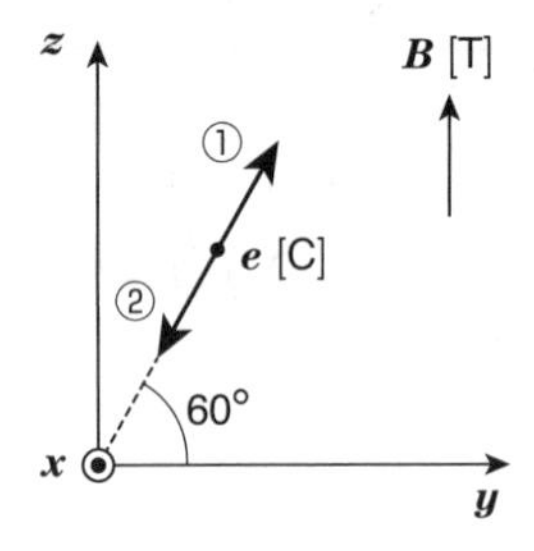

	速さ v	向き
(1)	2.5	①
(2)	2.9	①
(3)	5.0	①
(4)	2.9	②
(5)	5.0	②

解11 解答 (5)

(1) 荷電粒子の運動方向

yz 平面上を y 軸に対し斜めに動く荷電粒子の速度 v のベクトルは，y 軸に平行なベクトルの成分 v_y と z 軸に平行なベクトルの成分 v_z に分けられる．このうち，ローレンツ力を生じさせるのは，磁束密度と垂直となる y 軸に平行な成分 v_y のみである．

フレミングの左手の法則から，問題の図において負の荷電粒子の速度の y 軸に平行な成分のベクトルの向きが，次図のように y 軸の負方向に向かうとき，力が x 軸の正方向に働く．よって，発射された向きは②である．

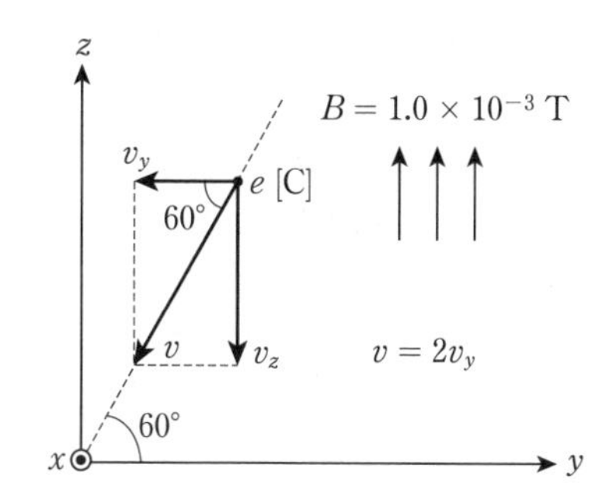

(2) 荷電粒子の速度

荷電粒子の速度 v のうち y 軸に平行な成分を v_y とすると，

$$F = Bv_y e$$

が成り立つ．よって，

$$v_y = \frac{F}{B \cdot |e|} = \frac{1.0\times10^{-8}}{1.0\times10^{-3}\times4.0\times10^{-6}} = \frac{1.0\times10^{-8}}{4.0\times10^{-9}}$$

$$= 0.25 \times 10 = 2.5 \text{ m/s}$$

図より，

$$v = 2v_y = 2 \times 2.5 = \mathbf{5.0} \text{ m/s}$$

問12 Check! □□□

（平成28年 Ⓐ問題12）

電荷 q [C] をもつ荷電粒子が磁束密度 B [T] の中を速度 v [m/s] で運動するとき受ける電磁力はローレンツ力と呼ばれ，次のように導出できる．まず，荷電粒子を微小な長さ Δl [m] をもつ線分とみなせると仮定すれば，単位長さ当たりの電荷（線電荷密度という．）は $\dfrac{q}{\Delta l}$ [C/m] となる．次に，この線分が長さ方向に速度 v で動くとき，線分には電流 $I=\dfrac{vq}{\Delta l}$ [A] が流れていると考えられる．そして，この微小な線電流が受ける電磁力は $F=BI\Delta l\sin\theta$ [N] であるから，ローレンツ力の式 $F=$ (ア) [N] が得られる．ただし，θ は v と B との方向がなす角である．F は v と B の両方に直交し，F の向きはフレミングの (イ) の法則に従う．では，真空中でローレンツ力を受ける電子の運動はどうなるだろうか．鉛直下向きの平等な磁束密度 B が存在する空間に，負の電荷をもつ電子を速度 v で水平方向に放つと，電子はその進行方向を前方とすれば (ウ) のローレンツ力を受けて (エ) をする．

ただし，重力の影響は無視できるものとする．

上記の記述中の空白箇所(ア)，(イ)，(ウ)及び(エ)に当てはまる組合せとして，正しいものを次の(1)～(5)のうちから一つ選べ．

	(ア)	(イ)	(ウ)	(エ)
(1)	$qvB\sin\theta$	右手	右方向	放物線運動
(2)	$qvB\sin\theta$	左手	右方向	円運動
(3)	$qvB\Delta l\sin\theta$	右手	左方向	放物線運動
(4)	$qvB\Delta l\sin\theta$	左手	左方向	円運動
(5)	$qvB\Delta l\sin\theta$	左手	右方向	ブラウン運動

解12 解答 (2)

電荷 q [C] をもつ荷電粒子が微小な長さ Δl [m] をもつ線分とみなせると仮定すると，荷電粒子は単位長さ当たり $\dfrac{q}{\Delta l}$ [C/m] の電荷を有する微小線分と考えることができる．いま，**第1図**のように，この微小線分 Δl がその長さ方向に速度 v [m/s] で動き，ある面Sを通過しているとする．

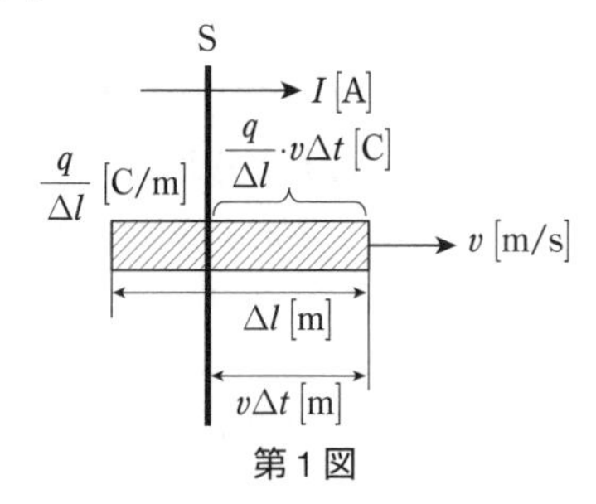

第1図

この場合，微小時間 Δt [s] の間に線分 Δl は微小距離 $v\Delta t$ [m] 移動することになるが，これにより面Sを通過する電荷量 ΔQ は，

$$\Delta Q = \frac{q}{\Delta l}\cdot v\Delta t \ \ [\mathrm{C}]$$

で与えられる．

一方，ある面Sを t [s] 間に Q [C] の電荷が通過するとき，面Sを流れる電流 I は，$I = Q/t$ [A] で表せるから，微小時間 Δt [s] の間にある面Sを通過する電荷量が ΔQ [C] であるとき，その面を流れる電流 I は，

$$I = \frac{\Delta Q}{\Delta t} = \frac{q}{\Delta l}\cdot v\Delta t\cdot\frac{1}{\Delta t} = \frac{vq}{\Delta l} \ \ [\mathrm{A}]$$

で表すことができる．

したがって，この電流 $I = \dfrac{vq}{\Delta l}$ [A] が磁束密度 B [T] の磁界中を B と θ の角をなす方向に流れているとき，磁界から働く力 F は，

$$F = BI\Delta l\sin\theta = B\cdot\frac{vq}{\Delta l}\cdot\Delta l\sin\theta = qvB\sin\theta \ \ [\mathrm{N}]$$

で表すことができる．

次に，**第2図**のように，鉛直下向きの平等な磁束密度 B が存在する空間に，負の電荷（$-q$）をもつ電子を速度 v で水平方向に放つと，電子の進行方向を前方とすれば，右方向のローレンツ力 F を受ける．

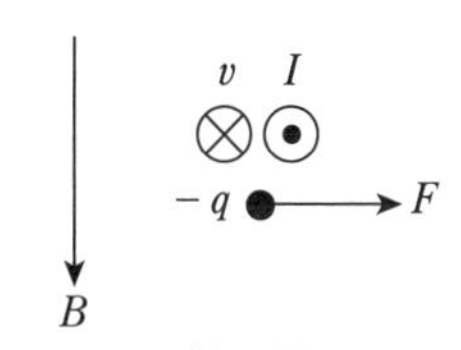

第2図

ローレンツ力 F は電子の進行方向 v と常に直角に働くのでその運動は円運動となる．

問13 Check! □□□

(平成 19 年 Ⓑ 問題 17)

直径 1.6〔mm〕の銅線中に 10〔A〕の直流電流が一様に流れている．この銅線の長さ 1〔m〕当たりの自由電子の個数を 1.69×10^{23} 個，自由電子 1 個の電気量を -1.60×10^{-19}〔C〕として，次のⓐ及びⓑに答えよ．

なお，導体中の直流電流は自由電子の移動によってもたらされているとみなし，その移動の方向は電流の方向と逆である．

また，ある導体の断面を 1 秒間に 1〔C〕の割合で電荷が通過するときの電流の大きさが 1〔A〕と定義される．

ⓐ 10〔A〕の直流電流が流れているこの銅線の中を移動する自由電子の平均移動速度 v〔m/s〕の値として，最も近いのは次のうちどれか．

(1) 1.37×10^{-7}　(2) 3.70×10^{-4}　(3) 1.92×10^{-2}

(4) 1.84×10^{2}　(5) 3.00×10^{8}

ⓑ この銅線と同じ材質の銅線の直径が 3.2〔mm〕，流れる直流電流が 30〔A〕であるとき，自由電子の平均移動速度〔m/s〕は上記ⓐの速度の何倍になるか．その倍数として，最も近いのは次のうちどれか．

なお，銅線の単位体積当たりの自由電子の個数は同一である．

(1) 0.24　(2) 0.48　(3) 0.75　(4) 6.0　(5) 12

解13 解答 (a)−(2), (b)−(3)

(a) 第1図のように，断面積 A〔m^2〕の銅線中を電荷量 e〔C〕の自由電子が v〔m/s〕で移動しているとき，Δt〔s〕間で N 個の自由電子がある断面を通過したとする．この場合に銅線中を流れる電流 I は次式で与えられる．

$$I = \frac{Ne}{\Delta t} \text{〔A〕}$$

ここに，Δt〔s〕間に通過した自由電子の個数 N は，第2図の断面積 A〔m^2〕，長さ $v\Delta t$〔m〕の円柱内に存在する自由電子の数に等しいから，銅線の単位体積当たりの自由電子の個数を n〔個/m^3〕とすると，

$$N = nAv\Delta t \text{〔個〕}$$

となる．よって，これを電流 I の式へ代入すれば，

$$I = \frac{Ne}{\Delta t} = \frac{nAv\Delta te}{\Delta t} = envA \text{〔A〕}$$

で表せることになる．ここに，題意より，

$$e = 1.60 \times 10^{-19} \text{〔C〕}$$

$$A = \frac{\pi}{4} \times (1.6 \times 10^{-3})^2 \fallingdotseq 2.011 \times 10^{-6} \text{〔m}^2\text{〕}$$

$$n = \frac{1.69 \times 10^{23}}{2.011 \times 10^{-6} \times 1} \fallingdotseq 8.404 \times 10^{28}$$

であるから，求める自由電子の平均移動速度 v は次式となる．

$$v = \frac{I}{enA} = \frac{10}{1.60 \times 10^{-19} \times 8.404 \times 10^{28} \times 2.011 \times 10^{-6}} \fallingdotseq 3.70 \times 10^{-4} \text{〔m/s〕}$$

(b) (a)の結果より，自由電子の平均移動速度 v は，

$$v = \frac{I}{enA}$$

で表される．いま，題意のように銅線の単位体積当たりの自由電子の個数 n が一定であるとき，v は以下で表すことができる．

$$v \propto \frac{I}{A}$$

したがって，同じ材質の銅線の直径が3.2〔mm〕，流れる電流が30〔A〕であるときの自由電子の平均移動速度は，(a)の速度の

$$\frac{30}{10} \times \frac{1.6^2}{3.2^2} = 0.75 \text{〔倍〕}$$

問14 Check! □□□

(平成27年 Ⓐ問題12)

ブラウン管は電子銃，偏向板，蛍光面などから構成される真空管であり，オシロスコープの表示装置として用いられる．図のように，電荷 $-e$ [C] をもつ電子が電子銃から一定の速度 v [m/s] で z 軸に沿って発射される．電子は偏向板の中を通過する間，x 軸に平行な平等電界 E [V/m] から静電力 $-eE$ [N] を受け，x 方向の速度成分 u [m/s] を与えられ進路を曲げられる．偏向板を通過後の電子は z 軸と $\tan\theta = \dfrac{u}{v}$ なる角度 θ をなす方向に直進して蛍光面に当たり，その点を発光させる．このとき発光する点は蛍光面の中心点から x 方向に距離 X [m] だけシフトした点となる．

u と X を表す式の組合せとして，正しいものを次の(1)～(5)のうちから一つ選べ．

ただし，電子の静止質量を m [kg]，偏向板の z 方向の大きさを l [m]，偏向板の中心から蛍光面までの距離を d [m] とし，$l \ll d$ と仮定してよい．また，速度 v は光速に比べて十分小さいものとする．

	u	X
(1)	$\dfrac{elE}{mv}$	$\dfrac{2eldE}{mv^2}$
(2)	$\dfrac{elE^2}{mv}$	$\dfrac{2eldE}{mv^2}$
(3)	$\dfrac{elE}{mv^2}$	$\dfrac{eldE^2}{mv}$
(4)	$\dfrac{elE^2}{mv^2}$	$\dfrac{eldE}{mv}$
(5)	$\dfrac{elE}{mv}$	$\dfrac{eldE}{mv^2}$

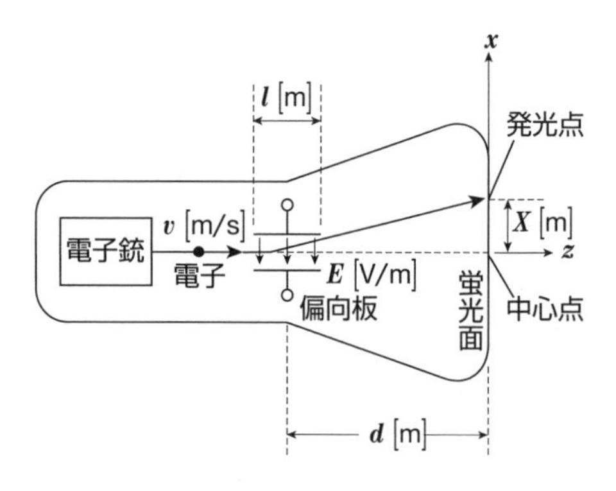

解14 解答 (5)

z 方向の速度 v [m/s] で偏向板に入射した電荷 $-e$ [C]，質量 m [kg] の電子は，偏向板間の電界 E [V/m] から，x 方向に大きさ $F=eE$ [N] の力を受けるので，x 方向に加速度，

$$a_{\mathrm{x}}=\frac{F}{m}=\frac{eE}{m}\,[\mathrm{m/s^2}]$$

が生じる．また，電子が偏向板を通過する時間 t は，

$$t=\frac{l}{v}\,[\mathrm{s}]$$

であるから，偏向板通過後の電子の x 方向の速度 u は，次式で与えられる．

$$u=a_{\mathrm{x}}t=\frac{eE}{m}\cdot\frac{l}{v}=\frac{elE}{mv}\,[\mathrm{m/s}]$$

また，中心点から発光点までの x 方向の距離 X は，次式で与えられる．

$$X=d\tan\theta=d\cdot\frac{u}{v}=d\cdot\frac{elE}{mv}\cdot\frac{1}{v}=\frac{eldE}{mv^2}\,[\mathrm{m}]$$

問15 Check! □□□ （平成23年 Ⓐ問題12）

次の文章は，真空中における電子の運動に関する記述である．

図のように x 軸上の負の向きに大きさが一定の電界 E〔V/m〕が存在しているとき，x 軸上に電荷が $-e$〔C〕（e は電荷の絶対値），質量 m_0〔kg〕の1個の電子を置いた場合を考える．x 軸の正方向の電子の加速度を a〔m/s^2〕とし，また，この電子に加わる力の正方向を x 軸の正方向にとったとき，電子の運動方程式は

$m_0 a =$ (ア) ……………………………………①

となる．①式から電子は等加速度運動をすることがわかる．したがって，電子の初速度を零としたとき，x 軸の正方向に向かう電子の速度 v〔m/s〕は時間 t〔s〕の (イ) 関数となる．また，電子の走行距離 x_{dis}〔m〕は時間 t〔s〕の (ウ) 関数で表される．さらに，電子の運動エネルギーは時間 t〔s〕の (エ) で増加することがわかる．

ただし，電子の速度 v〔m/s〕はその質量の変化が無視できる範囲とする．

上記の記述中の空白箇所(ア)，(イ)，(ウ)及び(エ)に当てはまる組合せとして，正しいものを次の(1)～(5)のうちから一つ選べ．

電界 E〔V/m〕
速度 v〔m/s〕
x 軸　正方向
電子
電荷 $-e$〔C〕
質量 m_0〔kg〕

	(ア)	(イ)	(ウ)	(エ)
(1)	eE	一次	二次	1乗
(2)	$\frac{1}{2}eE$	二次	一次	1乗
(3)	eE^2	一次	二次	2乗
(4)	$\frac{1}{2}eE$	二次	一次	2乗
(5)	eE	一次	二次	2乗

解15 解答 (5)

質量 m_0〔kg〕の電子が電界から受ける力 F は，$F=eE$〔N〕であるから，x 軸正方向の電子の加速度を a〔m/s^2〕とすると，電子の運動方程式は，次式で与えられる．

$$m_0 a = F = eE \quad ①$$

したがって，電子の加速度 a は，

$$a = \frac{eE}{m_0}\text{〔m/s}^2\text{〕（一定）} \quad ②$$

となって，電子は x 軸正方向に等加速度運動をすることになる．

したがって，電子の初速度（時間 $t=0$ のときの速度）を $v_0=0$ とすると，電子の速度 v は，時間 t に対し，

$$v = at\text{〔m/s〕} \quad ③$$

で表せ，時間 t の一次関数となる．

また，電子の走行距離 x_{dis} は，

$$x_{dis} = \frac{1}{2}at^2\text{〔m〕} \quad ④$$

で表せ，時間 t の二次関数となる．

一方，電子の運動エネルギー W は，

$$W = \frac{1}{2}m_0 v^2\text{〔J〕} \quad ⑤$$

で表せるから，⑤式へ③式を代入すると，

$$W = \frac{1}{2}m_0(at)^2 = \frac{1}{2}m_0 a^2 t^2\text{〔J〕} \quad ⑥$$

となって，時間の 2 乗に比例することになる．

問16 Check! □□□

(平成21年 Ⓐ問題12)

図1のように，真空中において強さが一定で一様な磁界中に，速さ v〔m/s〕の電子が磁界の向きに対して θ〔°〕の角度（0〔°〕< θ〔°〕< 90〔°〕）で突入した．この場合，電子は進行方向にも磁界の向きにも　(ア)　方向の電磁力を常に受けて，その軌跡は，　(イ)　を描く．

次に，電界中に電子を置くと，電子は電界の向きと　(ウ)　方向の静電力を受ける．また，図2のように，強さが一定で一様な電界中に，速さ v〔m/s〕の電子が電界の向きに対して θ〔°〕の角度（0〔°〕< θ〔°〕< 90〔°〕）で突入したとき，その軌跡は，　(エ)　を描く．

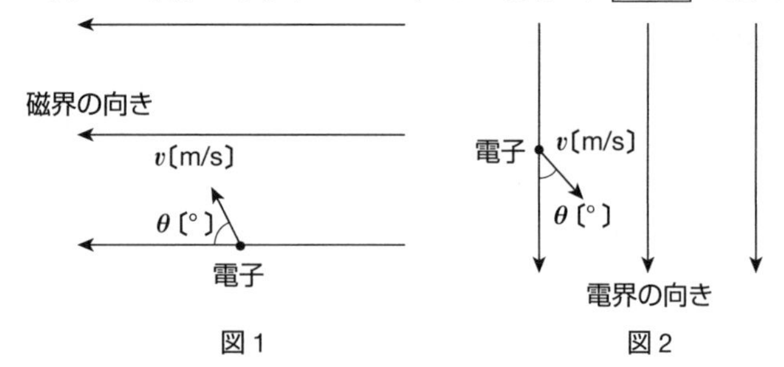

図1　　　図2

上記の記述中の空白箇所(ア)，(イ)，(ウ)及び(エ)に当てはまる語句として，正しいものを組み合わせたのは次のうちどれか．

	(ア)	(イ)	(ウ)	(エ)
(1)	反対	らせん	反対	放物線
(2)	直角	円	同じ	円
(3)	同じ	円	直角	放物線
(4)	反対	らせん	同じ	円
(5)	直角	らせん	反対	放物線

解16 解答 (5)

第1図のように磁界中に速度 v で運動する電子が突入すると，電子は磁界 B の方向および進行方向のいずれの方向にも直角な方向の力 F を受ける．

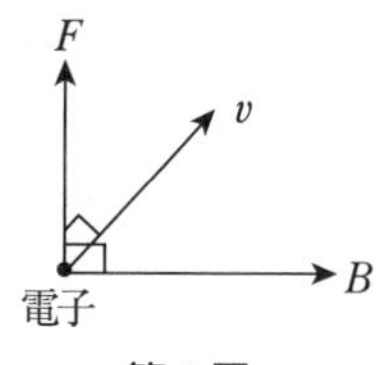

第1図

したがって，第2図のように，電子が速さ v' で磁界 B と垂直な方向に突入すると，電子は磁界中で O を中心とする円運動を行う．

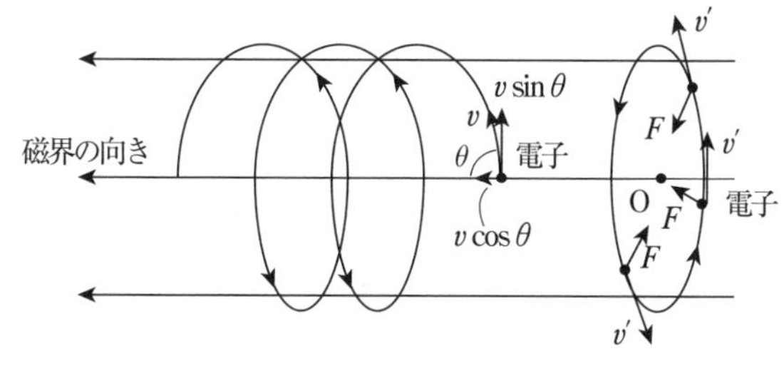

第2図

一方，電子が速さ v で磁界 B と θ の角をなす方向に突入すると，速度の磁界と垂直な成分 $v\sin\theta$ によって回転運動をするが，これと同時に，速度の磁界と平行な成分 $v\cos\theta$ によって，左方向へ等速運動をするので，この場合は，第2図のような左方向へ進むらせん運動を行うことになる．

次に，第3図のように，電子が速さ v で電界 E と θ の角をなす方向に突入すると，電子は電界の向きと反対方向の力 F を受ける．

このため，電界と平行な方向に対しては，速度の電界と平行な成分 $v\cos\theta$ を初速度とした等加速度運動を行うことになる．

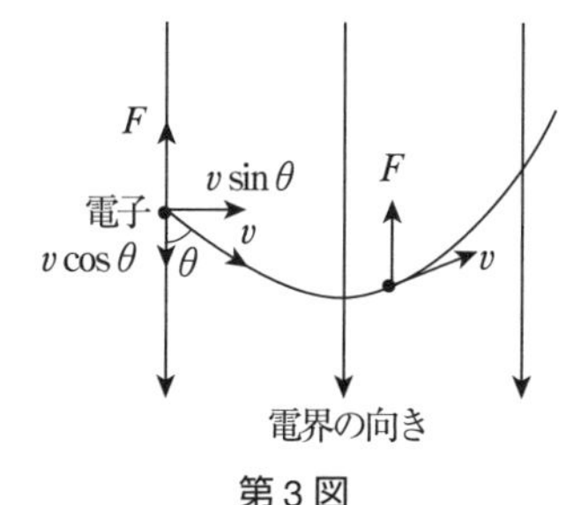

第3図

一方，これと同時に，電界と垂直な方向に対しては，速度の電界と垂直な成分 $v\sin\theta$ によって，右方向へ等速運動を行うから，電子は電界中で放物線を描いて運動することになる．

問17 Check! □□□

（令和２年 Ⓐ問題 12）

次のような実験を真空の中で行った．

まず，箔検電器の上部アルミニウム電極に電荷 Q [C] を与えたところ，箔が開いた状態になった．次に，箔検電器の上部電極に赤外光，可視光，紫外光の順に光を照射したところ，紫外光を照射したときに箔が閉じた．ただし，赤外光，可視光，紫外光の強度はいずれも上部電極の温度をほとんど上昇させない程度であった．

この実験から分かることとして，正しいものを次の(1)～(5)のうちから一つ選べ．

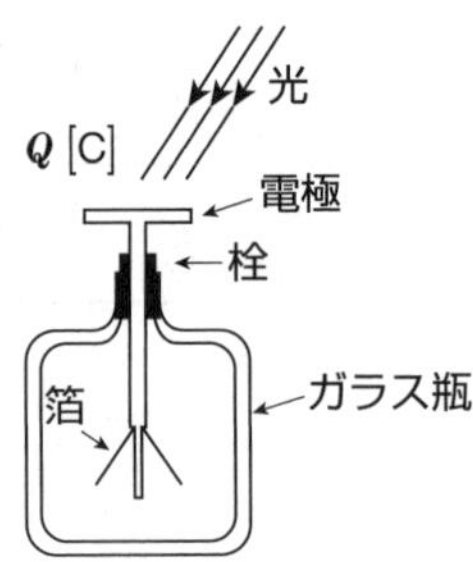

(1) 電荷 Q は正電荷であった可能性も負電荷であった可能性もある．

(2) 紫外光が特定の強度よりも弱いとき箔はまったく閉じなくなる．

(3) 赤外光を照射したとき上部電極に熱電子が吸収された．

(4) 可視光を照射したとき上部電極の電気抵抗が大幅に低下した．

(5) 紫外光を照射したとき上部電極から光電子が放出された．

解17 解答 (5)

金属面に光を当てると，金属の表面から電子が飛び出す．この現象を光電効果といい，飛び出した電子を光電子という．

金属中の自由電子は原子核の束縛により，金属表面から外部へ出ることはないが，光のもつエネルギー（光子エネルギー）を受け，ある一定以上のエネルギーをもつと，電子はこの束縛を切って金属表面から飛び出してくる．

光子1個のもつエネルギー（光子エネルギー）は，プランク定数を h [J·s]，光の振動数を ν [Hz] とすると，$h\nu$ [J] で表され，光速を c [m/s]，光の波長を λ [m] とすると，hc/λ [J] で表されるため，振動数の高い（波長の短い）光ほど光子エネルギーは大きくなり，金属表面からの光電子放出は，普通，紫外線以下の波長をもつ光によってのみ生じ，波長の長い（振動数の低い）光をいくら強く照射しても光電子放出は生じない．

問18 Check! □□□

(平成22年 Ⓐ問題12)

次の文章は，金属などの表面から真空中に電子が放出される現象に関する記述である．

a. タンタル（Ta）などの金属を熱すると，電子がその表面から放出される．この現象は ㈠ 放出と呼ばれる．

b. タングステン（W）などの金属表面の電界強度を十分に大きくすると，常温でもその表面から電子が放出される．この現象は ㈡ 放出と呼ばれる．

c. 電子を金属又はその酸化物・ハロゲン化物などに衝突させると，その表面から新たな電子が放出される．この現象は ㈢ 放出と呼ばれる．

上記の記述中の空白箇所㈠，㈡及び㈢に当てはまる語句として，正しいものを組み合わせたのは次のうちどれか．

	㈠	㈡	㈢
(1)	熱電子	電界	二次電子
(2)	二次電子	冷陰極	熱電子
(3)	電界	熱電子	二次電子
(4)	熱電子	電界	光電子
(5)	光電子	二次電子	冷陰極

解18 解答（1）

物体内の電子が，熱，電界，光，電子などの刺激を受けて，物体外に放出される現象を電子放出といい，熱刺激により発生する電子放出現象を熱電子放出，電界刺激によるものを電界放出，光刺激によるものを光電子放出，物体に電子が衝突した衝撃により電子が放出されるものを二次電子放出という．

問19 Check! □□□

(平成25年 Ⓐ問題11)

次の文章は，不純物半導体に関する記述である．

極めて高い純度に精製されたケイ素（Si）の真性半導体に，微量のリン（P），ヒ素（As）などの (ア) 価の元素を不純物として加えたものを (イ) 形半導体といい，このとき加えた不純物を (ウ) という．

ただし，Si，P，Asの原子番号は，それぞれ14，15，33である．

上記の記述中の空白箇所(ア)，(イ)及び(ウ)に当てはまる組合せとして，正しいものを次の(1)～(5)のうちから一つ選べ．

	(ア)	(イ)	(ウ)
(1)	5	p	アクセプタ
(2)	3	n	ドナー
(3)	3	p	アクセプタ
(4)	5	n	アクセプタ
(5)	5	n	ドナー

問20 Check! □□□

(平成18年 Ⓐ問題11)

極めて高い純度に精製されたけい素（Si）の真性半導体に，微量のほう素（B）又はインジウム（In）などの (ア) 価の元素を不純物として加えたものを (イ) 形半導体といい，このとき加えた不純物を (ウ) という．

上記の記述中の空白箇所(ア)，(イ)及び(ウ)に当てはまる語句又は数値として，正しいものを組み合わせたのは次のうちどれか．

	(ア)	(イ)	(ウ)
(1)	5	n	ドナー
(2)	3	p	アクセプタ
(3)	3	n	ドナー
(4)	5	n	アクセプタ
(5)	3	p	ドナー

解19 解答 (5)

りん (P), ひ素 (As), アンチモン (Sb) などは最外殻の電子数が5, すなわち5価の元素である. このような5価の元素を不純物として真性半導体に添加したものをn形半導体と呼び, 加えた不純物をドナーという.

解20 解答 (2)

Si (けい素) やGe (ゲルマニウム) のような4価の真性半導体に, Al (アルミニウム), Ga (ガリウム), B (ほう素), In (インジウム) などの3価の元素を不純物としてごく微量入れて結晶させたものをp形半導体といい, 混入した微量の3価の元素をアクセプタという.

一方, SiやGeの真性半導体に, As (ひ素), P (りん), Sb (アンチモン) などの5価の元素を不純物として, ごく微量入れて結晶させたものをn形半導体といい, 混入した微量の5価の元素をドナーという.

問21 Check! □□□

（平成28年 Ⓐ問題11）

半導体に関する記述として，誤っているものを次の(1)～(5)のうちから一つ選べ．

(1) 極めて高い純度に精製されたシリコン（Si）の真性半導体に，価電子の数が3個の原子，例えばホウ素（B）を加えるとp形半導体になる．

(2) 真性半導体に外部から熱を与えると，その抵抗率は温度の上昇とともに増加する．

(3) n形半導体のキャリアは正孔より自由電子の方が多い．

(4) 不純物半導体の導電率は金属よりも小さいが，真性半導体よりも大きい．

(5) 真性半導体に外部から熱や光などのエネルギーを加えると電流が流れ，その向きは正孔の移動する向きと同じである．

問22 Check! □□□

（平成21年 Ⓐ問題11）

半導体に関する記述として，誤っているのは次のうちどれか．

(1) シリコン（Si）やゲルマニウム（Ge）の真性半導体においては，キャリヤの電子と正孔の数は同じである．

(2) 真性半導体に微量のⅢ族又はⅤ族の元素を不純物として加えた半導体を不純物半導体といい，電気伝導度が真性半導体に比べて大きくなる．

(3) シリコン（Si）やゲルマニウム（Ge）の真性半導体にⅤ族の元素を不純物として微量だけ加えたものをp形半導体という．

(4) n形半導体の少数キャリヤは正孔である．

(5) 半導体の電気伝導度は温度が下がると小さくなる．

解21 解答 (2)

(1), (3)〜(5)の記述は正しく，(2)の記述が誤りである.

真性半導体における電子と正孔の密度は等しく，その密度は温度によって決まるが，温度が上昇するとこれらの密度が増加し，電流が流れやすくなるので，半導体の抵抗率は温度の上昇とともに減少する.

解22 解答 (3)

第1図のように，シリコン（Si）やゲルマニウム（Ge）などの真性半導体にほう素（B）やインジウム（In）などのⅢ族の元素を微量だけ加えたものをp形半導体といい，ほう素やインジウムなどの3価の元素をアクセプタ（acceptor）という．また，**第2図**のように真性半導体にりん（P）やひ素（As）等のⅤ族の元素を微量だけ加えたものをn形半導体といい，りんやひ素等の5価の元素をドナー（donor）という.

真性半導体では，自由電子と正孔の数は同じであるが，p形半導体では，正孔の数が自由電子の数より多く，n形半導体では，自由電子の数が正孔の数より多い.

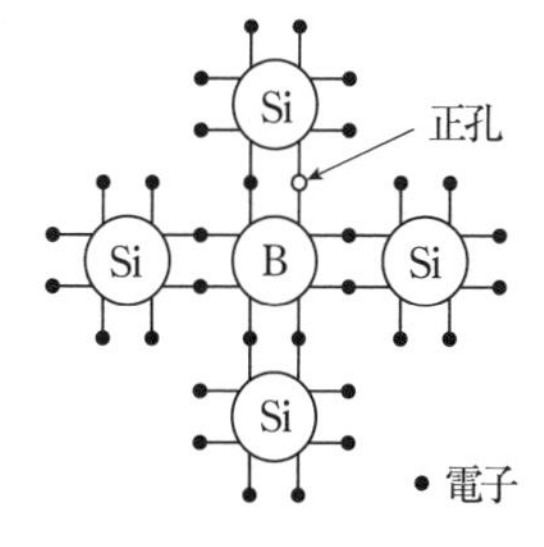

第1図 p形半導体

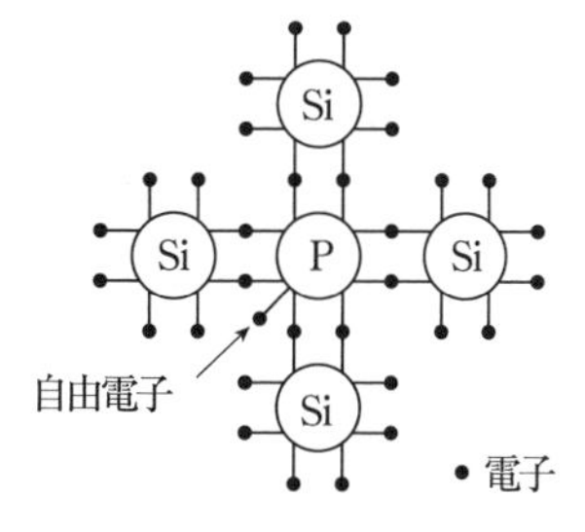

第2図 n形半導体

問23 Check! □□□

（令和３年 Ⓐ問題 11）

半導体に関する記述として，正しいものを次の(1)～(5)のうちから一つ選べ．

(1) ゲルマニウム（Ge）やインジウムリン（InP）は単元素の半導体であり，シリコン（Si）やガリウムヒ素（GaAs）は化合物半導体である．

(2) 半導体内でキャリヤの濃度が一様でない場合，拡散電流の大きさはそのキャリヤの濃度勾配にほぼ比例する．

(3) 真性半導体に不純物を加えるとキャリヤの濃度は変わるが，抵抗率は変化しない．

(4) 真性半導体に光を当てたり熱を加えたりしても電子や正孔は発生しない．

(5) 半導体に電界を加えると流れる電流はドリフト電流と呼ばれ，その大きさは電界の大きさに反比例する．

問24 Check! □□□

（平成 24 年 Ⓐ 問題 11）

半導体集積回路（IC）に関する記述として，誤っているものを次の(1)～(5)のうちから一つ選べ．

(1) MOS IC は，MOSFET を中心としてつくられた IC である．

(2) IC を構造から分類すると，モノリシック IC とハイブリッド IC に分けられる．

(3) CMOS IC は n チャネル MOSFET のみを用いて構成される IC である．

(4) アナログ IC には，演算増幅器やリニア IC などがある．

(5) ハイブリッド IC では，絶縁基板上に，IC チップや抵抗，コンデンサなどの回路素子が組み込まれている．

解23 解答 (2)

(1) 誤り

シリコン Si は単元素の半導体である.

(2) 正しい

(3) 誤り

真性半導体に不純物を加えると，キャリヤ濃度が変わり，抵抗率も変化する.

(4) 誤り

真性半導体に光を当てたり熱を加えたりすると，電子と正孔が発生する.

(5) 誤り

半導体に電界を加えると，ドリフト電流が流れ，その大きさは電界の大きさに比例する.

解24 解答 (3)

CMOS とは，n チャネル MOSFET と p チャネル MOSFET が一つの半導体基板上に形成されたゲート構造をいい，n チャネル MOSFET のみを用いたものではない.

問25 Check! □□□ (平成27年 Ⓐ問題11)

次の文章は，半導体レーザ（レーザダイオード）に関する記述である．

レーザダイオードは，図のような3層構造を成している．p形層とn形層に挟まれた層を [(ア)] 層といい，この層は上部のp形層及び下部のn形層とは性質の異なる材料で作られている．前後の面は半導体結晶による自然な反射鏡になっている．

レーザダイオードに [(イ)] を流すと，[(ア)] 層の自由電子が正孔と再結合して消滅するとき光を放出する．

この光が二つの反射鏡の間に閉じ込められることによって，[(ウ)] 放出が起き，同じ波長の光が多量に生じ，外部にその一部が出力される．光の特別な波長だけが共振状態となって [(ウ)] 放出が誘起されるので，強い同位相のコヒーレントな光が得られる．

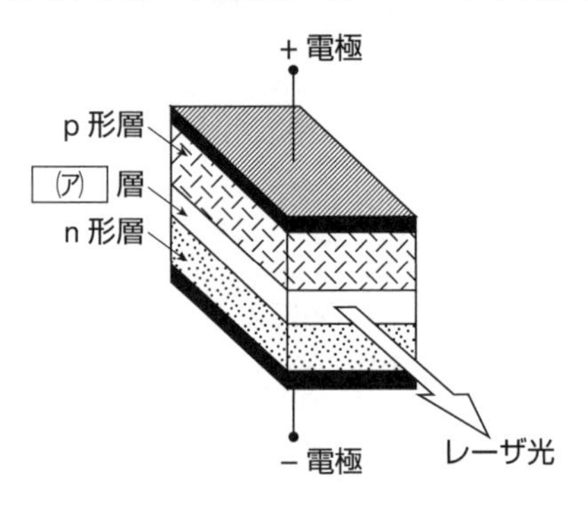

上記の記述中の空白箇所(ア)，(イ)及び(ウ)に当てはまる組合せとして，正しいものを次の(1)～(5)のうちから一つ選べ．

	(ア)	(イ)	(ウ)
(1)	空乏	逆電流	二次
(2)	活性	逆電流	誘導
(3)	活性	順電流	二次
(4)	活性	順電流	誘導
(5)	空乏	順電流	二次

解25 解答 (4)

レーザダイオードは，動作原理は発光ダイオードと同様であるが，pn 接合面と直角に相対する鏡面を設け，光共振器を形成して，誘導放出現象により，波のそろった光が得られるようにしたものである．その構造は，問題の図のようなもので，p 形層と n 形層に挟まれた層を活性層という．

レーザダイオードに順方向電流を流すと，発光ダイオードと同様に pn 接合付近の自由電子が正孔と再結合して消滅するときに光を放出する．この光が相対する鏡面間に閉じ込められ，反射を繰り返すと，その光が他の自由電子に衝突することによって，次々に入射した光と同じ位相の光を発生する誘導放出によって，光が強められる．

発光ダイオードの発する光とレーザダイオードのそれとの違いは，発光ダイオードの光はさまざまな周波数の光を含んでいるのに対し，レーザダイオードの光は，単一周波数で位相のそろった光であることである．

問26 Check! □□□

（令和２年 Ⓐ問題 11）

次の文章は，可変容量ダイオード（バリキャップやバラクタダイオードともいう）に関する記述である．

可変容量ダイオードとは，図に示す原理図のように (ア) 電圧 V [V] を加えると静電容量が変化するダイオードである．p 形半導体と n 形半導体を接合すると，p 形半導体のキャリヤ（図中の●印）と n 形半導体のキャリヤ（図中の○印）が pn 接合面付近で拡散し，互いに結合すると消滅して (イ) と呼ばれるキャリヤがほとんど存在しない領域が生じる．可変容量ダイオードに (ア) 電圧を印加し，その大きさを大きくすると， (イ) の領域の幅 d が (ウ) なり，静電容量の値は (エ) なる．この特性を利用して可変容量ダイオードは (オ) などに用いられている．

上記の記述中の空白箇所(ア)～(オ)に当てはまる組合せとして，正しいものを次の(1)～(5)のうちから一つ選べ．

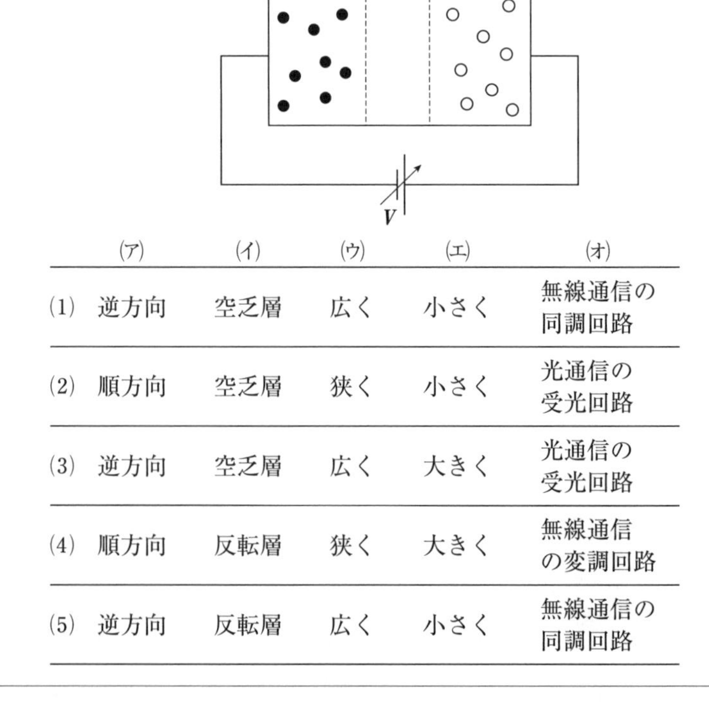

	(ア)	(イ)	(ウ)	(エ)	(オ)
(1)	逆方向	空乏層	広く	小さく	無線通信の同調回路
(2)	順方向	空乏層	狭く	小さく	光通信の受光回路
(3)	逆方向	空乏層	広く	大きく	光通信の受光回路
(4)	順方向	反転層	狭く	大きく	無線通信の変調回路
(5)	逆方向	反転層	広く	小さく	無線通信の同調回路

解26 解答（1）

p 形半導体と n 形半導体の接合部付近の空乏層は一種のコンデンサを形成しており，これを接合容量という．

ダイオードに逆方向電圧を加えると，空乏層の幅 d は大きくなり，逆方向電圧が大きくなるほど空乏層の幅 d も大きくなる．

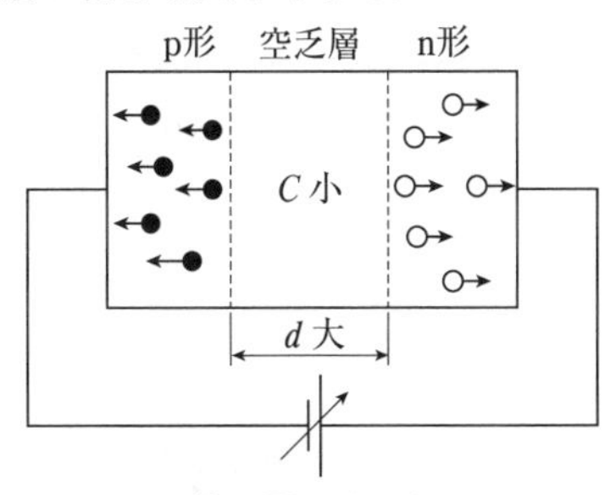

第1図　電圧大

接合容量は空乏層の幅 d に反比例するので，逆方向電圧が大きくなるほど静電容量が小さくなる．この性質を利用したダイオードを可変容量ダイオード（バリキャップダイオードやバラクタダイオードともいう）といい，逆電圧によって静電容量が変化する可変容量素子として，無線通信の同調回路などに用いられている．

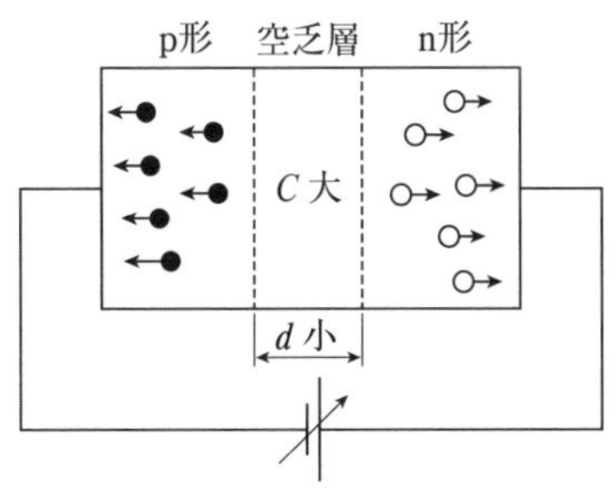

第2図　電圧小

問27 Check! □□□

(令和４年㊤ Ⓐ問題 11)

次の文章は，電界効果トランジスタ（FET）に関する記述である．

図は，n チャネル接合形 FET の断面を示した模式図である．ドレーン（D）電極に電圧 V_{DS} を加え，ソース（S）電極を接地すると，n チャネルの［(ア)］キャリヤが移動してドレーン電流 I_{D} が流れる．ゲート（G）電極に逆方向電圧 V_{GS} を加えると，pn 接合付近に空乏層が形成されて n チャネルの幅が［(イ)］し，ドレーン電流 I_{D} が［(ウ)］する．このことから FET は［(エ)］制御形の素子である．

上記の記述中の空白箇所(ア)～(エ)に当てはまる組合せとして，正しいものを次の(1)～(5)のうちから一つ選べ．

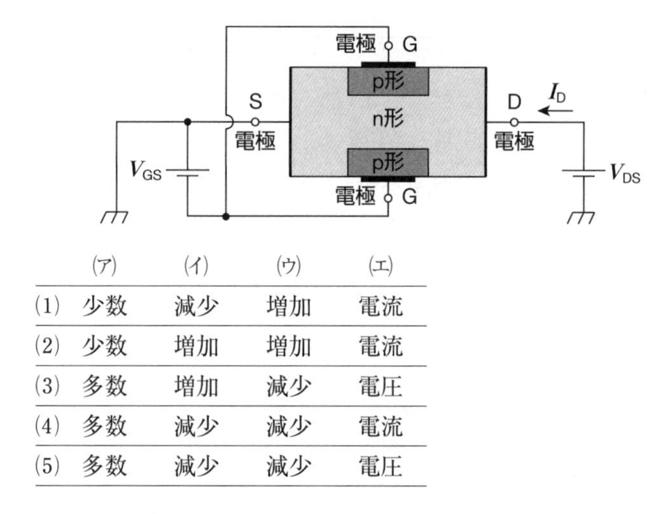

	(ア)	(イ)	(ウ)	(エ)
(1)	少数	減少	増加	電流
(2)	少数	増加	増加	電流
(3)	多数	増加	減少	電圧
(4)	多数	減少	減少	電流
(5)	多数	減少	減少	電圧

解27 解答 (5)

電界効果トランジスタ（FET）は，半導体中の電子か正孔のどちらか一種類のキャリヤだけで動作する，ユニポーラトランジスタの一種である．

nチャネル接合型FETは，n形半導体の上下面の一部にp形半導体を接合した構造である．このn形半導体の両側に電極を設けて電圧を加えると，キャリヤを供給するソース側(負極側)からキャリヤを排出するドレーン側(正極側)へ，p形半導体で挟まれた部分（チャネル）を通過して多数キャリヤ（電子）が移動する．

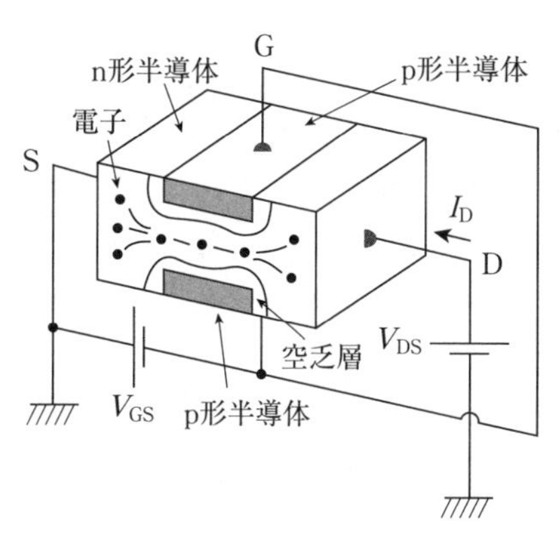

この状態で，p形半導体に設けた電極（ゲート）に逆方向バイアス電圧（ソースに対して負の電圧）を加えると，この電圧に応じた厚さの空乏層ができる．この空乏層がチャネルの幅を変えることで，ここを通る多数キャリヤの量を制御する．つまり，ゲートに加えた逆方向電圧が大きいほどチャネルの幅が狭くなって通過できるキャリヤの量が抑制され，ドレーン–ソース間の電流が制限される．

上記のFETの動作原理から，

(ア) ドレーン電流 I_D は，nチャネルの**多数**キャリヤの移動による．

(イ)，(ウ) ゲート電極に逆方向電圧 V_{GS} を加えると空乏層が形成されてnチャネルの幅が**減少**し，多数キャリヤの流量が抑制されることでドレーン電流 I_D が**減少**する．

(エ) ゲート電圧によりドレーン電流を制御するので，FETは**電圧**制御形の素子である．

よって，正しい組合せは(5)である．

問28 Check! □□□ （平成23年 A 問題11）

次の文章は，電界効果トランジスタに関する記述である．

図に示すMOS電界効果トランジスタ（MOSFET）は，p形基板表面にn形のソースとドレーン領域が形成されている．また，ゲート電極は，ソースとドレーン間のp形基板表面上に薄い酸化膜の絶縁層（ゲート酸化膜）を介して作られている．ソースSとp形基板の電位を接地電位とし，ゲートGにしきい値電圧以上の正の電圧V_{GS}を加えることで，絶縁層を隔てたp形基板表面近くでは，［(ア)］が除去され，チャネルと呼ばれる［(イ)］の薄い層ができる．これによりソースSとドレーンDが接続される．このV_{GS}を上昇させるとドレーン電流I_Dは［(ウ)］する．

また，このFETは［(エ)］チャネルMOSFETと呼ばれている．

上記の記述中の空白箇所(ア)，(イ)，(ウ)及び(エ)に当てはまる組合せとして，正しいものを次の(1)～(5)のうちから一つ選べ．

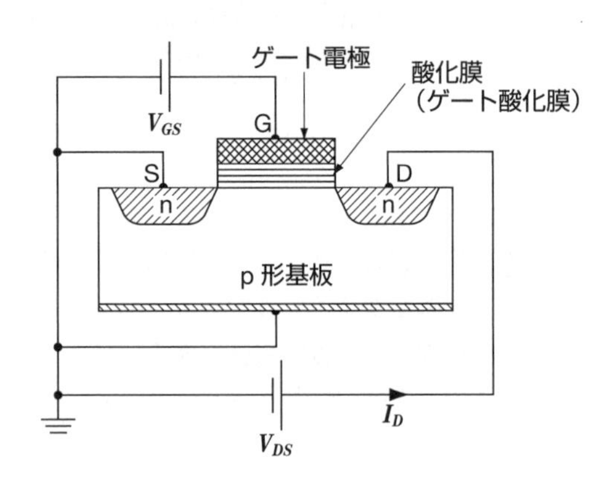

	(ア)	(イ)	(ウ)	(エ)
(1)	正孔	電子	増加	n
(2)	電子	正孔	減少	p
(3)	正孔	電子	減少	n
(4)	電子	正孔	増加	n
(5)	正孔	電子	増加	p

解28 解答（1）

図は，n チャネルエンハンスメント形 MOSFET の動作原理を表したものである．

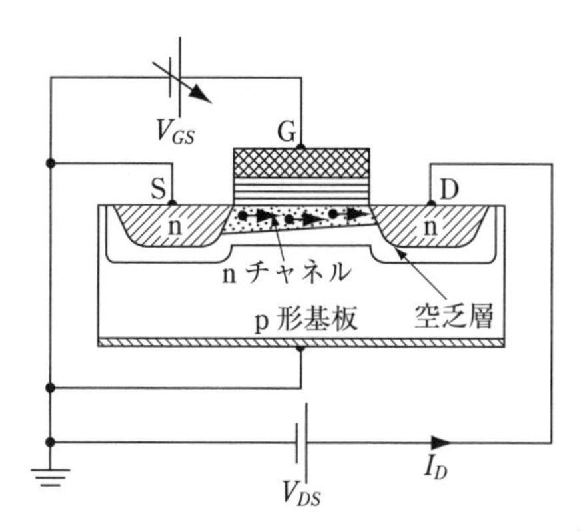

この形の MOSFET では，ゲート（G）・ソース（S）間に電圧を加えない（$V_{GS} = 0$ または $V_{GS} < 0$）状態で，ドレーン（D）・ソース間電圧 V_{DS} を加えてもドレーン電流 I_D は流れないが，ゲート・ソース間電圧 $V_{GS} > 0$ を大きくしていくと，電界の作用でゲートに対向する基板上に p 形半導体の少数キャリヤである電子が誘起され，薄い n 形反転層のチャネル（n 形チャネル）が形成され，ドレーン電流 I_D が流れるようになる．

このようなチャネルが形成される最小電圧をしきい値電圧 V_{th} といい，V_{GS} がしきい値電圧 V_{th} を超えて大きくなるに従い，チャネル幅も大きくなってドレーン電流 I_D は増加するので，ゲートに加える電圧によってドレーン電流を制御できることになる．

問29 Check! □□□ （平成17年 A 問題10）

半導体素子に関する記述として，誤っているのは次のうちどれか．

(1) サイリスタは，p形半導体とn形半導体の4層構造を基本とした素子である．

(2) 可変容量ダイオードは，加えている逆方向電圧を変化させると静電容量が変化する．

(3) 演算増幅器の出力インピーダンスは，極めて小さい．

(4) pチャネルMOSFETの電流は，ドレーンからソースに流れる．

(5) ホトダイオードは，光が照射されると，p側に正電圧，n側に負電圧が生じる素子である．

問30 Check! □□□ （平成26年 A 問題12）

半導体のpn接合を利用した素子に関する記述として，誤っているものを次の(1)～(5)のうちから一つ選べ．

(1) ダイオードにp形が負，n形が正となる電圧を加えたとき，p形，n形それぞれの領域の少数キャリヤに対しては，順電圧と考えられるので，この少数キャリヤが移動することによって，極めてわずかな電流が流れる．

(2) pn接合をもつ半導体を用いた太陽電池では，そのpn接合部に光を照射すると，電子と正孔が発生し，それらがpn接合部で分けられ電子がn形，正孔がp形のそれぞれの電極に集まる．その結果，起電力が生じる．

(3) 発光ダイオードのpn接合領域に順電圧を加えると，pn接合領域でキャリヤの再結合が起こる．再結合によって，そのエネルギーに相当する波長の光が接合部付近から放出される．

(4) 定電圧ダイオード（ツェナーダイオード）はダイオードにみられる順電圧・電流特性の急激な降伏現象を利用したものである．

(5) 空乏層の静電容量が，逆電圧によって変化する性質を利用したダイオードを可変容量ダイオード又はバラクタダイオードという．逆電圧の大きさを小さくしていくと，静電容量は大きくなる．

解29 解答 (4)

⑷が誤りで，「p チャネル MOSFET の電流は，ソースからドレーンに流れる」が正しい．

図は p チャネル MOSFET の概略を示したものである．p チャネルは MOSFET では，ドレーン（D）電圧 V_D はソース（S）電圧より低く（$V_{DS} < 0$）しておく．

V_{DS} を加えても，ゲート（G_1）–ソース間に電圧を加えないと，ドレーン電流 I_D は流れないが，ゲート–ソース間に電圧 V_{GS}（< 0）を加えると，ゲート（G_1）の負電圧に引かれて n 形半導体の少数キャリヤである正孔が集まり，チャネル（電流の通路）が形成され，チャネルを通って電流がソースからドレーンに向かって流れるようになる．

解30 解答 (4)

⑷が誤りである．定電圧ダイオード（ツェナーダイオード）はダイオードに見られる逆電圧・電流特性の急激な降伏現象を利用したものである．

図のようにダイオードに逆方向電圧 V_R を加え，これを次第に大きくしていくと，ある電圧 V_Z で急激に逆方向電流が増加する．これをダイオードの降伏現象といい，この電圧 V_Z をツェナー電圧という．この電圧は，逆方向電流の広い範囲にわたって一定になる特性があり，この特性を利用し，一定電圧を得る目的で使用されるのがツェナーダイオード（定電圧ダイオード）である．

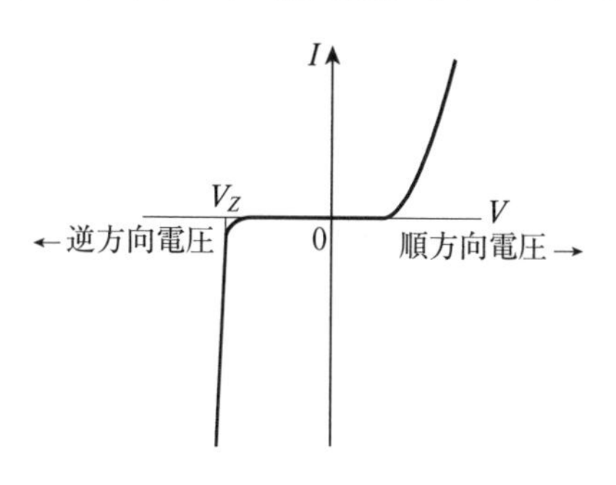

問31 Check! □□□

（令和５年㊦ Ⓐ問題 11）

FET は，半導体の中を移動する多数キャリアを (ア) 電圧により生じる電界によって制御する素子であり，接合形と (イ) 形がある．次の図記号は接合形の (ウ) チャネル FET を示す．

上記の記述中の空白箇所(ア)～(ウ)に当てはまる組合せとして，正しいものを次の(1)～(5)のうちから一つ選べ．

	(ア)	(イ)	(ウ)
(1)	ゲート	MOS	n
(2)	ドレイン	MSI	p
(3)	ソース	DIP	n
(4)	ドレイン	MOS	p
(5)	ゲート	DIP	n

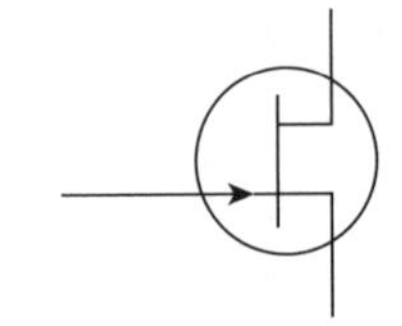

解31 解答 (1)

FET は, ゲート (G), ドレーン (D), ソース (S) の 3 極を有する半導体素子で, 伝導チャネルの種類によって, n チャネル形と p チャネル形があり, 構造の種類によって, 接合形と MOS 形がある.

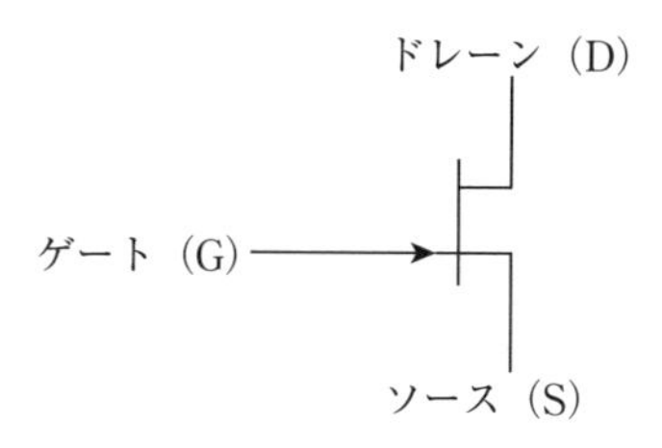

問32 Check! □□□

（令和４年㊦　Ⓐ問題11）

次の文章は，それぞれのダイオードについて述べたものである．

a. 可変容量ダイオードは，通信機器の同調回路などに用いられる．このダイオードは，pn 接合に （ア） 電圧を加えて使用するものである．

b. pn 接合に （イ） 電圧を加え，その値を大きくしていくと，降伏現象が起きる．この降伏電圧付近では，流れる電流が変化しても接合両端の電圧はほぼ一定に保たれる．定電圧ダイオードは，この性質を利用して所定の定電圧を得るようにつくられたダイオードである．

c. レーザダイオードは光通信や光情報機器の光源として利用され，pn 接合に （ウ） 電圧を加えて使用するものである．

上記の記述中の空白箇所(ア)～(ウ)に当てはまる組合せとして，正しいものを次の(1)～(5)のうちから一つ選べ．

	(ア)	(イ)	(ウ)
(1)	逆方向	順方向	逆方向
(2)	順方向	逆方向	順方向
(3)	逆方向	逆方向	逆方向
(4)	順方向	順方向	逆方向
(5)	逆方向	逆方向	順方向

解32 解答 (5)

a. 可変容量ダイオードは，ダイオードに逆方向電圧を加えたとき，その電圧によって空乏層の大きさが変化し，その静電容量が変わることを利用している（第1図）．よって，(ア)は**逆方向**.

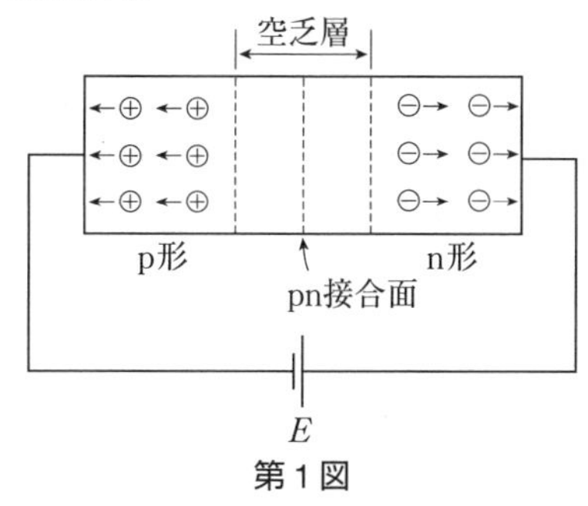

第1図

b. ダイオードに逆方向電圧を加えていくと，ある電圧までは電流はほとんど流れないが，ある電圧（降伏電圧）に達すると急激に電流が流れる（第2図）．これを降伏現象という．よって，(イ)は**逆方向**.

c. レーザダイオードはpn接合に順方向電流を流すことで多数の電子・正孔対を生成し，それらが再結合するときに出す光をレーザ発振させることでレーザ光を得ている．発光の原理はLEDと同様であるが，レーザ発振を生じさせる機構（光共振器）をもつ点が異なっている．よって，(ウ)は**順方向**.

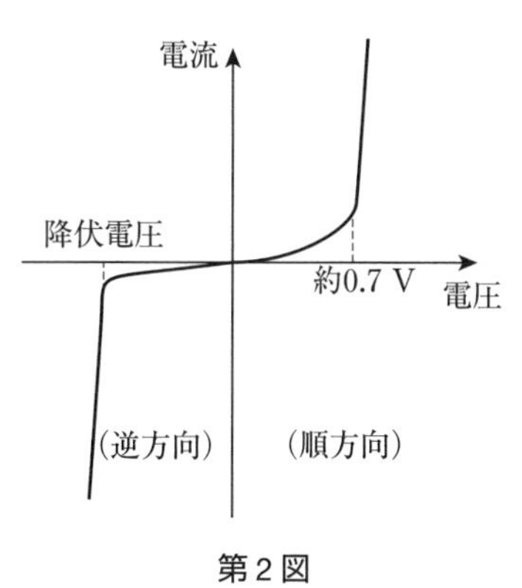

第2図

問33 Check! □□□

(平成19年 Ⓐ問題11)

次の文章は，それぞれのダイオードについて述べたものである．

a. 可変容量ダイオードは，通信機器の同調回路などに用いられる．このダイオードは，pn 接合に (ア) 電圧を加えて使用するものである．

b. pn 接合に (イ) 電圧を加え，その値を大きくしていくと，降伏現象が起きる．この降伏電圧付近では，流れる電流が変化しても接合両端の電圧はほぼ一定に保たれる．定電圧ダイオードは，この性質を利用して所定の定電圧を得るようにつくられたダイオードである．

c. レーザダイオードは光通信や光情報機器の光源として利用され，pn 接合に (ウ) 電圧を加えて使用するものである．

上記の記述中の空白箇所(ア)，(イ)及び(ウ)に当てはまる語句として，正しいものを組み合わせたのは次のうちどれか．

	(ア)	(イ)	(ウ)
(1)	逆方向	順方向	逆方向
(2)	順方向	逆方向	順方向
(3)	逆方向	逆方向	逆方向
(4)	順方向	順方向	逆方向
(5)	逆方向	逆方向	順方向

解33 解答 (5)

(1) 可変容量ダイオード

可変容量ダイオードは，バラクタダイオードまたはバリキャップダイオードとも呼ばれているものである．

第1図のように可変容量ダイオードに逆方向電圧を加えると，pn 接合の空乏層では正負の電荷によって，一種のコンデンサを形成している．これを接合容量といい，その容量は空乏層の幅 a に反比例し，空乏層の幅 a は逆方向電圧によって変化するので，第2図のように，逆方向電圧 V によってその容量を変化させることができる．

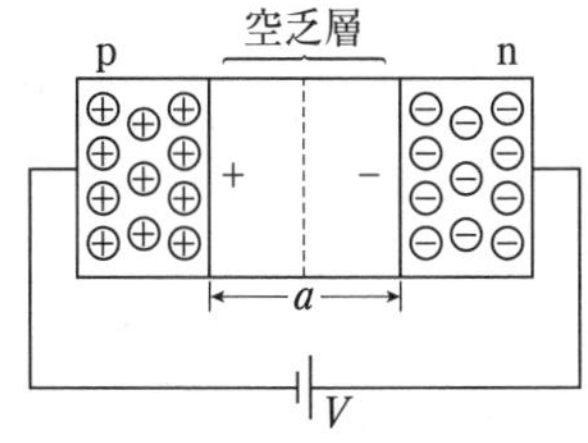

第1図　可変容量ダイオード

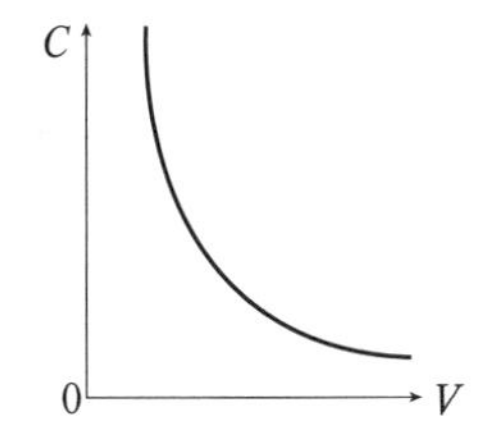

第2図　可変容量ダイオードの特性

(2) 定電圧ダイオード

シリコンダイオードに逆方向電圧を加え，これを徐々に大きくしていくと，第3図のようにある電圧 V_z から急激に電流が流れ始める．これを降伏特性といい，電流が急に流れ始める電圧を降伏電圧またはツェナー電圧という．

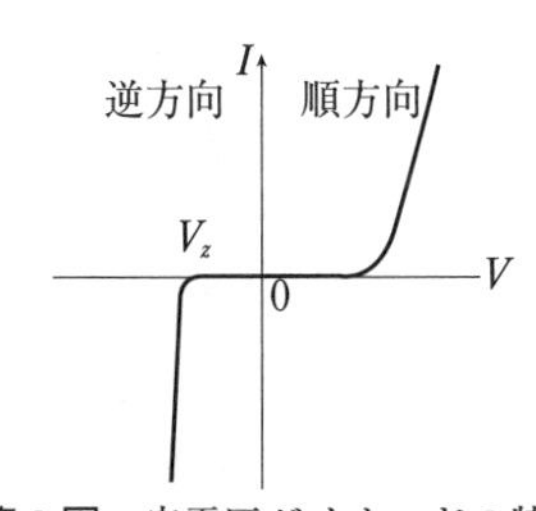

第3図　定電圧ダイオードの特性

ダイオードに降伏電圧よりさらに大きい電圧を加えると，逆方向電流は増加するが，ダイオードの電圧はほぼ一定値となるため，定電圧ダイオードと呼ばれている．

定電圧ダイオードはツェナーダイオードとも呼ばれ，定電圧源などに利用されている．

(3) レーザダイオード

順方向電流を流すと，pn 接合面付近で自由電子と正孔が再結合して消滅する際に光が発生する．この現象は発光ダイオードと同様であるが，レーザダイオードでは単一周波数で位相がそろった光を放出するように作られたものである．

問34 Check! □□□

(平成19年 Ⓐ問題12)

演算増幅器に関する記述として，誤っているのは次のうちどれか．

(1) 利得が非常に大きい．

(2) 入力インピーダンスが非常に大きい．

(3) 出力インピーダンスが非常に小さい．

(4) 正相入力端子と逆相入力端子がある．

(5) 直流入力では使用できない．

問35 Check! □□□

(令和元年 Ⓐ問題11)

次の文章は，太陽電池に関する記述である．

太陽光のエネルギーを電気エネルギーに直接変換するものとして，半導体を用いた太陽電池がある．p形半導体とn形半導体によるpn接合を用いているため，構造としては (ア) と同じである．太陽電池に太陽光を照射すると，半導体の中で負の電気をもつ電子と正の電気をもつ (イ) が対になって生成され，電子はn形半導体の側に， (イ) はp形半導体の側に，それぞれ引き寄せられる．その結果，p形半導体に付けられた電極がプラス極，n形半導体に付けられた電極がマイナス極となるように起電力が生じる．両電極間に負荷抵抗を接続すると太陽電池から取り出された電力が負荷抵抗で消費される．その結果，負荷抵抗を接続する前に比べて太陽電池の温度は (ウ) ．

上記の記述中の空白箇所(ア)，(イ)及び(ウ)に当てはまる組合せとして，正しいものを次の(1)～(5)のうちから一つ選べ．

	(ア)	(イ)	(ウ)
(1)	ダイオード	正孔	低くなる
(2)	ダイオード	正孔	高くなる
(3)	トランジスタ	陽イオン	低くなる
(4)	トランジスタ	正孔	高くなる
(5)	トランジスタ	陽イオン	高くなる

解34 解答 (5)

(5)が誤りで，正しくは「直流入力でも使用できる.」である.

また，(1)〜(3)は演算増幅器の特性で，電圧利得 A_V は大きいほど，入力インピーダンス Z_i は大きいほど，出力インピーダンス Z_o は小さいほどよく，$A_V = \infty$，$Z_i = \infty$，$Z_o = 0$ とした仮想の演算増幅器を理想演算増幅器という.

また，演算増幅器には正相入力端子および逆相入力端子の 2 本の入力端子と 1 本の出力端子があり，正相入力端子は非反転入力端子，逆相入力端子は反転入力端子とも呼ばれる.

解35 解答 (1)

太陽電池は，太陽光エネルギーを吸収して直接電気エネルギーに変換するもので，ダイオードと同じように半導体の pn 接合からなる．太陽光が照射されると，半導体内部で電子と正孔が発生し，それらが pn 接合部で分けられ，電子が n 形，正孔が p 形のそれぞれ両電極に集まり，両電極を負荷で短絡すると，電流が流れ外部に電力が取り出される．太陽電池に入射する太陽エネルギーはすべて電気エネルギーに変換されるのではなく，価電子を励起させるエネルギーより小さい長波長側の光子エネルギーの透過や，短波長側の余剰エネルギーの熱変換などの損失があり，シリコン太陽電池において変換されるエネルギーは，入射する太陽エネルギーの 20 % 程度である.

問36 Check! □□□

(平成 30 年 A 問題 11)

半導体素子に関する記述として，正しいものを次の(1)～(5)のうちから一つ選べ.

(1) pn 接合ダイオードは，それに順電圧を加えると電子が素子中をアノードからカソードへ移動する 2 端子素子である.

(2) LED は，pn 接合領域に逆電圧を加えたときに発光する素子である.

(3) MOSFET は，ゲートに加える電圧によってドレーン電流を制御できる電圧制御形の素子である.

(4) 可変容量ダイオード（バリキャップ）は，加えた逆電圧の値が大きくなるとその静電容量も大きくなる 2 端子素子である.

(5) サイリスタは，p 形半導体と n 形半導体の 4 層構造からなる 4 端子素子である.

問37 Check! □□□

(平成 27 年 A 問題 13)

バイポーラトランジスタを用いた電力増幅回路に関する記述として，誤っているものを次の(1)～(5)のうちから一つ選べ.

(1) コレクタ損失とは，コレクタ電流とコレクタ・ベース間電圧との積である.

(2) コレクタ損失が大きいと，発熱のためトランジスタが破壊されることがある.

(3) A 級電力増幅回路の電源効率は，50 %以下である.

(4) B 級電力増幅回路では，無信号時にコレクタ電流が流れず，電力の無駄を少なくすることができる.

(5) C 級電力増幅回路は，高周波の電力増幅に使用される.

解36 解答 (3)

(3)が正解であり，(3)以外を問題文にそって訂正すると，次のようになる．

(1) pn 接合ダイオードは，それに順電圧を加えると電子が素子中を**カソードからアノード**へ移動する 2 端子素子である．

(2) LED は，pn 接合領域に**順電圧**を加えたときに発光する素子である．

(4) 可変容量ダイオード（バリキャップ）は，加えた逆電圧の値が大きくなるとその**静電容量が小さくなる** 2 端子素子である．

(5) サイリスタは，p 形半導体と n 形半導体の 4 層構造からなる **3 端子素子**である．

解37 解答 (1)

バイポーラトランジスタのコレクタ損失 P_C は，コレクタ電流 I_C とコレクタ・エミッタ間電圧 V_{CE} の積 $V_{CE}I_C$ で表せるので，(1)の記述「コレクタ損失とは，コレクタ電流とコレクタ・ベース間電圧の積である．」という記述が誤りである．

問38 Check! □□□

(令和6年㊤ Ⓐ問題11)

バイポーラトランジスタと電界効果トランジスタ（FET）に関する記述として，誤っているものを次の(1)～(5)のうちから一つ選べ.

(1) バイポーラトランジスタは，消費電力がFETより大きい.

(2) バイポーラトランジスタは，静電気に対してFETより破壊されにくい.

(3) バイポーラトランジスタの入力インピーダンスは，FETのそれよりも低い.

(4) バイポーラトランジスタは電圧制御素子，FETは電流制御素子といわれる.

(5) バイポーラトランジスタのコレクタ電流は自由電子及び正孔の両方が関与し，FETのドレーン電流は自由電子又は正孔のどちらかが関与する.

問39 Check! □□□

(平成29年 Ⓐ問題11)

半導体のpn接合の性質によって生じる現象若しくは効果，又はそれを利用したものとして，全て正しいものを次の(1)～(5)のうちから一つ選べ.

(1) 表皮効果，ホール効果，整流作用

(2) 整流作用，太陽電池，発光ダイオード

(3) ホール効果，太陽電池，超伝導現象

(4) 整流作用，発光ダイオード，圧電効果

(5) 超伝導現象，圧電効果，表皮効果

解38 解答 (4)

バイポーラトランジスタがベース電流を制御することによってコレクタ電流を制御する**電流**制御素子であるのに対し，FET はゲートに加える電圧によってドレーン電流を制御する**電圧**制御素子であることから，(4)の記述が誤りである．

解39 解答 (2)

表皮効果，ホール効果，超伝導現象および圧電効果は半導体の pn 接合の性質によって生じる現象もしくは効果，またはそれを利用したものではない．

理論　7　電子理論

問40　Check! □□□

（令和５年㊤　Ⓐ問題 12）

図のように，異なる２種類の金属 A，B で一つの閉回路を作り，その二つの接合点を異なる温度に保てば，［(ア)］．この現象を［(イ)］効果という．

上記の記述中の空白箇所(ア)及び(イ)に当てはまる組合せとして，正しいものを次の(1)～(5)のうちから一つ選べ．

金属A

金属B

	(ア)	(イ)
(1)	電流が流れる	ホール
(2)	抵抗が変化する	ホール
(3)	金属の長さが変化する	ゼーベック
(4)	電位差が生じる	ペルチエ
(5)	起電力が生じる	ゼーベック

問41　Check! □□□

（平成 17 年　Ⓐ 問題 11）

図のように，異なる２種類の金属 A，B で一つの閉回路を作り，その二つの接合点を異なる温度に保てば，［(ア)］．この現象を［(イ)］効果という．

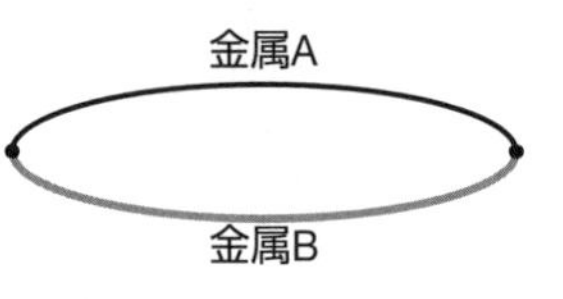

上記の記述中の空白箇所(ア)及び(イ)に記入する語句として，正しいものを組み合わせたのは次のうちどれか．

	(ア)	(イ)
(1)	電流が流れる	ホール
(2)	抵抗が変化する	ホール
(3)	金属の長さが変化する	ゼーベック
(4)	電位差が生じる	ペルチエ
(5)	起電力が生じる	ゼーベック

解40 解答 (5)

異なる2種類の金属線で閉回路をつくり，その二つの接合点の温度を異なる温度に保てば閉回路内に**起電力が生じ**て電流が流れる．この起電力を熱起電力，電流を熱電流といい，これらの現象を**ゼーベック**効果という．また，2種の金属線の組み合わせを熱電対という．

解41 解答 (5)

図のように，2種類の金属線で一つの閉回路を作り，その二つの接続部を異なる温度に保持すれば，回路内に起電力が生じて電流が流れる．この起電力を熱起電力，電流を熱電流といい，この現象をゼーベック効果という．また，このような2種の金属の組み合わせを熱電対という．

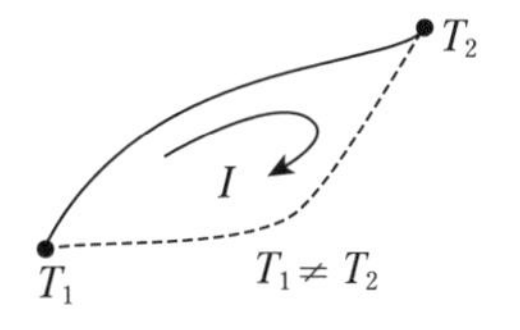

これに対し，2種の金属の組み合わせからなる回路に電流を通ずると，接続点に熱の吸収あるいは発生の生ずる現象がある．これをペルチエ効果という．

また，電流と直角に磁界を加えたとき，電流と磁界とに直角な方向に起電力が発生する．これをホール効果といい，発生する起電力をホール電圧という．

問42 Check! □□□ (平成20年 Ⓐ問題11)

pn接合の半導体を使用した太陽電池は，太陽の光エネルギーを電気エネルギーに直接変換するものである．半導体のpn接合部分に光が当たると，光のエネルギーによって新たに [(ア)] と [(イ)] が生成され，[(ア)] はp形領域に，[(イ)] はn形領域に移動する．その結果，p形領域とn形領域の間に [(ウ)] が発生する．この [(ウ)] は光を当てている間持続し，外部電気回路を接続すれば，光エネルギーを電気エネルギーとして取り出すことができる．

上記の記述中の空白箇所(ア)，(イ)及び(ウ)に当てはまる語句として，正しいものを組み合わせたのは次のうちどれか．

	(ア)	(イ)	(ウ)
(1)	電子	正孔	起磁力
(2)	正孔	電子	起電力
(3)	電子	正孔	空間電荷層
(4)	正孔	電子	起磁力
(5)	電子	正孔	起電力

解42 解答 (2)

pn 接合に光を照射すると，電子－正孔対が生成され，それが接合部に発生している内蔵電界によって，電子は p 形領域から n 形領域へ，正孔は p 形領域へ移動する．この結果，半導体の両端に起電力が発生することになる．これを光起電力効果といい，太陽電池の起電力はこの効果に基づいている．

太陽電池に負荷を接続すると，図のように p 形から負荷を通って n 形の方向に電流が流れ，負荷を通して電力が取り出される．

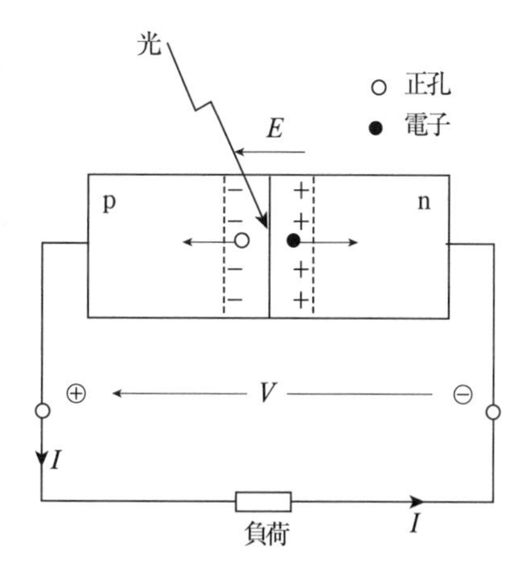

問43 Check! □□□

(令和5年㊤ Ⓐ問題11)

次の文章は，図1及び図2に示す原理図を用いてホール素子の動作原理について述べたものである．

図1に示すように，p形半導体に直流電流 I [A] を流し，半導体の表面に対して垂直に下から上向きに磁束密度 B [T] の平等磁界を半導体にかけると，半導体内の正孔は進路を曲げられ，電極①には ㈠ 電荷，電極②には ㈡ 電荷が分布し，半導体の内部に電界が生じる．また，図2のn形半導体の場合は，電界の方向はp形半導体の方向と ㈢ である．この電界により，電極①-②間にホール電圧 $V_H = R_H \times$ ㈣ [V] が発生する．

ただし，d [m] は半導体の厚さを示し，R_H は比例定数 [m^3/C] である．

上記の記述中の空白箇所㈠〜㈣に当てはまる組合せとして，正しいものを次の(1)〜(5)のうちから一つ選べ．

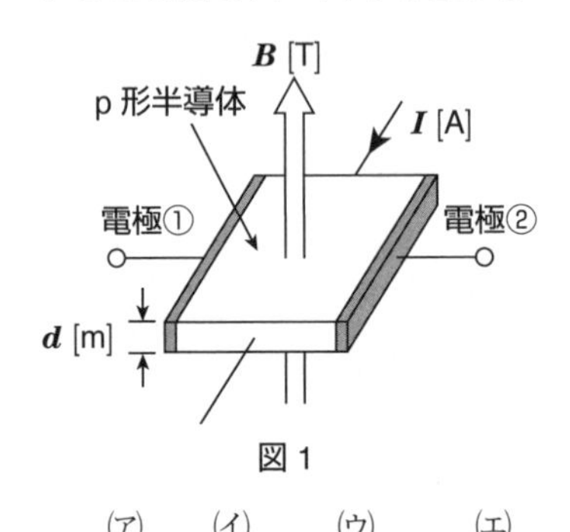

図1

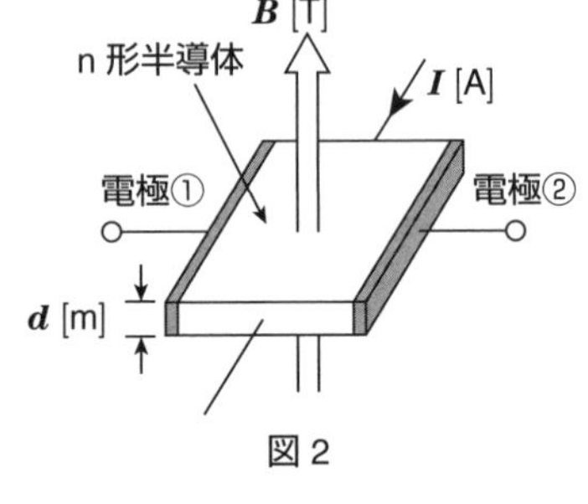

図2

	㈠	㈡	㈢	㈣
(1)	負	正	同じ	$\frac{B}{Id}$
(2)	負	正	同じ	$\frac{Id}{B}$
(3)	正	負	同じ	$\frac{d}{BI}$
(4)	負	正	反対	$\frac{BI}{d}$
(5)	正	負	反対	$\frac{BI}{d}$

解43 解答 (5)

磁束密度 B [T] の平等磁界内に p 形半導体または n 形半導体をおき，これに直流電流 I [A] を流したとき，それぞれの半導体の多数キャリヤは磁界から力を受けてその進路が曲げられる．

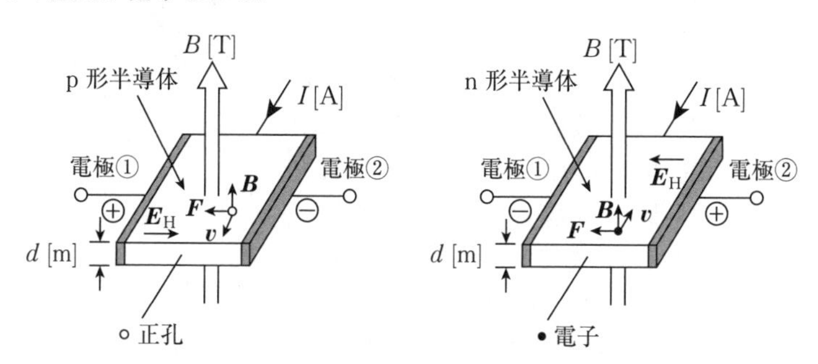

その結果，p 形半導体では電極①に**正**電荷，電極②に**負**電荷が分布し，半導体内部に電極①から②への方向の電界が生じる．これに対し，n 形半導体では電極①には負電荷，電極②には正電荷が分布し，半導体内部に電極②から①への方向の電界が生じ，生じる電界は p 形半導体と n 形半導体では**反対**になる．

また，この電界により電極①–②間には電圧が発生し，これをホール電圧（ホール起電力）という．図の厚さ d [m] の半導体におけるホール電圧 V_{H} は，ホール定数を R_{H} [m^3/C] とすると，

$$V_{\mathrm{H}} = R_{\mathrm{H}} \frac{\boldsymbol{BI}}{\boldsymbol{d}} \text{ [V]}$$

で表される．

問44 Check! □□□ （平成22年 Ⓐ問題11）

次の文章は，図1及び図2に示す原理図を用いてホール素子の動作原理について述べたものである．

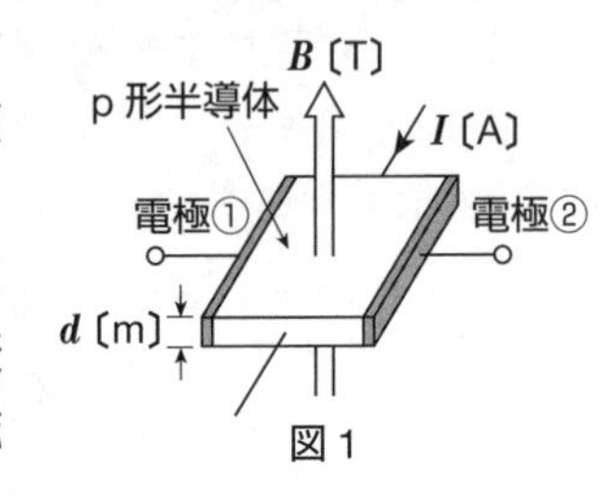

図1

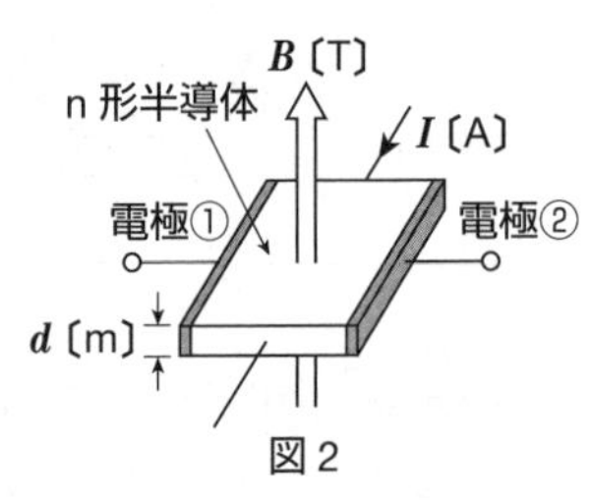

図2

図1に示すように，p形半導体に直流電流I〔A〕を流し，半導体の表面に対して垂直に下から上向きに磁束密度B〔T〕の平等磁界を半導体にかけると，半導体内の正孔は進路を曲げられ，電極①には ㈠ 電荷，電極②には ㈡ 電荷が分布し，半導体の内部に電界が生じる．また，図2のn形半導体の場合は，電界の方向はp形半導体の方向と ㈢ である．この電界により，電極①－②間にホール電圧$V_H = R_H \times$ ㈣ 〔V〕が発生する．

ただし，d〔m〕は半導体の厚さを示し，R_Hは比例定数〔m^3/C〕である．

上記の記述中の空白箇所㈠，㈡，㈢及び㈣に当てはまる語句又は式として，正しいものを組み合わせたのは次のうちどれか．

	㈠	㈡	㈢	㈣
(1)	負	正	同じ	$\dfrac{B}{Id}$
(2)	負	正	同じ	$\dfrac{Id}{B}$
(3)	正	負	同じ	$\dfrac{d}{BI}$
(4)	負	正	反対	$\dfrac{BI}{d}$
(5)	正	負	反対	$\dfrac{BI}{d}$

解44 解答 (5)

図のようなp形半導体において，x 軸方向に電流 I〔A〕が流れているとき，z 軸方向に磁束密度 B〔T〕の磁界を加えると，y 軸方向に電界 E〔V/m〕が生じる．これをホール効果という．

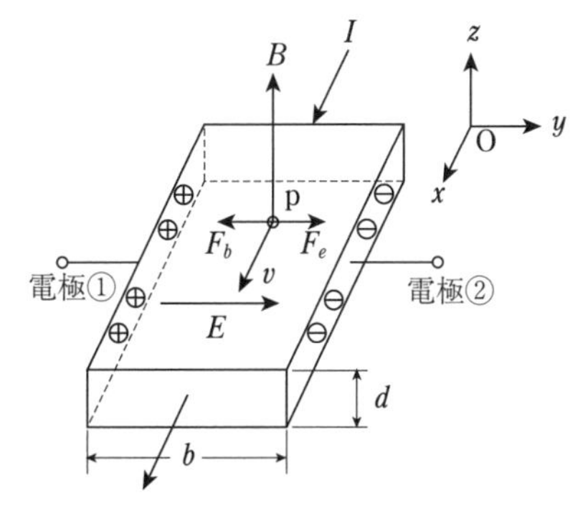

キャリヤが正電荷（正孔）の場合

これは，p形半導体の多数キャリヤである正孔pが磁界から力を受けてその進行方向が曲げられ，左側の面に集積されることによって，y 軸方向に電界が生ずるもので，これにより電極①－②間にホール電圧 $V_H = Eb$〔V〕が発生する．

いま，正孔の電荷量を e〔C〕とすると，正孔pには磁界から $F_b = evB$〔N〕，電界から $F_e = eE$〔N〕の力が働くが，これらがつり合ったとき（$F_b = F_e$）平衡に達する．

したがって，

$$evB = eE$$

$$\therefore \quad E = vB$$

より，ホール電圧 V_H は，

$$V_H = Eb = vBb \text{〔V〕} \qquad ①$$

となる．

また，正孔の密度を n〔個/m^3〕とすれば，電流密度 J は

$$J = env \text{〔A/m}^2\text{〕}$$

で表せるから，p形半導体を流れる電流 I は，

$$I = Jbd = envbd \text{〔A〕}$$

$$\therefore \quad vb = \frac{I}{end}$$

ここで，上式を①式へ代入すると，ホール電圧 V_H は，

$$V_H = vBb = \frac{I}{end}B = \frac{1}{en}\cdot\frac{BI}{d} = R_H\frac{BI}{d} \text{〔V〕}$$

で表せる．

ただし，$R_H = \dfrac{1}{en}$ は比例定数で，ホール定数（係数）と呼ばれている．

第8章

電子回路

●計算

・電気抵抗の計算

・各種増幅器の計算

・スイッチング電源回路

・変調波の変調度

●論説・空白

・各種増幅器

・整流回路

・アナログ変調・復調回路

・パルス回路

問1 Check! □□□

（令和２年 Ⓐ問題５）

次に示す，A，B，C，D の四種類の電線がある．いずれの電線もその長さは 1 km である．この四つの電線の直流抵抗値をそれぞれ R_A [Ω]，R_B [Ω]，R_C [Ω]，R_D [Ω] とする．R_A ～ R_D の大きさを比較したとき，その大きさの大きい順として，正しいものを次の(1)～(5)のうちから一つ選べ．ただし，ρ は各導体の抵抗率とし，また，各電線は等断面，等質であるとする．

A：断面積が 9×10^{-5} m^2 の鉄（$\rho = 8.90 \times 10^{-8}$ Ω·m）でできた電線

B：断面積が 5×10^{-5} m^2 のアルミニウム（$\rho = 2.50 \times 10^{-8}$ Ω·m）でできた電線

C：断面積が 1×10^{-5} m^2 の銀（$\rho = 1.47 \times 10^{-8}$ Ω·m）でできた電線

D：断面積が 2×10^{-5} m^2 の銅（$\rho = 1.55 \times 10^{-8}$ Ω·m）でできた電線

(1) $R_A > R_C > R_D > R_B$

(2) $R_A > R_D > R_C > R_B$

(3) $R_B > R_D > R_C > R_A$

(4) $R_C > R_A > R_D > R_B$

(5) $R_D > R_C > R_A > R_B$

解1 解答 (4)

電線の抵抗率を ρ [Ω·m]，断面積を S [m²]，長さを l [m] とすると，電線の抵抗 R は，

$$R = \rho \frac{l}{S}\ [\Omega]$$

で与えられるから，電線 A，B，C および D の直流抵抗値 R_A，R_B，R_C および R_D はそれぞれ次のようになる．

$$R_A = \rho_A \frac{l}{S_A} = 8.90 \times 10^{-8} \times \frac{1\,000}{9 \times 10^{-5}} \fallingdotseq 0.989\ \Omega$$

$$R_B = \rho_B \frac{l}{S_B} = 2.50 \times 10^{-8} \times \frac{1\,000}{5 \times 10^{-5}} = 0.5\ \Omega$$

$$R_C = \rho_C \frac{l}{S_C} = 1.47 \times 10^{-8} \times \frac{1\,000}{1 \times 10^{-5}} = 1.47\ \Omega$$

$$R_D = \rho_D \frac{l}{S_D} = 1.55 \times 10^{-8} \times \frac{1\,000}{2 \times 10^{-5}} = 0.775\ \Omega$$

したがって，R_A，R_B，R_C および R_D を大きい順に並べると，

$$R_C > R_A > R_D > R_B$$

問2 **Check!** □□□ （令和４年㊦ Ⓐ 問題７）

20 °C における抵抗値が R_1 [Ω]，抵抗温度係数が α_1 [°C^{-1}] の抵抗器 A と 20 °C における抵抗値が R_2 [Ω]，抵抗温度係数が $\alpha_2 = 0$ °C^{-1} の抵抗器 B が並列に接続されている．その 20 °C と 21 °C における並列抵抗値をそれぞれ r_{20} [Ω]，r_{21} [Ω] とし，$\dfrac{r_{21}-r_{20}}{r_{20}}$ を変化率とする．この変化率として，正しいものを次の(1)〜(5)のうちから一つ選べ．

(1) $\dfrac{\alpha_1 R_1 R_2}{R_1 + R_2 + \alpha_1{}^2 R_1}$ (2) $\dfrac{\alpha_1 R_2}{R_1 + R_2 + \alpha_1 R_1}$

(3) $\dfrac{\alpha_1 R_1}{R_1 + R_2 + \alpha_1 R_1}$ (4) $\dfrac{\alpha_1 R_2}{R_1 + R_2 + \alpha_1 R_2}$

(5) $\dfrac{\alpha_1 R_2}{R_1 + R_2 + \alpha_1 R_2}$

解2 解答 (2)

題意より，

$$r_{20}=\frac{R_1\cdot R_2}{R_1+R_2}$$

温度 21 ℃における抵抗器 A の抵抗値 R_{A21} は，

$$R_{A21}=R_1\{1+(21-20)\alpha_1\}=R_1(1+\alpha_1)$$

温度 21 ℃における抵抗器 B の抵抗値は，抵抗器 B の温度係数が 0 ℃$^{-1}$ であるから温度 20 ℃のときと変わらず R_2 である．よって，温度 21 ℃のときの並列抵抗値 r_{21} は，

$$r_{21}=\frac{R_1(1+\alpha_1)\cdot R_2}{R_1(1+\alpha_1)+R_2}$$

これより変化率を求めると，

$$\frac{r_{21}-r_{20}}{r_{20}}=\frac{\dfrac{R_1(1+\alpha_1)\cdot R_2}{R_1(1+\alpha_1)+R_2}-\dfrac{R_1\cdot R_2}{R_1+R_2}}{\dfrac{R_1\cdot R_2}{R_1+R_2}}$$

$$=\frac{(R_1+R_2)(1+\alpha_1)-\{R_1(1+\alpha_1)+R_2\}}{R_1(1+\alpha_1)+R_2}$$

$$=\frac{R_1+\alpha_1R_1+R_2+\alpha_1R_2-R_1-R_1\alpha_1-R_2}{R_1+\alpha_1R_1+R_2}=\boldsymbol{\frac{\alpha_1R_2}{R_1+R_2+\alpha_1R_1}}$$

問3 Check! □□□ （平成23年 A 問題5）

20〔℃〕における抵抗値が R_1〔Ω〕，抵抗温度係数が α_1〔℃$^{-1}$〕の抵抗器Aと20〔℃〕における抵抗値が R_2〔Ω〕，抵抗温度係数が $\alpha_2=0$〔℃$^{-1}$〕の抵抗器Bが並列に接続されている．その20〔℃〕と21〔℃〕における並列抵抗値をそれぞれ r_{20}〔Ω〕，r_{21}〔Ω〕とし，$\dfrac{r_{21}-r_{20}}{r_{20}}$を変化率とする．変化率として，正しいものを次の(1)〜(5)のうちから一つ選べ．

(1) $\dfrac{\alpha_1 R_1 R_2}{R_1+R_2+\alpha_1{}^2 R_1}$ (2) $\dfrac{\alpha_1 R_2}{R_1+R_2+\alpha_1 R_1}$

(3) $\dfrac{\alpha_1 R_1}{R_1+R_2+\alpha_1 R_1}$ (4) $\dfrac{\alpha_1 R_2}{R_1+R_2+\alpha_1 R_2}$

(5) $\dfrac{\alpha_1 R_1}{R_1+R_2+\alpha_1 R_2}$

解3 解答 (2)

題意より，20〔℃〕の並列抵抗値 r_{20} は，

$$r_{20} = \frac{R_1 R_2}{R_1 + R_2} \text{〔}\Omega\text{〕}$$

で表せる．

一方，題意より，21〔℃〕における抵抗器Aおよび抵抗器Bの抵抗値 R_1' および R_2' はそれぞれ次式で与えられる．

$$R_1' = R_1\{1 + \alpha_1(21 - 20)\} = R_1(1 + \alpha_1) \text{〔}\Omega\text{〕}$$

$$R_2' = R_2\{1 + 0 \times (21 - 20)\} = R_2 \text{〔}\Omega\text{〕}$$

したがって，21〔℃〕における並列抵抗値 r_{21} は次式で表せる．

$$r_{21} = \frac{R_1' R_2'}{R_1' + R_2'} = \frac{R_1(1+\alpha_1)\cdot R_2}{R_1(1+\alpha_1) + R_2} = \frac{R_1 R_2 (1+\alpha_1)}{R_1 + R_2 + \alpha_1 R_1}$$

よって，求める変化率 $\dfrac{r_{21} - r_{20}}{r_{20}}$ は，

$$\frac{r_{21} - r_{20}}{r_{20}} = \frac{r_{21}}{r_{20}} - 1 = \frac{\dfrac{R_1 R_2 (1+\alpha_1)}{R_1 + R_2 + \alpha_1 R_1}}{\dfrac{R_1 R_2}{R_1 + R_2}} - 1$$

$$= \frac{(1+\alpha_1)(R_1 + R_2)}{R_1 + R_2 + \alpha_1 R_1} - 1$$

$$= \frac{R_1 + R_2 + \alpha_1 R_1 + \alpha_1 R_2}{R_1 + R_2 + \alpha_1 R_1} - 1$$

$$= \frac{R_1 + R_2 + \alpha_1 R_1 + \alpha_1 R_2 - R_1 - R_2 - \alpha_1 R_1}{R_1 + R_2 + \alpha_1 R_1}$$

$$= \frac{\alpha_1 R_2}{R_1 + R_2 + \alpha_1 R_1}$$

となる．

問4 Check! □□□

(令和5年㊤ Ⓐ問題7)

図の回路において，スイッチSを閉じ，直流電源から金属製の抵抗に電流を流したとき，発熱により抵抗の温度が 120 °C になった．スイッチSを閉じた直後に回路を流れる電流に比べ，抵抗の温度が 120 °C になったときに回路を流れる電流は，どのように変化するか．最も近いものを次の(1)～(5)のうちから一つ選べ．

ただし，スイッチSを閉じた直後の抵抗の温度は 20 °C とし，抵抗の温度係数は一定で 0.005 $°C^{-1}$ とする．また，直流電源の起電力の大きさは温度によらず一定とし，直流電源の内部抵抗は無視できるものとする．

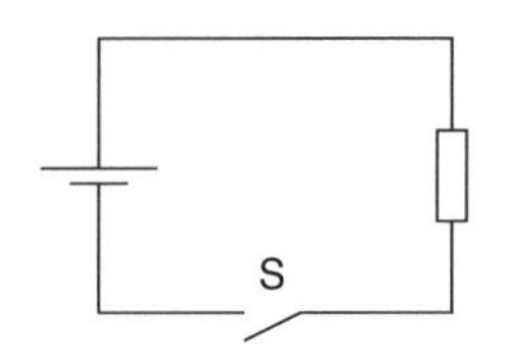

(1) 変化しない　(2) 50 % 増加　(3) 33 % 減少
(4) 50 % 減少　(5) 33 % 増加

解4 解答 (3)

20 ℃における抵抗値を R_{20} とし，直流電源電圧を V とすると，20 ℃における回路電流 I_{20} は，

$$I_{20} = \frac{V}{R_{20}}$$

一方，120 ℃における抵抗値 R_{120} は題意より，

$$R_{120} = R_{20}\{1 + 0.005 \times (120 - 20)\} = 1.5R_{20}$$

となるから，120 ℃における回路電流 I_{120} は，

$$I_{120} = \frac{V}{R_{120}} = \frac{V}{1.5R_{20}} \fallingdotseq 0.666\,7I_{20}$$

したがって，回路電流の変化量 ΔI は，

$$\Delta I = I_{120} - I_{20} = (0.666\,7 - 1)I_{20} = -0.333\,3I_{20} \fallingdotseq -33.3\,\%I_{20}$$

したがって，回路電流は 33.3 % 減少する．

問5 Check! □□□

(令和5年㊦ Ⓐ問題13)

図に示すように二つの増幅器を縦続接続した回路があり，増幅器1の電圧増幅度は10である．今，入力電圧 v_i の値として0.4 mVの信号を加えたとき，出力電圧 v_o の値は0.4 Vであった．増幅器2の電圧利得の値[dB]として，最も近いものを次の(1)～(5)のうちから一つ選べ．

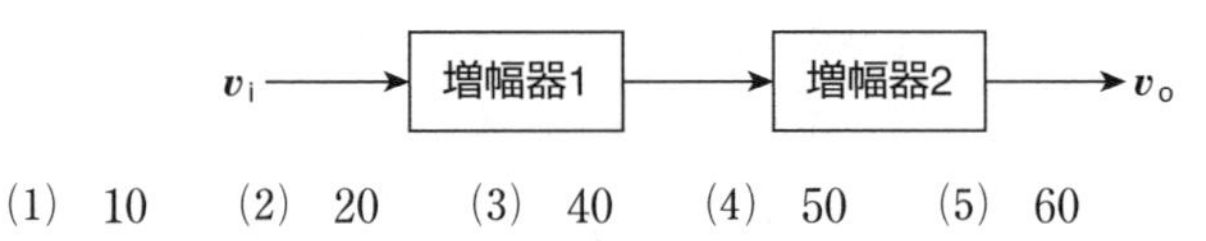

(1) 10　(2) 20　(3) 40　(4) 50　(5) 60

問6 Check! □□□

(令和元年 Ⓐ問題13)

図のように電圧増幅度 A_v (> 0) の増幅回路と帰還率 β ($0 < \beta \leqq 1$) の帰還回路からなる負帰還増幅回路がある．この負帰還増幅回路に関する記述として，正しいものを次の(1)～(5)のうちから一つ選べ．ただし，帰還率 β は周波数によらず一定であるものとする．

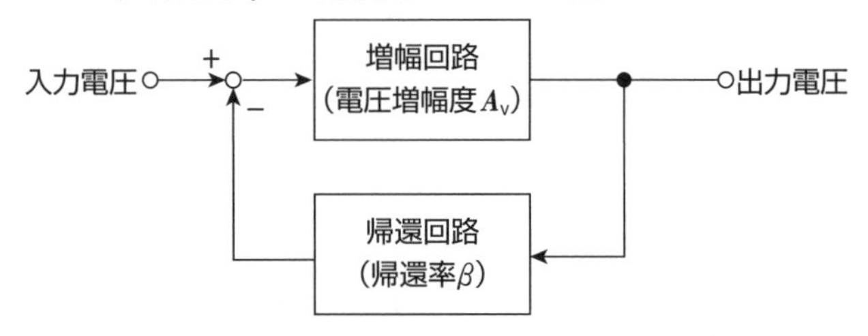

(1) 負帰還増幅回路の帯域幅は，負帰還をかけない増幅回路の帯域幅よりも狭くなる．

(2) 電源電圧の変動に対して負帰還増幅回路の利得は，負帰還をかけない増幅回路よりも不安定である．

(3) 負帰還をかけることによって，増幅回路の内部で発生するひずみや雑音が増加する．

(4) 負帰還をかけない増幅回路の電圧増幅度 A_v と帰還回路の帰還率 β の積が1より十分小さいとき，負帰還増幅回路全体の電圧増幅度は帰還率 β の逆数で近似できる．

(5) 負帰還増幅回路全体の利得は，負帰還をかけない増幅回路の利得よりも低下する．

解5 解答 (3)

増幅器 1 と増幅器 2 の直列回路の合成電圧利得 A_V は,

$$A_V = \frac{v_o}{v_i} = \frac{400}{0.4} = 1\,000$$

であるから，増幅器 2 の電圧利得 A_{V2} は,

$$A_{V2} = \frac{A_V}{A_{V1}} = \frac{1\,000}{10} = 100$$

したがって，dB 単位で表した増幅器 2 の電圧利得 a_{V2} は,

$$a_{V2} = 20 \log_{10} A_{V2} = 20 \log_{10} 100 = 20 \times 2 = 40\ \mathrm{dB}$$

解6 解答 (5)

問題の負帰還増幅回路の入力電圧を v_i，出力電圧を v_o とすると，負帰還増幅回路において次式が成立する.

$$v_o = A_v(v_i - \beta v_o) = A_v v_i - A_v \beta v_o$$

$$(1 + A_v \beta) v_o = A_v v_i$$

したがって，負帰還増幅回路の電圧利得 A_{fv} は,

$$\therefore \quad A_{fv} = \frac{v_o}{v_i} = \frac{A_v}{1 + A_v \beta}$$

となり，負帰還をかけない増幅回路の利得 A_v よりも小さくなる.

負帰還をかけることによって増幅回路の利得は上式のように小さくなるが，次のような利点があるため，負帰還増幅回路は広く用いられている.

① 温度や電圧変動などに対し，負帰還増幅回路の利得の安定性が増す.

② 増幅回路の内部で発生する雑音やひずみを減少できる.

③ 周波数帯域幅を広くすることができる.

④ 入出力インピーダンスを変えることができる.

問7 Check! □□□

(平成 26 年 Ⓐ 問題 13)

図のような，演算増幅器を用いた能動回路がある．直流入力電圧 V_{in}〔V〕が 3 V のとき，出力電圧 V_{out}〔V〕として，最も近い V_{out} の値を次の(1)～(5)のうちから一つ選べ．

ただし，演算増幅器は，理想的なものとする．

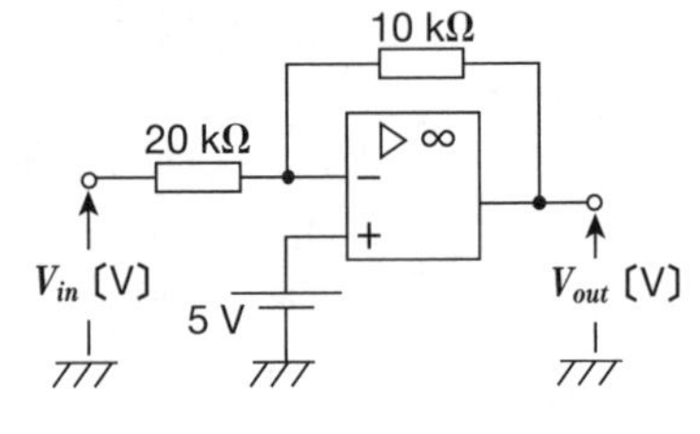

(1) 1.5　(2) 5　(3) 5.5　(4) 6　(5) 6.5

問8 Check! □□□

(平成 17 年 Ⓐ 問題 12)

図は，エミッタを接地したトランジスタ電圧増幅器の簡易小信号等価回路である．この回路において，電圧増幅度が 120 となるとき，負荷抵抗 R_L〔kΩ〕の値として，最も近いのは次のうちどれか．

ただし，v_i を入力電圧，v_o を出力電圧とし，トランジスタの電流増幅率 $h_{fe}=140$，入力インピーダンス $h_{ie}=2.30$〔kΩ〕とする．

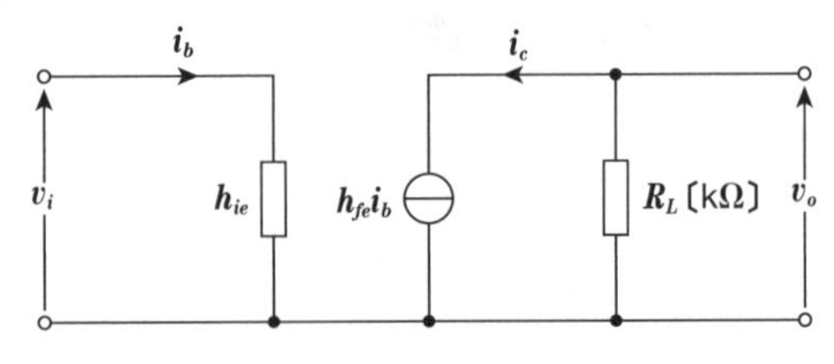

(1) 0.37　(2) 1.97　(3) 2.68　(4) 5.07　(5) 7.30

解7 解答 (4)

演算増幅器は理想的なものであるので，図のように，反転入力端子の電圧は5〔V〕となり，図のような電流 i が流れる．

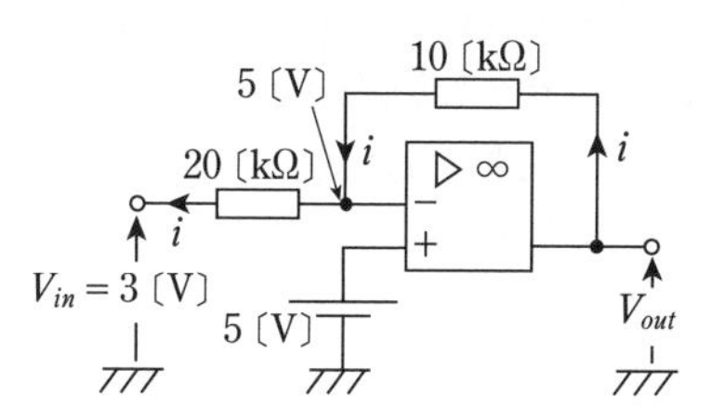

ここに，電流 i について次式が成立する．

$$i=\frac{5-V_{in}}{20}=\frac{V_{out}-5}{10}\text{〔mA〕}$$

したがって，出力電圧 V_{out} は，次のように求まる．

$$\therefore\quad V_{out}=\frac{10}{20}(5-V_{in})+5=\frac{1}{2}(5-3)+5=6\text{〔V〕}$$

解8 解答 (2)

ベース電流 i_b は，

$$i_b=\frac{v_i}{h_{ie}}\text{〔A〕}$$

であるから，コレクタ電流 i_c は，

$$i_c=h_{fe}i_b=h_{fe}\cdot\frac{v_i}{h_{ie}}\text{〔A〕}$$

となる．よって，出力電圧 v_o は，

$$v_o=R_Li_c=R_L\cdot\frac{h_{fe}}{h_{ie}}v_i\text{〔V〕}$$

したがって，電圧増幅度が 120 となるときの負荷抵抗 R_L は次式となる．

$$R_L=\frac{h_{ie}}{h_{fe}}\cdot\frac{v_o}{v_i}=\frac{2.30}{140}\times 120\fallingdotseq 1.971\text{〔kΩ〕}$$

問9 Check! □□□

(平成 28 年 Ⓐ 問題 13)

図は，エミッタ（E）を接地したトランジスタ増幅回路の簡易小信号等価回路である．この回路においてコレクタ抵抗 R_C と負荷抵抗 R_L の合成抵抗が $R_L' = 1\ \mathrm{k}\Omega$ のとき，電圧利得は 40 dB であった．入力電圧 $v_i = 10$ mV を加えたときにベース（B）に流れる入力電流 i_b の値 [μA] として，最も近いものを次の(1)～(5)のうちから一つ選べ．

ただし，v_o は合成抵抗 R_L' の両端における出力電圧，i_c はコレクタ（C）に流れる出力電流，h_{ie} はトランジスタの入力インピーダンスであり，小信号電流増幅率 $h_{fe} = 100$ とする．

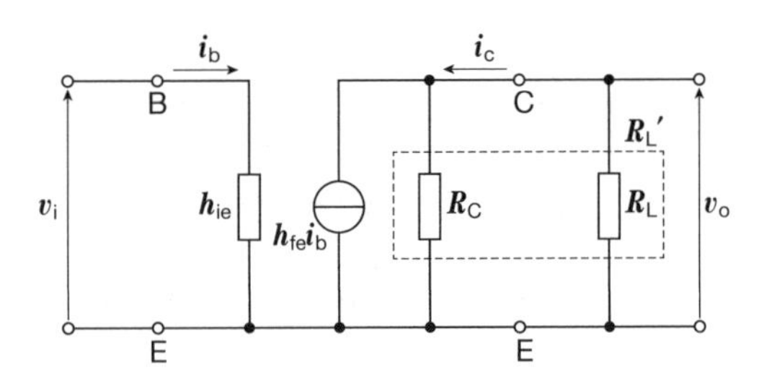

(1) 0.1　(2) 1　(3) 10　(4) 100　(5) 1 000

解9 解答 (3)

電圧利得を A_v (小数) とすれば，題意より，コレクタ電流 i_c は，

$$i_c = h_{fe} i_b = -\frac{v_o}{R_L'} = -\frac{A_v v_i}{R_L'} \tag{1}$$

したがって，ベース電流 i_b は，

$$i_b = -\frac{A_v v_i}{h_{fe} R_L'} \tag{2}$$

で与えられる．

ここに，題意より電圧利得が 40 dB であるから，

$$20 \log_{10} A_v = 40$$

$$\log_{10} A_v = 2$$

$$\therefore \quad A_v = 100$$

であるから，(2)式へ，$A_v = 100$，$v_i = 10$ mV，$h_{fe} = 100$ および $R_L' = 1$ kΩ を代入し，その絶対値をとれば，

$$i_b = \frac{A_v v_i}{h_{fe} R_L'} = \frac{100 \times 10}{100 \times 1} = 10\,\mu\text{A}$$

問10 Check! □□□ (平成22年 B 問題18)

演算増幅器（オペアンプ）について，次の(a)及び(b)に答えよ．

(a) 演算増幅器の特徴に関する記述として，誤っているのは次のうちどれか．

(1) 反転増幅と非反転増幅の二つの入力端子と一つの出力端子がある．

(2) 直流を増幅できる．

(3) 入出力インピーダンスが大きい．

(4) 入力端子間の電圧のみを増幅して出力する一種の差動増幅器である．

(5) 増幅度が非常に大きい．

(b) 図1及び図2のような直流増幅回路がある．それぞれの出力電圧 V_{o1}〔V〕，V_{o2}〔V〕の値として，正しいものを組み合わせたのは次のうちどれか．

ただし，演算増幅器は理想的なものとし，$V_{i1}=0.6$〔V〕及び $V_{i2}=0.45$〔V〕は入力電圧である．

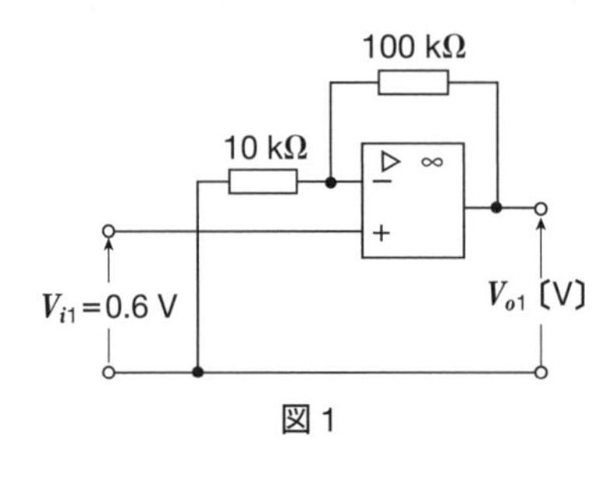

図1

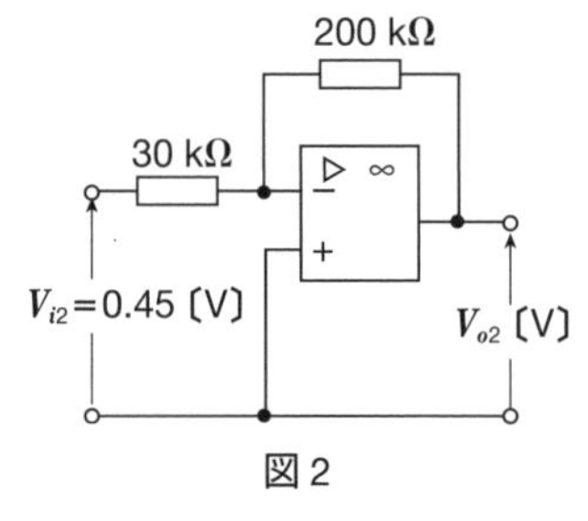

図2

	V_{o1}	V_{o2}
(1)	6.6	3.0
(2)	6.6	−3.0
(3)	−6.6	3.0
(4)	−4.5	9.0
(5)	4.5	−9.0

解10 解答 (a)−(3), (b)−(2)

(a) (3)が誤りである.

一般に，演算増幅器の入力インピーダンスは大きいが，出力インピーダンスは小さい.

(b) 演算増幅器は理想的なものであるから，図1の回路は，第1図で示すように動作する.

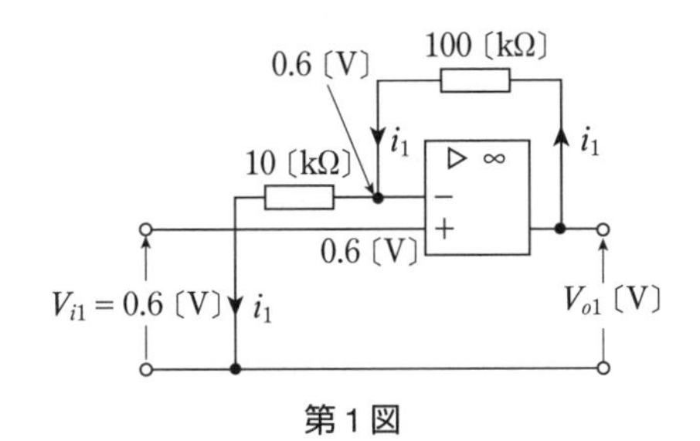

第1図

したがって，増幅回路において，次式が成立する.

$$i_1 = \frac{V_{o1} - 0.6}{100} = \frac{0.6}{10} \text{〔mA〕}$$

よって，求める出力電圧 V_{o1} は，

$$V_{o1} = \frac{0.6}{10} \times 100 + 0.6 = 6.6 \text{〔V〕}$$

また，図2の回路は，第2図で示すように動作する.

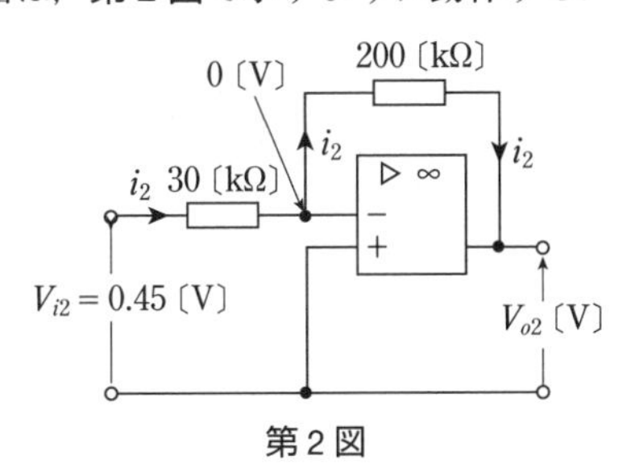

第2図

したがって，増幅回路において，次式が成立する.

$$i_2 = \frac{0.45}{30} = \frac{0 - V_{o2}}{200} \text{〔mA〕}$$

よって，求める出力電圧 V_{o2} は，

$$V_{o2} = -\frac{0.45}{30} \times 200 = -3 \text{〔V〕}$$

問11 Check! □□□

(平成29年 B 問題18)

演算増幅器を用いた回路について，次の(a)及び(b)の問に答えよ．

(a) 図1の回路の電圧増幅度 $\frac{v_o}{v_i}$ を3とするためには，α をいくらにする必要があるか．α の値として，最も近いものを次の(1)～(5)のうちから一つ選べ．

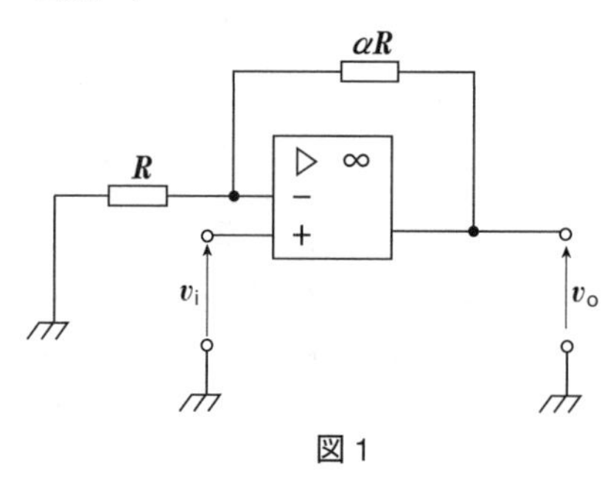

図1

(1) 0.3　(2) 0.5　(3) 1　(4) 2　(5) 3

(b) 図2の回路は，図1の回路に，帰還回路として2個の5 kΩの抵抗と2個の0.1 μFのコンデンサを追加した発振回路である．発振の条件を用いて発振周波数の値 f [kHz] を求め，最も近いものを次の(1)～(5)のうちから一つ選べ．

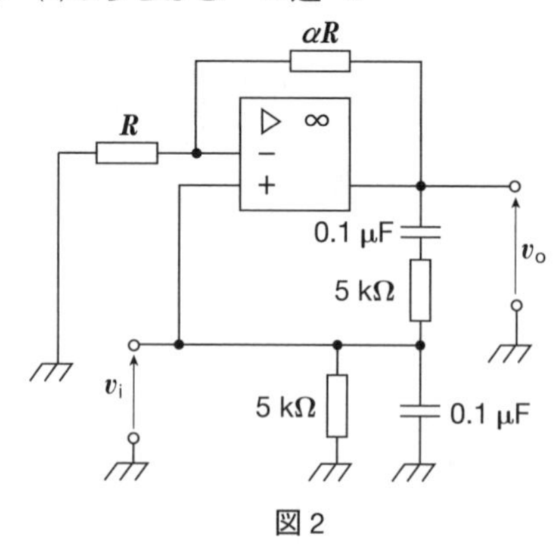

図2

(1) 0.2　(2) 0.3　(3) 0.5　(4) 2　(5) 3

解11 解答 (a)－(4), (b)－(2)

(a) イマジナリショートにより演算増幅器の反転入力端子の電位は v_i となり，回路電流 i は第1図のように流れるから，出力電圧 v_o に対し，次式が成立する．

$$v_o = \frac{R+\alpha R}{R}v_i = (1+\alpha)v_i$$

$$\therefore \quad \alpha = \frac{v_o}{v_i} - 1 \qquad (1)$$

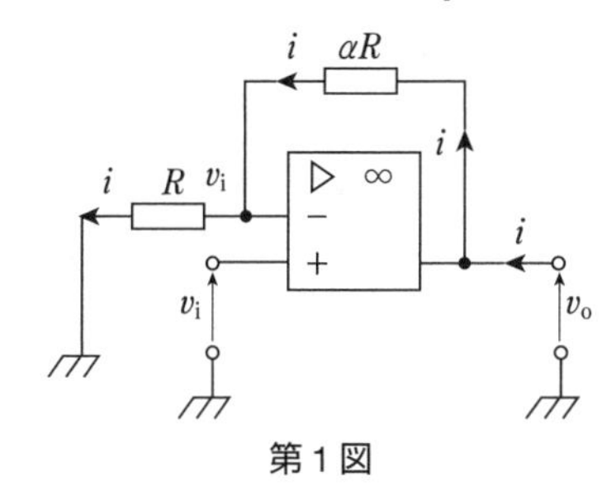

第1図

よって，求める α の値は，(1)式へ $\frac{v_o}{v_i} = 3$ を代入すれば，

$$\alpha = \frac{v_o}{v_i} - 1 = 3 - 1 = 2$$

(b) 第2図のように，入力電圧を $\dot{v}_i$，角周波数を ω，出力電圧を $\dot{v}_o$ とすれば，(a)より $\dot{v}_o = 3\dot{v}_i$ であるから，次式が成立する．

$$\frac{3\dot{v}_i - \dot{v}_i}{r + \frac{1}{j\omega C}} = \left(\frac{1}{r} + j\omega C\right)\dot{v}_i$$

$$\left(r + \frac{1}{j\omega C}\right)\left(\frac{1}{r} + j\omega C\right) = 2$$

$$2 + j\left(\omega Cr - \frac{1}{\omega Cr}\right) = 2$$

$$\omega Cr - \frac{1}{\omega Cr} = 0$$

$$\omega = \frac{1}{Cr}$$

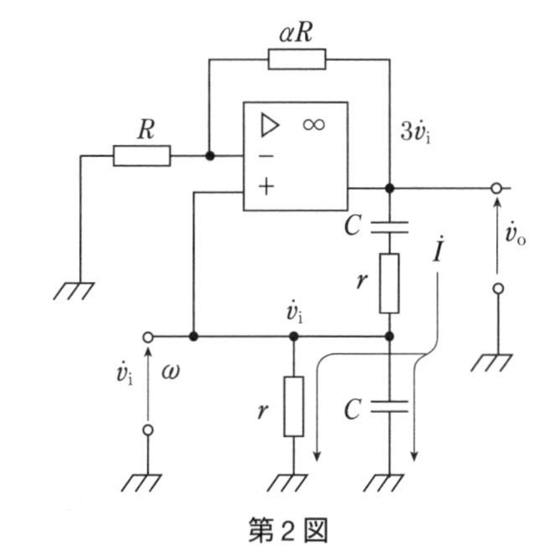

第2図

$$\therefore \quad f = \frac{\omega}{2\pi} = \frac{1}{2\pi Cr} \qquad (2)$$

したがって，求める発振周波数 f は，(2)式へ $C = 0.1 \times 10^{-6}$ F，$R = 5 \times 10^3$ Ω を代入すると，

$$\therefore \quad f = \frac{1}{2\pi Cr} = \frac{1}{2\pi \times 0.1 \times 10^{-6} \times 5 \times 10^3} \fallingdotseq 318.31 \text{ Hz} \fallingdotseq 0.32 \text{ kHz}$$

問12 Check! □□□

（平成 18 年 B 問題 18）

図 1 のようなトランジスタ増幅回路がある．次の(a)及び(b)に答えよ．

ただし，R_A，R_B，R_C，R_E，R_L は抵抗，C_1，C_2，C_3 はコンデンサ，V_{DD} は直流電圧源，v_i，v_o は交流信号電圧とする．

(a) 図 1 の回路を交流信号に注目し，交流回路として考える．この場合，この回路を図 2 のような等価な回路に置き換えることができる．このとき等価な抵抗 R_1，R_2 の値を表す式として，正しいのは次のうちどれか．

ただし，C_1，C_2，C_3 のインピーダンスは十分小さく無視できるものとする．

	R_1	R_2
(1)	$\dfrac{R_A R_B}{R_A+R_B}$	$\dfrac{R_C R_L}{R_C+R_L}$
(2)	$\dfrac{R_B R_E}{R_B+R_E}$	$\dfrac{R_A R_C}{R_A+R_C}$
(3)	$\dfrac{R_B R_E}{R_B+R_E}$	$\dfrac{R_C R_L}{R_C+R_L}$
(4)	$\dfrac{R_A R_C}{R_A+R_C}$	$\dfrac{R_E R_L}{R_E+R_L}$
(5)	$\dfrac{R_A R_B}{R_A+R_B}$	$\dfrac{R_E R_L}{R_E+R_L}$

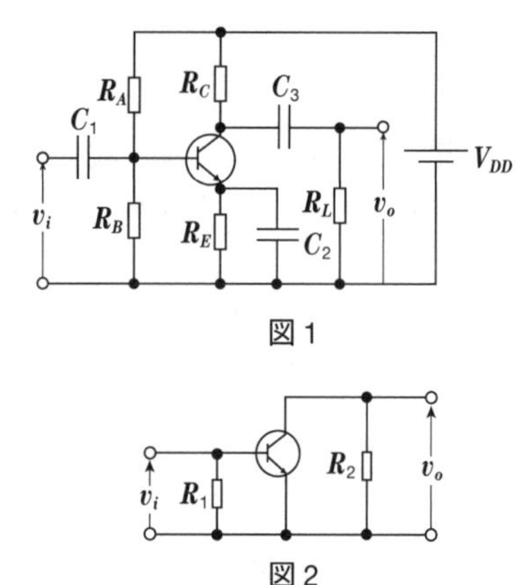

図 1

図 2

(b) 図 2 の回路で，トランジスタの入力インピーダンス $h_{ie}=6$〔kΩ〕，電流増幅率 $h_{fe}=140$ であった．この回路の電圧増幅度の大きさとして，最も近いのは次のうちどれか．

ただし，図 1 の回路において，各抵抗は $R_A=100$〔kΩ〕，$R_B=25$〔kΩ〕，$R_C=8$〔kΩ〕，$R_E=2.2$〔kΩ〕，$R_L=15$〔kΩ〕とし，出力アドミタンス h_{oe} 及び電圧帰還率 h_{re} は無視できるものとする．

(1) 15.7　(2) 82　(3) 122　(4) 447　(5) 753

解12　解答　(a)−(1), (b)−(3)

(a)　交流信号に注目し，交流回路として考える場合，直流電圧源 V_{DD} は短絡して考える．また，題意より，コンデンサ C_1, C_2, C_3 のインピーダンスは十分小さく無視できるので，これらも短絡して考えると，**第１図**のようになる．

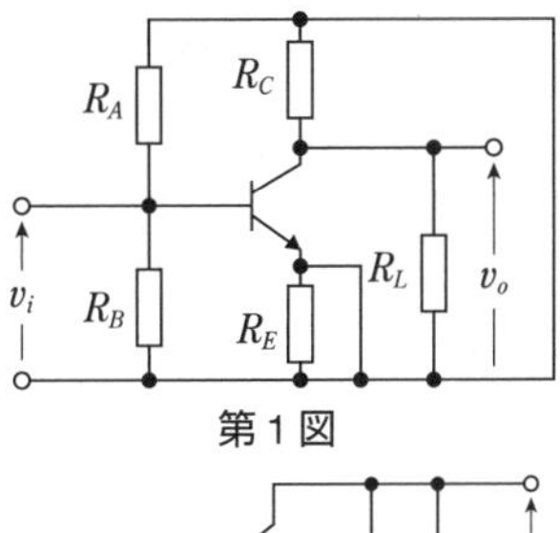

第１図

次に第１図を**第２図**のように描きかえると，求める等価抵抗 R_1 および R_2 はそれぞれ，

$$R_1 = R_A \mathbin{/\!/} R_B = \frac{R_A R_B}{R_A + R_B}$$

$$R_2 = R_C \mathbin{/\!/} R_L = \frac{R_C R_L}{R_C + R_L}$$

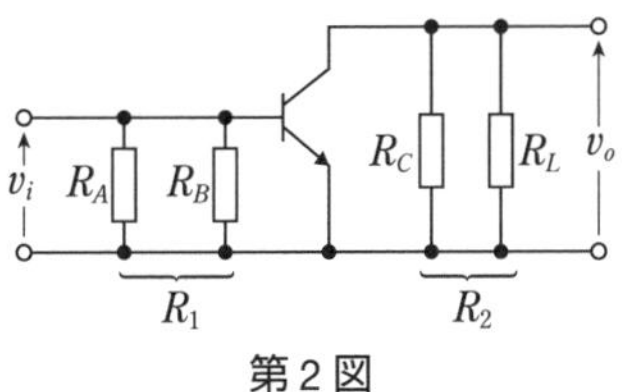

第２図

(b)　トランジスタの h パラメータのうち h_{oe} および h_{re} を無視した等価回路を描くと**第３図**のようになる．

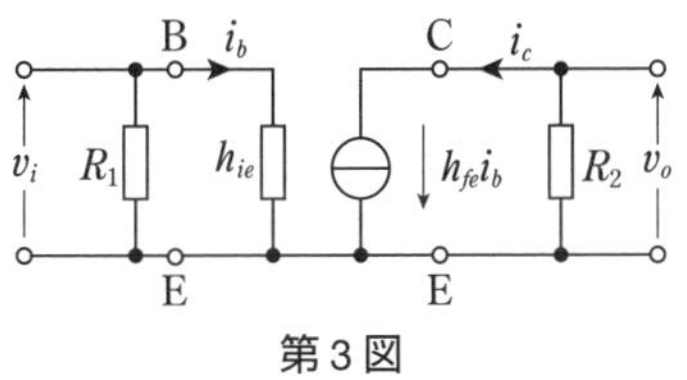

第３図

ここに，ベース電流 i_b は，

$$i_b = \frac{v_i}{h_{ie}} \text{〔A〕}$$

であるから，コレクタ電流 i_c は，

$$i_c = h_{fe} i_b = \frac{h_{fe}}{h_{ie}} v_i \text{〔A〕}$$

となり，出力電圧 v_o は，

$$v_o = R_2 i_c = \frac{R_2 h_{fe}}{h_{ie}} v_i \text{〔V〕}$$

となる．よって，電圧増幅度 A_V は，

$$A_V = \frac{v_o}{v_i} = \frac{R_2 h_{fe}}{h_{ie}}$$

で表される．上式へ，

$$R_2 = \frac{R_C R_L}{R_C + R_L} = \frac{8 \times 15}{8 + 15} = 5.217 \text{〔k}\Omega\text{〕}$$

$$h_{fe} = 140, \quad h_{ie} = 6 \text{〔k}\Omega\text{〕}$$

を代入すれば，求める電圧増幅度 A_V は，

$$A_V = \frac{5.217 \times 140}{6} = 121.73$$

問13 Check! □□□

(平成27年 Ⓑ問題18)

演算増幅器（オペアンプ）について，次の(a)及び(b)の問に答えよ．

(a) 演算増幅器は，その二つの入力端子に加えられた信号の （ア） を高い利得で増幅する回路である．演算増幅器の入力インピーダンスは極めて （イ） ため，入力端子電流は （ウ） とみなしてよい．一方，演算増幅器の出力インピーダンスは非常に （エ） ため，その出力端子電圧は負荷による影響を （オ） ．さらに，演算増幅器は利得が非常に大きいため，抵抗などの部品を用いて負帰還をかけたときに安定した有限の電圧利得が得られる．

上記の記述中の空白箇所(ア)，(イ)，(ウ)，(エ)及び(オ)に当てはまる組合せとして，正しいものを次の(1)～(5)のうちから一つ選べ．

	(ア)	(イ)	(ウ)	(エ)	(オ)
(1)	差動成分	大きい	ほぼ零	小さい	受けにくい
(2)	差動成分	小さい	ほぼ零	大きい	受けやすい
(3)	差動成分	大きい	極めて大きな値	大きい	受けやすい
(4)	同相成分	大きい	ほぼ零	小さい	受けやすい
(5)	同相成分	小さい	極めて大きな値	大きい	受けにくい

(b) 図のような直流増幅回路がある．この回路に入力電圧0.5 Vを加えたとき，出力電圧 V_o の値[V]と電圧利得 A_V の値[dB]の組合せとして，最も近いものを次の(1)～(5)のうちから一つ選べ．

ただし，演算増幅器は理想的なものとし，$\log_{10}2 = 0.301$，$\log_{10}3 = 0.477$ とする．

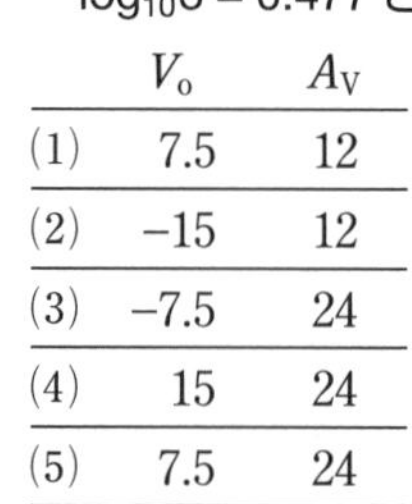

	V_o	A_V
(1)	7.5	12
(2)	−15	12
(3)	−7.5	24
(4)	15	24
(5)	7.5	24

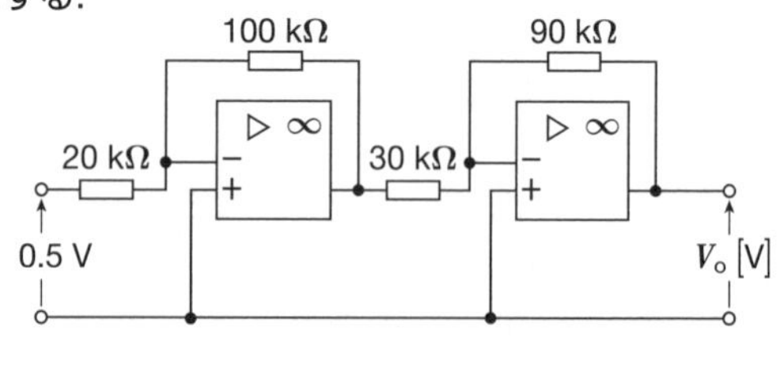

解13　解答 (a)－(1), (b)－(5)

(a)　演算増幅器は，二つの入力端子に加えられた信号の差動成分を高利得で増幅する回路である．

演算増幅器の入力インピーダンスは非常に大きいため，演算増幅器への入力電流はほぼ0とみなしてよい．

一方，演算増幅器の出力インピーダンスは非常に小さいので，出力電流による出力端子電圧の低下は少なく，負荷による影響は小さい．

入力インピーダンスZ_iが無限大（$Z_i=\infty$），出力インピーダンスZ_oが零（$Z_o=0$），開放電圧利得が無限大（$A_V=\infty$）の仮想演算増幅器を理想演算増幅器といい，演算増幅器の回路計算では，演算増幅器を理想演算増幅器として計算することが多い．

(b)　図のように，増幅回路を流れる電流i_1，i_2および出力電圧V_o'を決めると，これらは次のようになる．

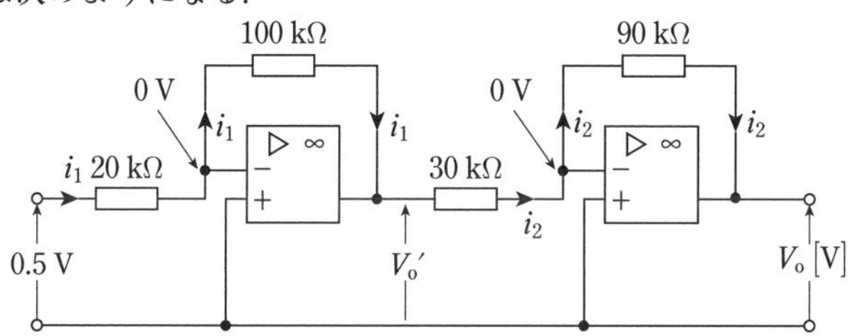

$$i_1=\frac{0.5}{20}=0.025\,\text{mA}$$

$$V_o'=0-100i_1=-100i_1=-100\times0.025=-2.5\,\text{V}$$

$$i_2=\frac{-2.5}{30}\fallingdotseq-0.083\,33\,\text{mA}$$

したがって，求める出力電圧V_oおよび電圧利得A_Vは次のようになる．

$$V_o=0-90i_2=-90i_2=-90\times(-0.083\,33)\fallingdotseq7.5\,\text{V}$$

$$A_V=20\log_{10}\frac{V_o}{V_i}=20\log_{10}\frac{7.5}{0.5}=20\log_{10}15=20\times(\log_{10}3+\log_{10}5)$$

$$=20\times\left(\log_{10}3+\log_{10}\frac{10}{2}\right)=20\times(\log_{10}3+1-\log_{10}2)$$

$$=20\times(0.477+1-0.301)=20\times1.176=23.52\fallingdotseq24\,\text{dB}$$

問14 Check! □□□

(平成21年 B 問題18)

図1の回路は，エミッタ接地のトランジスタ増幅器の交流小信号に注目した回路である．次の(a)及び(b)に答えよ．

ただし，R_L〔Ω〕は抵抗，i_b〔A〕は入力信号電流，$i_c=6\times10^{-3}$〔A〕は出力信号電流，v_b〔V〕は入力信号電圧，$v_c=6$〔V〕は出力信号電圧である．

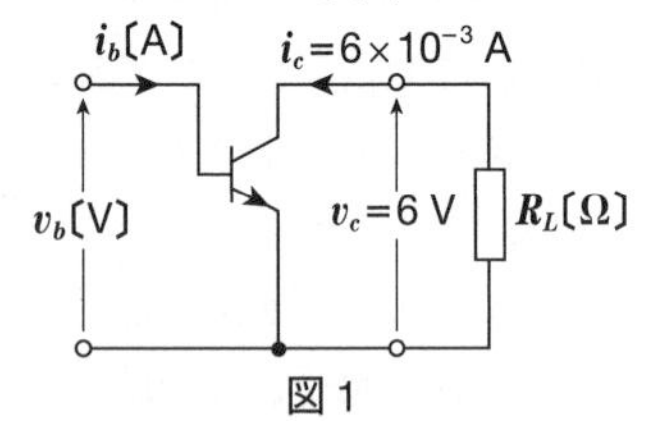

図1

表1 h パラメータの数値例

名　称	記　号	値の例
(ア)	h_{ie}	3.5×10^3〔Ω〕
電圧帰還率	(ウ)	1.3×10^{-4}
電流増幅率	(エ)	140
(イ)	h_{oe}	9×10^{-6}〔S〕

(a) 図1の回路において，入出力信号の関係を表1に示す h パラメータを用いて表すと次の式①，②になる．

$$v_b = h_{ie}i_b + h_{re}v_c \quad ①$$

$$i_c = h_{fe}i_b + h_{oe}v_c \quad ②$$

上記表中の空白箇所(ア)，(イ)，(ウ)及び(エ)に当てはまる語句として，正しいものを組み合わせたのは次のうちどれか．

	(ア)	(イ)	(ウ)	(エ)
(1)	入力インピーダンス	出力アドミタンス	h_{fe}	h_{re}
(2)	入力コンダクタンス	出力インピーダンス	h_{fe}	h_{re}
(3)	出力コンダクタンス	入力インピーダンス	h_{re}	h_{fe}
(4)	出力インピーダンス	入力コンダクタンス	h_{re}	h_{fe}
(5)	入力インピーダンス	出力アドミタンス	h_{re}	h_{fe}

(b) 図1の回路の計算は，図2の簡易小信号等価回路を用いて行うことが多い．

この場合，上記(a)の式①，②から求めた v_b〔V〕及び i_b〔A〕の値をそれぞれ真の値としたとき，図2回路から求めた v_b〔V〕及び i_b〔A〕の誤差 Δv_b〔mV〕，Δi_b〔μA〕の大きさとして，最も近いものを組み合わせたのは次のうちどれか．

ただし，h パラメータの値は表1に示された値とする．

	Δv_b	Δi_b
(1)	0.78	54
(2)	0.78	6.5
(3)	0.57	6.5
(4)	0.57	0.39
(5)	0.35	0.39

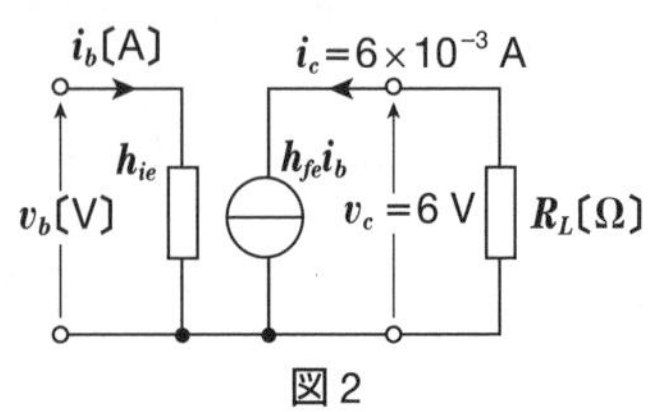

図2

解14 解答 (a)－(5)，(b)－(4)

(a) h_{ie}は入力インピーダンス，h_{re}は電圧帰還率，h_{fe}は（小信号）電流増幅率，h_{oe}は出力アドミタンスである．

(b) 与式②から，入力信号電流i_bは，次式で与えられる．

$$i_b = \frac{i_c - h_{oe}v_c}{h_{fe}}$$

上式へ，$i_c = 6 \times 10^{-3}$〔A〕，$h_{oe} = 9 \times 10^{-6}$〔S〕，$v_c = 6$〔V〕，$h_{fe} = 140$を代入すると，

$$i_b = \frac{6 \times 10^{-3} - 9 \times 10^{-6} \times 6}{140} = 4.247 \times 10^{-5} \text{〔A〕}$$

また，与式①へ，$h_{ie} = 3.5 \times 10^3$〔Ω〕，$i_b = 4.247 \times 10^{-5}$〔A〕，$h_{re} = 1.3 \times 10^{-4}$，$v_c = 6$〔V〕を代入すると，入力信号電圧$v_b$は，

$$v_b = h_{ie}i_b + h_{re}v_c = 3.5 \times 10^3 \times 4.247 \times 10^{-5} + 1.3 \times 10^{-4} \times 6 \fallingdotseq 0.14943 \text{〔V〕}$$

となる．

次に，簡易小信号等価回路（図2）を用いた場合の入力信号電流i_b'および入力信号電圧v_b'はそれぞれ次式となる．

$$i_b' = \frac{i_c}{h_{fe}} = \frac{6 \times 10^{-3}}{140} \fallingdotseq 4.286 \times 10^{-5} \text{〔A〕}$$

$$v_b' = h_{ie}i_b' = 3.5 \times 10^3 \times 4.286 \times 10^{-5} \fallingdotseq 0.1500 \text{〔V〕}$$

したがって，求めるv_bおよびi_bの誤差の大きさ$|\Delta v_b|$および$|\Delta i_b|$はそれぞれ，

$$|\Delta v_b| = |v_b' - v_b| = |0.1500 - 0.14943| = 5.7 \times 10^{-4} \text{〔A〕} = 0.57 \text{〔mV〕}$$

$$|\Delta i_b| = |i_b' - i_b| = |4.286 \times 10^{-5} - 4.247 \times 10^{-5}| = 3.9 \times 10^{-7} \text{〔A〕} = 0.39 \text{〔}\mu\text{A〕}$$

問15 Check! □□□ （平成30年 B 問題16）

エミッタホロワ回路について，次の(a)及び(b)の問に答えよ．

(a) 図1の回路で V_{cc} = 10 V，R_1 = 18 kΩ，R_2 = 82 kΩ とする．動作点におけるエミッタ電流を1 mAとしたい．抵抗 R_E の値 [kΩ] として，最も近いものを次の(1)～(5)のうちから一つ選べ．ただし，動作点において，ベース電流は R_2 を流れる直流電流より十分小さく無視できるものとし，ベース－エミッタ間電圧は0.7 Vとする．

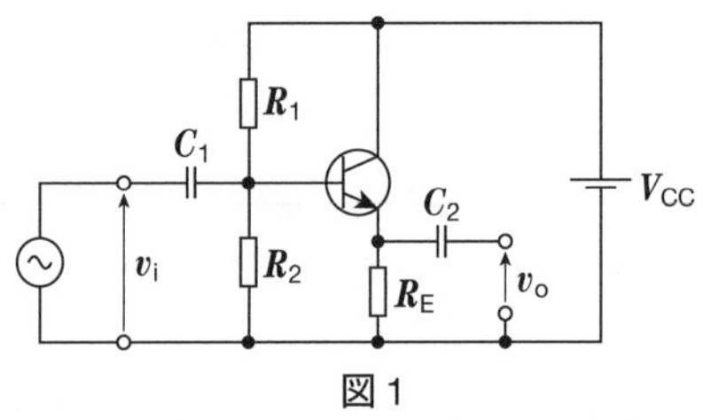

図1

(1) 1.3　(2) 3.0　(3) 7.5　(4) 13　(5) 75

(b) 図2は，エミッタホロワ回路の交流等価回路である．ただし，使用する周波数において図1の二つのコンデンサのインピーダンスが十分に小さい場合を考えている．ここで，h_{ie} = 2.5 kΩ，h_{fe} = 100であり，R_E は小問(a)で求めた値とする．入力インピーダンス $\dfrac{v_i}{i_i}$ の値 [kΩ] として，最も近いものを次の(1)～(5)のうちから一つ選べ．ただし，v_i と i_i はそれぞれ図2に示す入力電圧と入力電流である．

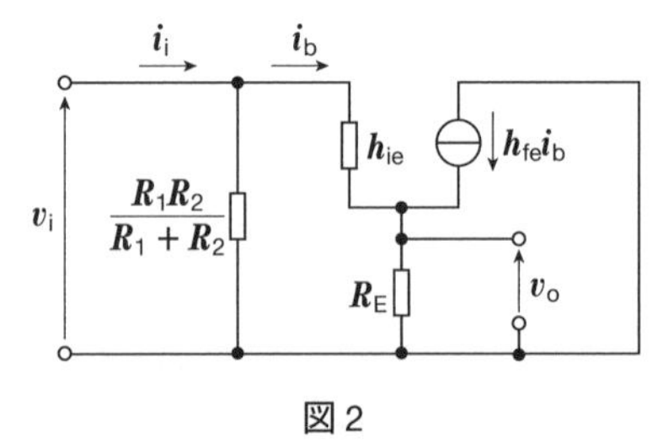

図2

(1) 2.5　(2) 15　(3) 80　(4) 300　(5) 750

解15 解答 (a)－(3), (b)－(2)

(a) 題意より，ベース電流 I_B は R_2 を流れる直流電流より十分小さく無視できるものとするので，ベース電圧 V_B は，

$$V_B = \frac{R_2}{R_1 + R_2} V_{CC} = \frac{82}{18 + 82} \times 10 = 8.2 \text{ V}$$

一方，ベース－エミッタ間電圧 V_{BE} が 0.7 V であることから，エミッタ電圧 V_E は，

$$V_E = V_B - V_{BE} = 8.2 - 0.7 = 7.5 \text{ V}$$

また，題意より，動作点におけるエミッタ電流 I_E を 1 mA とするので，求める抵抗 R_E は，

$$R_E = \frac{V_E}{I_E} = \frac{7.5}{1} = 7.5 \text{ k}\Omega$$

(b) 問題の図 2 の回路より，次式が成立する．

$$i_i = \frac{R_1 + R_2}{R_1 R_2} v_i + i_b \tag{1}$$

$$v_i = h_{ie} i_b + (1 + h_{fe}) i_b R_E = \{h_{ie} + (1 + h_{fe}) R_E\} i_b$$

$$i_b = \frac{1}{h_{ie} + (1 + h_{fe}) R_E} v_i \tag{2}$$

(2)式を(1)式へ代入すると，

$$i_i = \frac{R_1 + R_2}{R_1 R_2} v_i + \frac{1}{h_{ie} + (1 + h_{fe}) R_E} v_i = \left\{ \frac{R_1 + R_2}{R_1 R_2} + \frac{1}{h_{ie} + (1 + h_{fe}) R_E} \right\} v_i$$

$$\therefore \quad \frac{i_i}{v_i} = \frac{R_1 + R_2}{R_1 R_2} + \frac{1}{h_{ie} + (1 + h_{fe}) R_E} \tag{3}$$

(3)式へ，$R_1 = 18$ kΩ，$R_2 = 82$ kΩ，$h_{ie} = 2.5$ kΩ，$h_{fe} = 100$，および $R_E = 7.5$ kΩ を代入すると，

$$\frac{i_i}{v_i} = \frac{18 + 82}{18 \times 82} + \frac{1}{2.5 + (1 + 100) \times 7.5} \fallingdotseq 0.069\,066\,5 \text{ mS}$$

以上から，求める入力インピーダンス v_i / i_i は，

$$\frac{v_i}{i_i} = \frac{1}{0.069\,066\,5} \fallingdotseq 14.479 \fallingdotseq 14.5 \text{ k}\Omega$$

問16 Check! □□□

(令和2年 B 問題18)

図1に示すエミッタ接地トランジスタ増幅回路について，次の(a)及び(b)の問に答えよ．

ただし，I_B [μA]，I_C [mA] はそれぞれベースとコレクタの直流電流であり，i_b [μA]，i_c [mA] はそれぞれの信号分である．また，V_{BE} [V]，V_{CE} [V] はそれぞれベース−エミッタ間とコレクタ−エミッタ間の直流電圧であり，v_{be} [V]，v_{ce} [V] はそれぞれの信号分である．さらに，v_i [V]，v_o [V] はそれぞれ信号の入力電圧と出力電圧，V_{CC} [V] はバイアス電源の直流電圧，R_1 [kΩ] と R_2 [kΩ] は抵抗，C_1 [F]，C_2 [F] はコンデンサである．なお，$R_2 = 1$ kΩ であり，使用する信号周波数において C_1，C_2 のインピーダンスは無視できるほど十分小さいものとする．

(a) 図2はトランジスタの出力特性である．トランジスタの動作点を $V_{CE} = \frac{1}{2} V_{CC} = 6$ V に選ぶとき，動作点でのベース電流 I_B の値 [μA] として，最も近いものを次の(1)〜(5)のうちから一つ選べ．

(1) 20　(2) 25　(3) 30　(4) 35　(5) 40

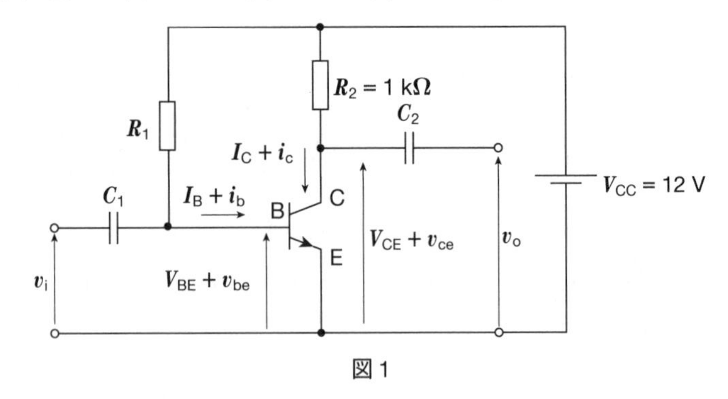

図1

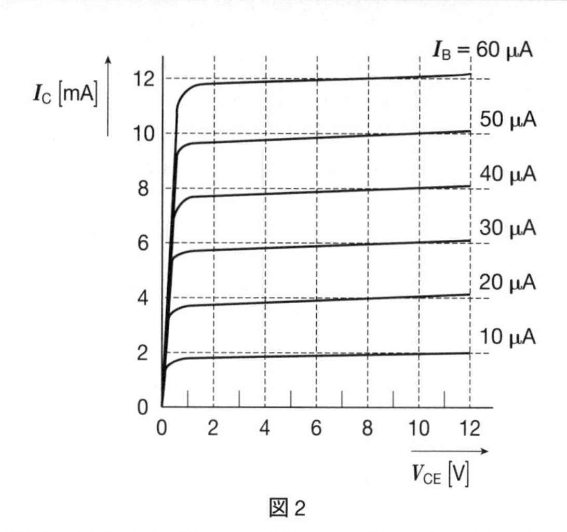

図 2

(b) 小問(a)の動作点において，図 1 の回路に交流信号電圧 v_i を入力すると，最大値 10 μA の交流信号電流 i_b と小問(a)の直流電流 I_B の和がベース（B）に流れた．このとき，図 2 の出力特性を使って求められる出力交流信号電圧 v_o (= v_{ce}) の最大値 [V] として，最も近いものを次の(1)〜(5)のうちから一つ選べ．

ただし，動作点付近においてトランジスタの出力特性は直線で近似でき，信号波形はひずまないものとする．

(1) 1.0　(2) 1.5　(3) 2.0　(4) 2.5　(5) 3.0

解16 解答 (a)－(3), (b)－(3)

(a) 問題のエミッタ接地増幅回路において，$V_{CE}=12$ V，$I_C=0$ mA と $V_{CE}=0$ V，$I_C=12$ mA の点を結んだ負荷線を描くと，**第1図**のようになる．

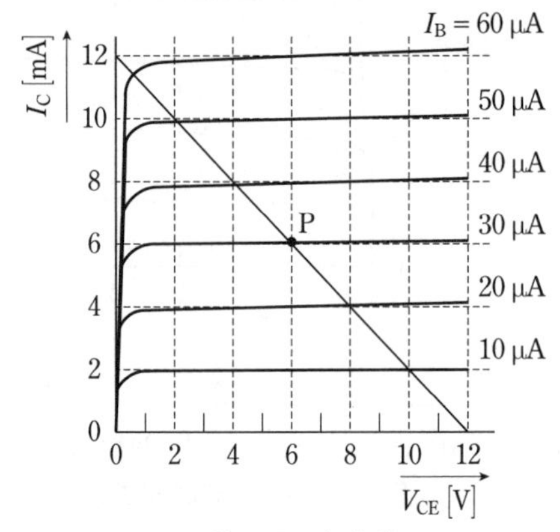

第1図 負荷線

動作点 P を $V_{CE}=\dfrac{1}{2}V_{CC}$ に選んだときの動作点におけるベース電流 I_B は第1図より，

$$I_B=30\ \mu\text{A}$$

となる．

(b) 図1の回路に交流信号 v_i を入力し，最大 10 μA の交流信号電流 i_b が流れたとき，コレクタ信号電流 i_c が流れ，交流信号電圧 v_o が出力される様子を図示すると，**第2図**のようになる．

したがって，出力交流信号電圧 v_o の最大値は 2.0 V となる．

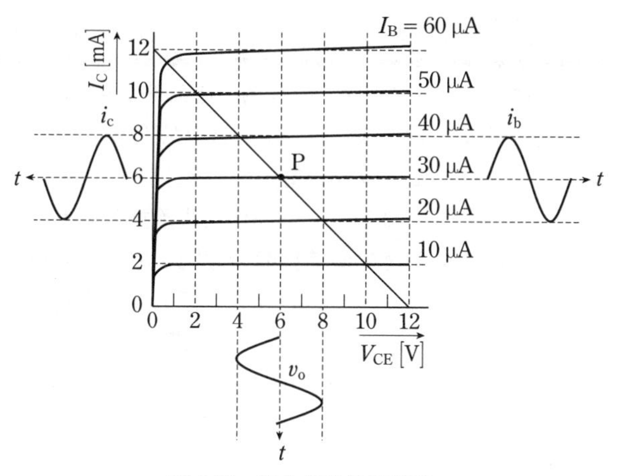

第２図　出力交流信号電圧 v_o

問17 Check! □□□

(平成29年 Ⓐ問題13)

図1は，固定バイアス回路を用いたエミッタ接地トランジスタ増幅回路である．図2は，トランジスタの五つのベース電流 I_B に対するコレクタ－エミッタ間電圧 V_{CE} とコレクタ電流 I_C との静特性を示している．この $V_{CE}-I_C$ 特性と直流負荷線との交点を動作点という．図1の回路の直流負荷線は図2のように与えられる．動作点が $V_{CE}=4.5$ V のとき，バイアス抵抗 R_B の値 [MΩ] として最も近いものを次の(1)～(5)のうちから一つ選べ．

ただし，ベース－エミッタ間電圧 V_{BE} は，直流電源電圧 V_{CC} に比べて十分小さく無視できるものとする．なお，R_L は負荷抵抗であり，C_1，C_2 は結合コンデンサである．

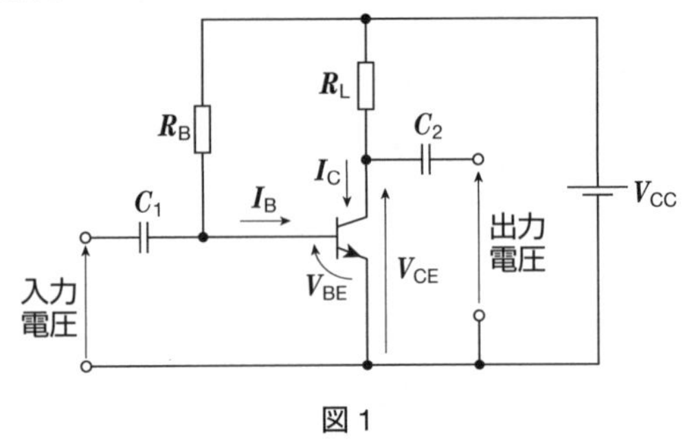

図1

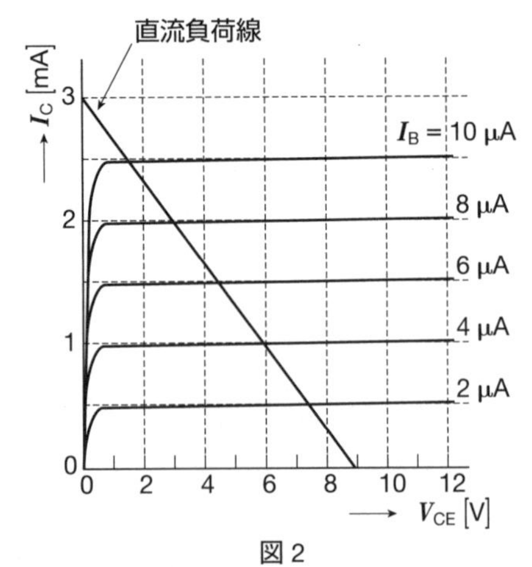

図2

(1) 0.5　(2) 1.0　(3) 1.5　(4) 3.0　(5) 6.0

解17 解答 (3)

コレクタ電流 I_C が0のとき，コレクタ－エミッタ間電圧 V_{CE} は直流電源電圧 V_{CC} に等しくなるので，図2より，V_{CC} は9Vであることがわかる．

次に，動作点が $V_{CE}=4.5\ \mathrm{V}$ であるときのベース電流 I_B は，図2より $I_B=6\ \mu\mathrm{A}$ であるから，バイアス抵抗 R_B は次式で求められる．

$$R_B=\frac{V_{CC}-V_{BE}}{I_B}$$

ところが題意より，ベース－エミッタ間電圧 V_{BE} は，直流電源電圧 V_{CC} に比べて十分小さく無視できるとしているので，求めるバイアス抵抗 R_B は，

$$R_B=\frac{V_{CC}-V_{BE}}{I_B}\fallingdotseq\frac{V_{CC}}{I_B}=\frac{9\ \mathrm{V}}{6\ \mu\mathrm{A}}=1.5\ \mathrm{M\Omega}$$

問18 Check! □□□ (平成23年 B 問題18)

図1のトランジスタによる小信号増幅回路について，次の(a)及び(b)の問に答えよ．

ただし，各抵抗は，$R_A = 100$〔kΩ〕，$R_B = 600$〔kΩ〕，$R_C = 5$〔kΩ〕，$R_D = 1$〔kΩ〕，$R_o = 200$〔kΩ〕である．C_1，C_2は結合コンデンサで，C_3はバイパスコンデンサである．また，$V_{CC} = 12$〔V〕は直流電源電圧，$V_{be} = 0.6$〔V〕はベース－エミッタ間の直流電圧とし，v_i〔V〕は入力小信号電圧，v_o〔V〕は出力小信号電圧とする．

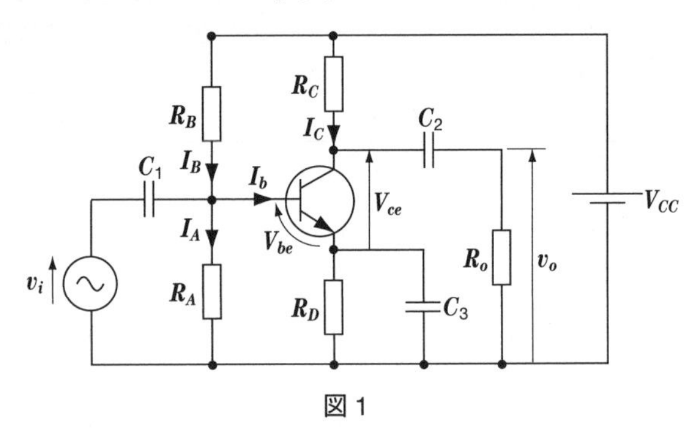

図1

(a) 小信号増幅回路の直流ベース電流I_b〔A〕が抵抗R_A，R_Cの直流電流I_A〔A〕やI_C〔A〕に比べて十分に小さいものとしたとき，コレクタ－エミッタ間の直流電圧V_{ce}〔V〕の値として，最も近いものを次の(1)〜(5)のうちから一つ選べ．

(1) 1.1　(2) 1.7　(3) 4.5　(4) 5.3　(5) 6.4

(b) 小信号増幅回路の交流等価回路は，結合コンデンサ及びバイパスコンデンサのインピーダンスを無視することができる周波数において，一般に，図2の簡易等価回路で表される．

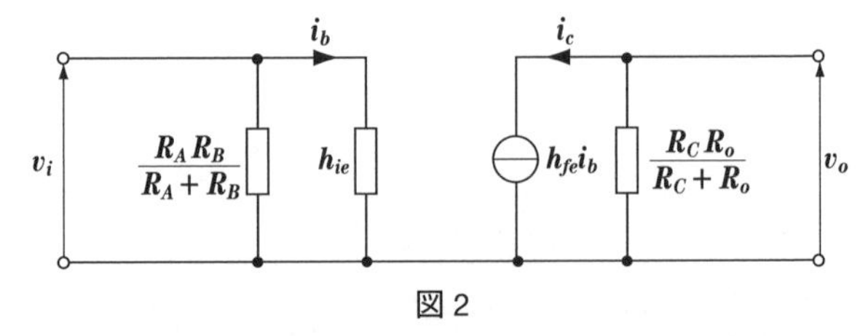

図2

ここで，i_b〔A〕はベースの信号電流，i_c〔A〕はコレクタの信号電流で，この回路の電圧増幅度A_{v0}は下式となる.

$$A_{v0}=\left|\frac{v_o}{v_i}\right|=\frac{h_{fe}}{h_{ie}}\cdot\frac{R_C R_o}{R_C+R_o} \quad \cdots\cdots ①$$

また，コンデンサC_1のインピーダンスの影響を考慮するための等価回路を図 3 に示す.

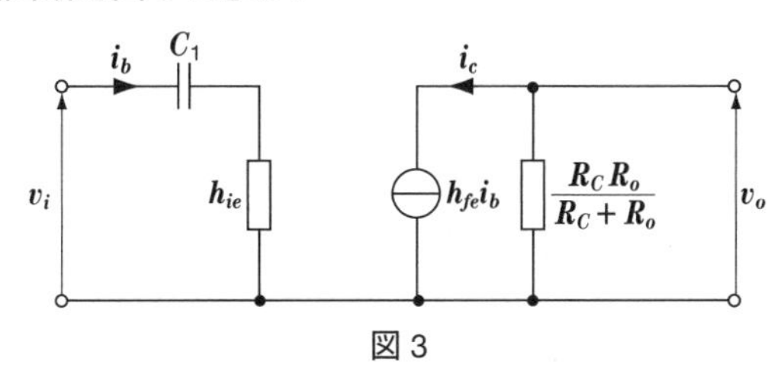

図 3

このとき，入力小信号電圧のある周波数において，図 3 を用いて得られた電圧増幅度が①式で示す電圧増幅度の$\frac{1}{\sqrt{2}}$となった. この周波数〔Hz〕の大きさとして，最も近いものを次の(1)～(5)のうちから一つ選べ.

ただし，エミッタ接地の小信号電流増幅率$h_{fe}=120$，入力インピーダンス$h_{ie}=3\times10^3$〔Ω〕，コンデンサC_1の静電容量$C_1=10$〔μF〕とする.

(1) 1.2　(2) 1.6　(3) 2.1　(4) 5.3　(5) 7.9

解18 解答 (a)−(4), (b)−(4)

(a) 図1のバイアス回路において，$I_B = I_b + I_A$ で表せるが，題意より，$I_b << I_A$ であるから，$I_B \fallingdotseq I_A$ と近似できることから，抵抗 R_A の端子電圧 R_AI_A は，

$$R_AI_A \fallingdotseq \frac{R_A}{R_A + R_B}V_{CC} = \frac{100}{100+600} \times 12 \fallingdotseq 1.7143〔V〕$$

一方，ベース−エミッタ間電圧 V_{be} は，

$$V_{be} = R_A I_A - R_D I_E$$

で表せるから，抵抗 R_D の端子電圧 $R_D I_E$ は，

$$R_D I_E = R_A I_A - V_{be} = 1.7143 - 0.6 = 1.1143〔V〕$$

よって，エミッタ電流 I_E は，

$$I_E = \frac{R_DI_E}{R_D} = \frac{1.1143}{1} = 1.1143〔mA〕$$

となる．

さて，エミッタ電流 I_E は，$I_E = I_b + I_C$ で表せるが，題意より，$I_b << I_C$ であるから，$I_E \fallingdotseq I_C$ と近似できる．

よって，コレクタ電流 I_C は，

$$I_C \fallingdotseq I_E = 1.1143〔mA〕$$

となる．

一方，コレクタ−エミッタ間電圧 V_{ce} は，

$$V_{ce} = V_{CC} - R_C I_C - R_D I_E \fallingdotseq V_{CC} - R_C I_C - R_D I_C$$
$$= V_{CC} - (R_C + R_D)I_C$$

で表せるから，求めるコレクタ−エミッタ間電圧 V_{ce} は，

$$V_{ce} = V_{CC} - (R_C + R_D)I_C$$
$$= 12 - (5+1) \times 1.1143 \fallingdotseq 5.31〔V〕$$

となる．

(b) 図3の等価回路より，入力小信号電圧の周波数を f〔Hz〕とすると，ベース信号電流 i_b は，

$$i_b = \frac{v_i}{\sqrt{{h_{ie}}^2 + \left(\frac{1}{2\pi f C_1}\right)^2}}〔A〕$$

で表せる．

一方，出力信号電圧 v_o は，

$$v_o = -\frac{R_C R_o}{R_C + R_o} h_{fe} i_b \text{〔V〕}$$

であるから，i_b の式を v_o の式へ代入すれば，

$$v_o = -\frac{R_C R_o}{R_C + R_o} h_{fe} \frac{v_i}{\sqrt{{h_{ie}}^2 + \left(\frac{1}{2\pi f C_1}\right)^2}}$$

よって，この場合の電圧増幅度 A_{vf} は，

$$A_{vf} = \left|\frac{v_o}{v_i}\right| = \frac{h_{fe}}{\sqrt{{h_{ie}}^2 + \left(\frac{1}{2\pi f C_1}\right)^2}} \frac{R_C R_o}{R_C + R_o}$$

となる．

さて，題意より，A_{vf} は A_{v0} の $\frac{1}{\sqrt{2}}$ であるから，

$$\frac{A_{v0}}{A_{vf}} = \frac{\frac{h_{fe}}{h_{ie}} \cdot \frac{R_C R_o}{R_C + R_o}}{\frac{h_{fe}}{\sqrt{{h_{ie}}^2 + \left(\frac{1}{2\pi f C_1}\right)^2}} \cdot \frac{R_C R_o}{R_C + R_o}} = \sqrt{2}$$

$$\frac{\sqrt{{h_{ie}}^2 + \left(\frac{1}{2\pi f C_1}\right)^2}}{h_{ie}} = \sqrt{2}$$

$$\therefore \quad \sqrt{1 + \left(\frac{1}{2\pi f C_1 h_{ie}}\right)^2} = \sqrt{2}$$

$$\therefore \quad \left(\frac{1}{2\pi f C_1 h_{ie}}\right)^2 = 1$$

$$\therefore \quad f = \frac{1}{2\pi C_1 h_{ie}} \text{〔Hz〕}$$

以上から，求める入力信号電圧の周波数 f は，上式へ，$C_1 = 10 \times 10^{-6}$〔F〕，$h_{ie} = 3 \times 10^3$〔Ω〕を代入すれば，

$$f = \frac{1}{2\pi \times 10 \times 10^{-6} \times 3 \times 10^3} \fallingdotseq 5.305 \text{〔Hz〕}$$

となる．

問19 Check! □□□ （令和4年㊦ Ⓑ問題18）

図1の回路は，電流帰還バイアス回路に結合容量を介して，微小な振幅の交流電圧を加えている．この入力電圧の振幅が A_i = 100 mV，角周波数が ω = 10 000 rad/s で，時刻 t [s] に対して v_i (t) [mV] が v_i (t) = $A_i \sin \omega t$ と表されるとき，次の(a)及び(b)の問に答えよ．

(a) 次の文章は，電圧 v_B (t) に関する記述である．

トランジスタのベース端子に流れ込む電流 i_B (t) が十分に小さいとき，ベース端子を切り離しても 2 kΩ の抵抗の電圧は変化しない．そこで，図2の回路で考え，さらに重ね合わせの理を用いることで，電圧 v_B (t) を求める．まず，v_i (t) = 0 V とすることで，直流電圧 V_B = [(ア)] V が求められる．次に，直流電圧源の値を 0 V とし，コンデンサのインピーダンスが 2 kΩ より十分に小さいと考えると，交流電圧 v_B (t) の振幅 A_B = [(イ)] mV と初期位相 θ_B = [(ウ)] rad が求められる．以上より，v_B (t) = $V_B + A_B \sin (\omega t + \theta_B)$ と表すことができる．

上記の記述中の空白箇所(ア)～(ウ)に当てはまる組合せとして，最も近いものを次の(1)～(5)のうちから一つ選べ．

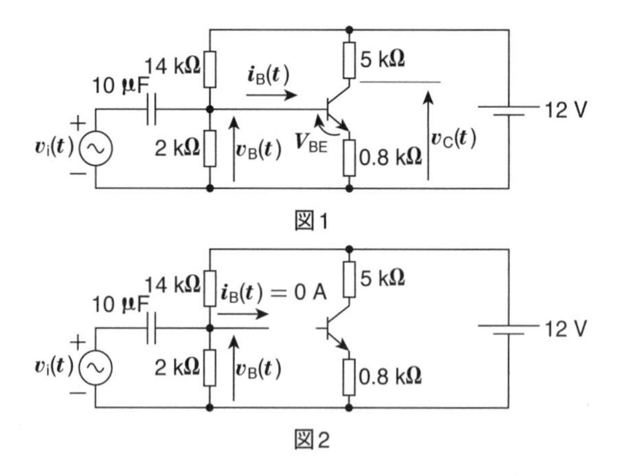

図1
図2

	(ア)	(イ)	(ウ)
(1)	0.8	71	0
(2)	0.8	100	$\frac{\pi}{4}$
(3)	1.5	71	$\frac{\pi}{4}$
(4)	1.5	100	0
(5)	1.5	71	0

(b) 図 1 の回路の電圧 v_C（t）を求め，適当な定数 V_C，A_C，θ_C を用いて v_C（t）$= V_C + A_C \sin$（$\omega t + \theta_C$）と表す．V_C，A_C，θ_C に最も近い値の組合せを次の(1)～(5)のうちから一つ選べ．

ただし，ベース・エミッタ間電圧は常に 0.7 V であると近似して考えてよい．

	V_C [V]	A_C [V]	θ_C [rad]
(1)	5	0.6	0
(2)	5	6	0
(3)	5	6	π
(4)	7	0.6	π
(5)	7	6	π

解19 解答 (a)－(4), (b)－(4)

(a) (ア) 交流入力電圧 $v_{\mathrm{i}}(t)$ を 0 V とした場合，問題の第 2 図の回路は第 1 図のように表すことができる．この回路における B 点の電圧 V_{B} は，

$$V_{\mathrm{B}}=12\times\frac{2}{14+2}=1.5\ \mathrm{V}$$

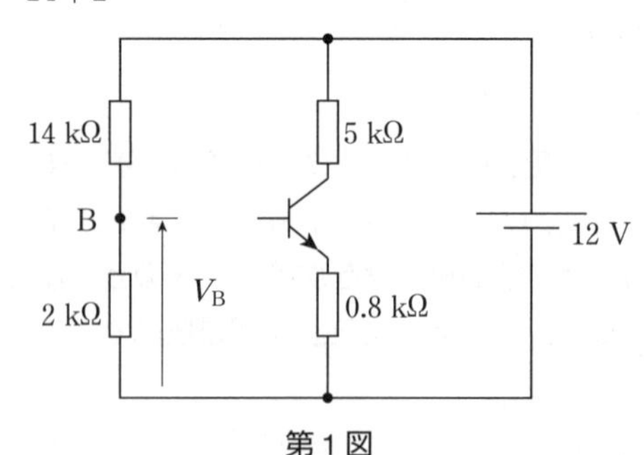

第 1 図

(イ), (ウ) 直流電圧源の値を 0 V とした場合，コンデンサのインピーダンスが 2 kΩ より十分小さいと考えると，問題の第 2 図の回路の交流成分に関する等価回路は第 2 図のようになる．

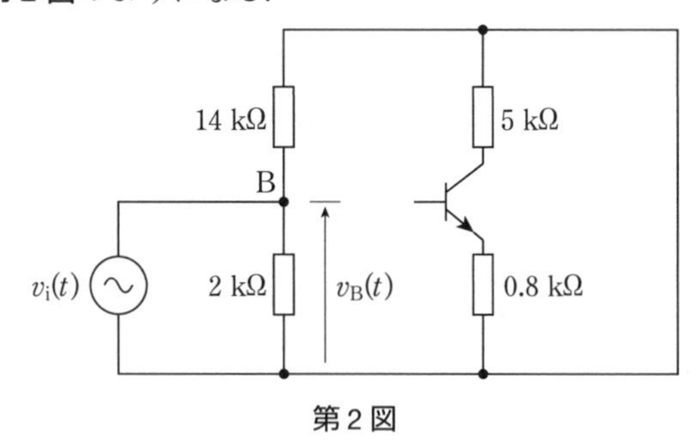

第 2 図

よって，$v_{\mathrm{B}}(t)$ の振幅は $v_{\mathrm{i}}(t)$ の振幅と同じなので，

$$A_{\mathrm{B}}=100\ \mathrm{mV}$$

また，$v_{\mathrm{B}}(t)$ の位相も $v_{\mathrm{i}}(t)$ の位相と同相であるから，初期位相 θ_{B} は，

$$\theta_{\mathrm{B}}=0\ \mathrm{rad}$$

(b) 問題の第 1 図の回路の直流成分に関する等価回路は第 3 図のようになる．

(a)の(ア)で求めたとおり $V_{\mathrm{B}}=1.5$ V.

V_{E} は V_{BE} が常に 0.7 V であるから，

$$V_{\mathrm{E}}=V_{\mathrm{B}}-0.7=1.5-0.7=0.8\ \mathrm{V}$$

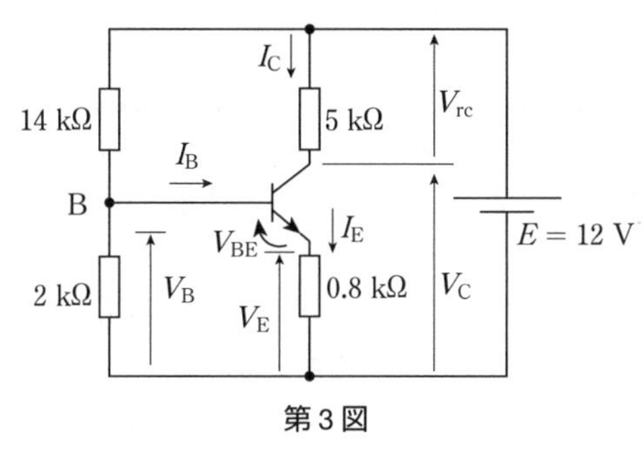

第３図

したがって，0.8 kΩ の抵抗に流れる電流 I_E は，

$$I_E = \frac{V_E}{0.8\times10^3} = \frac{0.8}{0.8\times10^3} = 1\times10^{-3} = 1\ \mathrm{mA}$$

ここで，I_B は十分小さいことから

$$I_C = I_E$$

と考えられる．したがって，5 kΩ の両端の電圧 V_{rc} は，

$$V_{rc} = I_C \times 5 \times 10^3 = 1 \times 10^{-3} \times 5 \times 10^3 = 5\ \mathrm{V}$$

よって，V_C は

$$V_C = E - V_{rc} = 12 - 5 = 7\ \mathrm{V}$$

ここで，V_B が ΔV だけ変化したときの V_C の変化 ΔV_C を考える．

V_B が ΔV 変化すると，V_E も ΔV だけ変化する．すると，I_E の変化 ΔI_E は，

$$\Delta I_E = \frac{\Delta V}{0.8\times10^3} = \Delta I_C\ [\mathrm{A}]$$

ΔI_C による V_{rc} の変化 ΔV_{rc} は，

$$\Delta V_{rc} = \Delta I_C \cdot 5\times10^3 = \frac{\Delta V}{0.8\times10^3}\times5\times10^3 = 6.25\Delta V\ [\mathrm{V}]$$

よって，ΔI_C による V_C の変化 ΔV_C は，

$$\Delta V_C = -\Delta V_{rc} = -6.25\Delta V\ [\mathrm{V}]$$

これより，問題の第１図の回路に $v_B(t)$ を加えたときの $v_C(t)$ は，

$$v_C(t) = -6.25 v_B(t)$$

となる．なお，右辺に負号があることから，$v_C(t)$ は $v_B(t)$ の逆相となる．

ここで，(a)の(イ)より，$v_B\ (t) = 100\ \mathrm{mV} = 0.1\ \mathrm{V}$ であるから，

$$A_C = |v_C(t)| = |-6.25 \times 0.1| \fallingdotseq 0.6\ \mathrm{V}$$

また，$v_B(t)$ と $v_C(t)$ は逆相であるから，$v_C(t)$ の初期位相 θ_C は，**π** rad である．

問20 Check! □□□

（令和4年㊤ B問題18）

問17及び問18は選択問題であり，問17又は問18のどちらかを選んで解答すること．両方解答すると採点されません．

（選択問題）

図1，図2及び図3は，トランジスタ増幅器のバイアス回路を示す．次の(a)及び(b)の問に答えよ．

ただし，V_{CC}は電源電圧，V_Bはベース電圧，I_Bはベース電流，I_Cはコレクタ電流，I_Eはエミッタ電流，R，R_B，R_C及びR_Eは抵抗を示す．

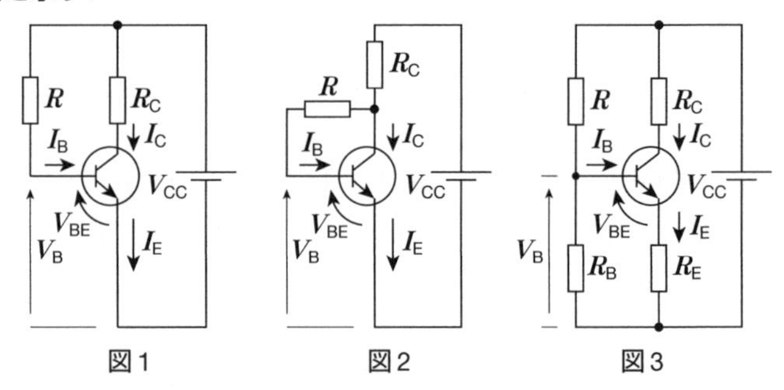

図1　図2　図3

(a) 次の①式，②式及び③式は，図1，図2及び図3のいずれかの回路のベース・エミッタ間の電圧V_{BE}を示す．

$$V_{BE} = V_B - I_E \cdot R_E \quad \cdots\cdots ①$$

$$V_{BE} = V_{CC} - I_B \cdot R \quad \cdots\cdots ②$$

$$V_{BE} = V_{CC} - I_B \cdot R - I_E \cdot R_C \quad \cdots\cdots ③$$

上記の式と図の組合せとして，正しいものを次の(1)～(5)のうちから一つ選べ．

	①式	②式	③式
(1)	図1	図2	図3
(2)	図2	図3	図1
(3)	図3	図1	図2
(4)	図1	図3	図2
(5)	図3	図2	図1

(b) 次の文章a，b及びcは，それぞれのバイアス回路における周囲温度の変化と電流 I_C との関係について述べたものである．

ただし，h_{FE} は直流電流増幅率を表す．

a　温度上昇により h_{FE} が増加すると I_C が増加し，バイアス安定度が悪いバイアス回路の図は [(ア)] である．

b　h_{FE} の変化により I_C が増加しようとすると，V_B はほぼ一定であるから V_{BE} が減少するので，I_C や I_E の増加を妨げるように働く．I_C の変化の割合が比較的低く，バイアス安定度が良いものの，電力損失が大きいバイアス回路の図は [(イ)] である．

c　h_{FE} の変化により I_C が増加しようとすると，R_C の電圧降下も増加することでコレクタ・エミッタ間の電圧 V_{CE} が低下する．これにより R の電圧が減少して I_B が減少するので，I_C の増加が抑えられるバイアス回路の図は [(ウ)] である．

上記の記述中の空白箇所(ア)～(ウ)に当てはまる組合せとして，正しいものを次の(1)～(5)のうちから一つ選べ．

	(ア)	(イ)	(ウ)
(1)	図1	図2	図3
(2)	図2	図3	図1
(3)	図3	図1	図2
(4)	図1	図3	図2
(5)	図2	図1	図3

解20 解答 (a)−(3), (b)−(4)

問題の図 1, 2, 3 の各回路における V_B, V_{BE}, V_{CC} の関係および周囲温度と I_C の関係は次のとおりである.

(A) 図 1 の回路は固定バイアス回路と呼ばれる.

$$V_B = V_{BE} = V_{CC} - I_B \cdot R$$

一般にトランジスタの温度が上昇すると, h_{FE} は増加傾向, V_{BE} は減少傾向となる. 上記の式で, 温度上昇により V_{BE} が減少すれば V_{CC} および R が一定なので I_B は増加する. したがって, I_C も増加する. 同時に, 温度上昇により h_{FE} も増加するので, I_C はさらに増加する. このように, 固定バイアス回路は温度上昇による I_C の変化が大きく, バイアス安定度が悪い.

(B) 図 2 の回路は自己バイアス回路と呼ばれる.

$$V_B = V_{BE} = V_{CC} - (I_C + I_B) \cdot R_C - I_B \cdot R = V_{CC} - I_E \cdot R_C - I_B \cdot R$$

上記の式から I_B を求めると,

$$I_B = \frac{V_{CC} - I_E \cdot R_C - V_{BE}}{R}$$

この式から, 温度上昇により V_{BE} が減少すると I_B が増加するが, I_B と h_{FE} の増加によって I_C が増加し I_E が増加すると, R_C での電圧降下が大きくなって I_B が抑制されることがわかる. その結果, I_C の増加も抑えられる.

(C) 図 3 の回路は電流帰還バイアス回路と呼ばれる.

$$I_E \cdot R_E = V_B - V_{BE}$$

$$\therefore \quad V_{BE} = V_B - I_E \cdot R_E$$

I_B が十分小さければ,

$$V_B \fallingdotseq \frac{R_B}{R + R_B} \cdot V_{CC}$$

となり, V_B は温度にかかわらず一定である. 温度上昇により V_{BE} が減少し h_{FE} が増加すると I_E, I_C が増加しようとする. しかし, $I_E \cdot R_E$ によりエミッタ電圧 V_E が上昇して I_B が抑制され I_C も抑制される. このようにバイアス安定度の高い回路であるが, V_B を一定に保つため R_B には I_B の 10 倍程度以上の電流を常時流す必要がある. また, R_E でも電力が消費される. このため, 電力損失が大きい.

(a) 上記(A), (B), (C)の式より, 正しい組合せは(3)である.

(b) 各回路の特徴は上記(A), (B), (C)のとおりであるから, 問題文の a は固定バイアス回路，bは電流帰還バイアス回路，cは自己バイアス回路の説明である．
よって，正しい組合せは(4)である．

問21 Check! □□□

（令和３年 Ⓑ問題 18）

発振回路について，次の(a)及び(b)の問に答えよ．

(a) 図１は，ある発振回路のコンデンサを開放し，同時にコイルを短絡した，直流分を求めるための回路図である．図中の電圧 V_C [V] として，最も近いものを次の(1)～(5)のうちから一つ選べ．

ただし，図中の V_{BE} 並びにエミッタ接地トランジスタの直流電流増幅率 h_{FE} をそれぞれ $V_{BE} = 0.6$ V，$h_{FE} = 100$ とする．

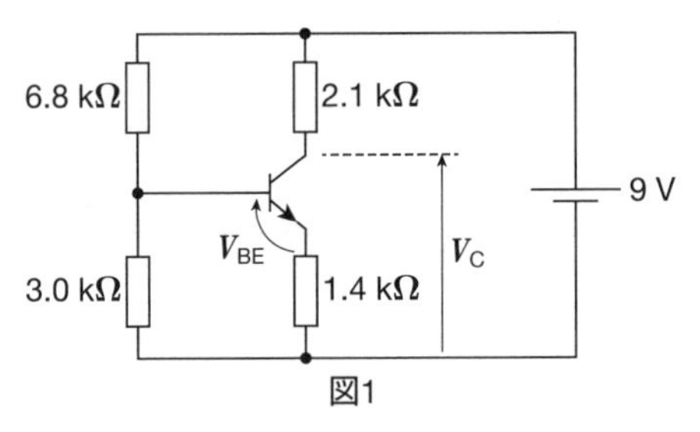

図1

(1) 3 (2) 4 (3) 5 (4) 6 (5) 7

(b) 図２は，ある発振回路のトランジスタに接続されている，電極間のリアクタンスを示している．ただし，バイアス回路は省略している．この回路が発振するとき，発振周波数 f_0 [kHz] はどの程度の大きさになるか，最も近いものを次の(1)～(5)のうちから一つ選べ．

ただし，発振周波数は，図に示されている素子の値のみにより定まるとしてよい．

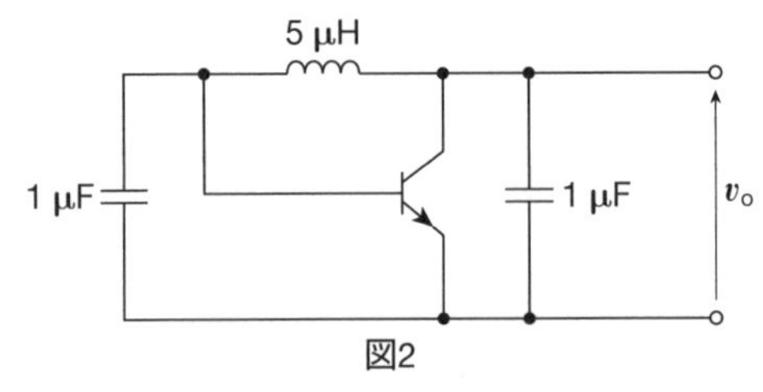

図2

(1) 0.1 (2) 1 (3) 10 (4) 100 (5) 1 000

解21 解答 (a)－(4), (b)－(4)

(a) 第1図のように，P点でバイアス回路からトランジスタのベースを切り離した回路を考える．

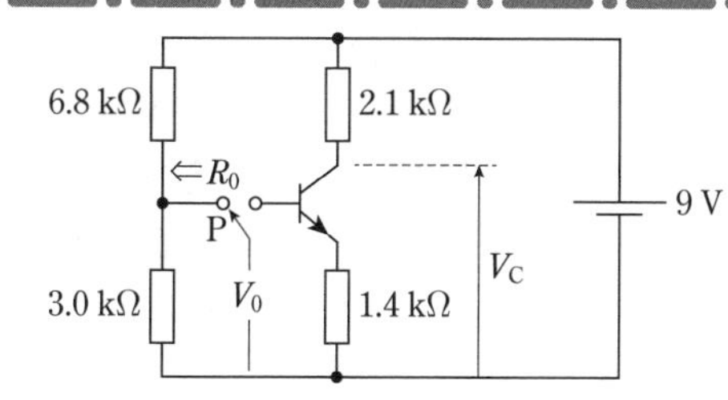

第1図　P点で切り離した回路

この場合，P点の電圧 V_P は，

$$V_P = \frac{3.0}{6.8+3.0} \times 9 = \frac{27}{9.8}\ \mathrm{V}$$

また，9 V を短絡してP点から回路を見た全抵抗 R_0 は，

$$R_0 = \frac{6.8 \times 3.0}{6.8+3.0} = \frac{20.4}{9.8}\ \mathrm{k\Omega}$$

であるから，問題図1の等価回路は第2図のようになる．

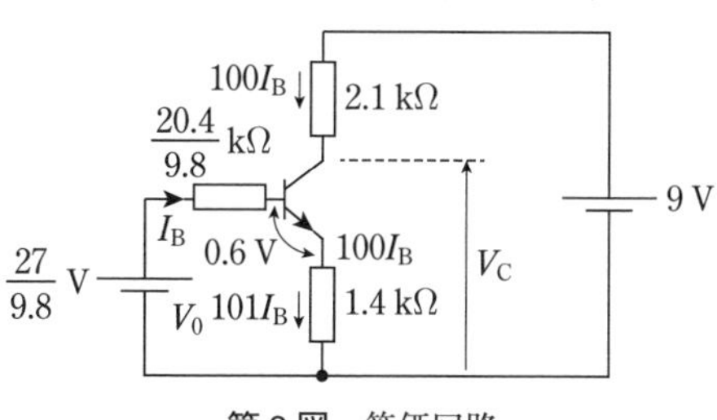

第2図　等価回路

第2図の等価回路より，ベース電流 I_B について次式が成立する．

$$\frac{20.4}{9.8}I_B + 0.6 + 1.4 \times 101 I_B = \frac{27}{9.8}$$

$$143.482 I_B \fallingdotseq 2.155\,1$$

$$\therefore \quad I_B \fallingdotseq 0.015\,02\ \mathrm{mA}$$

したがって，求めるコレクタ電圧 V_C は，

$$V_C = 9 - 2.1 \times 100 \times 0.015\,02$$
$$= 5.845\,8 \fallingdotseq 5.85 \fallingdotseq 6\ \mathrm{V}$$

(b) 図2の回路は，コルピッツ発振回路で，第3図のように素子を決めると，発振周波数 f_0 は次式で与えられる．

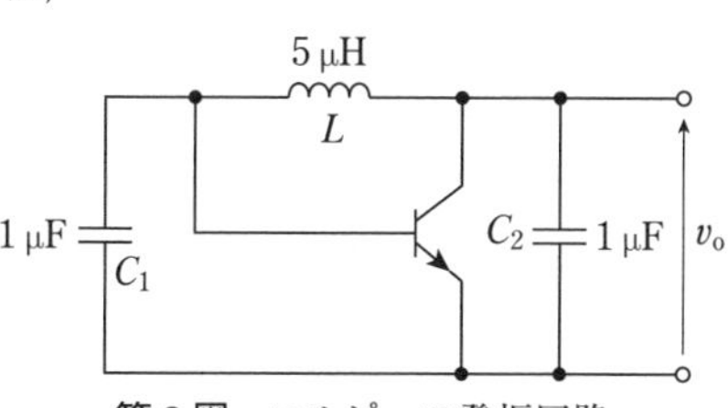

第3図　コルピッツ発振回路

$$f_0 = \frac{1}{2\pi\sqrt{L\{C_1C_2/(C_1+C_2)\}}}\ [\mathrm{Hz}]$$

上式へ，$C_1 = C_2 = 1 \times 10^{-6}$ F，$L = 5 \times 10^{-6}$ H を代入すると，

$$f_0 = \frac{1}{2\pi\sqrt{5\times10^{-6}\times\dfrac{1\times1\times10^{-6}}{1+1}}} = \frac{1}{2\pi\sqrt{2.5\times10^{-12}}} = \frac{10^6}{2\pi\sqrt{2.5}}$$

$$\fallingdotseq 0.100\,66 \times 10^6\ \mathrm{Hz} \fallingdotseq 0.100\,7 \times 1\,000\ \mathrm{kHz} \fallingdotseq 100.7 \fallingdotseq 100\ \mathrm{kHz}$$

問22 Check! □□□ (平成21年 A問題13)

図1にソース接地のFET増幅器の静特性に注目した回路を示す．この回路のFETのドレーン－ソース間電圧 V_{DS} とドレーン電流 I_D の特性は，図2に示す．図1の回路において，ゲート－ソース間電圧 $V_{GS}=-0.1$〔V〕のとき，ドレーン－ソース間電圧 V_{DS}〔V〕，ドレーン電流 I_D〔mA〕の値として，最も近いものを組み合わせたのは次のうちどれか．

ただし，直流電源電圧 $E_2=12$〔V〕，負荷抵抗 $R=1.2$〔kΩ〕とする．

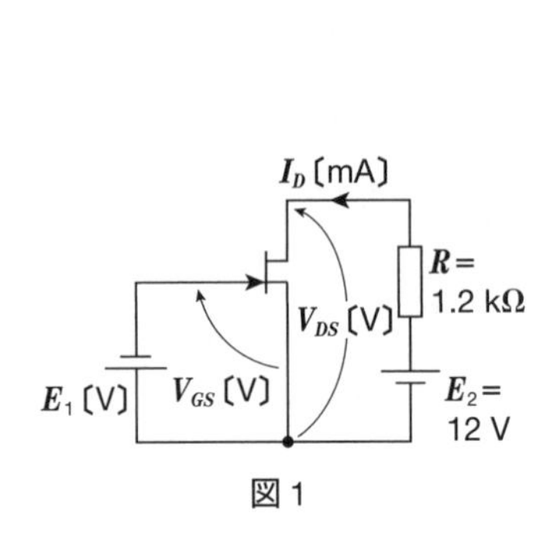

図1

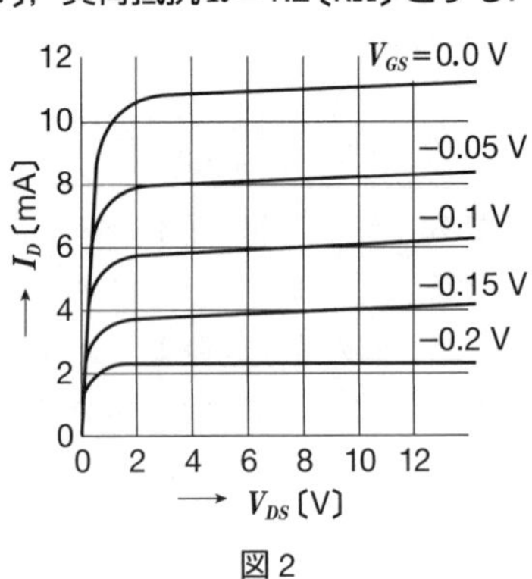

図2

	V_{DS}	I_D
(1)	0.8	5.0
(2)	3.0	5.8
(3)	4.2	6.5
(4)	4.8	6.0
(5)	12	8.4

解22 解答 (4)

ドレーン電流 I_D は，次式で表せる．

$$I_D = \frac{E_2 - V_{DS}}{R}$$

したがって，$V_{DS} = 12$〔V〕のとき，

$$I_D = \frac{12-12}{1.2} = 0\text{〔mA〕}$$

また，$V_{DS} = 0$〔V〕のとき，

$$I_D = \frac{12-0}{1.2} = 10\text{〔mA〕}$$

であるから，FET の $V_{DS} - I_D$ 特性曲線上に負荷線を描くと，$V_{GS} = -0.1$〔V〕のときの動作点 P は図のようになる．

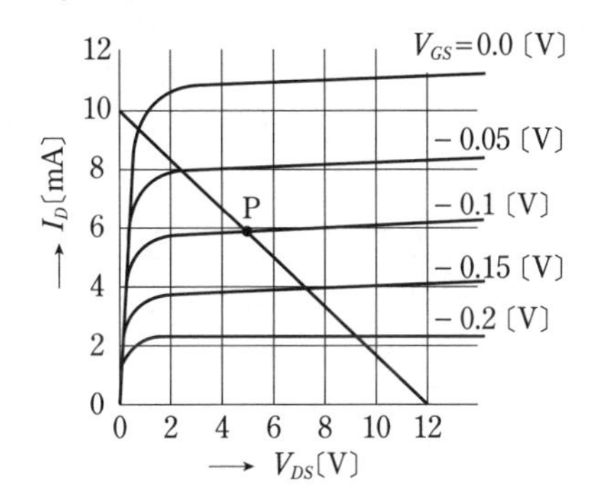

したがって，求めるドレーン電流 I_D は，$I_D = 6$〔mA〕となり，この場合のドレーン－ソース間電圧 V_{DS} は次式となる．

$$V_{DS} = E_2 - RI_D = 12 - 1.2 \times 6 = 4.8\text{〔V〕}$$

問23 Check! □□□

(平成17年 B 問題17)

図のようなFET増幅器がある．次の(a)及び(b)に答えよ．

ただし，R_A，R_B，R_C，R_D，R_E は抵抗，C_1，C_2，C_3 はコンデンサ，V_{DD} は直流電圧源，I_D はドレーン電流，v_1，v_2 は交流電圧とする．

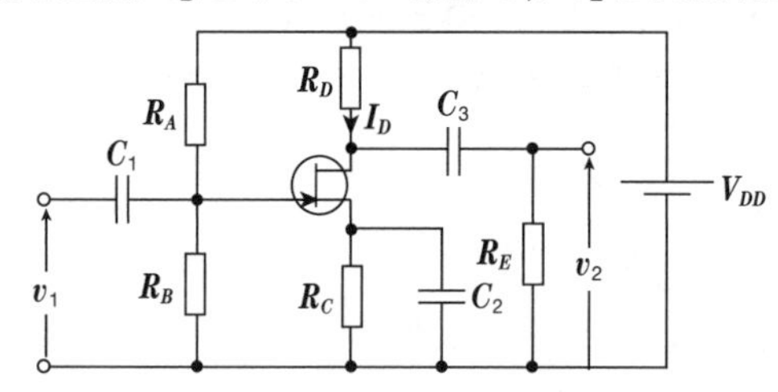

(a) 図の増幅器のトランジスタは，接合形の (ア) チャネルFETであり，結合コンデンサは，コンデンサ (イ) である．

また，抵抗 (ウ) は，温度変化に対する安定性を高める役割を果たしている．

上記の記述中の空白箇所(ア)，(イ)及び(ウ)に記入する記号として，正しいものを組み合わせたのは次のうちどれか．

	(ア)	(イ)	(ウ)
(1)	n	C_1，C_3	R_A，R_B
(2)	p	C_1，C_2	R_B，R_C
(3)	n	C_1，C_2	R_B，R_D
(4)	p	C_2，C_3	R_A，R_B
(5)	n	C_1，C_3	R_B，R_C

(b) ドレーン電流 $I_D=6$〔mA〕，直流電圧源 $V_{DD}=24$〔V〕とし，ゲート・ソース間電圧 $V_{GS}=-1.4$〔V〕で動作させる場合，抵抗 R_A，R_B の比 $\dfrac{R_A}{R_B}$ の値として，最も近いのは次のうちどれか．

ただし，抵抗 $R_C=1.6$〔kΩ〕とする．

(1) 1.2　(2) 1.9　(3) 2.4　(4) 3.8　(5) 4.7

解23 解答 (a)－(1)，(b)－(2)

(a) 図の FET はその記号から n チャネルの接合形 FET であることがわかる．

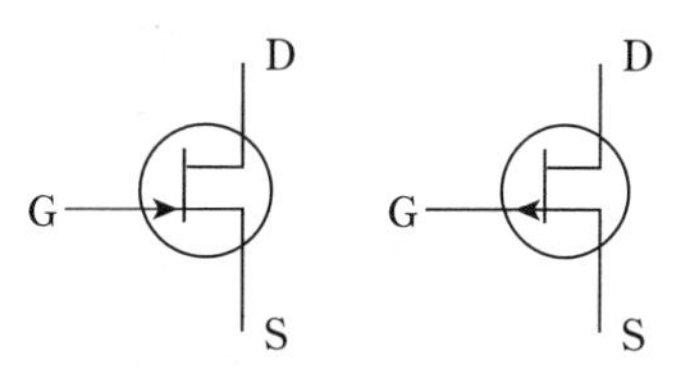

n チャネル接合形 FET　p チャネル接合形 FET

C_1 および C_3 は結合コンデンサと呼ばれ，C_1 は入力信号の直流分をカット，C_3 は出力信号の直流分をカットして交流信号のみを通すためのコンデンサである．C_2 は，交流信号に対し，R_C を短絡してソースを接地するためのコンデンサで，バイパスコンデンサと呼ばれている．

また，R_A および R_B は FET の温度変化に対する安定性を高めるための抵抗である．

(b) 図の回路において，FET の入力インピーダンスは非常に大きいから，ゲート (G) には電流が流れない．したがって，ソース (S) 電圧 V_S は，

$$V_S = R_C I_D = 1.6 \times 6 = 9.6\text{〔V〕}$$

となり，ゲート電圧 V_G は，題意より $V_{GS} = -1.4$〔V〕であるから次式となる．

$$V_G = V_S + V_{GS} = 9.6 - 1.4 = 8.2\text{〔V〕}$$

ところで，ゲート電圧 V_G は，

$$V_G = \frac{R_B}{R_A + R_B} V_{DD}$$

で表されるから，

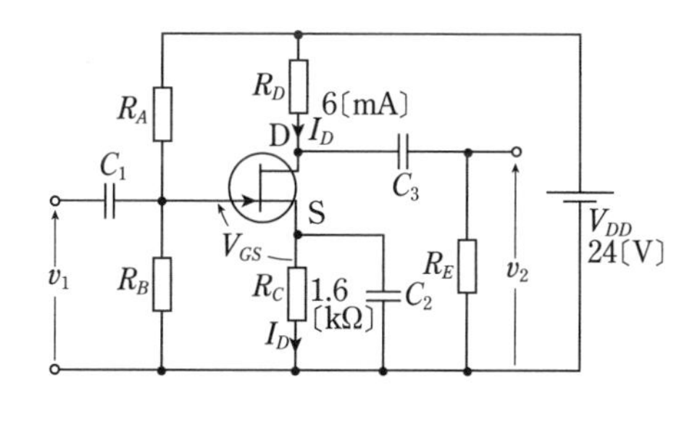

$$(R_A + R_B)V_G = R_B V_{DD}$$

$$\therefore \quad R_A V_G = R_B(V_{DD} - V_G)$$

$$\therefore \quad \frac{R_A}{R_B} = \frac{V_{DD} - V_G}{V_G}$$

となる．よって，求める抵抗の比 R_A/R_B は次式となる．

$$\frac{R_A}{R_B} = \frac{24 - 8.2}{8.2} \fallingdotseq 1.927$$

問24 Check! □□□

（令和３年 Ⓐ問題 13）

図は，電界効果トランジスタ（FET）を用いたソース接地増幅回路の簡易小信号交流等価回路である．この回路の電圧増幅度 $A_v = \left|\dfrac{v_o}{v_i}\right|$ を近似する式として，正しいものを次の(1)～(5)のうちから一つ選べ．ただし，図中の S，G，D はそれぞれソース，ゲート，ドレインであり，v_i [V]，v_o [V]，v_{gs} [V] は各部の電圧，g_m [S] は FET の相互コンダクタンスである．また，抵抗 r_d [Ω] は抵抗 R_L [Ω] に比べて十分大きいものとする．

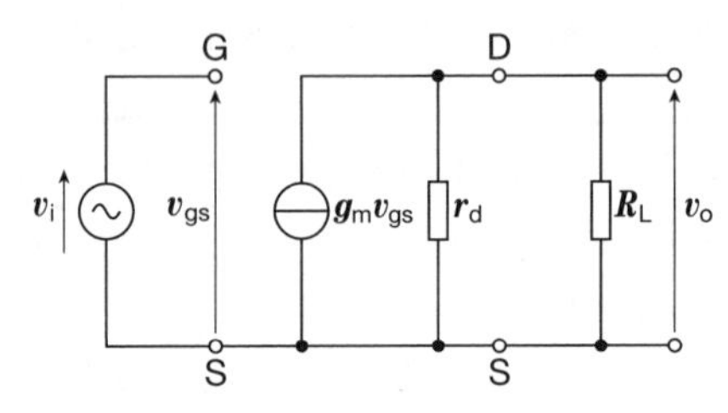

(1) $g_m R_L$　(2) $g_m r_d$　(3) $g_m(R_L + r_d)$

(4) $\dfrac{g_m r_d}{R_L}$　(5) $\dfrac{g_m R_L}{R_L + r_d}$

解24 解答（1）

出力 v_o の絶対値 $|v_o|$ は，次式で与えられる．

$$|v_o| = \frac{r_d R_L}{r_d + R_L} g_m v_{gs}$$

したがって，電圧増幅度 $A_v = \left|\frac{v_o}{v_i}\right|$ は，

$$A_v = \left|\frac{v_o}{v_i}\right| = \left|\frac{v_o}{v_{gs}}\right| = \frac{r_d R_L}{r_d + R_L} g_m$$

題意より，$r_d \gg R_L$ であるから，

$$A_v = \left|\frac{v_o}{v_i}\right| = \frac{r_d R_L}{r_d + R_L} g_m = \frac{R_L}{1 + R_L / r_d} g_m \fallingdotseq g_m R_L$$

問25 Check! □□□

（令和5年㊦ Ⓑ問題18）

図1は，飽和領域で動作する接合形FETを用いた増幅回路を示し，図中の v_i 並びに v_o はそれぞれ，入力と出力の小信号交流電圧[V]を表す．また，図2は，その増幅回路で使用するFETのゲート‐ソース間電圧 V_{gs} [V]に対するドレーン電流 I_d [mA]の特性を示している．抵抗 $R_G = 1$ MΩ，$R_D = 5$ kΩ，$R_L = 2.5$ kΩ，直流電源電圧 $V_{DD} = 20$ V とするとき，次の(a)及び(b)の問に答えよ．

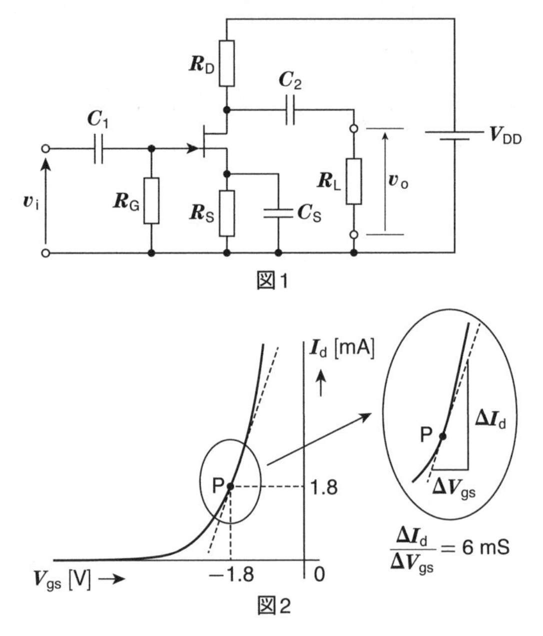

図1

図2

(a) FETの動作点が図2の点Pとなる抵抗 R_S の値[kΩ]として，最も近いものを次の(1)～(5)のうちから一つ選べ．

(1) 0.1 (2) 0.3 (3) 0.5 (4) 1 (5) 3

(b) 図2の特性曲線の点Pにおける接線の傾きを読むことで，FETの相互コンダクタンスが $g_m = 6$ mS であるとわかる．この値を用いて，増幅回路の小信号交流等価回路をかくと図3となる．ここで，コンデンサ C_1，C_2，C_S のインピーダンスが使用する周波数で十分に小さいときを考えており，FETの出力インピーダンスが R_D [kΩ]や R_L [kΩ]より十分大きいとしている．

この増幅回路の電圧増幅度 $A_v = \left|\dfrac{v_o}{v_i}\right|$ の値として，最も近いものを次の(1)～(5)のうちから一つ選べ.

(1) 10　(2) 30　(3) 50　(4) 100　(5) 300

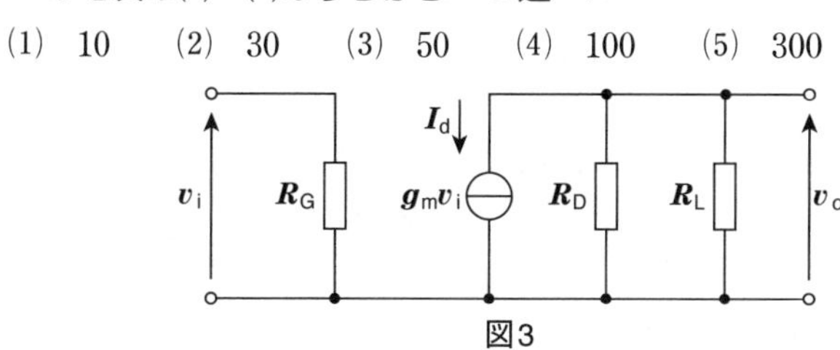

図3

解25 解答 (a)－(4), (b)－(1)

(a) ソース抵抗 R_S は，$V_{GS}-I_D$ 特性より，

$$R_S=-\frac{V_{gsP}}{I_{dP}}=-\frac{-1.8}{1.8}=1\ \mathrm{k\Omega}$$

(b) 小信号交流等価回路より，出力電圧 v_o は，

$$v_o=0-R_L\cdot\frac{R_D}{R_D+R_L}I_d=-\frac{R_DR_L}{R_D+R_L}I_d=-\frac{R_DR_Lg_m}{R_D+R_L}v_i$$

で表せるから，回路の電圧増幅度 A_v は，

$$A_v=\left|\frac{v_o}{v_i}\right|=\frac{R_DR_Lg_m}{R_D+R_L}$$

したがって，上式へ，$R_D=5\ \mathrm{k\Omega}$，$R_L=2.5\ \mathrm{k\Omega}$，$g_m=6\ \mathrm{mS}$ を代入すれば，電圧増幅度 A_v は，

$$A_v=\frac{5\times2.5\times6}{5+2.5}=10$$

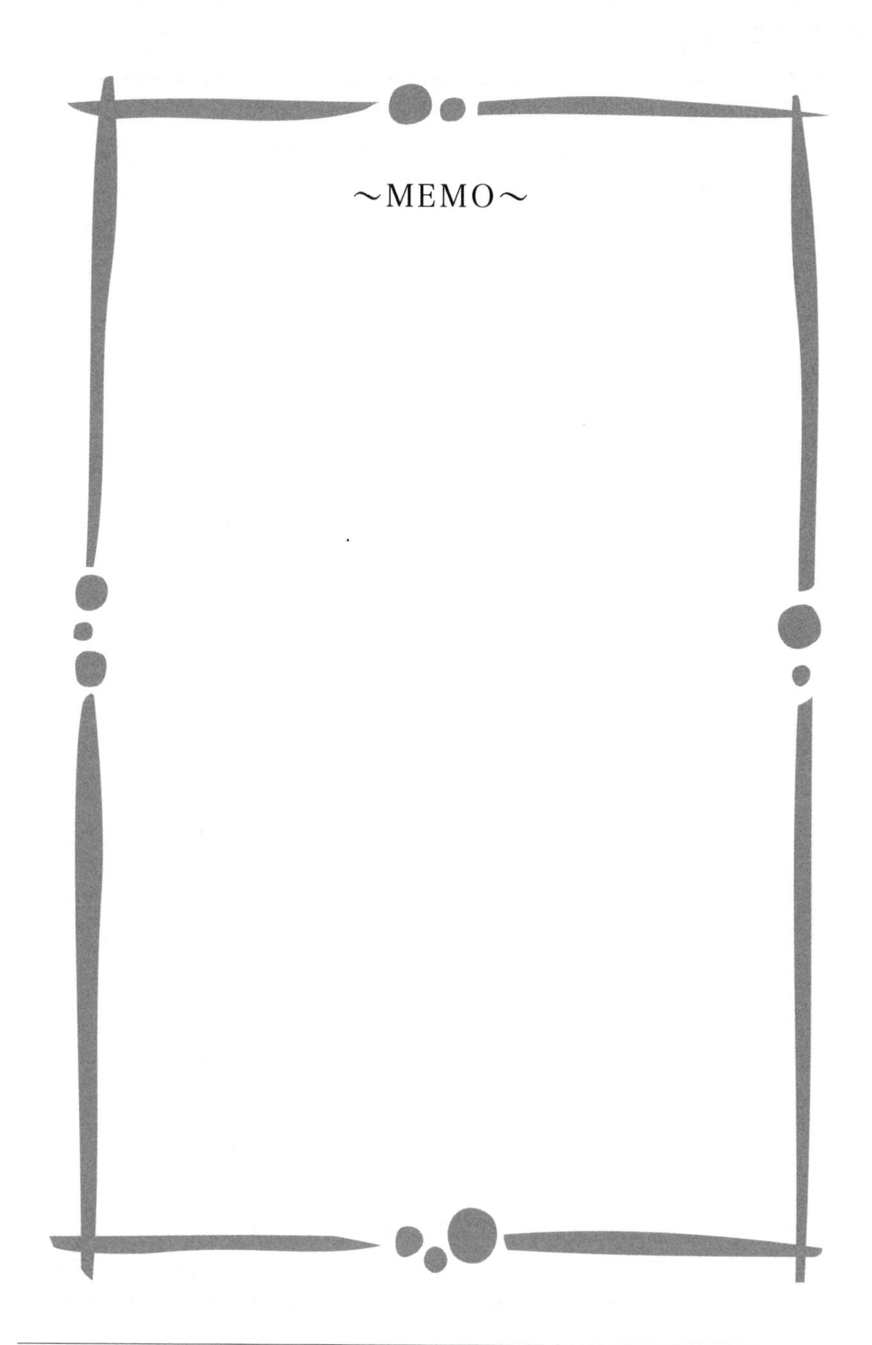
～MEMO～

問26 Check! □□□ （平成 24 年 B 問題 18）

図 1 は，飽和領域で動作する接合形 FET を用いた増幅回路を示し，図中の v_i 並びに v_o はそれぞれ，入力と出力の小信号交流電圧〔V〕を表す．また，図 2 は，その増幅回路で使用する FET のゲート－ソース間電圧 V_{gs}〔V〕に対するドレーン電流 I_d〔mA〕の特性を示している．抵抗 $R_G = 1$〔MΩ〕，$R_D = 5$〔kΩ〕，$R_L = 2.5$〔kΩ〕，直流電源電圧 $V_{DD} = 20$〔V〕とするとき，次の(a)及び(b)の問に答えよ．

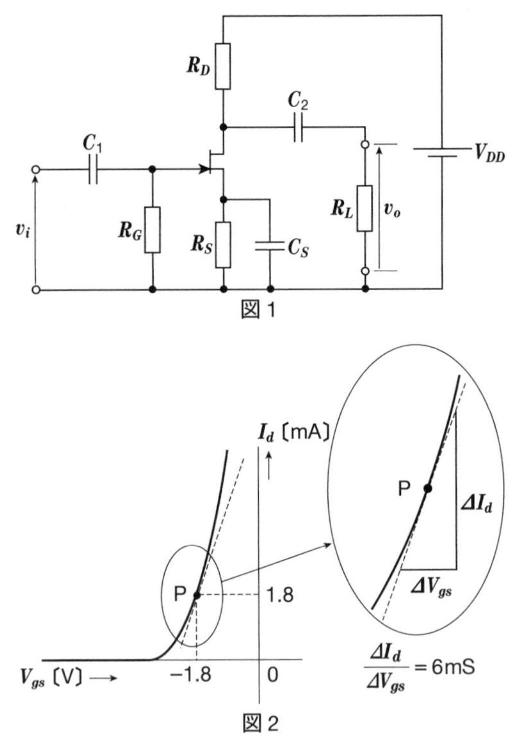

図 2

(a) FET の動作点が図 2 の点 P となる抵抗 R_S〔kΩ〕の値として，最も近いものを次の(1)～(5)のうちから一つ選べ．

(1) 0.1　(2) 0.3　(3) 0.5　(4) 1　(5) 3

(b) 図 2 の特性曲線の点 P における接線の傾きを読むことで，FET の相互コンダクタンスが $g_m = 6$〔mS〕であるとわかる．この値を用いて，増幅回路の小信号交流等価回路をかくと図 3 となる．

ここで，コンデンサ C_1，C_2，C_S のインピーダンスが使用する周波数で十分に小さいときを考えており，FET の出力インピーダンスが R_D〔kΩ〕や R_L〔kΩ〕より十分大きいとしている．この増幅回路の電圧増幅度 $A_v = \left|\dfrac{v_o}{v_i}\right|$ の値として，最も近いものを次の(1)～(5)のうちから一つ選べ．

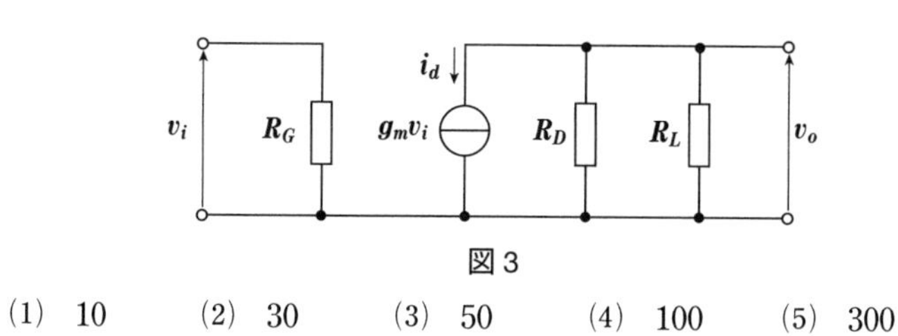

図 3

(1) 10　(2) 30　(3) 50　(4) 100　(5) 300

解26 解答 (a)−(4), (b)−(1)

(a) ソース抵抗 R_S は，$V_{gs}-I_d$ 特性より，

$$R_S=-\frac{V_{gsP}}{I_{dP}}=-\frac{-1.8}{1.8}=1\,〔\mathrm{k\Omega}〕$$

となる．

(b) 小信号交流等価回路より，出力電圧 v_o は，

$$v_o=0-R_L\cdot\frac{R_D}{R_D+R_L}i_d=-\frac{R_DR_L}{R_D+R_L}i_d=-\frac{R_DR_Lg_m}{R_D+R_L}v_i$$

で表せるから，回路の電圧増幅度 A_v は，

$$A_v=\left|\frac{v_o}{v_i}\right|=\frac{R_DR_Lg_m}{R_D+R_L}$$

で表せる．

したがって，上式へ，$R_D=5$〔kΩ〕，$R_L=2.5$〔kΩ〕，$g_m=6$〔mS〕を代入すれば，求める電圧増幅度 A_v は，

$$A_v=\frac{5\times2.5\times6}{5+2.5}=10$$

となる．

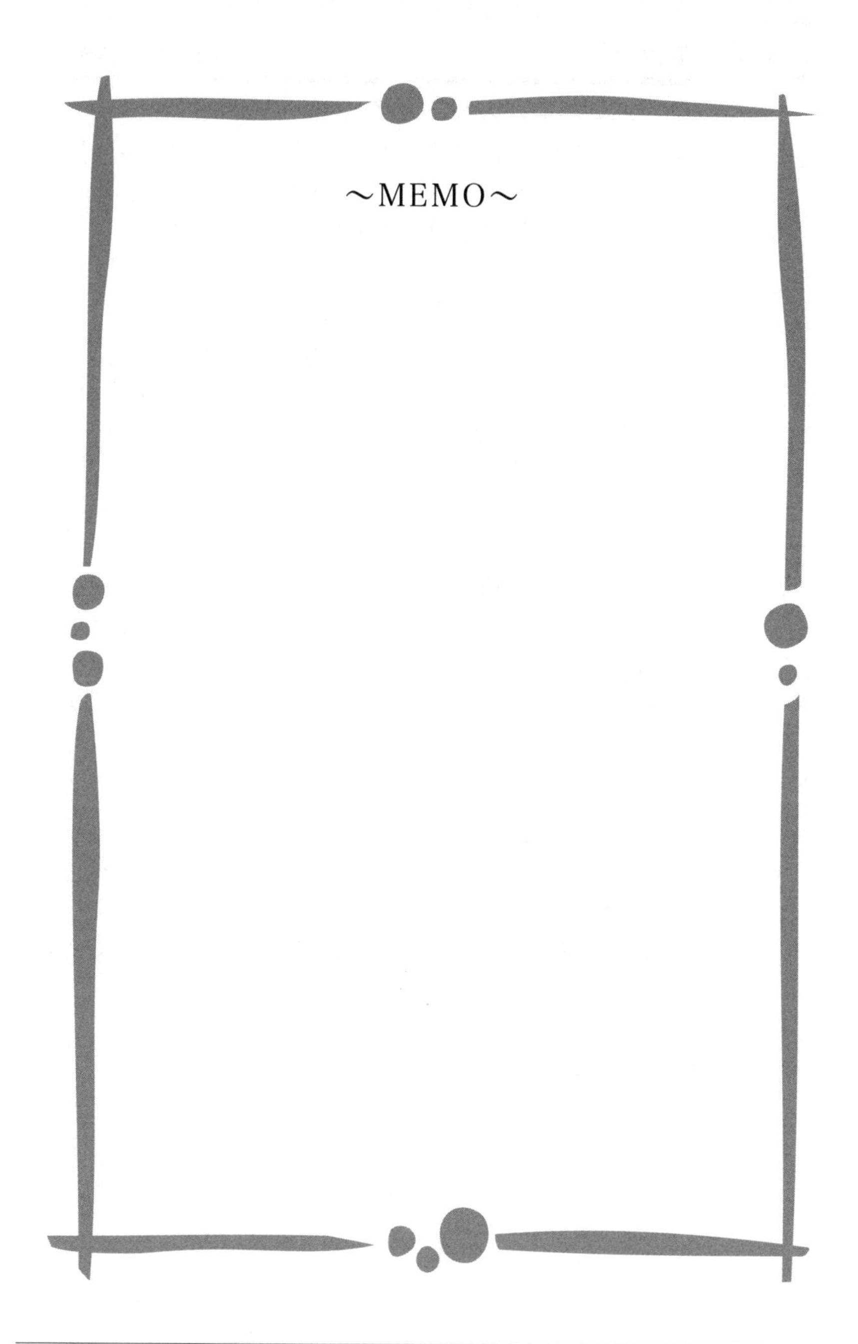
～MEMO～

問27 Check! □□□

(令和4年㊤ Ⓐ問題13)

次の文章は，図1の回路の動作について述べたものである．

図1は，演算増幅器（オペアンプ）を用いたシュミットトリガ回路である．この演算増幅器には +5 V の単電源が供給されており，0 V から 5 V までの範囲の電圧を出力できるものとする．

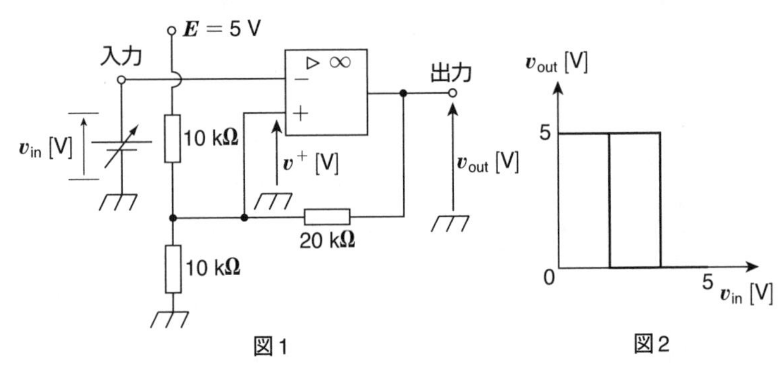

図1　　図2

・出力電圧 v_{out} は 0 ～ 5 V の間にあるため，演算増幅器の非反転入力の電圧 v^+ [V] は ㋐ の間にある．

・入力電圧 v_{in} を 0 V から徐々に増加させると，v_{in} が ㋑ V を上回った瞬間，v_{out} は 5 V から 0 V に変化する．

・入力電圧 v_{in} を 5 V から徐々に減少させると，v_{in} が ㋒ V を下回った瞬間，v_{out} は 0 V から 5 V に変化する．

・入力 v_{in} に対する出力 v_{out} の変化を描くと，図2のような ㋓ を示す特性となる．

上記の記述中の空白箇所㋐～㋓に当てはまる組合せとして，正しいものを次の(1)～(5)のうちから一つ選べ．

	㋐	㋑	㋒	㋓
(1)	1.25 ～ 3.75	3.75	1.25	位相遅れ
(2)	1.25 ～ 3.75	1.25	3.75	ヒステリシス
(3)	2 ～ 3	2	3	ヒステリシス
(4)	2 ～ 3	2.75	2.25	位相遅れ
(5)	2 ～ 3	3	2	ヒステリシス

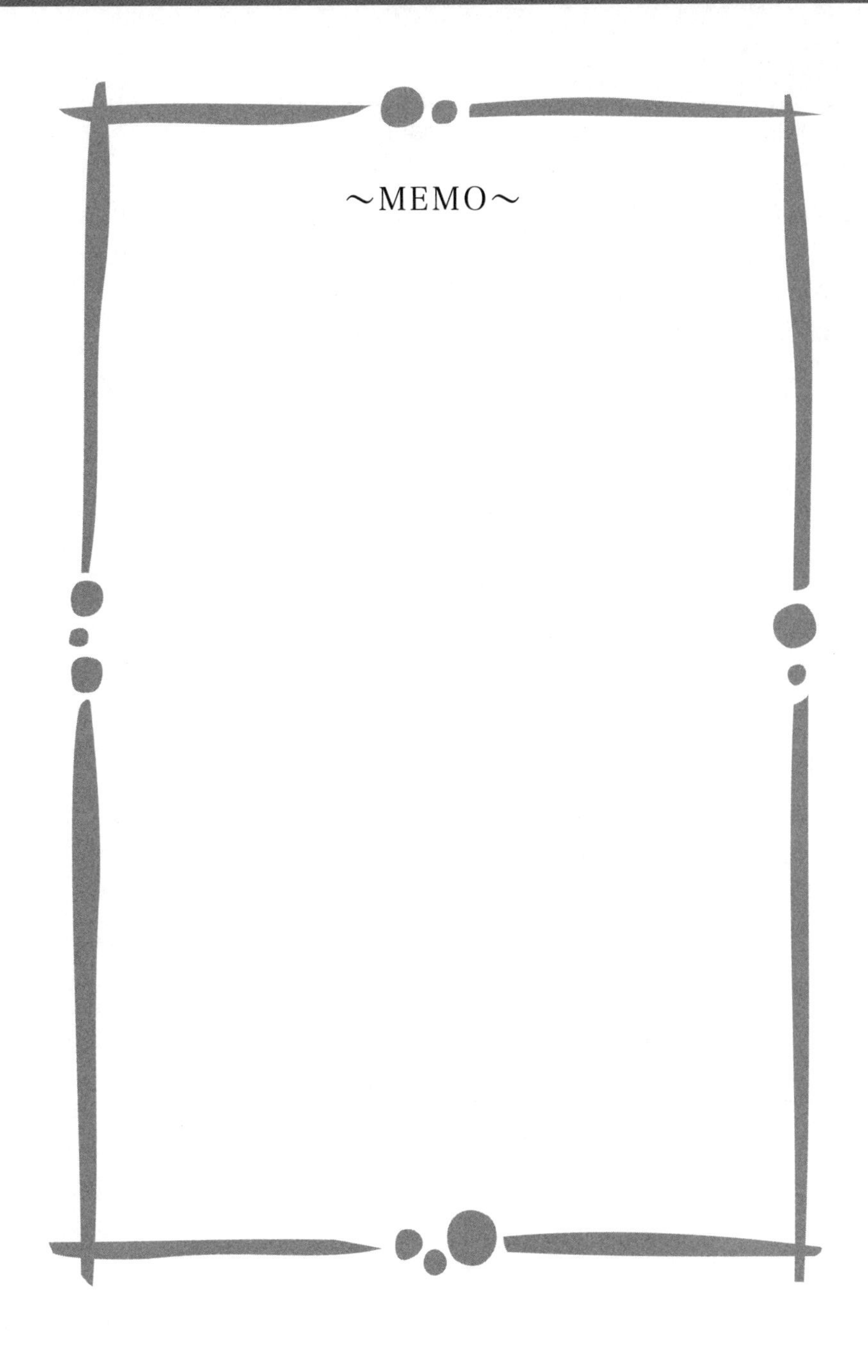
～MEMO～

解27 解答 (5)

演算増幅器は入力インピーダンスが無限大，すなわち，入力端子には電流が流れ込まない．そして，増幅率が無限大，すなわち，非反転入力端子（＋端子）と反転入力端子（－端子）の電圧の差（＋端子の電圧から－端子の電圧を引いた電圧）を無限倍に増幅して出力端子に出力する．ただし，実際に出力端子から得られる電圧は，演算増幅器の電源電圧により制限される．

以上の動作原理より，問題の回路の動作は次のようになる．

(ア) v_{out} が 0 V のときの v^+ は，第1図の等価回路で求めることができる．

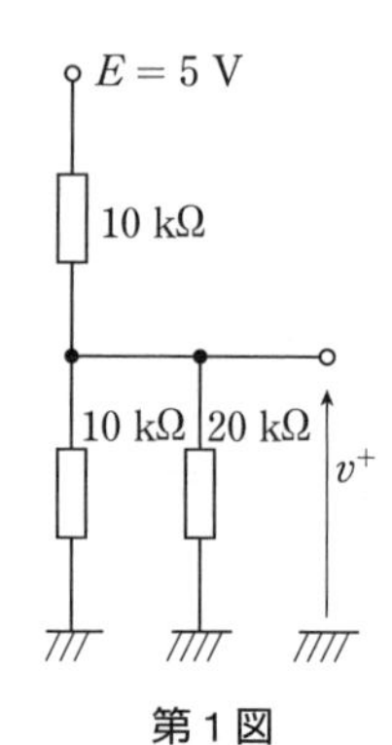

第1図

この回路の 10 kΩ と 20 kΩ の抵抗を並列接続した部分の合成抵抗は，

$$\frac{10\times 20}{10+20}=\frac{200}{30}=\frac{20}{3}\ \text{k}\Omega$$

$$\therefore\quad v^+=5\times\frac{\frac{20}{3}}{\frac{20}{3}+10}=5\times\frac{20}{50}=2\ \text{V}$$

V_{out} が 5 V のときの v^+ は，第2図の等価回路で求めることができる．よって，

$$v^+=5\times\frac{10}{\frac{20}{3}+10}=5\times\frac{3}{5}=3\ \text{V}$$

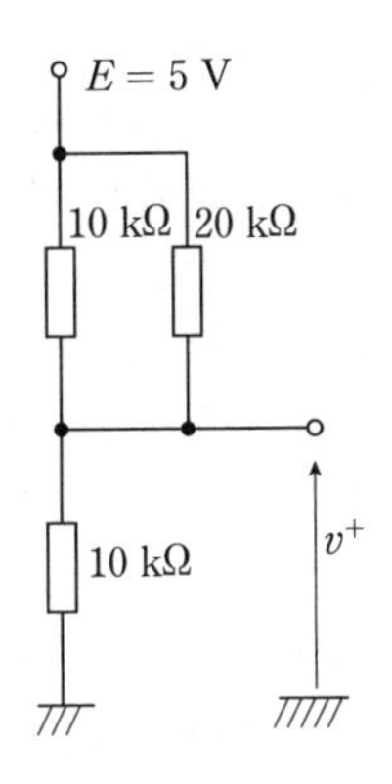

第2図

これより，v^+ は2～3 V の間にある．

(イ)　問題の図2のとおり，v_{in} が0 V のときは v_{out} は5 V である．このとき，v^+ は(ア)の計算のとおり3 V である．この場合，演算増幅器は二つの入力端子の電圧差を無限倍に増幅する（ただし，出力電圧は電源電圧で制限される）から，v_{out} は5 V となっている．ここから v_{in} を徐々に増加し v^+ の3 V を越えた瞬間，演算増幅器の二つの入力端子の電圧差がマイナスとなる（+ 端子の電圧より − 端子の電圧の方が高くなる）から，演算増幅器の出力は0 V となる．（本当は $-\infty$ V を出力しようと動作するが，電源電圧の範囲で制限されて0 V となる．）

(ウ)　問題の図2のとおり，v_{in} が5 V のときは v_{out} は0 V である．このとき，v^+ は(ア)の計算のとおり2 V である．ここから v_{in} の電圧を下げていき v^+ の2 V を下回った瞬間，演算増幅器の二つの入力端子の電圧差がプラスとなる（+ 端子の電圧の方が − 端子の電圧より高くなる）から，演算増幅器の出力は5 V となる．

(エ)　問題の図2のように，入力を徐々に増加させた場合と徐々に減少させた場合で出力の変化が異なる特性を示す場合，**ヒステリシス**を示す特性と呼ぶ．シュミットトリガ回路はこのヒステリシス特性を用いて，アナログ信号（正弦波など）から2値の信号（方形波）を得る場合などに用いられる．

よって，正しい組合せは(5)である．

問28 Check! □□□

(平成19年 B 問題18)

図1のように，トランジスタを用いた変成器結合電力増幅回路の基本回路がある．次の(a)及び(b)に答えよ．

ただし，I_B〔μA〕，I_C〔mA〕は，ベースとコレクタの直流電流を示し，i_b〔μA〕，i_c〔mA〕はそれぞれの信号分を示す．また，V_{BE}〔V〕はベースとエミッタ間の直流電圧を示し，V_{CE} はコレクタとエミッタ間の直流電圧を示す．V_{BB}〔V〕はバイアス電源の直流電圧，V_{CC}〔V〕は直流電源電圧，v_i〔V〕は信号電圧を示す．また，R_L〔Ω〕は負荷抵抗 R_S〔Ω〕を変成器の一次側からみた場合の等価負荷抵抗を示す．

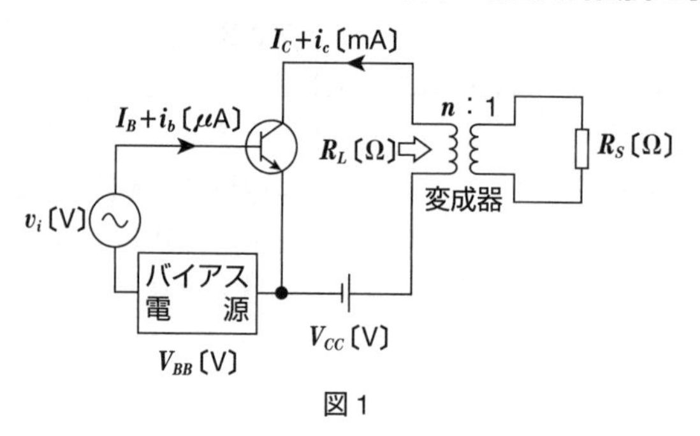

図1

(a) 図1のトランジスタの $V_{BE}-I_B$ 特性を図2に示す．図2中の①，②及び③で示す点はトランジスタの動作点であり，これらに関する記述として，誤っているのは次のうちどれか．

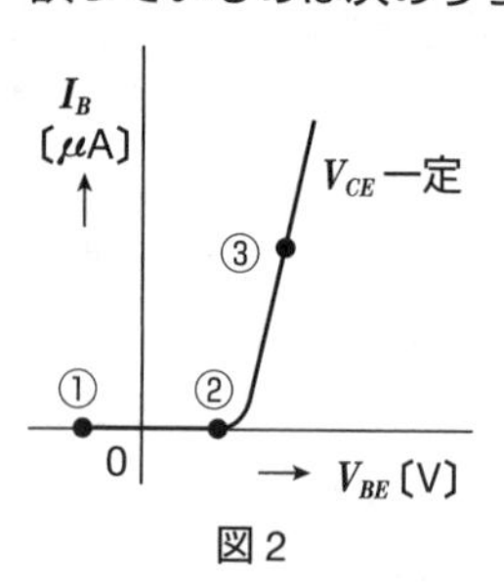

図2

(1) 出力波形のひずみが最も大きいのは，①である．

(2) プッシュプル電力増幅回路に使われるのは，通常②である．

(3) 電源効率が最も良いのは，②である．

(4) ①での動作は，③の動作よりトランジスタ回路の発熱が少ない．

(5) 出力波形のひずみが最も小さいのは，③である．

(b) 図1の基本回路がA級電力増幅器として動作している場合のトランジスタの $V_{CE}-I_C$ 特性例を図3に示す．なお，太線は交流負荷線及び直流負荷線を，点Pはトランジスタの最適な動作点を示す．

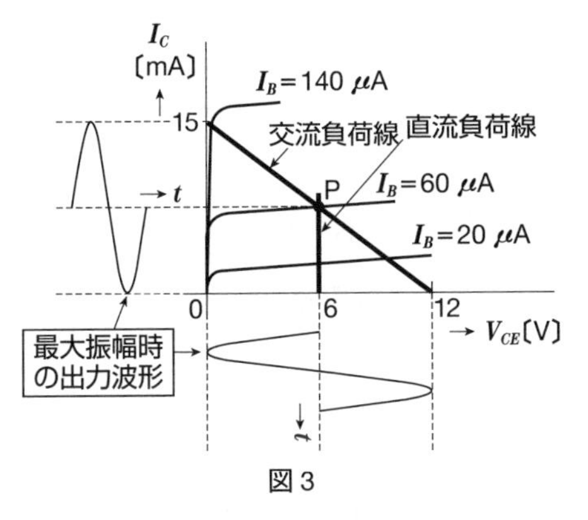

図3

この場合，負荷抵抗 R_S〔Ω〕に供給される最大出力電力 P_{om}〔mW〕の値と変成器の巻数比 n の値として，最も近いものを組み合わせたのは次のうちどれか．

ただし，負荷抵抗 $R_S=8$〔Ω〕，電源電圧 $V_{CC}=6$〔V〕とする．また，変成器の巻線抵抗及びトランジスタの遮断領域や飽和領域による特性の誤差は無視できるものとする．

	P_{om}〔mW〕	n
(1)	23	10
(2)	23	16
(3)	30	10
(4)	30	16
(5)	45	16

解28 解答 (a)−(3)，(b)−(1)

(a) トランジスタの動作点から，①はC級増幅回路，②はB級増幅回路，③はA級増幅回路となる．

(1)〜(5)は，各級増幅回路の特徴を表した記述で，(3)が誤りである．電源効率が最も良いのはC級増幅回路で，次にB級増幅回路，最も悪いのはA級増幅回路である．これは，入力側が無信号時でもコレクタ電流が流れ続けるためである．

(b) 交流負荷線の傾きが $-\dfrac{1}{R_L}$ に等しいから，

$$-\frac{1}{R_L}=\frac{0-15\times10^{-3}}{12-0}=-1.25\times10^{-3}$$

よって，R_L は，

$$R_L=\frac{1}{1.25\times10^{-3}}=800\,[\Omega]$$

となる．よって，求める変成器の巻数比 n は，

$$R_L=n^2R_S$$

$$\therefore\quad n=\sqrt{\frac{R_L}{R_S}}=\sqrt{\frac{800}{8}}=10$$

次に，負荷抵抗 R_S に供給される最大出力電力 P_{om} は次式となる．

$$P_{om}=\frac{V_{CC}}{\sqrt{2}}\times\frac{I_{CP}}{\sqrt{2}}=\frac{1}{2}V_{CC}I_{CP}=\frac{1}{2}\times6\times7.5=22.5\,[\text{mW}]$$

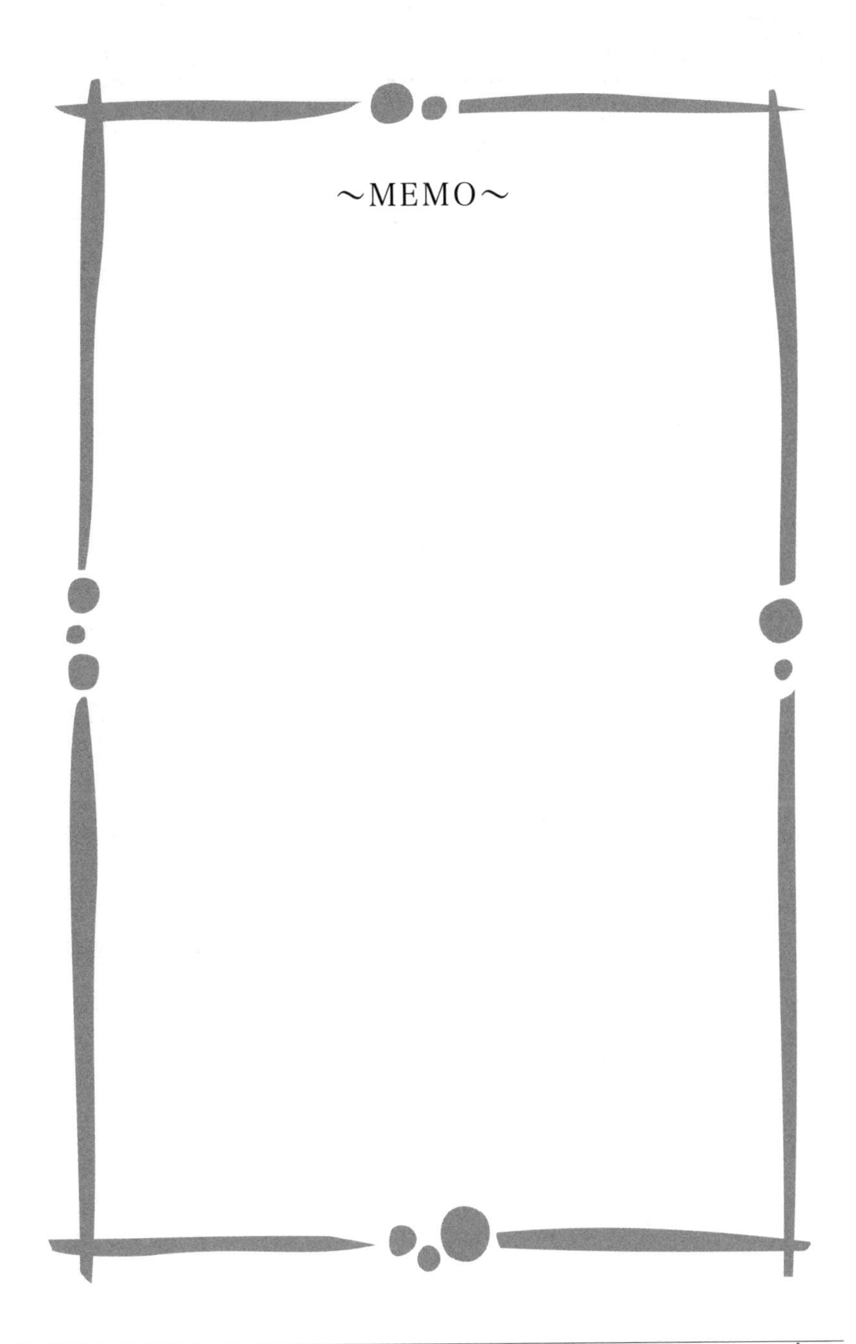
～MEMO～

問29 Check! □□□

(平成26年 B 問題18)

図1は，代表的なスイッチング電源回路の原理図を示している．次の(a)及び(b)の問に答えよ．

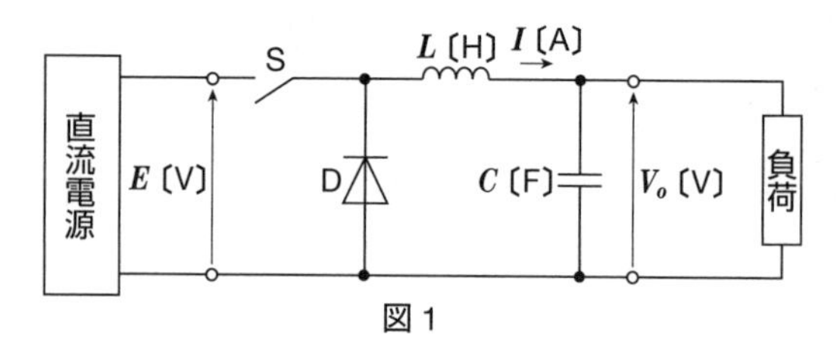

図1

(a) 回路の説明として，誤っているものを次の(1)～(5)のうちから一つ選べ．

(1) インダクタンスL〔H〕のコイルはスイッチSがオンのときに電磁エネルギーを蓄え，Sがオフのときに蓄えたエネルギーを放出する．

(2) ダイオードDは，スイッチSがオンのときには電流が流れず，Sがオフのときに電流が流れる．

(3) 静電容量C〔F〕のコンデンサは出力電圧V_o〔V〕を平滑化するための素子であり，静電容量C〔F〕が大きいほどリプル電圧が小さい．

(4) コイルのインダクタンスやコンデンサの静電容量値を小さくするためには，スイッチSがオンとオフを繰り返す周期（スイッチング周期）を長くする．

(5) スイッチの実現には，バイポーラトランジスタや電界効果トランジスタが使用できる．

(b) スイッチSがオンの間にコイルの電流$\boldsymbol{I}$が増加する量を$\boldsymbol{\Delta I_1}$〔A〕とし，スイッチSがオフの間に$\boldsymbol{I}$が減少する量を$\boldsymbol{\Delta I_2}$〔A〕とすると，定常的には図2の太線に示すような電流の変化がみられ，$\boldsymbol{\Delta I_1 = \Delta I_2}$が成り立つ．

ここで出力電圧$\boldsymbol{V_o}$〔V〕のリプルは十分小さく，出力電圧を一定とし，電流$\boldsymbol{I}$の増減は図2のように直線的であるとする．また，ダイオードの順方向電圧は0Vと近似する．さらに，スイッチSがオン並びにオフしている時間をそれぞれ$\boldsymbol{T_{ON}}$〔s〕，$\boldsymbol{T_{OFF}}$〔s〕とする．

$\boldsymbol{\Delta I_1}$と$\boldsymbol{V_o}$を表す式の組合せとして，正しいものを次の(1)～(5)のうちから一つ選べ．

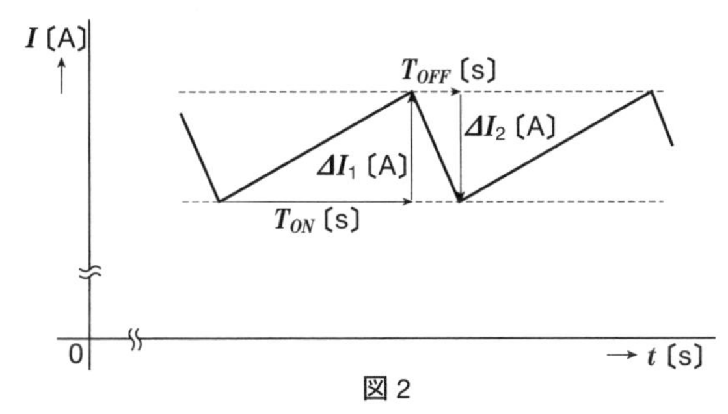

図2

	ΔI_1	V_o
(1)	$\dfrac{(E-V_o)T_{ON}}{L}$	$\dfrac{T_{OFF}E}{T_{ON}+T_{OFF}}$
(2)	$\dfrac{(E-V_o)T_{ON}}{L}$	$\dfrac{T_{ON}E}{T_{ON}+T_{OFF}}$
(3)	$\dfrac{(E-V_o)T_{ON}}{L}$	$\dfrac{(T_{ON}+T_{OFF})E}{T_{OFF}}$
(4)	$\dfrac{(V_o-E)T_{ON}}{L}$	$\dfrac{(T_{ON}+T_{OFF})E}{T_{ON}}$
(5)	$\dfrac{(V_o-E)T_{ON}}{L}$	$\dfrac{(T_{ON}+T_{OFF})E}{T_{OFF}}$

解29 解答 (a)－(4), (b)－(2)

(a) (4)が誤りである.

オン・オフの周期が長くなる，すなわちスイッチング周波数が低くなると，出力のリプル電圧が大きくなる．これを改善するには大きなインダクタンスをもつコイルと大きな静電容量のコンデンサを必要とするので，普通は，スイッチング周波数を数十 kHz 程度の高い周波数として，平滑用のコイルや静電容量を小さなものとしている.

(b) スイッチ S が ON のとき，コイルの端子電圧は $E-V_o$〔V〕であるから，電流変化量 ΔI_1 は，次式で求められる.

$$L\frac{\Delta I_1}{T_{ON}}=E-V_o$$

$$\therefore\ \Delta I_1=\frac{(E-V_o)T_{ON}}{L}\text{〔A〕}$$

次に，スイッチ S が OFF のとき，コイルの端子電圧は，ダイオード D の順方向電圧が 0〔V〕であるので，V_o〔V〕となるから，電流変化量 ΔI_2 は，次式で求められる.

$$L\frac{\Delta I_2}{T_{OFF}}=V_o$$

$$\therefore\ \Delta I_2=\frac{V_oT_{OFF}}{L}\text{〔A〕}$$

ここに，$\Delta I_1=\Delta I_2$ であるから，

$$\frac{(E-V_o)T_{ON}}{L}=\frac{V_oT_{OFF}}{L}$$

$$ET_{ON}-V_oT_{ON}=V_oT_{OFF}$$

$$V_o(T_{ON}+T_{OFF})=ET_{ON}$$

$$\therefore\ V_o=\frac{T_{ON}E}{T_{ON}+T_{OFF}}$$

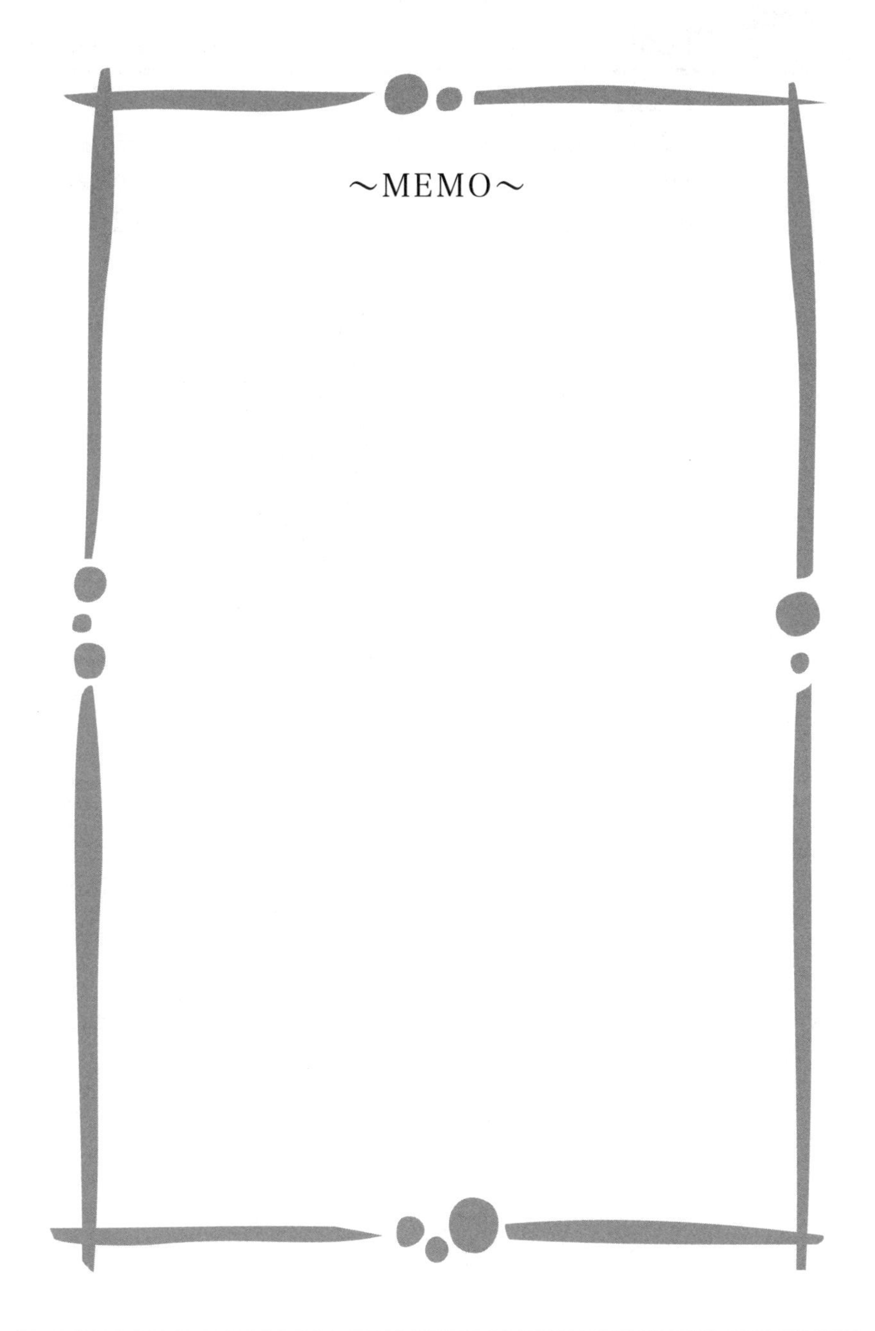
～MEMO～

問30 Check! □□□

（令和５年㊤ Ⓑ問題 18）

振幅変調について，次の(a)及び(b)の問に答えよ．

(a) 図１の波形は，正弦波である信号波によって搬送波の振幅を変化させて得られた変調波を表している．この変調波の変調度の値として，最も近いものを次の(1)～(5)のうちから一つ選べ．

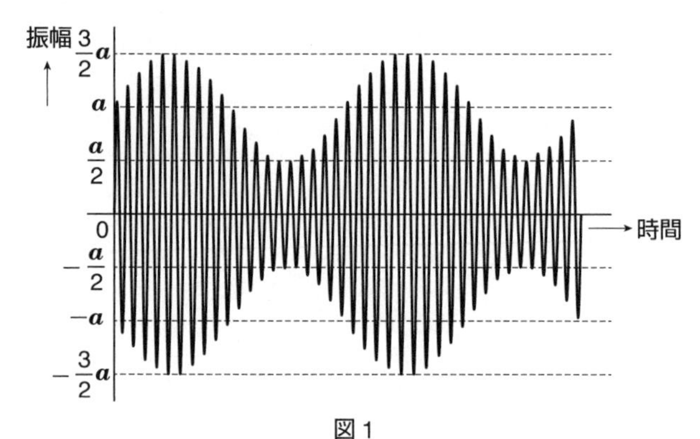

図１

(1) 0.33　(2) 0.5　(3) 1.0　(4) 2.0　(5) 3.0

(b) 次の文章は，直線検波回路に関する記述である．

振幅変調した変調波の電圧を，図 2 の復調回路に入力して復調したい．コンデンサ C [F] と抵抗 R [Ω] を並列接続した合成インピーダンスの両端電圧に求められることは，信号波の成分が (ア) ことと，搬送波の成分が (イ) ことである．そこで，合成インピーダンスの大きさは，信号波の周波数に対してほぼ抵抗 R [Ω] となり，搬送波の周波数に対して十分に (ウ) なくてはならない．

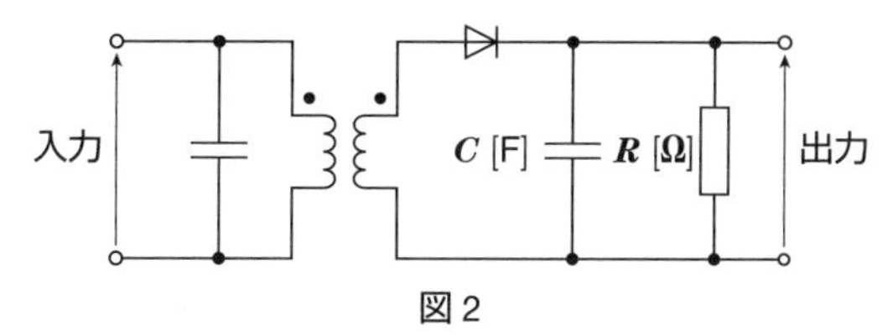

図 2

上記の記述中の空白箇所(ア)～(ウ)に当てはまる組合せとして，正しいものを次の(1)～(5)のうちから一つ選べ．

	(ア)	(イ)	(ウ)
(1)	ある	なくなる	大きく
(2)	ある	なくなる	小さく
(3)	なくなる	ある	小さく
(4)	なくなる	なくなる	小さく
(5)	なくなる	ある	大きく

解30 解答 (a)−(2), (b)−(2)

(a) 変調波が第1図のような場合の変調度Mは，次式で与えられる．

$$M=\frac{A-B}{A+B}$$

ここに，設問図1の波形におけるAおよびBはそれぞれ，$A=3a$，$B=a$であるから，求める変調度Mは，

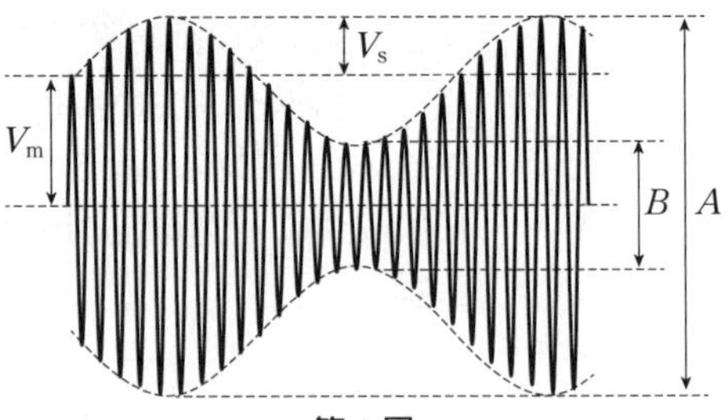

第1図

$$M=\frac{A-B}{A+B}=\frac{3a-a}{3a+a}=\frac{1}{2}$$

$$=0.50$$

(答)

(b) 復調回路の出力電圧は，搬送波成分が除去され，信号波のみ出力されなければならない．このため，コンデンサC [F] と抵抗R [Ω] からなる並列合成インピーダンスは，信号波周波数に対してはほぼ抵抗R [Ω] となり，また，搬送波成分に対しては十分に低インピーダンスとなる必要がある．

第2図は，振幅検波回路を表したものである．変調波が入力されると，ダイオードDには順方向電圧が加わったときのみ検波電流が流れ，逆方向電圧が加わったときは流れないので，変調波の正の部分のみが取り出される．ここで，コンデンサCの値を搬送波の周波数に対しては低インピーダンス，信号波に対しては高インピーダンスになるような値に選んでおけば，搬送波成分はコンデンサCを通して流れるので，出力には信号波の包絡線のみが現れる．

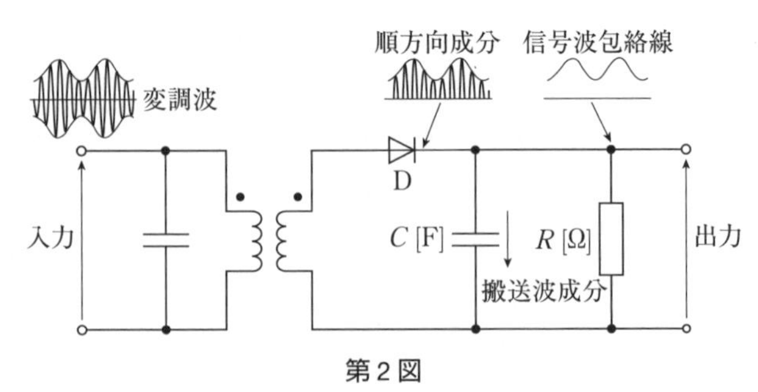

第2図

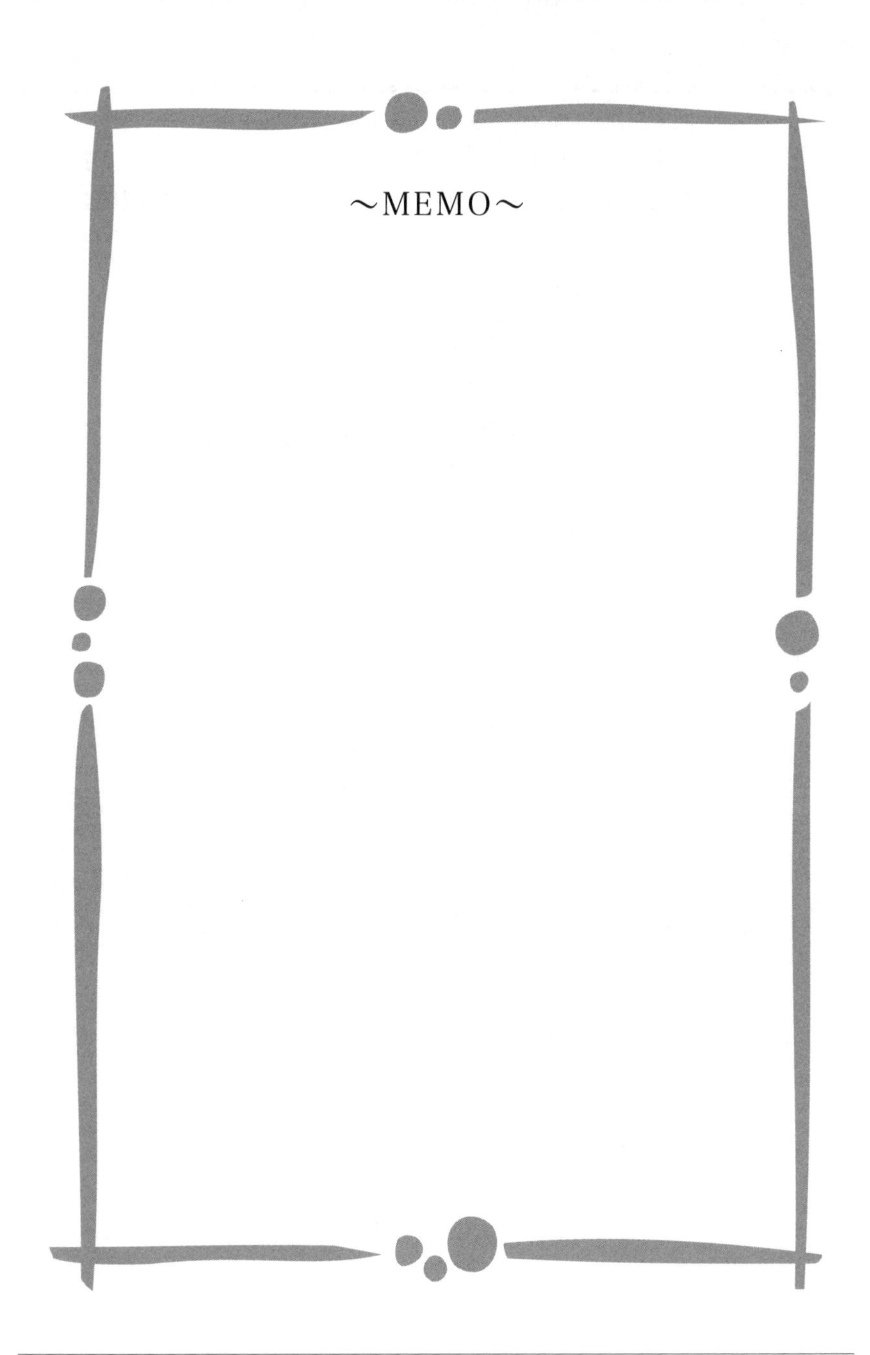
～MEMO～

問31 Check! □□□ (平成28年 B問題18)

振幅変調について，次の(a)及び(b)の問に答えよ．

(a) 図1の波形は，正弦波である信号波によって搬送波の振幅を変化させて得られた変調波を表している．この変調波の変調度の値として，最も近いものを次の(1)～(5)のうちから一つ選べ．

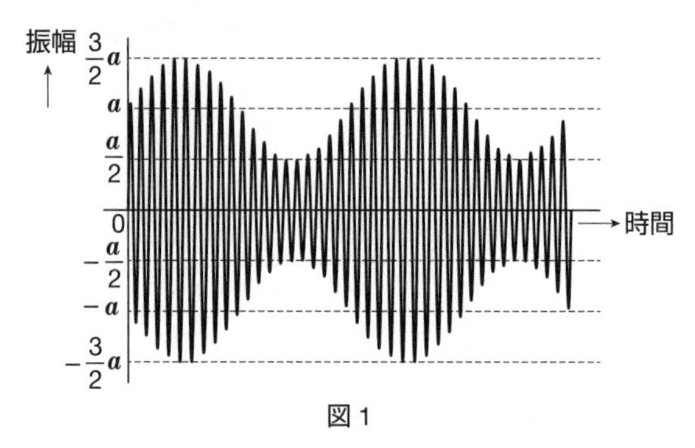

図1

(1) 0.33 (2) 0.5 (3) 1.0 (4) 2.0 (5) 3.0

(b) 次の文章は，直線検波回路に関する記述である．

振幅変調した変調波の電圧を，図2の復調回路に入力して復調したい．コンデンサ C [F] と抵抗 R [Ω] を並列接続した合成インピーダンスの両端電圧に求められることは，信号波の成分が [(ア)] ことと，搬送波の成分が [(イ)] ことである．そこで，合成インピーダンスの大きさは，信号波の周波数に対してほぼ抵抗 R [Ω] となり，搬送波の周波数に対して十分に [(ウ)] なくてはならない．

上記の記述中の空白箇所(ア)，(イ)及び(ウ)に当てはまる組合せとして，正しいものを次の(1)～(5)のうちから一つ選べ．

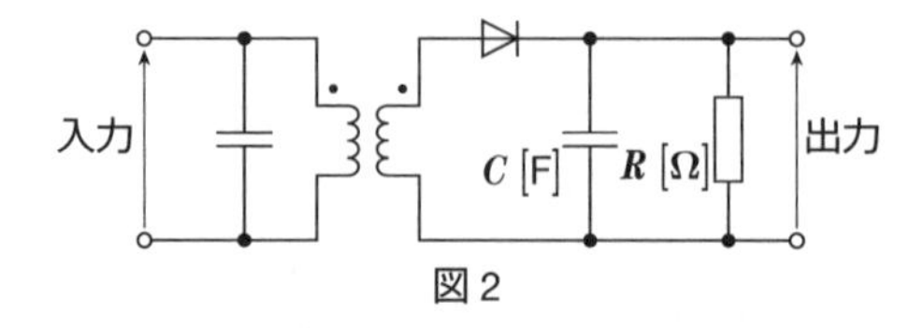

図2

	(ア)	(イ)	(ウ)
(1)	ある	なくなる	大きく
(2)	ある	なくなる	小さく
(3)	なくなる	ある	小さく
(4)	なくなる	なくなる	小さく
(5)	なくなる	ある	大きく

解31 解答 (a)－(2), (b)－(2)

(a) 変調波が第1図のような場合の変調度Mは，次式で与えられる．

$$M=\frac{A-B}{A+B}$$

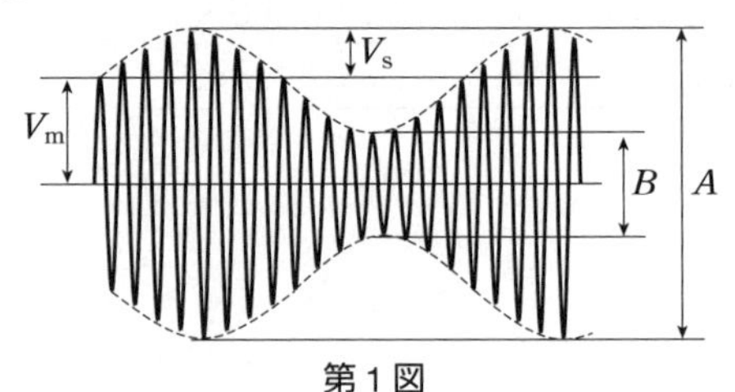

第1図

ここに，問題図1の波形におけるAおよびBはそれぞれ，$A=3a$，$B=a$であるから，求める変調度Mは，

$$M=\frac{A-B}{A+B}=\frac{3a-a}{3a+a}=\frac{1}{2}=0.50$$

(b) 第2図は，振幅検波回路を表したものである．変調波が入力されると，ダイオードDには順方向電圧が加わったときのみ検波電流が流れ，逆方向電圧が加わったときは流れないので，変調波の正の部分のみが取り出される．ここで，コンデンサCの値を搬送波の周波数に対しては低インピーダンス，信号波に対しては高インピーダンスになるような値に選んでおけば，搬送波成分はコンデンサCを通して流れるので，出力には信号波の包絡線のみが現れる．

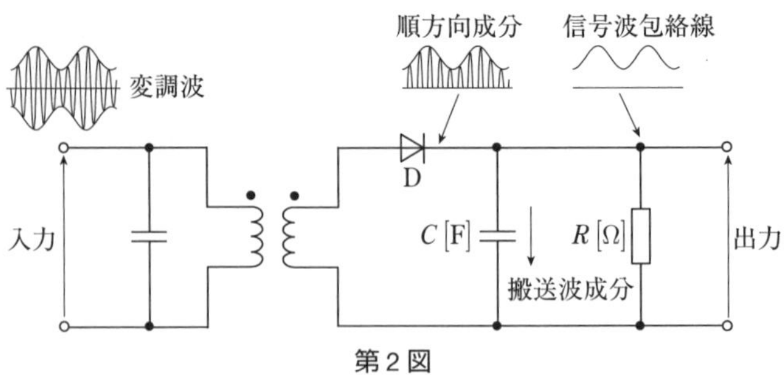

第2図

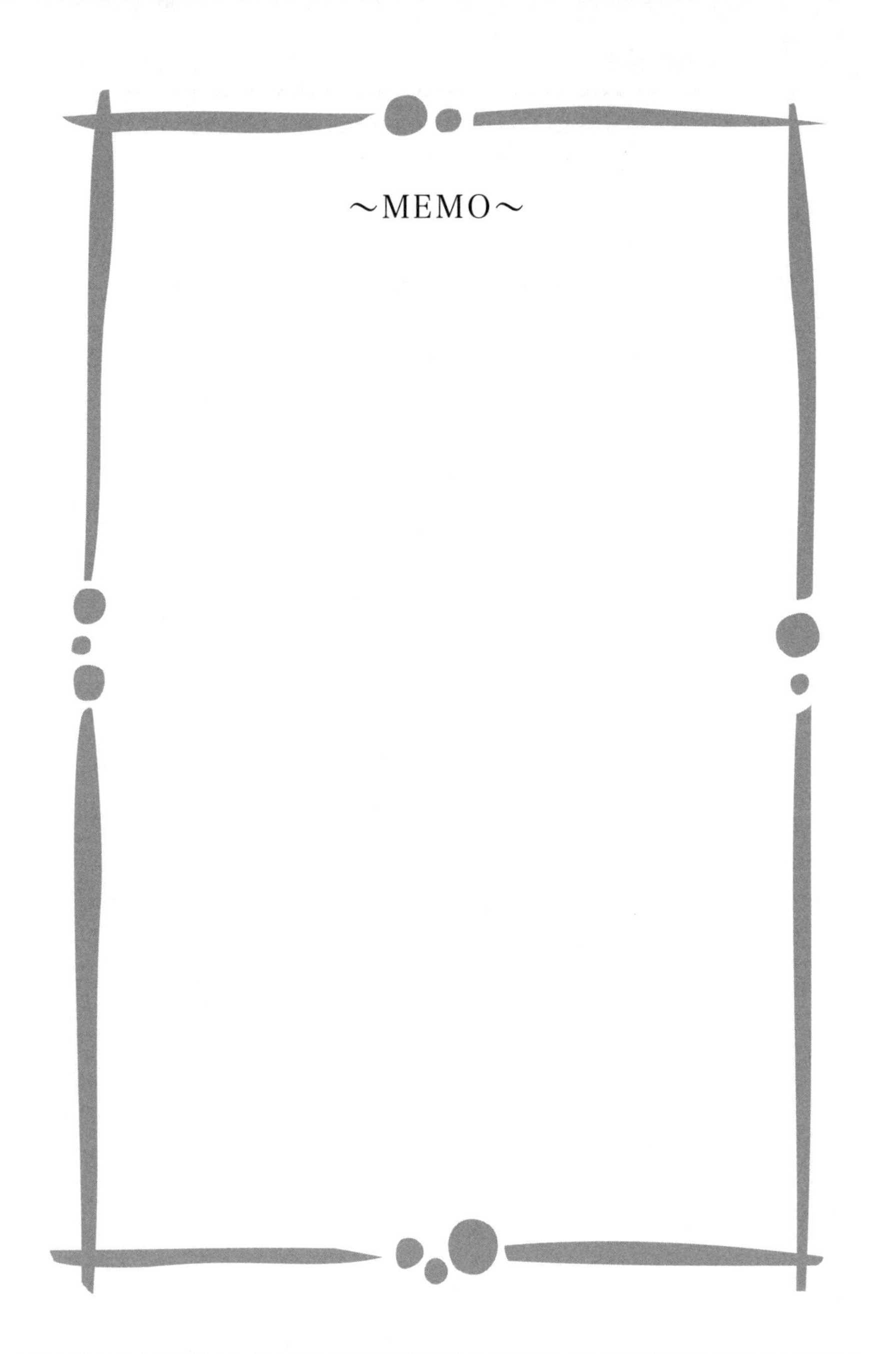
～MEMO～

問32 Check! □□□ (令和2年 Ⓐ問題13)

演算増幅器及びそれを用いた回路に関する記述として，誤っているものを次の(1)～(5)のうちから一つ選べ.

(1) 演算増幅器には電源が必要である.

(2) 演算増幅器の入力インピーダンスは，非常に大きい.

(3) 演算増幅器は比較器として用いられることがある.

(4) 図1の回路は正相増幅回路，図2の回路は逆相増幅回路である.

(5) 図1の回路は，抵抗 R_S を 0 Ω に(短絡)し，抵抗 R_F を ∞ Ω に(開放）すると，ボルテージホロワである.

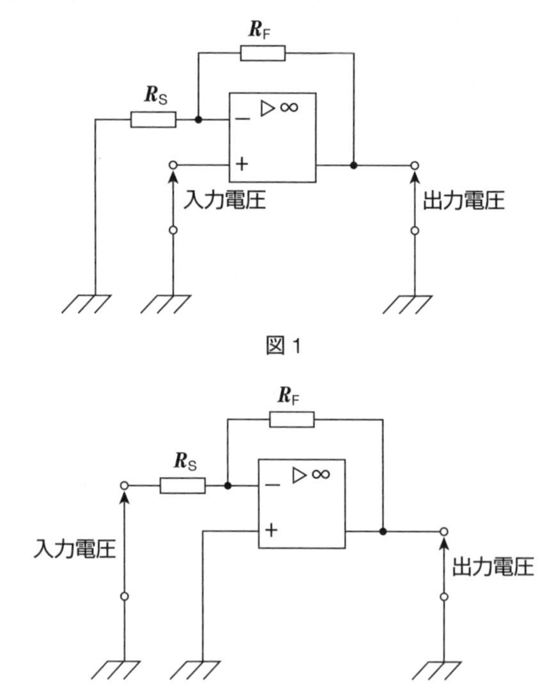

図1

図2

解32 解答 (5)

(5)が誤りである.

ボルテージホロワ回路は，図のように，問題図1の回路の抵抗 $R_{\mathrm{S}}=\infty$，$R_{\mathrm{F}}=0$ とした回路である.

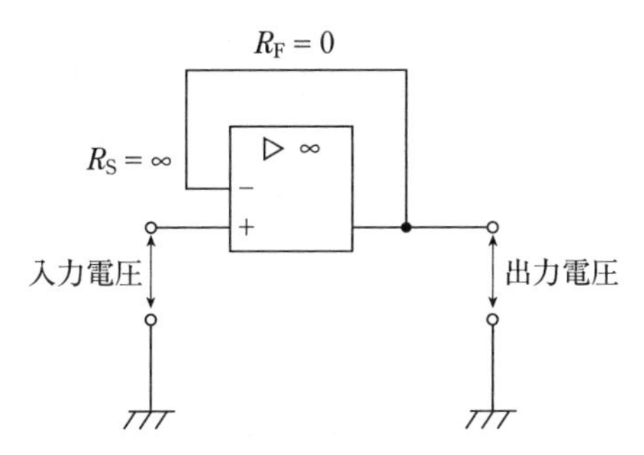

電圧利得は1であるが，高入力インピーダンス，低出力インピーダンスが実現できるので，バッファ回路としてよく用いられる.

問33 Check! □□□

(平成25年 Ⓐ問題13)

バイポーラトランジスタを用いた交流小信号増幅回路に関する記述として，誤っているものを次の(1)〜(5)のうちから一つ選べ．

(1) エミッタ接地増幅回路における電流帰還バイアス方式は，エミッタと接地との間に抵抗を挿入するので，自己バイアス方式に比べて温度変化に対する動作点の安定性がよい．

(2) エミッタ接地増幅回路では，出力交流電圧の位相は入力交流電圧の位相に対して逆位相となる．

(3) コレクタ接地増幅回路は，電圧増幅度がほぼ1で，入力インピーダンスが大きく，出力インピーダンスが小さい．エミッタホロワ増幅回路とも呼ばれる．

(4) ベース接地増幅回路は，電流増幅度がほぼ1である．

(5) CR 結合増幅回路では，周波数の低い領域と高い領域とで信号増幅度が低下する．中域からの増幅度低下が6〔dB〕以内となる周波数領域をその回路の帯域幅という．

問34 Check! □□□

(令和5年㊤ Ⓐ問題13)

図のコレクタ接地増幅回路に関する記述として，誤っているものを次の(1)〜(5)のうちから一つ選べ．

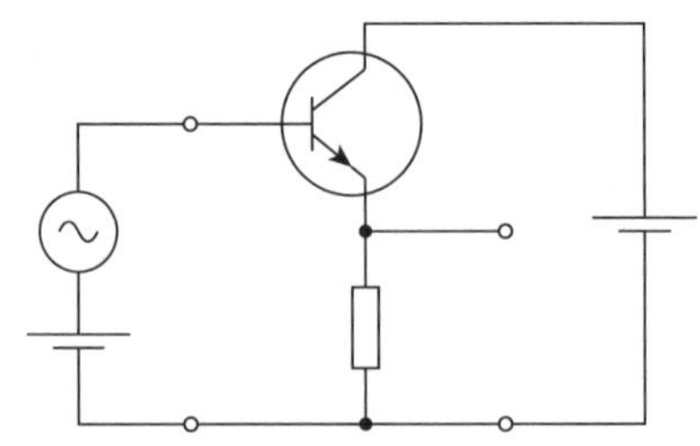

(1) 電圧増幅度は約1である．

(2) 入力インピーダンスが大きい．

(3) 出力インピーダンスが小さい．

(4) 緩衝増幅器として使用されることがある．

(5) 増幅回路内部で発生するひずみが大きい．

解33 解答 (5)

小信号増幅回路は，トランジスタ 1 個では十分な利得が得られないため，複数のトランジスタを用いた多段増幅回路を用いている.

多段増幅回路で，段間をコンデンサと抵抗で結合した回路を，CR 結合増幅回路と呼んでいる.

CR 増幅回路は，一般に図に示すように，高い周波数と低い周波数で利得が低下するような特性を持っている. 利得特性が平たんで最も大きな値を A とすると，A の $1/\sqrt{2}$（-3〔dB〕）に利得が低下する周波数のうち，低い側の周波数 f_L を「低域遮断周波数」，高い側の周波数 f_H を「高域遮断周波数」という.

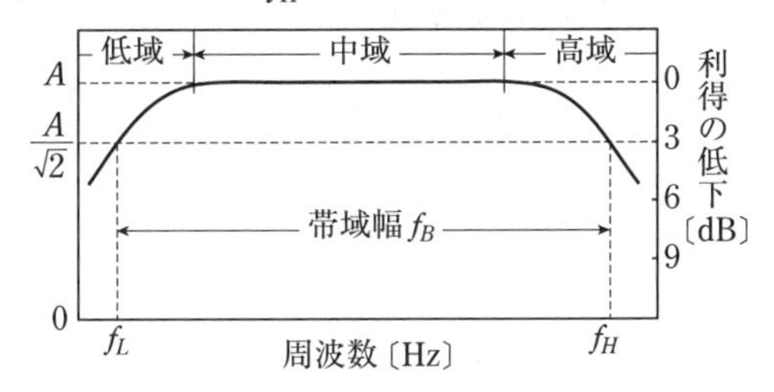

また，この間の $f_B = f_H - f_L$ を「帯域幅」と呼んでいる.

したがって，(5)の「6〔dB〕以内」が誤りで，「3〔dB〕以内」が正しい記述である.

解34 解答 (5)

(5)が誤りで，“増幅回路内部で発生するひずみが**小さい**”が正しい.

問35 Check! □□□

(平成20年 Ⓐ問題13)

トランジスタの接地方式の異なる基本増幅回路を図1，図2及び図3に示す．以下のa～dに示す回路に関する記述として，正しいものを組み合わせたのは次のうちどれか．

a. 図1の回路では，入出力信号の位相差は180〔°〕である．

b. 図2の回路は，エミッタ接地増幅回路である．

c. 図2の回路は，エミッタホロワとも呼ばれる．

d. 図3の回路で，エミッタ電流及びコレクタ電流の変化分の比 $\left|\dfrac{\Delta I_C}{\Delta I_E}\right|$ は，約100である．

ただし，I_B，I_C，I_E は直流電流，v_i，v_o は入出力信号，R_L は負荷抵抗，V_{BB}，V_{CC} は直流電源を示す．

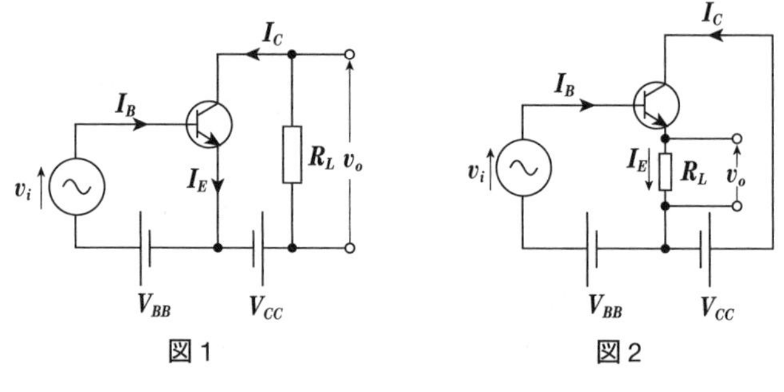

図1　　図2

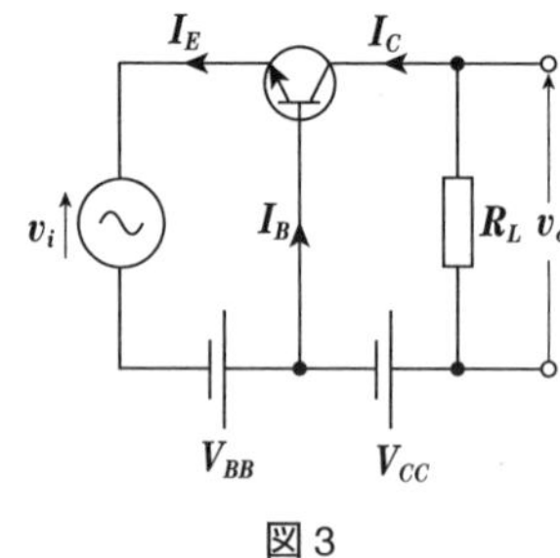

図3

(1) aとb　(2) aとc　(3) aとd

(4) bとd　(5) cとd

解35 解答 (2)

a．図1の回路は，エミッタ接地増幅回路で，入出力信号の位相差は180°（逆位相）となるので，正しい．

b．図2の回路はコレクタ接地回路で，エミッタホロワ増幅回路とも呼ばれるので，誤り．

c．図2の回路はエミッタホロワとも呼ばれるので，正しい．

d．図3の回路はベース接地回路で，

$$I_E = I_B + I_C$$

$$\therefore \quad \Delta I_E = \Delta I_B + \Delta I_C$$

$$\left|\frac{\Delta I_C}{\Delta I_E}\right| = \left|\frac{\Delta I_E - \Delta I_B}{\Delta I_E}\right| = \left|1 - \frac{\Delta I_B}{\Delta I_E}\right| < 1$$

となり，$\left|\frac{\Delta I_C}{\Delta I_E}\right|$ は1より小さいので，誤り．

問36 Check! □□□

(平成 18 年 Ⓐ 問題 13)

図は，増幅回路の出力の一部を帰還回路を通して増幅回路の入力に戻している回路を示す．この回路は次の 1，2 で示す位相と利得の条件を同時に満たすとき発振する．

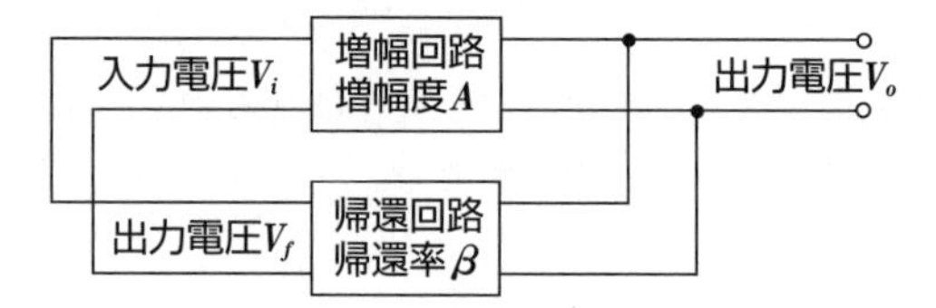

1. 増幅回路の入力電圧 V_i と帰還回路の出力電圧 V_f が ［(ア)］ である．
2. 増幅回路の増幅度を A，帰還回路の帰還率を β で示すとき，［(イ)］ である．

このような回路は ［(ウ)］ 回路ともいい，電源を入れることにより上記 1，2 の条件を同時に満たす雑音等の信号成分が循環し発振する．

上記の記述中の空白箇所(ア)，(イ)及び(ウ)に当てはまる語句又は式として，最も近いものを組み合わせたのは次のうちどれか．

	(ア)	(イ)	(ウ)
(1)	同相	$A\beta \geqq 1$	正帰還
(2)	逆相	$A\beta \leqq 1$	負帰還
(3)	同相	$A\beta = 1$	負帰還
(4)	逆相	$A\beta \geqq 1$	正帰還
(5)	同相	$A\beta \leqq 1$	正帰還

解36 解答 (1)

図のように，増幅回路の入力電圧 V_i と帰還回路の出力電圧 V_f の間には，

$$V_f = A\beta V_i$$

の関係が成立する．この帰還電圧 V_f を増幅回路の入力電圧として利用し，発振を維持するためには，帰還電圧 V_f が入力電圧 V_i と同相でなければならない．

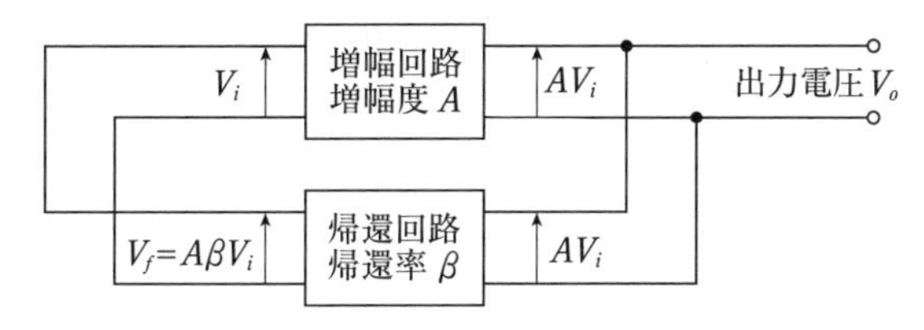

また，増幅回路と帰還回路の一巡の利得 $A\beta$ は 1 以上でなければならない．

このような回路は正帰還回路と呼ばれる．これに対し，V_f が V_i と逆相である回路は負帰還回路と呼ばれる．

問37 Check! □□□

(令和4年㊦ Ⓐ問題13)

図1は，正弦波を出力しているある発振回路の構造を示している．この発振回路の帰還回路の出力端子と増幅回路の入力端子との接続を切り離し，図2のように適当な周波数の正弦波 V_i を増幅回路に入力すると，次の二つの条件が同時に満たされている．

1. 増幅回路の入力電圧 V_i と帰還回路の出力電圧 V_f が (ア) である．
2. 増幅回路の増幅度 $\left|\frac{V_o}{V_i}\right|$ を A，帰還回路の帰還率 $\left|\frac{V_f}{V_o}\right|$ を β と表すとき， (イ) である．

図1で示される発振回路は，条件1より (ウ) 回路である．

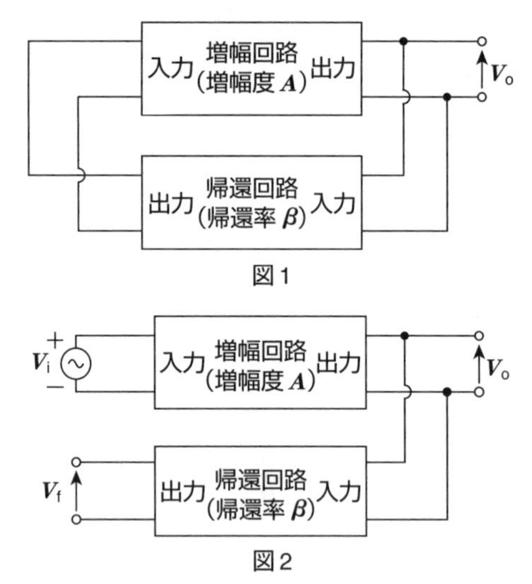

図1

図2

上記の記述中の空白箇所(ア)〜(ウ)に当てはまる組合せとして，正しいものを次の(1)〜(5)のうちから一つ選べ．

	(ア)	(イ)	(ウ)
(1)	同相	$A\beta \geqq 1$	正帰還
(2)	逆相	$A\beta \leqq 1$	負帰還
(3)	同相	$A\beta < 1$	負帰還
(4)	逆相	$A\beta \geqq 1$	正帰還
(5)	同相	$A\beta < 1$	正帰還

解37 解答 (1)

発振回路が発振を続けるためには増幅回路の増幅度 A と帰還回路の帰還率 β の積が 1 以上でなくてはならない．すなわち，

$$A\beta \geqq 1$$

のとき，発振が継続する．

(ア) V_i と V_f が同相であれば，増幅度 A と帰還率 β の積 $A\beta$ は正となり，V_i と V_f が逆相であれば，$A\beta$ は負となる．発振が継続するためには $A\beta \geqq 1$ でなくてはならないから，$A\beta$ は正でなければならない．よって，V_i と V_f は**同相**でなくてはならない．

(イ) 発振が継続する条件は，

$$\boldsymbol{A\beta} \geqq 1$$

である．

(ウ) 帰還回路の出力を同相で増幅回路の入力へ戻す回路は**正帰還**回路である．

ちなみに，帰還回路の出力を逆相で増幅回路の入力へ戻す回路を負帰還回路という．

問38 Check! □□□

(平成23年 Ⓐ問題13)

図のように，トランジスタを用いた非安定（無安定）マルチバイブレータ回路の一部分がある．ここで，Sはトランジスタの代わりの動作をするスイッチ，R_1，R_2，R_3は抵抗，Cはコンデンサ，V_{CC}は直流電源電圧，V_bはベースの電圧，V_cはコレクタの電圧である．

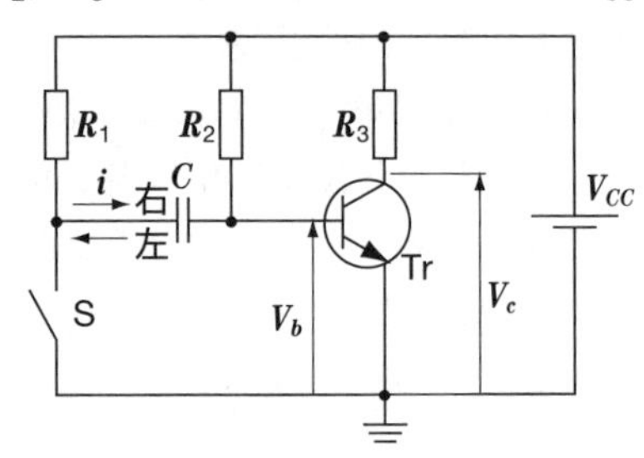

この回路において，初期条件としてコンデンサCの初期電荷は零，スイッチSは開いている状態と仮定する．

a. スイッチSが開いている状態（オフ）のときは，トランジスタTrのベースには抵抗R_2を介して［(ア)］の電圧が加わるので，トランジスタTrは［(イ)］となっている．ベースの電圧V_bは電源電圧V_{CC}より低いので，電流iは図の矢印“右”の向きに流れてコンデンサCは充電されている．

b. 次に，スイッチSを閉じる（オン）と，その瞬間はコンデンサCに充電されていた電荷でベースの電圧は負となるので，コレクタの電圧V_cは瞬時に高くなる．電流iは矢印“［(ウ)］”の向きに流れ，コンデンサCは［(エ)］を始め，やがてベースの電圧は［(オ)］に変化し，コレクタの電圧V_cは下がる．

上記の記述中の空白箇所(ア)，(イ)，(ウ)，(エ)及び(オ)に当てはまる組合せとして，正しいものを次の(1)～(5)のうちから一つ選べ．

	(ア)	(イ)	(ウ)	(エ)	(オ)
(1)	正	オン	左	放電	負から正
(2)	負	オフ	右	充電	正から負
(3)	正	オン	左	充電	正から零
(4)	零	オフ	左	充電	負から正
(5)	零	オフ	右	放電	零から正

解38 解答 (1)

問題の回路において，初期条件としてコンデンサ C の初期電荷 0，スイッチ S off を初期条件として，その動作を簡単に説明すると，次のようになる．

第 1 図は，上記初期条件の下，スイッチ S が off のときの回路状態を示したものである．

トランジスタ Tr のベースには，抵抗 R_2 を通して正の電圧が加えられる（$V_b > 0$）ので，Tr は on し，コレクタ電流 I_c が流れて，Tr のコレクタ電圧 V_c は 0 に近い低い値となる．

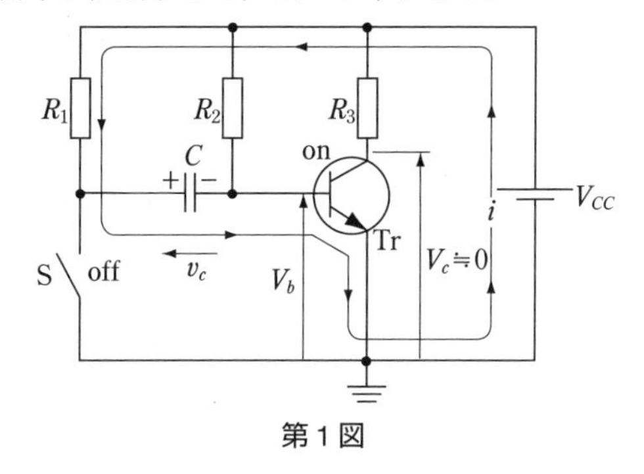

第 1 図

一方，コンデンサ C には，$V_{CC} \to R_1 \to C \to$ Tr B（ベース）$\to$ Tr E（エミッタ）$\to V_{CC}$ の経路で充電電流 i が流れ，コンデンサの電圧は v_c となる．

次に，スイッチ S を on したときの回路状態を示すと，**第 2 図**のようになる．

スイッチ S が突然 on すると，コンデンサ C の + 電荷充電側の端子が接地されるので，Tr のベースはコンデンサの電圧 v_c だけ接地側より低くなり，$V_b = -v_c$ となって，Tr は off する．このとき，Tr のコレクタ電流 I_c は 0 となるので，コレクタ電圧 V_c は V_{CC} まで上昇する．

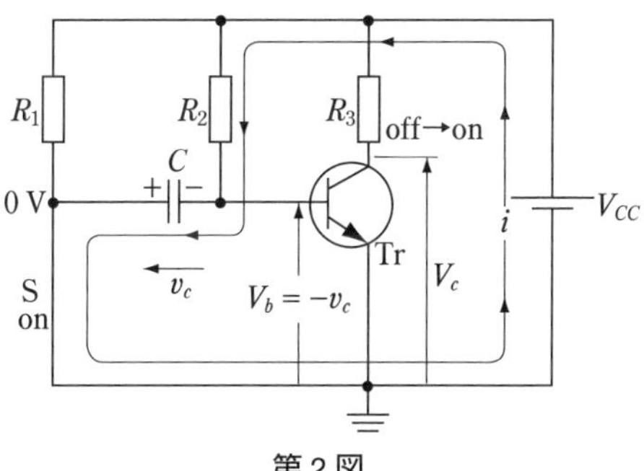

第 2 図

コンデンサの電荷は，$C \to S \to V_{CC} \to R_2 \to C$ の経路で放電されるので，コンデンサの電圧 v_c の値は次第に減少し，これに伴って Tr のベース電圧 V_b が上昇し，負から正へ転じて Tr は再び on となり，コレクタ電流 I_c が流れて，コレクタ電圧 V_c は再び 0 に近い低い値となる．

問39 Check! □□□ （平成24年 Ⓐ問題13）

図は，抵抗 R_1〔Ω〕とダイオードからなるクリッパ回路に負荷となる抵抗 R_2〔Ω〕（= $2R_1$〔Ω〕）を接続した回路である．入力直流電圧 V〔V〕と R_1〔Ω〕に流れる電流 I〔A〕の関係を示す図として，最も近いものを次の(1)〜(5)のうちから一つ選べ．

ただし，順電流が流れているときのダイオードの電圧は，0〔V〕とする．また，逆電圧が与えられているダイオードの電流は，0〔A〕とする．

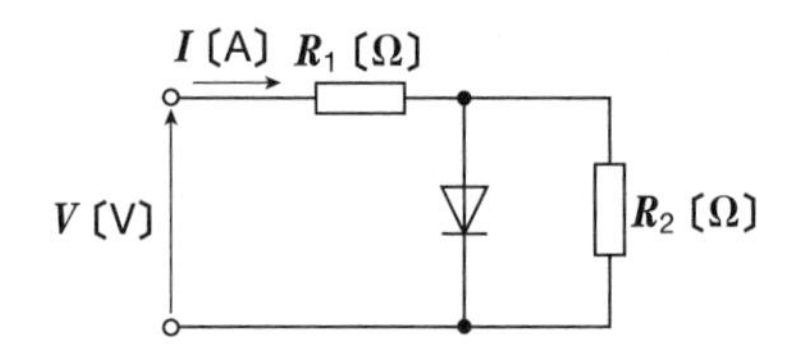

(1)

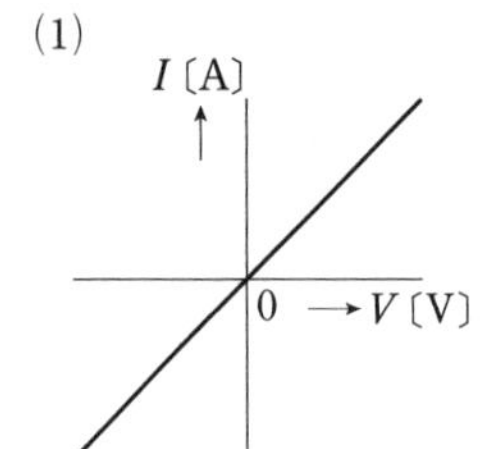

(2)

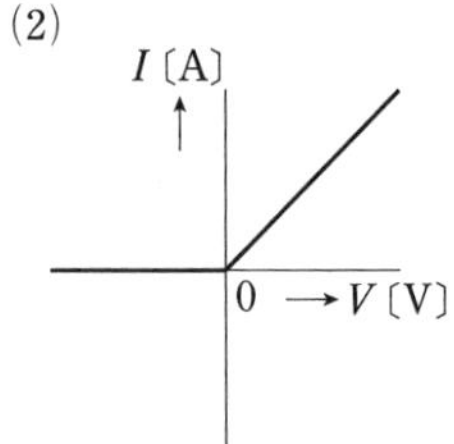

(3)

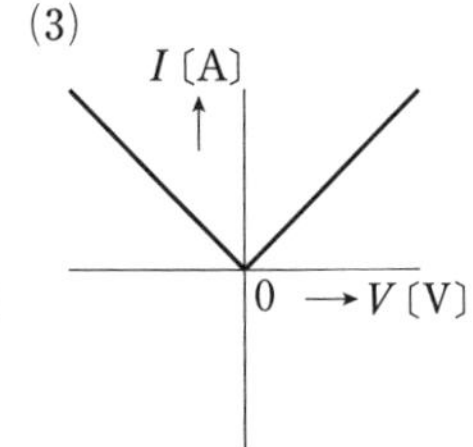

(4)

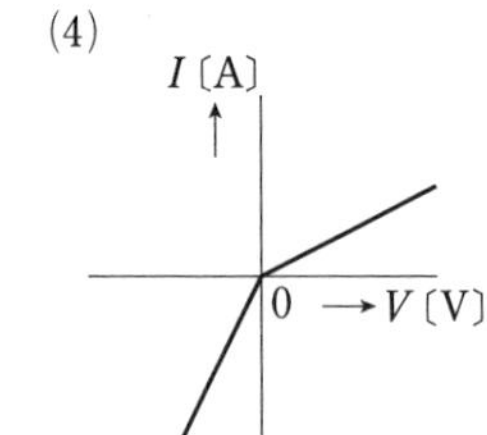

(5)

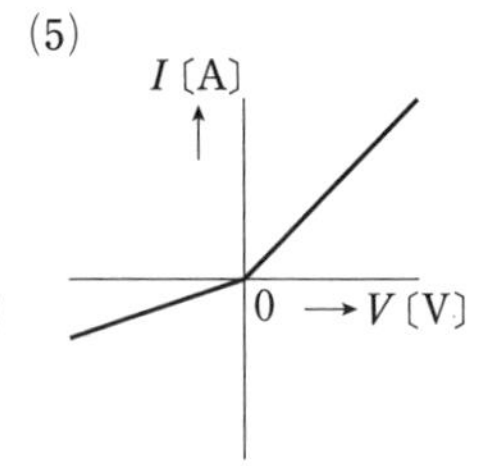

解39 解答 (5)

逆電圧（Vが負の値）が与えられているとき，ダイオードは導通せず，R_1に流れる電流Iは，

$$I=\frac{V}{R_1+R_2}\text{〔A〕}$$

で表せるから，$V<0$の範囲において，Vの増加に伴うIの変化は，傾き$\dfrac{1}{R_1+R_2}$の右上がりの直線で表され，$V=0$のとき原点を通る直線となる．

次に，順電圧（Vが正の値）が与えられているとき，ダイオードが導通して，ダイオードの電圧が0となるから，抵抗R_2には電流が流れず，R_1に流れる電流Iは，

$$I=\frac{V}{R_1}\text{〔A〕}$$

となり，$V>0$の範囲において，Vの増加に伴うIの変化は，傾き$\dfrac{1}{R_1}$の右上がりの直線で表され，$V=0$のとき原点を通る直線となる．

これを図示すれば，下図のようになり，(5)が正解である．

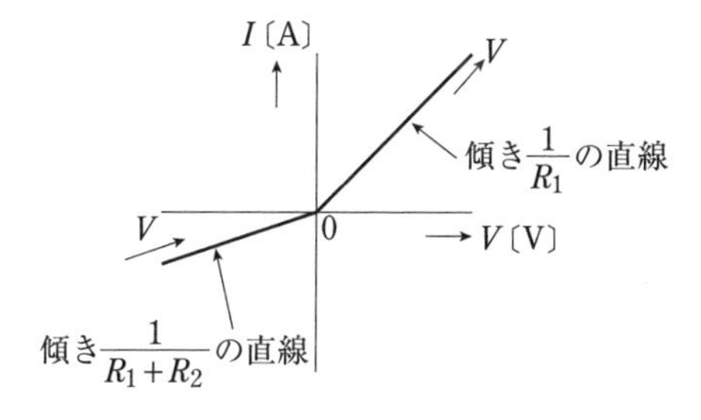

問40 Check! □□□

(平成 30 年 Ⓐ 問題 13)

図 1 は，ダイオード D，抵抗値 R [Ω] の抵抗器，及び電圧 E [V] の直流電源からなるクリッパ回路に，正弦波電圧 $v_i = V_m \sin \omega t$ [V]（ただし，$V_m > E > 0$）を入力したときの出力電圧 v_o [V] の波形である．図 2 (a)〜(e)のうち図 1 の出力波形が得られる回路として，正しいものの組合せを次の(1)〜(5)のうちから一つ選べ．

ただし，ω [rad/s] は角周波数，t [s] は時間を表す．また，順電流が流れているときのダイオードの端子間電圧は 0 V とし，逆電圧が与えられているときのダイオードに流れる電流は 0 A とする．

(1) (a)，(e)

(2) (b)，(d)

(3) (a)，(d)

(4) (b)，(c)

(5) (c)，(e)

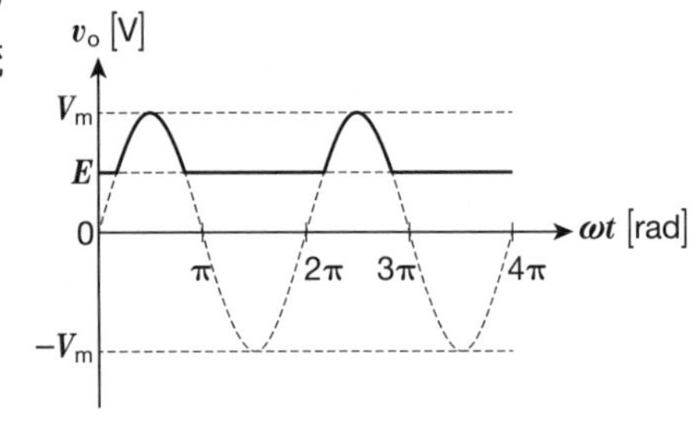

図 1

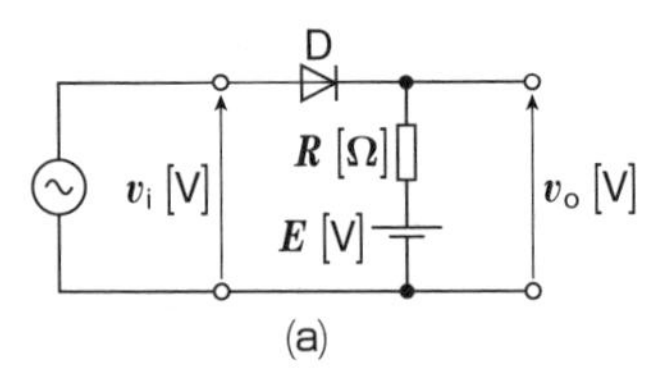

(a)

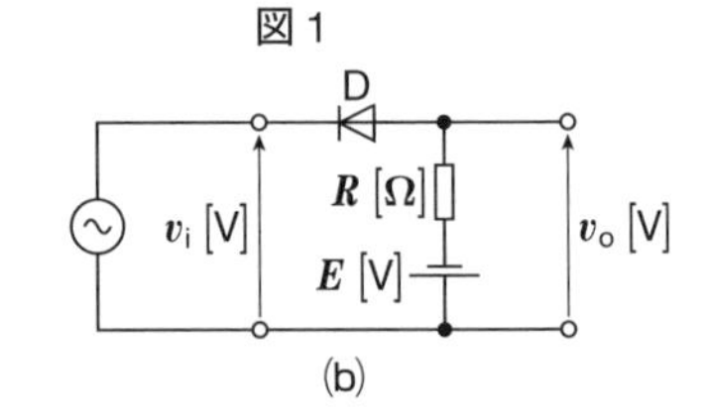

(b)

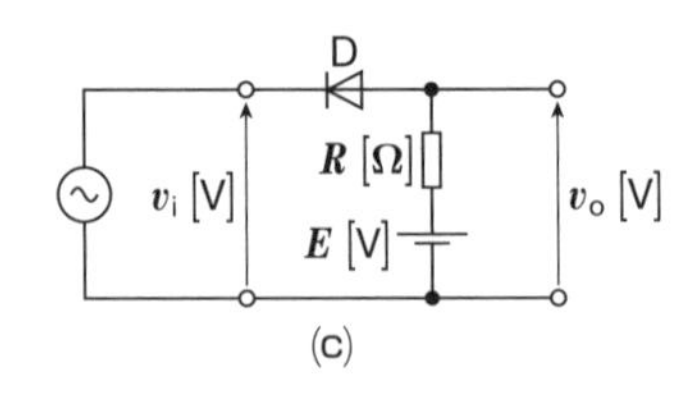

(c)

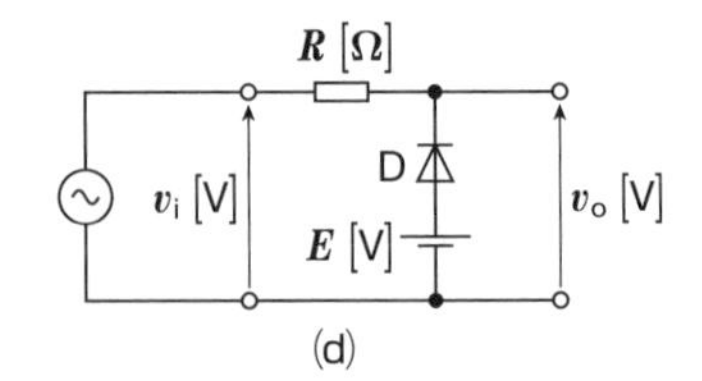

(d)

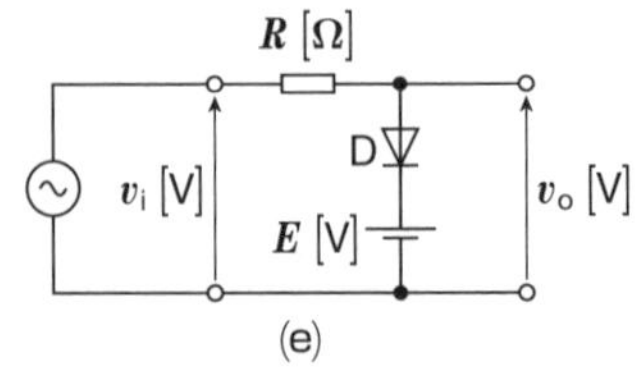

(e)

図 2

解40 解答 (3)

問題の図1より，出力電圧 v_o は，交流電圧 v_i が $v_i > E$ のときのみ $v_o = v_i$ となり，$v_i \leqq E$ のとき $v_o = E$ となっているので，このように動作する回路を選べばよい．

(a)の回路は，$v_i > E$ のとき $v_o = v_i$ となり，$v_i \leqq E$ のとき $v_o = E$ となり，交流電圧 v_i はDによって阻止されるので，上記の動作を満足する．

(b)の回路は，Dによって交流電圧 v_i が阻止されるとき，$v_o = -E$ となるので，上記の動作を満足しない．

(c)の回路は，$v_i > E$ のときDによって交流電圧 v_i が阻止されるので，上記の動作を満足しない．

(d)の回路は，$v_i > E$ のとき E が阻止されて $v_o = v_i$ となり，$v_i \leqq E$ のとき $v_o = E$ となるとともに，D，R を通って交流側へ電流を流すが，上記の動作を満足する．

(e)の回路は，$v_i \leqq E$ のとき E が阻止され，$v_o = v_i$ となるので，上記の動作を満足しない．

以上から，上記の動作を満足するのは，(a)と(d)の回路となる．

問41 Check! □□□

（令和元年 Ⓑ問題 17）

NAND IC を用いたパルス回路について，次の(a)及び(b)の問に答えよ．ただし，高電位を「1」，低電位を「0」と表すことにする．

(a) p チャネル及び n チャネル MOSFET を用いて構成された図 1 の回路と真理値表が同一となるものを，図 2 の NAND 回路の接続(イ)，(ロ)，(ハ)から選び，全て列挙したものを次の(1)～(5)のうちから一つ選べ．

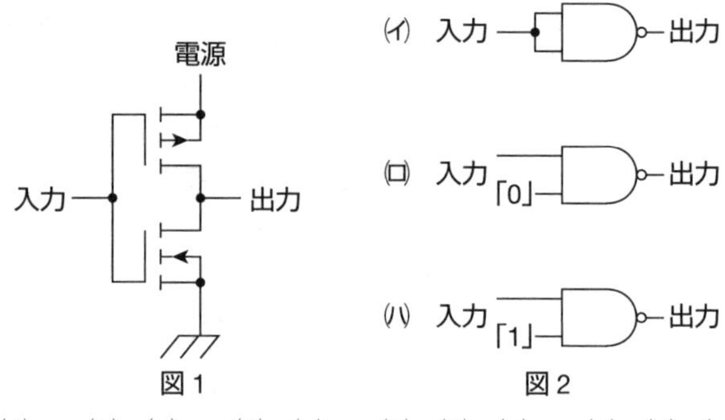

図 1　　図 2

(1) (イ)　(2) (ロ)　(3) (ハ)　(4) (イ)，(ロ)　(5) (イ)，(ハ)

(b) 図 3 の三つの回路はいずれもマルチバイブレータの一種であり，これらの回路図において NAND IC の電源及び接地端子は省略している．同図(ニ)，(ホ)，(ヘ)の入力の数がそれぞれ 0，1，2 であることに注意して，これら三つの回路と次の二つの性質を正しく対応づけたものの組合せとして，正しいものを次の(1)～(5)のうちから一つ選べ．

性質Ⅰ：出力端子からパルスが連続的に発生し，ディジタル回路の中で発振器として用いることができる．

性質Ⅱ：「0」や「1」を記憶する機能をもち，フリップフロップの構成にも用いられる．

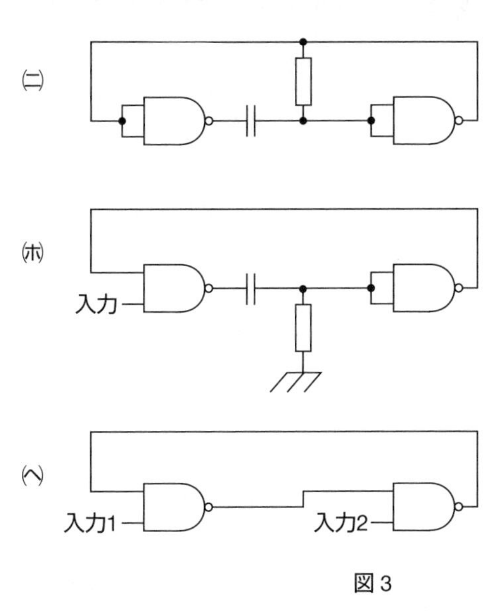

図3

	性質 I	性質 II
(1)	(ニ)	(ホ)
(2)	(ニ)	(ヘ)
(3)	(ホ)	(ニ)
(4)	(ホ)	(ヘ)
(5)	(ヘ)	(ホ)

解41 解答 (a)−(5), (b)−(2)

(a) 問題図1の回路は，pチャネル（p ch）MOSFETとnチャネル（n ch）MOSFETが直列に接続されたもので，下図のように，入力「0」のとき出力「1」，入力「1」のとき出力「0」となるから，NOT回路（インバータ）となる．

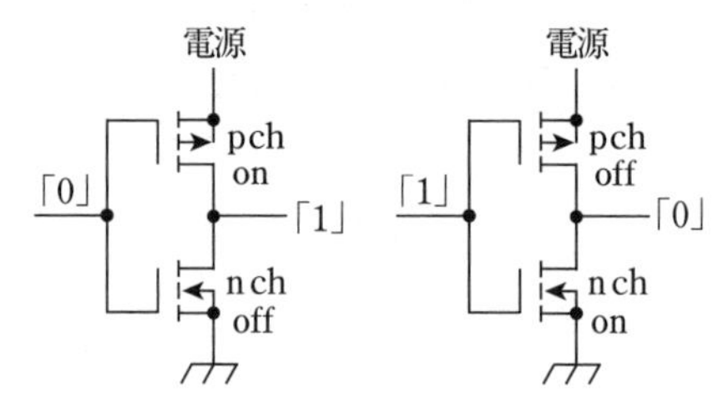

したがって，NOT回路として動作するように接続されたNAND回路は，(イ)と(ハ)の回路となる．

(b) 性質Ⅰは非安定（無安定）マルチバイブレータの説明文で，性質Ⅱは双安定マルチバイブレータの説明文である．これに対し，(ニ)の回路は非安定（無安定）マルチバイブレータ，(ホ)の回路は単安定マルチバイブレータ，(ヘ)の回路は双安定バイブレータであるから，性質Ⅰの回路は(ニ)の回路，性質Ⅱの回路は(ヘ)の回路となる．

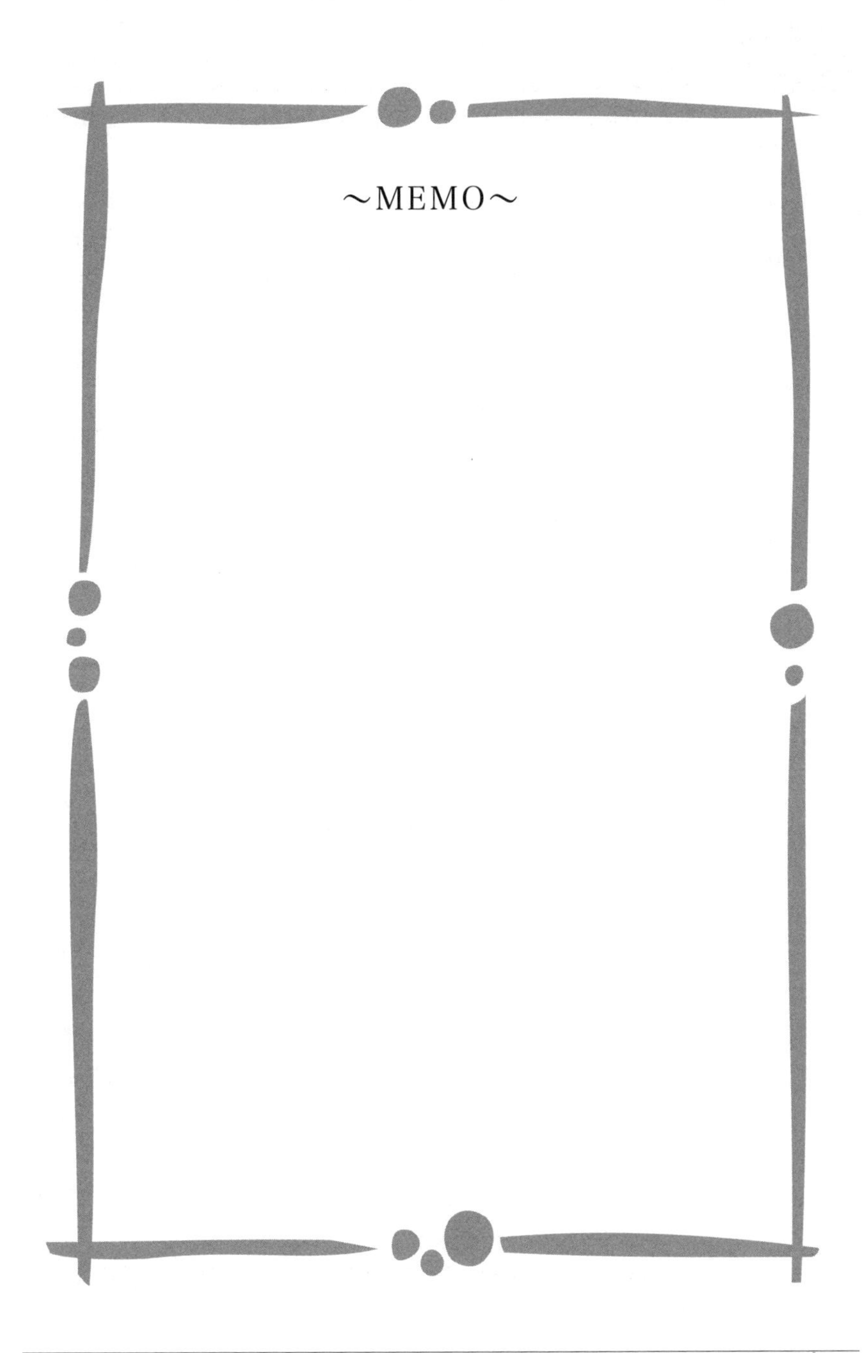
～MEMO～

問42 Check! □□□ （令和6年㊤ Ⓑ問題18）

無線通信で行われるアナログ変調・復調に関する記述について，次の(a)及び(b)の問に答えよ．

(a) 無線通信で音声や画像などの情報を送る場合，送信側においては，情報を電気信号（信号波）に変換する．次に信号波より [(ア)] 周波数の搬送波に信号波を含ませて得られる信号を送信する．受信側では，搬送波と信号波の二つの成分を含むこの信号から [(イ)] の成分だけを取り出すことによって，音声や画像などの情報を得る．

搬送波に信号波を含ませる操作を変調という．[(ウ)] の搬送波を用いる基本的な変調方式として，振幅変調（AM），周波数変調（FM），位相変調（PM）がある．

搬送波を変調して得られる信号からもとの信号波を取り出す操作を復調又は [(エ)] という．

上記の記述中の空白箇所(ア)～(エ)に当てはまる組合せとして，正しいものを次の(1)～(5)のうちから一つ選べ．

	(ア)	(イ)	(ウ)	(エ)
(1)	高い	信号波	三角波	検波
(2)	高い	信号波	正弦波	検波
(3)	高い	搬送波	三角波	増幅
(4)	低い	信号波	三角波	増幅
(5)	低い	搬送波	正弦波	検波

(b) 図1は，トランジスタの [(ア)] に信号波の電圧を加えて振幅変調を行う回路の原理図である．電圧 v_1，v_2，v_3 の波形を同時に計測したところ図2のいずれかであった．このとき，電圧 v_1 の波形は [(イ)]，v_2 の波形は [(ウ)]，v_3 の波形は [(エ)] である．図2のグラフより振幅変調の変調率を計算すると約 [(オ)] %となる．

上記の記述中の空白箇所(ア)～(オ)に当てはまる組合せとして，正しいものを次の(1)～(5)のうちから一つ選べ．

ただし，図2のそれぞれの電圧波形間の位相関係は無視するものとする．

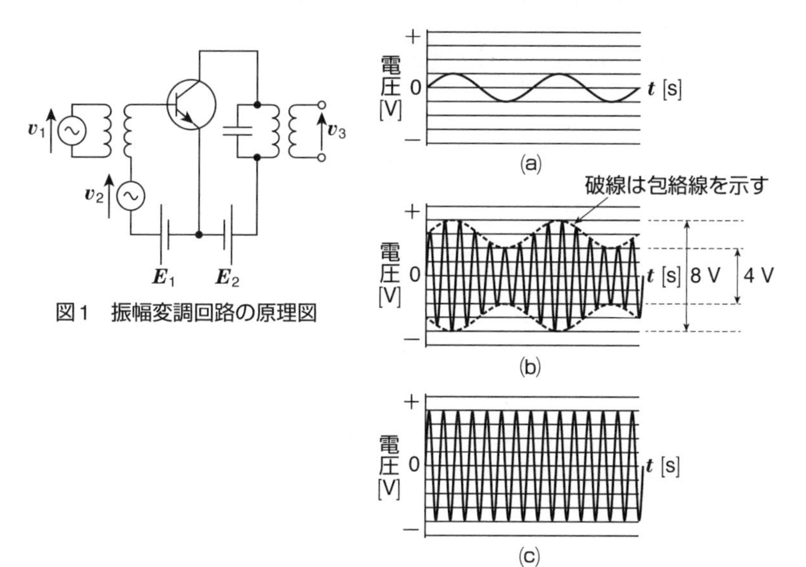

図1　振幅変調回路の原理図

図2　電圧v_1，v_2，v_3の波形（時間軸は同一）

	(ア)	(イ)	(ウ)	(エ)	(オ)
(1)	コレクタ	図2(c)	図2(a)	図2(b)	33
(2)	コレクタ	図2(c)	図2(b)	図2(a)	67
(3)	ベース	図2(b)	図2(a)	図2(c)	50
(4)	エミッタ	図2(b)	図2(c)	図2(a)	67
(5)	ベース	図2(c)	図2(a)	図2(b)	33

解42 解答 (a)−(2), (b)−(5)

(a) 音声や画像などの情報を電気信号に変えた信号波は周波数が低く，その周波数のまま電波として無線通信を行うことはできない．このため，数百 [kHz] 以上の**高周波信号**を送りたい**信号波**で変形させ，電波として無線通信を行っている．

この高周波信号を搬送波といい，搬送波を信号波で変形させることを変調という．

正弦波の搬送波を用いる変調の方法には，搬送波の振幅を信号波により変化させる方式を振幅変調（AM）といい，搬送波の周波数を信号波によって変化させる方式を周波数変調（FM），搬送波の位相を信号波によって変化させる方式を位相変調（PM）という．

また，搬送波を信号波で変調した高周波信号（変調波という）から，信号波を取り出すことを復調または**検波**という．

(b) (a)より，信号波の周波数は搬送波の周波数より低いから，図2ⓐが信号波 v_2，図2ⓒが搬送波 v_1 の波形となる．したがって，図2ⓑが変調波 v_3 の波形となる．これらを図示すると第1図のようになる．

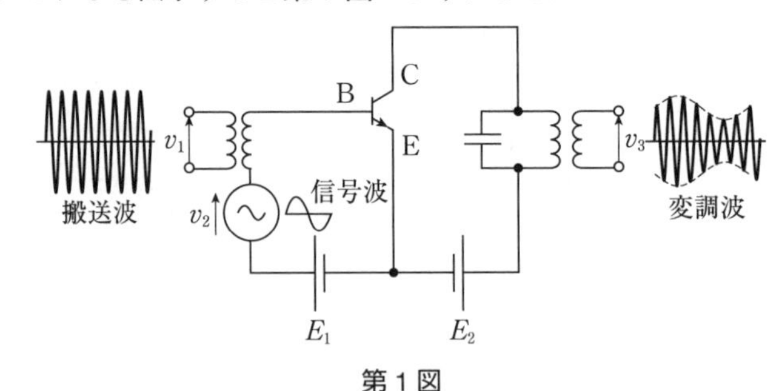

第1図

図より，トランジスタの**ベース**に信号波が加わっているのがわかる．

また，変調波が第2図のようである場合の変調率 m は，

$$m=\frac{A-B}{A+B}\times 100\,[\%]$$

で表せるから，この場合の変調率 m は，図2(b)より，

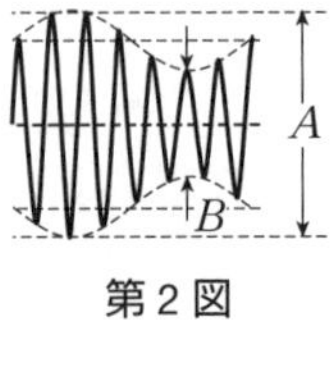

$$m=\frac{8-4}{8+4}\times 100 \fallingdotseq 33\ \%$$

となる．

第2図

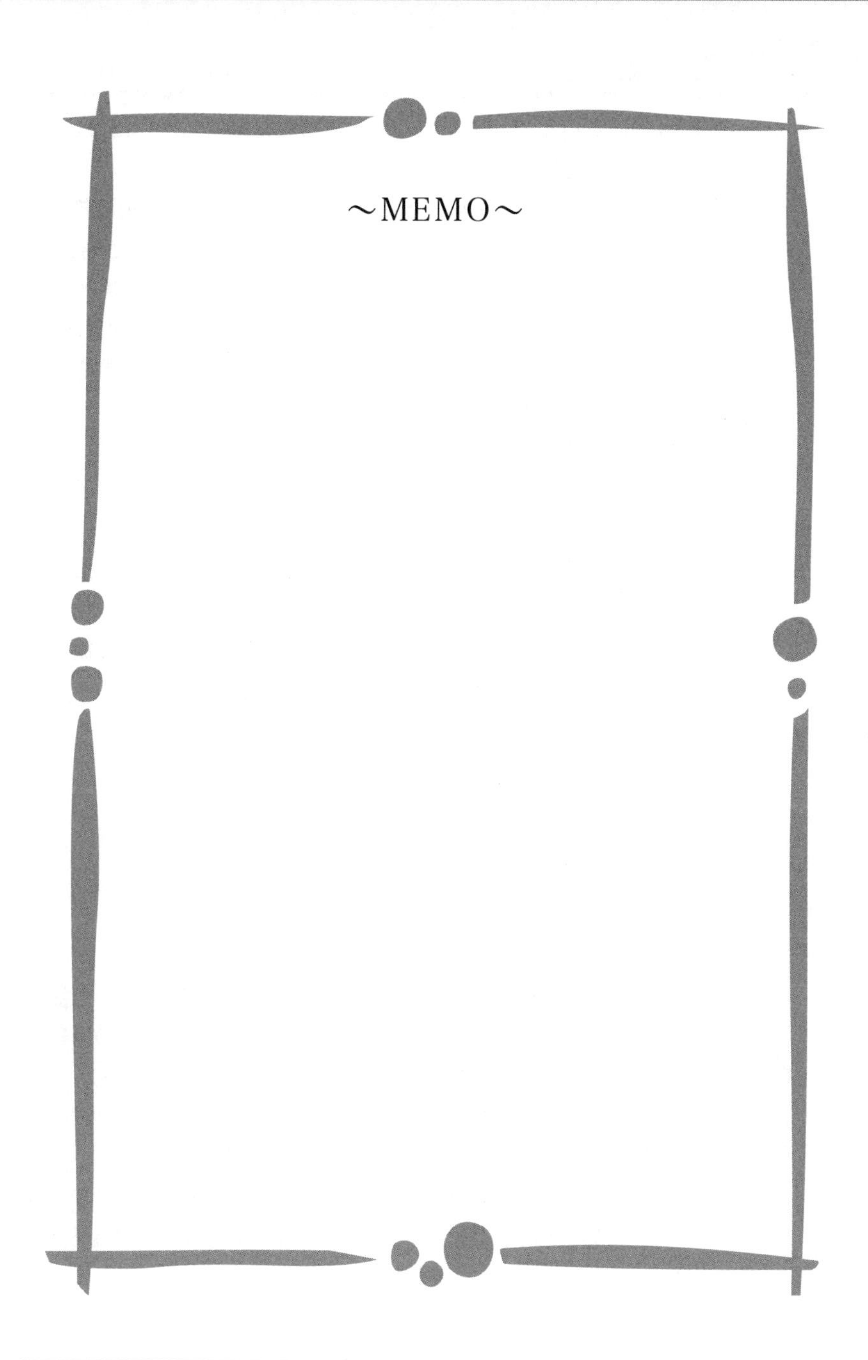
～MEMO～

問43 Check! □□□ (平成20年 B 問題18)

無線通信で行われるアナログ変調・復調に関する記述について，次の(a)及び(b)に答えよ．

(a) 無線通信で音声や画像などの情報を送る場合，送信側においては，情報を電気信号（信号波）に変換する．次に信号波より [(ア)] 周波数の搬送波に信号波を含ませて得られる信号を送信する．受信側では，搬送波と信号波の二つの成分を含むこの信号から [(イ)] の成分だけを取り出すことによって，音声や画像などの情報を得る．

搬送波に信号波を含ませる操作を変調という．[(ウ)] の搬送波を用いる基本的な変調方式として，振幅変調（AM），周波数変調（FM），位相変調（PM）がある．

搬送波を変調して得られる信号からもとの信号波を取り出す操作を復調又は [(エ)] という．

上記の記述中の空白箇所(ア)，(イ)，(ウ)及び(エ)に当てはまる語句として，正しいものを組み合わせたのは次のうちどれか．

	(ア)	(イ)	(ウ)	(エ)
(1)	高い	信号波	のこぎり波	検波
(2)	低い	搬送波	正弦波	検波
(3)	高い	搬送波	のこぎり波	増幅
(4)	低い	信号波	のこぎり波	増幅
(5)	高い	信号波	正弦波	検波

(b) 図1は，トランジスタの [(ア)] に信号波の電圧を加えて振幅変調を行う回路の原理図である．図1中の v_2 が正弦波の信号電圧とすると，電圧 v_1 の波形は [(イ)] に，v_2 の波形は [(ウ)] に，v_3 の波形は [(エ)] に示すようになる．図2のグラフより振幅変調の変調率を計算すると約 [(オ)] 〔%〕となる．

上記の記述中の空白箇所(ア)，(イ)，(ウ)，(エ)及び(オ)に当てはまる語句又は数値として，正しいものを組み合わせたのは次のうちどれか．

ただし，図２のそれぞれの電圧波形間の位相関係は無視するものとする.

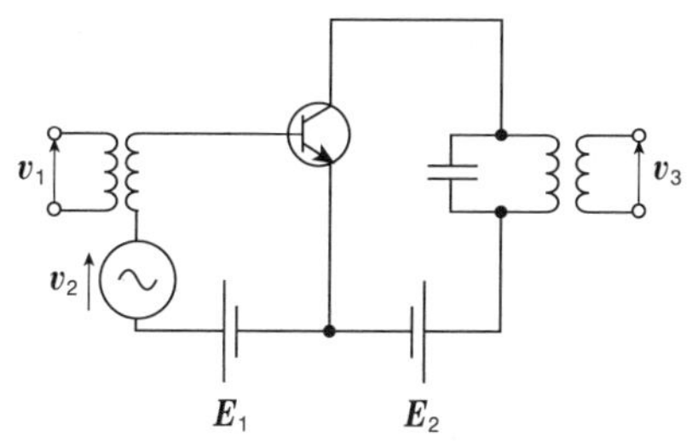

図１　振幅変調回路の原理図

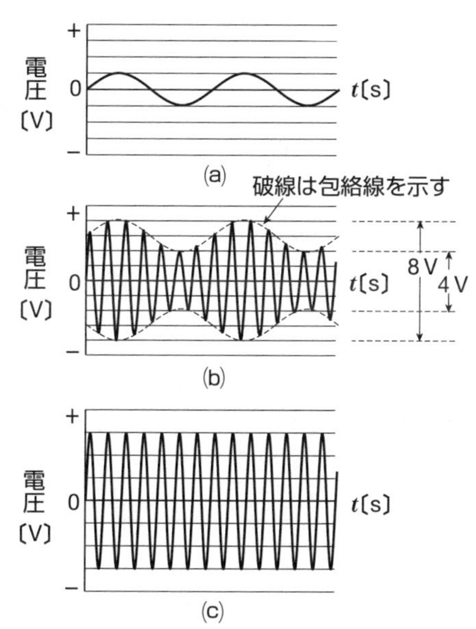

図２　電圧 v_1，v_2，v_3 の波形（時間軸は同一）

	(ア)	(イ)	(ウ)	(エ)	(オ)
(1)	ベース	図２(c)	図２(a)	図２(b)	33
(2)	コレクタ	図２(c)	図２(b)	図２(a)	67
(3)	ベース	図２(b)	図２(a)	図２(c)	50
(4)	エミッタ	図２(b)	図２(c)	図２(a)	67
(5)	コレクタ	図２(c)	図２(a)	図２(b)	33

解43 解答 (a)−(5)，(b)−(1)

(a) 音声や画像などの情報を電気信号に変えた信号波は周波数が低く，その周波数のまま電波として無線通信を行うことはできない．このため，数百〔kHz〕以上の高周波信号を送りたい信号波で変形させ，電波として無線通信を行っている．

この高周波信号を搬送波といい，搬送波を信号波で変形させることを変調という．

変調の方法には，搬送波の振幅を信号波により変化させる方式を振幅変調（AM）といい，搬送波の周波数を信号波によって変化させる方式を周波数変調（FM），搬送波の位相を信号波によって変化させる方式を位相変調（PM）という．

また，搬送波を信号波で変調した高周波信号（変調波という）から，信号波を取り出すことを復調という．

(b) (a)より，信号波の周波数は搬送波の周波数より低いから，図2(a)が信号波 v_2，図2(c)が搬送波 v_1 の波形となる．したがって，図2(b)が変調波 v_3 の波形となる．これらを図示すると**第1図**のようになる．

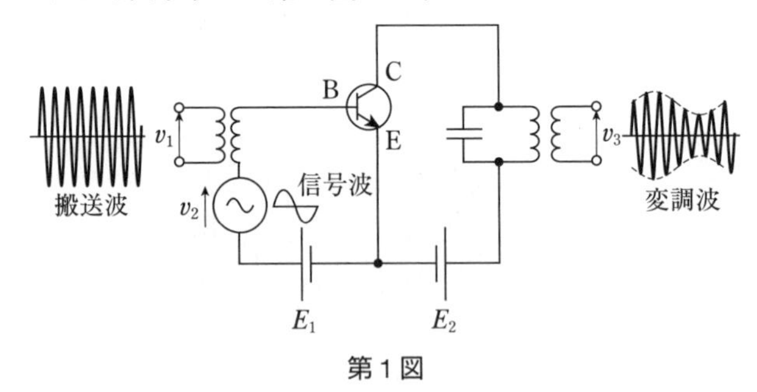

第1図

図より，トランジスタのベースに信号波が加わっているのがわかる．

また，変調波が**第2図**のようである場合の変調率 m は，

$$m=\frac{A-B}{A+B}\times 100〔\%〕$$

で表せるから，この場合の変調率 m は，図2(b)より，

$$m=\frac{8-4}{8+4}\times 100 \fallingdotseq 33.3〔\%〕$$

となる．

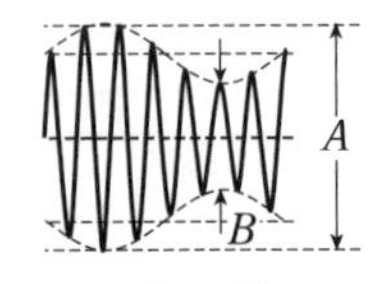

第2図

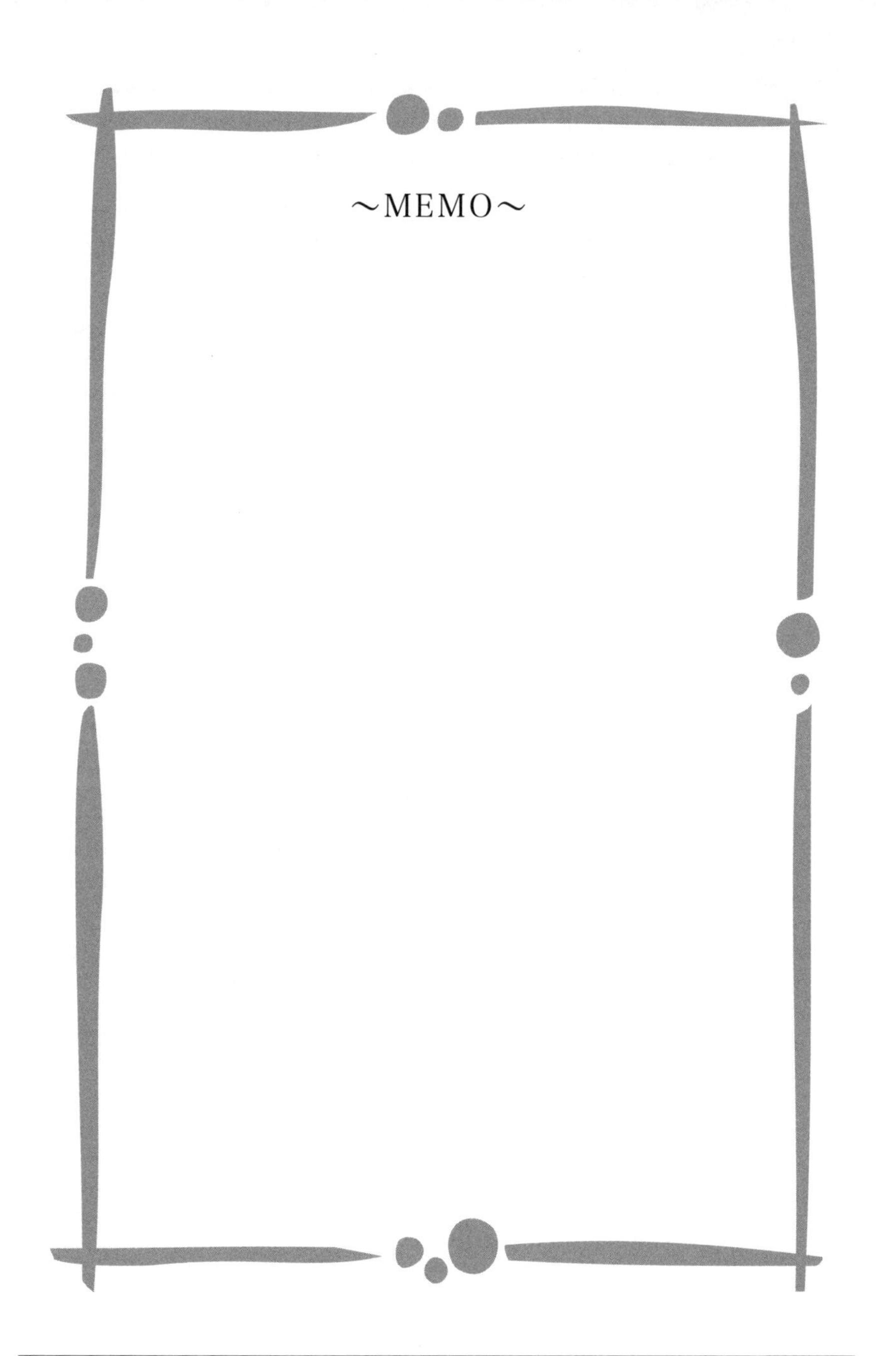
～MEMO～

問44 Check! □□□

(平成 25 年 B 問題 18)

図は，NOT IC，コンデンサ C 及び抵抗を用いた非安定マルチバイブレータの原理図である．次の(a)及び(b)の問に答えよ．

(a) この回路に関する三つの記述(ア)〜(ウ)について，正誤の組合せとして，正しいものを次の(1)〜(5)のうちから一つ選べ．

(ア) この回路は電源を必要としない．

(イ) 抵抗 R_1〔Ω〕の値を大きくすると，発振周波数は高くなる．

(ウ) 抵抗器 R_2 は，NOT_1 に流れる入力電流を制限するための素子である．

	(ア)	(イ)	(ウ)
(1)	正	正	正
(2)	正	正	誤
(3)	正	誤	誤
(4)	誤	正	誤
(5)	誤	誤	正

(b) 次の波形の中で，コンデンサ C の端子間電圧 V_C〔V〕の時間 t〔s〕の経過による変化の特徴を最もよく示している図として，正しいものを次の(1)〜(5)のうちから一つ選べ．

ただし，いずれの図も 1 周期分のみを示している．

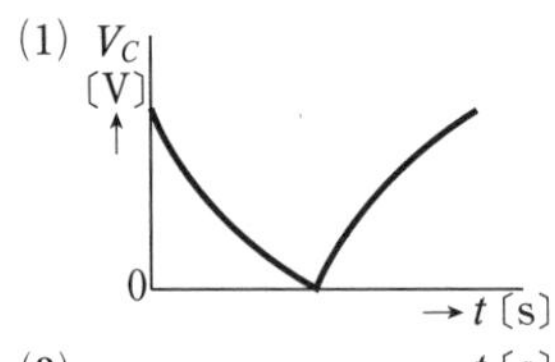

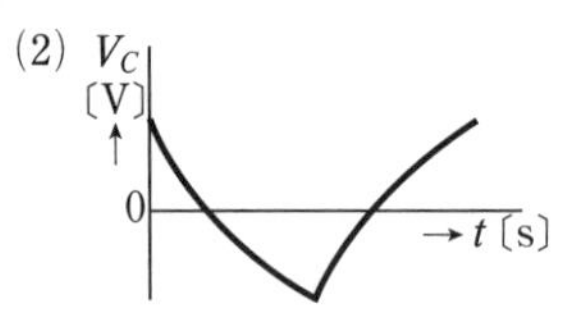

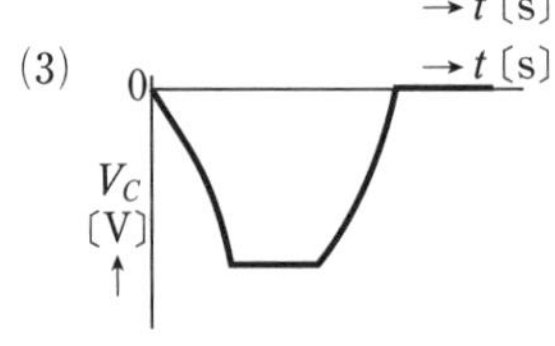

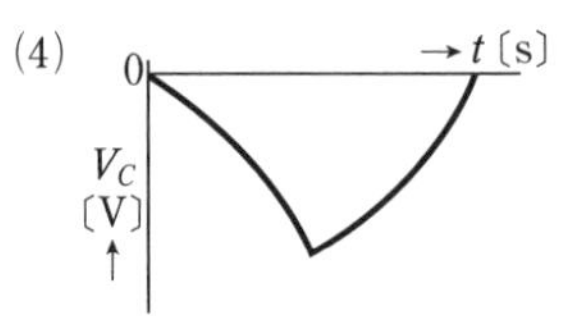

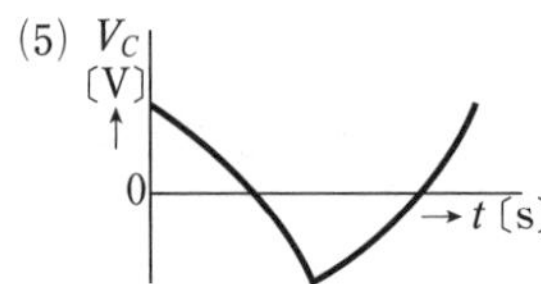

解44 解答 (a)−(5), (b)−(2)

非安定マルチバイブレータの動作原理は次のとおりである.

① NOT_1の出力がⒽ（一般に＋5〔V〕程度）のときを考えると, NOT_2の出力はⓁ（一般に約0〔V〕）で, **第1図**のように, コンデンサには抵抗R_1を通して充電電流が流れ込む.

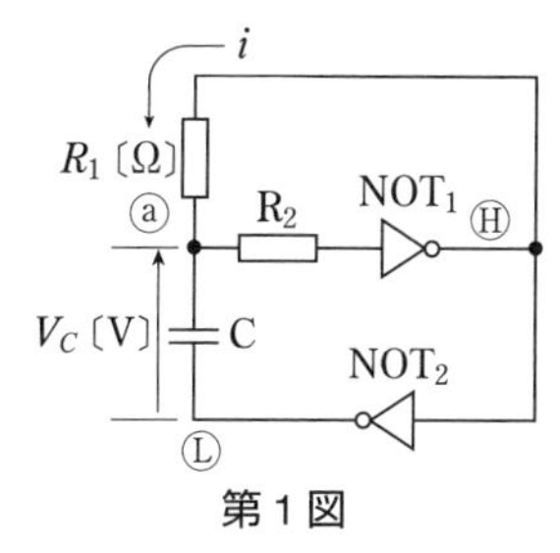

第1図

② コンデンサが充電されてⓐ点の電圧が上昇し, NOT_1の入力がしきい値（スレッショルド）電圧を超えると, NOT_1の出力はⓁになる.

③ すると, コンデンサに蓄えられていた電荷は, **第2図**のように, 抵抗R_1を通して放電される.

このとき, NOT_2の出力のⓑ点はⒽになっており, 図のV_Cの向きの電位が−（マイナス）になるよう逆極性で充電される.

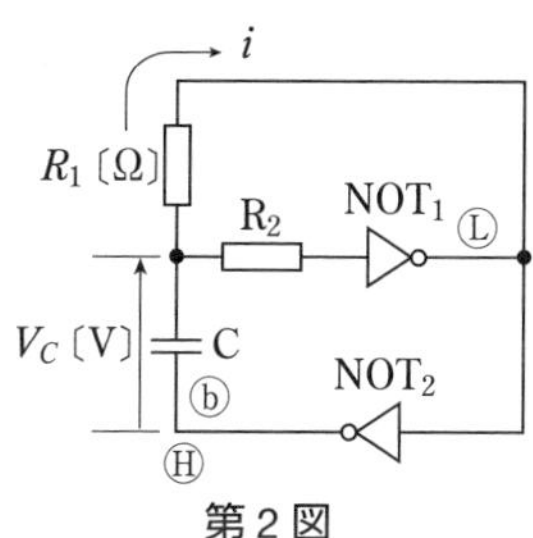

第2図

④ コンデンサが逆極性で充電され, NOT_1の入力がスレッショルド電圧を下回ると, NOT_1の出力はⒽになり, 再びコンデンサには抵抗R_1を通して充電電流が流れ込んで①の状態になる.

このようにして, ①〜④のような動作が自動的に繰り返される.

(a) NOT ICを動作させコンデンサを充電するためには電源が必要であるから, (ア)の記述は誤りである.

なお, 一般的に論理回路図ではICの駆動電源が省略されている.

$T = R_1C$がR_1とCの充放電時の時定数になるので, R_1が大きいと発振周波数は低くなる. したがって, (イ)の記述は誤りである.

R_2の抵抗は, NOT_1の入力電流を制限するものであるから, (ウ)の記述は正しい.

(b) ＋の電圧から放電が開始され, −の電圧になるまで指数関数的に電圧が低下する. その後, コンデンサに再び充電が始まり, 最初の＋の電圧まで復帰する.

以上から, 正しい波形は(2)である.

第9章

その他

●論説・空白
・単位
・紫外線ランプの構造と動作原理

問1 Check! □□□

(平成23年 Ⓐ問題14)

電気及び磁気に関係する量とその単位記号（他の単位による表し方を含む）との組合せとして，誤っているものを次の(1)～(5)のうちから一つ選べ．

	量	単位記号
(1)	導電率	S/m
(2)	電力量	W·s
(3)	インダクタンス	Wb/V
(4)	磁束密度	T
(5)	誘電率	F/m

問2 Check! □□□

(令和5年㊦ Ⓐ問題14)

固有の名称をもつSI組立単位の記号と，これと同じ内容を表す他の表し方の組合せとして，誤っているものを次の(1)～(5)のうちから一つ選べ．

	SI組立単位の記号	SI基本単位及びSI組立単位による他の表し方
(1)	F	C/V
(2)	W	J/s
(3)	S	A/V
(4)	T	Wb/m^2
(5)	Wb	V/s

解1 解答 (3)

⑶が誤りである.

コイルに流れる電流 I〔A〕によって生じた磁束がコイルと鎖交するとき，その鎖交磁束数が Φ〔Wb〕であるとき，コイルの自己インダクタンス L は，次式で与えられる.

$$L=\frac{\Phi}{I}$$

したがって，インダクタンスの単位〔H〕は，次の組合せ単位で表すことができる.

$$〔\mathrm{H}〕=\frac{〔\mathrm{Wb}〕}{〔\mathrm{A}〕}=〔\mathrm{Wb/A}〕$$

解2 解答 (5)

⑸が誤りである.

レンツおよびファラデーの法則より，回路の鎖交磁束数を Φ [Wb]，時間を t [s] とすると，回路に生じる誘導電圧 e は,

$$e=-\frac{\mathrm{d}\Phi}{\mathrm{d}t}\,[\mathrm{V}]$$

で表せるから，上式において単位に着目すれば,

$$\mathrm{V}=\frac{\mathrm{Wb}}{\mathrm{s}}\rightarrow \mathrm{Wb}=\mathrm{V}\cdot\mathrm{s}$$

問3 Check! □□□

(平成30年 Ⓐ問題14)

固有の名称をもつSI組立単位の記号と，これと同じ内容を表す他の表し方の組合せとして，誤っているものを次の(1)～(5)のうちから一つ選べ．

	SI組立単位の記号	SI基本単位及びSI組立単位による他の表し方
(1)	F	C/V
(2)	W	J/s
(3)	S	A/V
(4)	T	Wb/m^2
(5)	Wb	V/s

問4 Check! □□□

(令和6年㊤ Ⓐ問題3)

磁気に関する量とその単位記号（SI基本単位及び組立単位による表し方）の組合せとして，誤っているものを次の(1)～(5)のうちから一つ選べ．

	量	単位記号
(1)	インダクタンス	Wb/A
(2)	磁束	V/s
(3)	磁界の強さ	A/m
(4)	磁気抵抗	H^{-1}
(5)	透磁率	H/m

解3 解答 (5)

(5)が誤りである．レンツの法則より，回路の鎖交磁束数を Φ [Wb]，時間を t [s] とすると，回路に生じる誘導電圧 e は，

$$e=-\frac{\mathrm{d}\Phi}{\mathrm{d}t}\,[\mathrm{V}]$$

で表せるから，これを単位でみれば，

$$1\,\mathrm{V}=\frac{1\,\mathrm{Wb}}{1\,\mathrm{s}}$$

となるから，

$$1\,\mathrm{Wb}=1\,\mathrm{V}\times 1\,\mathrm{s}=1\,\mathrm{V{\cdot}s}$$

で表せる．

解4 解答 (2)

巻数 N のコイルを貫く磁束を ϕ とし，この磁束が Δt[s] 間に $\Delta\phi$ [Wb] だけ変化した場合，コイルに生じる誘導起電力 e は，次式で与えられる．

$$e=-N\frac{\Delta\phi}{\Delta t}\,[\mathrm{V}]$$

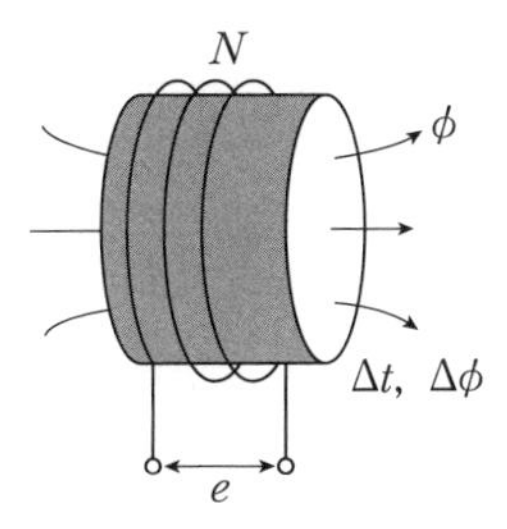

したがって，

$$\Delta\phi=-\frac{1}{N}e\Delta t\,[\mathrm{Wb}]\quad(=[\mathrm{V{\cdot}s}])$$

となって，**磁束**の単位 [Wb] は [V/s] ではなく [V·s] となる．

問5 Check! □□□

(平成29年 Ⓐ問題12)

次の文章は，紫外線ランプの構造と動作に関する記述である．

紫外線ランプは，紫外線を透過させる石英ガラス管と，その両端に設けられた (ア) からなり，ガラス管内には数百パスカルの (イ) 及び微量の水銀が封入されている．両極間に高電圧を印加すると， (ウ) から出た電子が電界で加速され， (イ) 原子に衝突してイオン化する．ここで生じた正イオンは電界で加速され， (ウ) に衝突して電子をたたき出す結果，放電が安定に持続する．管内を走行する電子が水銀原子に衝突すると，電子からエネルギーを得た水銀原子は励起され，特定の波長の紫外線の光子を放出して安定な状態に戻る．さらに (エ) はガラス管の内側の面にある種の物質を塗り，紫外線を (オ) に変換するようにしたものである．

上記の記述中の空白箇所(ア)，(イ)，(ウ)，(エ)及び(オ)に当てはまる組合せとして，正しいものを次の(1)〜(5)のうちから一つ選べ．

	(ア)	(イ)	(ウ)	(エ)	(オ)
(1)	磁極	酸素	陰極	マグネトロン	マイクロ波
(2)	電極	酸素	陽極	蛍光ランプ	可視光
(3)	磁極	希ガス	陰極	進行波管	マイクロ波
(4)	電極	窒素	陽極	赤外線ヒータ	赤外光
(5)	電極	希ガス	陰極	蛍光ランプ	可視光

解5 解答 (5)

紫外線ランプは，特に紫外線を多く放射するようにつくられたランプで，石英ガラスまたは紫外線透過ガラスで放電管をつくり，殺菌ランプとして用いられることが多いランプである．蛍光ランプと同様に熱陰極を有する低圧水銀蒸気放電ランプで，放電により発生する水銀のスペクトル中の紫外線を放射するものである．管内には少量の液滴水銀のほか数百 Pa のアルゴン（Ar）などの希ガスが封入されている．蛍光ランプは，紫外線ランプと異なり，ガラス管の内側に蛍光体を塗布したもので，蛍光体に入射した紫外線を可視光線に変換するようにしたものである．

出題年度順掲載一覧

表中，左欄の「出題」は，問題が出題された年度とそのときの問題番号を示します．右欄の「本書での収録」は，本書においてどのテーマに分類されているのか，また，本書においての問題番号を表します．

出題		本書での収録	
年	問	章	問
H17	1	1　静電気	4
	2	1　静電気	12
	3	2　磁気	36
	4	2　磁気	10
	5	3　直流回路	10
	6	4　単相交流回路	1
	7	5　三相交流回路	10
	8	4　単相交流回路	40
	9	3　直流回路	59
	10	7　電子理論	29
	11	7　電子理論	41
	12	8　電子回路	8
	13	6　電気計測	14
	14	6　電気計測	30
	15	3　直流回路	33
	16	4　単相交流回路	8
	17	8　電子回路	23
	18	1　静電気	52
H18	1	1　静電気	19
	2	1　静電気	41
	3	2　磁気	40
	4	2　磁気	21
	5	3　直流回路	6
	6	3　直流回路	5
	7	4　単相交流回路	36
	8	4　単相交流回路	3
	9	4　単相交流回路	9
	10	3　直流回路	62
	11	7　電子理論	20
	12	7　電子理論	1
	13	8　電子回路	36
	14	6　電気計測	31
	15	5　三相交流回路	5
	16	3　直流回路	43
	17	1　静電気	53
	18	8　電子回路	12

出題		本書での収録	
年	問	章	問
H19	1	2　磁気	7
	2	2　磁気	43
	3	1　静電気	62
	4	1　静電気	23
	5	3　直流回路	50
	6	3　直流回路	42
	7	1　静電気	32
	8	4　単相交流回路	14
	9	4　単相交流回路	25
	10	3　直流回路	64
	11	7　電子理論	33
	12	7　電子理論	34
	13	7　電子理論	4
	14	6　電気計測	4
	15	5　三相交流回路	14
	16	6　電気計測	11
	17	7　電子理論	13
	18	8　電子回路	28
H20	1	1　静電気	18
	2	1　静電気	31
	3	2　磁気	26
	4	2　磁気	23
	5	1　静電気	25
	6	3　直流回路	17
	7	3　直流回路	7
	8	4　単相交流回路	39
	9	4　単相交流回路	18
	10	3　直流回路	60
	11	7　電子理論	42
	12	7　電子理論	3
	13	8　電子回路	35
	14	6　電気計測	16
	15	5　三相交流回路	18
	16	6　電気計測	22
	17	1　静電気	11
	18	8　電子回路	43

出題		本書での収録	
年	問	章	問
H21	1	1 静電気	49
	2	1 静電気	60
	3	2 磁気	28
	4	2 磁気	3
	5	1 静電気	33
	6	3 直流回路	18
	7	4 単相交流回路	28
	8	4 単相交流回路	16
	9	4 単相交流回路	2
	10	3 直流回路	71
	11	7 電子理論	22
	12	7 電子理論	16
	13	8 電子回路	22
	14	6 電気計測	15
	15	6 電気計測	20
	16	5 三相交流回路	8
	17	1 静電気	54
	18	8 電子回路	14
H22	1	1 静電気	17
	2	1 静電気	51
	3	2 磁気	20
	4	2 磁気	9
	5	3 直流回路	30
	6	3 直流回路	19
	7	4 単相交流回路	27
	8	4 単相交流回路	29
	9	5 三相交流回路	9
	10	3 直流回路	55
	11	7 電子理論	44
	12	7 電子理論	18
	13	4 単相交流回路	24
	14	6 電気計測	8
	15	5 三相交流回路	16
	16	6 電気計測	18
	17	1 静電気	8
	18	8 電子回路	10

出題		本書での収録	
年	問	章	問
H23	1	1 静電気	58
	2	1 静電気	38
	3	2 磁気	38
	4	2 磁気	4
	5	8 電子回路	3
	6	3 直流回路	31
	7	3 直流回路	35
	8	4 単相交流回路	32
	9	4 単相交流回路	19
	10	3 直流回路	69
	11	7 電子理論	28
	12	7 電子理論	15
	13	8 電子回路	38
	14	9 その他	1
	15	5 三相交流回路	12
	16	3 直流回路	75
	17	6 電気計測	19
	18	8 電子回路	18
H24	1	1 静電気	20
	2	1 静電気	47
	3	2 磁気	39
	4	2 磁気	8
	5	3 直流回路	48
	6	3 直流回路	20
	7	4 単相交流回路	55
	8	4 単相交流回路	10
	9	3 直流回路	70
	10	4 単相交流回路	31
	11	7 電子理論	24
	12	7 電子理論	9
	13	8 電子回路	39
	14	6 電気計測	27
	15	1 静電気	27
	16	5 三相交流回路	6
	17	6 電気計測	9
	18	8 電子回路	26

出題		本書での収録	
年	問	章	問
H25	1	1 静電気	68
	2	1 静電気	2
	3	2 磁気	31
	4	2 磁気	14
	5	3 直流回路	2
	6	3 直流回路	24
	7	4 単相交流回路	5
	8	3 直流回路	13
	9	4 単相交流回路	26
	10	4 単相交流回路	38
	11	7 電子理論	19
	12	3 直流回路	72
	13	8 電子回路	33
	14	6 電気計測	26
	15	5 三相交流回路	21
	16	4 単相交流回路	34
	17	1 静電気	13
	18	8 電子回路	44
H26	1	1 静電気	39
	2	1 静電気	65
	3	2 磁気	34
	4	2 磁気	12
	5	1 静電気	21
	6	3 直流回路	14
	7	3 直流回路	29
	8	4 単相交流回路	33
	9	4 単相交流回路	43
	10	4 単相交流回路	52
	11	3 直流回路	74
	12	7 電子理論	30
	13	8 電子回路	7
	14	5 三相交流回路	11
	15	4 単相交流回路	30
	16	5 三相交流回路	19
	17	1 静電気	9
	18	8 電子回路	29

出題		本書での収録	
年	問	章	問
H27	1	1 静電気	66
	2	1 静電気	42
	3	2 磁気	29
	4	3 直流回路	12
	5	2 磁気	17
	6	3 直流回路	40
	7	3 直流回路	1
	8	4 単相交流回路	6
	9	4 単相交流回路	20
	10	3 直流回路	66
	11	7 電子理論	25
	12	7 電子理論	14
	13	7 電子理論	37
	14	6 電気計測	13
	15	3 直流回路	37
	16	1 静電気	30
	17	5 三相交流回路	22
	18	8 電子回路	13
H28	1	1 静電気	16
	2	1 静電気	36
	3	2 磁気	6
	4	2 磁気	44
	5	3 直流回路	25
	6	3 直流回路	9
	7	1 静電気	22
	8	2 磁気	37
	9	4 単相交流回路	45
	10	3 直流回路	58
	11	7 電子理論	21
	12	7 電子理論	12
	13	8 電子回路	9
	14	6 電気計測	25
	15	5 三相交流回路	23
	16	6 電気計測	1
	17	1 静電気	44
	18	8 電子回路	31

出題		本書での収録	
年	問	章	問
H29	1	1　静電気	59
	2	1　静電気	34
	3	2　磁気	25
	4	2　磁気	42
	5	3　直流回路	34
	6	3　直流回路	61
	7	3　直流回路	26
	8	4　単相交流回路	12
	9	4　単相交流回路	49
	10	3　直流回路	53
	11	7　電子理論	39
	12	9　その他	5
	13	8　電子回路	17
	14	6　電気計測	23
	15	4　単相交流回路	50
	16	5　三相交流回路	20
	17	2　磁気	27
	18	8　電子回路	11
H30	1	1　静電気	6
	2	1　静電気	37
	3	2　磁気	1
	4	2　磁気	5
	5	3　直流回路	21
	6	3　直流回路	15
	7	3　直流回路	47
	8	4　単相交流回路	13
	9	4　単相交流回路	41
	10	3　直流回路	63
	11	7　電子理論	36
	12	7　電子理論	8
	13	8　電子回路	40
	14	9　その他	3
	15	5　三相交流回路	3
	16	8　電子回路	15
	17	1　静電気	46
	18	6　電気計測	6

出題		本書での収録	
年	問	章	問
R1	1	1　静電気	1
	2	1　静電気	26
	3	2　磁気	41
	4	2　磁気	22
	5	3　直流回路	32
	6	3　直流回路	28
	7	3　直流回路	56
	8	4　単相交流回路	46
	9	4　単相交流回路	21
	10	3　直流回路	54
	11	7　電子理論	35
	12	7　電子理論	5
	13	8　電子回路	6
	14	6　電気計測	24
	15	1　静電気	64
	16	5　三相交流回路	13
	17	8　電子回路	41
	18	6　電気計測	21
R2	1	1　静電気	15
	2	1　静電気	63
	3	2　磁気	18
	4	2　磁気	32
	5	8　電子回路	1
	6	3　直流回路	11
	7	3　直流回路	44
	8	4　単相交流回路	15
	9	4　単相交流回路	44
	10	3　直流回路	52
	11	7　電子理論	26
	12	7　電子理論	17
	13	8　電子回路	32
	14	6　電気計測	33
	15	5　三相交流回路	2
	16	6　電気計測	7
	17	1　静電気	45
	18	8　電子回路	16

出題		本書での収録	
年	問	章	問
R3	1	1　静電気	50
	2	1　静電気	3
	3	2　磁気	46
	4	2　磁気	16
	5	6　電気計測	34
	6	3　直流回路	38
	7	3　直流回路	51
	8	4　単相交流回路	4
	9	4　単相交流回路	53
	10	3　直流回路	73
	11	7　電子理論	23
	12	7　電子理論	10
	13	8　電子回路	24
	14	3　直流回路	45
	15	5　三相交流回路	1
	16	6　電気計測	3
	17	1　静電気	56
	18	8　電子回路	21
R4㊤	1	1　静電気	69
	2	1　静電気	7
	3	2　磁気	24
	4	2　磁気	19
	5	3　直流回路	3
	6	1　静電気	24
	7	3　直流回路	41
	8	4　単相交流回路	17
	9	4　単相交流回路	35
	10	3　直流回路	65
	11	7　電子理論	27
	12	7　電子理論	2
	13	8　電子回路	27
	14	6　電気計測	29
	15	5　三相交流回路	7
	16	3　直流回路	36
	17	1　静電気	43
	18	8　電子回路	20

出題		本書での収録	
年	問	章	問
R4㊦	1	1　静電気	61
	2	1　静電気	70
	3	2　磁気	35
	4	2　磁気	2
	5	3　直流回路	39
	6	1　静電気	35
	7	8　電子回路	2
	8	4　単相交流回路	51
	9	4　単相交流回路	22
	10	3　直流回路	68
	11	7　電子理論	32
	12	7　電子理論	11
	13	8　電子回路	37
	14	6　電気計測	32
	15	5　三相交流回路	17
	16	6　電気計測	10
	17	1　静電気	10
	18	8　電子回路	19
R5㊤	1	1　静電気	48
	2	1　静電気	57
	3	2　磁気	33
	4	2　磁気	30
	5	3　直流回路	23
	6	3　直流回路	46
	7	8　電子回路	4
	8	4　単相交流回路	54
	9	4　単相交流回路	11
	10	2　磁気	15
	11	7　電子理論	43
	12	7　電子理論	40
	13	8　電子回路	34
	14	6　電気計測	12
	15	5　三相交流回路	15
	16	6　電気計測	5
	17	1　静電気	55
	18	8　電子回路	30

出題		本書での収録	
年	問	章	問
R5㊦	1	1　静電気	67
	2	1　静電気	5
	3	2　磁気	45
	4	2　磁気	13
	5	3　直流回路	27
	6	3　直流回路	4
	7	3　直流回路	16
	8	4　単相交流回路	37
	9	4　単相交流回路	48
	10	3　直流回路	57
	11	7　電子理論	31
	12	7　電子理論	7
	13	8　電子回路	5
	14	9　その他	2
	15	5　三相交流回路	4
	16	6　電気計測	2
	17	1　静電気	29
	18	8　電子回路	25
R6㊤	1	1　静電気	40
	2	1　静電気	14
	3	9　その他	4
	4	2　磁気	11
	5	3　直流回路	8
	6	3　直流回路	22
	7	3　直流回路	49
	8	4　単相交流回路	42
	9	4　単相交流回路	47
	10	3　直流回路	67
	11	7　電子理論	38
	12	7　電子理論	6
	13	4　単相交流回路	23
	14	6　電気計測	28
	15	4　単相交流回路	7
	16	6　電気計測	17
	17	1　静電気	28
	18	8　電子回路	42

電験3種過去問マスタ 理論の20年間　2025年版

2024年11月20日　　第1版第1刷発行

編　者　電　気　書　院
発行者　田　中　　聡

発 行 所
株式会社 電 気 書 院
ホームページ　www.denkishoin.co.jp
（振替口座　00190-5-18837）
〒101-0051　東京都千代田区神田神保町1-3ミヤタビル2F
電話（03）5259-9160／FAX（03）5259-9162

印刷　中央精版印刷株式会社
Printed in Japan／ISBN978-4-485-11951-8

• 落丁・乱丁の際は，送料弊社負担にてお取り替えいたします．

[本書の正誤に関するお問い合せ方法は，最終ページをご覧ください]

書籍の正誤について

万一，内容に誤りと思われる箇所がございましたら，以下の方法でご確認いただきますようお願いいたします．

なお，正誤のお問合せ以外の書籍の内容に関する解説や受験指導などは**行っておりません**．このようなお問合せにつきましては，お答えいたしかねますので，予めご了承ください．

正誤表の確認方法

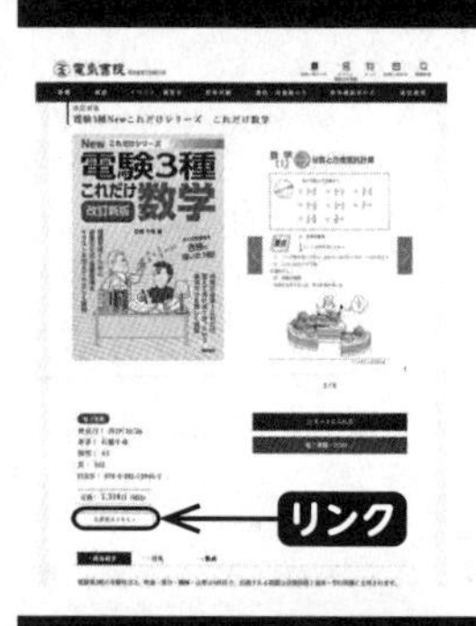

最新の正誤表は，弊社Webページに掲載しております．書籍検索で「正誤表あり」や「キーワード検索」などを用いて，書籍詳細ページをご覧ください．
正誤表があるものに関しましては，書影の下の方に正誤表をダウンロードできるリンクが表示されます．表示されないものに関しましては，正誤表がございません．

弊社Webページアドレス
https://www.denkishoin.co.jp/

正誤のお問合せ方法

正誤表がない場合，あるいは当該箇所が掲載されていない場合は，書名，版刷，発行年月日，お客様のお名前，ご連絡先を明記の上，具体的な記載場所とお問合せの内容を添えて，下記のいずれかの方法でお問合せください．
回答まで，時間がかかる場合もございますので，予めご了承ください．

郵便で 問い合わせる	郵送先	〒101-0051 東京都千代田区神田神保町1-3 ミヤタビル2F ㈱電気書院　編集部　正誤問合せ係
FAXで 問い合わせる	ファクス番号	**03-5259-9162**
ネットで 問い合わせる	弊社Webページ右上の「**お問い合わせ**」から **https://www.denkishoin.co.jp/**	

お電話でのお問合せは，承れません

(2022年5月現在)